Schneeweiß, Ökonometrie

HANS SCHNEEWEISS, * 13. 3. 1933 in Glatz (Schlesien). Ab 1951 Studium der Mathematik und Physik in Frankfurt. 1956 Diplom in Mathematik. 1960 Dr. phil. nat. an der Johann-Wolfgang-Goethe-Universität Frankfurt. 1959–1965 Assistent am statistischen Lehrstuhl der Rechts- und Wirtschaftswissenschaftlichen Fakultät der Universität des Saarlandes. Dez. 1964 Habilitation ebendort. Venia legendi für die Fächer Statistik und Ökonometrie. Seit 1965 ordentl. Professor für Statistik und Ökonometrie in Saarbrücken. 1967 Gastprofessor am Institut für höhere Studien in Wien. 1970/71 Gastprofessor am statistischen Department der Universität Waterloo, Kanada.

Hans Schneeweiß

Ökonometrie

2., verbesserte und erweiterte Auflage

Physica-Verlag · Würzburg-Wien
1974
ISBN 3 7908 0149 6

Satz: Universitätsdruckerei H. Stürtz AG, Würzburg
Druck: repro-druck „Journalfranz" Arnulf Liebing, Würzburg

Printed in Germany

ISBN 3790801496

Vorwort

Seit der Gründung der *Econometric Society* im Jahre 1930, die es sich zur Aufgabe gemacht hat, statistische und mathematische Methoden in die Wirtschaftswissenschaften einzuführen, hat die Ökonometrie sich mit Elan entwickelt. Sie wird heute (auch in Deutschland) in großem Stil zur Lösung von Problemen der empirischen Wirtschaftsforschung und zur Erstellung von Wirtschaftsprognosen herangezogen. Hierzu hat sie im Laufe ihrer Entwicklung eine Fülle von statistischen Methoden bereitgestellt und ist fortwährend bemüht, dieses Methodenarsenal zu erweitern und zu verfeinern.

Um eine Darstellung und Begründung der wichtigsten dieser Methoden geht es in diesem Buch. Ausgehend von den verschiedenen ökonometrischen Modellen werden die dem Modell jeweils adäquaten statistischen Methoden entwickelt und hinsichtlich ihrer Eigenschaften analysiert. Es sind das vor allem Schätzprinzipien und -methoden, aber auch Test- und Prognoseverfahren. Der statistisch-methodische Aspekt steht also im Vordergrund dieser Abhandlung. Zugleich aber werden die Modelle selbst eingehend erörtert. Sie werden ökonomisch motiviert und durch Beispiele belegt. Desgleichen wird an mehreren Beispielen die wirtschaftswissenschaftliche Relevanz der theoretisch abgeleiteten Resultate demonstriert.

Behandelt werden insbesondere das klassische Regressionsmodell (dieses sehr ausführlich, beginnend mit einer einführenden Erörterung der einfachen, univariablen Regression, danach übergehend zum allgemeinen, multivariablen Fall, und zwar u.a. unter dem Aspekt der Kollinearität, der Fehlspezifikation, der Aggregation, der Existenz von Strukturbrüchen und der Benutzung externer Information), ferner Systeme von Regressionsgleichungen, Nachfragesysteme, Regressionsbeziehungen mit autokorrelierten und/oder heteroskedastischen Störvariablen sowie solche mit fehlerbehafteten Variablen, des weiteren dynamische Modelle und vor allem Modelle, die sich durch interdependente Gleichungssysteme ausdrücken lassen (unter Berücksichtigung des Identifikationsproblems als eines extremen Falls des Schätzproblems). Es werden auch Modelle mit stochastischen Parametern untersucht, wofür sich die Bayes-Schlußweise als angemessene Methode erweist. Die stochastischen Eigenschaften der Schätz-(und Test-)Variablen werden – soweit möglich – sowohl bei kleinen Stichproben, dann allerdings unter der Normalverteilungshypothese, als auch – unter allgemeineren Bedingungen – unter dem asymptotischen Gesichtspunkt dargelegt. Besondere Berücksichtigung findet das Prognoseproblem, wie es sich vom ökonometrischen Standpunkt aus darstellt.

Einige Aspekte der Zeitreihenanalyse (wie Saison- und Trendbereinigung sowie autoregressive Beziehungen) werden gestreift, ansonsten aber bleibt dieser Problemkreis außerhalb unserer Betrachtung; insbesondere bleibt die Spektralanalyse von Zeitreihen ganz unberücksichtigt.

Die Eigenschaften der hier erörterten Methoden folgen aus den jeweiligen Modellannahmen. In den meisten Fällen wird ein Beweis angeboten. Gelegentlich ist dieser allerdings so knapp skizziert, daß es sich als notwendig erweisen wird, ihn mit Papier und Bleistift nachzuvollziehen und zu vervollständigen – soweit man an dem Beweis interessiert ist. Es sollte freilich möglich sein, die dargestellten Techniken, aber auch ihre intuitive Begründung ohne einen ausführlichen Beweis zu verstehen. Im übrigen sind schwierige Passagen, die bei der ersten Lektüre überschlagen werden können, mit einem * gekennzeichnet. Solide Kenntnisse zumindest der elementaren Matrixalgebra sind freilich in jedem Fall erforderlich. Zur Auffrischung dieser Kenntnisse, aber auch zur Präsentation nicht ganz so elementarer Sätze der linearen Algebra dient Anhang A. Ähnlich bietet Anhang B einen knappen Überblick über die wichtigsten im Text benötigten statistischen Grundbegriffe und Sätze. Numerische Beispiele mit einfachen Zahlen können (und sollten) vom Leser dazu benutzt werden, die verschiedenen theoretisch abgeleiteten Techniken selbst zu erproben. Es besteht freilich die Gefahr, daß sie einen irreführenden Eindruck über die ökonometrische Arbeit in der Praxis vermitteln. Um diesen zu korrigieren und um weiteres Anschauungsmaterial beizusteuern, wurden einige ökonometrische Funktionen und ein einfaches Modell mit empirischen Daten berechnet (Anhang C). Der weiteren Vertiefung und Verarbeitung des Gelesenen dienen zahlreiche Aufgaben. Sie sind am Ende eines jeden Kapitels zusammengestellt und nach den Hauptabschnitten geordnet. Sie sind zum größten Teil theoretischer Natur und ergänzen gelegentlich die Ausführungen im Text. Schwierigere Probleme sind mit * gekennzeichnet.

Noch ein Hinweis über den Gebrauch des Gleichheitszeichens: $A := B$ oder $B =: A$ bedeutet, daß (der neue Ausdruck) A definitionsgemäß gleich dem Ausdruck B gesetzt wird. $A \doteq B$ heißt „A ist ungefähr gleich B". $x_t \equiv a_t$ steht abkürzend für „$x_t = a_t$ für alle t". Vektoren und Matrizen sind fett gedruckt.

Das Buch entstand aus den Unterlagen einer an der Universität des Saarlandes mehrfach gehaltenen Ökonometrie-Vorlesung. Ich hoffe, daß die bei der Vorlesungstätigkeit gewonnenen Erfahrungen diesem Lehrbuch zugute gekommen sind. Während seiner Entstehung habe ich durch Diskussionen mit Herrn Dipl.-Volksw. E.-O. Maschke zahlreiche wertvolle Anregungen erhalten. Viele Verbesserungen des ursprünglichen Manuskripts gehen auf ihn zurück, wofür ich ihm an dieser Stelle danken möchte. Ebenso danke ich Herrn Dr. D. Sondermann und Herrn Dipl.-Volksw. L. Jensen für weitere Verbesserungsvorschläge. Herr Jensen hat insbesondere die empirischen Rechnungen durchgeführt und an der redaktionellen Bearbeitung des Textes wesentlich mitgewirkt. Es bedarf allerdings kaum der

Erwähnung, daß ich allein die Verantwortung für eventuell noch vorhandene Fehler trage.

Dank gebührt auch Frau H. Pfaffmann, die den größten Teil des Manuskripts in Schreibmaschinenschrift übertrug, und schließlich dem Physica-Verlag, insbesondere Herrn Liebing für seine Geduld und seine umsichtige verlegerische Betreuung dieses Buches.

Inhaltsverzeichnis

2. Das multiple lineare Regressionsmodell

3. Kollinearität und Fehlspezifikation

4. Systeme von Regressionsgleichungen

II. Erweiterungen des Regressionsmodells

5. Autokorrelation und Heteroskedastizität

6. Verzögerte Variablen

7. Fehler in den Variablen

8.* A-priori-Wahrscheinlichkeiten

III. Interdependente Systeme

9. Das vollständige ökonometrische Modell

10. Identifikation und Schätzproblem

Anhang B: **Wahrscheinlichkeitsrechnung und Statistik**

Anhang C: **Empirische Schätzbeispiele**

Anhang D: **Verteilte Verzögerungen**

Anhang E: **Tabellen**

Modellannahmen

0. Einleitung

0.1. Wesen und Aufgabe der Ökonometrie

Ziel der Ökonometrie ist es, funktionale Beziehungen zwischen ökonomischen Variablen *aufzuspüren* und zu *messen*. Sie hat insbesondere die zur Bewältigung dieser Aufgabe erforderlichen statistischen Methoden zu entwickeln und bereitzustellen. Um solche Methoden geht es in diesem Buch.

Das erfolgreiche Aufstellen ökonometrischer Beziehungen setzt ökonomisches Sachwissen voraus. Nur wirtschaftstheoretisch gut fundierte Beziehungen (oder genauer: Funktionen) haben in der Regel eine Chance, sich empirisch zu bewähren. Da jedoch die Wirtschaftstheorie selten zweifelsfrei sagen kann, welche Haupteinflußfaktoren zur Erklärung eines ökonomischen Phänomens heranzuziehen sind, sollten von der Theorie vorgeschlagene Funktionen mit Hilfe empirischer Daten statistisch geprüft werden. In diesem Zusammenspiel von Wirtschaftstheorie und *statistischer Testtheorie* versucht die Ökonometrie, relevante ökonomische Beziehungen aufzufinden[1].

Darüber hinaus will sie solche von der Theorie vorgegebene Funktionen numerisch spezifizieren, also die den Zusammenhang zwischen ökonomischen Variablen kennzeichnenden Parameter – wie Grenzneigungen, Elastizitäten, Akzeleratoren – statistisch messen oder besser: schätzen. Als Meßinstrument bietet sich hierfür die *statistische Schätztheorie* mit ihren zahlreichen und z.T. sehr speziellen Schätzverfahren an.

Ziel all dieser Bemühungen ist der Aufbau einer statistisch gesicherten quantitativen Wirtschaftstheorie, um auf dieser Grundlage wohlfundierte Prognosen über die künftigen Werte ökonomisch relevanter Variablen machen zu können.

Der Vorteil einer quantitativen Theorie gegenüber einer bloß qualitativen liegt auf der Hand. Letztere begnügt sich mit Aussagen über die Veränderungsrichtung einer endogenen Variablen als Resultat der Veränderung einer beeinflussenden exogenen Variablen, ohne etwas über das Ausmaß dieser Variation zu sagen. So läßt sich z.B. aus der KEYNESschen Theorie unter der plausiblen Annahme einer zwischen Null und Eins liegenden Grenzneigung zum Konsum die nachfragesteigernde Wirkung zusätzlicher Staatsausgaben herleiten. Ohne eine quantitative Angabe über die Grenzneigung zum Konsum (und eventuell über andere Reaktionsparameter) kann jedoch im Rahmen des KEYNESschen Modells die wichtige Frage,

[1] In diesem Buch werden freilich nur die statistischen Testverfahren (soweit sie für die Ökonometrie relevant sind) dargestellt. Die Probleme des Modellbaus, der Aufstellung von Hypothesen aus dem Sachwissen der Wirtschaftstheorie heraus, bleiben hier unerörtert.

welcher Betrag an zusätzlichen Staatsausgaben gerade ausreicht, um aus einer Rezession herauszuführen, ohne sogleich in eine übersteigerte Konjunktur hineinzuführen, kaum beantwortet werden.

Zudem gibt es zahlreiche Modelle, die ohne numerische Spezifikation der Parameter nicht einmal eine qualitative Aussage über Steigen oder Fallen einer Variablen erlauben[2]. Hierher gehört etwa das folgende KEYNESsche System [SAMUELSON, 1963, S. 276] (zur Variablenbezeichnung vgl. S. 275f.):

$$\begin{aligned} C &= \alpha_0 + \alpha_1 Y && \alpha_1 > 0 \\ I &= \beta_0 + \beta_1 Y + \beta_2 i && \beta_1 > 0,\ \beta_2 < 0 \\ M &= \gamma_0 + \gamma_1 Y + \gamma_2 i && \gamma_1 > 0,\ \gamma_2 < 0 \\ Y &= C + I + X && M, X \text{ exogen} \end{aligned}$$

Man rechnet leicht nach, daß

$$\frac{dI}{dX} = \frac{\beta_1 \gamma_2 - \beta_2 \gamma_1}{\gamma_1 \beta_2 + \gamma_2 (1 - \alpha_1 - \beta_1)}.$$

Der Nenner ist negativ, wenn wir annehmen, daß $\alpha_1 + \beta_1 < 1$. Über das Vorzeichen des Zählers lassen sich jedoch keine Angaben machen, wenn nicht die Parameter numerisch gegeben sind. Ohne quantitative Kenntnisse über die Strukturparameter des Modells läßt sich also nicht einmal der Richtung nach feststellen, welchen Einfluß eine Erhöhung der Staatsausgaben auf die Investitionen haben wird[3].

Schließlich gibt es dynamische Modelle, die je nach der numerischen Spezifikation ihrer Parameter zu auch qualitativ völlig unterschiedlichen Zeitpfaden ihrer Variablen führen. Zum Beispiel kann eine Gleichung vom Typ

$$Y_t = \alpha Y_{t-1} - \beta Y_{t-2}, \quad \alpha > 0,\ \beta > 0,$$

entweder zu einem oszillierenden Zeitpfad führen (nämlich für $\alpha^2 < 4\beta$) oder zu einem monotonen Zeitpfad (für $\alpha^2 > 4\beta$). Der Zeitpfad kann ferner je nach der Größenbeziehung der Parameterwerte[4] von der Nullage immer weiter fortführen (also „explodieren") oder er kann sich ihr asymptotisch nähern (also Stabilität zeigen).

Diese wenigen Beispiele mögen genügen, um den wesentlich größeren Informationsgehalt einer quantifizierten Theorie gegenüber einer bloß qualitativen, allenfalls noch die Vorzeichen der Modellparameter festlegenden Theorie auf-

[2] Die Tragfähigkeit der wegen ihrer großen Allgemeinheit an sich sehr wichtigen qualitativen Theorie hat SAMUELSON [1963] ausführlich diskutiert. Man vergleiche auch den neueren Beitrag von BASSET, MAYBEE u. QUIRK [1968].

[3] Es versteht sich, daß diese Aussagen nur richtig sind unter der Annahme, daß das als Beispiel angeführte Modell empirisch korrekt ist, was hier nicht unbedingt behauptet werden soll.

[4] Man vergleiche hierzu die Ausführungen zum Akzelerationsprinzip bei OTT [S. 186ff.].

zuzeigen[5]. Vor allem sind alle diejenigen Institutionen an einer (möglichst) korrekt quantifizierten Theorie interessiert, deren Geschäft es ist, (möglichst) zutreffende Prognosen über die zukünftigen Werte wichtiger ökonomischer Variablen zu erstellen (wie z. B. die Konjunktur- und die Marktforschungsinstitute), oder die auf solche Prognosen zur Absicherung ihrer eigenen Entscheidungen angewiesen sind[6] (wie insbesondere der Staat einschließlich der Bundesbank zur Begründung wirtschaftspolitischer Maßnahmen, aber auch die private Wirtschaft zur Beurteilung von Absatzchancen, Preisentwicklungen usw.).

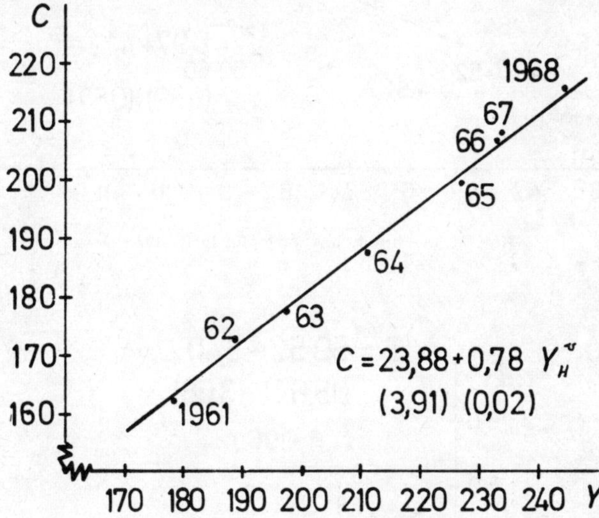

Abb. 0.1. Konsumfunktion[7]

[5] Ein Lehrbuch für makroökonomische Theorie, das den ökonometrischen Aspekt in den Vordergrund stellt, ist kürzlich von EVANS [1969] erschienen. Vgl. auch BROWN [1970], MORISHIMA u.a. [1972], KUH und SCHMALENSEE [1973] sowie RICHTER u.a. [1973].

[6] Vgl. z. B. FOX, SENGUPTA u. THORBECKE [1966], STEELE [1971], FROMM und TAUBMAN [1968].

[7] Die Schätzungen wurden alle für die Bundesrepublik Deutschland durchgeführt. Die Konsumfunktion wurde für den Zeitraum 1961 – 1968 (siehe auch Anhang *C1.*) und die beiden Investitionsfunktionen würden für den Zeitraum 1950 – 1960 geschätzt.

C = privater Verbrauch in Preisen von 1954.

Y_H^v = verfügbares persönliches Einkommen in Preisen von 1954.

Quellenangaben und die Berechnung der Konsumfunktion sind im Anhang *C1.* zu finden.

$\tilde{I}^{Anl}$ = Anlageinvestitionen in jeweiligen Preisen. Quelle: Jahresgutachten 1969 des Sachverständigenrates zur Begutachtung der gesamtwirtschaftlichen Entwicklung (Bundestagsdrucksache; künftig abgekürzt mit JG69) Tabelle 33, S. 142.

$\tilde{G}$ = Nichtentnommene Gewinne der Einzelunternehmen u.ä. in jeweiligen Preisen. Quelle: JG69 Tabelle 37, S. 148.

I^{Anl} = Anlageinvestitionen in Preisen von 1954. Quelle: JG69 Tabelle 33, S. 143.

D = durchschnittlicher jährlicher Diskontsatz. Quelle: Monatsberichte der Schweizer Nationalbank.

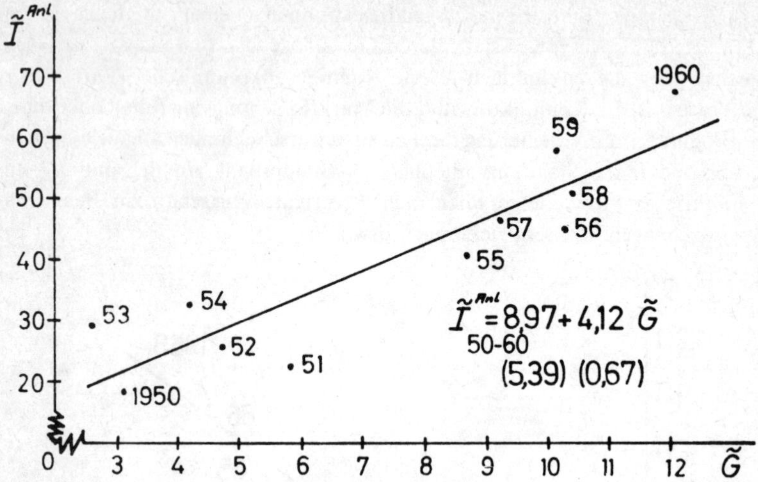

Abb. 0.2. Investitionsfunktion I [7] für 1950 – 1960

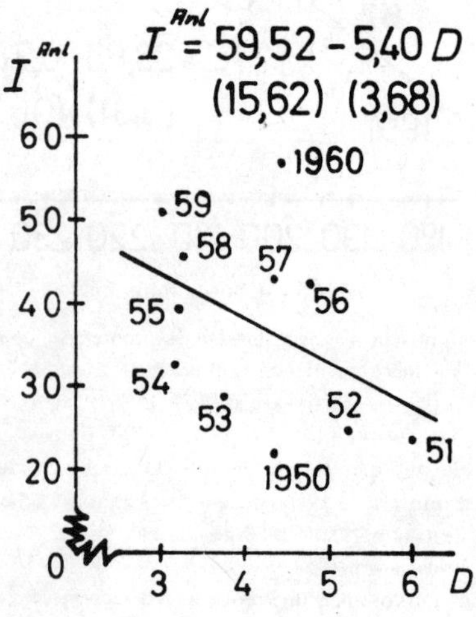

Abb. 0.3. Investitionsfunktion II [7]

Dabei bemüht sich die Ökonometrie nicht nur um eine möglichst genaue Parameterbestimmung, sondern versucht außerdem, den Fehlerspielraum, der notwendigerweise mit einer realistischen Prognose einhergeht, abzuschätzen. In der Tat kommt man in der Regel um einen Prognosefehler bei Vorausschätzungen nicht herum. Man wird versuchen, ihn möglichst klein zu halten, eliminieren läßt er sich nicht. Das liegt daran, daß die ökonomischen Beziehungen, die zu messen Aufgabe der Ökonometrie ist, offenbar nicht deterministischer Natur sind, sondern sich eher in Form stochastisch gestörter Zusammenhänge zu erkennen geben. Man kann allenfalls einen mittleren Zusammenhang zwischen zwei (oder mehreren) ökonomischen Variablen messen, der von mehr oder weniger großen Zufallsstörungen überlagert ist. Typische Beispiele für solche „ökonometrische Funktionen" zeigen Abb. 0.1, Abb. 0.2 und Abb. 0.3.

Es ist klar, daß derartige Störungen, sofern sie nicht explizit auf andere beobachtbare Variablen zurückgeführt werden können, eine genaue Prognose unmöglich machen.

Darüber hinaus verhindern sie eine exakte Schätzung der Parameter (und erhöhen damit noch einmal den Spielraum für Prognosefehler). Diese Parameter, also den systematischen Teil eines funktionalen Zusammenhangs zwischen zwei (oder mehreren) ökonomischen Variablen, trotz des Vorhandenseins einer zufälligen Störkomponente aus empirischen Daten herauszufinden, das ist das Problem, vor das sich der Ökonometriker gestellt sieht.

0.2. Schätzprobleme

Dabei gibt es durchaus ökonomische Funktionen, deren Messung zumindest prima facie gänzlich unproblematisch zu sein scheint, wie etwa die Konsumfunktion der Abb. 0.1, die man zeichnerisch als eine nach Augenmaß durch die Beobachtungspunkte gezogene Gerade feststellt. In anderen Fällen aber (wie etwa bei der Investitionsfunktion der Abb. 0.2) ist die Störkomponente so groß, daß man nach verfeinerten statistischen Schätzmethoden Ausschau halten muß. Dabei bietet sich sogleich die wohlbekannte *Methode der kleinsten Quadrate* an, die in der Tat von Ökonometrikern häufig zur Schätzung ökonomischer Funktionen und deren Parameter herangezogen wird. Sie wird in diesem Buch ausführlich dargestellt.

Es stellt sich jedoch heraus, daß sie keineswegs immer (streng genommen, wohl nie) die „richtige", dem Problem angemessene Schätzmethode ist, setzt ihre statistisch korrekte Anwendung doch voraus, daß die Störkomponente den im Mittel bestehenden funktionalen Zusammenhang additiv überlagert, und zwar so, daß sie von Beobachtung zu Beobachtung sich jedesmal unabhängig von früheren Beobachtungen einstellt. Tatsächlich kann aber die Störkomponente in ganz anderer Weise mit dem Beobachtungsmaterial verbunden sein: sie kann innere Abhängigkeiten (Autokorrelation) aufweisen oder sie kann von Beobachtungsfehlern herrühren und insofern mit den beobachteten Daten aufs engste verbunden sein, schließlich sind bei der allgemeinen Interdependenz ökonomischer Beziehungen Rückkopplungseffekte zwischen den beobachtbaren ökonomischen Variablen und den Störvariablen zu erwarten. In all diesen Fällen ist die Methode der kleinsten Quadrate nicht optimal und sollte durch bessere Schätzverfahren abgelöst werden. (So dürfte sie sicherlich bei der Schätzung der Investitionsfunktion in Abb. 0.3 nicht angebracht sein.)

Die Methode der kleinsten Quadrate kann in manchen Fällen sogar gänzlich in die Irre führen. Das klassische Beispiel hierfür ist MOORES [1914] Versuch, die Nachfragefunktion für Roheisen zu schätzen, wobei er einen Zusammenhang zwischen Preis- und Absatzmenge herausbekam, der weit eher der Angebots- als der Nachfragefunktion entsprach[8]. An diesen und ähnlichen empirischen Meßversuchen, besonders auch später an TINBERGENS [1939] großangelegtem Versuch, ein vollständiges Konjunkturmodell der Vereinigten Staaten zu schätzen, entzündete sich die Streitfrage: Was eigentlich wird in diesen empirischen Analysen überhaupt gemessen?

Die Beschäftigung mit dieser Frage ließ die Ökonometrie als Wissenschaft entstehen[9]. Man erkannte, daß eine Antwort nur möglich ist, wenn das Zustandekommen der beobachteten Daten theoretisch verstanden und modellmäßig erfaßt worden ist. Das hinter den Daten stehende Modell besteht dann eben nicht mehr nur – wie in der herkömmlichen Wirtschaftstheorie – aus einer gewisse ökonomische Variablen verknüpfenden Funktion (oder einem System solcher Funktionen), sondern zugleich aus Angaben über die stochastische Natur dieser Variablen einschließlich oder sogar unter besonderer Berücksichtigung der Störvariablen. Diese Angaben betreffen vor allem die Wahrscheinlichkeitsverteilung der Störvariablen; sie geben z.B. darüber Auskunft, ob Autokorrelation vorliegt oder nicht. Auch ist bei der Formulierung eines Modells darauf zu achten, daß die möglicherweise vorhandenen Interdependenzen berücksichtigt werden.

Ein stochastisch spezifiziertes Modell, das *ökonometrische Modell*, steht also am Anfang der Überlegungen zum Schätzproblem. Erst dann, wenn es in seinen allgemeinen stochastischen Eigenschaften feststeht, kann sinnvoll die Frage beantwortet werden, ob die Methode der kleinsten Quadrate für dieses Modell adäquat ist und, gegebenenfalls, welche andere Schätzmethode optimal ist. Erst nachdem die Notwendigkeit der Verankerung empirischer Methoden an mathematisch eindeutig formulierte (theoretische) Modelle erkannt worden war, erschlossen sich der Ökonometrie die allgemeinen Prinzipien und Methoden der Inferenzstatistik [HAAVELMO, 1944; WOLD, 1949] und konnten neue Schätzmethoden entwickelt werden [KOOPMANS, 1950]. Wie nicht anders zu erwarten, ergab es sich, daß je nach dem zugrundeliegenden Modelltyp *unterschiedliche Schätzverfahren* heranzuziehen sind. Sie sind der Gegenstand dieses Buches.

[8] Vgl. hierzu auch CRAMER [1969] und die graphische Analyse dieses Problems durch WORKING [1927].

[9] Nebenbei sei bemerkt, daß etwa um diese Zeit (1930) die Econometric Society gegründet wurde. Für eine eingehendere historische Darstellung vgl. MENGES [1961, Kap. 1].

Die gewiß sehr problematische Frage, welches Modell einen ökonomischen Zusammenhang am genauesten wiedergibt, ist aus sachlichen Erwägungen zu entscheiden.

Falls *Interdependenz* besteht in dem Sinne, daß eine oder mehrere Argumentvariablen der zu schätzenden ökonomischen Funktion ihrerseits über andere ökonomische Beziehungen von der abhängigen Variablen abhängen, dann ist dieser Interdependenz im Modell durch Aufstellen eines *Systems* funktionaler Beziehungen Rechnung zu tragen, und zwar selbst dann, wenn man sich nur für die Schätzung der einen, zuerst genannten Funktion interessiert.

So läge es z.B. nahe, in der oben angeführten historischen Untersuchung von MOORE, obwohl deren Ziel in einer ökonometrischen Messung allein der Nachfragefunktion bestand, die zugehörige Angebotsfunktion mitzuberücksichtigen und in ein vollständiges Modell zusammen mit der Nachfragefunktion einzubringen. Denn die zur Schätzung benutzten Daten, Absatzmengen und -preise sind durch das Zusammenspiel von Angebot und Nachfrage zustandegekommen. In einem solchen Angebots-Nachfrage-Modell ist dann leicht zu sehen, daß eine nach der Methode der kleinsten Quadrate durch die Beobachtungspunkte gezogene Regressionsgerade keineswegs mit der Nachfragefunktion übereinzustimmen braucht. Unter gewissen zusätzlichen Annahmen über die Nachfrageelastizität und über die Störkomponenten läßt sich sogar zeigen, daß diese Regressionsgerade weit eher mit der Angebotskurve übereinstimmt. Zur Schätzung der Nachfragefunktion sind daher andere Verfahren zu entwickeln.

Bei solchen und ähnlichen interdependenten Modellen kann es aber auch leicht vorkommen, daß es überhaupt kein Schätzverfahren gibt, das eine konsistente Schätzung der gesuchten Funktion gestatten würde (und das liegt nicht etwa daran, daß die Ökonometriker bisher noch kein solches Verfahren gefunden haben, sondern an einer prinzipiellen Unmöglichkeit). In solch einem Fall ist die Funktion bzw. sind deren Parameter nicht identifizierbar und also aus empirischen Daten nicht feststellbar. Das *Identifikationsproblem* taucht besonders dann auf, wenn man bei der Aufstellung eines Modells dem Grundsatz huldigt, daß im ökonomischen Geschehen alles von allem abhänge, und diesen Grundsatz dadurch zum Ausdruck zu bringen sucht, daß man jede Variable von allen (oder beinahe allen) anderen Variablen des Modells funktional abhängig sein läßt. Man hofft dann vielleicht mit Hilfe empirischer Daten diese funktionalen Beziehungen quantifizieren und gegebenenfalls auch von einigen Variablen bereinigen zu können. Doch diese Hoffnung ist vergeblich: Man mag noch so viele Daten heranziehen, es wird der Empirie nicht gelingen, den Dschungel eines nichtidentifizierbaren Modells zu durchdringen. Hilfe kann nur von der „Theorie" kommen, d.h. von anderem Wissen, das zwar auch empirisch begründet sein mag, aber aus anderen Quellen stammt als den der Schätzung zugrundeliegenden Daten (etwa aus allgemeinen Erfahrungen über die Motive menschlichen Handelns in der

Gesellschaft). Solches a-priori-Wissen ist u. U. in der Lage, die für eine ökonomische Beziehung relevanten Variablen von den irrelevanten (oder doch weniger relevanten) abzusondern, dadurch das zunächst verwirrende Gefüge der Interdependenz zu lichten und somit das Modell identifizierbar zu machen.

Damit ist kurz der Kreis der Probleme umrissen, die zu lösen sich die Ökonometrie zur Aufgabe gemacht hat.

0.3. Erkenntnismöglichkeit der Ökonometrie

Zu fragen ist nun freilich, ob überhaupt eine Chance besteht, diese Aufgabe zu bewältigen. Damit ist nicht die Frage gemeint, ob die Ökonometrie in der Lage ist, das für die verschiedenen Modelle jeweils angemessene statistische Werkzeug zu entwickeln, eine Frage, die im wesentlichen bejaht werden kann, sondern gemeint ist, ob die in der Ökonometrie benutzten Modelle realitätsadäquat sind. Die Frage heißt schlichter: Gibt es überhaupt ökonometrische Funktionen mit konstanten Parametern und konstantem Wahrscheinlichkeitsgesetz für die Störvariablen?

Ein Blick auf die Konsumfunktion der Abb. 0.1 ermutigt zunächst zu einer positiven Antwort. Man macht sich aber leicht klar, daß es in einem strengen Sinne solche Funktionen nicht geben kann, daß, was immer man an Regelmäßigkeiten in den Beziehungen zwischen ökonomischen Variablen entdeckt hat, sicherlich nicht den Status einer Gesetzmäßigkeit im naturwissenschaftlichen Sinne hat, und zwar einfach deshalb, weil ökonomische Beziehungen im menschlichen Verhalten begründet sind und dieses sich im Prinzip jederzeit ändern kann.

Nun sind so strenge Ansprüche sicherlich nicht unbedingt zu stellen. Ökonometrische Messungen besitzen schon dann Erkenntniswert und sind für praktische Zwecke (Prognosen, wirtschaftspolitische Entscheidungen) brauchbar, wenn die gemessenen Beziehungen wenigstens für eine gewisse (nicht zu kurze) Zeit stabil bleiben. Daß dieses bescheidenere Ziel erreicht werden kann, dafür stehen die Chancen weitaus günstiger. Denn menschliches Verhalten mag zwar im Prinzip jederzeit wandelbar sein, dadurch aber, daß es sowohl an biologische Gegebenheiten als auch an (freilich auf lange Sicht auch wandelbare) gesellschaftlich bestimmte Institutionen und Normen gebunden ist, werden Verhaltensänderungen selten abrupt erfolgen. Aus diesem Grunde dürfen wir erwarten, Regelmäßigkeiten, die über längere Zeit stabil sind, entdecken und ökonometrisch messen zu können. Solche Regelmäßigkeiten nennt man bisweilen auch Quasi-Gesetze. Andererseits sollte man aber immer auf Abweichungen von der gemessenen Beziehung gefaßt sein, und zwar in zweierlei Hinsicht: zum einen können gelegentlich Abweichungen auftreten, die über den normalen Spielraum der ohnehin vorhandenen Störkomponente hinausragen, zum anderen wird sich in der Regel auf lange Sicht die

Beziehung als solche systematisch ändern, sei es daß die Parameterwerte sich wandeln, sei es daß andere Einflußgrößen ins Spiel kommen[10].

Man sollte meinen, daß um so sicherere ökonometrische Messungen möglich sind, je mehr Daten zur Verfügung stehen. Welcher Art aber sind diese Daten? Für ökonometrische Untersuchungen kommen vornehmlich zwei Quellen in Frage: *Querschnittsdaten* und *Zeitreihendaten*. Erstere gewinnt man aus Erhebungen, die sich auf einen Stichtag oder eine Periode beziehen und einzelne Wirtschaftseinheiten (wie Haushalte oder Unternehmungen) oder Gruppen von solchen statistisch erfassen, um solche Größen wie Haushaltseinkommen, Haushaltsausgaben für Lebensmittel, Beschäftigtenzahl im Betrieb, Umsatz, Kostenstruktur usw. zu messen. Sie sind daher zumeist mikroökonomische Daten und liegen in der Regel in großer Fülle vor, woraus freilich nicht auf eine große Schätzgenauigkeit geschlossen werden kann. Denn wegen der Vielgestaltigkeit der Erhebungseinheiten sind die zwischen mikroökonomischen Variablen bestehenden Beziehungen von weit streuenden Störkomponenten überlagert, selbst dann, wenn sehr viele Einflußgrößen explizit berücksichtigt worden sind. Außerdem ist eine Übertragung der aus den Daten der Erhebungsperiode gewonnenen ökonometrischen Funktionen auf andere Perioden nicht ohne weiteres möglich, da sich wichtige Einflußfaktoren schon in kürzester Zeit geändert haben können.

In Zeitreihenanalysen können dagegen solche sich über die Zeit ändernde Einflußgrößen in die Untersuchung einbezogen werden. Zeitreihendaten beziehen sich auf dieselbe ökonomische Variable, die in aufeinanderfolgenden Perioden (Jahre, Quartale, Monate) gemessen worden ist. Meist handelt es sich um makroökonomische Variablen. Die zwischen ihnen bestehenden Beziehungen können, sofern sie zeitlich hinreichend stabil sind, mit um so größerer Genauigkeit gemessen werden, je mehr Perioden erfaßt worden sind. Gerade aber bei längeren Zeitreihen besteht die Gefahr, daß eben die Voraussetzung der zeitlichen Stabilität nicht mehr erfüllt ist. Daher begnügen sich Ökonometriker gewöhnlich mit kurzen Zeitreihen (für die BRD 10 bis höchstens 20 Jahre), können dann aber nur wenige Einflußgrößen berücksichtigen[11]. Von besonderem Interesse sind Kombinationen zwischen Querschnitts- und Zeitreihendaten.

0.4. Praktische Ökonometrie

Trotz dieser erkenntnistheoretischen und von den Daten her gegebenen Problematik sind die ökonometrischen Schätzmethoden auf zahlreichen Gebieten (mit mehr oder weniger großem Erfolg) angewandt worden. Zusammenfassend berichten darüber Bridge [1971], Cramer [1969], Walters [1968, Kap. 9 und 10], Leser

[10] Eine ausführliche und vertiefte Diskussion dieser Gesichtspunkte findet man bei Grohmann [1970].

[11] Zu diesem Antagonismus zwischen Zeitreihenlänge und Stabilität vgl. auch Menges [1964].

[1966, Kap. 5 bis 7], Fox [1968, Kap. 10]. Hier sei nur ein kurzer Überblick dargeboten.

Einen breiten Raum nehmen seit den Anfängen der Ökonometrie teils mikro-, teils makroökonomisch durchgeführte Untersuchungen über *Nachfragefunktionen* einschließlich der Außenhandelsbeziehungen ein [SCHULTZ; WOLD u. JUREEN; STONE, 1954; HOUTHAKKER u. TAYLOR; BARTEN, 1964]. Hierbei geht es vornehmlich darum, Preiselastizitäten zu bestimmen. Ähnlich weit zurück reichen die Versuche, ENGELsche Funktionen aus Querschnittsdaten (Haushaltsbudgetdaten) zu messen.

Teils mit Querschnitts-, teils mit Zeitreihendaten wurden gesamtwirtschaftliche oder auf Branchen beschränkte *Produktionsfunktionen* zu messen versucht, wobei anfänglich die COBB-DOUGLAS-Funktion eine hervorragende Rolle spielte, seit einiger Zeit aber die CES-Funktion im Vordergrund des Interesses steht (vgl. den Übersichtsartikel von WALTERS [1963]). Ihre Parameter interessieren sowohl vom Standpunkt der Verteilungstheorie als auch der Wachstumstheorie.

Ein anderer sehr wichtiger Zweig ökonometrischer Forschung betrifft die Schätzung *gesamtwirtschaftlicher Modelle*. Es handelt sich dabei zumeist um Konjunkturmodelle, die vornehmlich auf KEYNES zurückgehen, aber wesentliche dynamische Elemente inkorporiert haben und die für kurz- und mittelfristige Prognosen wie auch zur Vorbereitung von konjunkturpolitischen Entscheidungen eine gewisse Bedeutung erlangt haben. TINBERGENS Studie [1939] hat, wenn auch mit unzulänglichen statistischen Methoden, den Anfang gemacht. Von KLEIN [1950] stammt das erste Modell, das mit modernen ökonometrischen Methoden geschätzt worden ist. Beachtung gefunden haben des weiteren die Modelle von KLEIN u. GOLDBERGER [1955] und von SUITS [1962] für die USA, von KLEIN u.a. [1961] für Großbritannien, von KLEIN u. SHINKAI [1963] für Japan und schließlich das etwa 300 Gleichungen und 400 Variablen umfassende, noch nicht endgültig abgeschlossene BROOKINGS-Modell für die USA, herausgegeben von DUESENBERRY u.a. Heutzutage gibt es für jedes größere Industrieland der westlichen Welt ein oder mehrere ökonometrische Modelle[12]. Für die Bundesrepublik wurden kleinere Modelle u.a. von KÖNIG u. TIMMERMANN [1962], JAHNKE [1966] und HANSEN [1967] entwickelt; anspruchsvollere stammen von VAN DER WERF [1968], LÜDEKE [1969], KRELLE u.a. [1969, 1974] und UEBE [1970]. In den skandinavischen Ländern und vor allem in Holland (z.B. Central Economic Plan 1961 vom Central Planning Bureau Den Haag) werden ökonometrische Modelle als Entscheidungshilfen bei den wirtschaftlichen Planungen mitberücksichtigt.

Einzelne makroökonomische Funktionen fanden das besondere Interesse der Ökonometriker[13], so vor allem die *Konsumfunktion*. Wegen ihrer großen Bedeu-

[12] Einen detaillierten Überblick und weitere Literaturangaben findet man bei NERLOVE [1966].

[13] Einige Beispiele ökonometrisch-empirischer Arbeiten für Deutschland: HANSEN [1971], SCHMIDT, SCHRADER, STAUDTE, SCHLOENBACH.

tung bei der Einkommensbestimmung stellte man an ihre Schätzgenauigkeit große Ansprüche und gab sich keineswegs mit der scheinbar sehr guten Anpassung durch Zeitreihendaten (wie sie z.B. in Abb. 0.1 zum Ausdruck kommt) zufrieden. Systematische, wenn auch geringe Abweichungen zwischen den Ergebnissen von Querschnitts- und Zeitreihenanalysen führten zu einer Überprüfung der klassischen Hypothese $C = \alpha + \beta Y$ und zu Neuformulierungen, deren ökonometrische Behandlung nur mit neuen statistischen Methoden möglich war [BROWN, 1952; FRIEDMAN, 1957]. Auch wurde am Beispiel der Konsumfunktion der die Schätzung verzerrende Einfluß der Interdependenz zum ersten Male deutlich [HAAVELMO, 1953].

Ganz ähnlich richteten sich die Bemühungen der Ökonometriker auf die Erforschung der konjunkturpolitisch ebenso bedeutenden *Investitionsfunktion* [JORGENSON, 1965]. Hier bestand das Hauptproblem in dem Herausfinden der wichtigsten Einflußgrößen. Es scheint, daß der Gewinnerwartung dabei eine hervorragende Rolle zufällt. Da diese aber schwerlich direkt meßbar ist, muß sie vermittels eines eigens zu konstruierenden Erwartungsbildungsmodells durch andere, beobachtbare Variablen ersetzt werden [KOYCK, 1954].

Vom methodischen Standpunkt aus ist hervorzuheben, daß all diese Untersuchungen und Bemühungen der praktischen Ökonometrie nicht nur zu neuartigen Modellen führten, sondern zugleich Anlaß dazu gaben, neue statistische Schätz- und Testverfahren zu entwickeln.

0.5. Literatur

Empfohlene zusätzliche Literatur zur Einführung:

KLEIN [1962], CHRIST [1966, Kap. 1 und 2], MALINVAUD [1966, Kap. 2 und 4].

Deutschsprachige Bücher:

TINTNER [1960], MENGES [1961], GOLLNICK [1968], GRUBER [1968], SCHÖNFELD [1969], HOCHSTÄDTER und UEBE [1970].

Elementare Einführungen:

TINBERGEN [1951], VALAVANIS [1959], KLEIN [1962], LESER [1966], KANE [1968], WONNACOTT u. WONNACOTT [1970], AIGNER [1971], HU [1973].

Weiterführende Lehrbücher:

JOHNSTON [1963, 1972], GOLDBERGER [1964], CHRIST [1966], MALINVAUD [1966], FISK [1967], SCHÖNFELD [1969], DHRYMES [1970], KMENTA [1971], THEIL [1971], RAO und MILLER [1971], KOUTSOYIANNIS [1973].

Bücher aus den Gründerjahren der Ökonometrie:

KLEIN [1950, 1956], KOOPMANS [1950], HOOD u. KOOPMANS [1953].

Zeitschriften:

Spezielle Zeitschriften der Ökonometrie sind die *Econometrica* (seit 1933) und die *International Economic Review* (seit 1960). Aber auch in den übrigen volkswirtschaftlichen und statistischen Zeitschriften werden seit Jahren ökonometrische Arbeiten veröffentlicht, besonders in der *Review of Economics and Statistics* und in dem *Journal of the American Statistical Association.*

Datenquellen für die Werte der wichtigsten makroökonomischen Variablen vor allem für die Bundesrepublik Deutschland:

- Statistisches Jahrbuch für die Bundesrepublik Deutschland. Hrsg.: Statistisches Bundesamt.
- Wirtschaft und Statistik. Hrsg.: Statistisches Bundesamt. (Erscheinungsweise: monatlich.)
- Jahresbericht der Deutschen Bundesbank.
- Statistische Beihefte zu den Monatsberichten der Deutschen Bundesbank. Reihe 4: Saisonbereinigte Wirtschaftszahlen. Hrsg.: Deutsche Bundesbank. (Erscheinungsweise: monatlich.)
- Vierteljahreshefte zur Konjunkturforschung. Hrsg.: Deutsches Institut für Wirtschaftsforschung, Berlin.
- Wirtschaftskonjunktur. Hrsg.: IFO-Institut für Wirtschaftsforschung, München. (Erscheinungsweise: vierteljährlich.)
- Konjunkturberichte. Hrsg.: Rheinisch-Westfälisches Institut für Wirtschaftsforschung, Essen. (Erscheinungsweise: vierteljährlich.)
- Jahresgutachten des Sachverständigenrats zur Begutachtung der gesamtwirtschaftlichen Entwicklung (veröffentlicht als Bundestagsdrucksache).

Das Statistische Bundesamt gibt verschiedene Fachserien heraus (ihrerseits in Reihen gegliedert), von denen hier die Serien

- „Preise – Löhne – Wirtschaftsrechnungen" sowie
- „Außenhandel"

als wichtige genannt seien. (Erscheinungsweise: vierteljährlich.)

Detailliertere Daten der Zahlungsbilanz finden sich in

- Statistische Beihefte zu den Monatsberichten der Deutschen Bundesbank. Reihe 3: Zahlungsbilanzstatistik. Hrsg.: Deutsche Bundesbank. (Erscheinungsweise: monatlich.)

Eine Zusammenstellung der nationalen volkswirtschaftlichen Gesamtrechnungen bieten beispielsweise

- Yearbook of National Accounts Statistics. Hrsg.: Statistical Office of the United Nations, Department of Economic and Social Affairs, New York.
- Die Weltwirtschaft. Halbjahresschrift des Instituts für Weltwirtschaft an der Universität Kiel.

Daten des internationalen Handels finden sich beispielsweise in

- OECD-Statistical Bulletins. Foreign Trade. Series A: Overall Trade by Countries. (Erscheinungsweise: vierteljährlich.)
- Economic Bulletins. Hrsg.: Vereinte Nationen. (Erscheinungsweise: halbjährlich, gegliedert nach Kontinenten.)

Daten zum internationalen Kapitalverkehr beispielsweise in

- International Financial Statistics. Hrsg.: Internationaler Währungsfond. (Erscheinungsweise: jährlich.)

I. Das klassische Regressionsmodell

1. Das einfache lineare Regressionsmodell

1.1. Das Modell

1.1.1. Stochastisch gestörte Funktionen

In diesem Kapitel befassen wir uns mit Funktionen

$$y = g(x) \tag{1.1}$$

einer abhängigen (oder *endogenen*) Variablen y von nur einer unabhängigen (oder *exogenen*) Variablen x. Später wird dieser Zusammenhang auf mehrere exogene Variablen verallgemeinert[1].

Beispiele:

a) *Nachfragefunktion:* $q = g(p)$. Die nachgefragte Menge q eines Gutes auf einem Markt ist eine Funktion des geforderten Preises, wobei andere Einflußgrößen wie das Einkommen der Nachfrager und die Preise anderer, komplementärer oder substitutionaler Güter unberücksichtigt bleiben.

b) *Kostenfunktion:* $k = g(x)$. In der Einproduktunternehmung sind die Produktionskosten k zur Herstellung eines Gutes funktional abhängig von der produzierten Menge x dieses Gutes.

c) *Gesamtwirtschaftliche Konsumfunktion:* $C = g(Y_{pr}^{v})$. Der private Konsum C ist eine Funktion des verfügbaren privaten Einkommens Y_{pr}^{v}, beide preisbereinigt.

Eine Funktion ist eine Vorschrift, die jedem Wert der unabhängigen Variablen *eindeutig* einen Wert der abhängigen Variablen zuordnet. Da solche Eindeutigkeit in der Wirklichkeit nur selten (und auch dann nur angenähert) beobachtet wird, wollen wir aushilfsweise annehmen, daß eine eindeutige funktionale Abhängigkeit wenigstens „im Mittel" besteht. Die Abweichung der Variablen y von ihrem Mittelwert führen wir auf die Anwesenheit einer zufälligen Störvariablen u zurück, die den funktionalen Zusammenhang (1.1) additiv überlagert.

$$y = g(x) + u. \tag{1.2}$$

Man mag sich vorstellen, daß in der Variablen u alle nicht näher spezifizierten Einflußgrößen zusammengefaßt sind, die in großer Zahl auf das Zustandekommen eines Wertes der Variablen y einwirken. So können wir uns beispielsweise vorstellen, daß die Störvariable der Konsumfunktion Einflußgrößen der folgenden Art enthält: kurzfristige Änderungen in der Einkommensverteilung, schwankende Änderungen der Preisstruktur, gelegentlich auftretende Geldillusion, Geschmacksänderungen, Aufkommen neuer Konsumgüter, Einfluß von Maßhalteappellen usw.

[1] Die Begriffe „endogen" und „exogen" werden später präzisiert. Vgl. insbesondere *1.1.5.*

Dadurch, daß wir eine Zufallsvariable u eingeführt haben, wird bei gegebenem x auch die Variable y eine Zufallsvariable. Die Funktion (1.1) wird damit durch eine Zuordnung ganz anderer Art ersetzt: Jedem Wert der Variablen x wird nicht mehr ein eindeutiger Wert y, sondern eine (bedingte) Wahrscheinlichkeitsverteilung für die Variable y zugeordnet. Sie hat (bei gegebenem x) genau dann den Mittelwert $g(x)$, wenn u den Mittelwert 0 hat, was wir im folgenden voraussetzen wollen. g heißt dann die *Regressionsfunktion*. Es scheint, daß wir mit diesem – noch recht groben – Modell das typische Bild des Zusammenhangs zwischen ökonomischen Variablen relativ einfach beschreiben können (vgl. Abb. 0.1).

Jedoch, das Modell ist noch unvollständig und für eine statistische Auswertung unbrauchbar. Es ist erforderlich, die Variable x näher zu kennzeichnen, ihren Zusammenhang mit u festzulegen und die Funktion g genauer zu spezifizieren.

1.1.2. Die exogene Variable

Die Variable x wird häufig als eine *deterministisch* gegebene Größe aufgefaßt. Diese Auffassung besteht in den folgenden beiden Fällen offenbar zu Recht:

a) x kann willkürlich auf einen beliebigen Wert festgelegt werden. Das ist in den experimentellen Wissenschaften der Fall. Der Experimentator legt beispielsweise in einem Düngeversuch die Düngemittelmenge fest und mißt den Ertrag in Abhängigkeit von ihr. In den Wirtschaftswissenschaften können Instrumentalvariablen (wie Monopolpreise, oder Werbeausgaben) im mikroökonomischen Bereich oder wirtschaftspolitische Variablen (wie Diskontsatz, Mindestreservesatz, Steuersätze, oder Staatsausgaben) im makroökonomischen Bereich innerhalb gewisser Grenzen willkürlich gesetzt werden. Doch erfolgt die Setzung nicht zur experimentellen Erforschung des Zusammenhangs zwischen ökonomischen Variablen, sondern im Hinblick auf gegebene einzel- oder gesamtwirtschaftliche Ziele, und damit eben doch nicht wirklich willkürlich.
b) x ist die Zeitvariable ($x=t$). In diesem Fall gibt die Funktion g in (1.2) den Trend der Variablen y an.

In anderen Fällen wird man eher zu der Vorstellung neigen, daß auch die Variable x, so wie u und y, unter Zufallseinflüssen zustandegekommen ist. Dann wird man x als *Zufallsvariable* ansehen, allerdings mit einer Wahrscheinlichkeitsverteilung, die von Fall zu Fall sehr unterschiedlich aussehen kann und über deren Gestalt man gewöhnlich a priori kaum etwas aussagen kann. Da es uns aber nur auf den (stochastisch gestörten) Zusammenhang zwischen x und y ankommt, interessiert hier die Wahrscheinlichkeitsverteilung von x selbst nicht. Es kommt uns nur darauf an, zu erfahren, welche Wahrscheinlichkeitsverteilung und insbesondere welcher Mittelwert für *y bei beliebig gegebenem x* vorliegen. Daher erscheint die Beschränkung der Regressionstheorie auf den Fall fest vorgegebener x-Werte auf den ersten Blick als berechtigt[2].

[2] Vgl. etwa Malinvaud [Kap. 3 und 6].

Wir wollen jedoch in unserem Regressionsmodell x als Zufallsvariable auffassen mit einer nicht näher spezifizierten Wahrscheinlichkeitsverteilung in der Hoffnung, daß es auf diese bei der statistischen Analyse nicht ankommt. Es wird sich zeigen, daß diese Hoffnung im wesentlichen zu Recht besteht. Nur einige Mindestanforderungen sind an die Variable x zu stellen; insbesondere die selbstverständliche Voraussetzung, daß x bei wiederholten Beobachtungen nicht ständig denselben Wert annimmt, weil dann nur eine Stelle der Funktion g geschätzt werden könnte und nicht deren ganzer Verlauf. Die Interpretation der Variablen x als Zufallsvariable hat den Vorteil größerer Allgemeinheit, insofern als der Fall eines deterministisch vorgegebenen x-Wertes darin eingeschlossen ist. Denn ein deterministischer Wert kann als Realisierung einer ausgearteten Zufallsvariablen aufgefaßt werden, die mit Wahrscheinlichkeit 1 eben diesen Wert annimmt (Einpunkt-Verteilung). Außerdem wird mit dieser Interpretation eine größere Geschlossenheit des Modells erreicht: Es sind jetzt alle Variablen des Modells (x, u und y) Zufallsvariablen, und zwar in der Regel kontinuierliche Zufallsvariablen.

1.1.3. Die Störvariable

Da die Variable y über die Beziehung (1.2) von x und u abhängt, ist ihre Wahrscheinlichkeitsverteilung bestimmt, wenn neben g die gemeinsame Verteilung von x und u gegeben ist. Wir könnten hierzu die grundlegende Annahme treffen, daß x und u stochastisch unabhängige Zufallsvariablen sind. Logisch gleichwertig damit ist die Forderung, daß die bedingte Wahrscheinlichkeitsverteilung der Störvariablen u bei gegebenem Wert der Variablen x immer die gleiche ist, welchen Wert auch die Variable x annimmt. Das impliziert die schwächere Annahme, daß Mittelwert und Varianz der bedingten Wahrscheinlichkeitsverteilung der Störvariablen u bei gegebenem x konstant sind; sie hängen nicht davon ab, welchen Wert die Variable x annimmt. Wenn wir noch zusätzlich voraussetzen, daß der bedingte Mittelwert von u den Wert 0 hat und wenn wir die bedingte Varianz von u mit σ^2 bezeichnen, dann können wir unsere Annahme wie folgt formulieren:

$$E(u|x)=0 \tag{1.3}$$

$$V(u|x)=\sigma^2. \tag{1.4}$$

Im folgenden (genauer: für den Teil I) kommen wir mit dieser schwächeren Annahme über die bedingte Wahrscheinlichkeitsverteilung von u aus. Sie macht nur Aussagen über Mittelwert und Varianz und läßt offen, ob andere Charakteristika der bedingten Verteilung von u nicht doch von x abhängen. Die oben formulierte Annahme der gänzlichen Unabhängigkeit zwischen u und x wird insoweit abgeschwächt. Sie ist jedoch dann wieder voll erfüllt, wenn wir – was gelegentlich geschehen soll – zusätzlich annehmen, daß u (bei gegebenem x) normal verteilt ist.

(1.3) und (1.4) können wie folgt anschaulich interpretiert werden: Man stelle sich vor, man könnte zu wiederholten Malen bei festgehaltenem x die Variable u beobachten. Die Beobachtungen sollen unabhängig voneinander erfolgen. Dann wird u teils positive, teils negative Werte unterschiedlicher Größe annehmen, aber so, daß sie sich auf lange Sicht im Mittel aufheben. Das Ausmaß der Variation der u-Werte wird durch die Varianz oder besser: durch die Standardabweichung σ gemessen. Es ist $\sigma = \sqrt{E(u^2|x)}$.

Aus (1.3) folgt durch Mittelung über die Variable x:

$$E(u) = 0 \tag{1.5}$$

$$E(ux) = 0. \tag{1.6}$$

Beweis (vgl. auch Anhang *B6*): $Eu = E[E(u|x)] = 0$, $E(ux) = E[E(ux|x)] = E[xE(u|x)] = 0$ wegen (1.3).

(1.5) besagt, daß der Mittelwert von u auch ohne Bindung an einen festgelegten x-Wert verschwindet. (1.6) bringt im Verein mit (1.5) zum Ausdruck, daß u und x unkorreliert sind, denn die linke Seite von (1.6) ist wegen (1.5) gerade die Kovarianz zwischen u und x:

$$\operatorname{Cov}(u, x) := E[(u - Eu)(x - Ex)] = E(ux). \tag{1.7}$$

Natürlich ist Unkorreliertheit eine schwächere Eigenschaft als stochastische Unabhängigkeit. Auch folgt aus (1.5) und (1.6) zusammen noch nicht (1.3) (vgl. Aufg. (1-2)). Deshalb spielen die Aussagen (1.5) und (1.6) im folgenden nur eine untergeordnete Rolle. Zentral ist die Eigenschaft (1.3).

Aus (1.3) und (1.4) folgt ferner, daß

$$E(y|x) = g(x) \tag{1.8}$$

$$V(y|x) = \sigma^2. \tag{1.9}$$

Es ist also $g(x)$ der bedingte Mittelwert von y bei gegebenem x. Die möglichen Abweichungen von diesem Mittelwert werden im Mittel durch σ repräsentiert. Wir nennen

$$\tilde{y} := E(y|x)$$

den zu x gehörigen *theoretischen Wert der endogenen Variablen* y, denn er wäre der zu x gehörige Funktionswert, gäbe es keine Zufallsstörung u.

1.1.4. Die Regressionsfunktion

Das statistische Problem der Ökonometrie besteht darin, aus gegebenen empirisch ermittelten Daten auf die unbekannte Regressionsfunktion g zu schließen. Die Daten sind Beobachtungen der Variablen y und x. Die Störvariable u wird also nicht direkt beobachtet, sondern könnte erst bei bekannter Funktion g als Residuum aus Gleichung (1.2) indirekt erschlossen werden. Deshalb nennt man u auch eine *latente Variable*.

Bei dem meist spärlichen Beobachtungsmaterial in der Ökonometrie ist eine sinnvolle Schätzung der Regressionsfunktion nur möglich, wenn diese aus einer stark eingeschränkten Klasse möglicher Funktionen stammt. Könnte man zahlreiche, genügend dicht liegende x-Werte beobachten und zu jedem x-Wert eine große Anzahl von y-Werten, dann wäre bis auf gewisse Stetigkeitsanforderungen an die Funktion g eine weitergehende Beschränkung von g nicht notwendig. Denn man könnte zu jedem x durch Mittelung der zugehörigen y-Werte den Funktionswert $g(x)$ schätzen und diese für alle beobachteten x ermittelten Funktionswerte durch Interpolation stetig miteinander verbinden. (Vgl. Abb. 1.1.)

Um jedoch auf diese Weise zu einer einigermaßen genauen Schätzung der Regressionsfunktion zu kommen, müssen schon sehr viele Beobachtungen vorliegen.

Im Prinzip ist diese Situation bei kontrollierten Experimenten gegeben, kann man doch dort die unabhängige Variable x an jeder gewünschten Stelle festhalten und das Experiment beliebig oft wiederholen. In Wirklichkeit ist man auch in den experimentellen Wissenschaften gezwungen, aus Kostengründen mit den Beobachtungen sparsam umzugehen und schon mit relativ wenigen Beobachtungen verläßliche Schätzungen der Regressionsfunktion zu gewinnen. Das aber geht nur, wenn der als möglich angesehene Verlauf der Kurve $g(x)$ starken Einschränkungen unterworfen ist.

Ein anderer Fall, der zunächst auch eine Schätzung der Regressionsfunktion ohne zusätzliche Voraussetzungen über ihre Gestalt zu gestatten scheint, ist bei mikroökonomischen Querschnittsanalysen gegeben. Hier hat man häufig eine enorme Fülle von Daten, derart, daß auf jeden x-Wert oft sehr viele zugehörige y-Werte anfallen. Man denke etwa an die ökonometrische Bestimmung von ENGELschen Funktionen aus den Budgetdaten einer umfangreichen Verbraucherstichprobe. Aber gerade bei derartigen Untersuchungen ist die Varianz der Störvariablen so groß, daß man Informationen über die Gestalt der Regressionsfunktion benötigt, um sie hinreichend genau schätzen zu können.

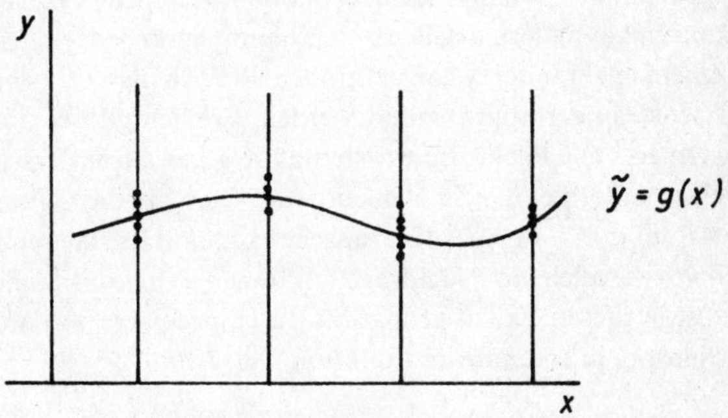

Abb. 1.1. Allgemeine Regressionsfunktion

Ganz besonders fatal ist die Situation bei Zeitreihenanalysen. Es ist ein äußerst seltener Zufall, wenn bei Zeitreihendaten der gleiche x-Wert zweimal beobachtet wird. Fast ganz oder überhaupt ausgeschlossen ist dieses Zusammenfallen zweier x-Werte, wenn die Reihe der x-Werte mit einem starken Trend behaftet ist oder gar wenn x die Trendvariable selbst ist. In diesen Fällen ist eine die Form der Regressionsfunktion einschränkende Annahme zu treffen.

Die radikalste Beschränkung und zugleich den für unsere Zwecke einfachsten Funktionstyp erhalten wir, wenn wir eine *lineare Regressionsfunktion*

$$g(x)=\alpha+\beta x \tag{1.10}$$

mit unbekannten Parametern α und β unterstellen. Diese könnten weiteren Restriktionen unterliegen, von denen wir aber hier zunächst absehen wollen (vgl. aber *8.1.1.*). α ist das *absolute Glied*, β der *Regressionskoeffizient*, α und β werden auch *Regressionsparameter* genannt. Sie gehören zu den *Parametern des Regressionsmodells*, zu denen auch der Parameter σ zu zählen ist.

Die Beschränkung auf lineare Regressionsfunktionen erscheint zunächst einmal unter dem Gesichtspunkt größtmöglicher Einfachheit sinnvoll, und das in zweierlei Hinsicht: einmal ist eine lineare Funktion einfach darzustellen und zu interpretieren, zum anderen ist aber auch das ökonometrische Schätzproblem im linearen Fall verhältnismäßig leicht zu lösen[3]. Darüber hinaus gibt die ökonomische Theorie kaum je einen Hinweis auf die mathematische Form der von ihr verwendeten Funktionen. (Eine berühmte Ausnahme ist die COBB-DOUGLAS-Produktionsfunktion, die als Potenzfunktion angesetzt wird; Ausnahmen bilden ferner exponentielle Wachstumsfunktionen.) Selbst dann, wenn aus theoretischen Erwägungen mit einer nichtlinearen Funktion gerechnet werden muß, ist die zur Funktion gehörige Kurve in der Praxis oft so geringfügig gekrümmt, daß eine lineare Approximation auch innerhalb eines großen Variationsbereichs der exogenen Variablen gerechtfertigt erscheint. Beispielsweise ist zu vermuten, daß die marginale Konsumquote mit wachsendem Einkommen abnimmt, die Konsumfunktion also leicht konkav gekrümmt verläuft. In der ökonometrischen Praxis aber sind solche Krümmungen kaum festzustellen. Überhaupt kann jede differenzierbare Funktion in einem mehr oder weniger großen Bereich der exogenen Variablen hinreichend genau linear approximiert werden. Freilich gibt es noch genügend viele Fälle, in denen eine solche Linearisierung arg gewaltsam erscheinen würde und daher besser unterbleibt. (Zu denken wäre hier an die schon erwähnte COBB-DOUGLAS-Funktion, an die KEYNESsche Liquiditätspräferenzfunktion, an die PHILLIPS-Kurve, auch an Nachfragefunktionen mit konstanter Elastizität usw.) Doch selbst in diesen Fällen gelingt oft durch geeignete Variablentransformation die Überführung in eine lineare Funktion (vgl. *1.2.6.*).

[3] Wie unangenehm das Schätzproblem bei nichtlinearen Funktionen ist, darüber informiert MALINVAUD [Kap. 9]. Vgl. auch GOLDFELD und QUANDT [1972].

Soviel zur Rechtfertigung unserer Beschränkung auf lineare Regressionsfunktionen.

1.1.5. Exogene und endogene Variable

Das Regressionsmodell, so wie wir es hier entwickelt haben, weist eine deutliche Asymmetrie in den Variablen x und y auf, was schon in der Namensgebung „exogen", „endogen" zum Ausdruck kommt. Es wird eine Beeinflussungsrichtung $x \rightarrow y$ vorgegeben. Ist diese umkehrbar?

Solange wir es nur mit gewöhnlichen Variablen zu tun haben, die durch die Beziehung (1.1) funktional verknüpft sind, können wir selbstverständlich auch die Umkehrfunktion $x = g^{-1}(y)$ konstruieren, jedenfalls sofern g eine stetige, streng monotone Funktion ist. Ist z.B. $y = \alpha + \beta x$, dann folgt als Umkehrbeziehung $x = -\frac{\alpha}{\beta} + \frac{1}{\beta} y$. In dem stochastischen linearen Modell ist jedoch eine solche Umkehrung, von Ausnahmen abgesehen, nicht möglich. Im allgemeinen ist nämlich die Regressionsfunktion von x auf y, also $E(x|y)$ keine lineare Funktion von y (vgl. Aufg. (1-6)); auch ist $V(x|y)$ im allgemeinen nicht mehr konstant. Eine Ausnahme liegt vor, wenn alle Variablen x, y und u normal verteilt sind. Dann ist mit $E(y|x)$ auch $E(x|y)$ eine lineare Funktion. Doch geht keineswegs die eine Funktion aus der anderen durch einfache Umkehrung hervor wie im Falle einer nichtstochastischen linearen Funktion (vgl. *1.2.5.*). Auch ist $V(x|y)$ im allgemeinen von $V(y|x)$ verschieden (vgl. Aufg. (1-5)).

Somit wird durch das Modell die eine Variable als *exogen* vor der anderen, der *endogenen* und von ersterer abhängigen Variablen ausgezeichnet. Die beiden Begriffe „endogen" und „exogen" sollen also die unterschiedliche Stellung der beiden Variablen im Regressionsmodell verdeutlichen: Die Störvariable ist – zumindest hinsichtlich ihres Mittelwertes und ihrer Varianz – unabhängig von der exogenen Variablen, aber nicht unabhängig von der endogenen Variablen. Allgemein sind exogene Variablen gerade durch diese Unabhängigkeit von der Störvariablen definiert (vgl. Teil III).

Freilich ist es in der Praxis schwierig, auf empirischem Wege zu entscheiden, welche der beiden Variablen die exogene, welche die endogene ist. Erschwerend tritt hinzu, daß auch der Fall eintreten kann, daß beide Variablen endogen sind und daß neben der Beziehung (1.2) eine analoge, aber durch einen anderen sachlichen Zusammenhang gegebene Umkehrbeziehung bestehen kann[3a]. Dieser Fall einer Interdependenz wird später (Teil III) behandelt. In der Praxis behilft man sich mit a priorischen Kausalvorstellungen, die man aus den allgemeinen Erfahrungen über das Zustandekommen ökonomischer Entscheidungen, also aus der Wirtschaftstheorie entnimmt. Danach ist x als eine Variable aufzufassen,

[3a] Statistische Tests, die zwischen diesen und anderen Fällen unterscheiden, werden von RAMSEY [1969] diskutiert. Mit dem praktischen Problem der Umkehrregression hat sich SCHULTZ [1938] auseinandergesetzt.

die zwar y kausal beeinflußt, nicht aber umgekehrt von y beeinflußt wird. (Mehr hierüber im Teil III.)

So beeinflußt z. B. das Wetter die Produktion und damit Preis und Absatz landwirtschaftlicher Produkte, während eine umgekehrte Kausalkette bisher wohl kaum besteht (Ausnahmen: künstliche Regenerzeugung, Klimabeeinflussung durch Waldanbau). Das Weltpreisniveau ist wesentlicher Bestimmungsfaktor für Export- und Importfunktionen. Daß aber umgekehrt der Export eines Landes den Weltmarktpreis nachhaltig beeinflußt, kann allenfalls für große Exportländer gelten, wenn auch Ausnahmen denkbar sind. Zweiseitige Kausalrichtungen haben wir jedoch im Zusammenhang mit der Konsumfunktion anzunehmen. Der Konsum hängt vom Einkommen ab, er bestimmt aber auch wesentlich die Höhe des Gesamteinkommens. Wenn wir im folgenden dennoch die Konsumfunktion als Beispiel heranziehen, so geschieht das immer unter dem Vorbehalt, daß hierbei eigentlich eine in der umgekehrten Richtung wirkende Kausalkette unterschlagen wird (vgl. aber *10.2.1.*).

1.1.6. Das vollständige Modell

Das lineare Regressionsmodell ist mit (1.2), (1.3), (1.4) und (1.10) insoweit vollständig, als es die Abhängigkeiten zwischen den in Rede stehenden Variablen beschreibt. Es ist jedoch noch unvollständig, wenn eine statistische Analyse, z. B. eine Schätzung der unbekannten Modellparameter, intendiert wird. Denn hierzu sind Daten erforderlich, nämlich realisierte Werte der beobachtbaren Variablen x und y. Sie können aus Querschnittserhebungen oder durch Zeitreihenbeobachtungen gewonnen worden sein. In beiden Fällen, besonders aber in letzterem ist zu klären, in welchem stochastischen Zusammenhang die einzelnen Beobachtungen zueinander stehen. Am einfachsten wäre der Fall stochastischer Unabhängigkeit zwischen den Beobachtungen und gleicher Verteilungsgesetze für sämtliche (x, y)-Paare. Die meisten ökonomischen Variablen zeigen aber im Zeitverlauf starke stochastische Abhängigkeiten, und bei trendbehafteten Variablen kann von einem konstanten Verteilungsgesetz nicht die Rede sein.

Sehr viel plausibler und für unsere Zwecke völlig ausreichend ist jedoch die Annahme, daß die Störvariablen von Beobachtung zu Beobachtung stochastisch unabhängig variieren oder zumindest unkorreliert sind, eine Annahme, die wir für den ganzen Teil I und ähnlich auch für Teil III treffen wollen. Außerdem sind die Voraussetzungen (1.3) und (1.4) über die stochastische Unabhängigkeit zwischen u und x auf eine entsprechende Unabhängigkeitsforderung zwischen diesen Variablen zu verschiedenen Zeitpunkten auszudehnen. Das führt uns zu folgendem

Modell:

(y_t, x_t, u_t), $t=1, 2, \ldots, T$ seien T Tripel von Zufallsvariablen mit einer zwischen ihnen bestehenden linearen Regressionsbeziehung

$$y_t = \alpha + \beta x_t + u_t, \qquad t = 1, 2, \ldots, T,$$

und folgenden stochastischen Eigenschaften für u_t:

(R 1) $E(u_t|\boldsymbol{x})=0$ für alle $t=1,\dots,T$

(R 2) $V(u_t|\boldsymbol{x})=\sigma^2$ für alle $t=1,\dots,T$

(R 3) $E(u_t u_{t'}|\boldsymbol{x})=0$ für alle $t\neq t'$, $t=1,\dots,T$, $t'=1,\dots,T$.

Dabei sind in dem Vektor $\boldsymbol{x}=(x_1,x_2,\dots,x_T)'$ alle Variablen x_t zusammengefaßt. Für diese soll ferner gelten:

(R 4) $s^2(x)>0$ mit Wahrscheinlichkeit 1,

wobei $s^2(x)=\frac{1}{T}\sum_{t=1}^{T}(x_t-\bar{x})^2$ und $\bar{x}=\frac{1}{T}\sum_{t=1}^{T}x_t$.

Zur Formulierung der folgenden Modellannahme setzen wir voraus, daß $T=\infty$, d.h. daß die Tripel (y_t,x_t,u_t), $t=1,2,\dots$, einen (dreidimensionalen) unendlichen stochastischen Prozeß bilden, für den die Annahmen (R 1) bis (R 3) für alle t bzw. t' und Annahme (R 4) für alle T gültig sind. Alsdann soll gelten:

(R 5) Die folgenden Grenzwerte existieren mit Wahrscheinlichkeit 1, und es ist:

a) $\lim_{T\to\infty}\overline{x^2}<\infty$ mit $\overline{x^2}=\frac{1}{T}\sum_{t=1}^{T}x_t^2$

b) $\lim_{T\to\infty}s^2(x)>0$.

Gelegentlich benötigen wir noch die Voraussetzung der Normalität:

(R 6) u_t ist normalverteilt (bei gegebenem $\boldsymbol{x}$).

Schließlich sei nochmals ausdrücklich vermerkt, daß nur die Paare (y_t,x_t) beobachtbar sind, und zwar sollen sie – so nehmen wir an – ohne Meß- oder Erhebungsfehler beobachtet werden können. α,β und σ^2 sind die unbekannten Modellparameter.

1.1.7. Bemerkungen zu den Modellannahmen

Der Index t numeriert die in bestimmter Reihenfolge anfallenden Beobachtungen. Er gibt bei einer Querschnittsanalyse die Nummer der erhobenen und befragten Einheit (z.B. Haushalt, Arbeitnehmer, Unternehmen) an. In einer Zeitreihenanalyse ist t die Zeitvariable, die sich in gleichbleibenden diskreten Sprüngen, in Perioden, vorwärtsbewegt. x_t ist beispielsweise der in der Periode t beobachtete Wert der Variablen x. Die Länge der Periode ist von Fall zu Fall verschieden und richtet sich sowohl nach dem mit einer ökonometrischen Studie angestrebten Ziel als auch – und das sogar vornehmlich – nach den vorhandenen statistischen Daten. Mit kurzen Perioden (Monate, Viertel- oder Halbjahre) können kurzfristige, dynamische Reaktionen eher aufgedeckt werden als bei Benutzung längerer Perioden (z.B. von Jahreswerten), die eher für die Analyse von Gleichgewichtsbeziehungen geeignet sind, aber auch für die Untersuchung säkularer Bewegungen oder dynamischer Beziehungen mit langer Reaktionszeit. Extrem kurze Perioden (Tage oder Wochen) können für die Zeitreihenanalyse von Zinssätzen oder Aktienkursen verwendet werden[4]. Die Perioden $t=1,2,\ldots,T$ umfassen den *Beobachtungszeitraum* (oder auch: *Schätzzeitraum*). In speziellen Anwendungen wird man ihn mit dem tatsächlich erfaßten Zeitraum identifizieren, also etwa $t=1958, 1959, \ldots, 1968$, statt $t=1,2,\ldots,11$. T kann allgemein als *Stichprobenumfang*[5] aufgefaßt werden und heißt bei Zeitreihen die *Länge* der Zeitreihe.

In den folgenden Ausführungen wollen wir fast ausnahmslos von Zeitreihen sprechen, obwohl praktisch alle Ergebnisse wortwörtlich auf die Analyse von Querschnittsdaten übertragen werden können. Wo Unterschiede bestehen, werden diese ausdrücklich erwähnt.

Das vollständige Regressionsmodell steht zu dem früher entwickelten einfachen Modell (1.2), (1.3), (1.4) und (1.10) in folgender Beziehung. Aus den Annahmen (R 1) und (R 2) folgen sofort durch Mittelung über alle $x_{t'}$ mit $t' \neq t$ die analogen Beziehungen (1.3) und (1.4), wenn man dort an alle Variablen den Index t anhängt. Entsprechendes gilt für die daraus herleitbaren Beziehungen (1.5) bis (1.9). Überhaupt kann das frühere Modell als eine Spezialisierung des jetzigen Modells auf den Fall nur einer Beobachtungsperiode aufgefaßt werden.

Die Größen y_t, $t=1,2,\ldots,T$, sind, wie schon gesagt, die zu den Perioden t gehörigen Werte der einen Variablen y. Im Sinne unseres stochastischen Modells sind sie jedoch als T verschiedene Zufallsvariablen aufzufassen. Wir wollen dennoch dem allgemeinen Sprachgebrauch folgen und von den Perioden- (z. B. Jahres-)Werten oder den Zeitreihenwerten *der* Variablen y sprechen. Gleiches gilt für die Variablen x_t und u_t.

Wenn nun zu den einzelnen Annahmen Stellung genommen wird[6], so ist immer zu bedenken, daß man sie nicht isoliert sehen sollte, daß vielmehr die Verletzung der einen Annahme durch eine entsprechende Umformulierung einer anderen Annahme durchaus kompensiert werden kann.

Zu Annahme (R 1)

Man kann diese Annahme ohne wesentliche Folgen für das Modell dahingehend abändern, daß man den bedingten Mittelwert von u_t als lineare Funktion von x_t ansetzt: $E(u_t|\boldsymbol{x})=\alpha'+\beta' x_t$. Wir können diesen Fall auf das hier vorliegende Modell zurückführen, wenn wir in der Regressionsgleichung diesen Mittelwert subtrahieren

[4] Vgl. König u. Wolters [1969].

[5] Die Auffassung der Menge der Beobachtungsdaten (x_t, y_t), $t=1,2,\ldots,T$ als Stichprobe mag auf den ersten Blick ungewöhnlich erscheinen, da man vielleicht den Begriff der Stichprobe nur als Menge unabhängiger Daten kennt, während unsere Zeitreihenwerte zumeist gerade nicht unabhängig voneinander sind. Doch ist es keineswegs unüblich, den Begriff der Stichprobe auch auf diesen Fall auszudehnen.

[6] Vgl. auch Menges [1959].

und zugleich α durch $\alpha'' = \alpha + \alpha'$ und β durch $\beta'' = \beta + \beta'$ ersetzen. Man schätzt dann eben statt α und β die neuen Regressionsparameter α'' und β'' und kann von diesen bei gegebenen α' und β' wieder auf α und β zurückschließen. Es ist jedoch nicht klar, welche ökonomische Bedeutung den Parametern α' und β' zukommen soll, weshalb auf diese unnötige Komplizierung des Modells verzichtet wird. Noch unsinniger erscheint ein derart „verallgemeinertes" Modell, wenn die Parameter α' und β' unbekannt sind. Denn dann kann aus den geschätzten Parametern α'' und β'' offenbar nicht mehr eindeutig auf α und β bzw. α' und β' geschlossen werden. α und β (bzw. α' und β') sind dann *nicht identifizierbar*.

Anders ist eine Verletzung der Annahme (R1) zu bewerten, bei der $E(u_t|\boldsymbol{x})$ eine nichtlineare Funktion von x_t ist. Ist diese wenigstens der mathematischen Form nach bekannt, dann kann man wie oben die Regressionsfunktion derart abändern, daß (R1) wieder erfüllt ist. Doch erhält man eine nichtlineare Regressionsfunktion. Unter Umständen ist es in einem solchen Fall zweckmäßig, zu einem ganz anderen Modell überzugehen, besonders dann, wenn weitere Annahmen verletzt sind und wenn andere Variablen einen Einfluß auszuüben scheinen (vgl. Kap. 7 und Teil III).

Man beachte, daß (R1) nicht nur die Unabhängigkeit des bedingten Mittelwertes der Störvariablen u_t von x_t allein, sondern von sämtlichen $x_1, x_2, \ldots, x_T$ fordert.

Zu Annahme (R2)

Sie besagt zweierlei, nämlich daß u_t eine (bedingte) endliche Varianz besitzt und daß diese von den $x_1, x_2, \ldots, x_T$ und ebenso von der Periode t unabhängig ist. Man bezeichnet diese zweite Eigenschaft als *Homoskedastizität*. Der entgegengesetzte Fall der Heteroskedastizität wird in Kap. 5 behandelt.

An einer Stelle brauchen wir auch die Annahme der Existenz eines vierten Moments.

Zu Annahme (R3)

Die Annahme der *Unkorreliertheit der Störvariablen* oder sogar die stärkere Annahme der stochastischen Unabhängigkeit erscheint dann unproblematisch, wenn die durch die Störvariable repräsentierten Einflüsse zahlreich und je für sich nur unbedeutend sind. Sobald aber wesentliche Einflußgrößen, die ihrerseits zeitlich korreliert sind, in der Störvariablen wirksam sind, ist mit einer Verletzung der Annahme (R3) zu rechnen. Dieser Fall der *Autokorrelation* wird in Kap. 5 behandelt.

Zu Annahme (R4)

Sie besagt, daß die $x_1, x_2, \ldots, x_T$ nicht alle denselben Wert annehmen können, sondern wirklich variieren; andernfalls wäre ja auch eine Parameterschätzung unmöglich. Außerdem impliziert Annahme (R4), daß mehr als eine Beobachtung vorliegt ($T > 1$).

Im übrigen werden keine Annahmen über die gemeinsame Wahrscheinlichkeitsverteilung der Variablen $x_1, x_2, \ldots, x_T$ getroffen. Sie mögen deterministisch variieren, z.B. willkürlich in jeder Periode gesetzt sein, oder Zufallsfluktuationen unterworfen sein. Im letzteren Fall können sie von Periode zu Periode stochastisch unabhängig variieren oder mögen Abhängigkeiten zeigen. Sie können – wie die meisten ökonomischen Variablen derzeit – einem Trend folgen und außerdem in den Trendabweichungen Autokorrelation (etwa in Form von Konjunkturschwankungen) aufweisen usw. Das Modell ist an dieser Stelle offen und äußerst flexibel. Es ist eben nur darauf angelegt, die durch die exogenen Variablen $x_1, x_2, \ldots, x_T$ bedingte Verteilung der endogenen Variablen $y_1, y_2, \ldots, y_T$ zu beschreiben.

Zu Annahme (R 5)

Sie wird nur benötigt, wenn Aussagen über die Schätzung bei großen Stichproben ($T \to \infty$) gemacht werden. Insbesondere läßt sich sehr leicht die Konsistenz der Schätzungen mit Hilfe von (R 5) beweisen (*1.4.8.*). Später werden wir allerdings einen Beweis der Konsistenzeigenschaft kennenlernen, der mit der schwächeren Voraussetzung der Existenz von plim $\overline{x^2}$ und plim $s^2(x) > 0$ auskommt (*6.2.4.*).

Die Voraussetzung (R 5) ist für die Trendvariable und für trendbehaftete Variablen verletzt, weil für diese der quadratische Mittelwert gegen unendlich geht. Dennoch sind auch in diesem Fall noch wichtige Grenzeigenschaften der Parameterschätzungen für $T \to \infty$ erfüllt.

Zu Annahme (R 6)

Die Normalverteilungsannahme erscheint plausibel, wenn man wieder von der Vorstellung ausgeht, daß die Störvariable sich aus einer Vielzahl je für sich unbedeutender und (im wesentlichen) voneinander unabhängiger Einflußfaktoren zusammensetzt. Mögen diese auch verschiedenen Wahrscheinlichkeitsgesetzen folgen, in ihrer Gesamtheit bilden sie vermutlich eine normalverteilte Variable. Das jedenfalls legt der zentrale Grenzwertsatz nahe (Anhang B *11.5.*).

Allerdings sind Ausnahmen denkbar. Wenn man z. B. eine das Angebot an Arbeit als Funktion des Lohnsatzes beschreibende Funktion in der Nähe der Vollbeschäftigung untersucht, dann ist zu vermuten, daß positive Abweichungen von der Angebotsfunktion leicht an die (gewiß nicht völlig starre, aber doch bemerkbare) Vollbeschäftigungsdecke stoßen und daher nicht beliebig groß werden können, während für negative Abweichungen eine solche Grenze nicht besteht. Das hat zur Folge, daß die Verteilung der Störvariablen nach den negativen Werten hin schief gestaltet ist. Ein anderer Hinweis auf Abweichungen von der Normalverteilungshypothese sind die relativ häufig zu beobachtenden „Ausreißer". Das sind besonders große Abweichungen von der Regressionsfunktion, die außerhalb des 3σ-Bereichs liegen und bei Bestehen der Normalverteilungshypothese eigentlich nur ganz selten (bei etwa $3\,^0/_{00}$ aller Beobachtungen) vorkommen dürfen. Unterdrückt man solche außergewöhnlichen Beobachtungen, für die sich übrigens meistens im nachhinein Erklärungen finden lassen, dann dürfte bei den restlichen Beobachtungen die Normalverteilungsannahme im allgemeinen als erfüllt gelten.

Natürlich läßt sich diese Hypothese statistisch prüfen, etwa mit dem χ^2-Test. Doch benötigt man für einen trennscharfen Test schon eine sehr große Zahl von Beobachtungen, die bei Zeitreihenuntersuchungen gewöhnlich nicht vorliegt, wohl aber bei Querschnittsanalysen. Im übrigen kommt es gar nicht so sehr darauf an, daß die Normalverteilungsannahme exakt erfüllt ist (vgl. *1.4.11.*).

1.2. Die Methode der kleinsten Quadrate

1.2.1. Prinzip der kleinsten Quadrate

Wir gehen nun an die Lösung des Schätzproblems: Aus beobachteten Realisationen[7)] der Variablen x_t und y_t, $t=1,2,\ldots,T$, also z.B. aus zwei zum selben Beobachtungszeitraum gehörenden Zeitreihen

$$x_1, x_2, \ldots, x_T$$

$$y_1, y_2, \ldots, y_T$$

ist die Regressionsgerade so genau wie möglich zu schätzen. Es sind also (möglichst „gute") Schätzungen $\hat{\alpha}$, $\hat{\beta}$ und $\hat{\sigma}$ für die Regressionsparameter α, β und den Modellparameter σ zu finden.

Die Datenpaare (x_t, y_t) können graphisch als Punkte in einem (x, y)-Koordinatensystem veranschaulicht werden. Es entsteht ein *Streudiagramm*. Die Beobachtungspunkte streuen mehr oder weniger stark um eine gerade Linie – jedenfalls wenn die Daten dem linearen Regressionsmodell entsprechen (vgl. Abb. 1.2).

Beispiel: Es möge das folgende Zeitreihenpaar vorliegen:

x	10	9	15	21	18	18	22	23	20	25
y	2	2	3	5	4	3	5	5	4	6

Das Streudiagramm hat dann folgende Gestalt:

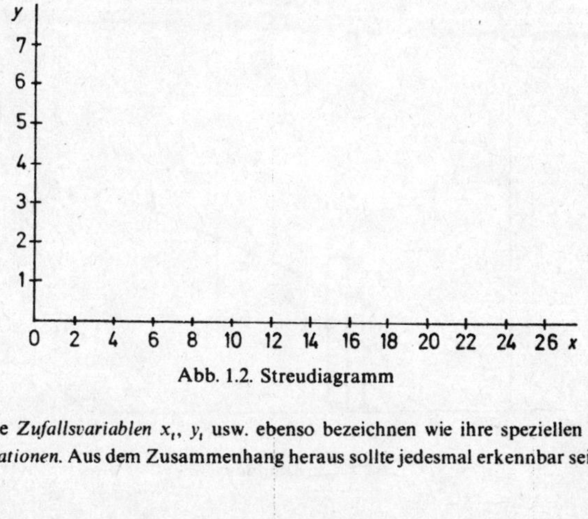

Abb. 1.2. Streudiagramm

[7)] Wir wollen die *Zufallsvariablen* x_t, y_t usw. ebenso bezeichnen wie ihre speziellen zufällig sich ergebenden *Realisationen*. Aus dem Zusammenhang heraus sollte jedesmal erkennbar sein, was gemeint ist.

Durch den Punktehaufen des Streudiagramms kann auf vielfältige Weise eine diesen approximierende Gerade gezogen werden. Nicht die schlechteste Methode besteht darin, nach Augenmaß mit dem Lineal eine Gerade zu zeichnen, die sich möglichst gut dem Punktehaufen anpaßt. Eine systematischere Methode beruht auf dem folgenden Schätzprinzip:

Man lege die geschätzte Regressionsgerade so durch den Punktehaufen, daß die Summe der quadrierten senkrechten Abstände der Beobachtungspunkte von dieser Geraden am kleinsten wird.

Dabei heißt „senkrecht" parallel zur y-Achse. Dieses Prinzip ist zu formalisieren. Bezeichnen wir die Ordinatenwerte auf der so geschätzten Regressionsgeraden mit $\hat{y}_t$, dann ist

$$\hat{y}_t = \hat{\alpha} + \hat{\beta} x_t . \tag{1.11}$$

$\hat{y}_t$ ist eine Schätzung des Mittelwertes von y_t bei gegebenem x_t, also eine Schätzung von $E(y_t|x_t)$ und kann kurz als der zu x_t gehörige *geschätzte Regressionswert* oder (nicht ganz korrekt) als der *berechnete y-Wert* bezeichnet werden.

Die Differenz zwischen y_t und $\hat{y}_t$ heißt das (zur Periode t gehörige) *Residuum* und wird mit $\hat{u}_t$ bezeichnet:

$$\hat{u}_t = y_t - \hat{y}_t . \tag{1.12}$$

Es ist eine Schätzung der Störvariablen u_t und zugleich jener senkrechte Abstand, von dem oben die Rede war (vgl. Abb. 1.3). Das *Prinzip der kleinsten Quadrate* (abgekürzt: *KQ-Prinzip*) kann jetzt so formuliert werden:

Man bestimme $\hat{\alpha}$ und $\hat{\beta}$ so, daß

$$\sum_{t=1}^{T} \hat{u}_t^2 \quad \text{minimal}$$

wird.

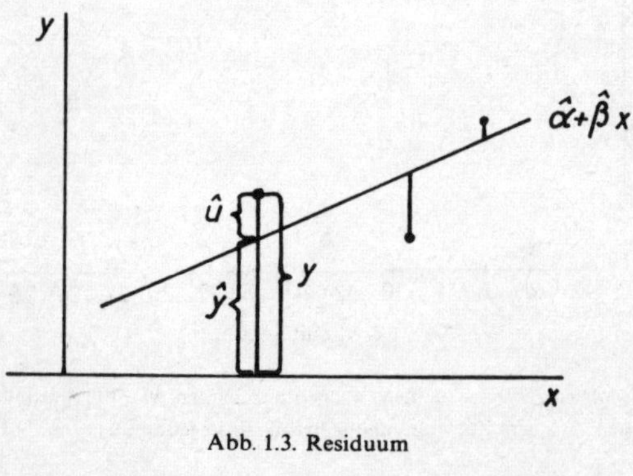

Abb. 1.3. Residuum

Bezeichnungskonvention:

Wir führen nun eine auch für die folgenden Schätzprinzipien gültige Konvention ein: Mit einem ^ kennzeichnen wir die nach einer bestimmten Methode gewonnenen Schätzungen (z.B. $\hat{\alpha}$, $\hat{\beta}$) sowie das zu diesen Schätzungen gehörige Residuum $\hat{u}$. Sofern es notwendig erscheint, wird die Schätzmethode in geeigneter Weise kenntlich gemacht (z.B. $(\hat{\alpha})_{KQ}$ für die Schätzung nach dem KQ-Prinzip, $(\hat{u})_{KQ}$ für das KQ-Residuum). Wählen wir statt dessen für die unbekannten Parameter irgendwelche Probewerte (z.B. $\check{\alpha}$, $\check{\beta}$), dann bezeichnen wir das zugehörige Probe-Residuum mit $\check{u}$. Dabei wollen wir allerdings auf eine besondere Kennzeichnung der *Parameter*probewerte durch ˇ in Zukunft verzichten. Aus dem Zusammenhang heraus sollte jeweils klar sein, ob wir mit α den wahren Parameter oder einen willkürlich gewählten Probewert meinen. (Diese Vereinfachung in der Bezeichnungsweise entspricht ganz unserer analogen Konvention, Zufallsvariablen und ihre Realisationen mit dem gleichen Symbol zu bezeichnen – vgl. Anhang *B1.1.*) Für die Probe-*Residuen* dagegen wollen wir die Bezeichnung $\check{u}$ beibehalten. Insbesondere fassen wir $\check{u}$ (z.B. $\check{u}=y-\alpha-\beta x$) als Funktion der Probeparameter (z.B. α, β) bei gegebenen Beobachtungen (z.B. y, x) auf, während die Störvariable u (z.B. $u=y-\alpha-\beta x$) immer als Residuum bei unbekannten Parameterwerten (z.B. α, β) zu verstehen ist. Werden die Parameterprobewerte gemäß einem bestimmten Schätzprinzip auf Parameterschätzungen (z.B. $\hat{\alpha}, \hat{\beta}$) festgelegt, dann geht $\check{u}$ in $\hat{u}$ über (z.B. $\hat{u}=y-\hat{\alpha}-\hat{\beta}x$). Das Prinzip der kleinsten Quadrate kann z.B. wie folgt kurz charakterisiert werden:

$$\sum \hat{u}_t^2 = \min_{\alpha,\beta} \sum \check{u}_t^2 .$$

1.2.2. Normalgleichungen

Aus diesem Prinzip sind leicht die Schätzformeln für $\hat{\alpha}$ und $\hat{\beta}$ herzuleiten. Wir setzen $\check{u}=y-\alpha-\beta x$ mit willkürlich gewählten Probewerten α, β in die zu minimierende Summe ein und erhalten[8)]

$$Q := \sum \check{u}_t^2 = \sum (y_t-\alpha-\beta x_t)^2 . \tag{1.13}$$

Die Probewerte α und β sind aber nun so zu wählen, daß Q ein Minimum wird. Man findet sie, indem man Q nach α und β differenziert und die Ableitungen gleich Null setzt[9)]:

$$\frac{\partial Q}{\partial \alpha} = -2\sum (y_t-\alpha-\beta x_t)=0$$
$$\frac{\partial Q}{\partial \beta} = -2\sum (y_t-\alpha-\beta x_t)x_t=0 .$$

8) Hier wie auch im folgenden ist die Summation über den Index t vorzunehmen, wobei t von 1 bis T läuft.

9) Damit erhalten wir zwar nur die notwendigen Bedingungen für ein Minimum; die hinreichenden sind aber auch erfüllt, wie man leicht nachrechnet. Im übrigen sind wir auf diese nicht angewiesen, wenn wir uns auf den allgemeinen Satz beziehen, daß die stationären Stellen nichtnegativer quadratischer Funktionen nur Minima sein können.

Hieraus ergeben sich die folgenden Bestimmungsgleichungen für die *Kleinst-quadrat-Schätzungen* (abgekürzt: *KQ-Schätzungen*) $\hat{\alpha}$ und $\hat{\beta}$, die sogenannten *Normalgleichungen:*

$$\begin{aligned} \hat{\alpha}T+\hat{\beta}\sum x_t &= \sum y_t \\ \hat{\alpha}\sum x_t+\hat{\beta}\sum x_t^2 &= \sum y_t x_t \end{aligned} \tag{1.14}$$

Aus ihnen errechnet man $\hat{\alpha}$ und $\hat{\beta}$, z.B.

$$\hat{\beta}=\frac{T\sum x_t y_t-\sum x_t \sum y_t}{T\sum x_t^2-(\sum x_t)^2}. \tag{1.15}$$

Diese Formel ist zwar für praktische Zwecke vollkommen ausreichend, sie wird aber durchsichtiger und für theoretische Überlegungen besser manipulierbar, wenn man sie mit Hilfe der Begriffe

$$\operatorname{cov}(x,y)=\frac{1}{T}\sum_{t=1}^{T}(x_t-\bar{x})(y_t-\bar{y}),$$

der Stichprobenkovarianz zwischen den Zeitreihen $x_1,\ldots,x_T$ und $y_1,\ldots,y_T$, und

$$s^2(x)=\frac{1}{T}\sum(x_t-\bar{x})^2,$$

der Stichprobenvarianz der Zeitreihe $x_1,\ldots,x_T$, umformt. Unter Benutzung der bekannten Zerlegungsformel (vgl. Anhang *B5.*)

$$\begin{aligned} \operatorname{cov}(x,y) &= \overline{xy}-\bar{x}\,\bar{y} \\ s^2(x) &= \overline{x^2}-\bar{x}^2 \end{aligned} \tag{1.16}$$

erhält man

$$\hat{\beta}=\frac{\operatorname{cov}(x,y)}{s^2(x)}. \tag{1.17}$$

Übrigens sind (1.15) oder (1.17) nur deshalb sinnvolle Ausdrücke, weil nach (R4) $s^2(x)\neq 0$ ist. Andernfalls wären die Normalgleichungen nicht eindeutig lösbar.

Für $\hat{\alpha}$ gilt aufgrund der ersten Normalgleichung:

$$\hat{\alpha}=\bar{y}-\hat{\beta}\bar{x}. \tag{1.18}$$

Aus dieser Gleichung kann eine interessante Folgerung gezogen werden. Ersetzt man in der Gleichung (1.11) den Parameter $\hat{\alpha}$ durch (1.18), dann erhält man folgende Gleichung für die geschätzte Regressionsgerade:

$$\hat{y}_t-\bar{y}=\hat{\beta}(x_t-\bar{x}). \tag{1.19}$$

Aus ihr ist ersichtlich, daß die geschätzte Regressionsgerade durch den *Schwerpunkt* $(\bar{x},\bar{y})$ des Punktehaufens im Streudiagramm geht.

Beispiel:

Aus den oben (S. 41) angegebenen Zeitreihen berechnen wir nach folgendem Schema die für die weiteren Rechnungen notwendigen Produkt- und Quadratsummen ($T=10$):

	x	y	x^2	xy	y^2
	10	2	100	20	4
	9	2	81	18	4
	15	3	225	45	9
	21	5	441	105	25
	18	4	324	72	16
	18	3	324	54	9
	22	5	484	110	25
	23	5	529	115	25
	20	4	400	80	16
	25	6	625	150	36
$\sum$	181	39	3533	769	169
∅	18,1	3,9	353,3	76,9	16,9

Die letzte Spalte wird später benötigt. In der vorletzten Zeile stehen die einfachen Summen sowie die Produkt- und Quadratsummen, aus denen alle Schätzungen gewonnen werden können. In der letzten Zeile stehen die entsprechenden Durchschnittswerte, also die empirischen Momente erster und zweiter Ordnung. Auch aus ihnen können sämtliche Parameterschätzungen gewonnen werden. Es kann nun das Normalgleichungssystem (1.14) aufgestellt werden:

$$10\hat{\alpha} + 181\hat{\beta} = 39$$
$$181\hat{\alpha} + 3533\hat{\beta} = 769$$

mit der Lösung $\hat{\alpha} = -0{,}546$, $\hat{\beta} = 0{,}246$. $\hat{\beta}$ kann auch nach (1.17) berechnet werden, nachdem man mit Hilfe der Formeln (1.16) $\operatorname{cov}(x, y) = 6{,}31$ und $s^2(x) = 25{,}69$ errechnet hat. Schließlich kann $\hat{\alpha}$ nach (1.18) mit Hilfe des gefundenen Wertes für $\hat{\beta}$ berechnet werden. Beide Berechnungsmethoden stimmen (bis auf Rundungsfehler) hinsichtlich ihrer Ergebnisse überein. Die geschätzte Regressionsgerade geht offenbar durch den Schwerpunkt $(\bar{x}, \bar{y}) = (18{,}1;\ 3{,}9)$, wie auch aus der folgenden Abbildung ersichtlich ist. (Fortsetzung des Zahlenbeispiels auf S. 47 u. S. 230.)

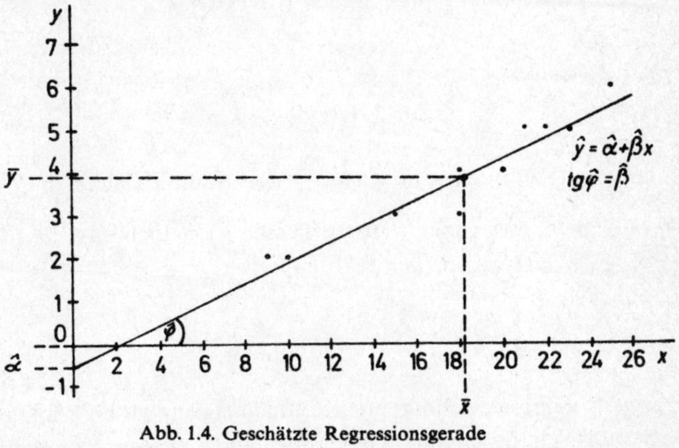

Abb. 1.4. Geschätzte Regressionsgerade

1.2.3. Die Residuen

Die Residuen $\hat{u}_t$ errechnen sich aus (1.11) und (1.12), nachdem $\hat{\alpha}$ und $\hat{\beta}$ schon bestimmt worden sind. Sie sind für die empirische Beurteilung des Regressionsmodells ungemein wichtig. An ihren Schwankungen läßt sich der „Erfolg" des Modells als Instrument zur Erklärung empirischer Zusammenhänge ablesen. Man kann z. B. Fragen der folgenden Art stellen: Kommen extrem große Residuen vor und worauf sind sie zurückzuführen? Zeigt die Folge der Residuen die für unabhängige Zufallsvariablen charakteristische Unregelmäßigkeit oder sind verdeckte Regelmäßigkeiten zu erkennen (vgl. *5.2.*)? Korrelieren die Residuen mit anderen beobachtbaren Variablen, die gegebenenfalls als zusätzliche Einflußfaktoren in die Regressionsfunktion aufgenommen werden müßten (vgl. *3.3.*)? Wie stark streuen die Residuen? Was ist ihr Mittelwert? Sind sie mit der exogenen Variablen korreliert?

Die beiden letzten Fragen können sofort allgemein beantwortet werden. Aus den Normalgleichungen folgt nämlich unmittelbar, daß

$$\begin{aligned} &\text{a)} \quad \sum \hat{u}_t = 0 \\ &\text{b)} \quad \sum \hat{u}_t x_t = 0. \end{aligned} \tag{1.20}$$

Also: Das arithmetische Mittel der Residuen ist Null: $\bar{\hat{u}} = 0$, und zwischen den Zeitreihen der exogenen Variablen und der Residuen besteht keine Korrelation: $\operatorname{cov}(\hat{u}, x) = 0$. Diese beiden Eigenschaften der Residuen stehen im Einklang mit den entsprechenden Eigenschaften (1.5) und (1.6) der latenten Störvariablen u.

(1.20) zeigt, daß zwischen den T Residuen 2 lineare Beziehungen bestehen. Sie können daher (bei gegebenen x_t) nicht völlig beliebige Werte annehmen, sondern sind derart gebunden, daß $T-2$ Residuen die beiden übrigen eindeutig bestimmen. Da es weitere Bindungen nicht gibt, sagt man, die Residuen besitzen $T-2$ *Freiheitsgrade*. Aus (1.20) folgt unmittelbar wegen (1.11) bzw. (1.12):

$$\sum \hat{y}_t \hat{u}_t = 0, \tag{1.21}$$

$$\sum \hat{y}_t = \sum y_t \quad \text{oder} \quad \bar{\hat{y}} = \bar{y}. \tag{1.22}$$

Die Varianz der Residuen $s^2(\hat{u}) = \overline{\hat{u}^2} = \frac{1}{T} \sum \hat{u}_t^2$ kann als Schätzung der Varianz der Störvariablen σ^2 verwendet werden. Besser ist jedoch eine *um die Zahl der Freiheitsgrade bereinigte Schätzung* (vgl. *1.4.9.*):

$$\hat{\sigma}^2 = \frac{1}{T-2} \sum \hat{u}_t^2 = \frac{T}{T-2} s^2(\hat{u}). \tag{1.23}$$

Es ist übrigens nicht notwendig, alle Residuen einzeln zu berechnen, wenn man nur die Varianz σ^2 schätzen will und nicht noch andere Eigenschaften der Residuen untersuchen möchte. Man kann nämlich $\sum \hat{u}_t^2$ allein aus den Produkt- und Quadratsummen (bzw. aus den Momenten) der gegebenen Zeitreihen berechnen:

$$\sum \hat{u}_t^2 = \sum y_t^2 - \hat{\alpha} \sum y_t - \hat{\beta} \sum x_t y_t. \tag{1.24}$$

Dies ist eine Konsequenz der folgenden fundamentalen *Zerlegungsformel:*

$$\sum y_t^2 = \sum \hat{y}_t^2 + \sum \hat{u}_t^2, \tag{1.25}$$

die man wie folgt *beweist:* Es ist[10] $\sum y^2 = \sum (\hat{y} + \hat{u})^2 = \sum \hat{y}^2 + \sum \hat{u}^2 + 2 \sum \hat{y}\,\hat{u}$; der letzte Summand verschwindet aber nach (1.21). Aus (1.25) folgt nun (1.24), da $\sum \hat{y}^2 = \sum \hat{y}(y - \hat{u}) = \sum \hat{y}\,y = \sum (\hat{\alpha} + \hat{\beta} x) y = \hat{\alpha} \sum y + \hat{\beta} \sum x y$.

Beispiel: In unserem Zahlenbeispiel (S. 45) errechnet man $s^2(\hat{u}) = 0{,}140$ und nach Korrektur um die Zahl der Freiheitsgrade $\hat{\sigma}^2 = 0{,}175$. Man kann auch die Residuen einzeln bestimmen wie in der folgenden Tabelle und aus ihnen erneut $s^2(\hat{u})$ und $\hat{\sigma}^2$ berechnen. Dabei ergibt sich $s^2(\hat{u}) = 0{,}140$. (Fortsetzung S. 51.)

											$\sum$
x	10	9	15	21	18	18	22	23	20	25	181
y	2	2	3	5	4	3	5	5	4	6	39
$\hat{y}$	1,910	1,665	3,139	4,612	3,875	3,875	4,858	5,104	4,367	5,595	39
$\hat{u}$	+0,090	+0,335	−0,139	+0,388	+0,125	−0,875	+0,142	−0,104	−0,367	+0,405	0
$\hat{u}^2$	0,008	0,112	0,019	0,151	0,016	0,766	0,020	0,011	0,135	0,164	1,402

1.2.4. Korrelationskoeffizient und Bestimmtheitsmaß

a) Die Zerlegungsformel (1.25) kann durch leichte Modifikation – man subtrahiere nach Division durch T auf beiden Seiten $\bar{y}^2$ und beachte, daß nach (1.22) $\bar{y} = \bar{\hat{y}}$ und nach (1.20) $\bar{\hat{u}} = 0$ ist – in eine entsprechende *Streuungszerlegungsformel* umgewandelt werden:

$$s^2(y) = s^2(\hat{y}) + s^2(\hat{u}). \tag{1.26}$$

Die Streuung der y_t-Werte wird also zerlegt in die Streuung der entsprechenden $\hat{y}_t$-Werte und in die Rest- oder Residualstreuung. (Vgl. Abb. 1.5.)

Die geschätzten Regressionswerte $\hat{y}$ hängen streng linear von den Werten der exogenen Variablen x ab. Daher ist ihre (Stichproben-)Varianz proportional zur (Stichproben-)Varianz der x-Werte, und zwar gilt:

$$s^2(\hat{y}) = \hat{\beta}^2 s^2(x). \tag{1.27}$$

Bei gegebener Neigung der geschätzten Regressionsgeraden $\hat{\beta}$ wird also $s^2(\hat{y})$ von der Varianz der x-Werte bestimmt. Man sagt daher auch, $s^2(\hat{y})$ sei der Teil von $s^2(y)$, der durch die Regressionsbeziehung „erklärt", nämlich auf die Varianz

[10] Der Summationsindex t ist hier (wie auch im folgenden des öfteren) der Einfachheit halber fortgelassen worden.

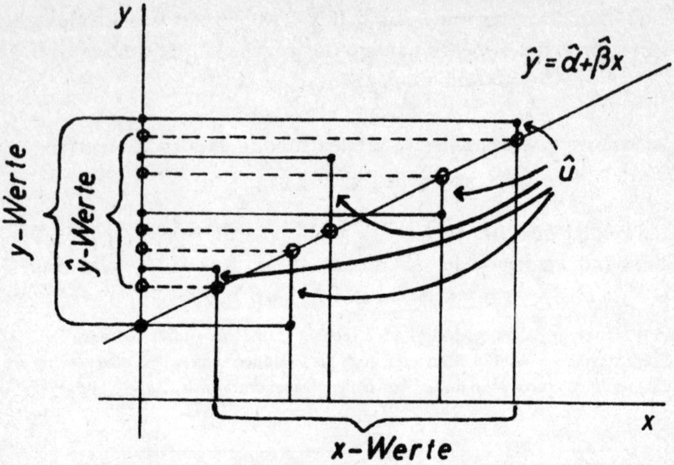

Abb. 1.5. Streuungszerlegung

der exogenen Variablen zurückgeführt werden konnte, und nennt $s^2(\hat{y})$ die „erklärte Varianz". Je größer dieser Teil, um so größer der Erklärungswert. Daher verwendet man bisweilen als Maßstab für die Genauigkeit einer Regressionsbeziehung den Anteil der erklärten Varianz an der Gesamtvarianz der endogenen Variablenwerte und bezeichnet diesen als *Bestimmtheitsmaß* r^2:

$$r^2 = \frac{s^2(\hat{y})}{s^2(y)}. \tag{1.28}$$

Die Wurzel aus r^2, versehen mit dem Vorzeichen des geschätzten Regressionskoeffizienten $\hat{\beta}$, heißt der *Korrelationskoeffizient* r. Wegen (1.26), (1.27) und (1.17) gibt es folgende Möglichkeiten, r zu berechnen:

$$r^2 = 1 - \frac{s^2(\hat{u})}{s^2(y)}, \tag{1.29}$$

$$r = \hat{\beta}\frac{s(x)}{s(y)}, \tag{1.30}$$

$$r = \frac{\operatorname{cov}(x, y)}{s(x)\, s(y)}. \tag{1.31}$$

Aus (1.29) folgt, daß $-1 \leq r \leq 1$. Es ist $r^2 = 1$ genau dann, wenn $s^2(\hat{u}) = 0$, d.h. wenn alle Punkte des Streudiagramms genau auf der Regressionsgeraden liegen. $r = 0$ bedeutet, daß $s^2(\hat{u}) = s^2(y)$ und $s^2(\hat{y}) = 0$, d.h. die gesamte Varianz der endogenen Variablenwerte ist gleich der Residualvarianz, die Regressionsgerade verläuft waagrecht und besitzt keinerlei Erklärungswert: die endogene Variable hängt (jedenfalls soweit ihr Mittelwert betroffen ist) von der exogenen Variablen nicht ab.

Man sieht das auch an (1.30): $r=0$ ist äquivalent zu $\hat{\beta}=0$; wobei wir allerdings voraussetzen müssen, daß $s(x)$ und $s(y)$ beide von Null verschieden sind, andernfalls ist der Korrelationskoeffizient nicht definiert.

Nach (1.31) ist Unkorreliertheit ($r=0$) mit dem Verschwinden der Kovarianz gleichbedeutend, eine Eigenschaft, auf die wir schon mehrfach Bezug genommen haben (vgl. z.B. *1.1.3.*). (1.31) stellt den Korrelationskoeffizienten als standardisierte Kovarianz dar. Aus dieser Darstellung wird ersichtlich, daß der Korrelationskoeffizient sich nicht ändert, wenn die beiden Variablen x und y mit beliebig abgeänderten Maßeinheiten und beliebig gewählten Skalennullpunkten gemessen werden. Dagegen ändern sich bei derartigen Maßstabsveränderungen die Regressionsparameter α, β und σ.

Beispiel: In unserem früheren Beispiel ist $r=0{,}958$ und $r^2=0{,}917$. Das heißt es werden 91,7% der Varianz von y durch die Regression erklärt. (Fortsetzung des Zahlenbeispiels S. 51.)

b) Die Verwendung des Bestimmtheitsmaßes als Maß für die Güte der Anpassung an die Regressionsgerade ist allerdings problematisch, besonders dann, wenn die Variablen einen Trend aufweisen. Dann wird nämlich die Korrelation automatisch (genauer mit Wahrscheinlichkeit 1) immer „besser", je mehr Beobachtungswerte anfallen, ohne daß sich an der Streuung der Beobachtungspunkte um die Regressionsgerade etwas geändert hat. Man erkennt das deutlich an (1.29). Wenn dort $s^2(\hat{u})$ (im wesentlichen) konstant bleibt, aber $s^2(y)$ mit wachsender Zeitreihenlänge immer größer wird, dann geht r^2 gegen 1. (Vgl. auch Aufg. (1-40).)

Der Korrelationskoeffizient wird insbesondere sehr oft als Auswahlkriterium benutzt, wenn a priori nicht eindeutig feststeht, ob die endogene Variable y von der Variablen x abhängt oder vielleicht eher von einer anderen Variablen z. Die beiden Regressionen von y auf x bzw. von y auf z werden im allgemeinen verschiedene Korrelationskoeffizienten aufweisen. Je größer dieser, um so kleiner nach (1.29) die Varianz der Residuen. Daher erscheint es vernünftig, bei mehreren in Frage kommenden exogenen Variablen diejenige auszuwählen, bei der die Korrelation am größten ist, es sei denn, man will mehrere Variablen in die Gleichung aufnehmen (vgl. Kap. 2). Doch ist hier vor einem allzu schematischen Vorgehen zu warnen. Besonders, wenn trendbehaftete Zeitreihen miteinander korreliert werden, kann man leicht die falsche Regression erwischen, weil diese zufällig den höheren Korrelationskoeffizienten besaß.

Beispiel: Will man „die" makroökonomische Konsumfunktion aufstellen, so kann die Wirtschaftstheorie nicht völlig eindeutig sagen, welcher der zahlreichen Einkommensbegriffe bei der Konstruktion der exogenen Variablen verwendet werden soll. In *1.1.1.* haben wir den privaten Konsum C als Funktion des verfügbaren privaten Einkommens Y_{pr}^{v} angesetzt. Denkbar wäre aber auch die Verwendung des verfügbaren persönlichen Einkommens Y_{H}^{v} anstelle von Y_{pr}^{v}, das sich von diesem um die nicht ausgeschütteten Gewinne der Unternehmungen unterscheidet[11]. Theoretisch nicht gerechtfertigt erscheint dagegen die Verwendung des Faktoreinkommens oder gar des Brutto-Sozialprodukts als die den

[11] Zu diesen und anderen Einkommensbegriffen vgl. etwa STOBBE [1966].

privaten Konsum bestimmende Einflußgröße. Dennoch erzielt man zumeist auch mit diesen Variablen erstaunlich gute Anpassungen, gemessen etwa am hohen Korrelationskoeffizienten. Das liegt an der weitgehend parallelen Bewegung dieser Variablen im Zeitablauf. In der Bundesrepublik folgen sie sämtlich einem starken Trend.

Man hofft, durch Ausschaltung des Trends zu einer sichereren Beurteilungsbasis zu kommen, weil dann die Korrelationskoeffizienten bei alternativer Wahl der exogenen Variablen größere (relative) Unterschiede aufweisen. Zur Trendausschaltung bieten sich zwei Wege an. Entweder verwendet man in einer Regression nur trendbereinigte Variablen, also deren Abweichungen vom eigenen Trend oder aber man korreliert die Veränderungen (die ersten Differenzen) oder Veränderungsraten der Variablen miteinander. Auf beiden Wegen tauchen freilich neue Schwierigkeiten auf, die wir später untersuchen wollen (vgl. *3.2.4.* und *5.2.4.*). Sicherlich schützen auch diese Methoden nicht vor Irrtümern.

Denn auch dann, wenn die Variablen keinem Trend folgen, können sie derart miteinander verwoben sein, daß es schwerfällt, den die endogene Variable y direkt beeinflussenden Faktor herauszufinden. So mögen etwa Beziehungen der folgenden Art bestehen[12)]: z beeinflußt x und x beeinflußt y (symbolhaft: $z \to x \to y$) oder z und y werden beide von x beeinflußt ($z \leftarrow x \to y$). In beiden Fällen kann man irrtümlich eine direkte Beziehung $z \to y$ postulieren und empirisch durch Berechnung einer Regression und des (möglicherweise sehr hohen) Korrelationskoeffizienten zu erhärten versuchen. In Wirklichkeit besteht aber die Beziehung nur indirekt und bricht zusammen, sobald der Zusammenhang zwischen z und x zerstört wird.

Beispiele: Solange die Steuersätze und Transferzahlungen des Staates an die Haushalte unverändert bleiben (und wir von dem Effekt der Steuerprogression absehen können), besteht ein linearer Zusammenhang zwischen Y_{pr}^{v} als endogener Variablen x und dem Nettofaktoreinkommen Y_f^n als exogener Variablen z. Wird nun der private Konsum C mit y bezeichnet, dann besteht der oben angeführte kausale Zusammenhang $z \to x \to y$. Daher finden wir indirekt eine Regression von y auf z. Sie wird wesentlich gestört, sobald sich die Steuersätze usw. ändern und damit die Beziehung $z \to x$ sich wandelt, ohne daß an der Konsumfunktion $C = C(Y_{pr}^{v})$, also an der Beziehung $x \to y$, eine Änderung eingetreten sein müßte.

Ein bekanntes Beispiel für die Kausalstruktur $z \leftarrow x \to y$ ist die früher beobachtete Nonsense-Korrelation zwischen der Zahl z der Störche und der Geburtenrate y in den Gemeinden Norddeutschlands (Querschnittsanalyse). Der gemeinsame Faktor x ist hier etwa der ländliche Charakter der Gemeinde, den man z. B. an der Entfernung zur nächsten größeren Stadt messen kann.

Eine weitere Schwierigkeit beim Vergleich verschiedener Regressionsbeziehungen anhand des Korrelationskoeffizienten tritt dann auf, wenn die endogene Variable abgeändert wird, sei es, daß sie einer Transformation (z. B. von y nach $\log y$) unterworfen wurde, sei es, daß ein modifizierter statistischer Begriff (z. B. nomineller statt realer Konsum) verwendet wurde. In solchen Fällen ändert sich nicht nur die Residualvarianz, sondern auch die Varianz der Zeitreihenwerte der endogenen Variablen, was natürlich die Vergleichbarkeit erschwert[13)].

[12)] Der zweite Fall führt streng genommen zu einem neuen Modell (vgl. 7.1.), was freilich empirisch oft schwer zu erkennen ist.

[13)] Weitere Einzelheiten bei GOLDBERGER [1968, S. 130].

1.2.5. Die Umkehrregression

Aufgrund des gegebenen Regressionsmodells ist im allgemeinen nur eine Regression der Variablen y auf die Variable x sinnvoll. Dennoch kann rein formal auch die umgekehrte Regression von x auf y berechnet werden. Hierzu ist die Summe der quadratischen *horizontalen* Abstände der Beobachtungspunkte von der Geraden zu minimieren. Es zeigt sich, daß die so bestimmte Regressionsgerade von der früher errechneten abweicht, es sei denn, daß $r^2=1$ ist. Die beiden Regressionsgeraden schneiden sich im Schwerpunkt des Streudiagramms (vgl. (1.19)).

Bezeichnen wir jetzt genauer mit $\hat{\beta}_{y \cdot x}$ den geschätzten Regressionskoeffizienten einer Regression von y auf x, den wir bisher einfach mit $\hat{\beta}$ bezeichnet haben, und definieren entsprechend $\hat{\beta}_{x \cdot y}$, so daß also

$$\hat{y}-\bar{y}=\hat{\beta}_{y \cdot x}(x-\bar{x}) \quad \text{und} \quad \hat{x}-\bar{x}=\hat{\beta}_{x \cdot y}(y-\bar{y})$$

die Gleichungen der beiden geschätzten Regressionsgeraden sind, dann gilt entsprechend (1.17):

$$\hat{\beta}_{y \cdot x}=\frac{\operatorname{cov}(x, y)}{s^2(x)}, \quad \hat{\beta}_{x \cdot y}=\frac{\operatorname{cov}(y, x)}{s^2(y)}.$$

Die beiden Geraden fallen genau dann zusammen, wenn

$$\hat{\beta}_{y \cdot x}=1/\hat{\beta}_{x \cdot y},$$

denn dann haben sie die gleiche Neigung. (Man beachte, daß die beiden Geradengleichungen zu Koordinatensystemen mit vertauschten Achsen gehören.) Nun ist aber nach (1.31):

$$\hat{\beta}_{y \cdot x}\,\hat{\beta}_{x \cdot y}=r^2,$$

woraus die Behauptung folgt, daß die beiden Regressionsgeraden genau dann übereinstimmen, wenn $r^2=1$ ist, d.h. wenn alle Beobachtungspunkte exakt auf einer Geraden liegen. (Vgl. auch die Bemerkungen in *1.1.5.*)

Beispiel: In unserem Beispiel war $\hat{\beta}_{y \cdot x}=0{,}246$. Analog ergibt sich $\hat{\beta}_{x \cdot y}=3{,}734$. Das Produkt von beiden ist $r^2=0{,}917$. $1/\hat{\beta}_{x \cdot y}=0{,}268$ ist verschieden von $\hat{\beta}_{y \cdot x}$. (Fortsetzung S. 65.)

1.2.6. Nichtlineare Regression

Zahlreiche ökonomische Beziehungen zeigen deutlich eine nichtlineare Abhängigkeit.

Beispiele: Cobb-Douglas-Produktionsfunktion, Konsumfunktion mit Sättigungsgrenze, Preisabsatzfunktionen, Liquiditätspräferenzfunktion, exponentielle Wachstumsfunktion, Nutzenindifferenzkurven usw.

In vielen Fällen kann man solche nichtlinearen Funktionen durch geeignete Variablentransformationen in lineare verwandeln. Die folgende Tabelle zeigt die wichtigsten Transformationsmöglichkeiten:

Nichtlineare Funktionen		Variablentransformation	Lineare Funktionen
Potenzfkt.:	$y=\alpha x^{\beta} e^{u}$	$y'=\log y,\ x'=\log x$	$y'=\log\alpha+\beta x'+u$
Exp.fkt.:	$y=\alpha e^{\beta x} e^{u}$	$y'=\log y,\ x'=x$	$y'=\log\alpha+\beta x'+u$
Hyperbelfkt.:	$y=\alpha+\beta/x+u$	$y'=y,\ x'=1/x$	$y'=\alpha+\beta x'+u$

Man beachte, daß in der ursprünglichen Funktion die Störvariable in einer ganz bestimmten nichtlinearen Form vorkommen muß, damit sie nach der Transformation als *additives* Störglied geschrieben werden kann.

Auch die Parameter unterliegen z.T. einer Transformation. In den beiden ersten Funktionen schätzt man z.B. α nicht direkt, sondern zunächst $\alpha^*=\log\alpha$ nach der Methode der kleinsten Quadrate und danach durch Entlogarithmieren α. Der Schätzfehler von α ist (vgl. *1.4.*) dann allerdings nicht mehr genau festzustellen. Approximativ ist jedoch $\sigma(\hat\alpha)\doteq\alpha\,\sigma(\hat\alpha^*)$, was man wie folgt einsehen kann: Es ist $\hat\alpha^*=\log\hat\alpha=\log\alpha+\log(1+(\hat\alpha-\alpha)/\alpha)$. Entwickelt man den letzten Ausdruck in eine TAYLOR-Reihe, bricht diese aber nach dem linearen Glied ab, dann erhält man approximativ $\hat\alpha^*\doteq\log\alpha+(\hat\alpha-\alpha)/\alpha$. Die Approximation ist um so besser, je weniger $\hat\alpha$ von α abweicht. Mit $\alpha^*=\log\alpha$ wird daraus: $\hat\alpha^*-\alpha^*\doteq(\hat\alpha-\alpha)/\alpha$. α^* ist der Erwartungswert von $\hat\alpha^*$ (vgl. *1.4.4.*). Dagegen ist $\hat\alpha$ nicht erwartungstreu; jedoch kann man dann, wenn $\hat\alpha$ nicht allzu stark streut, annehmen, daß $E\hat\alpha$ in der Nähe von α liegt. Aus der letzten approximativen Gleichung folgt daher, daß angenähert $\sigma(\hat\alpha^*)\doteq\frac{1}{\alpha}\,\sigma(\hat\alpha)$ ist, was zu beweisen war (vgl. auch Anhang *B 11.8.3* und *B 12.6*).

Die *Potenzfunktion* hat je nach der Größe ihrer Parameter ein sehr unterschiedliches Aussehen. β ist die *Elastizität* von y in bezug auf x. Es ist daher immer dann vorteilhaft, eine lineare Regression in logarithmierten Variablen anzusetzen, wenn man es vor allem auf die Schätzung von Elastizitäten abgesehen hat.

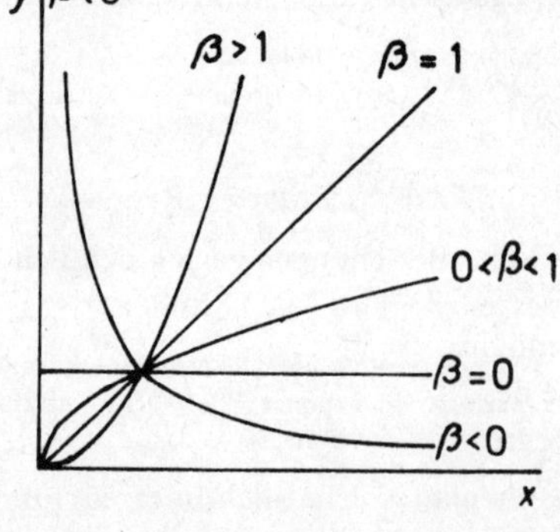

Abb. 1.6. Potenzfunktionen, $\beta=$Elastizität$=\frac{dy\cdot x}{dx\cdot y}$

Eine differenzierbare nichtlineare Funktion kann zumeist recht gut durch ein *Polynom* nicht allzu hoher Ordnung approximiert werden, z. B. durch

$$y = \alpha + \beta x + \gamma x^2 + u.$$

Diese (quadratische) Funktion ist linear in den Variablen x und x^2. Daher können wir die Parameter α, β und γ nach der Methode der kleinsten Quadrate schätzen, freilich mit mehreren erklärenden Variablen (vgl. Kap. 2). Da aber ein solcher Ansatz nur als Approximation gültig ist und durch ökonomisch-sachliche Argumente gewöhnlich nicht gestützt werden kann, sind Extrapolationen mit Hilfe dieser Gleichung nur mit Vorsicht vorzunehmen.

Natürlich lassen sich nicht alle Funktionen durch derartige Transformationen linearisieren. Ein wichtiges Gegenbeispiel ist die Funktion

$$y = \alpha + \frac{\beta}{x - \gamma} + u.$$

Man kann zwar die neue Variable $x' = 1/(x - \gamma)$ einführen, doch enthält diese einen der unbekannten Parameter.

Interessante ökonometrische Anwendungsmöglichkeiten bietet die nichtlineare Funktion

$$y^\gamma = \alpha + \beta x^\gamma + u,$$

z. B. als Liquiditätspräferenzfunktion [Zarembka] oder – mit zwei exogenen Variablen – als CES-Produktionsfunktion [Arrow u. a.].

Eine ganz andere Form von Nichtlinearitäten sind *Sprungstellen* in den Regressionsfunktionen. Sie werden oft als Strukturbrüche bezeichnet und können mit Hilfe von (0, 1)-Variablen in eine lineare Form übergeführt werden (vgl. *2.5.6.*).

1.3. Maximum-Likelihood-Methode

1.3.1. Das Maximum-Likelihood-Prinzip

Unter den vielen Methoden, Regressionsfunktionen zu schätzen (vgl. Aufg. (1–16)), ragt die Maximum-Likelihood-Methode (abgekürzt: *ML-Methode*) als eine Schätzmethode von größter Allgemeinheit hervor[14]. Ihr Prinzip läßt sich im vorliegenden Fall etwa wie folgt formulieren:

> Unter den vielen möglichen Regressionsgeraden wird diejenige als die beste Schätzung im Sinne des ML-Prinzips ausgewählt, bei der – unterstellt man, sie wäre die wahre Regressionsgerade – den Beobachtungspunkten die größte Wahrscheinlichkeit (oder besser: Wahrscheinlichkeitsdichte) zukommt.

[14] Vgl. etwa Kreyszig [1965], Menges [1961]; vgl. auch Anhang *B13*.

Man sehe sich daraufhin die folgenden Abbildungen an, in denen die wahre Regressionsgerade hypothetisch in ein Streudiagramm eingezeichnet ist. In den beiden ersten sind äußerst unwahrscheinliche Situationen dargestellt. Die Wahrscheinlichkeit z.B., daß alle Beobachtungspunkte oberhalb der Regressionsgerade liegen, ist bei nur mäßig großem Stichprobenumfang T verschwindend gering. Dagegen erscheint die dritte Konstellation von Regressionsgerade und Beobachtungspunkten sehr wahrscheinlich.

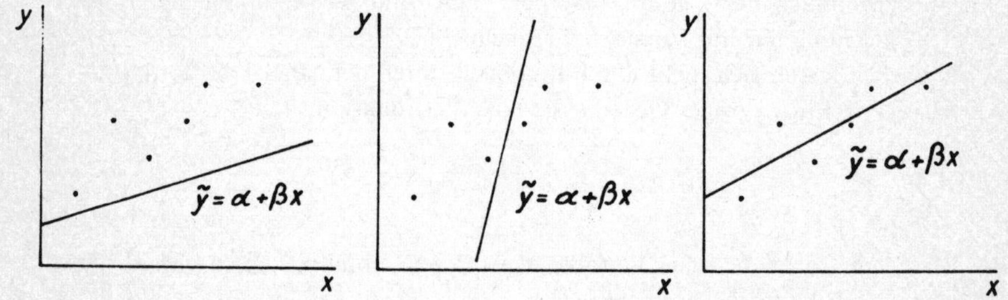

Abb. 1.7. Regressionsgerade und Streudiagramm

Ähnlich ist auch die Varianz der Störvariablen σ^2 so zu schätzen, daß bei den gegebenen Beobachtungspunkten eine möglichst wahrscheinliche Situation entsteht. In den folgenden Abbildungen ist um die Regressionsgerade (von der wir annehmen wollen, daß sie die wahre ist) ein hypothetisches 1σ-Band gezeichnet worden. Bei normalverteilten Störvariablen müßten etwa $\frac{2}{3}$ der Beobachtungspunkte in diesem Band liegen. Das ist nur in der dritten Abbildung der Fall, während die beiden anderen Abbildungen gänzlich unwahrscheinliche Situationen zeigen.

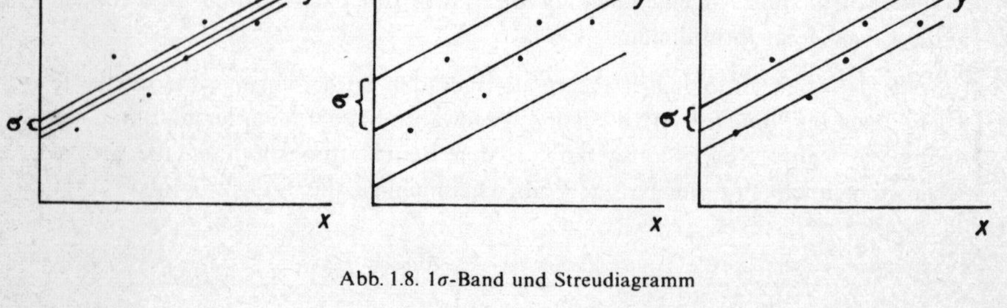

Abb. 1.8. 1σ-Band und Streudiagramm

Wir werden bei Regressionsanalysen zumeist mit Wahrscheinlichkeitsdichten rechnen müssen, da die Variablen x, y, u im allgemeinen kontinuierliche Zufallsvariablen sind. Das ML-Prinzip kann grundsätzlich auf jeden Verteilungstyp angewandt werden. Zu besonders einfachen Ergebnissen führt es aber, wenn wir für die u_t die Normalverteilungsannahme (R 6) treffen. Dann sind α, β und σ die einzigen unbekannten Parameter, wenn wir von den Parametern absehen, die möglicherweise die Wahrscheinlichkeitsverteilung der exogenen Variablen festlegen. Doch diese interessieren uns nicht (vgl. S. 39 f.), und wenn wir annehmen, daß die (eigentlichen) Parameter des Regressionsmodells α, β und σ nicht auch noch in der Wahrscheinlichkeitsverteilung der x_t vorkommen, dann können wir diese überhaupt unberücksichtigt lassen. Es geht dann nur noch darum, die Parameterwerte so festzulegen, daß die beobachteten y_t-Werte bei gegebenen $x_1, x_2, \ldots, x_T$ die größte Wahrscheinlichkeitsdichte erhalten. Nach diesem Prinzip erhalten wir jedenfalls in gewissem Sinne plausibelste Parameterschätzungen.

1.3.2. ML-Schätzungen

Zunächst ist die gemeinsame Wahrscheinlichkeitsdichte der $y_1, y_2, \ldots, y_T$ (bei gegebenen $x_1, x_2, \ldots, x_T$) zu bestimmen. Die Wahrscheinlichkeitsdichte für die Störvariable u_t ist nach (R 6), (R 1) und (R 2)

$$f_u(u_t) = \frac{1}{\sigma\sqrt{2\pi}} \exp\left(-\frac{u_t^2}{2\sigma^2}\right).$$

Da die u_t nach (R 3) nicht autokorreliert und damit im Falle der Normalverteilungsannahme (R 6) stochastisch unabhängig sind, folgt für die gemeinsame Wahrscheinlichkeitsdichte aller u_t:

$$f_u(u_1, u_2, \ldots, u_T) = \frac{1}{\sigma^T(\sqrt{2\pi})^T} \exp\left(-\frac{1}{2\sigma^2}\sum_{t=1}^{T} u_t^2\right). \tag{1.32}$$

Das ist zugleich die gemeinsame Wahrscheinlichkeitsdichte der y_t bei gegebenen $x_1, \ldots, x_T$, wenn man $u_t = y_t - \alpha - \beta x_t$ setzt:

$$f_y(y_1, \ldots, y_T | x_1, \ldots, x_T; \alpha, \beta, \sigma) = \frac{1}{\sigma^T(\sqrt{2\pi})^T} \exp\left[-\frac{1}{2\sigma^2}\sum_{t=1}^{T}(y_t - \alpha - \beta x_t)^2\right]. \tag{1.33}$$

Die y_t sind unabhängig normalverteilt mit dem Mittelwert $\alpha + \beta x_t$. Offenbar hängt die Dichtefunktion noch von den unbekannten Parametern α, β, σ ab. Diese sind nun so zu setzen, daß die Dichte bei gegebenen Beobachtungsdaten $y_1, \ldots, y_T$, $x_1, \ldots, x_T$ ein Maximum wird. Schreibt man die Dichtefunktion als Funktion der Regressionsparameter α, β, σ bei gebenen Beobachtungsdaten, dann erhält man die Likelihoodfunktion

$$L(\alpha, \beta, \sigma; y_1, \ldots, y_T, x_1, \ldots, x_T) := f_y(y_1, \ldots, y_T | x_1, \ldots, x_T; \alpha, \beta, \sigma).$$

Vor der Beobachtung sind α, β, σ fest, und die y_t werden als Variablen aufgefaßt. Nach der Beobachtung sind die y_t feste Daten, während die α, β, σ als unbekannte Parameter hypothetisch über alle möglichen Probe-Konstellationen variiert werden können. Die Likelihoodfunktion wird nur als Funktion der Parameter (und nicht der Beobachtungen) aufgefaßt. Es ist nun $L(\alpha, \beta, \sigma)$ zu maximieren.

Bei gegebenem σ wird $L(\alpha, \beta, \sigma)$ offenbar gerade durch diejenigen Werte $\hat{\alpha}$ und $\hat{\beta}$ maximiert, die den Summenausdruck im Argument der Exponentialfunktion minimieren. Diese Summe aber ist nichts anderes als die quadratische Form Q von (1.13), deren Minimierung zu den *Kleinst-Quadrat-Schätzungen* führt. Sie hängen von σ nicht ab und sind daher zugleich ML-Schätzungen.

Die Maximierung der Likelihood bezüglich σ bei gegebenen α und β wird zweckmäßigerweise so durchgeführt, daß man zunächst L logarithmiert, was zur *logarithmischen Likelihoodfunktion* führt:

$$\log L(\alpha, \beta, \sigma) = -\frac{T}{2}\log(2\pi) - T\log\sigma - \frac{1}{2\sigma^2}\sum(y_t - \alpha - \beta x_t)^2. \qquad (1.34)$$

Maximieren von L und von $\log L$ sind offenbar äquivalente Aufgaben, die zur selben Lösung führen; denn der Logarithmus ist eine streng monoton steigende Funktion. Wird $\log L$ partiell nach σ differenziert und die Ableitung gleich Null gesetzt, dann ergibt sich die folgende Bestimmungsgleichung für $\hat{\sigma}$

$$-\frac{T}{\hat{\sigma}} + \frac{1}{\hat{\sigma}^3}\sum(y_t - \alpha - \beta x_t)^2 = 0,$$

aus der sich nach Einsetzen der ML- bzw. KQ-Schätzungen $\hat{\alpha}$ und $\hat{\beta}$ für α und β die folgende ML-Schätzung von σ oder σ^2 ergibt:

$$(\hat{\sigma}^2)_{\mathrm{ML}} = \frac{1}{T}\sum \hat{u}_t^2 = s^2(\hat{u}). \qquad (1.35)$$

Das ist, bis auf die Korrektur um die Zahl der Freiheitsgrade, die früher in (1.23) angegebene Schätzformel für σ^2.

Wir sehen, die ML-Methode führt in diesem Fall zu den gleichen Schätzformeln wie die Methode der kleinsten Quadrate (vgl. aber Teil III).

Daß mit dieser Schätzung $(\hat{\sigma}^2)_{\mathrm{ML}}$ tatsächlich die Likelihoodfunktion maximiert wird, prüft man leicht anhand des bekannten hinreichenden Kriteriums für ein Maximum nach: Nochmalige Differentiation nach σ liefert den Ausdruck $T/\sigma^2 - (3/\sigma^4)\sum(y_t - \alpha - \beta x_t)^2$; nach Einsetzen von $(\hat{\sigma}^2)_{\mathrm{ML}}$ und der KQ-Schätzungen $\hat{\alpha}$ und $\hat{\beta}$ wird daraus $T/\hat{\sigma}^2 - 3T\hat{\sigma}^2/\hat{\sigma}^4 = -2T/\hat{\sigma}^2 < 0$.

Der Leser wird bemerkt haben, daß das Maximum der Likelihoodfunktion über zwei Stufen erreicht wurde: Zunächst wurde L bei gegebenem σ bezüglich α und β maximiert, wobei sich herausstellte – aber das ist nicht allgemein so –, daß die maximierenden Werte $\hat{\alpha}$ und $\hat{\beta}$ von σ unabhängig sind; sodann wurde L bei gegebenen $\hat{\alpha}$ und $\hat{\beta}$ bezüglich σ maximiert. Zu dieser Vorgehensweise der partiellen Likelihoodmaximierung vgl. auch Anhang *B13.5.*

1.4. Schätzfehler

1.4.1. Zufallsfehler

Wir haben nach plausibel erscheinenden Methoden Schätzformeln für die Parameter α, β, σ des Regressionsmodells gefunden. Nun stellt sich die Frage, wie genau diese Schätzungen sind. Diese Frage ist nur sinnvoll zu beantworten, wenn man davon ausgehen kann, daß die beobachteten Variablenwerte nach den Gesetzen eines fest vorgegebenen stochastischen Modells zustandegekommen sind. (In unserem Fall ist es das Modell von *1.1.6.*, später treten an seine Stelle andere, modifizierte Modelle.) Wegen der dem Modell inhärenten Zufallsfluktuation müssen wir immer damit rechen, daß die ermittelten Schätzwerte von den wahren (aber unbekannten) Parameterwerten mehr oder weniger stark abweichen. Die Differenz von Schätzwert und Parameterwert ist der *Schätzfehler*. Er ist uns prinzipiell unbekannt. (Kennten wir ihn, dann wäre uns auch der wahre Parameterwert bekannt.) Doch lassen sich Aussagen über den möglichen Fehlerspielraum machen, mit dem wir dann auch im Einzelfall zu rechnen hätten. Wir können diesen abschätzen, wenn wir uns einen Überblick verschaffen über alle denkbaren Schätzwerte, die aufgrund der stochastischen Eigenschaften des Modells möglich oder zumindest sehr wahrscheinlich sind. Unter ihnen befindet sich dann auch mit großer Wahrscheinlichkeit der in einem konkreten Einzelfall gefundene Schätzwert.

In unserem Regressionsmodell kommt der Schätzfehler vor allem durch die Zufallsschwankungen der Störvariablen u_t zustande. Weitere Unsicherheit bringt die Zufallsvariation in den Periodenwerten der exogenen Variablen x_t, sofern diese stochastischer Natur sind. Wir wollen aber im folgenden zunächst die $x_1, x_2, \ldots, x_T$ als fest vorgegeben ansehen, gerade mit den Werten, die wir tatsächlich beobachtet haben. Später wird diese Einschränkung für die wichtigsten Ergebnisse fallengelassen. Die einzig noch übrigbleibende Zufallsvariable y_t leitet dann ihr Wahrscheinlichkeitsgesetz von dem der u_t ab (wie das beim Übergang von (1.32) auf (1.33) geschehen ist).

1.4.2. Ein Simulationsmodell

Das folgende mechanische Modell mag eine Vorstellung von dem stochastischen Charakter der Schätzwerte vermitteln. Es gestattet die Simulation des Schätzvorgangs. Die unbekannte Regressionsgerade $\tilde{y} = \alpha + \beta x$ liege fest im (x, y)-Koordinatensystem. An den Punkten $(x_t, \tilde{y}_t)$ auf der Regressionsgeraden mit den festen Abszissenwerten x_t, $t = 1, 2, \ldots, T$, seien kleine Kugeln angebracht, die sich jedoch in senkrechten Bahnen von ihrer ursprünglichen Ruhestellung nach unten oder oben fortbewegen können. In der Tat sollen Abweichungen von der Ruhelage vorkommen, und zwar verursacht durch eine Vielzahl winziger Stöße, die von beiden Richtungen aus, ohne daß eine bevorzugt wird (R1), mit unterschiedlicher Stärke und in regelloser Folge auf die Kugeln einwirken. Im Durchschnitt sollen Zahl und Stärke der Stöße an den x_t-Stellen gleich sein (R2), doch sollen die Stöße an einer x_t-Stelle nicht von den Stößen an den anderen Stellen abhängen (R3). Werden nach einer gewissen Zeit die Kugeln angehalten, dann entsteht das typische Bild eines Streudiagramms (Abb. 1.9). Die in dieses nach der Methode der kleinsten Quadrate hineingezeichnete geschätzte Regressionsgerade $\hat{y} = \hat{\alpha} + \hat{\beta} x$ wird von der wahren je nach der zufälligen Konstellation der Kugeln mehr oder weniger stark abweichen. Wird dieser Vorgang wiederholt (was wir nur in den seltensten Fällen in der Praxis tun können, im Modell aber beliebig oft – darin liegt der Vorteil der Simulation), dann entsteht vor unseren Augen die Gesamtheit der möglichen Schätzungen für die Regressionsgerade zusammen mit der ihnen zukommenden Wahrscheinlichkeitsverteilung (Abb. 1.10).

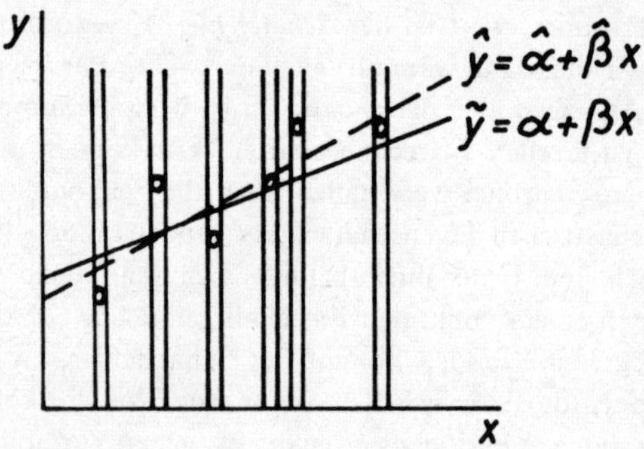

Abb. 1.9. Wahre und geschätzte Regressionsgerade im Streudiagramm

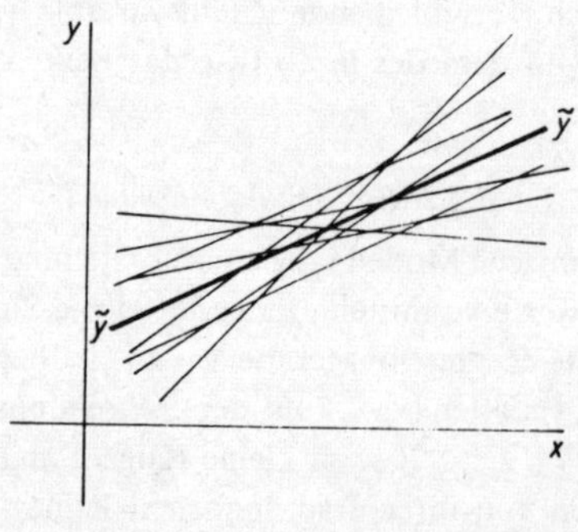

Abb. 1.10. Schar geschätzter Regressionsgeraden

1.4.3. Schätzvariablen

Die Schätzungen $\hat{\alpha}$, $\hat{\beta}$ und $\hat{\sigma}$ werden also von jetzt ab als Zufallsvariablen (sogenannte *Schätzvariablen*) betrachtet, die tatsächlich gefundenen Schätzwerte als deren Realisationen bei einer entsprechend den Modellvorschriften zustandegekommenen Zufallsstichprobe. Da die Schätzvariablen aus den beobachtbaren Variablen x_t, y_t berechnet werden und diese bei gegebenen $x_1, \ldots, x_T$ von den latenten Störvariablen u_t abhängen, sind ihre stochastischen Eigenschaften aus denen der Störvariablen herleitbar. Als ersten Schritt in dieser Richtung schreiben wir daher jetzt die Schätzvariablen als Funktion der Störvariablen um.

Aus den Normalgleichungen (1.14) gewinnen wir nach Einsetzen von $y_t = \alpha + \beta x_t + u_t$ das folgende Gleichungssystem:

$$\begin{aligned}(\hat{\alpha}-\alpha)\,T+(\hat{\beta}-\beta)\sum x_t &= \sum u_t\\ (\hat{\alpha}-\alpha)\sum x_t+(\hat{\beta}-\beta)\sum x_t^2 &= \sum u_t\, x_t\end{aligned} \tag{1.36}$$

mit den Lösungen (vgl. auch (1.15))

$$\hat{\alpha}-\alpha=\frac{\sum x_t^2 \sum u_t - \sum x_t \sum u_t\, x_t}{T\sum x_t^2-(\sum x_t)^2}=\frac{\sum(\overline{x^2}-\bar{x}\, x_t)\, u_t}{T s^2(x)} \tag{1.37a}$$

$$\hat{\beta}-\beta=\frac{T\sum x_t\, u_t - \sum u_t \sum x_t}{T\sum x_t^2-(\sum x_t)^2}=\frac{\sum(x_t-\bar{x})\, u_t}{T s^2(x)}. \tag{1.37b}$$

Damit sind die Schätzvariablen $\hat{\alpha}$ und $\hat{\beta}$ oder genauer: die Schätzfehler $\hat{\alpha}-\alpha$ und $\hat{\beta}-\beta$ auf die u_t zurückgeführt. Entsprechend könnten wir $\hat{\sigma}^2$ umformen. Es ist jedoch zweckmäßig, $\hat{\sigma}^2$ auf die schon umgeformten Variablen $\hat{\alpha}$ und $\hat{\beta}$ zurückzuführen und die stochastischen Eigenschaften von $\hat{\sigma}^2$ aus diesen herzuleiten. Das soll später geschehen.

1.4.4. Erwartungstreue der geschätzten Regressionsparameter

Nach (1.37) sind $\hat{\alpha}-\alpha$ und $\hat{\beta}-\beta$ (bei gegebenen $x_1, \ldots, x_T$) homogen lineare Funktionen der u_t. Sie sind daher wegen (R1) *erwartungstreu:*

$$E(\hat{\alpha}\,|\,\boldsymbol{x})=\alpha \qquad E(\hat{\beta}\,|\,\boldsymbol{x})=\beta. \tag{1.38}$$

Die Erwartungstreue gilt zunächst nur bedingt, nämlich bei gegebenen $x_1, \ldots, x_T$. Da aber die bedingten Erwartungswerte in (1.38) von den x-Werten gar nicht abhängen, gilt die Erwartungstreue auch unbedingt, d.h.:

$$E(\hat{\alpha})=\alpha, \qquad E(\hat{\beta})=\beta. \tag{1.38'}$$

1.4.5. Standardfehler der Parameterschätzungen

Quadriert man (1.37a) bzw. (1.37b) und bildet unter Berücksichtigung von (R2) und (R3), wonach insbesondere die beim Ausquadrieren entstehenden Zwischenglieder fortfallen, den (bedingten) Erwartungswert (bei gegebenen $x_1, \ldots, x_T$), dann gelangt man zu folgenden Ausdrücken für die *Fehlervarianzen:*

$$V(\hat{\alpha}|\boldsymbol{x}) = \frac{\overline{x^2}\,\sigma^2}{T\,s^2(x)}, \quad V(\hat{\beta}|\boldsymbol{x}) = \frac{\sigma^2}{T\,s^2(x)} \tag{1.39}$$

oder für die Standardabweichungen der Schätzfehler, die man auch kurz *Standardfehler* nennt:

$$\sigma(\hat{\alpha}|\boldsymbol{x}) = \frac{\sqrt{\overline{x^2}}\,\sigma}{\sqrt{T}\,s(x)} \tag{1.40a}$$

$$\sigma(\hat{\beta}|\boldsymbol{x}) = \frac{\sigma}{\sqrt{T}\,s(x)}. \tag{1.40b}$$

Wird in diesen Formeln σ durch seine Schätzung $\hat{\sigma}$ ersetzt, dann erhält man Schätzungen $\hat{\sigma}(\hat{\alpha}|\boldsymbol{x})$ und $\hat{\sigma}(\hat{\beta}|\boldsymbol{x})$ der Standardfehler. Im übrigen sind diese Formeln intuitiv leicht zu verstehen, denn sie besagen folgendes:

1. Wenn die u_t ceteris paribus stark streuen, sind auch die Schätzungen $\hat{\alpha}$, $\hat{\beta}$ sehr ungenau. 2. Auf der anderen Seite wird mit größer werdender Stichprobe die Schätzung genauer; jedoch nimmt der Fehlerspielraum nur mit $1/\sqrt{T}$ ab. Eine Verdoppelung der Genauigkeit erfordert daher eine viermal größere Stichprobe (bei gleichbleibenden $s(x)$ bzw. $\overline{x^2}$). 3. Auch mit größerer Streuung der x-Werte wird die Schätzung genauer:

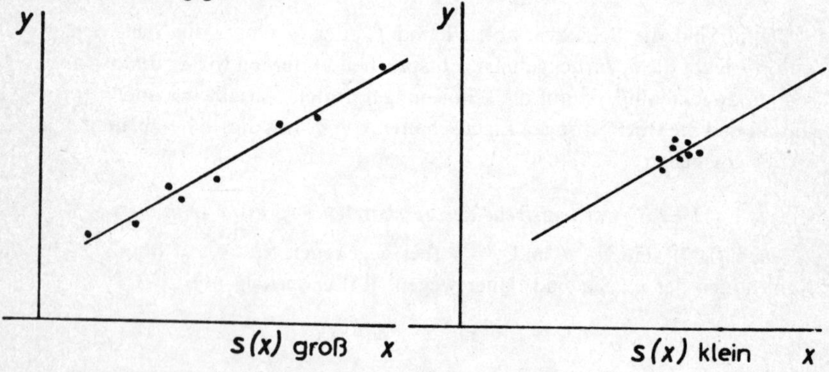

Abb. 1.11. Kleine und große Streuung der x-Werte

Aus den beiden Figuren ist leicht ersichtlich, daß die Lage der Regressionsgeraden bei großem $s(x)$ gesicherter ist als bei kleinem. Bei kleinem $s(x)$ kann die Neigung der geschätzten Regressionsgeraden viel schneller umkippen, auch wenn sich die u_t und damit die y-Werte nur wenig ändern.

4. Für das absolute Glied $\hat{\alpha}$ gilt, daß die Schätzungen um so ungenauer sind, je weiter ceteris paribus die x-Werte vom Nullpunkt entfernt sind, was aus der

folgenden Figur leicht ersichtlich ist. Als Abstandsmaß wird das quadratische Mittel $\overline{x^2}$ verwendet.

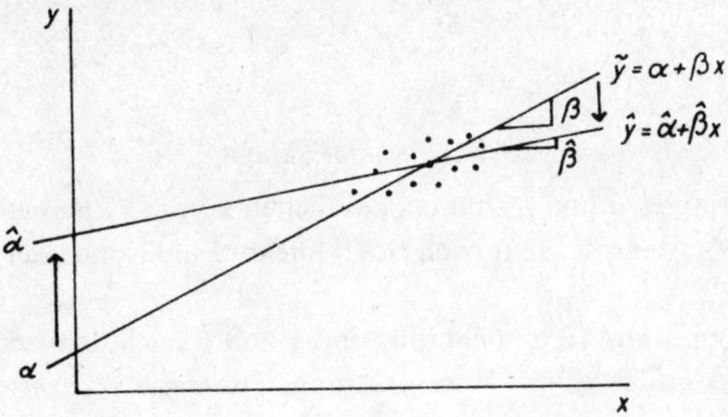

Abb. 1.12. Regressionskoeffizient und absolutes Glied

Da in der ökonometrischen Praxis die x-Werte oft weit vom Nullpunkt entfernt sind, ist die Schätzung des absoluten Glieds meistens sehr unzuverlässig.

1.4.6. *Kovarianz der Parameterschätzungen*

Den Formeln (1.39) für die Fehlervarianzen kann eine entsprechende Formel für die Kovarianz zwischen den Schätzvariablen $\hat{\alpha}$ und $\hat{\beta}$ zur Seite gestellt werden. Man erhält sie, wenn man (1.37a) und (1.37b) beidseitig miteinander multipliziert, den Erwartungswert bildet und dabei wieder nach (R 3) die Zwischenglieder fortläßt:

$$\operatorname{Cov}(\hat{\alpha}, \hat{\beta} \mid \boldsymbol{x}) = -\frac{\bar{x}\,\sigma^2}{T s^2(x)}. \tag{1.41}$$

Auch diese Formel kann anschaulich interpretiert werden. Nehmen wir z. B. an, daß $\bar{x}$ positiv ist, dann besagt (1.41), daß eine Überschätzung von β durch $\hat{\beta}$ tendenziell mit einer Unterschätzung von α durch $\hat{\alpha}$ einhergeht (vgl. auch Abb. 1.12). Das Ausmaß dieser Abhängigkeit ist um so größer, je weiter der Schwerpunkt des Punktehaufens vom Nullpunkt entfernt ist und auch je weniger die x-Werte streuen. (Vgl. auch Aufg. (1-23).)

Die Varianzen und die Kovarianz der Parameterschätzungen werden oft in einer symmetrischen Kovarianzmatrix zusammengefaßt:

$$\boldsymbol{S} := \begin{pmatrix} V(\hat{\alpha} \mid \boldsymbol{x}) & \operatorname{Cov}(\hat{\alpha}, \hat{\beta} \mid \boldsymbol{x}) \\ \operatorname{Cov}(\hat{\alpha}, \hat{\beta} \mid \boldsymbol{x}) & V(\hat{\beta} \mid \boldsymbol{x}) \end{pmatrix} = \frac{\sigma^2}{T s^2(x)} \begin{pmatrix} \overline{x^2} & -\bar{x} \\ -\bar{x} & 1 \end{pmatrix}. \tag{1.42}$$

Führt man die folgende Momentenmatrix

$$\boldsymbol{M} := \begin{pmatrix} 1 & \bar{x} \\ \bar{x} & \overline{x^2} \end{pmatrix} \tag{1.43}$$

ein, dann gelangt man zur Kovarianzmatrix im wesentlichen durch Inversion der Momentenmatrix:

$$\boldsymbol{S}=\frac{\sigma^2}{T}\boldsymbol{M}^{-1}. \tag{1.44}$$

1.4.7. Normalverteilung

Die Schätzvariablen $\hat{\alpha}$ und $\hat{\beta}$ sind bei gegebenen $x_1, \ldots, x_T$ *normalverteilt*, sofern es die u_t sind (R 6); denn sie sind nach (1.37) lineare Funktionen der u_t, $t=1, \ldots, T$, (Anhang *B 7.*).

Aber auch dann, wenn (R 6) nicht gilt, sind $\hat{\alpha}$ und $\hat{\beta}$ nach dem zentralen Grenzwertsatz unter sehr allgemeinen Voraussetzungen über die x_t *asymptotisch normalverteilt.*

Es genügt z. B., neben (R 5) die Bedingung zu setzen, daß die Menge der x_t, $t=1, 2, \ldots$, beschränkt ist und ferner, daß die Variablen u_t alle der gleichen (von den x_t unabhängigen) Wahrscheinlichkeitsverteilung folgen. Denn dann sind die im Anhang *B 11.6.* gemachten Voraussetzungen des zentralen Grenzwertsatzes erfüllt: Führen wir die Bezeichnung $a_{Tt} := (x_t - \bar{x})/s^2(x)$ ein, dann ist nach (1.37) $\hat{\beta}-\beta=\sum_t a_{Tt}\, u_t/T$, und $\hat{\beta}-\beta$ hat gerade die Form der Variablen y_n des Anhangs *B 11.6.* mit $n=T$, $i=t$ und $x_i=u_t$. Nach (1.40) ist $\lim T V(\hat{\beta}\,|\,\boldsymbol{x})=\sigma^2/\lim s^2(x)$. Wegen $\lim s(x) := \overline{s(x)} > 0$ (R 5) existiert dieser Grenzwert und ist positiv. Schließlich ist unter der Annahme beschränkter x_t-Werte und (R 5) auch die Menge der a_{Tt} beschränkt ($t=1, \ldots, T$; $T=1, 2, \ldots$).

Nach *B 11.6.* ist daher $\hat{\beta}-\beta$ asymptotisch normalverteilt mit asymptotischer Standardabweichung $\sigma/(\overline{s(x)}\sqrt{T})$ oder auch einfacher: $\hat{\beta}$ ist asymptotisch (β, σ_{β})-normalverteilt. Das gleiche kann man für $\hat{\alpha}$ nachweisen. Diese asymptotische Normalitätseigenschaft bleibt noch unter allgemeineren Voraussetzungen als den hier zugrunde gelegten bestehen.

Man darf im übrigen erwarten, daß – bei den ohnehin nur geringfügigen Abweichungen von der Normalverteilungsannahme – schon bei relativ kleinen Zeitreihen ($T>5$) die Normalverteilungseigenschaft für $\hat{\alpha}$ und $\hat{\beta}$ gegeben ist. Freilich, wenn wesentliche Abweichungen von (R 6) vorliegen, z. B. wenn die Störvariable eine unendlich große Streuung hat (vgl. hierzu Mandelbrot [1963 a, b]), kann von dem zentralen Grenzwertsatz nicht Gebrauch gemacht werden. Dann sind aber auch die Fehlerabschätzungsformeln (1.40) nicht mehr gültig.

1.4.8. Konsistenz

Die Parameterschätzungen sind konsistent, d. h. es gilt

$$\operatorname*{plim}_{T\to\infty} \hat{\alpha}=\alpha, \quad \operatorname*{plim}_{T\to\infty} \hat{\beta}=\beta. \tag{1.45}$$

Zum *Beweis* benutzen wir die Modellannahme (R 5). Die Behauptung ist bewiesen, wenn gezeigt werden kann, daß mit $T \to \infty$ die Fehlervarianzen gegen Null konvergieren (vgl. Anhang *B 10.3.*). Nach (R 5 b) ist $\lim s^2(x) > 0$ und daher konvergiert $V(\hat{\beta}|\boldsymbol{x})$ nach (1.39) mit $T \to \infty$ gegen Null. Das gleiche gilt für $V(\hat{\alpha}|\boldsymbol{x})$, wenn man noch (R 5 a) hinzunimmt, wonach $\overline{x^2}$ beschränkt bleibt.

Man beachte, daß für den Konsistenzbeweis von $\hat{\beta}$ nur (R 5 b) benötigt wurde. $\hat{\beta}$ ist also auch für trendbehaftete exogene Variablen eine konsistente Schätzung von β (vgl. auch Aufg. (1–28)). Übrigens geht auch die Kovarianz $\mathrm{Cov}(\hat{\alpha}, \hat{\beta}|\boldsymbol{x})$ gegen Null, da $|\mathrm{Cov}(\hat{\alpha}, \hat{\beta}|\boldsymbol{x})| \leqq \sqrt{V(\hat{\alpha}|\boldsymbol{x})}\sqrt{V(\hat{\beta}|\boldsymbol{x})}$.

Die Konsistenz ist insofern eine tröstliche Eigenschaft, als sie einem garantiert, daß die unbekannten Parameter beliebig genau geschätzt werden können, sofern man nur genügend lange Zeitreihen beobachtet und sofern die Parameter während dieser ganzen langen Zeit konstant bleiben. Für kurze Zeitreihen – in der ökonometrischen Praxis der Normalfall – ist diese Eigenschaft jedoch wenig relevant. Gerade dann wünscht man, den Fehlerspielraum abgrenzen zu können. Mit Hilfe der Standardfehler (1.40) ist das möglich. Doch benötigt man zu ihrer Berechnung die Standardabweichung der Störvariablen σ, die ebenso unbekannt ist wie die Parameter α und β. Daher befassen wir uns zunächst mit der Schätzung von σ, zumal dieser Parameter auch ein eigenständiges Interesse für sich beanspruchen darf.

1.4.9. Residualvarianz

Wir gehen aus von der zu (1.25) analogen *Zerlegungsformel*[15]

$$\Sigma u_t^2 = \Sigma \hat{u}_t^2 + \Sigma (\hat{y}_t - \tilde{y}_t)^2, \tag{1.46}$$

die man wie folgt beweist: Es ist $u = y - \tilde{y} = (y - \hat{y}) + (\hat{y} - \tilde{y}) = \hat{u} + (\hat{y} - \tilde{y})$, daher $\Sigma u^2 = \Sigma \hat{u}^2 + \Sigma (\hat{y} - \tilde{y})^2 + 2 \Sigma \hat{u}(\hat{y} - \tilde{y})$. Die letzte Summe verschwindet jedoch wegen (1.20), da sowohl $\hat{y}$ wie $\tilde{y}$ lineare Funktionen von x sind.

Man kann die Zerlegungsformel (1.46) nach Division durch T auch wie folgt interpretieren: Der mittlere quadratische Abstand der Beobachtungspunkte von der wahren Regressionsgeraden wird zerlegt in den mittleren quadratischen Abstand dieser Punkte von der geschätzten Regressionsgeraden und in den mittleren quadratischen Abstand der geschätzten von der wahren Regressionsgeraden.

Wegen

$$\hat{y}_t - \tilde{y}_t = \hat{\alpha} - \alpha + (\hat{\beta} - \beta)\, x_t \tag{1.47}$$

kann man (1.46) weiter umformen in

$$\sum u_t^2 = \sum \hat{u}_t^2 + T(\hat{\alpha} - \alpha)^2 + 2(\hat{\alpha} - \alpha)(\hat{\beta} - \beta) \sum x_t + (\hat{\beta} - \beta)^2 \sum x_t^2. \tag{1.48}$$

[15] Dabei war $\hat{y} = \hat{\alpha} + \hat{\beta} x$, $\tilde{y} = \alpha + \beta x$.

Bildet man auf beiden Seiten den (bedingten) Erwartungswert (bei gegebenen $x_1, \ldots, x_T$), dann entsteht mit (1.39) und (1.41):

$$\begin{aligned} T\sigma^2 &= E(\sum \hat{u}_t^2 | \boldsymbol{x}) + \frac{\overline{x^2}}{s^2(x)}\sigma^2 - 2\frac{\bar{x}^2}{s^2(x)}\sigma^2 + \frac{\overline{x^2}}{s^2(x)}\sigma^2 \\ &= E(\sum \hat{u}_t^2 | \boldsymbol{x}) + 2\sigma^2. \end{aligned}$$

Daraus folgt

$$E(\sum \hat{u}_t^2 | \boldsymbol{x}) = (T-2)\,\sigma^2.$$

Dieser bedingte Erwartungswert hängt jedoch von den x-Werten nicht ab, weshalb die Bedingung auch außer acht gelassen werden kann.

Daher ist $\hat{\sigma}^2 = \frac{1}{T-2}\sum \hat{u}_t^2$ eine *erwartungstreue* Schätzvariable für σ^2, was nachträglich die Einführung dieser Schätzformel in (1.23) rechtfertigt:

$$E\,\hat{\sigma}^2 = \sigma^2. \tag{1.49}$$

1.4.10.* *Konfidenzintervall für σ*

Die Zerlegungsformel (1.46) bzw. (1.48) leistet allerdings weit mehr, als nur einen Beweis der Erwartungstreue von $\hat{\sigma}^2$ zu liefern. Dort wird eine Summe von T Quadraten u_t^2, die sämtlich „frei" variieren können (insofern nämlich, als die u_t unkorreliert sind), in zwei ähnliche Quadratsummen von je T Quadraten zerlegt, die aber nun nicht mehr völlig frei variabel sind. Zwischen den $\hat{u}_t$ bestehen bekanntlich zwei lineare Bindungen (1.20), so daß die Zahl der Freiheitsgrade für die erste Quadratsumme höchstens $T-2$ beträgt. Die Terme $\hat{y}_t - \tilde{y}_t$ der zweiten Quadratsumme hängen bei gegebenen $x_1, \ldots, x_T$ nach (1.47) nur noch von $\hat{\alpha}$ und $\hat{\beta}$ ab, und zwar linear. Zwei dieser Terme bestimmen daher $\hat{\alpha}$ und $\hat{\beta}$ und damit alle übrigen. Die Zahl der Freiheitsgrade für die zweite Quadratsumme ist daher höchstens 2. Die beiden Freiheitsgradzahlen summieren sich zur Gesamtzahl der Freiheitsgrade T.

Ferner stellen wir fest, daß die unquadrierten Summanden der beiden Quadratsummen (bei gegebenen $x_1, \ldots, x_T$) homogen lineare Funktionen der $u_1, \ldots, u_T$ sind. Denn nach (1.47) ist $\hat{y}_t - \tilde{y}_t$ eine homogen lineare Funktion von $\hat{\alpha} - \alpha$ und $\hat{\beta} - \beta$. Diese aber sind nach (1.37) homogen lineare Funktionen der u_t. Schließlich ist $\hat{u}_t = u_t - (\hat{y}_t - \tilde{y}_t)$ und daher $\hat{u}_t$ ebenfalls eine homogen lineare Funktion der u_t.

Wenn wir jetzt noch annehmen, daß die u_t *normalverteilt* sind (R 6), dann können wir COCHRANS Theorem anwenden. Denn nach Division der Zerlegungsformel durch σ^2 zum Zwecke der Standardisierung der Variablen u_t – sie haben dann den Mittelwert 0 und die Standardabweichung 1 – sind alle Voraussetzungen dieses Theorems erfüllt (vgl. Anhang *B9.*), und es folgt, daß

$$\frac{1}{\sigma^2}\sum_{t=1}^{T} \hat{u}_t^2 = \chi^2_{T-2} \tag{1.50}$$

einer χ^2-Verteilung mit $T-2$ Freiheitsgraden und ebenso, daß

$$\frac{1}{\sigma^2}[T(\hat{\alpha}-\alpha)^2+2(\hat{\alpha}-\alpha)(\hat{\beta}-\beta)\sum x_t+(\hat{\beta}-\beta)^2\sum x_t^2]=\chi_2^2 \tag{1.51}$$

einer χ^2-Verteilung mit 2 Freiheitsgraden folgt. Außerdem sind diese beiden χ^2-Variablen *stochastisch unabhängig*. Wir können jetzt übrigens die Beschränkung, daß die $x_1, \ldots, x_T$ fest gegeben sein müssen, fallen lassen, da die χ^2-Verteilung von den x_t-Werten nicht abhängt. (1.51) wird uns später noch von Nutzen sein. Im Hinblick auf das Schätzproblem von σ^2 interessiert vor allem (1.50). Da bekanntlich $E(\chi^2_{T-2})=T-2$ (vgl. Anhang *B8.1.*), folgt noch einmal die ***Erwartungstreue*** von $\hat{\sigma}^2$. Darüber hinaus gestattet (1.50) die Konstruktion eines Konfidenzintervalls für den unbekannten Parameter σ. In jeder (größeren) Tafel der χ^2-Verteilung findet man beispielsweise das 2,5- und das 97,5-Perzentil χ^2_{T-2} (2,5) und χ^2_{T-2} (97,5) mit der Eigenschaft, daß 2,5% bzw. 97,5% der Wahrscheinlichkeitsmasse der χ^2-Verteilung (zu $T-2$ Freiheitsgraden) unterhalb dieser Perzentile liegen. Die Wahrscheinlichkeit, daß $\sum \hat{u}^2/\sigma^2$ zwischen den beiden Perzentilen zu liegen kommt, beträgt dann 95%:

$$P\left[\chi^2_{T-2}(2{,}5)<\frac{1}{\sigma^2}\sum \hat{u}_t^2<\chi^2_{T-2}(97{,}5)\right]=0{,}95.$$

Hieraus folgt:

$$P\left[\hat{\sigma}^2\bigg/\frac{1}{T-2}\chi^2_{T-2}(97{,}5)<\sigma^2<\hat{\sigma}^2\bigg/\frac{1}{T-2}\chi^2_{T-2}(2{,}5)\right]=0{,}95. \tag{1.52}$$

Das heißt, ein Intervall mit den in dem Klammerausdruck von (1.52) angegebenen Grenzen überdeckt mit 95% Wahrscheinlichkeit den unbekannten Parameter σ^2. Es wird daher ein *Konfidenzintervall für* σ^2 mit der *Konfidenzwahrscheinlichkeit* von 95% genannt. Zieht man aus den Intervallgrenzen die Wurzel, erhält man ein entsprechendes *Konfidenzintervall für* σ. Selbstverständlich lassen sich mit anderen, aus einer χ^2-Tafel zu entnehmenden Intervallgrenzen Konfidenzintervalle mit anderen Konfidenzwahrscheinlichkeiten ω (z.B. mit $\omega=90\%$ oder $\omega=99\%$) angeben.

Beispiel:

Für unser numerisches Beispiel (S. 47) errechnet man das folgende 95%-Konfidenzintervall für σ^2: $0{,}08<\sigma^2<0{,}64$ oder σ: $0{,}28<\sigma<0{,}8$. Dabei wurden die folgenden beiden Tabellenwerte benutzt: $\chi^2_8(97{,}5)=17{,}53$, $\chi^2_8(2{,}5)=2{,}18$. (Fortsetzung S. 68.)

Wir können schließlich aus (1.50) noch die *Konsistenz* von $\hat{\sigma}^2$ herleiten (vgl. Anhang *B 8.1.*, *B 10.3.*). Denn

$$V(\hat{\sigma}^2)=\frac{\sigma^4}{(T-2)^2}V(\chi^2_{T-2})=\frac{2\sigma^4}{T-2}\to 0 \quad \text{für } T\to\infty.$$

Daher ist $\hat{\sigma}$ eine *konsistente* Schätzung für σ, eine Folgerung, die auch unter weitaus schwächeren Voraussetzungen als (R 6) gilt (vgl. *2.4.9.*).

1.4.11. Konfidenzintervalle für die Regressionsparameter

Nun kommen wir auf unser Hauptproblem zurück, den Fehlerspielraum bei den Parameterschätzungen $\hat{\alpha}$ und $\hat{\beta}$ abzustecken. Gehen wir zunächst davon aus, daß T groß genug ist, um mit hinreichender Genauigkeit die Schätzvariablen $\hat{\alpha}$ und $\hat{\beta}$ als normalverteilt annehmen zu können – wie auch immer die Störvariable verteilt ist –, dann können wir bei bekanntem σ mit Hilfe der Standardfehler (1.40a, b) leicht Konfidenzintervalle für die unbekannten Regressionsparameter α und β angeben. In Tafeln der Normalverteilung findet man *Sicherheitskoeffizienten k* mit der Eigenschaft, daß eine standardisierte normalverteilte Variable mit vorgegebener Wahrscheinlichkeit ω zwischen k und $-k$ liegt. Zum Beispiel beträgt für $k=2$, einen gebräuchlichen Wert, $\omega=95{,}45\,\%$. Will man genau 95 % der Wahrscheinlichkeitsmasse einschließen, dann ist $k=1{,}96$ zu wählen. Man hat daher in

$$\begin{aligned} \hat{\alpha} \pm k\,\sigma(\hat{\alpha}|\boldsymbol{x}) &= \hat{\alpha} \pm k \frac{\sqrt{\overline{x^2}}}{\sqrt{T}\,s(x)}\,\sigma \\ \hat{\beta} \pm k\,\sigma(\hat{\beta}|\boldsymbol{x}) &= \hat{\beta} \pm k \frac{1}{\sqrt{T}\,s(x)}\,\sigma, \end{aligned} \tag{1.53}$$

Konfidenzintervalle, die mit vorgegebener (vom Sicherheitskoeffizienten k abhängender) Wahrscheinlichkeit die unbekannten Parameter α und β überdecken.

Allerdings hat diese Konstruktion noch einen Haken, denn σ ist gewöhnlich gerade nicht bekannt. Es ist daher σ zu schätzen, und dieser Schätzwert $\hat{\sigma}$ ist in (1.53) einzusetzen. Man muß jedoch schon relativ große Stichproben ($T>30$) haben, um σ so genau schätzen zu können, daß trotz vorhandener Schätzfehler in $\hat{\sigma}$ die Konfidenzintervalle noch einigermaßen genau bleiben. Bei kleineren Stichproben werden die Konfidenzintervalle (1.53) mit $\hat{\sigma}$ anstelle von σ sehr ungenau. Ihnen entspricht nicht mehr die Konfidenzwahrscheinlichkeit, die man gewöhnlich mit einem Sicherheitskoeffizienten verbindet. Vielmehr sind die zu einer gegebenen Konfidenzwahrscheinlichkeit gehörenden Konfidenzintervalle breiter als in (1.53) angegeben, und zwar um so mehr, je kleiner T ist.

Exakte Konfidenzintervalle können wir aber unter der *Normalverteilungshypothese* (R 6) konstruieren. Zu ihrer Herleitung machen wir uns zunächst noch einmal klar, daß die Konstruktion der Konfidenzintervalle (1.53) bei als bekannt angenommenem σ damit zu begründen ist, daß $\hat{\alpha}$ beispielsweise (für $\hat{\beta}$ gilt das gleiche) normalverteilt ist mit Mittelwert α und Standardabweichung $\sigma(\hat{\alpha}|\boldsymbol{x})$ und daß daher die Variable $(\hat{\alpha}-\alpha)/\sigma(\hat{\alpha}|\boldsymbol{x})$ standardisiert normalverteilt ist. Es zeigt sich nun, daß die analoge Variable $(\hat{\alpha}-\alpha)/\hat{\sigma}(\hat{\alpha}|\boldsymbol{x})$ zwar nicht mehr normalverteilt ist, aber dafür der bekannten STUDENTschen t-Verteilung mit $T-2$ Freiheitsgraden gehorcht.

Dies folgt unmittelbar aus der Definition der t-Verteilung. Denn

$$(T-2)\,\hat{\sigma}^2(\hat{\alpha}|\boldsymbol{x})/\sigma^2(\hat{\alpha}|\boldsymbol{x}) = \sum \hat{u}^2/\sigma^2$$

ist χ^2-verteilt mit $T-2$ Freiheitsgraden (vgl. (1.50) und (1.40)), und daher ist der Quotient

$$\frac{(\hat{\alpha}-\alpha)/\sigma(\hat{\alpha}|\boldsymbol{x})}{\hat{\sigma}(\hat{\alpha}|\boldsymbol{x})/\sigma(\hat{\alpha}|\boldsymbol{x})} = \frac{\hat{\alpha}-\alpha}{\hat{\sigma}(\hat{\alpha}|\boldsymbol{x})}$$

t-verteilt mit $T-2$ Freiheitsgraden, sofern wir davon ausgehen dürfen, daß Zähler und Nenner stochastisch unabhängig sind. Daß dem aber so ist, folgt wieder aus COCHRANS Theorem. Wir können nämlich die quadratische Form von (1.51) mit 2 Freiheitsgraden weiter zerlegen in zwei Quadrate mit je einem Freiheitsgrad:

$$\begin{aligned} Q(\hat{\alpha}, \hat{\beta}) &:= T(\hat{\alpha}-\alpha)^2 + 2(\hat{\alpha}-\alpha)(\hat{\beta}-\beta)\sum x_t + (\hat{\beta}-\beta)^2 \sum x_t^2 \\ &= T(\hat{\alpha}+\hat{\beta}\,\bar{x}-\alpha-\beta\,\bar{x})^2 + (\hat{\beta}-\beta)^2\, T s^2(x). \end{aligned} \tag{1.54}$$

Nun war nach (1.48) $Q(\hat{\alpha}, \hat{\beta})$ selbst schon Bestandteil einer Zerlegung, und zwar einer Zerlegung von $\sum u^2$, in der außer $Q(\hat{\alpha}, \hat{\beta})$ noch $\sum \hat{u}^2$ vorkam. Daher ist nach COCHRANS Theorem zunächst $\hat{\beta}$, aber damit auch $\hat{\alpha}$ stochastisch unabhängig von $\sum \hat{u}^2$, woraus wiederum folgt, daß $\hat{\alpha}$ von $\hat{\sigma}(\hat{\alpha}|\boldsymbol{x})$ stochastisch unabhängig ist. Entsprechendes gilt für $\hat{\beta}$. Insgesamt haben wir damit bewiesen, daß die folgenden beiden Variablen

$$\begin{aligned} \frac{\hat{\alpha}-\alpha}{\hat{\sigma}(\hat{\alpha}|\boldsymbol{x})} &= (\hat{\alpha}-\alpha)\Big/\left(\frac{\sqrt{\overline{x^2}}}{\sqrt{T}\,s(x)}\,\hat{\sigma}\right) = t_{T-2}, \\ \frac{\hat{\beta}-\beta}{\hat{\sigma}(\hat{\beta}|\boldsymbol{x})} &= (\hat{\beta}-\beta)\Big/\left(\frac{1}{\sqrt{T}\,s(x)}\,\hat{\sigma}\right) = t_{T-2} \end{aligned} \tag{1.55}$$

je einer t-Verteilung mit $T-2$ Freiheitsgraden folgen.

Danach lassen sich *Konfidenzintervalle* gerade so wie in (1.53) konstruieren, wenn man dort σ durch $\hat{\sigma}$ ersetzt und k durch einen entsprechenden aus der t-Verteilung stammenden „*Sicherheitskoeffizienten*", z.B. $t_{T-2}(95)$ mit der Eigenschaft, daß zwischen $-t_{T-2}(95)$ und $+t_{T-2}(95)$ gerade 95% Wahrscheinlichkeitsmasse der t-Verteilung mit $T-2$ Freiheitsgraden liegt:

$$\begin{aligned} \hat{\alpha} \pm t_{T-2}(95)\,\hat{\sigma}(\hat{\alpha}|\boldsymbol{x}) &= \hat{\alpha} \pm t_{T-2}(95)\,\frac{\sqrt{\overline{x^2}}}{\sqrt{T}\,s(x)}\,\hat{\sigma} \\ \hat{\beta} \pm t_{T-2}(95)\,\hat{\sigma}(\hat{\beta}|\boldsymbol{x}) &= \hat{\beta} \pm t_{T-2}(95)\,\frac{1}{\sqrt{T}\,s(x)}\,\hat{\sigma} \end{aligned} \tag{1.56}$$

Selbstverständlich können auch Konfidenzintervalle mit anderen Konfidenzwahrscheinlichkeiten ω konstruiert werden. Dabei sind die t-Schranken bei unterschiedlichen Freiheitsgraden immer größer als der entsprechende Sicherheitskoeffizient k, kommen diesem aber mit wachsender Zahl der Freiheitsgrade immer näher. Bei $T > 30$ ist kaum noch ein Unterschied zu erkennen:

F.G.	1	2	3	4	5	8	10	20	30	$k(95)$
$t(95)$	12,706	4,303	3,183	2,776	2,571	2,306	2,228	2,086	2,042	1,96

Die Konstruktion von Konfidenzintervallen mit Hilfe der t-Variablen ist ziemlich robust gegenüber Abweichungen von der Normalverteilungsannahme (R 6). Selbst dann also, wenn (R 6) nicht genau, aber wenigstens angenähert erfüllt ist, haben unsere Konfidenzintervalle noch etwa die gleiche Konfidenzwahrscheinlichkeit, wie sie aus der strengen Theorie mit (R 6) hervorgeht.

Die Konfidenzwahrscheinlichkeit ω der Konfidenzintervalle ist im übrigen unabhängig von den x-Werten. Daher ändert sich nichts an der Konstruktion dieser Intervalle, wenn wir die Voraussetzung gegebener $x_1, \ldots, x_T$ wieder fallen lassen.

Beispiel:

In unserem numerischen Regressionsbeispiel (S. 45) berechnen wir $\hat{\sigma}(\hat{\alpha}) = 0{,}491$, $\hat{\sigma}(\hat{\beta}) = 0{,}026$. Es ist üblich, die Parameterschätzungen zusammen mit ihren geschätzten Standardfehlern anzugeben:

$$\hat{y} = -\underset{(0{,}491)}{0{,}546} + \underset{(0{,}026)}{0{,}246}\,x, \qquad \hat{\sigma} = 0{,}419, \quad r^2 = 0{,}917.$$

Bei 8 Freiheitsgraden ist $t(95) = 2{,}3060$. Daher können folgende Konfidenzintervalle für $\hat{\alpha}$ und $\hat{\beta}$ konstruiert werden:

$$-1{,}678 < \alpha < 0{,}586 \qquad 0{,}185 < \beta < 0{,}306.$$

Würde man den Sicherheitskoeffizienten $k = 2$ verwenden, erhielte man folgende Konfidenzintervalle:

$$-1{,}527 < \alpha < 0{,}436 \qquad 0{,}193 < \beta < 0{,}298.$$

Die geschätzte Kovarianzmatrix lautet

$$\hat{S} = \begin{pmatrix} 0{,}241 & -0{,}012 \\ -0{,}012 & 0{,}0007 \end{pmatrix}.$$

(Fortsetzung des Zahlenbeispiels auf S. 69).

1.4.12. Prüfung von Hypothesen über die Parameter

Mit Hilfe der Konfidenzintervalle können unmittelbar gewisse Hypothesen über die Parameterwerte statistisch geprüft werden. Beispielsweise werde die Hypothese H_0 aufgestellt, daß der Regressionsparameter β einen ganz bestimmten Wert, sagen wir β_0, annimmt:

$$H_0\colon \beta = \beta_0.$$

Dann wird diese Hypothese dadurch empirisch überprüft, daß man mit beobachteten Zeitreihen die Regression schätzt, für β ein Konfidenzintervall konstruiert und feststellt, ob dieses den hypothetischen Wert β_0 einschließt oder nicht. Liegt β_0 nicht im Konfidenzintervall, dann wird die Hypothese H_0 verworfen, wobei man in Kauf nimmt, daß man H_0 eventuell irrtümlich verwirft. Da aber im Falle, daß tatsächlich $\beta=\beta_0$ ist, das Konfidenzintervall mit z.B. 95 % Wahrscheinlichkeit diesen Wert β_0 überdeckt – so wurde es ja konstruiert –, ist die Wahrscheinlichkeit eines solchen Irrtums nur 5 %. Allgemein heißt das Komplement der Konfidenzwahrscheinlichkeit die *Irrtumswahrscheinlichkeit* des Tests. Wenn andererseits das Konfidenzintervall β_0 einschließt, dann liegt kein empirischer Grund dafür vor, die Hypothese H_0 zu verwerfen.

In den meisten Fällen interessiert man sich für die Hypothese

$$H_0: \beta = 0.$$

Sie besagt, daß die exogene Variable x keinen Einfluß auf die endogene Variable y ausübt. Läßt sich diese Hypothese aufgrund des statistischen Materials nicht verwerfen, dann bestehen große Zweifel an dem Sinn der aufgestellten Regression. Zwar folgt daraus nicht, daß wirklich $\beta=0$ und daß x tatsächlich keinen Einfluß auf y ausübt, doch steht es um eine Regression offenbar schlecht, wenn ein solcher Einfluß nicht nachgewiesen werden kann. Man bedenke auch, daß in diesem Fall das Konfidenzintervall den Nullpunkt überdeckt und man daher empirisch nicht feststellen kann, ob β positiv oder negativ ist. Allerdings gibt es oft a-priori-Kenntnisse über das Vorzeichen von β (vgl. hierzu *8.1.1.*).

Ähnlich kann man Hypothesen über den Parameter α prüfen. Die Hypothese $\alpha=0$ besagt, daß y im Mittel proportional von x abhängt. Sie ist besonders dann zu beachten, wenn Variablen als erste Differenzen oder als Veränderungsraten korreliert werden (vgl. *5.2.4.*).

Alternativ zur Verwendung von Konfidenzintervallen bei statistischen Tests bietet sich ein direkterer Weg an, der aber zu der eben beschriebenen Methode völlig äquivalent ist. Man berechne die t-Werte in (1.55) mit $\alpha=\alpha_0$ bzw. $\beta=\beta_0$ und prüfe, ob ihre Beträge die zu einer bestimmten Konfidenzwahrscheinlichkeit gehörende t-Schranke überschreiten. Ist das der Fall, dann wird die Hypothese $\alpha=\alpha_0$ bzw. $\beta=\beta_0$ verworfen. Die Beträge der t-Variablen in (1.55) heißen in diesem Fall *Testvariablen*.

Beispiel: Die Hypothese $\beta=0$ ist in unserer Regression (S. 68) mit höchstens 5 % Irrtumswahrscheinlichkeit zu verwerfen, denn das Konfidenzintervall liegt ganz im positiven Bereich. Die Testvariable (1.55) hat den Wert $t=9{,}46$ und übersteigt die 95 %-Schranke $t_8(95)=2{,}306$. Der Einfluß der Variablen x auf y ist damit statistisch gesichert. Die Hypothese $\alpha=0$ dagegen kann bei einer Irrtumswahrscheinlichkeit von 5 % nicht verworfen werden: Die Testgröße hat den Wert $-1{,}11$, der dem Betrage nach kleiner ist als 2,306. (Fortsetzung S. 70.)

1.4.13. Konfidenzellipse*

Anstatt für jeden Parameter einzeln ein Konfidenzintervall zu berechnen, kann man auch einen für beide Regressionsparameter gemeinsamen Konfidenzbereich in Form einer Ellipse konstruieren. Der in den eckigen Klammern in (1.51) stehende Ausdruck mißt wegen (1.47) den Abstand zwischen geschätzter und wahrer Regressionsgeraden. Nach (1.51) folgt er – nach Division durch σ^2 – einer χ_2^2-Verteilung, falls (R6) gilt. Gibt man sich daher ein Perzentil der χ_2^2-Verteilung vor, z.B. das 95%-Perzentil $\chi_2^2(95)$, dann ist dieser Abstand mit 95% Wahrscheinlichkeit kleiner als $\sigma^2\,\chi_2^2(95)$. Daraus folgt, daß man mit einer Konfidenzwahrscheinlichkeit von 95% die unbekannte Regressionsgerade in einem durch $\sigma^2\,\chi_2^2(95)$ beschränkten Abstand von der geschätzten Regressionsgeraden zu vermuten hat:

$$P[T(\hat{\alpha}-\alpha)^2+2(\hat{\alpha}-\alpha)(\hat{\beta}-\beta)\sum x_t+(\hat{\beta}-\beta)^2\sum x_t^2 \leqq \sigma^2\,\chi_2^2(95)]=0{,}95. \quad (1.57)$$

Die Menge aller (α, β)-Kombinationen, die der in den eckigen Klammern stehenden Ungleichung genügen, bilden den Konfidenzbereich für (α, β). Er hat im (α, β)-Koordinatensystem die Gestalt einer Ellipse mit dem Mittelpunkt $(\hat{\alpha}, \hat{\beta})$.

Zur Konstruktion dieser Ellipse ist allerdings erst σ^2 zu schätzen. Das mag dann ohne wesentliche Fehler abgehen, wenn T genügend groß ist (etwa $T>30$). Bei kleineren Stichproben kann jedoch der Schätzfehler in $\hat{\sigma}^2$ nicht vernachlässigt werden. Es zeigt sich, daß bei Ersetzung von σ^2 durch $\hat{\sigma}^2$ in (1.51) aus der χ^2-Variablen, abgesehen von einem Faktor 2, eine F-Variable wird. Denn nach unseren früheren Überlegungen sind die beiden Ausdrücke (1.50) und (1.51) unabhängige χ^2-Variablen. Dividiert man daher die beiden Ausdrücke durch die ihnen jeweils zukommenden Freiheitsgrade $T-2$ und 2 und dividiert danach den zweiten durch den ersten, dann erhält man in

$$\frac{1}{2\hat{\sigma}^2}[T(\hat{\alpha}-\alpha)^2+2(\hat{\alpha}-\alpha)(\hat{\beta}-\beta)\sum x_t+(\hat{\beta}-\beta)^2\sum x_t^2]=F_{T-2}^2 \quad (1.58)$$

eine F-Variable mit 2 und $T-2$ Freiheitsgraden (Anhang *B 8.2.*).

Bei kleinen Stichproben (etwa $T<30$) ist daher der folgende elliptische Konfidenzbereich zu konstruieren:

$$T(\hat{\alpha}-\alpha)^2+2(\hat{\alpha}-\alpha)(\hat{\beta}-\beta)\sum x_t+(\hat{\beta}-\beta)^2\sum x_t^2 \leq 2\hat{\sigma}^2\,F_{T-2}^2(95). \quad (1.59)$$

Dabei ist wieder das aus einer Tabelle der F-Verteilung zu entnehmende 95%-Perzentil (oder ein anderes Perzentil) als Schranke zu verwenden. Die den Konfidenzbereich begrenzende *Konfidenzellipse* wird durch (1.59) gegeben, wobei dort $\leq$ durch $=$ zu ersetzen ist.

Beispiel: Die Gleichung der Konfidenzellipse lautet in unserem Regressionsbeispiel (S. 68):

$$10(-0{,}546-\alpha)^2+362(-0{,}546-\alpha)(0{,}246-\beta)+3533(0{,}246-\beta)^2=1{,}56$$

$$\text{mit } F_8^2(95)=4{,}46.$$

In dem folgenden Bild ist sie in einem (α, β)-Koordinatensystem dargestellt zusammen mit den Konfidenzintervallen für α und β. Die Konfidenzintervalle sind immer kleiner als die Projektionen der Konfidenzellipse auf die beiden Achsen (vgl. S. 115).

Will man etwa die Hypothese prüfen, daß $\alpha=0$ und zugleich $\beta=0$ ist, dann darf man nicht jede der beiden Teilhypothesen „$\alpha=0$" und „$\beta=0$" mit Hilfe der Konfidenzintervalle, wie früher beschrieben, prüfen, sondern man muß feststellen, ob der Punkt $(\alpha, \beta)=(0, 0)$ im Innern der Konfidenzellipse liegt.

Das ist hier nicht der Fall, denn $10\hat{\alpha}^2 + 362\hat{\alpha}\hat{\beta} + 3533\hat{\beta}^2 = 168{,}16$ ist größer als $2\hat{\sigma}^2 F_8^2(95) = 1{,}56$, weshalb die gemeinsame Hypothese „$\alpha = 0$ und $\beta = 0$" zu verwerfen ist. Dagegen kann die Teilhypothese „$\alpha = 0$" bei gleicher Irrtumswahrscheinlichkeit nicht verworfen werden.

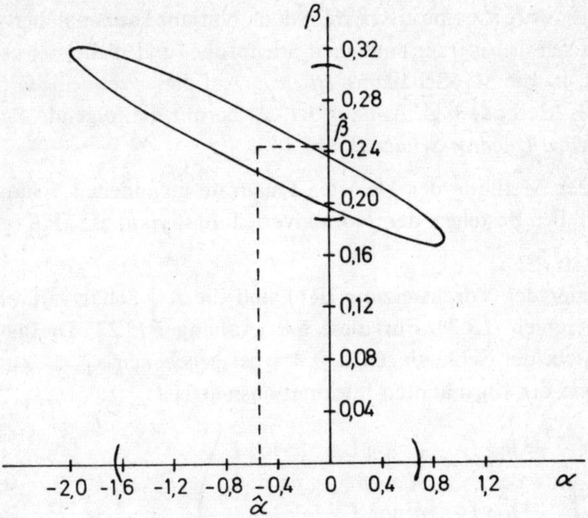

Abb. 1.13. Konfidenzellipse für (α, β)

1.4.14.* *Effizienz*

Wie schon mehrfach erwähnt, ist die Methode der kleinsten Quadrate nicht das einzige Verfahren zur Schätzung der Regressionsparameter. Wenn aber mehrere zur Wahl stehen, sollte man sich das in gewissem Sinne beste aussuchen. Freilich kann man verschiedenerlei unter dem Anspruch, bestes zu sein, verstehen. Zum Beispiel mag die Einfachheit eines Verfahrens oder seine Anschaulichkeit als Kriterium dienen. Unter dem Gesichtspunkt der Einfachheit steht die Methode der kleinsten Quadrate zwar nicht an der Spitze, aber ganz gewiß weit obenan. Die scheinbar einfachere Methode der kleinsten absoluten Abstände ist ihr z.B. weit unterlegen.

Ein anderes, sehr wichtiges Kriterium ist das des minimalen Schätzfehlers. Natürlich kann dabei nur ein durchschnittlicher Schätzfehler gemeint sein, wobei wieder verschiedene Durchschnittsbildungen in Frage kommen können. Wir wollen uns hier auf den Standardfehler festlegen, also auf die Standardabweichung der Schätzvariablen von dem zu schätzenden Parameter, wobei wir nur solche Schätzverfahren zulassen wollen, die erwartungstreue Schätzungen liefern.

Eine erwartungstreue Schätzvariable für einen Parameter, deren Varianz kleiner ist als die Varianz jeder anderen erwartungstreuen Schätzvariablen, heißt *effizient* (Anhang *B12.2.*).

ML-Schätzungen sind unter sehr allgemeinen Voraussetzungen zumindest *asymptotisch effizient*. Ihre asymptotische (minimale) Varianz kann man berechnen. Wird diese Varianz schon bei jeder endlichen Stichprobe (und nicht erst asymptotisch) erreicht, dann ist die ML-Schätzung *effizient*. Auf dieser sehr allgemeinen Eigenschaft der ML-Methode (vgl. Anhang *B13.2.*) beruht die folgende *Effizienzeigenschaft der Kleinst-Quadrat-Schätzvariablen:*

Die nach der Methode der kleinsten Quadrate gefundenen Schätzvariablen $\hat{\alpha}$ und $\hat{\beta}$ sind bei Bestehen der Normalverteilungshypothese (R6) effizient (bei gegebenen $x_1, x_2, \ldots, x_T$).

Beweis: Unter der Voraussetzung (R6) sind die KQ-Schätzvariablen zugleich ML-Schätzvariablen (*1.3.2.*). Für diese gilt (Anhang *B13.2.*): Die asymptotische Kovarianzmatrix der Schätzungen $(\hat{\alpha}, \hat{\beta}, \hat{\sigma}^2)$ bei gegebenen $x_1, \ldots, x_T$ erhält man durch Inversion der sogenannten Informationsmatrix $\boldsymbol{J}$:

$$\boldsymbol{J} = -E\begin{pmatrix} \dfrac{\partial^2 \log L}{\partial \alpha^2} & \dfrac{\partial^2 \log L}{\partial \alpha\, \partial \beta} & \dfrac{\partial^2 \log L}{\partial \alpha\, \partial \sigma^2} \\ \dfrac{\partial^2 \log L}{\partial \beta\, \partial \alpha} & \dfrac{\partial^2 \log L}{\partial \beta^2} & \dfrac{\partial^2 \log L}{\partial \beta\, \partial \sigma^2} \\ \dfrac{\partial^2 \log L}{\partial \sigma^2\, \partial \alpha} & \dfrac{\partial^2 \log L}{\partial \sigma^2\, \partial \beta} & \dfrac{\partial^2 \log L}{\partial (\sigma^2)^2} \end{pmatrix} = \frac{T}{\sigma^2}\begin{pmatrix} 1 & \bar{x} & 0 \\ \bar{x} & \overline{x^2} & 0 \\ 0 & 0 & \dfrac{1}{2\sigma^2} \end{pmatrix}. \tag{1.60}$$

Dabei ist die Erwartungsbildung bei gegebenen $x_1, \ldots, x_T$ vorzunehmen. Da die Matrix $\boldsymbol{J}$ in zwei Teile zerfällt, kann die Inversion für jeden Teil getrennt vorgenommen werden. Insbesondere erhält man die asymptotische Kovarianzmatrix von $\hat{\alpha}$ und $\hat{\beta}$ bei gegebenen $x_1, \ldots, x_T$ durch Inversion der oberen Teilmatrix:

$$S = \frac{\sigma^2}{T}\begin{pmatrix} 1 & \bar{x} \\ \bar{x} & \overline{x^2} \end{pmatrix}^{-1}.$$

Wie aber ein Vergleich mit (1.43) und (1.44) zeigt, ist das gerade die auch für endliche Stichproben gültige Kovarianzmatrix von $\hat{\alpha}$ und $\hat{\beta}$. Aus der oben erwähnten allgemeinen Effizienzeigenschaft der ML-Schätzvariablen folgt daher, daß $\hat{\alpha}$ und ebenso $\hat{\beta}$ effiziente Schätzvariablen bei gegebenen $x_1, \ldots, x_T$ sind.

Residualvarianz: Die Schätzvariable $\hat{\sigma}^2$ ist nicht effizient. Sie ist aber asymptotisch effizient mit der asymptotischen Varianz $2\sigma^4/T$, wie man aus $\boldsymbol{J}^{-1}$ entnimmt.

1.4.15. Gauß-Markoff-Theorem*

Die Effizienz der KQ-Schätzvariablen beruht auf der Normalverteilungshypothese (R6). Wenn nun diese nicht stimmt, brauchen $\hat{\alpha}$ und $\hat{\beta}$ nicht mehr effizient zu sein. Aber selbst dann läßt sich noch eine Effizienz in beschränktem Sinne feststellen.

Lassen wir nämlich nur solche Schätzvariablen zu, die erstens erwartungstreu sind und die sich zweitens als lineare Funktionen der endogenen Variablen bei gegebenen exogenen Variablen schreiben lassen, dann sind unter diesen die KQ-Schätzvariablen effizient, d.h., sie haben den kleinsten Standardfehler. Man sagt:

Die KQ-Schätzvariablen $\hat{\alpha}$ und $\hat{\beta}$ sind *beste lineare erwartungstreue* Schätzvariablen für α und β (bei gegebenen $x_1, \ldots, x_T$).

Beweis: Wir führen den Beweis nur für $\hat{\beta}$.

Es sei $\hat{\beta} := \sum c_t y_t$ eine beliebige erwartungstreue, lineare Schätzvariable mit gewissen von den y_t unabhängigen Konstanten c_t. (Sie dürfen allerdings von $x_1, \ldots, x_T$, die ja hier als fest gegeben angesehen werden, abhängen.) Wegen $E\hat{\beta} = \sum c_t E y_t = \sum c_t(\alpha + \beta x_t) \equiv \beta$ (für alle α und β) ist

$$\sum c_t = 0 \quad \text{und} \quad \sum c_t x_t = 1. \tag{1.61}$$

Ferner ist $V\hat{\beta} = E(\hat{\beta} - \beta)^2 = E[\sum c_t(\alpha + \beta x_t + u_t) - \beta]^2 = E(\sum c_t u_t)^2 = \sigma^2 \sum c_t^2$. Wir bestimmen nun die c_t so, daß $V\hat{\beta}$ ein Minimum wird unter der Nebenbedingung (1.61). Es ist allerdings bequemer, statt $V\hat{\beta}$ den Ausdruck $\frac{1}{2}\sum c_t^2$ zu minimieren, was zur selben Lösung führt. Man findet das Minimum mit Hilfe des LAGRANGE-Ansatzes. Die LAGRANGE-Funktion mit den beiden LAGRANGE-Parametern λ und μ lautet

$$l = \tfrac{1}{2}\sum c_t^2 - \lambda \sum c_t - \mu\left(\sum c_t x_t - 1\right).$$

Aus $\dfrac{\partial l}{\partial c_t} = 0$ folgen die Bestimmungsgleichungen

$$c_t = \lambda + \mu x_t.$$

Für λ und μ finden wir aufgrund der Beschränkungen (1.61) die Bestimmungsgleichungen:

$$\lambda T + \mu \sum x_t = 0$$

$$\lambda \sum x_t + \mu \sum x_t^2 = 1$$

mit den Lösungen

$$\lambda = \frac{-\sum x_t}{T\sum x_t^2 - (\sum x_t)^2}, \qquad \mu = \frac{T}{T\sum x_t^2 - (\sum x_t)^2}.$$

Damit können wir die c_t berechnen und schließlich $\sum c_t y_t$ und erhalten für $\hat{\beta}$ gerade den aus dem Prinzip der kleinsten Quadrate folgenden Ausdruck (1.15), d.h., $\hat{\beta}$ ist eine KQ-Schätzvariable.

Für die Schätzvariable $\hat{\alpha}$ kann der Beweis ähnlich geführt werden.

1.5. Prognosen

1.5.1. Prognose und Test

Der eigentliche Test, ob eine geschätzte Regression die Variation der endogenen Variablen im wesentlichen richtig erklärt, sei – so wird oft behauptet – ihre Prognosefähigkeit. Mit dieser These sind zwei Teilbehauptungen gemeint. Zum einen: Die geschätzte Regressionsbeziehung soll nicht nur in dem Beobachtungszeitraum, der der Schätzung zugrunde liegt, eine möglichst gute Anpassung aufweisen, also hohe Korrelation, kleine Residualstreuung, signifikante Parameter, kleine Standardfehler besitzen, sie soll vielmehr auch den künftigen Verlauf der Variablen in ihrer Beziehung zueinander richtig und genauso gut wiedergeben wie in dem Schätzzeitraum. Erst dann nämlich können wir mit einer gewissen Berechtigung behaupten, eine relativ stabile ökonomische Gesetzmäßigkeit gefunden zu haben. Zum anderen: Eine noch so gut angepaßte Regressionsbeziehung taugt nicht viel, wenn man mit ihrer Hilfe nur ungenaue Prognosen erstellen kann, besonders dann, wenn bessere Prognoseverfahren zur Verfügung stehen.

Die *erste Teilbehauptung* ist vielleicht nicht ohne weiteres zu verstehen, besagt sie doch zunächst nur, daß eine ermittelte Regressionsbeziehung als um so sicherer und stabiler erscheint, je mehr Beobachtungen vorliegen, die diese Beziehung empirisch stützen, je größer also die „Induktionsbasis" ist. Dabei ist es offenbar gleichgültig, ob diese Beobachtungen aus einem „Schätz"- oder aus einem „Prognosezeitraum" oder aus beiden stammen. Unterschiedliche Bedeutung kommt diesen Zeiträumen aber dann zu, wenn der Ökonometriker nicht von einem a priori gegebenen Regressionsmodell, dessen Parameter er nur noch zu schätzen braucht, ausgehen kann, sondern wenn er mit Hilfe der Beobachtungsdaten des Schätzzeitraumes erst unter mehreren etwa gleich plausibel erscheinenden Regressionsmodellen eines auswählen muß und die Parameter dieses ausgewählten Modells schätzt. Diese Modelle sollen zwar alle dieselbe endogene Variable y „erklären", aber mit jeweils anderen exogenen (erklärenden) Variablen oder auch mit unterschiedlichen nichtlinearen Regressionsfunktionen.

Die Auswahl kann nach verschiedenen Kriterien erfolgen. Das Kriterium der maximalen Korrelation wurde in *1.2.4.* erörtert. Man könnte auch im Hinblick auf eine minimale Residualstreuung oder auf größtmögliche Signifikanz des Regressionskoeffizienten $\hat{\beta}$ auswählen. Diese beiden Kriterien sind jedoch dem erstgenannten (einerseits wegen (1.29), andererseits wegen der aus (1.55), (1.23), (1.29) und (1.30) folgenden Beziehung $\hat{\beta}^2/\hat{\sigma}^2(\hat{\beta}) = (T-2)\,r^2/(1-r^2)$) äquivalent. Es versteht sich, daß man diese Kriterien nicht blind anwenden darf, man hat vielmehr darauf zu achten, daß das ausgewählte Modell nicht den Modellvoraussetzungen widerspricht, insbesondere, daß die Residuen keine signifikante Autokorrelation aufweisen (R 3), daß sie homoskedastisch variieren (R 2) und daß die Regressionsbeziehung wirklich linear ist (R 1). Zur Überprüfung dieser Modelleigenschaften sind statistische Tests entwickelt worden, die später erörtert werden sollen (vgl. *5.2.5., 5.3.2.*). Aber auch a-priori-Restriktionen für die Parameter sind gelegentlich zu berücksichtigen: Man wird kaum ein Modell auswählen, dessen Parameter nicht gewissen plausiblen, sachlich begründeten Beschränkungen unterliegen.

Trotz solcher Absicherungen führt das Auswahlverfahren gelegentlich in die Irre. Ein hoher Korrelationskoeffizient z.B. garantiert keineswegs die Richtigkeit der Wahl. Wenn man das Regressionsmodell im Hinblick auf eine möglichst gute Anpassung ausgewählt hat, besteht kein Grund, sich nachträglich über den hohen Korrelationskoeffizienten oder über den hochsignifikanten Regressionsparameter zu freuen. Es mag sehr wohl sein, daß man auf eine zufällig gute Anpassung „hereingefallen" ist und daß die „richtige" Regressionsbeziehung wegen zu geringer Korrelation bzw. zu großer Residualstreuung verworfen wurde (vgl. hierzu Aufg. (1-35) und (1-36)). Erst neue Beobachtungen, die nicht dem Auswahlprozeß gedient haben, erlauben – wenn überhaupt – eine unvoreingenommene Beurteilung der ausgewählten Regression. Dabei kann es sich z.B. herausstellen, daß die für den Schätzzeitraum gut angepaßte Regression die neuen Beobachtungspunkte des Prognosezeitraums (den wir in dem Zusammenhang besser *Testzeitraum* nennen könnten) überhaupt nicht mehr adäquat repräsentiert, so daß man geneigt ist, von einem „Strukturbruch" zu sprechen (vgl. Anhang *C3.*); während umgekehrt eine andere, wegen zu großer Residualstreuung verworfene Regressionsbeziehung in beiden Zeiträumen die Beobachtungspunkte gleichmäßig gut, wenn auch mit relativ großer Residualstreuung, repräsentiert. Insofern also ist die Behauptung richtig, daß erst die Daten des Prognosezeitraums den eigentlichen und rigorosesten Test für die Richtigkeit einer ausgewählten Regressionsbeziehung abgeben.

Was nun die *zweite Teilbehauptung* betrifft, daß nämlich auch richtige Regressionsbeziehungen für Prognosezwecke ungeeignet sein können, insofern als sie anderen Prognoseverfahren hinsichtlich ihrer prognostischen Qualitäten[16] unterlegen sind, so ist ihr grundsätzlich zuzustimmen. Doch müßte es schon sehr seltsam zugehen, wenn eine sich gut anpassende und außerdem stabile, also auch für zukünftige Beobachtungspunkte gültige Regression nicht eine Grundlage für gute Prognosen abgeben sollte, wenn auch vielleicht erst im Verein mit anderen ökonomischen Beziehungen.

Freilich, um die prognostischen Qualitäten einer Regressionsgleichung beurteilen zu können, müssen wir wissen, mit welchen Prognosemöglichkeiten wir aufgrund des Regressionsmodells überhaupt rechnen können. Wir wollen im folgenden die verschiedenen Gründe für Fehlprognosen erörtern und den mutmaßlichen Fehlerspielraum abschätzen. Damit verschaffen wir uns zugleich die Grundlage für einen statistischen Test zur Überprüfung von Strukturbrüchen.

[16] Maßzahlen zur Beurteilung der prognostischen Qualität findet man bei THEIL [1966, Kap. 2].

1.5.2. Prognosefehler

Es liegt nahe, mit Hilfe einer geschätzten Regressionsgleichung $\hat{y}_t = \hat{\alpha} + \hat{\beta} x_t$ in folgender Weise Prognosen über zukünftige Werte der endogenen Variablen y zu berechnen. τ sei die Prognoseperiode: $\tau > T$. Es wird zunächst der Wert der exogenen Variablen x_τ für die Periode τ geschätzt. Die Schätzung $\hat{x}_\tau$ wird in die geschätzte Regressionsgleichung eingesetzt, und man erhält in

$$\hat{y}_\tau = \hat{\alpha} + \hat{\beta} \hat{x}_\tau \tag{1.62}$$

einen Prognosewert für die endogene Variable. Dabei nehmen wir bewußt Prognosefehler in Kauf, hoffen aber, daß der so gefundene Wert zumindest eine beste Setzung darstellt. *Prognosefehler*, also Abweichungen der Prognose $\hat{y}_\tau$ vom tatsächlichen Wert y_τ, können ihre Ursachen haben in einem

1. Spezifikationsfehler,
2. Vorhersagefehler bezüglich der exogenen Variablen,
3. Störvariablenfehler,
4. Schätzfehler in den geschätzten Parameterwerten.

Zu 1.: Fehlprognosen können daher rühren, daß mit einer falsch angesetzten Regressionsgleichung gerechnet wurde. Diese Fehlermöglichkeit wurde oben ausführlich erörtert. Von einer Fehlspezifikation kaum zu unterscheiden ist der Fall eines *Strukturbruchs:* Die Parameter ändern in einer bestimmten Periode oder über wenige Perioden hinweg während des Prognosezeitraums mehr oder weniger abrupt ihre Werte. Solange die neuen Parameterwerte wegen der zu geringen Anzahl von neuen Beobachtungspunkten noch nicht hinreichend genau bekannt sind, ist eine sichere Prognose mit Hilfe der Regression nicht möglich. Bisweilen können aber künftige Strukturbrüche vorausgesehen und in ihrem Ausmaß abgeschätzt werden.

Beispiel: Änderungen des Gebietsstandes (wie etwa die Rückgliederung des Saarlandes in die Bundesrepublik) können wegen der mit ihnen verbundenen Strukturverschiebungen die Beziehungen zwischen ökonomischen Variablen in bestimmten, manchmal vorhersehbaren Richtungen ändern. Die Änderung eines Steuersatzes, der Fortfall bestimmter Zölle usw. können ebenfalls Strukturbrüche hervorrufen, wobei auch hier die Wirkungen auf andere ökonomische Variablen sehr oft wenigstens der Richtung nach bekannt sind.

Zu 2.: Ein Vorhersagefehler in $\hat{x}_\tau$ pflanzt sich natürlich in einem entsprechenden Fehler in $\hat{y}_\tau$ fort, und zwar liefert der Fehler $\hat{x}_\tau - x_\tau$ den Beitrag $\hat{\beta}(\hat{x}_\tau - x_\tau)$. Daraus ergibt sich die Forderung, x_τ so genau wie möglich vorherzusagen. Das kann wieder mit Hilfe einer anderen Regression geschehen oder über ein Extrapolationsverfahren oder schließlich eher intuitiv bzw. durch Expertenbefragung – womit das Problem auf andere abgewälzt wird.

In einigen wichtigen Fällen erübrigt sich freilich die Vorausschätzung von x_τ, weil x_τ bei der Erstellung der Prognose als bekannt angenommen werden kann, sei es, daß x_τ der Wert einer ökonomischen Variablen in einer früheren Periode, z.B. in $\tau - 1$ bedeutet – man würde sie dann allerdings der Deutlichkeit halber besser mit $x_{\tau-1}$ bezeichnen –, sei es, daß $x_\tau = \tau$ die Zeitvariable selbst ist. In der ökonometrischen Praxis wird man daher, sofern man eine Regression speziell zu Prognosezwecken konzipiert, bestrebt sein, möglichst nur solche exogene Variablen in die Regression aufzunehmen, für die in jeder Periode frühzeitig Daten anfallen.

Die Vorhersage der exogenen Variablen entfällt auch dann, wenn sie eine Instrumentalvariable ist, eine Variable also, die in gewissem Umfang willkürlich gesetzt werden kann. In diesem, besonders wirtschaftspolitisch sehr wichtigen Fall interessieren Prognosen für y bei alternativen Werten der exogenen Variablen x. Man versucht die Frage zu beantworten, welchen Wert wohl y annehmen wird, wenn man für x diesen oder jenen Wert festlegt. In diesem Zusammenhang sprechen wir von bedingten Prognosen für y_τ bei gegebenem x_τ.

Beispiel: Prognosen für das Sozialprodukt im kommenden Jahr in Abhängigkeit von den geplanten Staatsausgaben oder von Veränderungen des Diskontsatzes usw., Absatzprognosen bei alternativen Preisfestsetzungen.

Bedingte Prognosen können wir grundsätzlich immer erstellen, auch dann, wenn x keine Instrumentalvariable ist, freilich auf die Gefahr hin, daß sich der als Bedingung angegebene Wert für x_τ nicht einstellt und damit die Prognose wertlos wird. Man kann aber auch, nachdem schon alle Daten bekannt sind, im nachhinein die Frage stellen, wie gut eine Regressionsbeziehung den Wert der endogenen Variablen prognostiziert hätte, wenn zum Zeitpunkt der Prognose der Wert der exogenen Variablen bekannt gewesen wäre. Ein Vergleich dieser „ex-post-Prognose" mit dem tatsächlichen Wert der endogenen Variablen gibt einen Hinweis auf die Güte der geschätzten Regression.

Im folgenden soll jedenfalls nur noch von bedingten Prognosen die Rede sein, um die mit der Vorausschätzung von x_τ verbundene Fehlerquelle aus der Betrachtung ganz ausschalten zu können. Wir interessieren uns dann nur noch für die Fehlerquellen 3. und 4.

Zu 3.: Angenommen, uns stände die exakte Regressionsgleichung $\tilde{y} = \alpha + \beta x$ für Prognosezwecke zur Verfügung, so hätten wir in

$$\tilde{y}_\tau = \alpha + \beta x_\tau$$

eine bedingte Prognose für y_τ bei gegebenem x_τ, die sich nur dann verbessern ließe, wenn das Ausmaß der Störung u_τ in der Periode τ bekannt wäre[17]. u_τ ist aber eine Zufallsvariable, die unabhängig von den früheren Störungen zufällig einen positiven oder negativen Wert annimmt. Der Prognosefehler $y_\tau - \tilde{y}_\tau$ ist genau gleich dieser Störvariablen u_τ und variiert daher in demselben Maße wie diese. Wegen (R1) ist der Prognosefehler im Mittel 0. Der mittlere quadratische Fehler ist aber

$$\sqrt{E[(y_\tau - \tilde{y}_\tau)^2 \mid x_\tau]} = \sigma. \tag{1.63}$$

[17] Hierbei, wie auch in den folgenden Überlegungen, nehmen wir an, daß die Modellannahmen (R1) bis (R3) und gegebenenfalls (R6) für $t = 1, 2, \ldots, T$ und $t = \tau$ gelten.

Mit Hilfe dieses *Standardprognosefehlers* läßt sich ein *Prognoseintervall* konstruieren, innerhalb dessen mit vorgegebener *Prognosewahrscheinlichkeit* der wahre y_τ-Wert erwartet werden kann. Bei Bestehen der Normalverteilungshypothese (R 6) befindet sich y_τ mit etwa 95,5% Wahrscheinlichkeit in dem Intervall

$$\tilde{y}_\tau \pm 2\sigma .$$

Die Angabe eines solchen Intervalls wird auch als *Intervallprognose* im Gegensatz zu der einfachen *Punktprognose* $\tilde{y}_\tau$ bezeichnet.

Man erkennt hieran die fundamentale Bedeutung der Standardabweichung der Störvariablen σ für die Abschätzung von Prognosefehlern.

Beispiel: In unserem früher berechneten Regressionsmodell ist σ mit 0,419 geschätzt worden. Nehmen wir an, die Schätzung der Regressionsgeraden $\hat{y} = -0{,}546 + 0{,}246\,x$ erfolgte fehlerfrei, dann können wir für $x_\tau = 30$ die Variable y_τ in dem Prognoseintervall $6{,}83 \pm 2 \cdot 0{,}42 = [5{,}99;\ 7{,}67]$ bzw. $6{,}83 \pm 2{,}58 \cdot 0{,}42 = [5{,}75;\ 7{,}91]$ mit den Prognosewahrscheinlichkeiten von 95,5% bzw. 99% erwarten.

Prognosen des gesamtwirtschaftlichen Konsums mit Hilfe der im Anhang *C 1.* geschätzten Konsumfunktion $C = 23{,}88 + 0{,}78\,Y_H^v$, $\sigma = 1{,}15$ sind selbst bei korrekt geschätztem Einkommen und exakt geschätzten Parametern fehlerbehaftet, und zwar mit einem Fehlerspielraum von $\pm 2\sigma = 2{,}30$. Das sind bei einem verfügbaren persönlichen Einkommen von $Y_H^v = 270$ immerhin noch 0,98% möglicher Prognosefehler.

Dieser Prognosefehler kann auch durch noch so lange Zeitreihenbeobachtungen im Prinzip nicht reduziert werden, wenn man nicht zu einer anderen Regressionsbeziehung übergehen will. Es ist freilich denkbar, daß man bei der Erstellung der Prognose schon gewisse Informationen über das mutmaßliche Ausmaß der Störung in der Prognoseperiode hat. Zum Beispiel sprechen bisweilen Indizien dafür, daß der autonome Konsum sich verstärken wird, was technisch gesprochen darauf hinausläuft, daß die Störvariable einen positiven Wert annehmen wird. Man kann derartige zum Teil vorhersehbaren Veränderungen aber auch als Strukturbrüche in den Regressionsparametern interpretieren (vgl. Punkt 1.). Abgesehen von solchen eher vagen a-priori-Kenntnissen über die Störvariable ist eine Reduktion des von ihr herrührenden Prognosefehlers nur dadurch möglich, daß man eine bessere Regressionsbeziehung findet, z. B. indem man weitere erklärende Variablen einführt in der Hoffnung, die Varianz der Störvariablen signifikant zu verringern.

Zu 4.: Da wir nicht mit Hilfe der tatsächlichen, sondern nur der geschätzten Regressionsbeziehung vorhersagen können, wird die Prognose um den Einfluß des Schätzfehlers zusätzlich zu den anderen Fehlern verfälscht. Der Gesamtprognosefehler e_τ einer bedingten Prognose $\hat{y}_\tau$ bei gegebenem x_τ setzt sich aus dem Schätzfehler $\tilde{y}_\tau - \hat{y}_\tau$ und dem Residualfehler u_τ zusammen:

$$e_\tau = y_\tau - \hat{y}_\tau = y_\tau - \tilde{y}_\tau + \tilde{y}_\tau - \hat{y}_\tau = u_\tau + \tilde{y}_\tau - \hat{y}_\tau . \tag{1.64}$$

Die beiden Fehlerkomponenten sind nach (R 1) und (R 3) unkorrelierte Zufallsvariablen. Denn

$$E[\tilde{y}_\tau u_\tau | \boldsymbol{x}, x_\tau] = E[(\alpha + \beta x_\tau) u_\tau | \boldsymbol{x}, x_\tau] = 0$$

nach (R 1), und

$$E[\hat{y}_\tau u_\tau | \boldsymbol{x}, x_\tau] = E[\hat{\alpha} u_\tau + \hat{\beta} u_\tau x_\tau | \boldsymbol{x}, x_\tau] = 0,$$

da $\hat{\alpha}$ und $\hat{\beta}$ nach (1.37) lineare Funktionen von $u_1, \ldots, u_T$ sind und u_τ nach (R3) mit $u_1, \ldots, u_T$ unkorreliert ist. Daher errechnet man für die (bedingte) Varianz des Prognosefehlers (bei gegebenen $x_1, x_2, \ldots, x_T$ und x_τ) wegen $E(e_\tau | \boldsymbol{x}, x_\tau) = 0$:

$$V(e_\tau | \boldsymbol{x}, x_\tau) = E[e_\tau^2 | \boldsymbol{x}, x_\tau] = E\, u_\tau^2 + E[(\tilde{y}_\tau - \hat{y}_\tau)^2 | \boldsymbol{x}, x_\tau]. \tag{1.65}$$

Nun ist

$$\tilde{y}_\tau - \hat{y}_\tau = \alpha - \hat{\alpha} + (\beta - \hat{\beta})\, x_\tau \tag{1.66}$$

und daher

$$\sigma_e^2 := V(e_\tau | \boldsymbol{x}, x_\tau) = \sigma^2 + V(\hat{\alpha} | \boldsymbol{x}) + 2\,\mathrm{Cov}(\hat{\alpha}, \hat{\beta} | \boldsymbol{x})\, x_\tau + V(\hat{\beta} | \boldsymbol{x})\, x_\tau^2. \tag{1.67}$$

Die Wurzel aus der Varianz ist wieder der Standardprognosefehler σ_e. Sein Quadrat setzt sich additiv aus der Störvarianz (Residualvarianz) σ^2, die schon in (1.63) vorkam, und einem in x_τ quadratischen Ausdruck, der den Einfluß des Schätzfehlers zum Ausdruck bringt, zusammen. Die Abhängigkeit dieses zweiten Terms von x_τ wird deutlicher, wenn wir diesen wie folgt umformen: Nach der ersten Normalgleichung (1.18) ist $\bar{y} = \hat{\alpha} + \hat{\beta}\,\bar{x}$; andererseits ist $\bar{y} = \alpha + \beta\,\bar{x} + \bar{u}$; daher ist $\alpha - \hat{\alpha} = -(\beta - \hat{\beta})\,\bar{x} - \bar{u}$; dies in (1.66) eingesetzt, ergibt

$$\tilde{y}_\tau - \hat{y}_\tau = (\beta - \hat{\beta})(x_\tau - \bar{x}) - \bar{u}. \tag{1.68}$$

Nach (1.65) haben wir daher jetzt folgenden Ausdruck für σ_e^2:

$$\sigma_e^2 = \sigma^2 \left(1 + \frac{1}{T}\right) + V(\hat{\beta} | \boldsymbol{x})(x_\tau - \bar{x})^2. \tag{1.69}$$

Dabei ist benutzt worden, daß $\bar{u}$ und $\hat{\beta}$ unkorreliert sind, wie man aus (1.37b) folgern kann. Der von dem Schätzfehler herrührende Beitrag zum Standardprognosefehler ist also am kleinsten, nämlich σ^2/T, wenn $x_\tau = \bar{x}$ ist, und nimmt mit wachsendem Abstand zwischen x_τ und $\bar{x}$ zu. Ist x_t eine trendbehaftete Variable, dann wird man in der Regel mit großen Abständen rechnen müssen, und der Schätzfehler führt zu einem nicht zu vernachlässigenden Beitrag zum Prognosefehler.

1.5.3. Prognose- und Toleranzintervall

Wieder können wir bei Bestehen der Normalverteilungshypothese (R6) zu gegebener Prognosewahrscheinlichkeit ein *Prognoseintervall* für den zukünftigen Wert y_τ konstruieren, da in diesem Fall sowohl u_τ als auch $\hat{\alpha}$ und $\hat{\beta}$ und damit e_τ normal verteilt sind (immer bei gegebenen $x_1, \ldots, x_T$ und x_τ).

In dem Intervall

$$\hat{y}_\tau \pm k\, \sigma_e \tag{1.70}$$

liegt mit einer von k abhängigen Wahrscheinlichkeit der zu x_τ gehörige Wert der zu prognostizierenden endogenen Variablen y_τ. Trägt man die Intervallenden längs der geschätzten Regressionsgeraden ab, dann erhält man gemäß (1.69) ein Hyperbelpaar:

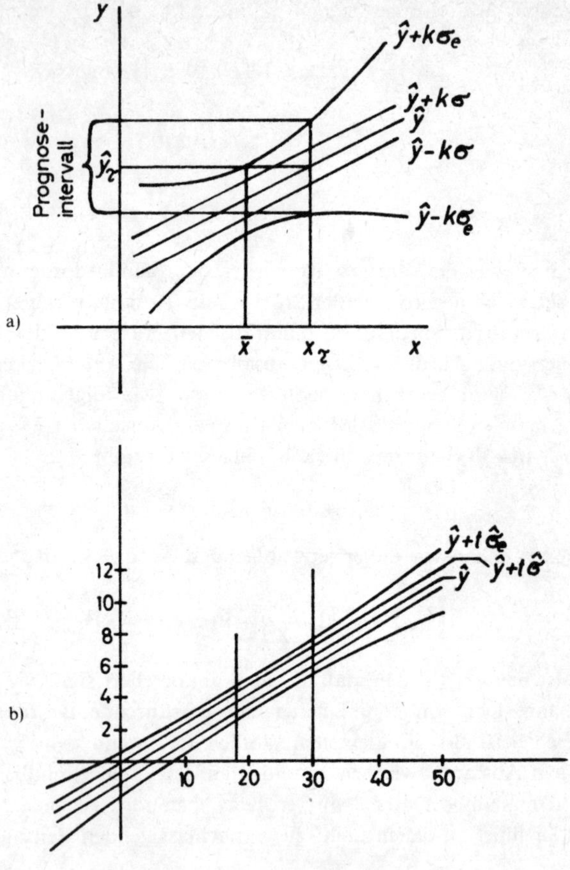

Abb. 1.14. a), b) Prognoseintervall in Abhängigkeit von x_τ.
a) σ bekannt, b) σ geschätzt (Zahlenbeispiel)

In der Praxis ist σ^2 nicht bekannt. Daher sind für σ^2 und auch für die Varianzen und die Kovarianz der Schätzfehler geeignete Schätzungen einzusetzen. Das zu einer bestimmten Prognosewahrscheinlichkeit gehörige Prognoseintervall ist dann, genau genommen, nicht mit dem der Normalverteilung entstammenden Sicherheitskoeffizienten k zu konstruieren, sondern mit dem analogen Koeffizienten der t-Verteilung zu $T-2$ Freiheitsgraden. Beruht jedoch die Schätzung auf einer relativ langen Zeitreihe (etwa $T > 30$), dann kann ohne Bedenken der Koeffizient k verwendet werden.

Beispiel: In unserem Zahlenbeispiel (S. 68) ist nach (1.67) bzw. (1.69)

$$\hat{\sigma}_e^2 = 0{,}175 + 0{,}24 - 0{,}024\,x_\tau + 0{,}0007\,x_\tau^2 = 0{,}1925 + 0{,}0007\,(x_\tau - 18{,}1)^2$$

eine Schätzung der Varianz des Prognosefehlers in Abhängigkeit von x_τ. Mit $t_8(95) = 2{,}306$ reicht z. B. für $x_\tau = 30$ das Prognoseintervall $\hat{y}_\tau \pm t\,\hat{\sigma}_e$ von 5,59 bis 8,08 (vgl. auch Abb. 1.14). (Fortsetzung S. 85.)

Übrigens finden wir die Hyperbelkurven der Abb. 1.14 auch in Abb. 1.10 wieder als jene zwei Kurven, die die Schar der geschätzten Regressionsgeraden umhüllen (mit dem Unterschied allerdings, daß die Achse der Hyperbeln in Abb. 1.14 die geschätzte, in Abb. 1.10 aber die wahre Regressionsgerade ist). Diese Übereinstimmung (abgesehen vom unterschiedlichen Abstand des Kurvenpaares in den beiden Abbildungen) ist nicht zufällig.

Die geschilderte Konstruktion des Prognoseintervalls ist nur gültig für eine einzige Prognose im Anschluß an eine Regressionsschätzung. Die zugehörige Prognosewahrscheinlichkeit gibt die Wahrscheinlichkeit dafür an, daß in dem aufgrund der Schätzung zu gegebenem x_τ konstruierten Intervall der Wert der endogenen Variablen liegen wird, sofern die exogene Variable zum Zeitpunkt τ tatsächlich den Wert x_τ annimmt. Sie sagt nichts darüber aus, mit welcher Wahrscheinlichkeit mehrere zukünftige Werte in den angegebenen Grenzen liegen werden. Zwar läßt sich auch eine Wahrscheinlichkeit dafür ausrechnen, daß z. B. die beiden Variablen y_τ und $y_{\tau+1}$ zu gegebenen x_τ und $x_{\tau+1}$ beide innerhalb ihrer jeweiligen Prognoseintervalle liegen, doch ist die Berechnung keineswegs einfach. Die Prognosefehler e_τ und $e_{\tau+1}$ sind nämlich nicht stochastisch unabhängig, auch wenn es die Störvariablen u_τ und $u_{\tau+1}$ sind. Denn in dem Prognosefehler steckt der allen gemeinsame Bestandteil $\tilde{y} - \hat{y}$, der von dem Schätzfehler herrührt. Unabhängigkeit läge nur dann vor, wenn jede Prognose auf jeweils eigenen Regressionsschätzungen beruhte, die unabhängig voneinander in getrennten Schätzzeiträumen vorgenommen worden wären. Ein solcher Fall kommt aber in der Praxis kaum vor. Vielmehr will man gewöhnlich mit Hilfe einer einmal (im Zeitraum $t = 1, 2, \ldots, T$) geschätzten Regressionsgeraden (bedingte) Prognosen für mehrere Perioden anstellen (z. B. für die sich an den Schätzzeitraum anschließenden Perioden $T+1$, $T+2, \ldots$).

Zur Abschätzung der hierbei anfallenden Prognosefehler bedient man sich besser des *Toleranzintervalls* anstelle des Prognoseintervalls. Es hat dieselbe Gestalt (1.70) wie dieses, ist aber mit einem anderen Koeffizienten k zu konstruieren und hat auch eine andere Bedeutung: Zu je zwei Wahrscheinlichkeiten ω und ω' gibt es einen Koeffizienten $k = k_{\omega\omega'}$, so daß das nach (1.70) mit diesen Koeffizienten konstruierte Intervall mit Wahrscheinlichkeit ω mindestens den Anteil ω' der Wahrscheinlichkeitsmasse von y_τ bei gegebenem x_τ überdeckt. ω heißt *Konfidenzwahrscheinlichkeit*, ω' *Toleranzwahrscheinlichkeit*. Man wird in der Regel eine hohe Konfidenzwahrscheinlichkeit ansetzen, z. B. $\omega = 0{,}99$; ebenso ist es sinnvoll, die Toleranzwahrscheinlichkeit relativ hoch zu wählen, z. B. $\omega' = 0{,}9$. Dann sind wir ziemlich sicher (genauer: zu 99% sicher), daß auf lange Sicht mindestens 90% der zukünftigen Werte der endogenen Variablen innerhalb der zugehörigen Toleranzintervalle liegen werden oder also daß mindestens 90% der zukünftigen Beobachtungspunkte (x_t, y_t), $t = T+1, T+2, \ldots$ in dem durch die beiden Hyperbeln der Abbildung begrenzten Band liegen werden, vorausgesetzt natürlich, daß auch auf lange Sicht das gewählte Regressionsmodell richtig bleibt und nicht etwa ein Strukturbruch oder andere Veränderungen eintreten. Daß man den Anteil der von den Toleranzintervallen eingefangenen y_t-Werte nicht mit Sicherheit, sondern nur mit einer von 1 verschiedenen Konfidenzwahrscheinlichkeit ω angeben kann, liegt eben daran, daß die Toleranzintervalle an einem gemeinsamen „Konstruktionsfehler" unbekannten Ausmaßes kranken, nämlich dem Fehler in der Schätzung der Regressionsgeraden.

Tafeln zur Bestimmung des Koeffizienten $k_{\omega\omega'}$ zu gegebenen Konfidenz- und Toleranzwahrscheinlichkeiten findet man bei WALLIS [1951], nebst der zugehörigen Theorie.[18]

1.5.4. Test auf Strukturbruch in den Regressionsparametern*

Mit Hilfe des Prognoseintervalls sind wir prinzipiell schon in der Lage, eine Regressionsbeziehung daraufhin zu testen, ob sie über den Schätzzeitraum $t = 1, \ldots, T$ hinaus auch noch in der Periode τ gilt.

Fällt nämlich der Wert y_τ aus dem Prognoseintervall hinaus, dann können wir ziemlich sicher sein, daß die Regressionsgleichung den Zusammenhang zwischen x und y zumindest für diese Periode τ nicht richtig wiedergibt, sei es, daß die Regressionsparameter sich geändert haben oder daß die Störvariable eine größere Streuung besitzt oder schließlich, daß überhaupt das Regressionsmodell nicht mehr funktioniert. Freilich ist dieser Test, da er nur eine Beobachtung benutzt, sehr unscharf. Auch bei verhältnismäßig großen Veränderungen der Regression in der Periode τ gegenüber dem Schätzzeitraum besteht noch eine relativ große Wahrscheinlichkeit, daß y_τ in das Prognoseintervall hineinfällt und die Änderung nicht entdeckt wird.

Liegen dagegen mehrere Beobachtungen (x_t, y_t) aus einem Prognosezeitraum (etwa $t = T+1, T+2, \ldots$) vor, dann kann mit größerer Prägnanz statistisch geprüft werden, ob sie zu derselben Regressionsbeziehung gehören, die für den Schätzzeitraum angenommen worden war. Dieses Testproblem ist eigentlich gar nicht an eine Trennung der Beobachtungsperioden in Schätz- und Prognosezeitraum gebunden; irgend zwei Zeiträume können durch einen solchen Test miteinander konfrontiert werden. Wir haben gerade diese Trennung unseren Überlegungen nur deshalb vorangestellt, um die These von der Prognosequalität als dem eigentlichen Test eines Regressionsmodells nochmals zu illustrieren.

Allgemeiner lautet unser Testproblem wie folgt: Der Zeitraum $t = 1, \ldots, T$ werde in zwei Teilzeiträume $t = 1, \ldots, T_1$ und $t = T_1 + 1, \ldots, T_1 + T_2 = T$ zerlegt. Die zu

[18] Andere Zugänge zum Prognoseproblem findet man z. B. bei BOX und JENKINS, ROTHSCHILD, MINCER, HEESTERMAN, CHRISHOLM und WHITAKER, SCHMIDT, MERKIES.

testende (Null-)Hypothese lautet, daß für den gesamten Zeitraum eine einheitliche Regressionsbeziehung zwischen den Variablen y und x besteht:

$$H_0: \quad y_t = \alpha + \beta x_t + u_t \quad \text{für } t = 1, \dots, T.$$

Die Alternativhypothese lautet, daß in jedem Teilzeitraum je eine einheitliche Regressionsbeziehung besteht, daß aber beide Regressionen verschieden sind, also zwischen den beiden Zeiträumen ein *Strukturbruch* eingetreten ist:

$$\begin{aligned} H_A: \quad & y_t = \alpha_1 + \beta_1 x_t + u_t \quad \text{für } t = 1, \dots, T_1 \\ & y_t = \alpha_2 + \beta_2 x_t + u_t \quad \text{für } t = T_1 + 1, \dots, T_1 + T_2 \\ & (\alpha_1, \beta_1, \sigma_1) \neq (\alpha_2, \beta_2, \sigma_2). \end{aligned}$$

H_0 kann auch aufgrund des in H_A beschriebenen Modells kurz durch die folgende Parametergleichheit charakterisiert werden:

$$H_0: \quad (\alpha_1, \beta_1, \sigma_1) = (\alpha_2, \beta_2, \sigma_2) =: (\alpha, \beta, \sigma).$$

Wir wollen freilich zunächst von einem möglichen Strukturbruch im Parameter σ absehen und annehmen, daß jedenfalls $\sigma_1 = \sigma_2 = \sigma$. Dann steht nur noch ein möglicher Strukturbruch in den eigentlichen Regressionsparametern α und β zur Debatte.

Die Testidee ist sehr einfach: Man schätzt drei Regressionsgeraden

$$\begin{aligned} \hat{y}_t &= \hat{\alpha}_1 + \hat{\beta}_1 x_t \quad \text{für } t = 1, \dots, T_1 \\ \hat{y}_t &= \hat{\alpha}_2 + \hat{\beta}_2 x_t \quad \text{für } t = T_1 + 1, \dots, T_1 + T_2 \\ \hat{\hat{y}}_t &= \hat{\alpha} + \hat{\beta} x_t \quad \text{für } t = 1, \dots, T \end{aligned}$$

und stellt die quadratische Abweichung der beiden Teilgeraden von der Gesamtgeraden (an den sämtlichen Stellen x_t) fest, d.h., man bildet

$$Q := \sum_1^T (\hat{y}_t - \hat{\hat{y}}_t)^2 = \sum_1^{T_1} [(\hat{\alpha}_1 - \hat{\alpha}) + (\hat{\beta}_1 - \hat{\beta}) x_t]^2 + \sum_{T_1+1}^{T_1+T_2} [(\hat{\alpha}_2 - \hat{\alpha}) + (\hat{\beta}_2 - \hat{\beta}) x_t]^2. \quad (1.71)$$

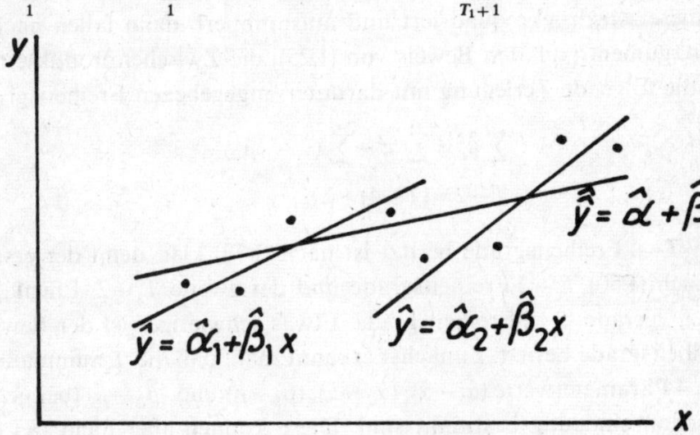

Abb. 1.15. Strukturbruch

Ein großes Q ist offenbar ein Indiz für einen Strukturbruch. Wie groß aber muß Q sein, um von einem signifikanten Bruch sprechen zu können? Auch ohne daß ein Strukturbruch vorliegt, kann Q zufällig einen mehr oder weniger großen Wert annehmen. Der gefundene Wert von Q muß also schon den normalen Schwankungsbereich, den Q unter der Nullhypothese H_0 beansprucht, übersteigen, ehe H_0 verworfen werden kann. Dieser normale Bereich ergibt sich daraus, daß – wie noch gezeigt wird – unter H_0 die Größe $\frac{1}{2}Q$ eine Schätzung für σ^2 darstellt. Eine von H_0 unabhängige Schätzung von σ^2 ist offenbar (bei Berücksichtigung der Zahl der Freiheitsgrade)

$$\frac{1}{T-4}\sum \hat{u}_t^2 := \frac{1}{T-4}\left[\sum_{1}^{T_1}(y_t-\hat{\alpha}_1-\hat{\beta}_1 x_t)^2+\sum_{T_1+1}^{T}(y_t-\hat{\alpha}_2-\hat{\beta}_2 x_t)^2\right]. \qquad (1.72)$$

In dem Quotienten

$$F=\frac{\frac{1}{2}\sum(\hat{y}_t-\hat{\hat{y}}_t)^2}{\frac{1}{T-4}\sum \hat{u}_t^2} \qquad (1.73)$$

hat man nun eine geeignete Testgröße. Denn es zeigt sich, daß F einer F-Verteilung mit 2 und $T-4$ Freiheitsgraden folgt, so daß der folgende F-Test adäquat erscheint:

Man verwerfe H_0, wenn $F > F_{T-4}^2(\omega)$,

wobei ω eine gegebene Sicherheitswahrscheinlichkeit (z. B. $\omega=0{,}95$) bedeutet und $F_{T-4}^2(\omega)$ das aus einer Tafel der F-Verteilung ablesbare ω-Perzentil.

Der *Beweis* für dieses Testverfahren ergibt sich aus einer Varianzzerlegung nach COCHRANS Theorem. Man zerlegt zunächst wie folgt:

$$\hat{\hat{u}}_t := y_t-\hat{\hat{y}}_t=(y_t-\hat{y}_t)+(\hat{y}_t-\hat{\hat{y}}_t)=\hat{u}_t+(\hat{y}_t-\hat{\hat{y}}_t), \qquad t=1,\dots,T.$$

Werden diese Ausdrücke quadriert und aufsummiert, dann fallen nach einem bekannten Argument (vgl. den Beweis von (1.25)) die Zwischenprodukte fort und man erhält die folgende Zerlegung mit darunter angegebenen Freiheitsgraden

$$\sum \hat{\hat{u}}_t^2=\sum \hat{u}_t^2+\sum(\hat{y}_t-\hat{\hat{y}}_t)^2 \qquad (1.74)$$
$$T-2=(T-4)+2.$$

Daß $\sum \hat{u}^2$ $T-4$ Freiheitsgrade besitzt ist nach (1.72) klar, denn der erste Summand hat nach (1.50) T_1-2 Freiheitsgrade und der zweite T_2-2. Ebenfalls nach (1.50) hat $\sum \hat{\hat{u}}^2$ gerade $T-2$ Freiheitsgrade. Etwas schwieriger ist der Beweis, daß Q nur 2 Freiheitsgrade besitzt. Zunächst erkennt man, daß die T Summanden von Q durch die 4 Parameterwerte $(\hat{\alpha}_1-\hat{\alpha})$, $(\hat{\alpha}_2-\hat{\alpha})$, $(\hat{\beta}_1-\hat{\beta})$ und $(\hat{\beta}_2-\hat{\beta})$ (bei gegebenen $x_1,\dots,x_T$) schon eindeutig bestimmt sind. Diese können aber nicht frei gewählt werden, sondern unterliegen ihrerseits 2 unabhängigen Restriktionen, welche aus den Normalgleichungen (1.14) folgen:

$$\sum_{1}^{T_1} [(\hat{\alpha}_1 - \hat{\alpha}) + (\hat{\beta}_1 - \hat{\beta}) x_t] + \sum_{T_1+1}^{T} [(\hat{\alpha}_2 - \hat{\alpha}) + (\hat{\beta}_2 - \hat{\beta}) x_t] = 0$$

$$\sum_{1}^{T_1} [(\hat{\alpha}_1 - \hat{\alpha}) x_t + (\hat{\beta}_1 - \hat{\beta}) x_t^2] + \sum_{T_1+1}^{T} [(\hat{\alpha}_2 - \hat{\alpha}) x_t + (\hat{\beta}_2 - \hat{\beta}) x_t^2] = 0.$$

Die Zahl der Freiheitsgrade für Q reduziert sich damit auf 2. Nun ist $\sum \hat{\hat{u}}^2$ nach (1.46) selbst Bestandteil einer Zerlegung von $\sum u_t^2$. Nach COCHRANS Theorem sind daher $\sum \hat{u}^2$ und $\sum(\hat{y} - \hat{\hat{y}})^2$ stochastisch unabhängig und – nach Division durch σ^2 – χ^2-verteilt mit $T-4$ und 2 Freiheitsgraden. Daraus folgt schließlich, daß der Quotient in (1.73) eine F-Verteilung besitzt, w.z.b.w.

Aus (1.74) ergibt sich noch, daß wir die Testvariable (1.73) in der folgenden Form schreiben können:

$$\frac{\frac{1}{2}(\sum \hat{\hat{u}}_t^2 - \sum \hat{u}_t^2)}{\frac{1}{T-4} \sum \hat{u}_t^2} = F_{T-4}^2. \tag{1.73'}$$

Sie ist für die praktische Durchführung des Tests sehr bequem, da die Residuenquadratsummen bei den Regressionsberechnungen ohnehin anfallen.

Beispiel: Angenommen, bei fortgesetzter Beobachtung werden die Zeitreihen unseres Zahlenbeispiels von S. 45 wie folgt verlängert:

t	1	2	3	4	5	6	7	8
x	10	9	15	21	18	18	22	23
y	2	2	3	5	4	3	5	5
$\hat{y}$	1,910	1,665	3,139	4,612	3,875	3,875	4,858	5,104
$\hat{\hat{y}}$	1,448	1,107	3,155	5,203	4,179	4,179	5,545	5,886

t	9	10	11	12	13	14	15
x	20	25	22	24	25	27	30
y	4	6	6	7	7	8	9
$\hat{y}$	4,367	5,595	6,065	6,806	7,177	7,919	9,032
$\hat{\hat{y}}$	4,862	6,569	5,545	6,227	6,569	7,252	8,276

Um zu testen, ob bei $T_1 = 10$ ein Strukturbruch eingetreten ist, berechnen wir für jeden Teilzeitraum und für den Gesamtzeitraum je eine Regressionsgerade:

$$\hat{y}_t = -0{,}546 + 0{,}246\, x_t \quad \text{für} \quad t = 1, \ldots, 10;$$

$$\hat{y}_t = -2{,}097 + 0{,}371\, x_t \quad \text{für} \quad t = 11, \ldots, 15;$$

$$\hat{\hat{y}}_t = -1{,}965 + 0{,}341\, x_t \quad \text{für} \quad t = 1, \ldots, 15.$$

$Q = \Sigma(\hat{y} - \hat{\hat{y}})^2$ kann dadurch berechnet werden, daß man alle $\hat{y}_t$ und $\hat{\hat{y}}_t$ errechnet (vgl. Tabelle) und die quadrierten Differenzen $(\hat{y}_t - \hat{\hat{y}}_t)^2$ aufsummiert: $Q = 5{,}33$. Man kann aber auch in (1.71) die Klammerausdrücke ausquadrieren und erhält z. B. für den ersten Summanden

$$(\hat{\alpha}_1 - \hat{\alpha})^2 T_1 + 2(\hat{\alpha}_1 - \hat{\alpha})(\hat{\beta}_1 - \hat{\beta}) \sum_1^{T_1} x_t + (\hat{\beta}_1 - \hat{\beta})^2 \sum_1^{T_1} x_t^2 = 3{,}34.$$

Entsprechend ist der zweite Summand 1,99. Die Summe aus beiden ergibt wieder Q. Die Quadratsumme der Residuen der beiden Teilregressionen ist $\sum \hat{u}^2 = 1{,}48$. Daraus errechnet man $F = 19{,}8$. Man kann aber auch F nach (1.73′) berechnen, muß hierzu aber zunächst $\sum \hat{\hat{u}}^2$ bestimmen. Zu $\omega = 95\,\%$ ist der F-Wert der Tafel bei 2 und 11 Freiheitsgraden $F_{11}^2(95) = 3{,}98$. Wir stellen fest, daß $F > 3{,}98$ und daher die Nullhypothese verworfen werden muß. Wir haben also signifikant einen Strukturbruch festgestellt. (Fortsetzung S. 121 und S. 96 f.)

Strukturbrüche sind immer zu erwarten, wenn von einer bestimmten Periode ab die Wirtschaftsordnung oder aber auch die statistischen Erhebungsverfahren bzw. die statistischen Definitionen ökonomischer Variablen sich wesentlich ändern. So wird man zwischen Vorkriegs-, Kriegs- und Nachkriegszeit unterscheiden müssen. Gebietsveränderungen können (müssen aber nicht) Strukturbrüche hervorrufen (vgl. Anhang *C 2.*). Kleinere institutionelle Veränderungen (wie neue Steuergesetze, Zollverordnungen, Kartellgesetze usw.) mögen sich nicht sofort in einem größeren Strukturbruch niederschlagen. Nach einiger Zeit kumulieren sich aber all diese Veränderungen so sehr, daß die alte Regressionsbeziehung nun nicht mehr paßt. Auch in einem solchen Fall, wo also kein abrupter Bruch, wohl aber eine säkulare Strukturveränderung beobachtet wird, ist der beschriebene Test ein geeignetes Verfahren, solche Veränderungen gegebenenfalls statistisch zu erfassen.

1.5.5. Test auf Strukturbruch in der Störvarianz*

Der Test auf einen möglichen Strukturbruch in den Regressionsparametern funktioniert unter der Voraussetzung, daß sich die Varianz der Störvariablen von dem einen Zeitraum zum anderen nicht geändert hat. Um diese Hypothese

$$H_0\colon \quad \sigma_1 = \sigma_2$$

zu prüfen, berechnen wir (unter Berücksichtigung der Freiheitsgrade) die Residualvarianzen $\hat{\sigma}_1^2$ und $\hat{\sigma}_2^2$ der beiden Teilregressionsgeraden. Da unter der Nullhypothese $(T_1 - 2)\,\hat{\sigma}_1^2/\sigma^2$ und $(T_2 - 2)\,\hat{\sigma}_2^2/\sigma^2$ mit $\sigma^2 = \sigma_1^2 = \sigma_2^2$ stochastisch unabhängige χ^2-Variablen zu $T_1 - 2$ und $T_2 - 2$ Freiheitsgraden sind, ist

$$\frac{\hat{\sigma}_1^2}{\hat{\sigma}_2^2} = F \begin{matrix} T_1 - 2 \\ T_2 - 2 \end{matrix}$$

eine F-Variable mit $T_1 - 2$ und $T_2 - 2$ Freiheitsgraden. Ein Test für H_0 wird nun so konstruiert, daß man ein unteres und ein oberes Perzentil der F-Verteilung aus einer Tafel entnimmt (z. B. $F(2{,}5)$ und $F(97{,}5)$), so daß zwischen beiden ein bestimmter Teil der Wahrscheinlichkeitsmasse (z. B. 95 %) der F-Verteilung liegt. H_0 wird dann verworfen, wenn der errechnete F-Wert nicht zwischen den beiden Perzentilen liegt.

Aufgaben zu Kap. 1

1.1.

(1-1) Man beweise, daß bei Bestehen der Regression (1.2) die Beziehungen (1.3) bzw. (1.4) logisch äquivalent sind zu (1.8) bzw. (1.9).

(1-2*) Man zeige am Beispiel der folgenden Dichtefunktion für (x, u), daß (1.5) und (1.6) erfüllt sind, aber nicht (1.3):

$$f(x,u)=\frac{1}{2\pi}\exp\left[-\frac{1}{2}\left(x^2+\left(u+\frac{2}{\sqrt{2\pi}}-|x|\right)^2\right)\right].$$

(Hinweis: x ist (0,1)-normalverteilt und u ist bei gegebenem x bedingt normalverteilt. $E\,u=E\,E(u|x)=E(|x|-2/\sqrt{2\pi})=0$. $E(u\,x)=E\,E(u\,x|x)=E(x\,E(u|x))=0$.)

(1-3) Man zeige, daß $\mathrm{Cov}(u,x)=E(u\,x)$, falls $E\,u=0$, und allgemein, daß $\mathrm{Cov}(u,x)=E[(u-E\,u)\,x]$.

(1-4) Man konstruiere mit Hilfe einer TAYLOR-Entwicklung lineare Approximationen für die Funktionen $\log x$, x^2, e^x an der Stelle $x=1$.

(1-5*) (x, y, u) sei gemeinsam normalverteilt und es sei $y=\beta\,x+u$ mit $E\,x=E\,u=E(x\,u)=0$. Man zeige: $E(y|x)=\beta\,x$, $V(y|x)=V(u)$, $E(x|y)=\gamma\,y$, $V(x|y)=V(u)\,V(x)/V(y)$ mit $\gamma=\beta\,V(x)/V(y)$. (Hinweis: Es gilt die Zerlegung $x=\gamma\,y+v$ mit $E\,v=E\,y\,v=0$ und $\gamma=E(x\,y)/E(y^2)$. Man hat analog $\beta=E(x\,y)/E(x^2)$. Man findet ferner $V(u)=V(y)-\beta\,E(x\,y)$ und entsprechend $V(v)=V(x)-\gamma\,E(x\,y)$. An welcher Stelle benötigt man die Normalverteilungsvoraussetzung?)

(1-6*) Es seien x und u stochastisch unabhängig und beide gleichförmig über (0,1) verteilt. Es sei ferner $y=\frac{1}{2}\,x+u$. Man zeige, daß $E(x|y)$ eine nichtlineare Funktion von y ist (Skizze).

(1-7) Kann man aus $s^2(x)>0$ folgern, daß $\lim s^2(x)>0$? Man sehe sich daraufhin die Zeitreihe $x_t:=2^{-t}$ an.

1.2.

(1-8) Man gebe in Analogie zu (1.15) die Formel für $\hat{\alpha}$ an.

(1-9) Man zeige, daß (1.20) mit dem Normalgleichungssystem (1.14) logisch äquivalent ist.

(1-10) Man gebe das System der Normalgleichungen für den Fall eines linearen Trends $y=\alpha+\beta\,t$, $t=1,\dots,T$, an.

(1-11) Man leite aus (1.24) mittels (1.16) und (1.18) her, daß

$$s^2(\hat{u})=s^2(y)-\hat{\beta}\,\mathrm{cov}(x,y).$$

(1-12) Man leite aus (1.26) und (1.27) her, daß

$$s^2(\hat{u})=s^2(y)-\hat{\beta}^2\,s^2(x)$$

und zeige mit Hilfe von (1.17) die Übereinstimmung mit der voranstehenden Formel.

(1-13) Wieviel Prozent der Varianz von y wird über die Regression $y=\alpha+\beta\,x+u$ durch die Varianz von x erklärt, wenn der Korrelationskoeffizient 0,5; 0,7; 0,9 beträgt?

(1-14) Wie ändern sich $\hat{\alpha}$, $\hat{\beta}$, $\hat{\sigma}$ bei Maßstabsänderungen in den Variablen x und y?

(1-15) Eine Nachfragefunktion laute $x=10-0{,}5\,p$. Wie groß ist die Preiselastizität bei $p=10$? Wie groß ist sie für die folgende Nachfragefunktion: $x=5\,p^{-0{,}5}$?

1.3.

(1-16*) Man formuliere ein Prinzip der kleinsten absoluten Abstände und ein Prinzip der kleinsten vierten Potenzen und versuche aufgrund dieser Prinzipien Schätzformeln für die Regressionsparameter zu entwickeln.

(1-17) Wie groß ist die Wahrscheinlichkeit dafür, daß alle T (z. B. $T=10$) Beobachtungspunkte zufällig oberhalb der (wahren) Regressionsgerade zu liegen kommen, wenn die Störvariable u_t eine symmetrische Verteilung besitzt?

(1-18) Man differenziere die logarithmische Likelihoodfunktion (1.34) partiell nach σ^2, setze gleich Null und zeige, daß man wieder die Schätzformel (1.35) für σ^2 erhält.

(1-19*) Man konstruiere die konzentrierte Likelihoodfunktion $L^* = L^*(\alpha, \beta)$ und maximiere diese bezüglich (α, β). (Hinweis: Anhang *B 13.5.*)

1.4.

(1-20) Man beweise die Erwartungstreue von $\hat{\alpha}$ und $\hat{\beta}$ (bei gegebenen x_t) mit Hilfe des Systems (1.36), ohne dieses aufzulösen.

(1-21) Welches ist die stärkere Eigenschaft: Erwartungstreue bei beliebig gegebenen x_t $(E(\hat{\alpha}|\boldsymbol{x})=\alpha)$ oder Erwartungstreue schlechthin $(E\,\hat{\alpha}=\alpha)$?

(1-22) Wie ändern sich $\sigma(\hat{\alpha})$ und $\sigma(\hat{\beta})$ bei Maßstabsveränderungen in x und/oder y? (Vgl. (1-14).)

(1-23) Man zeige, daß der Korrelationskoeffizient zwischen $\hat{\alpha}$ und $\hat{\beta}$ $\rho(\hat{\alpha}, \hat{\beta}) = -\sqrt{1-s^2(x)/\overline{x^2}}$ beträgt (sofern $\bar{x}>0$ ist).

(1-24) Man zeige, daß $s^2(x)=\det \boldsymbol{M}$ und beweise (1.44).

(1-25) Wie lautet die Schätzung des absoluten Gliedes einer Regression $y=\alpha+\beta x+u$, wenn der Nullpunkt der x-Achse auf den Wert $\bar{x}$ verschoben wird (so daß also $\bar{x}=0$ wird), und wie lautet die Kovarianzmatrix der Parameterschätzungen?

(1-26) Man beweise: $\hat{\beta}^2/\hat{\sigma}^2(\hat{\beta})=(T-2)\,r^2/(1-r^2)$.

(1-27*) Man beweise mit Hilfe des zentralen Grenzwertsatzes, daß unter den in *1.4.7.* formulierten Bedingungen $\hat{\alpha}$ asymptotisch normalverteilt ist.

(1-28) Es sei $y=\alpha+\beta t+u$. Man beweise: $\hat{\alpha}$ und $\hat{\beta}$ sind konsistent. (Vgl. (1-10).)

(1-29*) Es sei $x_t=2^{-t}$ und $y=\alpha+\beta x+u$, u normal. Man zeige, daß $\hat{\beta}$ nicht konsistent ist. (Vgl. (1-7).)

(1-30*) In *1.4.10* wurde unter der Normalverteilungshypothese $V(\hat{\sigma}^2)=2\sigma^4/(T-2)$ hergeleitet.

Man beweise, daß allgemein (bei identisch und unabhängig verteilten u_t)

$$V(\hat{\sigma}^2)=\frac{2\sigma^4}{T-2}+\frac{(\mu_4-3\sigma^4)}{(T-2)^2}\,\frac{(T-1)(T-3)+m_4^*}{T}$$

ist; dabei ist

$$\mu_4 := E u_t^4, \qquad m_4^* = \frac{\sum(x_t-\bar{x})^4}{T s^4(x)}.$$

(Hinweis: Man drücke $\hat{\sigma}^2$ als Funktion der u_t aus: $\hat{\sigma}^2=\frac{1}{T-2}\sum\sum p_{tt'}\,u_t\,u_{t'}$ mit

$$p_{tt}=1-\frac{1}{T}-\frac{(\bar{x}-x_t)^2}{T s^2(x)} \quad \text{und} \quad p_{tt'}=-\frac{1}{T}-\frac{(\bar{x}-x_t)(\bar{x}-x_{t'})}{T s^2(x)} \quad \text{für } t \neq t'.)$$

Zur Interpretation beachte man, daß unter der Normalverteilungshypothese gerade $\mu_4=3\sigma^4$ gilt.

(1-31) Um welchen Faktor vergrößert sich ein Konfidenzintervall, wenn man von $\omega = 95\%$ auf $\omega = 99\%$ übergeht ($T > 30$)?

(1-32) Wie ändert sich mit wachsendem T das Konfidenzintervall des Trendparameters einer linearen Trendbeziehung?

(1-33*) Man beweise: $\hat{\alpha}$ (und ebenso $\hat{\beta}$) ist effizient im Vergleich zu allen Schätzungen, die bei beliebig gegebenen $x_1, \ldots, x_T$ erwartungstreu sind. (Hinweis: *1.4.14.* und Anhang *B6.2.*)

(1-34) Man beweise, daß $\hat{\alpha}$ beste lineare Schätzung ist (bei gegebenen $x_1, \ldots, x_T$).

1.5.

(1-35) Durch T Beobachtungspunkte (x_t, y_t), $t = 1, \ldots, T$, läßt sich exakt ein Polynom vom Grad $T-1$ legen, sofern die x_t voneinander verschieden sind. Wie groß ist die Residualstreuung? Was ist zur Prognosequalität dieser „Regression" zu sagen?

(1-36) Man wähle aus einer Tafel normalverteilter Zufallszahlen (z. B. WETZEL, JÖHNK, NAEVE) 11 „Zeitreihen" zu je 10 Werten aus, und berechne die 10 Regressionen der ersten Reihe auf die 10 übrigen. Man suche sodann diejenige Regression, bei der die Testvariable $\hat{\beta}/\hat{\sigma}(\hat{\beta})$ oder – was wegen (1-26) auf dasselbe hinausläuft – bei der der Korrelationskoeffizient r dem Betrage nach am größten ausgefallen ist. Für diese Regression prüfe man die Signifikanz von $\hat{\beta}$ nach dem t-Test (*1.4.12*) bei $\omega = 95\%$. Man zeige, daß $\hat{\beta}$ mit einer Wahrscheinlichkeit von $1 - 0{,}95^{10} = 0{,}60$ als „signifikant" angenommen wird.

(1-37) Man konstruiere ein Konfidenzintervall für $\tilde{y} = \alpha + \beta x$ an einer beliebigen Stelle x_0.

(1-38) Man zeige mit Hilfe von (1.37b), daß $E(\bar{u}\,\hat{\beta}) = 0$.

(1-39*) Man zeige, daß die Asymptoten des Hyperbelpaares in Abb. (1.14) durch die Gleichung $y - \bar{y} = \pm(x - \bar{x})(\hat{\beta} + k\,\sigma_{\hat{\beta}})$ beschrieben werden und daß daher der Standardprognosefehler σ_e für große Abstände $|x_\tau - \bar{x}|$ ungefähr proportional zu diesem Abstand wächst mit asymptotischem Proportionalitätsfaktor $\sigma_{\hat{\beta}}$.

(1-40) In der Trendbeziehung $y = \alpha + \beta t + u$ erfolge bei $T_1 = 20$ ein Strukturbruch, der α um 3σ verschiebt. Danach sind die Parameter auf unbestimmte Zeit wieder konstant. Man mache sich plausibel (oder zeige explizit), daß der Strukturbruch für große T_2 mit hoher Wahrscheinlichkeit durch den F-Test (*1.5.4.*) entdeckt wird. Zugleich aber geht mit $T_2 \to \infty$ der Korrelationskoeffizient r gegen 1.

2. Das multiple lineare Regressionsmodell

2.1. Das Modell

2.1.1. Darstellung ohne Matrizen

Funktionale Abhängigkeiten zwischen ökonomischen Variablen sind in der Regel von der Art, daß eine endogene (oder abhängige) Variable y von mehreren (ökonomischen oder außerökonomischen) Variablen $x_1, x_2, \ldots, x_n$ (die wir hier als exogen annehmen wollen) abhängt: $y = g(x_1, x_2, \ldots, x_n)$.

Beispiele[1]:

a) *Einzelwirtschaftliche Nachfragefunktion:* $q_1 = g(p_1, p_2, p_3, y)$ mit q_1 = nachgefragte Menge des Gutes 1, p_1 sein Preis, p_2, p_3 = Preise anderer im Budget des nachfragenden Haushalts berücksichtigter Güter, y = Einkommen des Nachfragers.

b) *Gesamtwirtschaftliche Konsumfunktion* (bei disaggregiertem Einkommen): $C = g(L, P)$, C = privater Konsum, L = Lohn- und Gehaltseinkommen, P = Einkommen aus Unternehmertätigkeit und Vermögen.

c) *Gesamtwirtschaftliche Produktionsfunktion:* $Y = g(K, A, t)$, Y = Sozialprodukt, K = Kapitaleinsatz, A = Arbeitseinsatz, t = Zeit (den technischen Fortschritt einfangende Trendvariable).

d) *Gesamtwirtschaftliche Investitionsfunktion:* $I = g(G, G_{-1}, i, Y_{-1}, Y_{-2}, K)$, I = Nettoinvestition, G = Gewinne, G_{-1} = Gewinne der Vorperiode, i = Zinssatz, Y_{-1} = Sozialprodukt der Vorperiode, Y_{-2} = Sozialprodukt der Vorvorperiode, K = Kapitalstock.

Vielfach sind diese Funktionen nichtlinear (z. B. die Produktionsfunktion), doch lassen sie sich gewöhnlich recht gut linear approximieren oder durch geeignete Variablentransformationen in lineare Funktionen überführen (vgl. die Ausführungen von S. 34 und *1.2.6.*). Wir wollen jedenfalls davon ausgehen, daß ein linearer Zusammenhang besteht, der über mehrere Zeitperioden $t = 1, 2, \ldots, T$ unverändert fortdauert, andererseits aber von Störungen u_t überlagert wird:

$$y_t = \beta_0 + \beta_1 x_{1t} + \beta_2 x_{2t} + \cdots + \beta_n x_{nt} + u_t. \tag{2.1}$$

β_0 ist das *absolute Glied*, $\beta_1, \ldots, \beta_n$ sind die (eigentlichen) *Regressionskoeffizienten*. $\beta_0, \beta_1, \ldots, \beta_n$ werden auch *Regressionsparameter* genannt. Sie sind jedoch nur ein Teil der *Parameter des Regressionsmodells*, das auch noch die Parameter der Wahrscheinlichkeitsverteilung der Störvariablen umfaßt. In diesem Fall kommt im wesentlichen nur noch ein Parameter hinzu, nämlich die *Störvarianz* $\sigma^2 = V u_t$; denn über die Störvariable wollen wir wieder dieselben Annahmen treffen wie im Falle der einfachen linearen Regression:

(R1*) $E(u_t | \boldsymbol{x}_1, \ldots, \boldsymbol{x}_n) = 0$ für alle t

(R2*) $V(u_t | \boldsymbol{x}_1, \ldots, \boldsymbol{x}_n) = \sigma^2$ für alle t

(R3*) $E(u_t u_{t'} | \boldsymbol{x}_1, \ldots, \boldsymbol{x}_n) = 0$ für alle t, t' mit $t \neq t'$.

Eventuell noch:

(R6*) u_t ist (bei gegebenen $\boldsymbol{x}_1, \ldots, \boldsymbol{x}_n$) normal verteilt.

Dabei sind die $\boldsymbol{x}_i$ Zeitreihenvektoren: $\boldsymbol{x}_i' = (x_{i1}, x_{i2}, \ldots, x_{iT})$.

Wir werden sehen, daß sich unter diesen Annahmen alle Eigenschaften des einfachen linearen Modells unmittelbar auf das multiple Modell übertragen. Dieser Zusammenhang wird auch in der Schreibweise besonders durchsichtig, wenn wir das multiple lineare Modell im Matrizenkalkül darstellen. Manche Herleitungen

[1] Diese Funktionen werden in der einen oder anderen Form vielfach in der volkswirtschaftlichen Theorie unterstellt. Sie haben jedoch zunächst nur hypothetischen Charakter und sind z. T. umstritten. (Dies gilt besonders für die gesamtwirtschaftliche Produktionsfunktion.)

werden dann sogar einfacher als im „einfachen" linearen Modell ohne Matrizenschreibweise. Umgekehrt wird der Gebrauch des Matrizenkalküls unumgänglich, wenn wir später kompliziertere Modelle analysieren wollen. Die Ergebnisse des einfachen linearen Modells werden wir unmittelbar durch Spezialisierung auf den Fall $n=1$ aus den Resultaten über das allgemeinere Modell wiedergewinnen; dabei ist $\beta_0=\alpha$ und $\beta_1=\beta$ zu setzen. Allerdings werden wir in diesem und im nächsten Kapitel auch einige neue Begriffe und Zusammenhänge kennenlernen, die man am einfachen linearen Modell nicht beobachten kann.

Bevor wir mit der Analyse des multiplen Regressionsmodells beginnen, sei von vornherein auf einen möglichen Irrtum hingewiesen. Man ist vielleicht versucht zu denken, daß die Regressionskoeffizienten β_i einzeln durch einfache lineare Regressionen von y auf die jeweiligen exogenen Variablen x_i geschätzt werden könnten. Das wäre aber nur dann kein methodisch falsches Vorgehen, wenn die übrigen exogenen Variablen im Schätzzeitraum unabhängig von x_i variieren. Normalerweise wird man bei einer einfachen Regression von y auf x_i den Einfluß der ausgeschlossenen exogenen Variablen teilweise mitmessen, eben weil sie mit x_i korreliert sind. Um diesen störenden Einfluß der übrigen Variablen auszuschalten, ist es notwendig, eine multiple Regression anzusetzen, selbst dann, wenn man nur an dem einen Regressionskoeffizienten β_i interessiert ist. (Mehr hierüber in *3.3.1.*)

2.1.2. Matrizendarstellung

Die Übersetzung des Modells in die Sprache des Matrizenkalküls wird durch die folgende vereinheitlichende Bezeichnungsweise erleichtert. Wir führen eine *Scheinvariable*

$$x_{0t} \equiv 1 \quad \text{für alle } t$$

ein und schreiben statt (2.1):

$$y_t = \beta_0 x_{0t} + \beta_1 x_{1t} + \cdots + \beta_n x_{nt} + u_t = \sum_{i=0}^{n} \beta_i x_{it} + u_t, \qquad t=1, \ldots, T. \tag{2.2}$$

Nun bilden wir die *Zeitreihenvektoren* bzw. *-matrizen*

$$\boldsymbol{y} = \begin{pmatrix} y_1 \\ \vdots \\ y_T \end{pmatrix}, \quad \boldsymbol{X} = \begin{pmatrix} x_{01} & x_{11} & \cdots & x_{n1} \\ \vdots & \vdots & & \vdots \\ x_{0T} & x_{1T} & \cdots & x_{nT} \end{pmatrix}, \quad \boldsymbol{u} = \begin{pmatrix} u_1 \\ \vdots \\ u_T \end{pmatrix}.$$

In $\boldsymbol{y}$ und $\boldsymbol{X}$ ist das gesamte Beobachtungsmaterial zusammengefaßt.

Wir brauchen noch den *Parametervektor*

$$\boldsymbol{\beta} = \begin{pmatrix} \beta_0 \\ \vdots \\ \beta_n \end{pmatrix}.$$

Dann können wir die T linearen Gleichungen (2.2) zusammenfassen zu

$$y = X\beta + u. \tag{2.3}$$

Von diesem linearen Modell gehen wir aus. Auch die stochastischen Eigenschaften der u_t lassen sich im Matrizenkalkül einfach darstellen:

(M 1) $E(u|X) = o$.

(M 2) $E(u\,u'|X) = \sigma^2 I$.

Dabei bedeutet I die $(T \times T)$-Einheitsmatrix.

Des weiteren setzen wir voraus:

(M 3) $X'X$ ist regulär (mit Wahrscheinlichkeit 1).

(M 4) $\lim\limits_{T\to\infty} \frac{1}{T} X'X$ existiert und ist regulär (mit Wahrscheinlichkeit 1).

Eventuell noch:

(M 5) u ist bei gegebenem X normal verteilt.

Bemerkungen zu den Modellannahmen:

(M 2) faßt die Voraussetzungen (R 2*) und (R 3*), *Homoskedastizität* und *verschwindende Autokorrelation*, zusammen, denn es ist offenbar

$$u\,u' = \begin{pmatrix} u_1^2 & u_1 u_2 & \dots & u_1 u_T \\ u_2 u_1 & u_2^2 & \dots & u_2 u_T \\ \vdots & \vdots & & \vdots \\ u_T u_1 & u_T u_2 & \dots & u_T^2 \end{pmatrix}. \tag{2.4}$$

Nach Anwendung des Erwartungsoperators E auf (2.4) steht daher auf der Hauptdiagonalen nach (R 2*) durchgehend der Wert σ^2, während sich außerhalb der Hauptdiagonalen nach (R 3*) nur noch Nullen befinden. Damit ist die Gleichwertigkeit von [(R 2*), (R 3*)] mit (M 2) gezeigt.

Die Annahme (M 3) garantiert die eindeutige Lösbarkeit der Normalgleichungen. Sie besagt nur, daß die exogenen Variablen in dem Sinne unabhängig variieren, daß während des Schätzzeitraumes $t = 1, \dots, T$ *keine strenge lineare Abhängigkeit* zwischen ihnen besteht; sie könnte also auch durch die Ranggleichung

(M 3′) $\operatorname{Rg} X = n + 1$ (mit Wahrscheinlichkeit 1)

ausgedrückt werden. Denn nach Anhang *A 9.2.* ist $\operatorname{Rg}(X'X) = \operatorname{Rg} X$.

Eine unmittelbare Folge von (M 3′) ist, daß

$$T > n,$$

daß wir also mehr Beobachtungen als exogene Variablen haben; andernfalls wäre $\operatorname{Rg} X \leq n$.

(M 3) reduziert sich im Falle der einfachen Regression auf (R 4), denn (M 3) ist gleichbedeutend mit

(M 3″) $\det(X'X) \neq 0,$

und im Falle $n=1$ ist

$$\det(X'X) = T^2 s^2(x).$$

$X'X$ hat nämlich allgemein folgendes Aussehen:

$$X'X = \begin{pmatrix} \sum x_{0t}^2 & \sum x_{0t} x_{1t} & \dots & \sum x_{0t} x_{nt} \\ \sum x_{1t} x_{0t} & \sum x_{1t}^2 & \dots & \sum x_{1t} x_{nt} \\ \vdots & \vdots & & \vdots \\ \sum x_{nt} x_{0t} & \sum x_{nt} x_{1t} & \dots & \sum x_{nt}^2 \end{pmatrix} \tag{2.5}$$

oder nach Einsetzen der Scheinvariablen:

$$X'X = \begin{pmatrix} T & \sum x_{1t} & \dots & \sum x_{nt} \\ \sum x_{1t} & \sum x_{1t}^2 & \dots & \sum x_{1t} x_{nt} \\ \vdots & \vdots & & \vdots \\ \sum x_{nt} & \sum x_{nt} x_{1t} & \dots & \sum x_{nt}^2 \end{pmatrix}. \tag{2.6}$$

$\frac{1}{T} X'X$ wird auch als *Momentenmatrix* bezeichnet:

$$M := \frac{1}{T} X'X = \begin{pmatrix} 1 & \bar{x}_1 & \dots & \bar{x}_n \\ \bar{x}_1 & \overline{x_1^2} & \dots & \overline{x_1 x_n} \\ \vdots & \vdots & & \vdots \\ \bar{x}_n & \overline{x_n x_1} & \dots & \overline{x_n^2} \end{pmatrix}. \tag{2.7}$$

Man sieht jetzt deutlich, daß $\det M = s^2(x) = \overline{x^2} - (\bar{x})^2$, falls $n=1$ (vgl. auch (1.43)).

(M 4) entspricht der Voraussetzung (R 5) im einfachen linearen Modell. Genau wie dort benötigen wir diese Voraussetzung, um Konsistenzeigenschaften nachweisen zu können[2].

Aus (M 1) sind noch die nachstehenden Folgerungen zu ziehen: Es ist

$$E(y|X) = X\beta =: \tilde{y}. \tag{2.8}$$

$\tilde{y}_t = \beta_0 + \beta_1 x_{1t} + \dots + \beta_n x_{nt}$ wird auch der *theoretische* y-Wert zu gegebenen x_i-Werten in der Periode t genannt. $\tilde{y}$ ist der Zeitreihenvektor der theoretischen y-Werte.

Ferner gilt $E u_t = 0$ und $E(u_t x_{it}) = 0$, d.h. u_t ist mit sämtlichen x_{it} unkorreliert. (Zum Beweis vgl. S. 32.)

[2] Genau genommen, läßt sich diese Voraussetzung weitgehend abschwächen. Es genügt anzunehmen, daß $\lim[(X'X/T)^{-1}]$ existiert und endlich ist (vgl. den Konsistenzbeweis in *2.4.6.*). Die oben formulierte strengere Voraussetzung ist aber anschaulicher und immer noch allgemein genug.

2.2. Die Methode der kleinsten Quadrate

2.2.1. Prinzip der kleinsten Quadrate

$\hat{\boldsymbol{\beta}}$ sei eine Schätzung des Parametervektors $\boldsymbol{\beta}$. Bildet man mit dieser Schätzung die Linearkombination (2.2), dann erhält man in

$$\hat{y}_t = \hat{\beta}_0 x_{0t} + \hat{\beta}_1 x_{1t} + \cdots + \hat{\beta}_n x_{nt}$$

eine Schätzung von $\tilde{y}_t$, die auch kurz *geschätzter* y-Wert genannt wird.

Die Abweichung zwischen tatsächlichem und geschätztem y-Wert

$$\hat{u}_t := y_t - \hat{y}_t$$

heißt das Residuum (zur Periode t).

Das *Prinzip der kleinsten Quadrate* verlangt nun (wie früher), die Regressionsparameter so zu schätzen, daß $\sum \hat{u}_t^2$ minimal wird. Zur Darstellung dieses Prinzips im Matrizenkalkül führen wir die Zeitreihenvektoren $\hat{\boldsymbol{y}}$ und $\hat{\boldsymbol{u}}$ ein. Es gilt:

$$\hat{\boldsymbol{y}} = \boldsymbol{X}\hat{\boldsymbol{\beta}} \tag{2.9}$$

$$\hat{\boldsymbol{u}} = \boldsymbol{y} - \hat{\boldsymbol{y}}. \tag{2.10}$$

Analoge Beziehungen bestehen, wenn $\hat{\boldsymbol{\beta}}$ durch einen willkürlichen Probevektor $\boldsymbol{\beta}$ ersetzt wird. Man erhält den Vektor der Probe-Residuen $\check{\boldsymbol{u}} = \boldsymbol{y} - \check{\boldsymbol{y}} = \boldsymbol{y} - \boldsymbol{X}\boldsymbol{\beta}$, und die Residuenquadratsumme ist $\sum \check{u}_t^2 = \check{\boldsymbol{u}}'\check{\boldsymbol{u}}$. Daher lautet die Forderung des Prinzips der kleinsten Quadrate:

$$\check{\boldsymbol{u}}'\check{\boldsymbol{u}} \to \min_{\boldsymbol{\beta}}! \tag{2.11}$$

oder ausführlicher:

$$(\boldsymbol{y} - \boldsymbol{X}\boldsymbol{\beta})'(\boldsymbol{y} - \boldsymbol{X}\boldsymbol{\beta}) = \boldsymbol{y}'\boldsymbol{y} - 2\boldsymbol{y}'\boldsymbol{X}\boldsymbol{\beta} + \boldsymbol{\beta}'\boldsymbol{X}'\boldsymbol{X}\boldsymbol{\beta} \to \min_{\boldsymbol{\beta}}. \tag{2.12}$$

Man findet das Minimum, indem man nach den Elementen des Vektors $\boldsymbol{\beta}$ partiell differenziert und die Differentialquotienten gleich Null setzt. Die Differentiation kann auch mit entsprechenden Regeln im Rahmen des Matrizenkalküls ausgeführt werden (vgl. Anhang *A15.*). Man erhält:

$$\frac{d\check{\boldsymbol{u}}'\check{\boldsymbol{u}}}{d\boldsymbol{\beta}} = -2\boldsymbol{X}'\boldsymbol{y} + 2\boldsymbol{X}'\boldsymbol{X}\boldsymbol{\beta}.$$

Nullsetzen ergibt das folgende System der

2.2.2. Normalgleichungen

$$\boldsymbol{X}'\boldsymbol{X}\hat{\boldsymbol{\beta}} = \boldsymbol{X}'\boldsymbol{y}. \tag{2.13}$$

Dabei ist $\boldsymbol{X}'\boldsymbol{y}$ analog zu bilden wie $\boldsymbol{X}'\boldsymbol{X}$ in (2.5), nämlich

$$\boldsymbol{X}'\boldsymbol{y} = \begin{pmatrix} \sum x_{0t} y_t \\ \sum x_{1t} y_t \\ \vdots \\ \sum x_{nt} y_t \end{pmatrix}, \tag{2.14}$$

wobei für $\sum x_{0t} y_t$ auch einfacher $\sum y_t$ geschrieben werden kann, falls x_0 die Scheinvariable ist. Die Normalgleichungen lauten ausführlich geschrieben:

$$\begin{aligned}
&\sum x_{0t}^2 \quad \hat{\beta}_0 + \sum x_{0t} x_{1t} \hat{\beta}_1 + \cdots + \sum x_{0t} x_{nt} \hat{\beta}_n = \sum x_{0t} y_t \\
&\sum x_{1t} x_{0t} \hat{\beta}_0 + \sum x_{1t}^2 \quad \hat{\beta}_1 + \cdots + \sum x_{1t} x_{nt} \hat{\beta}_n = \sum x_{1t} y_t \\
&\qquad \vdots \qquad\qquad\qquad\qquad\qquad\qquad\qquad \vdots \\
&\sum x_{nt} x_{0t} \hat{\beta}_0 + \sum x_{nt} x_{1t} \hat{\beta}_1 + \cdots + \sum x_{nt}^2 \quad \hat{\beta}_n = \sum x_{nt} y_t
\end{aligned} \tag{2.13'}$$

wobei noch Vereinfachungen wie in (2.6) vorgenommen werden können, wenn man $x_{0t} \equiv 1$ setzt. [(2.13′) entspricht (1.14).]

Eine zwar rechentechnisch weniger wichtige, aber doch recht anschauliche Schreibweise für die Normalgleichungen finden wir, wenn wir (2.13) durch T dividieren und den zur Momentenmatrix $\boldsymbol{M}$ analogen Momentenvektor

$$\boldsymbol{m} = \frac{1}{T} \boldsymbol{X}' \boldsymbol{y} = \begin{pmatrix} \overline{x_0 y} \\ \overline{x_1 y} \\ \vdots \\ \overline{x_n y} \end{pmatrix}$$

einführen. Dann erhalten wir

$$\boldsymbol{M} \hat{\boldsymbol{\beta}} = \boldsymbol{m} . \tag{2.13''}$$

Nach (M 3) ist $\boldsymbol{X}'\boldsymbol{X}$ invertierbar und daher (2.13) eindeutig auflösbar.

$$\hat{\boldsymbol{\beta}} = (\boldsymbol{X}'\boldsymbol{X})^{-1} \boldsymbol{X}' \boldsymbol{y} = \boldsymbol{M}^{-1} \boldsymbol{m} . \tag{2.15}$$

Das ist der nach der Methode der kleinsten Quadrate geschätzte Parametervektor. Die Lösung läßt sich im Matrizenkalkül leicht hinschreiben; doch besteht in der Praxis das rechnerische Problem darin, die Matrixinversion auszuführen. Hierfür gibt es verschiedene numerische Verfahren[3]. Bei größeren Regressionen überläßt man die Inversion am besten automatischen Rechnern.

2.2.3. Residualvarianz

Die Schätzung der Störvarianz σ^2 erfolgt über die Residualvarianz

$$\hat{\sigma}^2 = \frac{1}{T-(n+1)} \hat{\boldsymbol{u}}' \hat{\boldsymbol{u}} = \frac{1}{T-n-1} \sum \hat{u}_t^2 . \tag{2.16}$$

Dabei ist $T-(n+1)$ die *Zahl der Freiheitsgrade* von $\hat{\boldsymbol{u}}'\hat{\boldsymbol{u}}$. Die Residuen sind nämlich $n+1$ unabhängigen linearen Restriktionen unterworfen, die unmittelbar aus den Normalgleichungen (2.13) zusammen mit (2.9) und (2.10) folgen:

$$\boldsymbol{X}' \hat{\boldsymbol{u}} = \boldsymbol{o} . \tag{2.17}$$

[3] Vgl. z. B. KLEIN [1956, S. 336f.], GOLDBERGER [1964, S. 182ff.], DWYER [1951].

Sie besagen, ausführlich geschrieben, daß

$$\sum_t x_{it}\,\hat{u}_t = 0 \qquad \text{für } i=0,\ldots,n$$

und entsprechen den Bedingungen (1.20) im einfachen linearen Modell. Speziell ist für $i=0$ mit $x_{0t}\equiv 1$:

$$\sum \hat{u}_t = 0. \tag{2.17'}$$

In Worten: Die Summe der Residuen ist gleich Null. Schreibt man (2.17') in der Form $\bar{\hat{u}}=0$, so folgt aus (2.10) sofort die Beziehung

$$\bar{\hat{y}} = \bar{y}. \tag{2.18}$$

Die folgende Formel [vgl. auch (1.24)] gestattet eine einfache Berechnung von $\hat{\sigma}^2$

$$\hat{\boldsymbol{u}}'\hat{\boldsymbol{u}} = \boldsymbol{y}'\boldsymbol{y} - \hat{\boldsymbol{\beta}}'\boldsymbol{X}'\boldsymbol{y} \quad \text{oder ausführlicher:}$$
$$\sum \hat{u}_t^2 = \sum y_t^2 - \hat{\beta}_0 \sum x_{0t}\,y_t - \hat{\beta}_1 \sum x_{1t}\,y_t - \cdots - \hat{\beta}_n \sum x_{nt}\,y_t \tag{2.19}$$

Beweis: Zunächst gilt die Zerlegungsformel[3a)]

$$\boldsymbol{y}'\boldsymbol{y} = \hat{\boldsymbol{y}}'\hat{\boldsymbol{y}} + \hat{\boldsymbol{u}}'\hat{\boldsymbol{u}}. \tag{2.20}$$

Denn $\boldsymbol{y}'\boldsymbol{y} = (\hat{\boldsymbol{y}}+\hat{\boldsymbol{u}})'(\hat{\boldsymbol{y}}+\hat{\boldsymbol{u}})$ und $\hat{\boldsymbol{u}}'\hat{\boldsymbol{y}} = \hat{\boldsymbol{y}}'\hat{\boldsymbol{u}} = \hat{\boldsymbol{\beta}}'\boldsymbol{X}'\hat{\boldsymbol{u}} = 0$ nach (2.17). Nun ist aber nach (2.9)

$$\hat{\boldsymbol{y}}'\hat{\boldsymbol{y}} = \hat{\boldsymbol{\beta}}'\boldsymbol{X}'\boldsymbol{X}\hat{\boldsymbol{\beta}}.$$

Dies in (2.20) eingesetzt und $\hat{\boldsymbol{\beta}}$ durch den Ausdruck (2.15) ersetzt, ergibt die zu beweisende Formel (2.19).

Der folgende Ausdruck für die Residualquadratsumme wird später benötigt: Es ist $\hat{\boldsymbol{u}} = \boldsymbol{y} - \hat{\boldsymbol{y}} = \boldsymbol{y} - \boldsymbol{X}\hat{\boldsymbol{\beta}} = \boldsymbol{y} - \boldsymbol{X}(\boldsymbol{X}'\boldsymbol{X})^{-1}\boldsymbol{X}'\boldsymbol{y}$ und daher

$$\hat{\boldsymbol{u}} = (\boldsymbol{I} - \boldsymbol{X}(\boldsymbol{X}'\boldsymbol{X})^{-1}\boldsymbol{X}')\,\boldsymbol{y}. \tag{2.21}$$

Die Matrix $\boldsymbol{X}(\boldsymbol{X}'\boldsymbol{X})^{-1}\boldsymbol{X}'$ ist idempotent und daher nach Anhang *A14.* ebenfalls die in den Klammern stehende Matrix

$$\boldsymbol{P} := \boldsymbol{I} - \boldsymbol{X}(\boldsymbol{X}'\boldsymbol{X})^{-1}\boldsymbol{X}'.$$

Daraus folgt:

$$\hat{\boldsymbol{u}}'\hat{\boldsymbol{u}} = \boldsymbol{y}'\boldsymbol{P}\boldsymbol{y} = \boldsymbol{y}'\boldsymbol{y} - \boldsymbol{y}'\boldsymbol{X}(\boldsymbol{X}'\boldsymbol{X})^{-1}\boldsymbol{X}'\boldsymbol{y}. \tag{2.21'}$$

Beispiel: Nach der Methode der kleinsten Quadrate sollen die Regressionsparameter in der linearen Regression

$$y = \beta_0 + \beta_1 x_1 + \beta_2 x_2 + u$$

[3a)] Diese Zerlegungsformel gestattet eine unmittelbar anschauliche geometrische Interpretation im T-dimensionalen euklidischen Raum: Es ist $\hat{\boldsymbol{y}}$ die senkrechte Projektion des Vektors $\boldsymbol{y}$ in den durch $\boldsymbol{x}_0,\ldots,\boldsymbol{x}_n$ aufgespannten $(n+1)$-dimensionalen Unterraum und $\hat{\boldsymbol{u}}$ die senkrechte Projektion in den zugehörigen Orthogonalraum. $\boldsymbol{y}$, $\hat{\boldsymbol{y}}$ und $\hat{\boldsymbol{u}}$ bilden daher ein rechtwinkliges Dreieck mit $\boldsymbol{y}$ als Hypothenuse. (2.20) ist nun einfach eine Folge des Pythagoräischen Lehrsatzes. Dieser geometrische Ansatz kann für weite Teile der ökonometrischen Theorie entwickelt werden [Malinvaud, Wonnacott u. Wonnacott].

aufgrund der folgenden Daten bestimmt werden:

y	2	2	3	5	4	3	5	5	4	6
x_1	10	9	15	21	18	18	22	23	20	25
x_2	7	6	8	3	5	9	4	4	7	3

Es ist $n=2$ und $T=10$. Das Normalgleichungssystem lautet

$$\begin{aligned} 10\hat{\beta}_0 + 181\hat{\beta}_1 + 56\hat{\beta}_2 &= 39 \\ 181\hat{\beta}_0 + 3533\hat{\beta}_1 + 954\hat{\beta}_2 &= 769 \\ 56\hat{\beta}_0 + 954\hat{\beta}_1 + 354\hat{\beta}_2 &= 198. \end{aligned}$$

Nach (2.15) errechnet man $\hat{\beta}_0 = 1{,}579$, $\hat{\beta}_1 = 0{,}195$, $\hat{\beta}_2 = -0{,}217$. Nach (2.19) und (2.16) wird dann $\hat{\sigma}^2 = 0{,}022$. Man beachte, daß sich $\hat{\beta}_1$ im Vergleich zu dem Regressionskoeffizienten $\hat{\beta}$ der einfachen linearen Regression (S. 45) geändert hat, obwohl die Daten für y und $x_1 = x$ hier wie dort dieselben sind. (Fortsetzung dieses Zahlenbeispiels auf S. 100.)

2.3. Das absolute Glied

2.3.1. Normalgleichungen

Ist x_0 eine Scheinvariable ($x_{0t} \equiv 1$), dann lautet die erste Normalgleichung (vgl. (2.13'))

$$\hat{\beta}_0 T + \hat{\beta}_1 \sum x_{1t} + \cdots + \hat{\beta}_n \sum x_{nt} = \sum y_t \qquad (2.22)$$

oder

$$\hat{\beta}_0 = \bar{y} - \hat{\beta}_1 \bar{x}_1 - \cdots - \hat{\beta}_n \bar{x}_n. \qquad (2.22')$$

Sie gestattet eine einfache Berechnung von $\hat{\beta}_0$, sofern die Schätzungen der eigentlichen Regressionskoeffizienten $\hat{\beta}_1, \ldots, \hat{\beta}_n$ bekannt sind. Diese aber lassen sich in einem um die erste Gleichung *reduzierten Normalgleichungssystem* berechnen. Durch Elimination von $\hat{\beta}_0$ aus dem System (2.13'), etwa mit Hilfe von Pivotoperationen, erhält man nämlich das folgende reduzierte System, das zusammen mit (2.22') zu dem ursprünglichen, vollen Normalgleichungssystem äquivalent ist:

$$\begin{aligned} m_{11}\hat{\beta}_1 + m_{12}\hat{\beta}_2 + \cdots + m_{1n}\hat{\beta}_n &= m_{1y} \\ m_{21}\hat{\beta}_1 + m_{22}\hat{\beta}_2 + \cdots + m_{2n}\hat{\beta}_n &= m_{2y} \\ \vdots \qquad \vdots \qquad\quad \vdots \qquad & \\ m_{n1}\hat{\beta}_1 + m_{n2}\hat{\beta}_2 + \cdots + m_{nn}\hat{\beta}_n &= m_{ny} \end{aligned} \qquad (2.23)$$

mit (vgl. (1.16) oder Anhang *B* 5.)

$$\begin{aligned} m_{ij} &:= \sum x_{it} x_{jt} - \frac{1}{T} \sum x_{it} \sum x_{jt} = \sum (x_{it} - \bar{x}_i)(x_{jt} - \bar{x}_j) \\ m_{iy} &:= \sum x_{it} y_t - \frac{1}{T} \sum x_{it} \sum y_t = \sum (x_{it} - \bar{x}_i)(y_t - \bar{y}). \end{aligned} \qquad (2.24)$$

Bezeichnen wir mit $\boldsymbol{y}^*$ den Zeitreihenvektor der $y_t - \bar{y}$, $t = 1, \ldots, T$, und ähnlich mit

$$\boldsymbol{X}^* := \begin{pmatrix} x_{11} - \bar{x}_1 & x_{21} - \bar{x}_2 & \ldots & x_{n1} - \bar{x}_n \\ \vdots & \vdots & & \vdots \\ x_{1T} - \bar{x}_1 & x_{2T} - \bar{x}_2 & \ldots & x_{nT} - \bar{x}_n \end{pmatrix}$$

die Zeitreihenmatrix der eigentlichen exogenen Variablen $x_1, \ldots, x_n$, berechnet als Abweichungen vom jeweiligen Mittelwert, und endlich mit $\hat{\boldsymbol{\beta}}^*$ den Vektor der geschätzten (eigentlichen) Regressionskoeffizienten $\hat{\beta}_1, \ldots, \hat{\beta}_n$, dann kann das *reduzierte Normalgleichungssystem* in der Sprache des Matrizenkalküls wie folgt dargestellt werden:

$$\boldsymbol{X}^{*\prime} \boldsymbol{X}^* \hat{\boldsymbol{\beta}}^* = \boldsymbol{X}^{*\prime} \boldsymbol{y}^*. \tag{2.25}$$

Es hat dieselbe Form wie das ursprüngliche System der Normalgleichungen (2.13), hat aber eine Gleichung und eine Unbekannte ($\hat{\beta}_0$) weniger als dieses, und ist daher einfacher zu lösen. Da es im Verein mit (2.22) zu dem ursprünglichen Normalgleichungssystem äquivalent ist, ist es genau wie dieses eindeutig auflösbar, sofern $\boldsymbol{X}$ vollen Rang besitzt. In diesem Fall ist also $\boldsymbol{X}^{*\prime} \boldsymbol{X}^*$ regulär.

Man kann das Gleichungssystem (2.25) nach Division durch T auch in der Form

$$\boldsymbol{M}^* \hat{\boldsymbol{\beta}}^* = \boldsymbol{m}^* \tag{2.25'}$$

schreiben. Dabei ist $\boldsymbol{M}^*$ die Matrix der *zentralen Momente* zwischen den Variablen x_i und $\boldsymbol{m}^*$ der Vektor der zentralen Momente zwischen y und den x_i:

$$\boldsymbol{M}^* = \left(\frac{1}{T} \sum (x_{it} - \bar{x}_i)(x_{jt} - \bar{x}_j) \right)_{j=1,\cdots,n}^{i=1,\cdots,n}$$

$$\boldsymbol{m}^* = \left(\frac{1}{T} \sum (x_{it} - \bar{x}_i)(y_t - \bar{y}) \right)_{i=1,\cdots,n}$$

m_{ij} und m_{iy} sind nach (2.24) die T-fachen zentralen Momente.

2.3.2. Residualvarianz

Es zeigt sich, daß so gut wie alle Formeln und Beziehungen, die für die Regressionsvariablen und -parameter in ihrer ursprünglichen Form hergeleitet worden sind, unverändert übernommen werden können, um entsprechende Beziehungen für die als Abweichungen vom Mittelwert gemessenen Variablen aufzustellen, immer vorausgesetzt, daß in der ursprünglichen Beziehung x_0 die Scheinvariable ist. So ist z. B., analog zu (2.9) und (2.10),

$$\hat{\boldsymbol{y}}^* = \boldsymbol{X}^* \hat{\boldsymbol{\beta}}^* \tag{2.26a}$$

$$\hat{\boldsymbol{u}}^* = \boldsymbol{y}^* - \hat{\boldsymbol{y}}^* = \hat{\boldsymbol{u}}. \tag{2.26b}$$

Denn $\hat{y}_t = \sum_{i=0}^{n} \hat{\beta}_i x_{it} = \hat{\beta}_0 + \sum_{i=1}^{n} \hat{\beta}_i x_{it}$. Bildet man das arithmetische Mittel über $t = 1, \dots, T$, $\bar{\hat{y}} = \hat{\beta}_0 + \sum \hat{\beta}_i \bar{x}_i$, und subtrahiert es von der gegebenen Gleichung, dann erhält man (2.26a). Ähnlich beweist man (2.26b), wobei die letzte Gleichung aus $\bar{y} = \bar{\hat{y}}$ bzw. aus $\bar{\hat{u}} = 0$ folgt.

Ferner gilt in Analogie zu und als Folge von (2.17):

$$\boldsymbol{X}^{*\prime} \hat{\boldsymbol{u}}^* = \boldsymbol{o},$$

woraus wieder wie früher die zu (2.20) analoge Zerlegungsformel folgt:

$$\boldsymbol{y}^{*\prime} \boldsymbol{y}^* = \hat{\boldsymbol{y}}^{*\prime} \hat{\boldsymbol{y}}^* + \hat{\boldsymbol{u}}' \hat{\boldsymbol{u}}. \tag{2.27}$$

Nach Division durch T erhält man aus (2.27) die folgende *Varianzzerlegungsformel:*

$$s^2(y) = s^2(\hat{y}) + s^2(\hat{u}). \tag{2.27'}$$

Sie besagt, daß sich die Varianz der y-Werte in zwei Bestandteile zerlegen läßt: Die Varianz der geschätzten y-Werte und die Residualvarianz (vgl. (1.26)).

Schließlich können wir eine zu (2.19) analoge Formel zur Berechnung der Quadratsumme der Residuen herleiten:

$$\hat{\boldsymbol{u}}' \hat{\boldsymbol{u}} = \boldsymbol{y}^{*\prime} \boldsymbol{y}^* - \hat{\boldsymbol{\beta}}^{*\prime} \boldsymbol{X}^{*\prime} \boldsymbol{y}^* \quad \text{oder ausführlicher:}$$
$$\sum \hat{u}_t^2 = \sum (y_t - \bar{y})^2 - \hat{\beta}_1 \sum (x_{1t} - \bar{x}_1)(y_t - \bar{y}) - \dots - \hat{\beta}_n \sum (x_{nt} - \bar{x}_n)(y_t - \bar{y}). \tag{2.28}$$

Denn (2.28) folgt sofort, wenn man in (2.27) $\hat{\boldsymbol{y}}^*$ durch (2.26) ersetzt und beachtet, daß $\hat{\boldsymbol{\beta}}^*$ Lösung des Normalgleichungssystems (2.25) ist.

Wir werden auch bei den später herzuleitenden Beziehungen sehen, daß sie sowohl für die Variablen in der ursprünglichen Form als auch – nach entsprechender Modifikation – für die als Abweichungen vom Mittelwert gemessenen Variablen gelten. In der zweiten Form ist das absolute Glied eliminiert und die betreffende Relation bezieht sich ausschließlich auf die eigentlichen Regressionskoeffizienten.

2.3.3. *Beispiel: 2 exogene Variablen*

Eine Regression mit zwei (eigentlichen) exogenen Variablen

$$y_t = \beta_0 + \beta_1 x_{1t} + \beta_2 x_{2t} + u_t$$

lautet, wenn die Variablen als Abweichungen vom jeweiligen Mittelwert geschrieben werden:

$$y_t - \bar{y} = \beta_1 (x_{1t} - \bar{x}_1) + \beta_2 (x_{2t} - \bar{x}_2) + u_t - \bar{u}.$$

Diese Gleichung repräsentiert im dreidimensionalen Koordinatensystem (x_1, x_2, y) eine Ebene (mit den partiellen Steigungsmaßen β_1 in x_1-Richtung und β_2 in x_2-Richtung), um die die Beobachtungspunkte streuen. Die senkrechten Abweichungen von der *Regressionsebene* werden durch die Werte der Störvariablen gemessen. Es ist $\beta_i = \frac{\partial \tilde{y}}{\partial x_i}$.

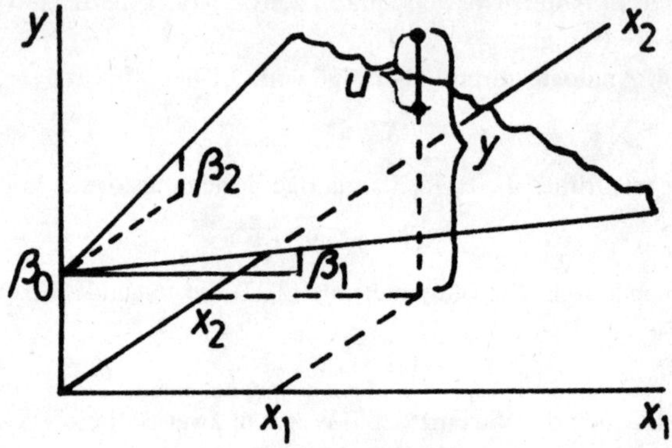

Abb. 2.1. Regressionsebene

Die Regressionskoeffizienten werden zweckmäßigerweise nicht nach dem Normalgleichungssystem (2.25) oder (2.25′) berechnet, sondern besser aus dem leicht abgewandelten System

$$T X^{*\prime} X^* \hat{\beta}^* = T X^{*\prime} y^* \tag{2.25''}$$

oder also

$$\begin{aligned} T m_{11} \hat{\beta}_1 + T m_{12} \hat{\beta}_2 &= T m_{1y} \\ T m_{21} \hat{\beta}_1 + T m_{22} \hat{\beta}_2 &= T m_{2y} \end{aligned} \tag{2.25'''}$$

mit

$$\begin{aligned} T m_{ij} &= T \sum x_{it} x_{jt} - \sum x_{it} \sum x_{jt} \\ T m_{iy} &= T \sum x_{it} y_t - \sum x_{it} \sum y_t . \end{aligned}$$

Dadurch wird bei der Aufstellung des reduzierten Systems der Normalgleichungen die Division durch T (oder gar – wie bei $\boldsymbol{M}^*$ – durch T^2) vermieden. Das führt im allgemeinen zu erheblichen Rechenvereinfachungen und zu größerer Rechengenauigkeit, da bei Divisionen in der Regel Rundungsfehler anfallen, die hier vermieden werden.

In unserem Zahlenbeispiel (S. 97) ist.

$$\begin{aligned} 2569 \hat{\beta}_1 - 596 \hat{\beta}_2 &= 631 \\ -596 \hat{\beta}_1 + 404 \hat{\beta}_2 &= -204 \end{aligned}$$

mit der Lösung $\hat{\beta}_1 = 0{,}195$, $\hat{\beta}_2 = -0{,}217$. Hieraus gewinnt man nach (2.22) $\hat{\beta}_0 = 1{,}579$. Die Lösung stimmt mit den früher gefundenen Werten überein. Damals mußte ein System von 3 Gleichungen gelöst werden. (Fortsetzung S. 101 und S. 105.)

Die Residualvarianz errechnet sich nach (2.28) und (2.16), wobei es wieder zweckmäßig ist, zunächst die T-fache Quadratsumme der Residuen zu berechnen:

$$T\sum \hat{u}_t^2 = Tm_{yy} - \hat{\beta}_1\, Tm_{1y} - \hat{\beta}_2\, Tm_{2y} \tag{2.28'}$$

mit

$$Tm_{yy} = T\sum y_t^2 - (\sum y_t)^2.$$

Man erhält dann $\hat{\sigma}^2$ durch eine einzige letzte Division:

$$\hat{\sigma}^2 = \frac{1}{T(T-n-1)}\, T\sum \hat{u}_t^2 \quad \text{(hier mit } n=2). \tag{2.16'}$$

In Zahlen (S. 100): $T\sum \hat{u}_t^2 = 169 - 631\,\hat{\beta}_1 + 204\,\hat{\beta}_2 = 1{,}52356$; $\hat{\sigma}^2 = \frac{1}{70}\, 1{,}52356 \doteq 0{,}022$.

Man beachte, daß die Zahl der Freiheitsgrade nach wie vor $T-(n+1)$ beträgt, obwohl nach Elimination des absoluten Gliedes nur noch n exogene Variablen im Spiele sind. Die Elimination hat aber schon einen Freiheitsgrad „aufgebraucht".

2.3.4. Homogene Regression

Es kann vorkommen – wenn auch selten in der ökonometrischen Praxis –, daß das absolute Glied von vornherein verschwindet ($\beta_0 = 0$) und daher auch gar nicht im Ansatz der Regressionsgleichung vorkommt. Man spricht dann von einer homogenen linearen Regression.

Homogene Funktionen werden im Rahmen der ökonomischen Theorie in verschiedenen Zusammenhängen unterstellt. Zum Beispiel können Produktionsfunktionen als homogen in den Produktionsfaktoren angenommen werden, oder eine Nachfragefunktion wird homogen in den Preisen und dem Einkommen angesetzt (keine Geldillusion). Freilich sind diese Funktionen nicht notwendig linear. Eine lineare homogene Funktion erhält man, wenn man unterstellt, daß die Konsumquote C/Y, von Zufallsschwankungen abgesehen, langfristig konstant ist. Tatsächlich zeigen ökonometrische Untersuchungen, daß das absolute Glied einer Konsumfunktion gewöhnlich relativ klein ausfällt (vgl. S. 9). Die Annahme $C = \beta Y + u$ ist daher vielleicht nicht sehr falsch.

Homogene lineare Regressionen schreiben wir in genau der gleichen Form wie die inhomogene Regression, die wir ja durch Einführung der Scheinvariablen $x_{0t} \equiv 1$ formal homogen gemacht haben. Nur bedeutet jetzt x_0 nicht mehr die Scheinvariable, sondern eine echte exogene Variable. Die Durchnumerierung der Variablen, mit 0 beginnend, mag zwar ungewöhnlich erscheinen, doch hat sie den Vorteil, daß fast alle Resultate der inhomogenen Regressionstheorie auf den homogenen Fall wortwörtlich übertragen werden können. (Im übrigen kann man immer umnumerieren.) Die Ausnahmen beziehen sich auf diejenigen Resultate, zu deren Herleitung das Auftreten der Scheinvariablen explizit benutzt werden mußte, also vor allem auf alle vorangehenden Ergebnisse dieses Abschnitts. Ferner sind (2.17′) und (2.18) nicht mehr richtig. Auch der Korrelationskoeffizient (vgl. *3.1.*) kann nicht in der üblichen Form übernommen werden.

2.4. Allgemeine stochastische Eigenschaften der KQ-Schätzvariablen

2.4.1. *Erwartungstreue der Regressionsparameterschätzungen*

$\hat{\boldsymbol{\beta}}$ ist eine $(n+1)$-dimensionale Zufallsvariable. Um ihre stochastischen Eigenschaften studieren zu können, schreiben wir sie als Funktion von $\boldsymbol{u}$, indem wir in (2.15) $\boldsymbol{y}$ durch (2.3) ersetzen:

$$\hat{\boldsymbol{\beta}}=\boldsymbol{\beta}+(\boldsymbol{X}'\boldsymbol{X})^{-1}\boldsymbol{X}'\boldsymbol{u} \tag{2.29}$$

Es folgt:

$$E(\hat{\boldsymbol{\beta}}|\boldsymbol{X})=E(\hat{\boldsymbol{\beta}})=\boldsymbol{\beta}. \tag{2.30}$$

In Worten: $\hat{\boldsymbol{\beta}}$ ist eine *erwartungstreue* Schätzung von $\boldsymbol{\beta}$.

2.4.2. *Kovarianzmatrix*

a) Mit $\boldsymbol{S}$ bezeichnen wir die Kovarianzmatrix der Schätzvariablen $\hat{\beta}_0, \hat{\beta}_1, \ldots, \hat{\beta}_n$:

$$\boldsymbol{S}:=\begin{pmatrix} V(\hat{\beta}_0) & \mathrm{Cov}(\hat{\beta}_0,\hat{\beta}_1) & \ldots & \mathrm{Cov}(\hat{\beta}_0,\hat{\beta}_n) \\ \mathrm{Cov}(\hat{\beta}_1,\hat{\beta}_0) & V(\hat{\beta}_1) & \ldots & \mathrm{Cov}(\hat{\beta}_1,\hat{\beta}_n) \\ \vdots & \vdots & & \vdots \\ \mathrm{Cov}(\hat{\beta}_n,\hat{\beta}_0) & \mathrm{Cov}(\hat{\beta}_n,\hat{\beta}_1) & \ldots & V(\hat{\beta}_n) \end{pmatrix}=:\begin{pmatrix} s_{00} & s_{01} & \ldots & s_{0n} \\ s_{10} & s_{11} & \ldots & s_{1n} \\ \vdots & \vdots & & \vdots \\ s_{n0} & s_{n1} & \ldots & s_{nn} \end{pmatrix}. \tag{2.31}$$

Dabei haben wir abkürzend $s_{ij}=E[(\hat{\beta}_i-\beta_i)(\hat{\beta}_j-\beta_i)|\boldsymbol{X}]$ gesetzt. Sämtliche Erwartungswerte sind als bedingte Erwartungswerte bei gegebener Matrix $\boldsymbol{X}$ zu berechnen. Das gilt auch für die Varianzen und Kovarianzen in der Matrix $\boldsymbol{S}$, ohne daß das näher gekennzeichnet wurde. Nun ist offenbar (vgl. die analoge Formel (2.4) zur Begründung von (M 2))

$$\boldsymbol{S}=E[(\hat{\boldsymbol{\beta}}-\boldsymbol{\beta})(\hat{\boldsymbol{\beta}}-\boldsymbol{\beta})'|\boldsymbol{X}]. \tag{2.32}$$

Setzen wir $\hat{\boldsymbol{\beta}}$ nach (2.29) ein, dann erhalten wir (vgl. auch Anhang *B 4.2.*)

$$\boldsymbol{S}=(\boldsymbol{X}'\boldsymbol{X})^{-1}\boldsymbol{X}'E[\boldsymbol{u}\boldsymbol{u}'|\boldsymbol{X}]\boldsymbol{X}(\boldsymbol{X}'\boldsymbol{X})^{-1}. \tag{2.33}$$

Wegen der Annahme (M 2) reduziert sich dieser Ausdruck auf

$$\blacksquare \quad \boldsymbol{S}=\sigma^2(\boldsymbol{X}'\boldsymbol{X})^{-1} \tag{2.34}$$

oder

$$\boldsymbol{S}=\frac{\sigma^2}{T}\boldsymbol{M}^{-1}. \tag{2.34'}$$

(2.34′) entspricht genau der Gleichung (1.44) für den Fall der einfachen Regression.

Da uns σ^2 unbekannt ist, können wir $\boldsymbol{S}$ in der Praxis nicht berechnen, wohl aber schätzen:

$$\blacksquare \quad \hat{\boldsymbol{S}}=\hat{\sigma}^2(\boldsymbol{X}'\boldsymbol{X})^{-1}. \tag{2.35}$$

Zumeist interessieren nur die Diagonalelemente von $\boldsymbol{S}$, denn dort stehen die Varianzen der $\hat{\beta}_i$. Ihre Wurzeln sind die *Standardfehler* $\sigma(\hat{\beta}_i)$. Sie sollten in der Praxis bei jeder Regressionsschätzung berechnet (bzw. geschätzt) werden.

b) Werden die Variablen als *Abweichungen vom Mittelwert* gemessen, dann erhält man analoge Gleichungen für die Kovarianzmatrix $\boldsymbol{S}^* = \boldsymbol{E}[(\hat{\boldsymbol{\beta}}^* - \boldsymbol{\beta}^*)(\hat{\boldsymbol{\beta}}^* - \boldsymbol{\beta}^*)'|\boldsymbol{X}]$ der eigentlichen Regressionskoeffizienten $\beta_1, \ldots, \beta_n$ unter Ausschluß des absoluten Gliedes β_0:

$$\blacksquare \quad \boldsymbol{S}^* = \sigma^2 (\boldsymbol{X}^{*\prime} \boldsymbol{X}^*)^{-1}. \tag{2.36}$$

Beweis: Aus den reduzierten Normalgleichungen folgt: $\hat{\boldsymbol{\beta}}^* = (\boldsymbol{X}^{*\prime}\boldsymbol{X}^*)^{-1}\boldsymbol{X}^{*\prime}\boldsymbol{y}^*$. Setzt man hierin $\boldsymbol{y}^* = \boldsymbol{X}^*\boldsymbol{\beta}^* + \boldsymbol{u}^*$ ein (eine Beziehung, die man ebenso wie (2.26) beweist), dann erhält man die zu (2.29) analoge Gleichung

$$\hat{\boldsymbol{\beta}}^* = \boldsymbol{\beta}^* + (\boldsymbol{X}^{*\prime}\boldsymbol{X}^*)^{-1}\boldsymbol{X}^{*\prime}\boldsymbol{u}^*.$$

Nun sind aber die Elemente der Matrix $\boldsymbol{X}^{*\prime}\boldsymbol{u}^*$ Produktsummen des folgenden Typs: $\sum (x_{it} - \bar{x}_i)(u_t - \bar{u}) = \sum (x_{it} - \bar{x}_i)\,u_t - \bar{u}\sum (x_{it} - \bar{x}_i)$. Die letzte Summe verschwindet jedoch. Daher kann man in obigem Ausdruck $\boldsymbol{u}^*$ durch $\boldsymbol{u}$ ersetzen und erhält

$$\hat{\boldsymbol{\beta}}^* = \boldsymbol{\beta}^* + (\boldsymbol{X}^{*\prime}\boldsymbol{X}^*)^{-1}\boldsymbol{X}^{*\prime}\boldsymbol{u}. \tag{2.37}$$

Damit ist $\hat{\boldsymbol{\beta}}^*$ auf die Störvariablen zurückgeführt, und zwar als eine lineare Funktion von genau derselben Form wie (2.29) bis auf die Ersetzungen $\boldsymbol{X} \to \boldsymbol{X}^*$, $\boldsymbol{\beta} \to \boldsymbol{\beta}^*$. Daher gelten alle aus (2.29) für $\boldsymbol{\beta}$ gezogenen Folgerungen mutatis mutandis auch für $\boldsymbol{\beta}^*$. Insbesondere ist damit (2.36) bewiesen.

In vielen ökonometrischen Untersuchungen interessiert man sich vornehmlich für die Regressionskoeffizienten und deren Standardfehler, während das absolute Glied und erst recht sein Standardfehler von geringerer Bedeutung sind. In diesem Fall ist die Benutzung von (2.36) gegenüber (2.34) sehr vorteilhaft, da dann nur eine – wenn auch geringfügig – kleinere Matrix invertiert werden muß. Aber auch dann, wenn man außerdem den Standardfehler von $\hat{\beta}_0$ berechnen will, ist eine Inversion der ganzen Matrix $\boldsymbol{X}'\boldsymbol{X}$ nicht unbedingt erforderlich. Mit der Kenntnis von $\boldsymbol{S}^*$ läßt sich nämlich $\sigma^2(\hat{\beta}_0|\boldsymbol{X})$ berechnen. Denn nach (2.22′) ist $\hat{\beta}_0$ eine lineare Funktion von $\bar{y}$ und $\hat{\beta}_1, \ldots, \hat{\beta}_n$ mit dem Koeffizientenvektor $(1, \bar{x}_1, \ldots, \bar{x}_n)$. Ein Ergebnis über lineare Funktionen (siehe *2.4.5.* und Anhang *B 4.2.*) vorwegnehmend, können wir daher

$$\sigma^2(\hat{\beta}_0|\boldsymbol{X}) = \frac{\sigma^2}{T} + (\bar{x}_1, \ldots, \bar{x}_n)\,\boldsymbol{S}^*(\bar{x}_1, \ldots, \bar{x}_n)' \tag{2.38}$$

schreiben.

Dabei ist benutzt worden, daß $\sigma^2(\bar{y}|\boldsymbol{X}) = \sigma^2(\bar{u}) = \sigma^2/T$ und daß $\bar{y}$ mit $\hat{\beta}_i$, $(i = 1, \ldots, n)$, unkorreliert ist, was man wie folgt *beweisen* kann: Wir führen zweckmäßigerweise den Einsvektor $\boldsymbol{i}' = (1, 1, \ldots, 1)$ ein, dessen Komponenten sämtlich Eins sind (hier T Einsen). Dann ist $\bar{y} = \frac{1}{T}\boldsymbol{y}'\boldsymbol{i}$. Auch ist $\boldsymbol{X}^{*\prime}\boldsymbol{i} = 0$, denn es ist $\sum_t (x_{it} - \bar{x}_i) = 0$. Nun können wir die Kovarianzen zwischen $\bar{y}$ und den $\hat{\beta}_i$ wie folgt zusammengefaßt schreiben: $E[\bar{y}(\hat{\boldsymbol{\beta}}^* - \boldsymbol{\beta}^*)]$. Nach (2.37) aber ist dieser Ausdruck gleich $(\boldsymbol{X}^{*\prime}\boldsymbol{X}^*)^{-1}\boldsymbol{X}^{*\prime}$

$E(\boldsymbol{u}\,\bar{y})$. Nun ist $TE(\boldsymbol{u}\,\bar{y}) = E(\boldsymbol{u}\,\boldsymbol{y}'\,\boldsymbol{i}) = E[\boldsymbol{u}(\boldsymbol{\beta}'\boldsymbol{X}' + \boldsymbol{u}')\,\boldsymbol{i}] = E(\boldsymbol{u}\,\boldsymbol{u}'\,\boldsymbol{i}) = \sigma^2\,\boldsymbol{i}$. Also ist $TE[\bar{y}(\hat{\boldsymbol{\beta}}^* - \boldsymbol{\beta}^*)] = \sigma^2(\boldsymbol{X}^{*\prime}\boldsymbol{X}^*)^{-1}\boldsymbol{X}^{*\prime}\boldsymbol{i} = 0$. Damit ist auch (2.38) bewiesen.

Auch die Kovarianzen zwischen $\hat{\beta}_0$ und den übrigen $\hat{\beta}_i$ können in ähnlicher Weise berechnet werden[4].

2.4.3. Konfidenzintervalle

Mit Hilfe der Standardfehler kann man in der bekannten Weise Konfidenzintervalle für die unbekannten Parameter konstruieren:

In dem Intervall

$$\hat{\beta}_i \pm k\,\sigma(\hat{\beta}_i) \tag{2.39}$$

liegt mit von k abhängender (Konfidenz-)Wahrscheinlichkeit ω der unbekannte Parameter β. Der Zusammenhang zwischen k und ω wird über die Normalverteilung vermittelt, sofern wir annehmen können, daß $\hat{\beta}_i$ mit guter Näherung normalverteilt ist. Diese Annahme ist sicherlich gerechtfertigt, wenn schon $\boldsymbol{u}$ normalverteilt ist. Aber auch bei nicht normalverteilten Störvariablen kann bei einigermaßen großen Zeitreihen $\hat{\boldsymbol{\beta}}$ approximativ normalverteilt sein (zentraler Grenzwertsatz) (vgl. auch *2.5.1.*).

In (2.39) ist freilich in der Praxis $\sigma(\hat{\beta}_i)$ durch die Schätzung $\hat{\sigma}(\hat{\beta}_i)$ nach (2.35) zu ersetzen, wodurch ein Schätzfehler bei der Abschätzung des Schätzfehlers von $\hat{\beta}_i$ ins Spiel kommt. Er wiegt besonders schwer bei kleinen Stichproben. Doch können wir in diesem Fall bei Bestehen der Normalverteilungshypothese (M 5) dennoch ein exaktes Konfidenzintervall konstruieren, wenn wir nur den Sicherheitskoeffizienten k durch einen entsprechenden Koeffizienten $t(\omega)$ der t-Verteilung mit $T-n-1$ Freiheitsgraden ersetzen:

$$\hat{\beta}_i \pm t(\omega)\,\hat{\sigma}(\hat{\beta}_i). \tag{2.39'}$$

Die zu einem Konfidenzintervall gehörige Konfidenzwahrscheinlichkeit ω hängt nicht von $\boldsymbol{X}$, den exogenen Variablen ab, ist also keine bedingte Wahrscheinlichkeit (zur Begründung vgl. *2.5.4.*).

Mit Hilfe der Konfidenzintervalle können *Signifikanztests* für die Parameter wie in *1.4.12.* durchgeführt werden.

2.4.4. Beispiel: 2 exogene Variablen

Die Kovarianzmatrix einer Regression mit 2 exogenen Variablen $y = \beta_0 + \beta_1 x_1 + \beta_2 x_2 + u$ ist

$$\boldsymbol{S} = \sigma^2 \begin{pmatrix} T & \sum x_{1t} & \sum x_{2t} \\ \sum x_{1t} & \sum x_{1t}^2 & \sum x_{1t} x_{2t} \\ \sum x_{2t} & \sum x_{2t} x_{1t} & \sum x_{2t}^2 \end{pmatrix}^{-1}.$$

[4] Vgl. auch GOLDBERGER [1964, S. 183].

Die Kovarianzmatrix der eigentlichen Regressionskoeffizienten lautet

$$\begin{aligned} \boldsymbol{S}^* &= \sigma^2 \begin{pmatrix} \sum (x_{1t}-\bar{x}_1)^2 & \sum (x_{1t}-\bar{x}_1)(x_{2t}-\bar{x}_2) \\ \sum (x_{2t}-\bar{x}_2)(x_{1t}-\bar{x}_1) & \sum (x_{2t}-\bar{x}_2)^2 \end{pmatrix}^{-1} \\ &= T\sigma^2 \begin{pmatrix} T\sum x_{1t}^2-(\sum x_{1t})^2 & T\sum x_{1t}x_{2t}-\sum x_{1t}\sum x_{2t} \\ T\sum x_{2t}x_{1t}-\sum x_{2t}\sum x_{1t} & T\sum x_{2t}^2-(\sum x_{2t})^2 \end{pmatrix}^{-1}. \end{aligned} \tag{2.36'}$$

Es ist rechentechnisch zweckmäßig mit dieser zweiten Form zu operieren, da dort die Division durch T bei den einzelnen Matrixelementen entfällt, wodurch Rundungsfehler vermieden werden. Die Inversion der Matrix – etwa nach der CRAMERschen Regel – führt zu folgenden Varianzen und Kovarianz

$$\begin{aligned} s_{11} &:= V(\hat{\beta}_1) = \frac{T\sigma^2}{D}\left(T\sum x_{2t}^2-(\sum x_{2t})^2\right) \\ s_{22} &:= V(\hat{\beta}_2) = \frac{T\sigma^2}{D}\left(T\sum x_{1t}^2-(\sum x_{1t})^2\right) \\ s_{12} &:= \mathrm{Cov}(\hat{\beta}_1, \hat{\beta}_2) = \frac{-T\sigma^2}{D}\left(T\sum x_{1t}x_{2t}-\sum x_{1t}\sum x_{2t}\right) \end{aligned} \tag{2.36''}$$

mit $D=(T\sum x_{1t}^2-(\sum x_{1t})^2)(T\sum x_{2t}^2-(\sum x_{2t})^2)-(T\sum x_{1t}x_{2t}-\sum x_{1t}\sum x_{2t})^2$.

Während diese Formeln rechentechnisch am besten geeignet sind, ist die folgende Form, die man nach Division durch T^2 erhält, theoretisch einsichtiger:

$$\begin{aligned} \boldsymbol{S}^* &= \frac{\sigma^2}{T}\begin{pmatrix} m_{11}^* & m_{12}^* \\ m_{21}^* & m_{22}^* \end{pmatrix}^{-1} \\ &= \frac{\sigma^2}{T(m_{11}^* m_{22}^* - m_{12}^{*2})}\begin{pmatrix} m_{22}^* & -m_{12}^* \\ -m_{21}^* & m_{11}^* \end{pmatrix} \end{aligned} \tag{2.36'''}$$

mit den zentralen Momenten $m_{ij}^* = \frac{1}{T}\sum (x_{it}-\bar{x}_i)(x_{jt}-\bar{x}_j)$.

Den Standardfehler von $\hat{\beta}_0$ erhält man entweder direkt aus $\boldsymbol{S}$ oder indirekt über (2.38):

$$\begin{aligned} \sigma^2(\hat{\beta}_0) &= \frac{\sigma^2}{T} + s_{11}\bar{x}_1^2 + 2s_{12}\bar{x}_1\bar{x}_2 + s_{22}\bar{x}_2^2 \\ &= \frac{1}{T^2}\left(T\sigma^2 + s_{11}(\sum x_{1t})^2 + 2s_{12}\sum x_{1t}\sum x_{2t} + s_{22}(\sum x_{2t})^2\right). \end{aligned} \tag{2.38'}$$

In unserem Zahlenbeispiel (S. 97) ist mit $\hat{\sigma}^2 = 0{,}021765$

$$\hat{\boldsymbol{S}} = 0{,}021765 \begin{pmatrix} 10 & 181 & 56 \\ 181 & 3533 & 954 \\ 56 & 954 & 354 \end{pmatrix}^{-1} = \begin{pmatrix} 0{,}1086 & -0{,}0034 & -0{,}0080 \\ -0{,}0034 & 0{,}0001 & 0{,}0002 \\ -0{,}0080 & 0{,}0002 & 0{,}0008 \end{pmatrix}.$$

Die Standardfehler betragen daher $\hat{\sigma}(\hat{\beta}_0)=0{,}329$, $\hat{\sigma}(\hat{\beta}_1)=0{,}011$, $\hat{\sigma}(\hat{\beta}_2)=0{,}029$. Man erhält auch nach (2.36′) und (2.38′):

$$\hat{S}^* = 0{,}21765 \begin{pmatrix} 2569 & -596 \\ -596 & 404 \end{pmatrix}^{-1} = \begin{pmatrix} 0{,}0001 & 0{,}0002 \\ 0{,}0002 & 0{,}0008 \end{pmatrix}.$$

$$\hat{\sigma}^2(\hat{\beta}_0) = 0{,}00218 + (18{,}1)^2 \cdot 0{,}00013 + 2 \cdot 18{,}1 \cdot 5{,}6 \cdot 0{,}00019 + (5{,}6)^2 \cdot 0{,}00082 = 0{,}1128.$$

Die Standardfehler werden konventionsgemäß unter die Regressionsparameter der geschätzten Regressionsgleichung geschrieben:

$$\hat{y} = \underset{(0{,}329)}{1{,}579} \; \underset{(0{,}011)}{+0{,}195\,x_1} \; \underset{(0{,}029)}{-0{,}217\,x_2}$$

Ein Konfidenzintervall etwa für β_1 erhält man durch Abtragen von $t_7(95)\,\hat{\sigma}(\hat{\beta}_1) = 2{,}365\,\hat{\sigma}(\hat{\beta}_1)$ nach beiden Seiten von $\hat{\beta}_1$:

$$\text{K.I.}(\beta_1):\quad 0{,}195 \pm 0{,}026 = (\;0{,}17,\; 0{,}22)$$

Entsprechend

$$\text{K.I.}(\beta_2):\quad -0{,}217 \pm 0{,}069 = (-0{,}29,\; -0{,}15)$$

$$\text{K.I.}(\beta_0):\quad 1{,}579 \pm 0{,}778 = (\;0{,}80,\; 2{,}36).$$

Die Parameterschätzungen $\hat{\beta}_1, \hat{\beta}_2$ sind signifikant von Null verschieden. (Fortsetzung auf S. 106 und S. 114.)

2.4.5. *Linearkombinationen von Regressionsparametern*

a) Bisher haben wir nur die in der Hauptdiagonale von $\boldsymbol{S}$ stehenden Varianzen benötigt. Die Kovarianzen aus der Matrix $\boldsymbol{S}$ braucht man, wenn man eine Linearkombination der Regressionsparameter, etwa

$$\alpha = \boldsymbol{a}'\boldsymbol{\beta} = \sum_{i=0}^{n} a_i \beta_i \tag{2.40}$$

mit fest gegebenen Koeffizienten a_i (zusammengefaßt zum Koeffizientenvektor $\boldsymbol{a}$) schätzen und den zugehörigen Standardschätzfehler angeben will. Man schätzt nämlich α am besten und erwartungstreu durch

$$\hat{\alpha} = \boldsymbol{a}'\hat{\boldsymbol{\beta}} \tag{2.41}$$

und hat für die Varianz von $\hat{\alpha}$ (vgl. Anhang *B 4.3.*)

$$V(\hat{\alpha}|\boldsymbol{X}) = \boldsymbol{a}'\boldsymbol{S}\boldsymbol{a} = \sum_{i,j} a_i a_j s_{ij}. \tag{2.42}$$

Beispiele:

a) Zahlenbeispiel: Angenommen, wir wollten die Linearkombination $\alpha = 10\beta_1 + 5\beta_2$ aus den Regressionskoeffizienten unseres früheren Zahlenbeispiels (S. 105) schätzen. Wegen $\hat{\beta}_1 = 0{,}195$ und $\hat{\beta}_2 = -0{,}217$ schätzen wir $\hat{\alpha} = 10\hat{\beta}_1 + 5\hat{\beta}_2 = 0{,}87$. Nach (2.42) ist $V(\hat{\alpha}|\boldsymbol{X}) = 10^2\sigma^2(\hat{\beta}_1) + 2 \cdot 10 \cdot 5\,\mathrm{cov}(\hat{\beta}_1, \hat{\beta}_2) + 5^2\sigma^2(\hat{\beta}_2) = 100 \cdot 0{,}0001 + 100 \cdot 0{,}0002 + 25 \cdot 0{,}0008 = 0{,}05$. Der Standardfehler der Schätzung von α wird daher $\sigma(\hat{\alpha}) = 0{,}22$. In $0{,}87 \pm t_7(95) \cdot 0{,}22$ haben wir dann ein Konfidenzintervall für α. Wegen $t_7(95) = 2{,}365$ reicht es von 0,35 bis 1,39.

b) In der COBB-DOUGLAS-Produktionsfunktion $Y = \gamma A^\alpha K^\beta$ interessiert bisweilen, ob $\alpha + \beta > 1$ ist („zunehmende Skalenerträge"). Nach einer logarithmischen Transformation gelangen wir zu einer linearen Funktion $\log Y = \log\gamma + \alpha\log A + \beta\log K$. Mit Hilfe von Querschnitts- oder Zeitreihendaten können nun α und β geschätzt werden und anschließend die Linearkombination $\alpha + \beta$. Erhält man $\hat{\alpha}+\hat{\beta}>1$ so ist das nicht unbedingt ein Indiz dafür, daß wirklich $\alpha+\beta>1$ ist. Vielmehr muß $\hat{\alpha}+\hat{\beta}$ signifikant größer als Eins sein. Das aber kann nur geprüft werden, wenn der Standardschätzfehler von $\hat{\alpha}+\hat{\beta}$ bekannt ist (vgl. Aufg. (2–15)).

c) Ist zu prüfen, ob in einer Regression zwei Parameter β_1 und β_2 signifikant verschieden sind, so bilde man die Differenz $\hat{\beta}_1-\hat{\beta}_2$. Das ist wieder eine Linearkombination von Regressionsparametern, deren Schätzfehler nach (2.42) berechnet werden kann (vgl. Aufg. (2-16)).

d) Linearkombinationen erhält man auch, wenn man nach der Prognoseformel $\sum_i x_{i\tau}\hat{\beta}_i$ zukünftige Werte der endogenen Variablen vorhersagen will (vgl. 2.5.7.).

Wir können den hier behandelten Ansatz dahingehend verallgemeinern, daß wir statt einer einen ganzen Satz von Linearkombinationen betrachten (Anhang *B 4.3.*). Sei

$$\boldsymbol{\alpha}=\boldsymbol{A}\,\boldsymbol{\beta} \tag{2.43}$$

eine lineare Transformation der Regressionsparameter β_i in neue Parameter α_j. Dann wird $\boldsymbol{\alpha}$ durch

$$\hat{\boldsymbol{\alpha}}=\boldsymbol{A}\,\hat{\boldsymbol{\beta}} \tag{2.41'}$$

erwartungstreu geschätzt mit der Kovarianzmatrix

$$\boldsymbol{S}_{\hat{\alpha}}=\boldsymbol{A}\boldsymbol{S}\boldsymbol{A}'. \tag{2.42'}$$

b) Falls $\boldsymbol{\alpha}$ ebenso viele Komponenten hat wie $\boldsymbol{\beta}$ und $\boldsymbol{A}$ regulär ist, kann man durch geeignete lineare Variablentransformation der x_i eine Regression finden, die gerade die α_i als Parameter besitzt. Mit

$$\boldsymbol{Z}:=\boldsymbol{X}\boldsymbol{A}^{-1} \tag{2.44}$$

wird nämlich aus der alten Regression $\boldsymbol{y}=\boldsymbol{X}\boldsymbol{\beta}+\boldsymbol{u}$ die neue:

$$\boldsymbol{y}=\boldsymbol{Z}\boldsymbol{\alpha}+\boldsymbol{u}. \tag{2.45}$$

Die KQ-Schätzung von $\boldsymbol{\alpha}$ stimmt genau mit (2.41′) überein:

$$\hat{\boldsymbol{\alpha}}=(\boldsymbol{Z}'\boldsymbol{Z})^{-1}\boldsymbol{Z}'\boldsymbol{y}=(\boldsymbol{A}'^{-1}\boldsymbol{X}'\boldsymbol{X}\boldsymbol{A}^{-1})^{-1}\boldsymbol{A}'^{-1}\boldsymbol{X}'\boldsymbol{y}=\boldsymbol{A}(\boldsymbol{X}'\boldsymbol{X})^{-1}\boldsymbol{X}'\boldsymbol{y}=\boldsymbol{A}\hat{\boldsymbol{\beta}}.$$

Die beiden Regressionen sind also vollkommen *äquivalent*.

Beispiel: In der Investitionsfunktion

$$I=\beta_0+\beta_1 Y+\beta_2 Y_{-1}+\beta_3 G+u$$

will man z.B. den besonderen Einfluß der Veränderung des Sozialprodukts $\Delta Y=Y-Y_{-1}$ zusammen mit seinem gegenwärtigen Niveau (Y) sichtbar machen und schreibt daher

$$\begin{aligned} I&=\beta_0+(\beta_1+\beta_2)Y-\beta_2\,\Delta Y+\beta_3 G+u\\ &=\alpha_0+\alpha_1 Y+\alpha_2\,\Delta Y+\alpha_3 G+u. \end{aligned}$$

Die KQ-Schätzungen der α_i stimmen genau überein mit den entsprechend transformierten KQ-Schätzungen der β_i, also $\hat{\alpha}_0=\hat{\beta}_0$, $\hat{\alpha}_1=\hat{\beta}_1+\hat{\beta}_2$, $\hat{\alpha}_2=-\hat{\beta}_2$, $\hat{\alpha}_3=\hat{\beta}_3$. Um den Zusammenhang mit dem oben formulierten allgemeinen Problem zu erkennen, bestimmen wir die diese Transformation leistende Matrix $\boldsymbol{A}$:

$$\boldsymbol{A}=\begin{pmatrix}1&0&0&0\\0&1&1&0\\0&0&-1&0\\0&0&0&1\end{pmatrix}\quad\text{mit}\quad \boldsymbol{A}\boldsymbol{\beta}=\boldsymbol{A}\begin{pmatrix}\beta_0\\\beta_1\\\beta_2\\\beta_3\end{pmatrix}=\begin{pmatrix}\beta_0\\\beta_1+\beta_2\\-\beta_2\\\beta_3\end{pmatrix}=\boldsymbol{\alpha}.$$

A ist regulär, und man hat $A^{-1} = A$. Daher wird

$$Z = XA^{-1} = \begin{pmatrix} 1 & Y_1 & Y_0 & G_1 \\ \vdots & \vdots & \vdots & \vdots \\ 1 & Y_T & Y_{T-1} & G_T \end{pmatrix} A = \begin{pmatrix} 1 & Y_1 & \Delta Y_1 & G_1 \\ \vdots & \vdots & \vdots & \vdots \\ 1 & Y_T & \Delta Y_T & G_T \end{pmatrix}.$$

Die Möglichkeit, solche Transformationen verzerrungsfrei vornehmen zu können, verschafft der KQ-Methode eine große Flexibilität.

c) Gelegentlich wird man neue Parameter durch *nichtlineare* Verknüpfung aus den alten Parametern β_i gewinnen wollen, z. B. das Produkt oder den Quotienten zweier Parameter β_i oder das Quadrat eines Parameters β_i usw.

Ist durch

$$\alpha = \phi(\beta_0, \beta_1, \ldots, \beta_n)$$

ein derartiger Parameter definiert, dann hat man in

$$\hat{\alpha} = \phi(\hat{\beta}_0, \hat{\beta}_1, \ldots, \hat{\beta}_n)$$

gewöhnlich keine erwartungstreue Schätzung mehr. $\hat{\alpha}$ ist jedoch i. allg. noch konsistent und asymptotisch normalverteilt mit einer asymptotischen Varianz, die man genau wie in (2.42) erhält, nachdem man die Funktion ϕ vermittels einer TAYLOR-Reihenentwicklung um $(\hat{\beta}_0, \ldots, \hat{\beta}_n)$ linear approximiert hat:

$$\alpha \doteq \sum_{i=0}^{n} a_i(\beta_i - \hat{\beta}_i) \quad \text{mit} \quad a_i := \left.\frac{\partial \phi}{\partial \beta_i}\right|_{(\hat{\beta}_0, \hat{\beta}_1, \ldots, \hat{\beta}_n)}$$

Die Verallgemeinerung auf mehr als einen Parameter α liegt auf der Hand (vgl. auch Anhang *B 12.6* sowie das Beispiel auf S. 52).

2.4.6. Konsistenz der Regressionsparameterschätzungen

Wegen (M 4) und (2.34′) ist (mit Wahrscheinlichkeit 1)

$$\lim_{T\to\infty} \boldsymbol{S} = \sigma^2 \left(\lim_{T\to\infty} \frac{1}{T}\right) \left(\lim_{T\to\infty} \boldsymbol{M}\right)^{-1} = \boldsymbol{0}.$$

Insbesondere gehen also mit wachsendem Stichprobenumfang $(T \to \infty)$ die Standardschätzfehler gegen Null. Es ist daher

$$\operatorname*{plim}_{T\to\infty} \hat{\boldsymbol{\beta}} = \boldsymbol{\beta}.$$

Die $\hat{\beta}_i$ sind *konsistente* Schätzungen für die β_i.

2.4.7. Beste lineare Schätzung*

Die KQ-Schätzvariablen $\hat{\beta}_i$ (und jede Linearkombination von ihnen) sind nach (2.15) als lineare Funktionen der y_t, $t = 1, \ldots, T$, konstruiert, wobei die Koeffizienten von den Elementen der Matrix $\boldsymbol{X}$ abhängen, die wir uns im folgenden als fest vorgegeben vorstellen wollen. Allgemein heißt ein Vektor $\breve{\boldsymbol{\beta}}$, der aus $\boldsymbol{y}$ durch eine lineare Transformation (mit konstanten von $\boldsymbol{X}$ abhängigen Koeffizienten c_{it}) hervorgeht und der zur Schätzung des Parametervektors $\boldsymbol{\beta}$ verwendet werden soll, eine *lineare* ($(n+1)$-dimensionale) Schätzvariable:

$$\check{\boldsymbol{\beta}} = \boldsymbol{C}\boldsymbol{y}. \tag{2.46}$$

Es interessieren hier nur erwartungstreue Schätzvariablen. Damit für alle $\boldsymbol{\beta}$

$$E\check{\boldsymbol{\beta}} = \boldsymbol{\beta}$$

gilt, muß

$$\boldsymbol{C}\boldsymbol{X} = I \tag{2.47}$$

sein.

Es zeigt sich nun, daß unter allen *linearen erwartungstreuen* Schätzvariablen die KQ-Schätzvariable $\hat{\boldsymbol{\beta}}$ insofern eine *beste* ist, als die KQ-Schätzung $\hat{\beta}_i$ eines jeden Regressionsparameters und allgemeiner: jede Linearkombination $\hat{\alpha} = \boldsymbol{a}'\hat{\boldsymbol{\beta}}$ aus den KQ-Schätzungen die kleinste Varianz hat im Vergleich zu allen anderen linearen erwartungstreuen Schätzvariablen $\check{\beta}_i$ bzw. $\check{\alpha}$.

Beweis: Es ist zu zeigen, daß $V\check{\alpha} \geq V\hat{\alpha}$. Es ist aber $V\check{\alpha} = V[\boldsymbol{a}'\boldsymbol{C}\boldsymbol{y}] = V[\boldsymbol{a}'\boldsymbol{C}\boldsymbol{u}] = \sigma^2\,\boldsymbol{a}'\boldsymbol{C}\boldsymbol{C}'\boldsymbol{a}$. Andererseits ist nach (2.42) und (2.34) $V\hat{\alpha} = \sigma^2\,\boldsymbol{a}'(\boldsymbol{X}'\boldsymbol{X})^{-1}\boldsymbol{a}$. Der Beweis ist also erbracht, wenn wir zeigen können, daß $\boldsymbol{C}\boldsymbol{C}' - (\boldsymbol{X}'\boldsymbol{X})^{-1}$ positiv semidefinit ist. Das folgt aber einfach daraus, daß diese Matrix wegen (2.47) gleich

$$[\boldsymbol{C} - (\boldsymbol{X}'\boldsymbol{X})^{-1}\boldsymbol{X}'][\boldsymbol{C} - (\boldsymbol{X}'\boldsymbol{X})^{-1}\boldsymbol{X}']'$$

ist. Da jeder einzelne Parameter β_i als Linearkombination der sämtlichen Parameter aufgefaßt werden kann – nämlich mit $a' = (0, \ldots, 0, 1, 0, \ldots, 0)$, die 1 an i-ter Stelle, ist speziell auch $V\check{\beta}_i \geq V\hat{\beta}_i$, w.z.b.w.

Für die *Residualvarianz* $\hat{\sigma}^2$ kann man einen analogen Satz formulieren [Schönfeld, S. 66ff.].

2.4.8. Erwartungstreue der Residualvarianz

Es ist

$$E\hat{\sigma}^2 = \sigma^2. \tag{2.48}$$

Beweis: Es ist zu zeigen, daß

$$E\,\hat{\boldsymbol{u}}'\hat{\boldsymbol{u}} = (T - n - 1)\sigma^2. \tag{2.49}$$

Aus der Identität $\boldsymbol{u} = \hat{\boldsymbol{u}} + (\hat{\boldsymbol{y}} - \tilde{\boldsymbol{y}})$ folgt wegen (2.17) und weil $\hat{\boldsymbol{y}} - \tilde{\boldsymbol{y}} = \boldsymbol{X}(\hat{\boldsymbol{\beta}} - \boldsymbol{\beta})$ ist, die *Zerlegungsformel*

$$\begin{aligned} \boldsymbol{u}'\boldsymbol{u} &= \hat{\boldsymbol{u}}'\hat{\boldsymbol{u}} + (\hat{\boldsymbol{y}} - \tilde{\boldsymbol{y}})'(\hat{\boldsymbol{y}} - \tilde{\boldsymbol{y}}) \\ &= \hat{\boldsymbol{u}}'\hat{\boldsymbol{u}} + (\hat{\boldsymbol{\beta}} - \boldsymbol{\beta})'\boldsymbol{X}'\boldsymbol{X}(\hat{\boldsymbol{\beta}} - \boldsymbol{\beta}). \end{aligned} \tag{2.50}$$

Nun ist (vgl. hierzu Anhang *A13.* und *B4.3.*) $\boldsymbol{u}'\boldsymbol{u} = \mathrm{sp}(\boldsymbol{u}'\boldsymbol{u}) = \mathrm{sp}(\boldsymbol{u}\boldsymbol{u}')$ und

$$(\hat{\boldsymbol{\beta}} - \boldsymbol{\beta})'\boldsymbol{X}'\boldsymbol{X}(\hat{\boldsymbol{\beta}} - \boldsymbol{\beta}) = \mathrm{sp}[(\hat{\boldsymbol{\beta}} - \boldsymbol{\beta})'\boldsymbol{X}'\boldsymbol{X}(\hat{\boldsymbol{\beta}} - \boldsymbol{\beta})] = \mathrm{sp}[\boldsymbol{X}'\boldsymbol{X}(\hat{\boldsymbol{\beta}} - \boldsymbol{\beta})(\boldsymbol{\beta} - \boldsymbol{\beta})'].$$

Bildet man jetzt von diesen Variablen den (bedingten) Erwartungswert (bei gegebenem X), dann erhält man aus (2.50)

$$\begin{aligned} E[\hat{\boldsymbol{u}}'\hat{\boldsymbol{u}}|\boldsymbol{X}] &= \operatorname{sp}\{E[\boldsymbol{u}\,\boldsymbol{u}'|\boldsymbol{X}]\} - \operatorname{sp}\{\boldsymbol{X}'\boldsymbol{X}\,E[(\hat{\boldsymbol{\beta}}-\boldsymbol{\beta})(\hat{\boldsymbol{\beta}}-\boldsymbol{\beta})'|\boldsymbol{X}]\} \\ &= \sigma^2 \operatorname{sp} \boldsymbol{I}_T - \sigma^2 \operatorname{sp}\{\boldsymbol{X}'\boldsymbol{X}(\boldsymbol{X}'\boldsymbol{X})^{-1}\} \\ &= \sigma^2(\operatorname{sp}\boldsymbol{I}_T - \operatorname{sp}\boldsymbol{I}_{n+1}) \\ &= \sigma^2(T-n-1). \end{aligned}$$

Da das Ergebnis von X unabhängig ist, gilt es auch für den nicht bedingten Erwartungswert. Damit ist (2.49) bewiesen.

2.4.9. Konsistenz der Residualvarianz*

Wir nehmen an, daß die u_t stochastisch unabhängig verteilt sind. Unter der zusätzlichen Bedingung, daß das vierte Moment $E u_t^4$ von u_t existiert und für alle u_t identisch ist, oder unter der Bedingung, daß alle u_t die gleiche Wahrscheinlichkeitsverteilung besitzen, können wir die Konsistenz von $\hat{\sigma}^2$ beweisen. Beide Bedingungen sind unter der Normalverteilungsannahme (M 5) erfüllt; sie sind jede für sich wesentlich allgemeiner als diese.

Nach (2.50) ist

$$\frac{1}{T}\hat{\boldsymbol{u}}'\hat{\boldsymbol{u}} = \frac{1}{T}\boldsymbol{u}'\boldsymbol{u} - (\hat{\boldsymbol{\beta}}-\boldsymbol{\beta})'\left(\frac{1}{T}\boldsymbol{X}'\boldsymbol{X}\right)(\hat{\boldsymbol{\beta}}-\boldsymbol{\beta}).$$

Mit $T \to \infty$ geht unter den Modellannahmen (M 1) und (M 2) und unter der einen oder der anderen obengenannten zusätzlichen Bedingung $\frac{1}{T}\boldsymbol{u}'\boldsymbol{u} = \frac{1}{T}\sum u_t^2$ mit Wahrscheinlichkeit gegen σ^2 (vgl. Anhang *B10.3.* bzw. *B10.2.*). Ferner ist wegen der Konsistenz der Regressionsparameterschätzungen plim $\hat{\boldsymbol{\beta}} = \boldsymbol{\beta}$. Schließlich existiert nach (M 4) plim $(\boldsymbol{X}'\boldsymbol{X}/T)$. Daher folgt aus SLUTSKYS Theorem (Anhang *B10.4.*), daß plim $(\hat{\boldsymbol{u}}'\hat{\boldsymbol{u}}/T) = \sigma^2$. Alsdann ist aber auch

$$\operatorname{plim}[\hat{\boldsymbol{u}}'\hat{\boldsymbol{u}}/(T-n-1)] = \operatorname{plim}(\hat{\boldsymbol{u}}'\hat{\boldsymbol{u}}/T)\lim[T/(T-n-1)] = \sigma^2.$$

Es folgt, daß

$$\operatorname*{plim}_{T\to\infty} \hat{\sigma}^2 = \sigma^2.$$

$\hat{\sigma}^2$ ist eine konsistente Schätzung für σ^2.

2.5. Stochastische Eigenschaften der KQ-Schätzvariablen unter der Normalverteilungshypothese

2.5.1. Normalverteilung der Parameterschätzungen

Wir nehmen im folgenden an, daß (M 5) erfüllt ist.

Als erstes können wir folgern, daß $\hat{\boldsymbol{\beta}}$ (bei gegebener Matrix $\boldsymbol{X}$ bedingt) normalverteilt ist mit dem Mittelwertvektor $\boldsymbol{\beta}$ und der Kovarianzmatrix $\boldsymbol{S}$. Desgleichen ist jede Linearkombination $\hat{\alpha}=\boldsymbol{a}'\hat{\boldsymbol{\beta}}$ normalverteilt mit Mittelwert $\alpha=\boldsymbol{a}'\boldsymbol{\beta}$ und Varianz $\boldsymbol{a}'\boldsymbol{S}\boldsymbol{a}$.

Die Normalitätseigenschaft bleibt im asymptotischen Sinne unter sehr allgemeinen Voraussetzungen auch noch dann erhalten, wenn die u_t nicht normalverteilt sind. Dies folgt aus dem zentralen Grenzwertsatz (vgl. *1.4.7.* und Aufg. (2-21)).

2.5.2. Maximum Likelihood

Das ML-Prinzip verlangt, die Parameterschätzungen $\hat{\beta}_i$ und $\hat{\sigma}$ so festzusetzen, daß den beobachteten y_t-Werten (bei gegebenen x_{it}) die größte Wahrscheinlichkeitsdichte zukäme, wären diese Schätzungen die wahren Parameterwerte. Dieses Prinzip führt – wie im Falle der einfachen Regression (vgl. *1.3.2.*) – zu den KQ-Schätzungen. Dieses Ergebnis ist ein Spezialfall eines allgemeineren Satzes, den wir in *4.1.3.* kennenlernen werden.

2.5.3. χ^2- und F-Verteilungen*

In diesem Abschnitt werden die theoretischen Grundlagen für die im nächsten Abschnitt *2.5.4.* abzuleitenden Konfidenzbereiche gelegt.

Aus der Zerlegung (2.50) können wir nach COCHRANS Theorem (Anhang *B9.*) folgern, daß (bei gegebenem $\boldsymbol{X}$)

$$\frac{1}{\sigma^2}\hat{\boldsymbol{u}}'\hat{\boldsymbol{u}}=\chi^2_{T-(n+1)} \tag{2.51}$$

und

$$\frac{1}{\sigma^2}(\hat{\boldsymbol{\beta}}-\boldsymbol{\beta})'\boldsymbol{X}'\boldsymbol{X}(\hat{\boldsymbol{\beta}}-\boldsymbol{\beta})=\chi^2_{n+1} \tag{2.52}$$

zwei unabhängige χ^2-Variablen sind mit den Freiheitsgraden $T-(n+1)$ und $n+1$.

Denn daß $\hat{\boldsymbol{u}}'\hat{\boldsymbol{u}}$ höchstens $T-(n+1)$ Freiheitsgrade besitzt, wurde schon im Anschluß an (2.16) gezeigt. Die Zahl der Freiheitsgrade in (2.52) aber ergibt sich daraus, daß $(\hat{\boldsymbol{\beta}}-\boldsymbol{\beta})'\boldsymbol{X}'\boldsymbol{X}(\hat{\boldsymbol{\beta}}-\boldsymbol{\beta})$, obwohl aus den T Quadraten $(\hat{\boldsymbol{y}}-\tilde{\boldsymbol{y}})'(\hat{\boldsymbol{y}}-\tilde{\boldsymbol{y}})$ hervorgegangen, schon durch die $n+1$ Werte $\hat{\beta}_i-\beta_i$ bestimmt wird.

Auch ist klar, daß sowohl $\hat{u}_t$ wie auch $\hat{y}_t-\tilde{y}_t$ (bei gegebenen x_{it}) homogen lineare Funktionen der $u_1,\ldots,u_T$ sind, wie man mit Hilfe von (2.29) leicht nachrechnen kann: $\hat{\boldsymbol{y}}-\tilde{\boldsymbol{y}}=\boldsymbol{X}(\hat{\boldsymbol{\beta}}-\boldsymbol{\beta})=\boldsymbol{X}(\boldsymbol{X}'\boldsymbol{X})^{-1}\boldsymbol{X}'\boldsymbol{u}$ und $\hat{\boldsymbol{u}}=\boldsymbol{u}-(\hat{\boldsymbol{y}}-\tilde{\boldsymbol{y}})$, also

$$\hat{\boldsymbol{u}}=(\boldsymbol{I}-\boldsymbol{X}(\boldsymbol{X}'\boldsymbol{X})^{-1}\boldsymbol{X}')\boldsymbol{u}. \tag{2.53}$$

Damit sind die Voraussetzungen für COCHRANS Theorem gegeben.

Daß der Ausdruck in (2.52) eine χ^2-Variable ist, kann aber auch aus dem im Anhang *B8.1.* bewiesenen Satz über quadratische Formen gefolgert werden: Denn die Koeffizientenmatrix der quadratischen Form (2.52) $\boldsymbol{X}'\boldsymbol{X}/\sigma^2$ ist gerade die inverse Kovarianzmatrix von $\hat{\boldsymbol{\beta}}$, und $\hat{\boldsymbol{\beta}}$ ist nach *2.5.1.* normalverteilt.

Dieses Ergebnis läßt sich sofort auf eine beliebige *Teilmenge der Regressionsparameter* verallgemeinern. Ohne Beschränkung der Allgemeinheit können wir annehmen, daß diese Teilmenge aus den ersten m Parametern $\beta_0, \beta_1, \ldots, \beta_{m-1}$ besteht, die wir uns zu dem Spaltenvektor $\boldsymbol{\beta}_1$ zusammengefaßt denken. Man kann das immer durch eine Umnumerierung der Parameter und der zugehörigen exogenen Variablen erreichen; dabei muß jetzt x_0 nicht mehr die Scheinvariable sein. Die zugehörigen exogenen Variablen $x_0, x_1, \ldots, x_{m-1}$ fassen wir in einer Zeitreihenmatrix $\boldsymbol{X}_1$ zusammen. $\boldsymbol{\beta}_1$ und $\boldsymbol{X}_1$ sind Teile von $\boldsymbol{\beta}$ und $\boldsymbol{X}$. Ist $\boldsymbol{S}_1$ die Kovarianzmatrix von $\hat{\beta}_0, \hat{\beta}_1, \ldots, \hat{\beta}_{m-1}$, dann muß nach dem genannten Satz aus Anhang *B8.1.*

$$(\hat{\boldsymbol{\beta}}_1 - \boldsymbol{\beta}_1)' \boldsymbol{S}_1^{-1} (\hat{\boldsymbol{\beta}}_1 - \boldsymbol{\beta}_1) = \chi_m^2 \tag{2.54}$$

eine χ^2-Variable zu m Freiheitsgraden sein ($\boldsymbol{X}$ gegeben). Dabei ist $\boldsymbol{S}_1$ derjenige Teil der Matrix $\boldsymbol{S} = \sigma^2 (\boldsymbol{X}'\boldsymbol{X})^{-1}$, der zu den Parametern $\beta_0, \ldots, \beta_{m-1}$ gehört.

Man kann $\boldsymbol{S}_1$ freilich auch bestimmen, ohne die ganze Matrix $\boldsymbol{S}$ berechnen zu müssen. Hierbei ist die Regel über die Inversion unterteilter Matrizen anzuwenden (Anhang *A7.2.*). Danach ist

$$\boldsymbol{S}_1 = \sigma^2 (\boldsymbol{X}_1' \boldsymbol{X}_1 - \boldsymbol{X}_1' \boldsymbol{X}_2 (\boldsymbol{X}_2' \boldsymbol{X}_2)^{-1} \boldsymbol{X}_2' \boldsymbol{X}_1)^{-1}. \tag{2.55}$$

Dabei ist $\boldsymbol{X}_2$ der restliche Teil der Matrix $\boldsymbol{X} = (\boldsymbol{X}_1, \boldsymbol{X}_2)$.

(2.52) ist als Spezialfall ($m = n+1$) in (2.54) enthalten. Ein weiterer Spezialfall liegt vor, wenn $m = 1$ ist, d.h. wenn nur ein einziger Parameter betrachtet wird. Dann besagt (2.54), daß $(\hat{\beta}_i - \beta_i)^2$ dividiert durch $\sigma^2(\hat{\beta}_i)$ eine χ^2-Variable zu einem Freiheitsgrad ist, natürlich ein triviales Ergebnis angesichts des Umstandes, daß $\hat{\beta}_i$ normalverteilt ist.

Die χ^2-Variable in (2.54) ist (bei gegebenen $\boldsymbol{X}$) stochastisch unabhängig von der Quadratsumme der Residuen $\hat{\boldsymbol{u}}' \hat{\boldsymbol{u}}$.

Beweis: Diese Eigenschaft, die wir übrigens für den Spezialfall (2.52) mit Hilfe des Theorems von COCHRAN schon bewiesen haben, folgt aus einem viel allgemeineren *Satz:*

Jede KQ-Schätzvariable $\hat{\beta}_i$ ist (bei gegebenem $\boldsymbol{X}$) stochastisch unabhängig von jedem Residuum $\hat{u}_t$.

Beweis: Da $\hat{\beta}_i$ und $\hat{u}_t$ gemeinsam normalverteilt sind, genügt es zu zeigen, daß die Kovarianzen zwischen $\hat{\beta}_i$ und $\hat{u}_t$ sämtlich verschwinden ($\boldsymbol{X}$ gegeben). Hierzu berechnen wir die Matrix dieser Kovarianzen unter Beachtung von (2.29) und (2.53):

$$\begin{aligned} E[(\hat{\boldsymbol{\beta}} - \boldsymbol{\beta}) \hat{\boldsymbol{u}}' | \boldsymbol{X}] &= (\boldsymbol{X}'\boldsymbol{X})^{-1} \boldsymbol{X}' E(\boldsymbol{u}\boldsymbol{u}' | \boldsymbol{X}) (\boldsymbol{I} - \boldsymbol{X}(\boldsymbol{X}'\boldsymbol{X})^{-1} \boldsymbol{X}') \\ &= \sigma^2 (\boldsymbol{X}'\boldsymbol{X})^{-1} \boldsymbol{X}' (\boldsymbol{I} - \boldsymbol{X}(\boldsymbol{X}'\boldsymbol{X})^{-1} \boldsymbol{X}') = \boldsymbol{0}. \end{aligned}$$

Mit Hilfe der hier entwickelten χ^2-Variablen könnten wir, wäre uns σ^2 bekannt, Konfidenzbereiche für einzelne Regressionsparameter oder für Gruppen von ihnen konstruieren. Gewöhnlich aber muß σ^2 geschätzt werden, und nach Einsetzen der Schätzung $\hat{\sigma}^2$ für σ^2 in (2.52) oder (2.54) verliert der entsprechende Ausdruck seine

Eigenschaft, χ^2-verteilt zu sein. Wegen der bewiesenen Unabhängigkeit zwischen (2.54) und (2.51) gilt vielmehr (bei gegebenem $\boldsymbol{X}$):

$$\frac{1}{m}(\hat{\boldsymbol{\beta}}_1-\boldsymbol{\beta}_1)'\hat{\boldsymbol{S}}_1^{-1}(\hat{\boldsymbol{\beta}}_1-\boldsymbol{\beta}_1)=F^m_{T-n-1}, \tag{2.56}$$

wobei $\hat{\boldsymbol{S}}_1$ aus $\boldsymbol{S}_1$ dadurch hervorgeht, daß in (2.55) σ^2 durch $\hat{\sigma}^2$ ersetzt wird. Denn der Ausdruck in (2.56) ist der Quotient der beiden unabhängigen χ^2-Variablen (2.54) und (2.51), wobei noch Zähler und Nenner durch die zugehörige Zahl der Freiheitsgrade dividiert worden sind. Speziell gilt für den ganzen Parametervektor $\boldsymbol{\beta}$:

$$\frac{1}{\hat{\sigma}^2}\frac{1}{n+1}(\hat{\boldsymbol{\beta}}-\boldsymbol{\beta})'(\boldsymbol{X}'\boldsymbol{X})(\hat{\boldsymbol{\beta}}-\boldsymbol{\beta})=F^{n+1}_{T-n-1} \tag{2.57}$$

und für einen einzelnen Parameter β_i:

$$\frac{1}{\hat{\sigma}^2(\hat{\beta}_i)}(\hat{\beta}_i-\beta_i)^2=F^1_{T-n-1} \tag{2.58}$$

oder

$$\frac{\hat{\beta}_i-\beta_i}{\hat{\sigma}(\hat{\beta}_i)}=t_{T-n-1}. \tag{2.58'}$$

2.5.4.* *Konfidenzellipsoid und Signifikanztest*

a) Jetzt sind wir in der Lage, exakte Konfidenzbereiche zu konstruieren. Zu gegebener Konfidenzwahrscheinlichkeit ω bildet die Menge aller Parametervektoren $\boldsymbol{\beta}_1$, die der Beziehung

$$\frac{1}{m}(\boldsymbol{\beta}_1-\hat{\boldsymbol{\beta}}_1)'\hat{\boldsymbol{S}}_1^{-1}(\boldsymbol{\beta}_1-\hat{\boldsymbol{\beta}}_1)\le F^m_{T-n-1}(\omega) \tag{2.59}$$

genügen, ein m-dimensionales *Konfidenzellipsoid*, das mit Wahrscheinlichkeit ω den unbekannten Teil-Parametervektor $\boldsymbol{\beta}_1$ enthält. $\hat{\boldsymbol{\beta}}_1$ ist der Mittelpunkt dieses Ellipsoids. Speziell können wir mittels (2.57) ein Konfidenzellipsoid für den ganzen Parametervektor $\boldsymbol{\beta}$ konstruieren. Im Falle nur zweier Parameter erhalten wir eine Konfidenzellipse, wie sie uns schon in *1.4.13.* begegnet ist. Bei nur einem Parameter reduziert sich das Ellipsoid auf ein *Konfidenzintervall:*

$$\hat{\beta}_i\pm t_{T-n-1}(\omega)\,\hat{\sigma}(\hat{\beta}_i). \tag{2.60}$$

Wir haben es schon in *2.4.3.* kennengelernt. Ein Konfidenzellipsoid nur für die *eigentlichen Regressionskoeffizienten* $\beta_1, \beta_2, \ldots, \beta_n$ erhält man nach (2.36) in der Menge aller $\boldsymbol{\beta}^*$ mit

$$\frac{1}{n\hat{\sigma}^2}(\boldsymbol{\beta}^*-\hat{\boldsymbol{\beta}}^*)'\boldsymbol{X}^{*\prime}\boldsymbol{X}^*(\boldsymbol{\beta}^*-\hat{\boldsymbol{\beta}}^*)\le F^n_{T-n-1}(\omega). \tag{2.61}$$

Beispiel: Die 95%-Konfidenzellipse von (β_1, β_2) unseres Zahlenbeispiels (S. 105) ergibt sich nach (2.61) mit $n=2$ und $F_7^2(95)=4{,}74$ als Menge aller (β_1, β_2) mit

$$(\beta_1-0{,}195, \beta_2+0{,}217)\begin{pmatrix} 256{,}9 & -59{,}6 \\ -59{,}6 & 40{,}4 \end{pmatrix}\begin{pmatrix} \beta_1-0{,}195 \\ \beta_2+0{,}217 \end{pmatrix} \leq 2 \cdot 0{,}02 \cdot 4{,}74$$

oder, ausgeschrieben als quadratische Form:

$$256{,}9 \cdot (\beta_1-0{,}195)^2 - 2 \cdot 59{,}6 \cdot (\beta_1-0{,}195)(\beta_2+0{,}217) + 40{,}4(\beta_2+0{,}217)^2 \leq 0{,}19.$$

(Fortsetzung S. 117.)

b) Eine *Hypothese* über einen oder mehrere Regressionsparameter können wir mit Hilfe der Konfidenzbereiche statistisch prüfen.

So wird z.B. die Hypothese, daß β_i einen ganz bestimmten Wert, etwa β_i^0 hat, dadurch einem *Test* unterzogen, daß man prüft, ob β_i^0 innerhalb des Konfidenzintervalls (2.60) liegt oder nicht. Im letzteren Fall wird die Hypothese (als zu unglaubwürdig) abgelehnt, wobei man eine Irrtumswahrscheinlichkeit der Größe $1-\omega$ (oft 5% oder 1%) in Kauf nimmt. Der Test kann auch so ausgeführt werden, daß man die Testvariable

$$\frac{|\hat{\beta}_i-\beta_i^0|}{\hat{\sigma}(\hat{\beta}_i)} \tag{2.62}$$

konstruiert und prüft, ob sie die kritische Schwelle $t_{T-n-1}(\omega)$ überschreitet. In diesem Fall sagt man, die Differenz zwischen β_i^0 und $\hat{\beta}_i$ sei *signifikant*, und lehnt die Hypothese ab.

In den meisten praktischen Fällen ist $\beta_i^0=0$. Dann handelt es sich um die Überprüfung der Hypothese, daß die exogene Variable x_i keinen Einfluß auf die endogene Variable ausübt, also nur zum Schein in der Regressionsgleichung steht. Wird diese Hypothese aufgrund des Tests abgelehnt, dann sagt man auch, der Parameter oder die zugehörige Variable seien *signifikant* (von Null verschieden). Reicht umgekehrt das Beobachtungsmaterial nicht aus, die Signifikanz festzustellen, dann wird man oft, wenn auch nicht immer, die nicht signifkante Variable x_i eliminieren und die Regression erneut ohne x_i schätzen.

Entsprechend ist zu verfahren, wenn sich eine *Hypothese auf mehrere Parameter* zugleich bezieht, wenn sie z.B. behauptet, daß $\beta_0=\beta_0^0, \beta_1=\beta_1^0, \ldots$ und $\beta_{m-1}=\beta_{m-1}^0$. Fällt dieser hypothetische Parametervektor $\boldsymbol{\beta}_1^0$ aus dem Konfidenzellipsoid (2.59) heraus, dann ist die Hypothese abzulehnen. Ob das der Fall ist, prüft man einfach dadurch, daß man den Wert der Testvariablen

$$\frac{1}{m}(\hat{\boldsymbol{\beta}}_1-\boldsymbol{\beta}_1^0)'\hat{\boldsymbol{S}}_1^{-1}(\hat{\boldsymbol{\beta}}_1-\boldsymbol{\beta}_1^0) \tag{2.63}$$

berechnet und feststellt, ob sie die kritische Schwelle $F_{T-n-1}^m(\omega)$ überschreitet; in diesem Fall wird die Hypothese abgelehnt.

Ein Hypothesentest über mehrere Parameter zugleich ist z.B. dann erforderlich, wenn in einer Regression eine exogene Variable sowohl linear als auch quadratisch angesetzt ist und man prüfen will, ob die Variable insgesamt keinen Einfluß auf y ausübt [5].

Es kann übrigens durchaus vorkommen, daß zwei Regressionsparameter je für sich nicht signifikant von Null verschieden sind, daß sie aber zusammengenommen doch einen signifikanten Einfluß zeigen. Diese Situation wird durch den Punkt $(\hat{\beta}_1, \hat{\beta}_2)$ in der Abb. 2.2 veranschaulicht: Die Konfidenzellipse überdeckt nicht den Nullpunkt, wohl aber tun dies die beiden Konfidenzintervalle.

Hierbei ist zu beachten, daß die Konfidenzintervalle immer um den Faktor $\sqrt{F^1_{T-n-1}(\omega)/2\,F^2_{T-n-1}(\omega)}$ kleiner sind als die Projektionen der Konfidenzellipse auf die Parameterachsen, eine Eigenschaft, die sich auf beliebige Konfidenzellipsoide verallgemeinern läßt [6].

Will man speziell prüfen, ob die eigentlichen exogenen Variablen (außer der Scheinvariablen) zusammengenommen einen Einfluß auf die endogene Variable

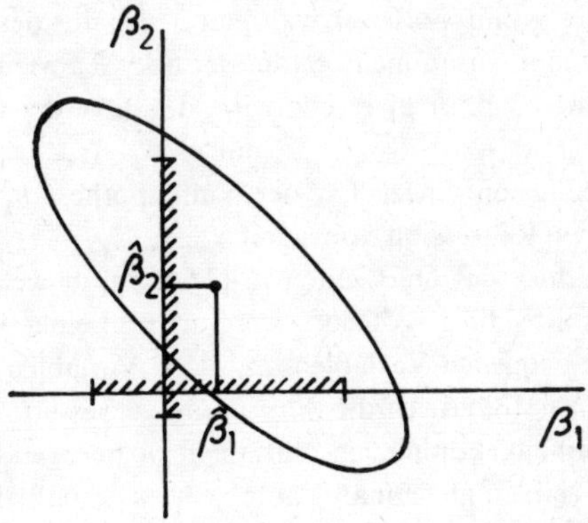

Abb. 2.2. Konfidenzellipse und -intervalle

[5] GOLDBERGER [1968, S. 128f.].

[6] Es besteht folgender Zusammenhang: E_m und E_r seien zur Konfidenzwahrscheinlichkeit ω gehörige Konfidenzellipsoide für die Parameter $\beta_1, \dots, \beta_m$ bzw. $\beta_1, \dots, \beta_r$, $r<m$. π sei die senkrechte Projektionsabbildung des m-dimensionalen Raumes der $\beta_1, \dots, \beta_m$ auf den r-dimensionalen Raum der $\beta_1, \dots, \beta_r$. κ sei eine Kontraktionsabbildung des r-dimensionalen Raums auf sich, die jeden Punkt $(\beta_1, \dots, \beta_r)$ in den Punkt $k(\beta_1, \dots, \beta_r) + (1-k)(\hat{\beta}_1, \dots, \hat{\beta}_r)$ überführt, die also die Abstände der Punkte $(\beta_1, \dots, \beta_r)$ vom (festen) „Zentrum" $(\hat{\beta}_1, \dots, \hat{\beta}_r)$ um den Faktor k verkürzt, mit $k^2 = r\,F^r_{T-n-1}(\omega)/m\,F^m_{T-n-1}(\omega) < 1$. Dann ist $E_r = \kappa\,\pi(E_m)$.

Beweis: E_m ist durch (2.59) definiert. Es läßt sich algebraisch zeigen, daß $\pi(E_m)$ im wesentlichen durch dieselbe Ungleichung gegeben wird mit dem einzigen Unterschied, daß $\boldsymbol{S}_1$ durch die Kovarianzmatrix der $\hat{\beta}_1, \dots, \hat{\beta}_r$ zu ersetzen ist und $\boldsymbol{\beta}_1$ bzw. $\hat{\boldsymbol{\beta}}_1$ durch den Vektor der $\beta_1, \dots, \beta_r$ bzw. der $\hat{\beta}_1, \dots, \hat{\beta}_r$. Wird die rechte Seite dieser Ungleichung mit dem Faktor k^2 multipliziert, dann erhält man – wieder nach (2.59) – die das Konfidenzellipsoid E_r bestimmende Ungleichung. Die Multiplikation mit dem Faktor k^2 bedeutet aber die Anwendung der Kontraktionsabbildung κ auf $\pi(E_m)$. Also ist $E_r = \kappa\,\pi(E_m)$, w.z.b.w.

(genauer: auf deren Mittelwert) ausüben, dann prüft man die Nullhypothese $\beta_1 = \beta_2 = \cdots = \beta_n = 0$ mittels der Testvariablen (2.61) mit $\boldsymbol{\beta}^* = \boldsymbol{o}$:

$$\frac{1}{n\,\hat{\sigma}^2} \cdot \hat{\boldsymbol{\beta}}^{*\prime}(\boldsymbol{X}^{*\prime}\boldsymbol{X}^*)\,\hat{\boldsymbol{\beta}}^*. \tag{2.63'}$$

Wenn diese die Schranke $F^n_{T-n-1}(\omega)$ überschreitet, darf der Gesamteinfluß aller Variablen als gesichert gelten.

c) Der *Test* (2.63) zur Prüfung der Nullhypothese $\boldsymbol{\beta}_1 = \boldsymbol{\beta}_1^0$ gestattet eine sehr anschauliche und nützliche Umformulierung. Es zeigt sich nämlich, daß die Testvariable (2.63) dem folgenden Quotienten gleich ist:

$$\frac{1}{m}(\hat{\boldsymbol{\beta}}_1 - \boldsymbol{\beta}_1^0)'\hat{\boldsymbol{S}}_1^{-1}(\hat{\boldsymbol{\beta}}_1 - \boldsymbol{\beta}_1^0) = \frac{\hat{\hat{\boldsymbol{u}}}'\hat{\hat{\boldsymbol{u}}} - \hat{\boldsymbol{u}}'\hat{\boldsymbol{u}}}{m\hat{\sigma}^2} = F^m_{T-n-1} \quad \text{mit} \quad \hat{\sigma}^2 = \frac{1}{T-n-1}\,\hat{\boldsymbol{u}}'\hat{\boldsymbol{u}}. \tag{2.64}$$

Dabei ist $\hat{\boldsymbol{u}}$ der gewöhnliche Residuenvektor einer Regression von y auf $x_0, x_1, \ldots, x_n$ (ohne Beachtung der Nullhypothese), während $\hat{\hat{\boldsymbol{u}}}$ sich aus den Residuen einer entsprechenden Regression zusammensetzt, in der aber $\boldsymbol{\beta}_1$, wie es die Nullhypothese vorschreibt, durch den Vektor $\boldsymbol{\beta}_1^0$ ersetzt wird, d.h. $\hat{\hat{\boldsymbol{u}}}$ ist der Residuenvektor einer Regression von $y - \beta_0^0 x_0 - \cdots - \beta_{m-1}^0 x_{m-1}$ auf $x_m, x_{m+1}, \ldots, x_n$.

In dem (wohl häufigsten) Spezialfall der Nullhypothese $\boldsymbol{\beta}_1^0 = \boldsymbol{o}$ ist $\hat{\hat{\boldsymbol{u}}}$ einfach der Residuenvektor einer Regression von y auf $x_m, x_{m+1}, \ldots, x_n$. Für diesen Fall gibt die Differenz im Zähler des Quotienten in (2.64) an, in welchem Maße sich die Quadratsumme der Residuen reduziert, wenn man in einer Regression von y auf $x_m, x_{m+1}, \ldots, x_n$ die exogenen Variablen um die m Variablen $x_0, x_1, \ldots, x_{m-1}$ vermehrt – und damit automatisch die Anpassung verbessert. Diese Differenz wird auf die Zahl der hinzugekommenen Variablen m bezogen, wird also gewissermaßen auf diese Variablen gleichmäßig aufgeteilt – deshalb die Division durch m. Je größer die Differenz, um so stärker der zusätzliche Einfluß der Variablen $x_0, x_1, \ldots, x_{m-1}$ und um so eher ist deren Beitrag zur Regression signifikant. Im übrigen hat der Zähler m Freiheitsgrade.

Der Zähler der Testvariablen (2.64) kann noch so umgeformt werden, daß sich eine *weitere Interpretation* dieses Tests ergibt. Es ist nämlich

$$\hat{\hat{\boldsymbol{u}}}'\hat{\hat{\boldsymbol{u}}} - \hat{\boldsymbol{u}}'\hat{\boldsymbol{u}} = (\hat{\hat{\boldsymbol{y}}} - \hat{\boldsymbol{y}})'(\hat{\hat{\boldsymbol{y}}} - \hat{\boldsymbol{y}}) \tag{2.64'}$$

[7] *Beweis:* Die Regression auf alle Variablen liefert (1) $\boldsymbol{y} = \boldsymbol{X}_1\hat{\boldsymbol{\beta}}_1 + \boldsymbol{X}_2\hat{\boldsymbol{\beta}}_2 + \hat{\boldsymbol{u}}$, die Regression auf den zweiten Teil der Variablen dagegen (2) $\boldsymbol{y} = \boldsymbol{X}_2\hat{\hat{\boldsymbol{\beta}}}_2 + \hat{\hat{\boldsymbol{u}}}$. Nun ist nach (2.21) $\hat{\hat{\boldsymbol{u}}} = \boldsymbol{P}_2\boldsymbol{y}$ mit der idempotenten Matrix $\boldsymbol{P}_2 := \boldsymbol{I} - \boldsymbol{X}_2(\boldsymbol{X}_2'\boldsymbol{X}_2)^{-1}\boldsymbol{X}_2'$. Wegen $\boldsymbol{P}_2\hat{\boldsymbol{u}} = \hat{\boldsymbol{u}} - \boldsymbol{X}_2(\boldsymbol{X}_2'\boldsymbol{X}_2)^{-1}\boldsymbol{X}_2'\hat{\boldsymbol{u}} = \hat{\boldsymbol{u}}$ (vgl. (2.17)) ist aber $\hat{\hat{\boldsymbol{u}}} = \boldsymbol{P}_2\boldsymbol{y} = \boldsymbol{P}_2\hat{\boldsymbol{y}} + \hat{\boldsymbol{u}}$ und daher $\hat{\hat{\boldsymbol{u}}}'\hat{\hat{\boldsymbol{u}}} = \hat{\boldsymbol{y}}'\boldsymbol{P}_2\hat{\boldsymbol{y}} + \hat{\boldsymbol{u}}'\hat{\boldsymbol{u}}$, denn die Zwischenprodukte (wie z.B. $\hat{\boldsymbol{y}}'\boldsymbol{P}_2\hat{\boldsymbol{u}} = \hat{\boldsymbol{y}}'\hat{\boldsymbol{u}} = 0$) verschwinden. Wird $\hat{\boldsymbol{y}} = \boldsymbol{X}_1\hat{\boldsymbol{\beta}}_1 + \boldsymbol{X}_2\hat{\boldsymbol{\beta}}_2$ eingesetzt und beachtet man, daß $\boldsymbol{P}_2\boldsymbol{X}_2 = \boldsymbol{0}$, dann erhält man schließlich $\hat{\hat{\boldsymbol{u}}}'\hat{\hat{\boldsymbol{u}}} - \hat{\boldsymbol{u}}'\hat{\boldsymbol{u}} = \hat{\boldsymbol{\beta}}_1'\boldsymbol{X}_1'\boldsymbol{P}_2\boldsymbol{X}_1\hat{\boldsymbol{\beta}}_1$, wobei nach (2.55)

$$\boldsymbol{X}_1'\boldsymbol{P}_2\boldsymbol{X}_1 = \boldsymbol{X}_1'\boldsymbol{X}_1 - \boldsymbol{X}_1'\boldsymbol{X}_2(\boldsymbol{X}_2'\boldsymbol{X}_2)^{-1}\boldsymbol{X}_2'\boldsymbol{X}_1 = \sigma^2\boldsymbol{S}_1^{-1} = \hat{\sigma}^2\hat{\boldsymbol{S}}_1^{-1},$$

w.z.b.w. Diesen Beweis verdanke ich Herrn Dipl. Volksw. E.O. Maschke. Er wurde für den Spezialfall $\boldsymbol{\beta}_1^0 = \boldsymbol{o}$ geführt, läßt sich aber verallgemeinern. Vgl. auch Goldberger [1964, S. 175].

wobei $\hat{\hat{y}}_t$ der Regressionswert unter der Nullhypothese und $\hat{y}_t$ der Regressionswert ohne Beachtung der Nullhypothese ist.

Beweis: (a) Es ist $\hat{\hat{\boldsymbol{y}}}-\hat{\boldsymbol{y}}=\boldsymbol{y}-\hat{\boldsymbol{y}}-(\boldsymbol{y}-\hat{\hat{\boldsymbol{y}}})=\hat{\boldsymbol{u}}-\hat{\hat{\boldsymbol{u}}}$. (b) Ferner gilt die Zerlegung $\hat{\hat{\boldsymbol{u}}}'\hat{\hat{\boldsymbol{u}}}=\hat{\boldsymbol{u}}'\hat{\boldsymbol{u}}+(\hat{\hat{\boldsymbol{u}}}-\hat{\boldsymbol{u}})'(\hat{\hat{\boldsymbol{u}}}-\hat{\boldsymbol{u}})$, denn das beim Ausmultiplizieren von

$$\hat{\hat{\boldsymbol{u}}}'\hat{\hat{\boldsymbol{u}}}=(\hat{\boldsymbol{u}}+\hat{\hat{\boldsymbol{u}}}-\hat{\boldsymbol{u}})'(\hat{\boldsymbol{u}}+\hat{\hat{\boldsymbol{u}}}-\hat{\boldsymbol{u}})$$

entstehende Zwischenglied $\hat{\boldsymbol{u}}'(\hat{\hat{\boldsymbol{u}}}-\hat{\boldsymbol{u}})=\hat{\boldsymbol{u}}'(\hat{\boldsymbol{y}}-\hat{\hat{\boldsymbol{y}}})$ verschwindet, weil $\hat{\boldsymbol{u}}'\hat{\boldsymbol{y}}=\hat{\boldsymbol{u}}'\hat{\hat{\boldsymbol{y}}}=0$ (vgl. (2.17)). Aus (a) und (b) folgt (2.64'), w.z.b.w.

Danach beruht der Test der Nullhypothese auf folgendem Prinzip: Es werden zwei Regressionen geschätzt, die eine ohne Beachtung der Nullhypothese, die andere unter den durch die Nullhypothese vorgeschriebenen Restriktionen. Von beiden Regressionen wird der quadratische Abstand gebildet, das ist $\sum(\hat{\hat{y}}_t-\hat{y}_t)^2$, und durch die Zahl der Freiheitsgrade m dividiert. Er wird ins Verhältnis gesetzt zur Residualvarianz, die ohne Beachtung der Nullhypothese zu berechnen ist und die gewissermaßen den Vergleichsmaßstab für die Messung des Abstandes darstellt. Der so gemessene (relative) Abstand ist signifikant, wenn er die F-Schranke (zu gegebener Signifikanzwahrscheinlichkeit ω) überschreitet. In diesem Fall wird die Nullhypothese verworfen.

Ergänzend sei bemerkt, daß man die *Macht* des Tests (bei gegebenen x_{it}) berechnen kann, also die Wahrscheinlichkeit dafür, daß der Test ein Abweichen von der Nullhypothese aufdeckt. Sie ist eine Funktion der Differenz $\boldsymbol{\beta}_1-\boldsymbol{\beta}_1^0$ zwischen dem tatsächlichen und dem hypothetisch angenommenen Parametervektor, die sogenannte *Machtfunktion* des Tests. Ihre Berechnung beruht auf der Tatsache, daß die Testvariable (2.63) allgemein einer nichtzentralen F-Verteilung mit Nichtzentralitätsparameter $\sigma^2(\boldsymbol{\beta}_1-\boldsymbol{\beta}_1^0)'\boldsymbol{S}_1^{-1}(\boldsymbol{\beta}_1-\boldsymbol{\beta}_1^0)$ folgt [Schönfeld, S. 99ff., bes. S. 116f.].

Beispiel: Wir hatten in unserem Zahlenbeispiel (S. 96f.) die einfache Regression

$$y=\alpha+\beta x+u=\beta_0+\beta_1 x_1+u$$

durch Hinzunahme einer zweiten exogenen Variablen x_2 erweitert zu $y=\beta_0+\beta_1 x_1+\beta_2 x_2+u$. Ist diese Variable bzw. ihr Parameter signifikant? Geprüft werden soll die Hypothese $H_0:\beta_2=0$. Die Residualquadratsumme der zweiten Regression war (vgl. S. 97f.)

$$\hat{\boldsymbol{u}}'\hat{\boldsymbol{u}}=0{,}152$$

und die geschätzte Störvarianz:

$$\hat{\sigma}^2=\frac{1}{T-3}\hat{\boldsymbol{u}}'\hat{\boldsymbol{u}}=0{,}022.$$

In der einfachen, bei Bestehen der Hypothese H_0 adäquaten Regression war dagegen die Residualquadratsumme (vgl. S. 47f.; jetzt in der neuen Bezeichnung):

$$\hat{\hat{\boldsymbol{u}}}'\hat{\hat{\boldsymbol{u}}}=1{,}402.$$

Da nur um eine Variable erweitert wurde, ist $m=1$. Die Testvariable nach (2.64) beträgt daher

$$\frac{1{,}250}{0{,}022}\doteq 57,$$

und da $F_7^1(95)=5{,}59$ ist, hat (mit 95% Sicherheit) x_2 signifikanten Einfluß. Die Testvariable ist gerade das Quadrat der t-Testvariablen für den Parameter β_2, wie wir sie auf S. 106 berechnet haben. Der Test läuft also, wie zu erwarten war, auf den gewöhnlichen t-Test eines Regressionsparameters hinaus. Auch können wir nachrechnen, daß $\hat{\hat{\boldsymbol{u}}}'\hat{\hat{\boldsymbol{u}}}-\hat{\boldsymbol{u}}'\hat{\boldsymbol{u}}=\sum(\hat{\hat{y}}_t-\hat{y}_t)^2$ ist ((2.64')), wobei $\hat{\hat{y}}_t=\hat{\hat{\beta}}_0+\hat{\hat{\beta}}_1 x_{1t}$ und $\hat{y}_t=\hat{\beta}_0+\hat{\beta}_1 x_{1t}+\hat{\beta}_2 x_{2t}$. Hierbei sind $\hat{\hat{\beta}}_0=\hat{\alpha}$ und $\hat{\hat{\beta}}_1=\hat{\beta}$ die früher berechneten Schätzungen der *einfachen* Regression (vgl. S. 45 und S. 97, Fortsetzung S. 121).

d) Nach diesem Prinzip können auch andere *lineare Hypothesen* über die Regressionsparameter geprüft werden, etwa die Hypothese, daß zwei oder mehr Parameter einander gleich sind. Es liege z. B. die folgende Regressionsgleichung vor:

$$y=\beta_0+\beta_1 x_1+\beta_2 x_2+\beta_3 x_3+\beta_4 x_4+\beta_5 x_5+\beta_6 x_6+u.$$

Zu prüfen ist die Hypothese

$$H_0\colon\ \beta_1=\beta_2=\beta_3,\qquad \beta_4=\beta_5.$$

Unter H_0 vereinfacht sich die Regressionsgleichung auf

$$\begin{aligned} y&=\beta_0+\beta_1(x_1+x_2+x_3)+\beta_4(x_4+x_5)+\beta_6 x_6+u\\ &=\gamma_0+\gamma_1 z_1+\gamma_2 z_2+\gamma_3 z_3+u \end{aligned}$$

mit naheliegendem Bezeichnungswechsel. Man schätzt nun beide Regressionen und berechnet die zugehörigen Residualquadratsummen. Ihre Differenz wird in den Zähler von (2.64) gesetzt, während im Nenner die geschätzte Störvarianz der ersten Regression steht. Dabei ist $n=6$ und $m=3$, und wir haben $T-7$ Freiheitsgrade im Nenner und 3 Freiheitsgrade im Zähler. Allgemein ist die Zahl der Freiheitsgrade im Zähler gleich der Zahl der unter H_0 vorgeschriebenen Parameterrestriktionen bzw. gleich der Differenz der Anzahl der zu schätzenden Parameter, einmal mit und einmal ohne Beachtung der Nullhypothese; die Zahl der Freiheitsgrade im Nenner ist gleich der Zahl der Perioden abzüglich der Zahl der zu schätzenden Parameter ohne Beachtung der Nullhypothese. Daß wir in dieser Weise das Ergebnis (2.64) verallgemeinern können, liegt daran, daß lineare Transformationen zu äquivalenten Regressionen führen (vgl. *2.4.5.*).

2.5.5. Strukturbrüche*

Wir sprechen von einem Strukturbruch, wenn in einer Regression ein oder mehrere Parameter beim Übergang von einem Zeitraum $t=1,\dots,T_1$ zum anschließenden Zeitraum $t=T_1+1,\dots,T_1+T_2=T$ ihren Wert abrupt ändern. Ändern alle Parameter ihren Wert, dann liegen für die beiden Zeiträume zwei völlig verschiedene Regressionen vor, wenn auch im allgemeinen mit den gleichen Variablen. Doch nicht einmal in den benutzten exogenen Variablen brauchen die Regressionen übereinzustimmen; es kann ja ein Parameter in dem einen Zeitraum den Wert 0, im anderen einen Wert $\neq 0$ annehmen. Andererseits affizieren Strukturbrüche oft nur wenige Parameter. Das absolute Glied ist in dieser Hinsicht besonders anfällig.

Beispiel: Eine Konsumfunktion $C=\alpha+\beta Y$ werde in nominal gemessenen Variablen aufgestellt. Bei einer Währungsumstellung (etwa von RM in DM) ändert sich automatisch das absolute Glied α, während der Regressionskoeffizient β zumindest so lange konstant bleibt, wie sich das Konsumverhalten nicht (wesentlich) ändert.

Strukturbrüche werden – besonders dann, wenn sie sich nur auf einen Teil der Parameter beziehen – durch die Einführung von geeigneten (0, 1)-Variablen in den Kalkül der Regressionsanalyse einbezogen. Wir definieren zwei auf die beiden Zeiträume sich beziehende (0, 1)-Variablen ε_1 und ε_2 (sogenannte *Sprungvariablen*) durch die Bedingung

$$\varepsilon_{1t}=\begin{cases}1 & \text{für } t=1,\dots,T_1\\ 0 & \text{für } t=T_1+1,\dots,T_1+T_2\end{cases}$$

$$\varepsilon_{2t}=\begin{cases}0 & \text{für } t=1,\dots,T_1\\ 1 & \text{für } t=T_1+1,\dots,T_1+T_2.\end{cases}$$

Sind jetzt in einer Regression

$$y=\beta_0 x_0+\beta_1 x_1+\cdots+\beta_{m-1} x_{m-1}+\beta_m x_m+\cdots+\beta_n x_n+u$$

die Parameter $\beta_0,\dots,\beta_n$ einem Strukturbruch unterworfen, derart, daß sie sich von den Werten β_i^1 im ersten Zeitraum in die Werte β_i^2 im zweiten Zeitraum verwandeln, dann können wir für den Gesamtzeitraum die folgende Regression aufstellen:

$$\begin{aligned}y=&\beta_0^1 x_0 \varepsilon_1+\beta_1^1 x_1 \varepsilon_1+\cdots+\beta_{m-1}^1 x_{m-1} \varepsilon_1+\beta_m^1 x_m \varepsilon_1+\cdots+\beta_n^1 x_n \varepsilon_1\\ &+\beta_0^2 x_0 \varepsilon_2+\beta_1^2 x_1 \varepsilon_2+\cdots+\beta_{m-1}^2 x_{m-1} \varepsilon_2+\beta_m^2 x_m \varepsilon_2+\cdots+\beta_n^2 x_n \varepsilon_2+u.\end{aligned} \tag{2.65}$$

Eine nach den Ausführungen von 2.4.5. äquivalente Darstellung ist

$$\begin{aligned}y=&\beta_0^1 x_0+\beta_1^1 x_1+\cdots+\beta_{m-1}^1 x_{m-1}+\beta_m^1 x_m+\cdots+\beta_n^1 x_n\\ &+\Delta\beta_0 x_0 \varepsilon_2+\Delta\beta_1 x_1 \varepsilon_2+\cdots+\Delta\beta_{m-1} x_{m-1} \varepsilon_2\\ &+\Delta\beta_m x_m \varepsilon_2+\cdots+\Delta\beta_n x_n \varepsilon_2+u\end{aligned} \tag{2.65'}$$

mit $\Delta\beta_i=\beta_i^2-\beta_i^1$. Die neuen Variablen $x_i \varepsilon_1$ bzw. $x_i \varepsilon_2$ sind dadurch charakterisiert, daß

$$x_{it}\varepsilon_{1t}=\begin{cases}x_{it} & \text{für } t=1,\dots,T_1\\ 0 & \text{für } t=T_1+1,\dots,T_1+T_2\end{cases}$$

$$x_{it}\varepsilon_{2t}=\begin{cases}0 & \text{für } t=1,\dots,T_1\\ x_{it} & \text{für } t=T_1+1,\dots,T_1+T_2.\end{cases}$$

Natürlich können auch mehrere Strukturbrüche, die sich auf verschiedene Zeiträume beziehen, durch entsprechende (0, 1)-Variablen dargestellt werden.

Nehmen wir nun an, es sei zu prüfen, ob bei diesem generellen Strukturbruch nicht doch zumindest einige, sagen wir die m ersten Parameter $\beta_0,\beta_1,\dots,\beta_{m-1}$, unverändert bleiben (wobei β_0 hier nicht notwendig das absolute Glied sein muß). Die zu prüfende Nullhypothese lautet also

$$H_0: \quad \beta_i^1 = \beta_i^2 \qquad \text{für } i=0,1,\dots,m-1.$$

oder

$$H_0: \quad \Delta\beta_i = 0 \qquad \text{für } i=0,1,\dots,m-1.$$

Für die restlichen Parameter wird keine Hypothese aufgestellt; sie mögen sich ändern oder auch nicht.

Die Prüfung dieser Hypothese erfolgt genau nach den Prinzipien, die im vorigen Abschnitt aufgestellt worden sind. Man schätzt also einmal die Regression (2.65) ohne die durch H_0 vorgeschriebenen Restriktionen und berechnet die Residualquadratsumme $\hat{\boldsymbol{u}}'\hat{\boldsymbol{u}}$, zum anderen schätzt man die Regression unter Beachtung von H_0, also

$$\begin{aligned} y = {} & \beta_0 x_0 + \beta_1 x_1 + \cdots + \beta_{m-1} x_{m-1} \\ & + \beta_m^1 x_m \varepsilon_1 + \beta_{m+1}^1 x_{m+1} \varepsilon_1 + \cdots + \beta_n^1 x_n \varepsilon_1 \\ & + \beta_m^2 x_m \varepsilon_2 + \beta_{m+1}^2 x_{m+1} \varepsilon_2 + \cdots + \beta_n^2 x_n \varepsilon_2 + u \end{aligned} \tag{2.66}$$

und berechnet dabei ebenfalls die Residualquadratsumme $\hat{\hat{\boldsymbol{u}}}'\hat{\hat{\boldsymbol{u}}}$. Diese Quadratsummen werden in (2.64) eingesetzt, wobei noch $\hat{\sigma}^2 = \frac{1}{T-2n-2}\hat{\boldsymbol{u}}'\hat{\boldsymbol{u}}$ zu setzen ist. Mit Hilfe der so berechneten Testvariablen

$$F_{T-2n-2}^m = \frac{\frac{1}{m}(\hat{\hat{\boldsymbol{u}}}'\hat{\hat{\boldsymbol{u}}} - \hat{\boldsymbol{u}}'\hat{\boldsymbol{u}})}{\frac{1}{T-2n-2}\hat{\boldsymbol{u}}'\hat{\boldsymbol{u}}} \tag{2.67}$$

kann nun die Hypothese H_0 statistisch geprüft werden. Übersteigt die Testvariable die vorgeschriebene F-Schranke, dann ist H_0 abzulehnen und ein Strukturbruch in mindestens einem der ersten m Parameter gilt als signifikant. Damit ist der gesuchte Test konstruiert worden. Mit Hilfe von (2.64′) erhält man eine andere Formulierung des gleichen Tests. Danach berechnet man wie eben die beiden Regressionen, einmal mit und einmal ohne Beachtung der Nullhypothese. Man hat dann für jede Periode zwei Regressionswerte. Die Summe ihrer quadrierten Differenzen, durch $\hat{\sigma}^2$ und durch m dividiert, ergibt wieder die Testvariable (2.67). (Vgl. auch (1.73) und (1.73′).)

Zu erwähnen wäre noch, daß die Regression (2.65) eigentlich in zwei Regressionsgleichungen zerfällt, je eine für jeden Zeitraum:

$$\begin{aligned} y_t &= \beta_0^1 x_{0t} + \beta_1^1 x_{1t} + \cdots + \beta_n^1 x_{nt} + u_t \qquad \text{für } t=1,\dots,T_1 \\ y_t &= \beta_0^2 x_{0t} + \beta_1^2 x_{1t} + \cdots + \beta_n^2 x_{nt} + u_t \qquad \text{für } t=T_1+1,\dots,T_1+T_2 \end{aligned} \tag{2.65''}$$

und daß die Schätzung daher auch getrennt für jede Regression einzeln vorgenommen werden kann. Die gesamte Residualquadratsumme setzt sich dann additiv aus den beiden Teilsummen zusammen:

$$\hat{\boldsymbol{u}}' \hat{\boldsymbol{u}} = \hat{\boldsymbol{u}}_1' \hat{\boldsymbol{u}}_1 + \hat{\boldsymbol{u}}_2' \hat{\boldsymbol{u}}_2 .$$

(2.66) kann dagegen nicht zerlegt werden.

Für den Fall, daß alle Parameter $\beta_0, \ldots, \beta_n$ im Hinblick auf einen möglichen Strukturbruch geprüft werden sollen[8], vereinfacht sich (2.66) zu

$$y_t = \beta_0 x_{0t} + \beta_1 x_{1t} + \cdots + \beta_n x_{nt} + u_t \quad \text{für } t = 1, \ldots, T \tag{2.66'}$$

und es wird $m = n + 1$.

Man beachte freilich, daß all diese Tests voraussetzen, daß die Störvarianz konstant bleibt. Ihre Effizienz hängt sogar wesentlich von dieser Voraussetzung ab, weshalb es sich empfiehlt, erst einmal zu prüfen, ob die Störvarianz in den beiden Zeiträumen tatsächlich gleich groß ist (Nullhypothese: $\sigma_1^2 = \sigma_2^2$). Eine derartige Prüfung leistet der F-Test. Man schätzt für jeden Teilzeitraum getrennt die Regressionsgleichung und berechnet Schätzungen für die Störvarianzen $\hat{\sigma}_1^2$ und $\hat{\sigma}_2^2$. Der Quotient

$$\hat{\sigma}_1^2 / \hat{\sigma}_2^2 = F_{T_2 - n - 1}^{T_1 - n - 1}$$

ist dann eine F-Variable mit $T_1 - n - 1$ und $T_2 - n - 1$ Freiheitsgraden. Überschreitet dieser F-Wert nach oben oder unten gewisse (aus einer Tafel zu entnehmende) Signifikanzschranken, dann wird die Hypothese $\sigma_1^2 = \sigma_2^2$ verworfen.

Beispiel: Wir haben in Kap. 1 (S. 85f.) die Hypothese geprüft, daß in einer einfachen Regression beim Übergang von $T_1 = 10$ auf $T_1 + T_2 = 15$ kein Strukturbruch aufgetreten ist und haben diese Hypothese aufgrund des Tests verneint. Jetzt wollen wir prüfen, ob zumindest der Regressionsparameter β unverändert blieb. Hierzu berechnen wir die Regression

$$H_0 : \; y = \alpha_1 \varepsilon_1 + \alpha_2 \varepsilon_2 + \beta x + u$$

mit

y	2	2	3	5	4	3	5	5	4	6	6	7	7	8	9
x	10	9	15	21	18	18	22	23	20	25	22	24	25	27	30
ε_1	1	1	1	1	1	1	1	1	1	1	0	0	0	0	0
ε_2	0	0	0	0	0	0	0	0	0	0	1	1	1	1	1

und erhalten $\hat{\alpha}_1 = -0{,}833$, $\hat{\alpha}_2 = 0{,}706$, $\hat{\beta} = 0{,}261$. Die Residualquadratsumme beträgt $\sum \hat{\hat{u}}_t^2 = 1{,}985$.

Früher haben wir die Gesamtsumme der Residualquadrate für die beiden Einzelregressionen $y_t = \alpha_1 + \beta_1 x_{1t} + u_t$ $(t = 1, \ldots, 10)$ und $y_t = \alpha_2 + \beta_2 x_{2t} + u_t (t = 11 \ldots 15)$ berechnet: $\sum \hat{u}_t^2 = 1{,}483$.

Die Testvariable (2.67) errechnet sich mit $m = 1$ zu 3,72, während $F_{11}^1(95) = 4{,}84$ ist. Der Strukturbruch in β ist also (bei 95% Sicherheit) nicht signifikant.

[8] Vgl. hierzu auch die Darstellung bei Johnston [1963, S. 136ff.]. Dieses Testverfahren läßt sich auf den Fall mehrerer Strukturbrüche verallgemeinern und funktioniert nach entsprechender Modifikation auch dann noch, wenn für einen der zu überprüfenden Zeiträume weniger Beobachtungen vorhanden sind, als Parameter zu schätzen sind. Vgl. Chow [1960] und Muennich [1970].

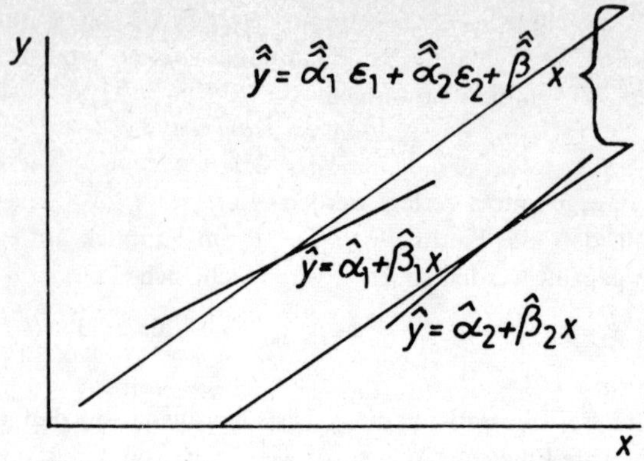

Abb. 2.3. Strukturbruch im absoluten Glied

Auch unser früher ausgeführter Test der Hypothese $\alpha_1 = \alpha_2$ *und* $\beta_1 = \beta_2$ kann im Zusammenhang mit (2.67) gesehen werden. Die Quadratsumme der Abweichungen der Regressionswerte unter den alternativen Hypothesen ist nämlich nach (2.64') nichts anderes als die Differenz der Residualquadratsummen im Zähler von (2.67). Man vergleiche Abb. 2.3 mit Abb. 1.15.

2.5.6. *(0, 1)-Variablen*

Sie spielen in der Ökonometrie eine nicht unerhebliche Rolle, und zwar nicht nur zur Kennzeichnung von Strukturbrüchen. Eine zweite wichtige Anwendung ist die Benutzung von *Saisonvariablen* bei Zeitreihenregressionen mit Viertel-(oder auch Halb-)Jahreswerten. Mit ihrer Hilfe gelingt es, einen von den exogenen Variablen unabhängigen Saisoneinfluß auf die endogene Variable auszudrücken. Die vier Saison-(oder Quartals-)Variablen $q_1, \ldots, q_4$ nehmen in den 4 Quartalen die folgenden Werte an:

Jahr	Quartal	q_1	q_2	q_3	q_4
1	1	1	0	0	0
	2	0	1	0	0
	3	0	0	1	0
	4	0	0	0	1
2	1	1	0	0	0
	2	0	1	0	0
	3	0	0	1	0
	4	0	0	0	1
⋮	⋮			⋮	

Mit diesen Saisonvariablen lautet eine Regression mit 2 exogenen Variablen, z.B.

$$y_t = \beta_1 x_{1t} + \beta_2 x_{2t} + \gamma_1 q_{1t} + \gamma_2 q_{2t} + \gamma_3 q_{3t} + \gamma_4 q_{4t} + u_t \qquad (t = \text{Quartalsnummer}).$$

Das absolute Glied entfällt in dieser Darstellung, da andernfalls β_0 und die γ_i nicht identifizierbar wären. Man kann natürlich auch eine Darstellung mit absolutem Glied wählen, muß aber dann eine Saisonvariable fortlassen, oder aber man unterwirft die Saisonparameter der Bedingung $\sum_1^4 \gamma_i = 0$.

Selbstverständlich ist die Verwendung von Saisonvariablen nur für nichtsaisonbereinigte Variablen sinnvoll. Wurden die Variablen, noch ehe sie in die Regression eingehen, einem Saisonbereinigungsverfahren unterzogen, dann entfällt eine explizite Berücksichtigung von Saisoneinflüssen in der Regression [JORGENSON, 1964].

Bei *Querschnittsanalysen* verwendet man (0,1)-Variablen zur Kennzeichnung von qualitativ verschiedenen Schichten. Will man z.B. das Sparverhalten von Haushalten erklären, so wird man neben dem Einkommen und anderen quantitativen Variablen auch qualitative Modalitäten berücksichtigen müssen, z.B. den Sozialstatus des Haushalts kennzeichnende Größen. Man könnte etwa ansetzen:

$$S_t = \beta_0 + \beta_1 Y_t + \beta_2 \varepsilon_{At} + \beta_3 \varepsilon_{Bt} + \beta_4 \varepsilon_{Ut} + u_t$$

mit t = Nummer des Haushalts, S = Ersparnisse in einer Bezugsperiode, Y = Einkommen während dieser Periode, $\varepsilon_{At} = 1$, falls Haushalt t ein Arbeiterhaushalt ist, sonst $=0$, $\varepsilon_{Bt} = 1$, falls sich t auf einen Angestelltenhaushalt bezieht, sonst $=0$, $\varepsilon_{Ut} = 1$, falls sich t auf einen Unternehmerhaushalt bezieht, sonst $=0$.

Es ist sogar möglich, Regressionen aufzustellen, in denen auf der rechten Seite nur (0,1)-Variablen vorkommen. Der Fall, daß auch die endogene Variable eine (0,1)-Variable ist, kann allenfalls approximativ in diesem Zusammenhang behandelt werden[9].

2.5.7. Prognose

Wie im Falle der einfachen Regression (vgl. *1.5.*) kann eine geschätzte Regression zur Erstellung bedingter Prognosen benutzt werden. Sie sind insofern bedingt, als die Werte $x_{0\tau}, x_{1\tau}, \ldots, x_{n\tau}$ der exogenen Variablen für die Prognoseperiode τ bekannt sein müssen. Wir schreiben abkürzend $\boldsymbol{x}'_{(\tau)} = (x_{0\tau}, \ldots, x_{n\tau})$.

Dann ist

$$\hat{y}_\tau = \boldsymbol{x}'_{(\tau)} \hat{\boldsymbol{\beta}} = \hat{\beta}_0 x_{0\tau} + \hat{\beta}_1 x_{1\tau} + \cdots + \hat{\beta}_n x_{n\tau} \tag{2.68}$$

eine Prognose der endogenen Variablen für die Periode τ. Wir setzen voraus, daß die Modellannahmen auch für die Periode τ zutreffen.

Der Prognosefehler ist

$$e_\tau = y_\tau - \hat{y}_\tau = u_\tau + \boldsymbol{x}'_{(\tau)} (\boldsymbol{\beta} - \hat{\boldsymbol{\beta}}) \tag{2.69}$$

[9] Mehr hierüber und auch über den Zusammenhang mit der Varianzanalyse bei GOLDBERGER [1964, S. 218ff. und S. 248ff.] sowie bei SCHÖNFELD [S. 85ff. und S. 127f.]. Vgl. auch GOLLNICK [S. 190ff.].

und setzt sich aus Störvariable und Schätzfehler zusammen – zwei unkorrelierte Zufallsvariablen (vgl. S. 78 f.). Der Fehler verschwindet zwar im Mittel: $Ee_\tau=0$, beträgt aber im quadratischen Mittel nach (2.42):

$$V(e_\tau|\boldsymbol{x}_{(\tau)},\boldsymbol{X})=\sigma^2+\boldsymbol{x}'_{(\tau)}\boldsymbol{S}\boldsymbol{x}_{(\tau)}=\sigma^2[1+\boldsymbol{x}'_{(\tau)}(\boldsymbol{X}'\boldsymbol{X})^{-1}\boldsymbol{x}_{(\tau)}]. \tag{2.70}$$

Ist $x_{0t}\equiv 1$ (Scheinvariable) und werden die Variablen als Abweichungen von ihrem Mittelwert im Schätzzeitraum gemessen, dann lautet die Prognoseformel:

$$\hat{y}_\tau=\bar{y}+\boldsymbol{x}^{*\prime}_{(\tau)}\hat{\boldsymbol{\beta}}^*=\bar{y}+\hat{\beta}_1(x_{1\tau}-\bar{x})+\cdots+\hat{\beta}_n(x_{n\tau}-\bar{x}) \tag{2.68'}$$

und die Prognosefehlervarianz

$$V(e_\tau|\boldsymbol{x}_{(\tau)},\boldsymbol{X})=\sigma^2\left(1+\frac{1}{T}\right)+\boldsymbol{x}^{*\prime}_{(\tau)}S^*\boldsymbol{x}^*_{(\tau)}=\sigma^2\left[1+\frac{1}{T}+\boldsymbol{x}^{*\prime}_{(\tau)}(\boldsymbol{X}^{*\prime}\boldsymbol{X}^*)^{-1}\boldsymbol{x}^*_{(\tau)}\right]. \tag{2.70'}$$

Dabei haben wir davon Gebrauch gemacht, daß $\bar{y}$ mit den $\hat{\beta}_i$ unkorreliert ist (vgl. S. 103 f.). Die Formeln (2.70) und (2.70′) entsprechen (1.67) bzw. (1.69).

Mit Hilfe des *Standardprognosefehlers* σ_e, der Wurzel aus Ve_τ, kann wieder unter (M 5) ein *Prognoseintervall* zu gegebener Prognosewahrscheinlichkeit ω konstruiert werden: Wird eine Regression geschätzt *und* anschließend für eine Periode τ das Prognoseintervall

$$\hat{y}_\tau\pm k(\omega)\,\sigma_e$$

konstruiert, dann überdeckt es mit Wahrscheinlichkeit ω den tatsächlichen y_τ-Wert, sofern die tatsächlichen $x_{i\tau}$-Werte den in der Prognoseformel angenommenen Werten entsprechen und sofern kein Strukturbruch eingetreten ist.

In der Praxis muß freilich σ_e^2 durch die Schätzung $\hat{\sigma}_e^2=\hat{\sigma}^2+\boldsymbol{x}'_{(\tau)}\hat{\boldsymbol{S}}\boldsymbol{x}_{(\tau)}$ ersetzt werden. Dabei wird aus der standardisiert normalverteilten Variablen e/σ_e eine t-verteilte Variable $e/\hat{\sigma}_e$ mit $T-n-1$ Freiheitsgraden. Das korrigierte Prognoseintervall lautet

$$\hat{y}_\tau\pm t_{T-n-1}(\omega)\,\hat{\sigma}_e.$$

Die Länge des Prognoseintervalls hängt von den Abständen der $x_{i\tau}$-Werte von den Mittelwerten $\bar{x}_i$ ab und wird um so größer, je größer diese sind.

Will man mit einer einmal geschätzten Regressionsbeziehung mehrere Prognosen erstellen, dann sind andere Prognosebereiche zu konstruieren oder aber man konstruiert *Toleranzintervalle*, wie in *1.5.3.* beschrieben [HOOPER u. ZELLNER, FRASER u. GUTTMAN].

Wir wollen uns noch die Frage stellen, ob man nicht aus den vergangenen Werten $\boldsymbol{X}$ und $\boldsymbol{y}$ mehr herausholen kann, ob man sie nicht zu einer besseren Prognoseformel zusammenstellen kann, eventuell ohne zuvor die Regressionsparameter zu schätzen. Hierbei begnügen wir uns mit *linearen Prognoseformeln*, also solchen, die $\hat{y}_\tau$ als lineare Funktion der y_t, $t=1,\ldots,T$ darstellen, wobei die Koeffizienten beliebige Funktionen der x_{it} sein mögen. In Frage kommen nur „erwartungstreue"

Prognoseformeln, d.h. solche, für die $E\,e_\tau = 0$ ist. Unter diesen ist die *KQ-Prognoseformel die beste*, insofern als sie die kleinste Fehlervarianz aufweist.

Dies folgt daraus, daß zunächst einmal bei gegebener, bekannter Regressionsgeraden die bestmögliche Prognose offenbar $E(y_\tau|\boldsymbol{x}_{(\tau)}\boldsymbol{X}) = \tilde{y}_\tau$ ist, da wegen der Unkorreliertheit der u_t untereinander (M2) keine Aussage über die Realisation von u_τ aus vergangenen Werten gewonnen werden kann. $\tilde{y}_\tau$ aber ist unbekannt. Die beste Prognoseformel erhalten wir daher, wenn wir eine beste lineare Schätzung für $\tilde{y}_\tau$ konstruieren[10]. Nun ist aber $\tilde{y}_\tau$ eine lineare Funktion der β_i: $\tilde{y}_\tau = \boldsymbol{x}'_{(\tau)}\boldsymbol{\beta}$. Nach *2.4.7.* ist daher $\boldsymbol{x}'_{(\tau)}\hat{\boldsymbol{\beta}} = \hat{y}_\tau$ beste lineare Schätzung von $\tilde{y}_\tau$ und mithin beste Prognoseformel.

Aufgaben zu Kap. 2

2.1.

(2-1) Die folgende Darstellung für (2.2) ist möglich: $y_t = \boldsymbol{x}'_{(t)}\boldsymbol{\beta} + u_t$ mit $\boldsymbol{x}'_{(t)} = (x_{0t}, x_{1t}, \dots, x_{nt})$. Wie kommt man von da wieder zu (2.3)?

(2-2) Man zeige, daß (2.17) mit dem Normalgleichungssystem (2.13) logisch äquivalent ist.

2.2.

(2-3) Wie lauten die Normalgleichungen für die Regression $y = \beta_0 + \beta_1 x + \beta_2 x^2 + u$?

(2-4) Wie ändern sich die Matrizen $\boldsymbol{M}$ und $\boldsymbol{m}$ sowie die Schätzung $\hat{\boldsymbol{\beta}}$, wenn die Variable x_1 mit einem Faktor a multipliziert wird.

(2-5) Aus (2.19) leite man mit Hilfe (2.13) ab:

$$\hat{\boldsymbol{u}}'\hat{\boldsymbol{u}} = \boldsymbol{y}'\boldsymbol{y} - \hat{\boldsymbol{\beta}}'(\boldsymbol{X}'\boldsymbol{X})\hat{\boldsymbol{\beta}}.$$

(2-6) Aus (2.21') leite man mit Hilfe von (2.15) die Formel (2.19) ab.

(2-7) Es gilt: $\boldsymbol{X}'\boldsymbol{P} = \boldsymbol{P}\boldsymbol{X} = \boldsymbol{0}$. Man leite hieraus mit Hilfe von (2.21) die Beziehung (2.17): $\boldsymbol{X}'\hat{\boldsymbol{u}} = \boldsymbol{0}$ ab. ($\boldsymbol{P}$ wie auf S. 96.)

(2-8) Man zeige, daß

$$\boldsymbol{u}'\boldsymbol{u} = \boldsymbol{y}'\boldsymbol{y} - \boldsymbol{y}'\boldsymbol{X}(\boldsymbol{X}'\boldsymbol{X})^{-1}\boldsymbol{X}'\boldsymbol{y} + \Delta\boldsymbol{\beta}'\boldsymbol{X}'\boldsymbol{X}\,\Delta\boldsymbol{\beta}$$

mit $\Delta\boldsymbol{\beta} = \boldsymbol{\beta} - \hat{\boldsymbol{\beta}}$ und beweise hieraus, daß die KQ-Schätzung $\hat{\boldsymbol{\beta}}$ in der Tat den Ausdruck $\boldsymbol{u}'\boldsymbol{u}$ minimiert.

2.3.

(2-9*) Es sei $\boldsymbol{i}' := (1, 1, \dots, 1)$ (T Einsen). Dann gilt:

a) $\boldsymbol{i}'\boldsymbol{i} = T$.

[10] Der genaue *Beweis* für diese Behauptung ist wie folgt zu führen: Es sei y^P_τ eine lineare Funktion von $y_1, \dots, y_T$ (bei gegebenem $x_1, \dots, x_T, x_\tau$), die zur Prognose von y_τ verwendet werden soll. Der Prognosefehler $e_\tau = y_\tau - y^P_\tau$ läßt sich zerlegen in $e_\tau = u_\tau + \tilde{y}_\tau - y^P_\tau$. Entsprechend läßt sich wegen (M2) und weil y^P_τ eine lineare Funktion von $u_1, \dots, u_T$ ist, die Fehlervarianz zerlegen: $V(e_\tau) = \sigma^2 + V(y^P_\tau)$. Damit $E\,e_\tau = 0$ ist, muß $E\,y^P_\tau = \tilde{y}_\tau$ gelten, d.h. y^P_τ muß eine erwartungstreue Schätzung von $\tilde{y}_\tau$ sein. Eine beste Prognoseformel y^P_τ erhalten wir also gerade dann, wenn y^P_τ eine beste lineare Schätzung von $\hat{y}_\tau$ ist, w.z.b.w. (Sämtliche Varianz- und Erwartungswertbildungen verstehen sich bei gegebenen $\boldsymbol{X}$ und $\boldsymbol{x}_{(\tau)}$.)

b) $\boldsymbol{X}=(\boldsymbol{i}, \boldsymbol{X}_*)$, worin $\boldsymbol{X}_*$ die Zeitreihenmatrix der eigentlichen exogenen Variablen bedeutet. Daher:

$$\boldsymbol{X}'\boldsymbol{X}=\begin{pmatrix} \boldsymbol{i}'\boldsymbol{i} & \boldsymbol{i}'\boldsymbol{X}_* \\ \boldsymbol{X}_*'\boldsymbol{i} & \boldsymbol{X}_*'\boldsymbol{X}_* \end{pmatrix}.$$

c) $\boldsymbol{i}'\boldsymbol{X}_*/T=(\bar{x}_1, \ldots, \bar{x}_n)$, daher $\boldsymbol{X}^* = \boldsymbol{X}_* - (\boldsymbol{i}\,\boldsymbol{i}'/T)\boldsymbol{X}_*$.

d) $\boldsymbol{i}\,\boldsymbol{i}'/T$ und $\boldsymbol{I}-\boldsymbol{i}\,\boldsymbol{i}'/T$ sind idempotent.

e) $\boldsymbol{X}^{*\prime}\boldsymbol{X}^*=\boldsymbol{X}_*'(\boldsymbol{I}-\boldsymbol{i}\,\boldsymbol{i}'/T)\boldsymbol{X}_*$.

f) Inversion von $\boldsymbol{X}'\boldsymbol{X}$ in der Darstellung (b) liefert $(\boldsymbol{X}^{*\prime}\boldsymbol{X}^*)^{-1}$ als Teilmatrix von $(\boldsymbol{X}'\boldsymbol{X})^{-1}$. (Anhang *A 7.2.*)

g) Welchen Rang haben $\boldsymbol{i}\,\boldsymbol{i}'$ und $\boldsymbol{I}-\boldsymbol{i}\,\boldsymbol{i}'/T$?

(2-10) Wie lautet das reduzierte Normalgleichungssystem (2.25′) im Falle einer einfachen Regression?

(2-11) Wie lautet die Schätzformel für $\hat{\beta}$ aus der homogenen Regression $y=\beta x+u$? $\sigma(\hat{\beta})=?$

(2-12) Man zeige mit Hilfe von (2.22′), daß die Regressionshyperebene $\hat{y}=\hat{\beta}_0+\hat{\beta}_1 x_1+\cdots+\hat{\beta}_n x_n$ durch den Schwerpunkt $(\bar{y}, \bar{x}_1, \ldots, \bar{x}_n)$ der Beobachtungspunkte $(y_t, x_{1t}, \ldots, x_{nt})$ geht. Gilt das auch für eine homogene Regression?

2.4.

(2-13) a) Man berechne $\boldsymbol{S}^*$ nach (2.36) für die einfache lineare Regression und bestimme $\sigma^2(\hat{\beta}_0)$ nach (2.38).

b*) Man beweise (2.36) als Spezialfall von (2.55).

(2-14*) Entsprechend (2.42) entwickle man eine Formel für die Kovarianz der KQ-Schätzungen zweier Linearkombinationen $\alpha_1 := \boldsymbol{a}_1' \boldsymbol{\beta}$ und $\alpha_2 := \boldsymbol{a}_2' \boldsymbol{\beta}$.

(2-15) Man berechne den Standardfehler von $\hat{\alpha}+\hat{\beta}$, nachdem diese Parameter aus einer Cobb-Douglas-Produktionsfunktion mit den Standardfehlern $\sigma(\hat{\alpha})$ und $\sigma(\hat{\beta})$ und der Kovarianz $\mathrm{Cov}(\hat{\alpha}, \hat{\beta})$ geschätzt worden sind. Man entwickle hieraus einen Test für die Hypothese $\alpha+\beta=1$.

(2-16) a) Für die Konsumfunktion $C=\beta_0+\beta_1 L+\beta_2 G+u$ soll die Hypothese $\beta_1=\beta_2$ geprüft werden. Man entwickle einen Test aufgrund gegebener KQ-Schätzungen $\hat{\beta}_1, \hat{\beta}_2$ und gegebener Kovarianzmatrix für $(\hat{\beta}_1, \hat{\beta}_2)$.

b) Man forme die Konsumfunktion wie folgt um: $C=\beta_0+(\beta_1-\beta_2)L+\beta_2(G+L)+u$ und prüfe erneut die Signifikanz von $\beta_1-\beta_2$. Wie lautet die Transformationsmatrix $\boldsymbol{A}$ gemäß (2.43)?

(2-17*) Man berechne den asymptotischen Standardfehler von $\hat{\beta}_1/\hat{\beta}_2$, wenn die Kovarianzmatrix von $(\hat{\beta}_1, \hat{\beta}_2)$ gegeben ist (Anhang *B11.8.3.*).

(2-18*) Zur Konsistenz von $\hat{\boldsymbol{\beta}}$ ist hinreichend, daß $\lim \boldsymbol{M}^{-1}<\infty$ existiert. Man zeige am Beispiel der Trendfunktion, daß diese Bedingung noch erfüllt sein kann, wenn (M4) nicht mehr gilt. (Vgl. auch (1-28).)

(2-19*) Wie lautet die Transformationsmatrix $\boldsymbol{C}$ von (2.46) für den Fall, daß $\breve{\boldsymbol{\beta}}$ die KQ-Schätzung $\hat{\boldsymbol{\beta}}$ ist? Man zeige, daß für dieses $\boldsymbol{C}$ (2.47) erfüllt ist.

(2-20) Man zeige (vgl. (2.53)), daß $\hat{\boldsymbol{u}}'\hat{\boldsymbol{u}}=\boldsymbol{u}'\boldsymbol{P}\boldsymbol{u}$ mit $\boldsymbol{P}=\boldsymbol{I}-\boldsymbol{X}(\boldsymbol{X}'\boldsymbol{X})^{-1}\boldsymbol{X}'$, und beweise hieraus die Erwartungstreue von $\hat{\sigma}^2$.

2.5.

(2-21*) Man beweise aufgrund des zentralen Grenzwertsatzes (Anhang *B11.7.3.*), daß $\hat{\boldsymbol{\beta}}$ asymptotisch normalverteilt ist, sofern die x_{it} beschränkt sind und die u_t stochastisch unabhängig sind und alle der gleichen Wahrscheinlichkeitsverteilung folgen.

(2-22*) Man stelle die Likelihoodfunktion für $(\boldsymbol{\beta}, \sigma)$ auf und ermittle das Maximum.

(2-23) Man prüfe anhand des Zahlenbeispiels (S. 96f.) die Hypothese $(\beta_1 = 0{,}3,\ \beta_2 = -0{,}5)$ mit Hilfe der Testvariablen (2.63).

(2-24*) Man konstruiere Tests für die Hypothesen in Aufg. (2-15) und (2-16) nach den Prinzipien von *2.5.4.(d)* mit Hilfe der Testvariablen (2.64).

(2-25) Man zeige mit Hilfe von (2.64′), daß $\hat{\hat{\boldsymbol{u}}}'\hat{\hat{\boldsymbol{u}}} - \hat{\boldsymbol{u}}'\hat{\boldsymbol{u}} = \hat{\boldsymbol{y}}'\hat{\boldsymbol{y}} - \hat{\hat{\boldsymbol{y}}}'\hat{\hat{\boldsymbol{y}}}$.

(2.26) Man schätze die touristische Konsumfunktion nach Menges [1961, S. 126ff.] unter Beachtung des Strukturbruchs in α und prüfe die Hypothese, daß in β kein Strukturbruch eingetreten ist.

(2-27) Es sei (wie in *2.5.5.*) $y = \alpha_1 \varepsilon_1 + \alpha_2 \varepsilon_2 + \beta x + u$. Man zeige, daß $\hat{\beta}$ ein gewogenes Mittel von $\hat{\beta}_1$ und $\hat{\beta}_2$, den geschätzten Regressionskoeffizienten der beiden Teilregressionen, ist mit den Gewichten $T_1 s_1^2(x)$ und $T_2 s_2^2(x)$. Wie lauten die Schätzformeln für $\hat{\alpha}_1$ und $\hat{\alpha}_2$? Man bestätige, daß $\hat{\beta}$ eine genauere Schätzung für β darstellt als $\hat{\beta}_1$ oder $\hat{\beta}_2$, und ebenfalls, daß $\hat{\alpha}_1$ und $\hat{\alpha}_2$ über die angegebene Regression genauer geschätzt werden, als wenn man sie über zwei getrennte Einzelregressionen bestimmen würde.

(2-28*) Die Hypothese $\beta_1 = \beta_2$ in dem Regressionsmodell $y_t = \alpha_1 + \beta_1 x_t + u_t$, $t = 1, \ldots, T_1$, $y_t = \alpha_2 + \beta_2 x_t + u_t$, $t = T_1 + 1, \ldots, T_1 + T_2$ kann auf dreierlei Weise geprüft werden: a) mittels der Testvariablen (2.67), b) mittels (2.64′), c) durch Konstruktion des Konfidenzintervalls für $\beta_1 - \beta_2$. Man weise unter Benutzung der Ergebnisse von (2-27) die Übereinstimmung der drei Verfahren nach.

(2-29) Im Zeitraum $t = 1, \ldots, T$ habe sich das absolute Glied der Regression $y = \alpha + \beta x + u$ dreimal sprunghaft geändert $(\alpha \rightarrow \alpha_1, \alpha_2, \alpha_3)$. Wie lassen sich diese Niveauverschiebungen mit Hilfe von Sprungvariablen in einer einzigen Regression darstellen? Wie sieht das zugehörige Normalgleichungssystem aus?

(2-30) Wie lauten die Normalgleichungen einer Regression, in der Quartalsvariablen (wie in *2.5.6.*) vorkommen? Man analysiere insbesondere den Spezialfall, daß außer den Quartalsvariablen keine weiteren exogenen Variablen vorkommen. Wie sieht die Kovarianzmatrix der Schätzungen aus?

(2-31) Man forme die in *2.5.6.* angegebene Regression so um, daß nur 3 Quartalsvariablen, dafür aber ein absolutes Glied vorkommen. Wie sehen jetzt die Normalgleichungen aus?

(2-32) Man bilde das System der Normalgleichungen für die Regression (2.65) und zeige, daß es in zwei Teilsysteme für (2.65″) zerfällt.

(2-33) In dem Beispiel auf S. 119 wird ein Sprung in dem absoluten Glied (dem autonomen Konsum) unterstellt. Wie läßt sich ein Sprung in der marginalen Konsumquote mit (0,1)-Variablen darstellen?

(2-34) Man zeige, daß ein kleiner Strukturbruch im Regressionskoeffizienten einer einfachen linearen Regression approximativ durch einen Strukturbruch im absoluten Glied ersetzt werden kann, sofern die Variationskoeffizienten von x in den beiden Zeiträumen klein sind (Skizze!).

3. Kollinearität und Fehlspezifikation

3.1. Korrelationskoeffizienten

3.1.1. Multipler Korrelationskoeffizient

Zwar spielen Korrelationskoeffizienten heute längst nicht mehr die Rolle, die ihnen früher in der ökonometrischen Praxis zugestanden wurde, doch werden sie weiterhin sehr oft und gern als Erfolgsausweis nach vollbrachter Schätzleistung herangezogen. Außerdem vermitteln sie im Zusammenhang mit der Regressionsanalyse interessante theoretische Einblicke.

Wir definieren für die inhomogene multiple Regression $\boldsymbol{y}=\boldsymbol{X}\boldsymbol{\beta}+\boldsymbol{u}$ mit $x_0 \equiv 1$ genau wie im Falle der einfachen Regression einen *multiplen Korrelationskoeffizienten* r und ein *multiples Bestimmtheitsmaß* r^2 durch

$$r^2 := \frac{s^2(\hat{y})}{s^2(y)}. \tag{3.1}$$

Das Bestimmtheitsmaß mißt also den Anteil der durch die Regression erklärten Varianz an der Gesamtvarianz der endogenen Variablen. Wegen der Streuungszerlegungsformel (2.27′) können wir hierfür auch schreiben:

$$r^2 = 1 - \frac{s^2(\hat{u})}{s^2(y)}. \tag{3.1′}$$

Diese Formeln stimmen genau überein mit den entsprechenden Formeln im Falle der einfachen Regression (1.28) und (1.29). Jedoch kann der multiple Korrelationskoeffizient im Gegensatz zum einfachen definitionsgemäß nicht negativ sein:

$$0 \leq r \leq 1.$$

Bei $r=1$ ist $s^2(\hat{u})=0$ und die Regressionsgleichung wird von allen Beobachtungspunkten exakt erfüllt. Bei $r=0$ ist $s^2(\hat{y})=0$ und alle (eigentlichen) Regressionskoeffizienten verschwinden.

r^2 ändert nicht seinen Wert, wenn man die $x_1, \ldots, x_n$ oder wenn man y einer beliebigen linearen Transformation unterwirft. (Denn aufgrund der Ergebnisse von *2.4.5.* bleibt $s^2(\hat{u})$ unverändert, wenn nur die x_i linear transformiert werden; wird aber y linear transformiert, dann ändern sich $s(\hat{u})$ und $s(y)$ um den gleichen Faktor; in beiden Fällen bleibt r^2 konstant.) Insbesondere ist r^2 invariant gegenüber Ersetzung der Variablen x_i und y durch ihre standardisierten Werte $(x_i - \bar{x}_i)/s(x_i)$ bzw. $(y-\bar{y})/s(y)$. Ist y standardisiert, dann kann man in (3.1) und (3.1′) den Ausdruck $s^2(y)$ fortlassen, und $1-r^2$ ist die Residualvarianz.

Neben dem multiplen Korrelationskoeffizienten einer Regression von y auf $x_1, x_2, \ldots, x_n$, den wir der Deutlichkeit halber jetzt mit $r_{y \cdot 1, 2, \ldots, n}$ bezeichnen wollen, können noch die sämtlichen einfachen Korrelationskoeffizienten von y mit den x_i, die wir mit r_{yi} bezeichnen und zu dem *Korrelationsvektor* $\boldsymbol{r}$ zusammenfassen wollen, berechnet werden. Aus den einfachen Koeffizienten kann nicht auf den multiplen geschlossen werden. Vielmehr ist dieser erst bestimmt, wenn auch die Korrelationsstruktur zwischen den exogenen Variablen bekannt ist. Sie wird durch die *Korrelationsmatrix* gegeben

$$\boldsymbol{R} := \begin{pmatrix} 1 & r_{12} & \dots & r_{1n} \\ r_{21} & 1 & \dots & r_{2n} \\ \vdots & \vdots & & \vdots \\ r_{n1} & r_{n2} & \dots & 1 \end{pmatrix}.$$

Dabei ist r_{ij} der Korrelationskoeffizient zwischen x_i und x_j, berechnet aus den Zeitreihenvektoren von x_i und x_j, also

$$r_{ij} := \frac{\operatorname{cov}(x_i, x_j)}{s(x_i)\, s(x_j)} = \frac{\sum (x_{it} - \bar{x}_i)(x_{jt} - \bar{x}_j)}{\sqrt{\sum (x_{it} - \bar{x}_i)^2 \sum (x_{jt} - \bar{x}_j)^2}}.$$

Natürlich ist $r_{ii} = 1$. $\boldsymbol{R}$ ist positiv definit, sofern $\boldsymbol{X}$ vollen Rang hat. Denn $\boldsymbol{R}$ geht aus $\boldsymbol{X}^{*\prime}\boldsymbol{X}^*$ mit standardisierten x_i hervor, und $\boldsymbol{X}^{*\prime}\boldsymbol{X}^*$ ist nach *2.3.1.* regulär, sofern $\boldsymbol{X}$ vollen Rang hat – (man beachte, daß die Standardisierung den Rang von $\boldsymbol{X}^{*\prime}\boldsymbol{X}^*$ nicht ändert). Der multiple Korrelationskoeffizient wird dann nach folgender Formel aus den einfachen berechnet:

$$r_{y\cdot 1,\dots,n}^2 = \boldsymbol{r}'\boldsymbol{R}^{-1}\boldsymbol{r}. \tag{3.2}$$

Der *Beweis* beruht auf der Formel $\hat{\boldsymbol{y}}^{*\prime}\hat{\boldsymbol{y}}^* = \boldsymbol{y}^{*\prime}\boldsymbol{X}^*(\boldsymbol{X}^{*\prime}\boldsymbol{X}^*)^{-1}\boldsymbol{X}^{*\prime}\boldsymbol{y}^*$, die man leicht aus (2.26) und (2.25) herleitet und die man mit standardisierten Variablen für $\boldsymbol{y}$ und $\boldsymbol{X}$ aufstellt. Für standardisierte Variablen ist nämlich $\boldsymbol{X}^{*\prime}\boldsymbol{y}^* = \boldsymbol{r}$, $\boldsymbol{X}^{*\prime}\boldsymbol{X}^* = \boldsymbol{R}$ und $\hat{\boldsymbol{y}}^{*\prime}\hat{\boldsymbol{y}}^* = r_{y\cdot 1,\dots,n}^2$.

3.1.2. Partielle Korrelationskoeffizienten*

Nehmen wir an, die beiden exogenen Variablen x_1 und x_2 seien im Beobachtungszeitraum hoch miteinander korreliert und y hänge stochastisch von x_2 ab, was in einer hohen Korrelation zwischen y und x_2 zum Ausdruck kommen möge. Dann wird man fast automatisch auch eine hohe Korrelation zwischen y und x_1 beobachten, obwohl möglicherweise zwischen diesen Variablen gar keine direkte, sondern nur eine über x_2 vermittelte Beziehung besteht. Um den Zusammenhang zwischen y und x_1 unabhängig von dem auf beide wirkenden Einfluß der Variablen x_2 zu messen, wird ein partieller Korrelationskoeffizient zwischen y und x_1 bei Anwesenheit von x_2 wie folgt konstruiert. Man schätzt je eine (inhomogene) Regression von y auf x_2 und von x_1 auf x_2. Die Residuen bezeichnen wir mit $\hat{u}_{(y\cdot 2)t}$ und $\hat{u}_{(1\cdot 2)t}$, $t = 1, \dots, T$. Werden nun die Zeitreihen dieser Residuen miteinander korreliert, dann erhält man den gesuchten partiellen Korrelationskoeffizienten

$$r_{y1\cdot 2} := r(\hat{u}_{y\cdot 2}, \hat{u}_{1\cdot 2}) = \frac{\sum \hat{u}_{(y\cdot 2)t}\, \hat{u}_{(1\cdot 2)t}}{\sqrt{\sum \hat{u}_{(y\cdot 2)t}^2 \sum \hat{u}_{(1\cdot 2)t}^2}}.$$

Allgemein ist der *partielle Korrelationskoeffizient* von y auf x_i bei Anwesenheit der übrigen exogenen Variablen $x_1, \dots, x_{i-1}, x_{i+1}, \dots, x_n$ definiert als der Korrelationskoeffizient der Residuenreihe einer Regression von y auf $x_1, \dots, x_{i-1}, x_{i+1}, \dots, x_n$ mit der Residuenreihe einer Regression von x_i auf $x_1, \dots, x_{i-1}, x_{i+1}, \dots, x_n$:

$$r_{yi \cdot 1, \dots, i-1, i+1, \dots, n} := r(\hat{u}_{y \cdot 1, \dots, i-1, i+1, \dots, n}, \hat{u}_{i \cdot 1, \dots, i-1, i+1, \dots, n}). \tag{3.3}$$

Sein Quadrat, das partielle Bestimmtheitsmaß, gibt an, welcher Teil der nach Erklärung durch $x_1, \dots, x_{i-1}, x_{i+1}, \dots, x_n$ verbleibenden Restvarianz von y durch die unberücksichtigt gebliebene Variable x_i erklärt wird, nachdem auch diese um den Einfluß der Variablen $x_1, \dots, x_{i-1}, x_{i+1}, \dots, x_n$ bereinigt worden ist. Zu jeder Variablen x_i ist auf diese Weise ein partieller Korrelationskoeffizient mit y definiert, der in gewissem Sinne die isolierte Bedeutung der Variablen x_i bei der Erklärung der Varianz von y angibt[1]. Jedoch sollte man sich vor dem Trugschluß hüten, daß die Summe aller partiellen Bestimmtheitsmaße das Gesamtbestimmtheitsmaß ergibt.

Der partielle Korrelationskoeffizient ist invariant gegenüber einer beliebigen positiven linearen Transformation irgend einer der Variablen $y, x_1, x_2, \dots, x_n$. Insbesondere ändert er seinen Wert nicht, wenn die genannten Variablen sämtlich standardisiert werden.

Die Korrelationskoeffizienten hängen in vielfältiger Weise miteinander und mit den Regressionskoeffizienten zusammen. Man hat z.B. die folgende Beziehung

$$r^2_{y1 \cdot 2, 3, \dots, n} = \frac{(r_{y1 \cdot 3, \dots, n} - r_{y2 \cdot 3, \dots, n} r_{12 \cdot 3, \dots, n})^2}{(1 - r^2_{y2 \cdot 3, \dots, n})(1 - r^2_{12 \cdot 3, \dots, n})}, \tag{3.4}$$

die den partiellen Korrelationskoeffizienten auf solche mit weniger Variablen zurückführt. Bei zwei Variablen x_1 und x_2 vereinfacht sich diese Beziehung zu

$$r_{y1 \cdot 2} = \frac{r_{y1} - r_{y2} r_{12}}{\sqrt{1 - r^2_{y2}} \sqrt{1 - r^2_{12}}}. \tag{3.4'}$$

Es kann noch die folgende Gleichung für den multiplen Korrelationskoeffizienten aufgestellt werden, die diesen auf einen partiellen und auf einen multiplen Korrelationskoeffizienten niedrigerer Ordnung zurückführt:

$$1 - r^2_{y \cdot 1, 2, \dots, n} = (1 - r^2_{y \cdot 2, \dots, n})(1 - r^2_{y1 \cdot 2, \dots, n}). \tag{3.5}$$

Diese Gleichung ist wie folgt zu interpretieren: Der durch die Regression von y auf x_1 bis x_n noch nicht erklärte Teil der Varianz von y wird in zwei Faktoren zerlegt: den durch die Regression von y auf x_2 bis x_n noch nicht erklärten Teil und den durch eine Regression von y auf x_1 nach Ausschaltung der Variablen x_2 bis x_n nicht erklärten Teil der Varianz von y.

[1] In der Sprache des Abschnitts *3.2.4.(c)* sind die beiden Residuen von (3.3) die von $x_1, \dots, x_{i-1}, x_{i+1}, \dots, x_n$ bereinigten Variablen y und x_i und können daher auch kurz mit y^* und x_i^* oder ausführlicher mit $y^*_{\cdot 1, \dots, i-1, i+1, \dots, n}$ und $x^*_{i \cdot 1, \dots, i-1, i+1, \dots, n}$ bezeichnet werden.

In der folgenden Form gestattet (3.5) eine interessante Interpretation[2])

$$r^2_{y\cdot 1,2,\ldots,n} = r^2_{y\cdot 2,\ldots,n} + (1 - r^2_{y\cdot 2,\ldots,n})\, r^2_{y1\cdot 2,\ldots,n}. \qquad (3.5')$$

Der Anteil der Varianz von y, der durch sämtliche Variablen x_1 bis x_n erklärt wird, läßt sich in zwei Bestandteile zerlegen: den durch die Variablen x_2 bis x_n erklärten Teil der Varianz von y und den durch x_2 bis x_n nicht erklärten Anteil, multipliziert mit dem Teil dieser noch nicht erklärten Varianz, der von x_1 erklärt wird, nachdem der Einfluß der Variablen x_2 bis x_n ausgeschaltet worden ist.

Der *Beweis* beruht auf den in *3.2.4. (c)* dargestellten Eigenschaften des Bereinigungsverfahrens: Werden die Variablen y und x_1 um den Einfluß der Variablen $x_2, \ldots, x_n$ bereinigt, so daß man die bereinigten Variablen $y^*_{\cdot 2,\ldots,n}$ und $x^*_{1\cdot 2,\ldots,n}$ erhält, dann ist nach (3.11) der Residuenvektor einer Regression von $y^*_{\cdot 2,\ldots,n}$ auf $x^*_{1\cdot 2,\ldots,n}$, welchen wir hier mit $\hat{\boldsymbol{u}}^*$ bezeichnen wollen, identisch mit dem Residuenvektor $\hat{\boldsymbol{u}}$ einer Regression von y auf $x_1, x_2, \ldots, x_n$. Dabei ist die bereinigte Variable $y^*_{\cdot 2,\ldots,n}$ definitionsgemäß das Residuum einer Regression von y auf $x_2, \ldots, x_n$ und ähnlich $x^*_{1\cdot 2,\ldots,n}$ das Residuum einer Regression von x_1 auf $x_2, \ldots, x_n$. Der Korrelationskoeffizient zwischen beiden ist gerade der partielle Korrelationskoeffizient $r_{y1\cdot 2,\ldots,n}$.

Hieraus und aus $\hat{\boldsymbol{u}}^* = \hat{\boldsymbol{u}}$ folgt nun ohne Schwierigkeit (3.5): Man standardisiere die Variablen $y, x_1, x_2, \ldots, x_n$. Dann ist nach (3.1'):

$$\begin{aligned} 1 - r^2_{y\cdot 1,\ldots,n} &= s^2(\hat{u}) = s^2(\hat{u}^*) = (1 - r^2_{y1\cdot 2,\ldots,n})\, s^2(y^*_{\cdot 2,\ldots,n}) \\ &= (1 - r^2_{y1\cdot 2,\ldots,n})(1 - r^2_{y\cdot 2,\ldots,n}), \text{ w.z.b.w.} \end{aligned}$$

Ähnlich läßt sich (3.4) *beweisen:* Man bestätige zunächst durch direktes Ausrechnen den Spezialfall (3.4') (vgl. (3-3)). Dann wende man (3.4') statt auf y, x_1, x_2 auf die bereinigten Variablen $y^*_{\cdot 3,\ldots,n}$, $x^*_{1\cdot 3,\ldots,n}$, $x^*_{2\cdot 3,\ldots,n}$ an und erhält unmittelbar (3.4). Dabei ist nur zu beachten, daß der partielle Korrelationskoeffizient zwischen $y^*_{\cdot 3,\ldots,n}$ und $x^*_{1\cdot 3,\ldots,n}$ bei Anwesenheit von $x^*_{2\cdot 3,\ldots,n}$ gleich dem partiellen Korrelationskoeffizienten zwischen y und x_1 bei Anwesenheit von $x_2, x_3, \ldots, x_n$ ist. Denn die von $x^*_{2\cdot 3,\ldots,n}$ bereinigten Variablen $y^*_{\cdot 3,\ldots,n}$ und $x^*_{1\cdot 3,\ldots,n}$ sind gerade die Variablen $y^*_{\cdot 2,\ldots,n}$ und $x^*_{1\cdot 2,\ldots,n}$ (zweimalige Bereinigung).

2) Vgl. Goldberger [1968, S. 42ff., bes. S. 48].

(3.4) und (3.5) können zur rekursiven Berechnung von multiplen und partiellen Korrelationskoeffizienten herangezogen werden.

Beispiel: In unserem Zahlenbeispiel (S. 96f.) haben Korrelationsmatrix und Korrelationsvektor die folgende Gestalt:

$$\boldsymbol{R}=\begin{pmatrix} 1 & -0{,}585 \\ -0{,}585 & 1 \end{pmatrix} \qquad \boldsymbol{r}=\begin{pmatrix} 0{,}958 \\ -0{,}781 \end{pmatrix}.$$

Man errechnet für die partiellen Korrelationskoeffizienten nach (3.4'):

$$r_{y1\cdot 2}=\frac{0{,}958-(-0{,}781)(-0{,}585)}{\sqrt{1-0{,}781^2}\sqrt{1-0{,}585^2}}=0{,}989$$

$$r_{y2\cdot 1}=\frac{-0{,}781-(0{,}958)(-0{,}585)}{\sqrt{1-0{,}958^2}\sqrt{1-0{,}585^2}}=-0{,}948$$

und für den multiplen Korrelationskoeffizienten nach (3.5):

$$1-r_{y\cdot 12}^2=(1-0{,}781^2)(1-0{,}989^2), \quad \text{also} \quad r_{y\cdot 12}=0{,}996.$$

3.1.3.* *Korrelations- und Regressionskoeffizienten*

In der folgenden Formel wird eine Beziehung zwischen partiellen Korrelations- und Regressionskoeffizienten aufgestellt.

$$\sqrt{\frac{r_{yi\cdot 1,\ldots,i-1,i+1,\ldots,n}^2}{1-r_{yi\cdot 1,\ldots,i-1,i+1,\ldots,n}^2}}=|\hat{\beta}_i|\,\frac{s(x_i)\sqrt{1-r_{i\cdot 1,\ldots,i-1,i+1,\ldots,n}^2}}{s(y)\sqrt{1-r_{y\cdot 1,\ldots,n}^2}}. \tag{3.6}$$

Man *beweist* sie, indem man (1.30) auf die Definition (3.3) anwendet, ferner von der Eigenschaft Gebrauch macht, daß der Regressionskoeffizient sich nicht ändert, wenn man sämtliche an einer Regression beteiligten Variablen um den Einfluß einer oder mehrerer exogener Variablen bereinigt (vgl. *3.2.4.c*), und schließlich (3.5) heranzieht [Aufg. (3-6)].

Auf der linken Seite von (3.6) steht unter der Wurzel das Verhältnis des Anteils der durch x_i erklärten zu dem Anteil der nicht erklärten Varianz von y, nachdem beide Variablen um den Einfluß der übrigen exogenen Variablen $x_1, \ldots, x_{i-1}, x_{i+1}, \ldots, x_n$ bereinigt worden sind. Dieser Quotient ist proportional zu $\hat{\beta}_i$ und zur Standardabweichung von x_i, nachdem der auf die übrigen exogenen Variablen zurückführbare Einfluß in der Varianz von x_i ausgeschaltet worden ist, was formal durch Multiplikation mit der Wurzel aus $1-r_{i\cdot 1,\ldots,i-1,i+1,\ldots,n}^2$ geschehen ist.

Die Bedeutung des von der Variablen x_i ausgehenden Einflusses auf y wird also keineswegs durch den Regressionskoeffizienten β_i allein wiedergegeben. Daß dieser tatsächlich ein unzureichendes und gelegentlich sogar irreführendes Bild von der Bedeutung einer Einflußgröße x_i gibt, geht schon aus seiner Abhängigkeit von Maßstabsänderungen hervor: Wird die Maßeinheit, mit der x_i gemessen wird, abgeändert, so ändert sich entsprechend auch der Regressionskoeffizient β_i. Dieser ist eben keine reine Zahl (wie der Korrelationskoeffizient), sondern eine dimensionierte Zahl und wird gemessen in Einheiten der Variablen y pro Einheit der Variable x_i. Kommen nun in einer Regression Variablen mit ganz unterschiedlichen Maßeinheiten vor und entsprechend mit verschieden großen Streuungen, dann kann einem nominell kleinen Regressionskoeffizienten eine relativ große Bedeutung zukommen, nämlich dann, wenn er bei einer Variablen steht, die sehr lebhaft variiert. In (3.6) kommt dieser Gesichtspunkt zum Ausdruck, doch ist als Variationsmaß für die Variable x_i die Wurzel aus der Residualvarianz von x_i nach Ausschaltung des Einflusses der übrigen exogenen Variablen gewählt worden. Ebenso gut oder noch besser ist die Wahl der unbereinigten Standardabweichung $s(x_i)$ von x_i, da sie zeigt, wie stark die Variable x_i im Beobachtungszeitraum variierte. Wenn man diese Standardabweichung noch auf $s(y)$ bezieht, gelangt man zu folgendem *standardisierten Regressionskoeffizienten:*

$$*\hat{\beta}_i = \hat{\beta}_i \frac{s(x_i)}{s(y)}. \tag{3.6'}$$

Er wird zu einem gewöhnlichen Regressionskoeffizienten, wenn man die Regression von y auf $x_1, \ldots, x_n$ mit standardisierten Werten aufstellt und schätzt.

Beispiel: In einer Investitionsfunktion werde die Nettoanlageinvestition I auf den Zuwachs des Sozialprodukts ΔY und auf einen geeigneten Zinssatz i bezogen. Die erste Variable wird z.B. in Milliarden DM, die zweite in Prozentpunkten gemessen. Schwankt der Zinssatz nur geringfügig, dann muß der zugehörige Regressionskoeffizient genügend groß sein, damit ein dem Akzelerator entsprechender Einfluß auch für den Zinssatz behauptet werden kann. Werden aber alle Variablen standardisiert, dann ist ein Vergleich der Bedeutung der einzelnen Einflußgrößen eher möglich.

Die Frage der Bedeutung eines Einflußfaktors innerhalb einer Regression ist unabhängig von dem Signifikanzproblem zu sehen. Eine exogene Variable kann hoch signifikant sein und dennoch einen verhältnismäßig unbedeutenden Beitrag leisten. Die Signifikanz wird nämlich wesentlich von dem Stichprobenumfang bestimmt, der andererseits keinen Einfluß auf die Bedeutung einzelner Variablen hat. Überhaupt sind alle in diesem Abschnitt *3.1.* angegebenen Eigenschaften und Beziehungen zwischen Korrelations- und (geschätzten) Regressionskoeffizienten ganz unabhängig von der Signifikanzfrage erörtert worden. Diese Frage und das mit ihr zusammenhängende Problem des Schätzfehlers bei Korrelationskoeffizienten ist nicht einfach zu behandeln, zumal nicht ganz klar ist, welche Modellparameter eigentlich mit den Korrelationskoeffizienten geschätzt werden sollen. Wir wollen dieses Problem hier nicht weiter verfolgen; die in (*2.5.4.*) entwickelten Tests genügen für die meisten ökonometrischen Untersuchungen.

Es können noch viele andere Beziehungen aufgestellt werden, insbesondere solche, in denen die Koeffizienten von Umkehrregressionen vorkommen (vgl. (*1.2.5.*)). Sie dienen der weiteren Erhellung der komplexen Korrelationsstruktur unter den endogenen und exogenen Variablen. Diese kann sogar in den sogenannten *Büschelkarten* bis zu einem gewissen Grade sichtbar gemacht werden. Die mit diesem Instrument arbeitende „Konfluenzanalyse", die auf Ragnar Frisch zurückgeht, spielte früher in der Ökonometrie eine nicht unerhebliche Rolle, hat aber an Bedeutung verloren, vor allem wohl wegen den mit der Berechnung von Schätzfehlern verbundenen Schwierigkeiten [3)].

Wichtig ist noch der folgende Zusammenhang, anhand dessen die partiellen Korrelationskoeffizienten leicht berechnet werden können, wenn erst einmal die zugehörige multiple Regression voll bestimmt ist:

$$r_{yi\cdot 1,\ldots,i-1,i+1,\ldots,n}=\frac{\hat{\beta}_i}{\sqrt{\hat{\beta}_i^2+(T-n-1)\hat{\sigma}^2(\hat{\beta}_i)}}. \tag{3.7}$$

Man erkennt, daß das partielle Bestimmtheitsmaß eine monotone Funktion des Quotienten $|\hat{\beta}_i|/\hat{\sigma}(\hat{\beta}_i)$ ist, den wir als Testvariable zur Signifikanzprüfung bereits kennengelernt haben (2.62).

Den *Beweis* führen wir der Einfachheit halber o.B.d.A. für $i=1$. Zunächst leiten wir eine bemerkenswerte Formel für den Standardschätzfehler von $\hat{\beta}_1$ her:

$$\hat{\sigma}^2(\hat{\beta}_1)=\frac{\hat{\sigma}^2}{T}[s^2(x_1)(1-r_{1\cdot 2,\ldots,n}^2)]^{-1}. \tag{3.8}$$

Sie folgt aus (2.55), angewandt auf Variablen, die als Abweichung vom Mittel gemessen sind, mit $\boldsymbol{X}_1^*=\boldsymbol{x}_1^*$ und $\boldsymbol{X}_2^*=(\boldsymbol{x}_2^*,\ldots,\boldsymbol{x}_n^*)$. Danach ist

$$\sigma^2(\hat{\beta}_1)=\sigma^2/T[s^2(x_1)(1-\boldsymbol{r}_1'\boldsymbol{R}_{11}^{-1}\boldsymbol{r}_1)]^{-1},$$

wobei $\boldsymbol{R}_{11}$ die Korrelationsmatrix der $x_2,\ldots,x_n$ bedeutet und $\boldsymbol{r}_1$ der Korrelationsvektor zwischen x_1 und $(x_2,\ldots,x_n)$. Nach (3.2) ist aber $\boldsymbol{r}_1'\boldsymbol{R}_{11}^{-1}\boldsymbol{r}_1=r_{1\cdot 2,\ldots,n}^2$, womit (3.8) bewiesen ist. Setzt man (3.8) in (3.6) ein und berücksichtigt man, daß

$$s^2(y)(1-r_{y\cdot 1,\ldots,n}^2)=s^2(\hat{u})=\hat{\sigma}^2(T-n-1)/T,$$

dann erhält man

$$r_{y1\cdot 2,\ldots,n}^2/(1-r_{y1\cdot 2,\ldots,n}^2)=\hat{\beta}_1^2/[(T-n-1)\hat{\sigma}^2(\hat{\beta}_1)].$$

Hieraus folgt sofort (3.7), wobei noch zu beachten ist, daß $r_{y1\cdot 2,\ldots,n}$ und $\hat{\beta}_1$ das gleiche Vorzeichen haben, wie aus dem Beweis zu (3.6) folgt (Aufg. (3-6)), w.z.b.w.

3.2. Kollinearität

3.2.1. Exakte lineare Abhängigkeiten

Die oft zu beobachtende hohe Korrelation zwischen den exogenen Variablen (wie sie etwa in der Korrelationsmatrix $\boldsymbol{R}$ zum Ausdruck kommt) bringt große Schwierigkeiten bei den Parameterschätzungen mit sich. Hohe Korrelation ist fast immer bei Zeitreihendaten vorhanden, da sie gewöhnlich alle mehr oder weniger

[3)] Vgl. Menges [1961, S. 146ff.] und Malinvaud [S. 32ff.].

stark trendbehaftet sind. Aber auch Querschnittsdaten zeigen oft eine hohe Korrelation unter den erklärenden Variablen.

Beispiel: Die Produktionsfaktoren Arbeits- und Kapitaleinsatz bewegen sich weitgehend parallel, wenn man die Unternehmen einer bestimmten Branche untersucht: ein Unternehmen, das viel Kapital einsetzt, hat gewöhnlich auch viele Arbeiter eingestellt. Will man daher einen Substitutionseffekt innerhalb einer bestimmten Branche messen (besser: schätzen), dann ist man auf die Auswertung nur geringfügiger Schwankungen in der Kapitalintensität angewiesen. Entsprechend ungenau werden auch die Schätzungen.

Ähnliches gilt, will man die Sparneigung von Haushalten u.a. durch die Variablen Einkommen und Ersparnisse (Vermögen) erklären: Haushalte mit hohem Einkommen haben gewöhnlich auch große Ersparnisse. Nimmt man als weitere erklärende Variable etwa noch das Alter des Haushaltsvorstandes hinzu, so kommen neue Korrelationen ins Spiel: je älter der Haushaltsvorstand, um so größer ist im allgemeinen das Einkommen und um so mehr Ersparnisse haben sich angesammelt.

Um die Auswirkungen dieser Korrelationsstruktur in „Reinkultur" studieren zu können, betrachten wir zunächst den Fall eines exakten linearen Zusammenhangs zwischen zwei Variablen. Es sei also in der Regression

$$y=\beta_0+\beta_1 x_1+\beta_2 x_2+\beta_3 x_3+u$$

die Variable x_1 exakt proportional zu x_2 (zumindest im Beobachtungszeitraum):

$$x_{1t}=a x_{2t} \qquad \text{für } t=1, \ldots, T.$$

Dann ist eine Schätzung von β_1 und β_2 offenbar nicht möglich, wie man besonders deutlich sieht, wenn man die Regression wie folgt umschreibt:

$$y=\beta_0+(\beta_1 a+\beta_2) x_2+\beta_3 x_3+u.$$

Man kann nun dem Parameter β_1 irgend einen beliebigen Wert geben, wenn man zugleich β_2 so wählt, daß der bei x_2 stehende Koeffizient $\gamma=\beta_1 a+\beta_2$ konstant bleibt. Wir können also zwar γ schätzen, einen Parameter, in dem der Einfluß von x_1 und x_2 zusammen gemessen wird, aber die Einzelparameter sind daraus nicht zu isolieren. Wir sagen auch: Die Parameter β_1 und β_2 sind nicht *identifizierbar* und der Einfluß von x_1 und x_2 auf y ist nicht eindeutig den beiden Variablen zurechenbar. Diese Schwierigkeit hat nichts mit der Ungenauigkeit des Schätzvorganges zu tun; γ mag beliebig genau schätzbar sein, dennoch gibt es keine Möglichkeit β_1 und β_2 zu bestimmen.

Liegt eine allgemeine lineare Abhängigkeit zwischen x_1 und x_2 vor, etwa der Form $x_1=a x_2+b$ mit $b \neq 0$, dann ist auch das absolute Glied β_0 nicht identifizierbar. Allgemein: existiert eine lineare Abhängigkeit zwischen den exogenen Variablen einer Regression, dann sind die Parameter derjenigen Variablen, die in diese Abhängigkeit verstrickt sind, nicht identifizierbar.

Man kann dieses Phänomen auch dadurch verstehen, daß man sich klarmacht, daß lineare Abhängigkeiten die freie Variabilität der exogenen Variablen einschränken und diese daher ihre separaten Einflußmöglichkeiten nicht zeigen können.

Formal bedeutet lineare Abhängigkeit, daß $\mathrm{Rg}\,\boldsymbol{X} < n+1$ ist und daher $\boldsymbol{X}'\boldsymbol{X}$ singulär wird. Damit ist die Voraussetzung (M 3) verletzt. $\boldsymbol{X}'\boldsymbol{X}$ ist nicht invertierbar und daher das System der Normalgleichungen nicht eindeutig lösbar.

Beispiel: Lineare Abhängigkeiten zwischen den exogenen Variablen im Beobachtungszeitraum erscheinen automatisch, wenn $T < n+1$. Denn dann ist $\mathrm{Rg}\,\boldsymbol{X} < n+1$. Von diesem Fall abgesehen, ist eine *strenge* lineare Abhängigkeit äußerst unwahrscheinlich[4], es sei denn, daß bei der Aufstellung des Regressionsmodells ein Fehler unterlaufen ist. Daß Fehler immerhin möglich sind, zeigt das folgende Beispiel: Die Lohnsumme L wird zunächst als Funktion des Faktoreinkommens Y angesetzt. Um besondere Einflüsse der konjunkturellen Situation zu berücksichtigen, wird noch die Abweichung des Einkommens von seinem als linear angenommenen Trend eingeführt $Y_K = Y - a_Y - b_Y t$. Schließlich kommt man vielleicht auf die Idee, auch noch die Trendvariable t selbst als erklärende Variable einzubeziehen, so daß man also zu der Regression $L = \beta_0 + \beta_1 Y + \beta_2 Y_K + \beta_3 t$ gelangt. Natürlich sind die Parameter jetzt nicht identifizierbar, denn zwischen Y, Y_K und t besteht eine exakte lineare Relation.

3.2.2. Stochastische lineare Abhängigkeiten

Exakte lineare Abhängigkeiten in den exogenen Variablen kommen, von Ausnahmen abgesehen, in der ökonometrischen Praxis nicht vor. Angenäherte, von kleinen Zufallsstörungen überlagerte Abhängigkeiten sind dagegen das tägliche Brot des praktisch arbeitenden Ökonometrikers. Diese zumeist hochgradige Interkorrelation zwischen den exogenen Variablen, zu der wir eingangs Beispiele brachten, wird als *Kollinearität* (auch: *Multikollinearität*) bezeichnet, ein Begriff, der damit nicht exakt, sondern nur graduell als relativer Begriff definiert ist.

Kollinearität ist insofern von Übel, als in ihrem Gefolge gerade die Unbestimmtheiten, die wir für den Fall exakter linearer Abhängigkeiten kennengelernt haben, wieder auftauchen, wenn auch in abgeschwächter Form. Zwar sind die Parameter im Prinzip identifizierbar, dennoch lassen sich die Einzeleinflüsse der exogenen Variablen nur ungenau identifizieren: Das Zurechnungsproblem ist **nicht** exakt lösbar. Außerdem ist man vor Fehlspezifikation wenig geschützt (vgl. *3.3.*).

Formal bedeutet hohe Kollinearität, daß die Matrix $\boldsymbol{X}'\boldsymbol{X}$ fast singulär ist. Ihre Determinante ist zwar nicht genau, aber doch fast gleich Null. Das führt erstens zu rechnerischen Komplikationen und zweitens zu hohen Schätzfehlern. Bei der Inversion einer fast singulären Matrix treten leicht *hohe Rundungsfehler* auf, auch dann, wenn mit sehr vielen Stellen gerechnet wird[5]. Bisweilen streikt sogar eine Rechenmaschine und wirft für gewisse Elemente der Inversen das Resultat „∞“ aus, obwohl natürlich $(\boldsymbol{X}'\boldsymbol{X})^{-1}$ theoretisch existiert und endlich ist. Dies wird verständlich, wenn man bedenkt, daß bei der Inversion von $\boldsymbol{X}'\boldsymbol{X}$ durch die Determinante dieser Matrix dividiert werden muß. Ist letztere sehr klein, dann können sehr große Elemente in der Inversen vorkommen, es sei denn, daß auch der Zähler,

[4] Daß auch in diesem Fall (in beschränktem Umfang) sinnvolle Schätzungen möglich sind, erfährt man z.B. bei SCHÖNFELD [S. 82ff.].

[5] Es ist übrigens rechentechnisch vorteilhaft, wenn man alle Regressoren so normiert, daß die Diagonalelemente von $\boldsymbol{X}'\boldsymbol{X}$ etwa von gleicher Größenordnung sind. Vgl. z.B. das Rechenbeispiel bei GOLDBERGER [1964, S. 187ff.].

die Adjunkte eines Elementes von $X'X$, sehr klein ist. Dann aber werden kleine Zahlen durch kleine Zahlen dividiert, was zu äußerst ungenauen Ergebnissen führen kann, wenn diese Zahlen mit Rundungsfehlern behaftet sind.

Zugleich wird verständlich, warum leicht *große Schätzfehler* auftreten können, ist doch $(X'X)^{-1}$ ein wesentlicher Bestandteil von S (vgl. (2.34)).

Nach (3.8) ist besonders dann mit großen Schätzfehlern für $\hat{\beta}_i$ zu rechnen, wenn x_i von den übrigen exogenen Variablen fast exakt linear abhängt, d.h. wenn $r_{i \cdot 1, \ldots, i-1, i+1, \ldots, n} \doteq 1$ ist.

Die *schwache Identifizierbarkeit* zwischen zwei (oder mehreren) Parametern kommt formal dadurch zum Ausdruck, daß zwischen den Parameterschätzvariablen eine hohe Kovarianz besteht, und das bedeutet, daß eine zufällige Überschätzung des einen Parameters fast automatisch mit einer Unterschätzung des anderen Parameters einhergeht. Die Konfidenzellipse zweier derart verbundener Parameter wird gewöhnlich eine sehr schmale Gestalt besitzen und schräg im Koordinatensystem liegen. Im Extremfall einer exakten linearen Abhängigkeit degeneriert die Konfidenzellipse zu einer unendlich langen, schräg liegenden Geraden. Auch die Standardfehler werden, wie wir sehen, sehr leicht unverhältnismäßig große Werte annehmen – sie „explodieren". Dabei kann dann gerade die in Abb. 2.2 geschilderte Situation eintreten, daß nämlich der Gesamteinfluß zweier (oder mehrerer) Variablen gut gesichert ist, daß dieser sich aber auf die Einzelvariablen derart ungenau aufteilen läßt, daß keine von ihnen, je für sich genommen, als signifikant erscheint.

In der Tat können geeignete *Linearkombinationen* von sehr ungenauen Größen sehr genau sein, wenn nämlich zwischen den Größen eine hohe Korrelation besteht und diese bei der Bildung der Linearkombination berücksichtigt wird. So ist etwa die Summe zweier hochgradig negativ korrelierter, sehr ungenauer Parameterschätzungen wieder relativ genau, denn $V(\hat{\beta}_1 + \hat{\beta}_2) = V(\hat{\beta}_1) + V(\hat{\beta}_2) + 2\,\mathrm{Cov}(\hat{\beta}_1, \hat{\beta}_2)$ (vgl. auch *2.4.5.* sowie SILVEY [1969]).

Die *Prognoseformel* (2.68) ist eine solche Linearkombination, und solange die Werte der exogenen Variablen in der Prognoseperiode ungefähr in denselben linearen Beziehungen zueinander stehen, wie sie in dem Schätzzeitraum beobachtet wurden, wird der Prognosefehler trotz erheblicher Kollinearität noch verhältnismäßig klein ausfallen. Die Schätzfehler spielen dann keine Rolle, sie heben sich durch die Bildung der Linearkombination weitgehend auf (vgl. auch *3.2.3.*).

Zu einem schwerwiegenden Defekt wird die Kollinearität erst dann, wenn sie im Prognosezeitraum zerfällt oder sich andere Korrelationen zwischen den exogenen Variablen ausbilden. Das ist z. B. dann der Fall, wenn eine exogene Variable Instrumentalcharakter hat und wenn die ökonometrische Analyse zu dem Zweck vorgenommen wurde, für die Abschätzung der Auswirkungen alternativer Setzungen der Instrumentalvariable ein sicheres Fundament zu liefern. Wenn nun während des Schätzzeitraumes die Werte der Instrumentalvariablen mit anderen exogenen Variablen stark korrelierten, dann wird der Regressionsparameter der Instrumentalvariablen nur sehr ungenau geschätzt werden können. Das wiederum führt zu unsicheren Prognosen, wenn nun auf einmal autonome (nicht mehr mit den anderen Variablen korrelierte) Änderungen der Instrumentalvariablen erwogen werden. Zur Beurteilung solcher wirtschaftspolitischer Absichten liefert eben eine Regressionsanalyse mit starker Kollinearität kein sicheres Fundament.

3.2.3. Beispiel: 2 exogene Variablen

Es sei

$$y_t = \beta_0 + \beta_1 x_{1t} + \beta_2 x_{2t} + u_t, \qquad t = 1, \ldots, T.$$

Geometrisch bedeutet die Schätzung dieser Regression die Anpassung eines dreidimensionalen Punktehaufens durch eine Regressionsebene im (x_1, x_2, y)-Koordinatensystem.

Diese läßt sich sehr genau durch den Punktehaufen legen und die Schätzfehler für die Parameter sind klein, wenn:

a) die u-Werte wenig streuen,
b) die Zahl der Beobachtungen groß ist,
c) die Projektion des Punktehaufens in die (x_1, x_2)-Ebene nach allen Richtungen weit ausgedehnt ist.

Der Schätzfehler ist jedoch cet. par. groß, wenn der projizierte Punktehaufen in der (x_1, x_2)-Ebene in einem kleinen Fleck oder einem schmalen Streifen dicht zusammengeballt ist. Variieren die x_1- und x_2-Werte beide nur wenig, so kann der Einfluß dieser Variationen auch kaum bestimmt werden, d.h. β_1 und β_2 sind schwer oder kaum zu schätzen. Ergibt andererseits die Projektion des Punktehaufens auf die (x_1, x_2)-Ebene einen Punktehaufen, der sich ziemlich eng um eine Gerade in der (x_1, x_2)-Ebene schart, so können sich zwar die x_1- bzw. x_2-Werte je für sich frei bewegen, aber nicht unabhängig voneinander. Sie sind eng miteinander korreliert, sie sind kollinear. Dies ist der Fall, wenn der Punktehaufen im (x_1, x_2, y)-Koordinatenraum eine schlauchförmige Gestalt hat, für die zwar eine Achse sicher ist, durch die sämtliche denkbaren Regressionsebenen hindurchgehen, die Lage der

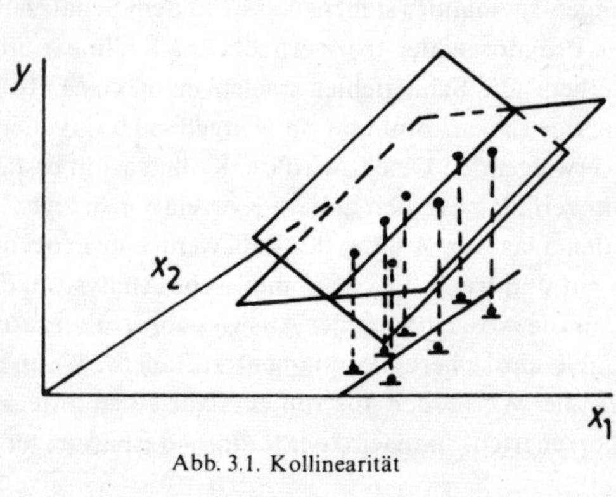

Abb. 3.1. Kollinearität

Regressionsebene ansonsten aber nur schwer schätzbar ist. Somit sind auch die Parameterschätzungen ungenau.

Analytisch erkennen wir die Auswirkung einer hohen Korrelation r_{12} zwischen x_1 und x_2, wenn wir die *Kovarianzmatrix* $\boldsymbol{S}^*$ der Parameterschätzungen $\hat{\beta}_1$ und $\hat{\beta}_2$ nach (2.36‴) wie folgt umformen:

$$\boldsymbol{S}^* = \frac{\sigma^2}{T(1-r_{12}^2)} \begin{pmatrix} \frac{1}{s_1^2} & -\frac{r_{12}}{s_1 s_2} \\ -\frac{r_{21}}{s_2 s_1} & \frac{1}{s_2^2} \end{pmatrix}. \tag{3.9}$$

Dabei steht s_i abkürzend für $s(x_i)$, $i=1,2$. Man erkennt unmittelbar, daß eine Korrelation nahe bei Eins zu enorm großen Standardschätzfehlern führt. Desgleichen wird die Kovarianz zwischen $\hat{\beta}_1$ und $\hat{\beta}_2$ groß. Ihre Korrelation beträgt genau $-r_{12}$. Sie ist also bei positiver Korrelation der exogenen Variablen negativ, d.h. bei Überschätzung von $\hat{\beta}_1$ wird entsprechend $\hat{\beta}_2$ unterschätzt. Die Konfidenzellipse ist von links oben nach rechts unten, also „fallend" geneigt wie in Abb. 2.2 und um so schmaler, je größer r_{12}.

Ein derart einfacher Zusammenhang der Korrelation der exogenen Variablen mit der Korrelation der Schätzvariablen besteht freilich nicht mehr, wenn mehr als zwei exogene Variablen im Spiel sind (vgl. aber (3.8)).

Betrachten wir noch den *Prognosefehler*, wenn in der Prognoseperiode τ die exogenen Variablen etwa in dem Verhältnis zueinander stehen, wie es in dem Schätzzeitraum beobachtet wurde. Genauer: b_{12} sei der empirische Regressionskoeffizient einer Regression von x_1 auf x_2. Dann ist nach (1.30) $b_{12}=r_{12}\,s_1/s_2$. Der Punkt $(x_{1\tau}, x_{2\tau})$ liege auf dieser Regressionsgeraden. Dann ist $x_{1\tau}^*:x_{2\tau}^*=r_{12}\,s_1:s_2$. Nehmen wir der Einfachheit halber an, es sei $x_{1\tau}^*=r_{12}\,s_1$ und $x_{2\tau}^*=s_2$. Dann ist nach (2.70′) und (3.9) die Prognosefehlervarianz

$$V(e_\tau)=\sigma^2\left(1+\frac{1}{T}\right)+\sigma^2\frac{1}{T}=\sigma^2\left(1+\frac{2}{T}\right).$$

Der Faktor $1-r_{12}^2$ hebt sich weg, und der Prognosestandardfehler bleibt in der Größenordnung von σ, unabhängig von der Höhe der Korrelation r_{12} und damit auch unabhängig von eventuell großen Schätzfehlern. Eine ganz andere Situation mit großem Prognosefehler erhalten wir, wenn etwa $x_{2\tau}^*=-s_2$ und $x_{1\tau}^*$ wie bisher ist.

3.2.4. Versuche zur Überwindung der Kollinearität

Nachdem wir das Übel der Kollinearität kennengelernt haben, werden wir uns nach Möglichkeiten der Abhilfe umsehen. Es ist zu fragen, ob man nicht durch geeignete Umorganisation und Manipulation des Beobachtungsmaterials bessere Sehätzungen erhält, die vom Makel der Kollinearität befreit sind.

a) Variablenunterdrückung

Ein simples, aber auch sehr grobschlächtiges Verfahren, Kollinearität zu beseitigen, besteht darin, eine oder mehrere der interkorrelierten Variablen zu beseitigen. Sicherlich weisen dann die übrigbleibenden Variablen nur noch eine vergleichsweise geringe Kollinearität auf. Die geschätzten Parameter mögen dann sogar formal einen kleinen Standardfehler aufweisen und hoch signifikant erscheinen. Doch besteht die Gefahr eines hohen systematischen Fehlers (vgl. *3.3.1.*). Freilich ist diese Gefahr gering zu schätzen, wenn mit der geschätzten Regression Prognosen intendiert werden und wenn im Prognosezeitraum die Interkorrelation der exogenen Variablen bestehen bleibt. Andererseits kann in diesem Fall auch die vollständige Regression ohne Bedenken zur Prognose verwendet werden. Sie ist sogar im Prinzip vorzuziehen, da sie alle vorhandene Information ausnutzt und auch, weil sie keine hohe Schätzgenauigkeit vortäuscht. Das Unterdrücken hochkorrelierter Variablen kann allenfalls aus rechentechnischen Gründen erforderlich sein, weil andernfalls die Rundungsfehler zu stark ins Gewicht fallen würden (vgl. *3.2.2.*).

b) Lineare Variablentransformation

Ein subtileres Verfahren, die Kollinearität u. U. zu reduzieren oder gar zu beseitigen, besteht darin, die exogenen Variablen durch geeignete Linearkombinationen zu ersetzen. Sind beispielsweise x_1 und x_2 hochgradig korreliert und nehmen wir der Einfachheit halber an, es handle sich um standardisierte Variablen, dann sind die Variablen x_1 und $x'_2 = x_1 - x_2$ fast unkorreliert (vgl. Aufg. (3-15)). Eine Regression in den ursprünglichen Variablen, etwa

$$y = \beta_0 + \beta_1 x_1 + \beta_2 x_2 + u$$

ist aber äquivalent zu der Regression in den transformierten Variablen (vgl. das Beispiel im Anschluß an (2.45)):

$$y = \beta_0 + \beta'_1 x_1 + \beta'_2 x'_2 + u$$

mit $\beta'_1 = \beta_1 + \beta_2$ und $\beta'_2 = -\beta_2$. Da x_1 und x'_2 kaum noch korreliert sind, besteht auch nur eine geringe Korrelation zwischen $\hat{\beta}'_1$ und $\hat{\beta}'_2$: Der Gesamteinfluß der beiden Variablen x_1 und x'_2 ist relativ sicher auf diese aufteilbar. Dennoch ist die Schätzung des Parameters β'_2 mit demselben großen Schätzfehler behaftet wie die Schätzung von $\beta_2 = -\beta'_2$, was wegen der relativ geringen Varianz von x'_2 verständlich ist. $\hat{\beta}'_1 = \hat{\beta}_1 + \hat{\beta}_2$ hat allerdings einen sehr geringen Standardschätzfehler. Das liegt an der starken negativen Korrelation zwischen $\hat{\beta}_1$ und $\hat{\beta}_2$. Freilich, so schön dieses Ergebnis zu sein scheint, es nützt uns nichts, wenn wir den Einfluß von x_1 messen wollen. Denn β'_1 gibt nur an, wie sich y ändert, wenn sich x_1 um eine Einheit ändert und gleichzeitig x_2 sich in entgegengesetzter Richtung um eine Einheit ändert, so daß x'_2 konstant bleibt. Will man dagegen aus der zweiten Regression den Einfluß von x_1 bei konstant gehaltenem x_2 ermitteln, dann ist $\beta'_1 + \beta'_2$ der richtige Koeffizient. Dieser aber ist gleich β_1, und wir sind wieder bei dem alten Problem der

Schätzung von β_1 angelangt. Natürlich hat $\hat{\beta}_1$ den gleichen Schätzfehler, ob nun die Schätzung direkt mittels der ersten Regression oder indirekt über eine Schätzung von β'_1 und β'_2 erfolgte. Eine systematische Analyse dieses hier nur angedeuteten Phänomens findet man bei SILVEY [1969].

Beispiele: Der Versuch einer Schätzung der klassischen COBB-DOUGLAS-Produktionsfunktion stößt wegen der starken Kollinearität zwischen den Faktoren Arbeit A und Kapital K auf große Schwierigkeiten. Die Einführung einer Differenzvariable $A-K$ (natürlich nach Logarithmierung) wäre jedoch ein Irrweg, der das Problem, die beiden Produktionselastizitäten zu messen, der Lösung keinen Schritt näher bringt.

Eine Investitionsfunktion werde so angesetzt, daß als Einflußfaktoren der laufende Gewinn G_t und der Gewinn der Vorperiode G_{t-1} erscheinen. Eine hohe Korrelation zwischen diesen beiden Variablen ist durchaus wahrscheinlich. Hier erscheint die Ersetzung etwa der ersten Variablen durch die Gewinnveränderung $\Delta G_t = G_t - G_{t-1}$ durchaus sinnvoll. Man muß sich nur darüber im klaren sein, daß dem Regressionskoeffizienten bei G_{t-1} in den beiden Regressionen eine unterschiedliche Bedeutung zukommt.

c) Bereinigungsverfahren

Eine andere verwandte Möglichkeit, der Kollinearität eventuell Herr zu werden, bietet das *Verfahren der „Bereinigung"* aller Variablen von dem Einfluß einer korrelierten Variablen. Wichtigste Anwendungsmöglichkeit wäre die Trendbereinigung.

Es sei etwa

$$\boldsymbol{y} = \beta_1 \boldsymbol{x}_1 + \beta_2 \boldsymbol{x}_2 + \beta_3 \boldsymbol{x}_3 + \boldsymbol{u}$$

eine Regression von y auf x_1, x_2, x_3. Ersetzen wir die β_i durch ihre KQ-Schätzungen $\hat{\beta}_i$ und $\boldsymbol{u}$ durch den KQ-Residuenvektor $\hat{\boldsymbol{u}}$, dann erhalten wir

$$\boldsymbol{y} = \hat{\beta}_1 \boldsymbol{x}_1 + \hat{\beta}_2 \boldsymbol{x}_2 + \hat{\beta}_3 \boldsymbol{x}_3 + \hat{\boldsymbol{u}} \quad \text{mit} \quad \hat{\boldsymbol{u}}' \boldsymbol{x}_i = 0. \tag{3.10}$$

Zum Zwecke der Bereinigung von $\boldsymbol{x}_3$ beispielsweise bilden wir die Regressionen von x_i auf x_3: $\boldsymbol{x}_i = c_i \boldsymbol{x}_3 + \boldsymbol{e}_i$, $i=1,2$, oder (mit KQ-Schätzungen $\hat{c}_i$):

$$\boldsymbol{x}_i = \hat{c}_i \boldsymbol{x}_3 + \hat{\boldsymbol{e}}_i \quad \text{mit} \quad \hat{\boldsymbol{e}}'_i \boldsymbol{x}_3 = 0, \quad i=1,2.$$

Die Residuen $\hat{e}_i$ sind nun gerade die von x_3 bereinigten Variablen x_i und werden daher jetzt mit x_i^* bezeichnet:

$$\boldsymbol{x}_i^* := \hat{\boldsymbol{e}}_i = \boldsymbol{x}_i - \hat{c}_i \boldsymbol{x}_3 \quad \text{mit} \quad \boldsymbol{x}_i^{*\prime} \boldsymbol{x}_3 = 0, \quad i=1,2.$$

Ähnlich wird y bereinigt: Ist $\hat{c}$ der geschätzte Regressionskoeffizient einer Regression von y auf x_3 und $\hat{e}$ das zugehörige Residuum, dann ist

$$\boldsymbol{y}^* := \hat{\boldsymbol{e}} = \boldsymbol{y} - \hat{c}\, \boldsymbol{x}_3 \quad \text{mit} \quad \boldsymbol{y}^{*\prime} \boldsymbol{x}_3 = 0$$

die von x_3 bereinigte y-Variable. Bilden wir nun die Regression von y^* auf x_1^*, x_2^*:

$$\boldsymbol{y}^* = \beta_1^* \boldsymbol{x}_1^* + \beta_2^* \boldsymbol{x}_2^* + \boldsymbol{u}^* \tag{3.10*}$$

oder (mit KQ-Schätzungen)

$$\boldsymbol{y}^* = \hat{\beta}_1^* \boldsymbol{x}_1^* + \hat{\beta}_2^* \boldsymbol{x}_2^* + \hat{\boldsymbol{u}}^* \quad \text{mit} \quad \hat{\boldsymbol{u}}^{*\prime} x_i^* = 0.$$

Hieraus erhalten wir

$$y = \hat{\beta}_1^* x_1 + \hat{\beta}_2^* x_2 + (\hat{c} - \hat{\beta}_1^* \hat{c}_1 - \hat{\beta}_2^* \hat{c}_2) x_3 + \hat{u}^*. \tag{3.10'}$$

Dabei ist $\hat{u}^{*\prime} x_i = 0$ für $i = 1, 2$ und 3. Denn zunächst ist $\hat{u}^{*\prime} x_3 = (y^* - \hat{\beta}_1^* x_1^* - \hat{\beta}_2^* x_2^*)' x_3 = 0$, da $y^{*\prime} x_3 = 0$ und $x_i^{*\prime} x_3 = 0$. Daraus aber folgt, daß auch für $i = 1, 2$ gilt: $\hat{u}^{*\prime} x_i = \hat{u}^{*\prime}(x_i^* + \hat{c}_i x_3) = 0$.

$\hat{u}^*$ erfüllt also dieselben Nullrelationen wie $\hat{u}$ in (3.10). Es folgt, daß (3.10) und (3.10′) in allen Einzeltermen übereinstimmen, d.h. es ist

$$\begin{gathered} \hat{u}^* = \hat{u} \\ \hat{\beta}_i^* = \hat{\beta}_i, \; i = 1, 2, \qquad \hat{c} - \hat{\beta}_1 \hat{c}_1 - \hat{\beta}_2 \hat{c}_2 = \hat{\beta}_3, \end{gathered} \tag{3.11}$$

wobei die letzte Gleichung nur eine Umformung der dritten Normalgleichung darstellt.

In Worten: Bei Elimination einer exogenen Variablen aus einer Regression und gleichzeitiger Bereinigung sämtlicher übriger Variablen von dieser bleiben der KQ-Residuenvektor und die KQ-Schätzungen der verbleibenden Regressionskoeffizienten unverändert [Frisch und Waugh, 1933].

Dieses Ergebnis läßt sich auf den Fall verallgemeinern, daß hinsichtlich mehrerer exogener Variablen bereinigt wird, wobei es gleichgültig ist, ob die Bereinigung bezüglich dieser Variablen auf einem Mal erfolgt oder ob sie nacheinander, Variable nach Variable vorgenommen wird [Goldberger, 1964, S. 194ff.].

In Parenthese sei bemerkt, daß man natürlich die Kovarianzmatrix S^* von $\hat{\beta}^{*\prime} := (\hat{\beta}_1, \hat{\beta}_2)$ mit der zu (2.34) analogen Formel berechnet:

$$S^* = \sigma^2 (X^{*\prime} X^*)^{-1} \tag{3.12}$$

mit $X^* = (x_1^*, x_2^*)$. Offensichtlich muß S^* mit der früher in (2.54) eingeführten Teilkovarianzmatrix S_1 übereinstimmen, wenn man dort $\beta_1 = \beta^*$ setzt.

Zum Spezialfall der *Trendbereinigung* ($x_3 = t$) stellen wir noch einmal ausdrücklich fest [Frisch u. Waugh, 1933]: Kommt in einer linearen Regression eine lineare Trendvariable vor, so sind die KQ-Schätzungen der bei den übrigen exogenen Variablen stehenden Regressionskoeffizienten identisch mit den KQ-Schätzungen der Koeffizienten einer Regression der trendbereinigten endogenen Variablen auf die trendbereinigten exogenen Variablen, sofern die Trendbereinigung nach der Methode der kleinsten Quadrate vorgenommen worden ist. Man beachte aber, daß eine einfache Unterdrückung der Trendvariablen ohne Bereinigung der übrigen Variablen zu ganz anderen Schätzungen führen kann (vgl. *3.3.1.*).

Eine analoge Aussage kann hinsichtlich der *Saisonbereinigung* gemacht werden: Wir erhalten dieselben KQ-Schätzungen, gleichgültig, ob wir den Saisoneinfluß explizit durch Einführung von (0, 1)-Variablen in der Regression berücksichtigen (vgl. *2.5.6.*) oder ob wir die Variablen der Regression zuerst nach der Methode der kleinsten Quadrate saisonbereinigen und erst dann die Regressionsparameter schätzen.

Schließlich ist darauf hinzuweisen, daß die in *2.3.* untersuchte Möglichkeit der Elimination des *absoluten Gliedes* als Spezialfall einer Bereinigung angesehen werden kann, wobei die Scheinvariable die Rolle der zu eliminierenden Variablen übernimmt[6]. Dabei entspricht $\hat{c}_i = \bar{x}_i$, $\hat{c} = \bar{y}$ (vgl. (3–12)).

Zu erwähnen wäre noch, daß das Schätzergebnis, soweit es sich auf die Regressionskoeffizienten bezieht, auch dann unverändert bleibt, wenn nur die exogenen Variablen, nicht aber die endogenen bereinigt werden. Der Residuenvektor ändert sich dann allerdings. Man beweist dies in ähnlicher Weise wie zuvor.

d) Differenzenbildung

Die Ursache für das Auftreten von Kollinearität bei Zeitreihenuntersuchungen liegt, wie wir wissen, häufig in der starken Trendbehaftetheit der meisten ökonomischen Variablen. Es liegt nahe, die Variablen dadurch vom Trend zu befreien, daß man sie in der Regression durch ihre (ersten) Differenzen aufeinanderfolgender Periodenwerte, also durch ihre Periodenveränderungen – meist sind es Zuwächse – ersetzt. Sei z.B.

$$y_t = \beta_0 + \beta_1 x_{1t} + \beta_2 x_{2t} + u_t \tag{3.13}$$

eine Regression, deren Variablen als Niveaugrößen definiert sind und alle mehr oder weniger einem Trend folgen. Subtrahiert man von dieser Gleichung dieselbe Regressionsbeziehung der Vorperiode $(t-1)$, dann erhält man

$$\Delta y_t = \beta_1 \Delta x_{1t} + \beta_2 \Delta x_{2t} + \Delta u_t \tag{3.14}$$

mit $\Delta y_t = y_t - y_{t-1}$ usw. Die Differenzen werden gewöhnlich – wenn auch keineswegs immer – nur noch geringe Kollinearität zeigen. Andererseits ist gerade bei trendabhängigen Variablen zu erwarten, daß die Differenzen nur wenig streuen. Das aber wird in vielen Fällen zu großen Schätz- und Rechenfehlern führen. Diese können also trotz Beseitigung der Kollinearität im allgemeinen nicht wesentlich reduziert werden, so daß auch dieses Verfahren kaum eine Lösung des Kollinearitätsproblems bringen dürfte. Es kommt hinzu, daß die Reihe der Δu_t Autokorrelation aufweist, sofern die u_t nicht autokorreliert sind (M 2). Die Regressionsgleichung in Differenzen verletzt daher (M 2) und eine Schätzung nach der Methode der kleinsten Quadrate ist nicht mehr optimal (vgl. *5.2.*). Nun ist allerdings die Voraussetzung (M 2) schon für das ursprüngliche Regressionsmodell recht problematisch. Gerade bei ökonomischen Zeitreihen ist positive Autokorrelation zu erwarten und wird auch tatsächlich des öfteren beobachtet. Dabei kann es vorkommen, daß nach Bildung der ersten Differenzen diese Autokorrelation verschwindet. In diesem Fall ist die Anwendung der KQ-Methode auf die Regression in Differenzen durchaus angebracht[7].

[6] Deshalb haben wir die früher benutzte Kennzeichnung einer als Abweichung vom Mittelwert gemessenen Variablen mit * für die allgemeinere Kennzeichnung von „bereinigten" Variablen beibehalten.

[7] Aber sogar in diesem günstigsten Fall besteht keine Garantie dafür, daß die KQ-Methode angewandt auf Differenzen, zu besseren Schätzungen führt als die KQ-Methode, angewandt auf die ursprünglichen Variablenwerte.

Hierbei verdient jedoch das *absolute Glied* eine besondere Beachtung. Wir sehen, daß β_0 durch die Differenzenbildung eliminiert wird. (3.14) ist also eine *homogene* Regression, es sei denn, eine der exogenen Variablen ist die Trendvariable, etwa $x_{2t}=t$. In diesem Fall ist $\Delta x_{2t}=\Delta t=1$, und β_2 ist das absolute Glied in (3.14). Mit dem absoluten Glied in einer Regression in ersten Differenzen wird also immer der Trendkoeffizient der ursprünglichen Regression gemessen.

Gelegentlich werden statt der Differenzen relative Veränderungen, also *Veränderungsraten* (meist Zuwachsraten) verwendet:

$$\frac{\Delta y}{y}=\beta_1\frac{\Delta x_1}{x_1}+\beta_2\frac{\Delta x_2}{x_2}+\frac{\Delta u}{u}. \tag{3.15}$$

Dem entspricht angenähert eine lineare Regression in den Differenzen logarithmischer Variablen[8]:

$$\Delta\log y=\beta_1\Delta\log x_1+\beta_2\Delta\log x_2+\Delta\log u. \tag{3.15'}$$

Denn $\Delta\log y \doteq \Delta y/y$. Die Regressionskoeffizienten von (3.15) sind also approximativ *Elastizitäten* von y bezüglich der x_i (vgl. auch *1.2.6.*).

3.2.5. Externe Information

Die im vorangehenden Abschnitt geschilderten Verfahren versuchen die Kollinearität mit Hilfe der in den ursprünglichen Beobachtungsdaten vorhandenen (internen) Information zu überwinden – im großen und ganzen vergeblich. Einen echten Durchbruch können wir nur von dem Gebrauch relevanter externer Information erwarten.

a) Ist z.B. a priori (d.h. vor der eigentlichen Parameterschätzung) das Verhältnis der beiden Parameter $\beta_1:\beta_2$ in der Regressionsgleichung (3.13) bekannt, dann kann uns auch eine hohe Korrelation zwischen x_1 und x_2 nicht schrecken. Denn wir können (3.13) umformen zu

$$y_t=\beta_0+\beta_2\left(\frac{\beta_1}{\beta_2}x_{1t}+x_{2t}\right)+u_t. \tag{3.16}$$

Der Quotient $a:=\beta_1/\beta_2$ ist annahmegemäß bekannt, daher kann die neue Variable $z_t=a\,x_{1t}+x_{2t}$ konstruiert und die Regression von y auf z geschätzt werden. Man erhält so Schätzungen für β_0 und β_2 und damit auch für $\beta_1=a\,\beta_2$. Die Gewinnung der erforderlichen a-priori-Information ist freilich zumeist sehr problematisch. Wenn überhaupt a priori eine Zahl für das Verhältnis zweier Regressionsparameter angegeben werden kann, dann wird sie nicht sehr genau sein. Jedoch auch ungenaue Verhältniszahlen sind eine Hilfe. Zwar werden die Parameterschätzungen entsprechend einem falschen Quotienten a ebenfalls verfälscht, doch können sie immer noch zu brauchbaren Prognosen führen, sofern

[8] Das Zentrale Planungsbüro der Niederlande bedient sich seit 1961 bei der Schätzung seiner (Prognose-)Modelle dieser Methode, nachdem es vorher (1955 – 1960) absolute erste Differenzen verwendet hatte. Vgl. Central Economic Plan 1961. Central Planning Bureau, Den Hague 1961, Anhang I.

die exogenen Variablen auch im Prognosezeitraum ihre Korrelation in etwa beibehalten.

Beispiel: Oft versucht man, in der Konsumfunktion die Einkommensvariable Y zu disaggregieren, etwa $Y = Y_A + Y_U$ mit Y_A = Einkommen der Arbeitnehmerhaushalte, Y_U = Einkommen der Unternehmerhaushalte oder ersatzweise, da die amtliche Statistik nur die funktionelle, nicht aber die personelle Einkommensverteilung erfaßt: $Y = L + P$ mit L = Einkommen aus unselbständiger Arbeit und P = Einkommen aus Unternehmertätigkeit und Vermögen. Die Konsumfunktion lautet dann $C_t = \alpha + \beta L_t + \gamma P_t + u_t$. Da nun die Zeitreihen für L und P gewöhnlich eine hohe Korrelation aufweisen, ist es vielfach schwierig, wenn nicht unmöglich, die Parameter β und γ hinreichend genau zu schätzen. Glaubt man aber, davon ausgehen zu können, daß das Verhältnis dieser Parameter (zumindest ganz grob) bekannt ist, etwa $\gamma/\beta = 0{,}8$, dann wird eine genauere Schätzung eher möglich. Man vergleiche hierzu die Modelle von KÖNIG und TIMMERMANN[9] [1962] und von KLEIN und GOLDBERGER [1964]. Ein anderes Beispiel ist die COBB-DOUGLAS-Produktionsfunktion $Y = \gamma A^\alpha K^\beta$, deren Parameter der Restriktion $\alpha + \beta = 1$ unterliegen. In diesem Fall stört eine mögliche Kollinearität zwischen A und K nicht, da man sich bei der Schätzung auf nur einen der beiden Parameter α oder β beschränken kann.

b)* In manchen Fällen kann der Wert eines Parameters aus anderen Schätzungen übernommen werden. Zum Beispiel sei β_2 in (3.13) aufgrund einer Querschnittsanalyse unabhängig von dem vorliegenden Schätzproblem schon geschätzt worden. Setzt man den Schätzwert $\hat{\hat{\beta}}_2$ in (3.13) ein, dann erhält man

$$\eta_t := y_t - \hat{\hat{\beta}}_2 x_{2t} = \beta_0 + \beta_1 x_{1t} + v_t \quad \text{mit} \quad v_t = u_t - (\hat{\hat{\beta}}_2 - \beta_2) x_{2t}. \tag{3.17}$$

In der neuen (Zeitreihen-) Regression von η auf x_1 sind dann nur noch die Parameter β_0 und β_1 zu schätzen und das ohne Kollinearität oder im allgemeineren Fall: bei stark verminderter Kollinearität. Freilich ist auch die Schätzung $\hat{\hat{\beta}}_2$ mit einem Fehler behaftet, und dieser wird sich auf die Schätzung von β_0 und β_1 auswirken. Wir wollen hier nur den Schätzfehler von β_1 ermitteln, und nehmen der Einfachheit halber jetzt an, daß sämtliche Variablen als Abweichungen vom Mittelwert gemessen sind, ohne das besonders zu kennzeichnen. Dann entfällt β_0 in der Regressionsgleichung (3.17). Ferner nehmen wir an, daß $\hat{\hat{\beta}}_2$ eine erwartungstreue Schätzung von β_2 ist mit einem von u_t stochastisch unabhängigen (oder zumindest unkorrelierten) Schätzfehler ε (bei gegebenen $x_{1t}, x_{2t}, t = 1, \ldots, T$):

$$\varepsilon := \hat{\hat{\beta}}_2 - \beta_2, \quad E(\varepsilon | \boldsymbol{x}_1, \boldsymbol{x}_2) = 0, \quad E(\varepsilon u_t | \boldsymbol{x}_1, \boldsymbol{x}_2) = 0, \quad V(\hat{\hat{\beta}}_2 | \boldsymbol{x}_1, \boldsymbol{x}_2) = \sigma_\varepsilon^2.$$

Die KQ-Methode, angewandt auf (3.17), liefert die Schätzvariable

$$\hat{\hat{\beta}}_1 = (\boldsymbol{x}_1' \boldsymbol{x}_1)^{-1} \boldsymbol{x}_1' \boldsymbol{\eta}.$$

Setzen wir $\boldsymbol{\eta}$ nach (3.17) ein, erhalten wir

$$\begin{aligned} \hat{\hat{\beta}}_1 &= (\boldsymbol{x}_1' \boldsymbol{x}_1)^{-1} \boldsymbol{x}_1' (\boldsymbol{x}_1 \beta_1 + \boldsymbol{u} - \boldsymbol{x}_2 \varepsilon) \\ &= \beta_1 + (\boldsymbol{x}_1' \boldsymbol{x}_1)^{-1} \boldsymbol{x}_1' (\boldsymbol{u} - \boldsymbol{x}_2 \varepsilon). \end{aligned}$$

[9] Bei KÖNIG u. TIMMERMANN [1962, S. 608] enthält die Konsumfunktion außer dem Einkommen aus unselbständiger Tätigkeit und dem Einkommen aus Unternehmertätigkeit und Vermögen noch einen Preisindex, den Konsum der Vorperiode und eine Saisonkomponente als weitere Bestimmungsgrößen.

Es folgt zunächst, daß $\hat{\hat{\beta}}_1$ eine *erwartungstreue* Schätzung ist:

$$E[\hat{\hat{\beta}}_1 | \boldsymbol{x}_1, \boldsymbol{x}_2] = \beta_1 .$$

Des weiteren gilt für die *Fehlervarianz* (vgl. auch die ähnliche Herleitung[10] von (2.34)):

$$V(\hat{\hat{\beta}}_1 | \boldsymbol{x}_1, \boldsymbol{x}_2) = (\boldsymbol{x}_1' \boldsymbol{x}_1)^{-1} \boldsymbol{x}_1' (\sigma^2 \boldsymbol{I} + \boldsymbol{x}_2 \sigma_\varepsilon^2 \boldsymbol{x}_2') \boldsymbol{x}_1 (\boldsymbol{x}_1' \boldsymbol{x}_1)^{-1}$$

$$V(\hat{\hat{\beta}}_1 | \boldsymbol{x}_1, \boldsymbol{x}_2) = \sigma^2 (\boldsymbol{x}_1' \boldsymbol{x}_1)^{-1} + (\boldsymbol{x}_1' \boldsymbol{x}_1)^{-1} \boldsymbol{x}_1' \boldsymbol{x}_2 V(\hat{\hat{\beta}}_2) \boldsymbol{x}_2' \boldsymbol{x}_1 (\boldsymbol{x}_1' \boldsymbol{x}_1)^{-1} \tag{3.18}$$

$$V(\hat{\hat{\beta}}_1 | \boldsymbol{x}_1, \boldsymbol{x}_2) = \sigma^2 / T s^2(x_1) + b_{21}^2 V(\hat{\hat{\beta}}_2). \tag{3.18'}$$

Dabei ist $b_{21} := \boldsymbol{x}_1' \boldsymbol{x}_2 / \boldsymbol{x}_1' \boldsymbol{x}_1$ der Regressionskoeffizient einer nach der Methode der kleinsten Quadrate berechneten Regression von x_2 auf x_1. In dem ersten Summanden erkennen wir die Fehlervarianz einer einfachen Regressionsschätzung von y auf x_1 (1.40b).

Die etwas umständliche Schreibweise (3.18) wählen wir deshalb, weil sie unmittelbar auf den Fall mehrerer zu schätzender Parameter verallgemeinert werden kann: Wird der ganze Parametervektor $\boldsymbol{\beta}$ in zwei Teile $\boldsymbol{\beta}_1$ und $\boldsymbol{\beta}_2$ zerlegt und wird $\boldsymbol{\beta}_2$ extern durch $\hat{\hat{\boldsymbol{\beta}}}_2$ geschätzt mit der Kovarianzmatrix $V\hat{\hat{\boldsymbol{\beta}}}_2$, dann gibt (3.18) die Kovarianzmatrix $V\hat{\hat{\boldsymbol{\beta}}}_1$ von $\hat{\hat{\boldsymbol{\beta}}}_1$ wieder, sofern wir nur die Zeitreihenvektoren $\boldsymbol{x}_1$ und $\boldsymbol{x}_2$ durch entsprechende Zeitreihenmatrizen ersetzen. Ebenso folgt der Beweis dieser Verallgemeinerung den oben vorgezeichneten Bahnen.

Schwieriger ist ein allgemeiner *Vergleich der Fehlervarianzen*, wie sie bei dieser KQ-Methode mit externer Schätzung einerseits und bei der gewöhnlichen KQ-Methode andererseits anfallen[11]. Wir beschränken uns daher wieder auf den Fall (3.17) der Schätzung eines Parameters β_1 bei Anwesenheit eines zweiten extern geschätzten Parameters β_2. Nach der gewöhnlichen KQ-Methode erhalten wir aus den Normalgleichungen etwa in der Form (2.25''') die Schätzvariable $\hat{\beta}_1$. Ihre Varianz kann z.B. über (2.36'') berechnet werden, d.h. – nach einfacher Umformung – als

$$V\hat{\beta}_1 = \sigma^2 \boldsymbol{x}_2' \boldsymbol{x}_2 / (\boldsymbol{x}_1' \boldsymbol{x}_1 \boldsymbol{x}_2' \boldsymbol{x}_2 - (\boldsymbol{x}_1' \boldsymbol{x}_2)^2). \tag{3.19}$$

Die Differenz zwischen (3.18') und (3.19) ergibt dann

$$V\hat{\beta}_1 - V\hat{\hat{\beta}}_1 = \sigma^2 (\boldsymbol{x}_1' \boldsymbol{x}_2)^2 / [(\boldsymbol{x}_1' \boldsymbol{x}_1 \boldsymbol{x}_2' \boldsymbol{x}_2 - (\boldsymbol{x}_1' \boldsymbol{x}_2)^2) \boldsymbol{x}_1' \boldsymbol{x}_1] - b_{21}^2 V\hat{\hat{\beta}}_2 .$$

Nun ist aber nach (2.36'')

$$V\hat{\beta}_2 = \sigma^2 \boldsymbol{x}_1' \boldsymbol{x}_1 / (\boldsymbol{x}_1' \boldsymbol{x}_1 \boldsymbol{x}_2' \boldsymbol{x}_2 - (\boldsymbol{x}_1' \boldsymbol{x}_2)^2).$$

Daher können wir für die Differenz der Varianzen auch schreiben

$$V\hat{\beta}_1 - V\hat{\hat{\beta}}_1 = (V\hat{\beta}_2 - V\hat{\hat{\beta}}_2) b_{21}^2 . \tag{3.20}$$

[10] Eigentlich ist $E\boldsymbol{u}\boldsymbol{u}' = \sigma^2(\boldsymbol{I} - \boldsymbol{i}\boldsymbol{i}'/T)$, da die u_t als Abweichungen vom Mittelwert gemessen werden. Weil das gleiche aber auch für die x_{1t} gilt, ist $\boldsymbol{x}_1' \boldsymbol{i} = 0$, und der Term $\boldsymbol{i}\boldsymbol{i}'/T$ kann unberücksichtigt bleiben.

[11] Vgl. GOLDBERGER [1964, S. 258f.].

Ein Genauigkeitsgewinn durch die Berücksichtigung externer Schätzergebnisse ist also nach diesem Verfahren nur zu erzielen, wenn die externe Schätzung von β_2 im Mittel genauer ist als die gewöhnliche KQ-Schätzung von β_2 aufgrund der vorliegenden Regression (3.13), und der Genauigkeitsgewinn ist in diesem Fall um so größer, je größer die Differenz der Fehlervarianzen der beiden Schätzvariablen $\hat{\beta}_2$ und $\hat{\hat{\beta}}_2$. Außerdem ist der Gewinn proportional dem Quadrat des Regressionskoeffizienten von x_2 auf x_1. Sind die Variablen standardisiert, dann wird der Regressionskoeffizient zum Korrelationskoeffizienten: $b_{12}=r_{12}$. Wir können daher sagen, daß die Benutzung externer Schätzergebnisse sich um so eher lohnt, je größer die Korrelation zwischen x_1 und x_2 ist, zumal bei hoher Korrelation im allgemeinen auch $V\hat{\beta}_2$ groß ausfallen wird.

Beispiel: Der Versuch, eine Nachfragegleichung

$$q_t=\beta_0+\beta_1 p_t+\beta_2 Y_t+u_t, \qquad t=1,\ldots,T,$$

aus Zeitreihendaten zu schätzen, begegnet oft großen Schwierigkeiten, weil gewöhnlich in einer wachsenden Wirtschaft sowohl das Einkommen als auch die Preise im Laufe der Zeit ansteigen. Ein derartiger Zusammenhang muß nicht notwendig bestehen, er wird aber häufig genug beobachtet. Mit anderen Worten: Wir beobachten starke Kollinearität in den erklärenden Variablen. Versucht man dagegen Nachfragebeziehungen aus Querschnittsdaten herzuleiten, dann scheitert oft die Schätzung des Preisparameters. Denn die Preise sind in einer bestimmten Periode für alle Haushalte ungefähr gleich. Dagegen gibt es große Einkommensunterschiede, so daß der Einkommensparameter β_2 im Prinzip recht genau geschätzt werden kann (ENGELsche Funktion). Setzt man eine solche Schätzung $\hat{\hat{\beta}}_2$ in die Nachfragegleichung ein, dann kann jetzt nach dem geschilderten Verfahren β_1 geschätzt werden. Die Fehlervarianz setzt sich nach (3.18′) aus zwei Termen zusammen, einmal aus der gewöhnlichen KQ-Varianz, wie man sie bei einer Regression auf p_t allein errechnen würde, zum anderen aus der von der Querschnittsanalyse her stammenden Fehlervarianz von β_2, multipliziert mit dem Quadrat des Regressionskoeffizienten von p_t auf $Y_t, t=1,\ldots,T$. In der ökonometrischen Praxis ist eine derartige Amalgamation von Zeitreihen- und Querschnittsdaten freilich nicht ganz unproblematisch[12]. Es ist nämlich durchaus fräglich, ob in der Zeitreihenanalyse derselbe Einkommensparameter β_2 gemessen wird wie in der Querschnittsanalyse. Dort nämlich bezieht sich β_2 auf das individuelle Haushaltseinkommen, während in der Zeitreihenregression das Gesamteinkommen steht. Zwar können individuelle Nachfragebeziehungen zu einer Gesamtnachfragegleichung aggregiert werden, doch entsteht immer dann ein Aggregationsfehler, wenn die individuellen Einkommensparameter von Haushalt zu Haushalt verschieden sind und insbesondere sich mit dem Einkommen oder mit dem Wechsel in eine andere soziale Schicht ändern (*3.3.3.**).

Die externe Information über einen oder mehrere Parameter muß nicht aus einer Querschnittsuntersuchung stammen, sie kann ebenso aus einer früheren Zeitreihenanalyse herkommen, die sich allerdings, damit die stochastische Unabhängigkeit gewahrt bleibt, auf einen Zeitraum beziehen muß, der sich nicht mit dem Schätzzeitraum des gerade vorliegenden Regressionsproblems überlappt. Die externe Information kann sogar aus Studien über andere Länder entnommen worden sein, wobei auch subjektiv bestimmte Modifikationen einfließen mögen (vgl. *8.1.2.*).

[12] Vgl. GOLLNICK [1968].

c)* Das geschilderte Schätzverfahren, so einfach es ist, hat freilich einen Nachteil. Es nutzt zwar die externe Information voll aus, nicht aber die vorliegende Stichprobeninformation. Mit ihrer Hilfe könnte nämlich die externe Schätzung $\hat{\hat{\beta}}_2$ verbessert werden und damit schließlich auch eine bessere Schätzung für β_1 gewonnen werden. In der Tat gibt es ein von DURBIN entwickeltes Verfahren, das beide Informationsquellen optimal nutzt und dadurch ein in jedem Fall besseres Schätzergebnis erzielt als nach der einfachen Methode der kleinsten Quadrate[13]. In unserem einfachen Beispiel einer Regression mit zwei exogenen Variablen (3.13) erhält man nach DURBINS Verfahren die folgenden Bestimmungsgleichungen für die Schätzungen $(\hat{\beta}_1)_D$ und $(\hat{\beta}_2)_D$, wobei alle Variablen als Abweichungen vom Mittelwert gemessen sind:

$$\begin{pmatrix} \sum x_{1t}^2 & \sum x_{1t}x_{2t} \\ \sum x_{2t}x_{1t} & \sum x_{2t}^2 + \sigma^2/\sigma_\varepsilon^2 \end{pmatrix} \begin{pmatrix} \hat{\beta}_1 \\ \hat{\beta}_2 \end{pmatrix}_D = \begin{pmatrix} \sum x_{1t}y_t \\ \sum x_{2t}y_t + \hat{\hat{\beta}}_2 \sigma^2/\sigma_\varepsilon^2 \end{pmatrix}. \tag{3.21}$$

Diese Schätzmethode setzt also die Kenntnis von σ^2 und σ_ε^2 voraus. Bei praktischen Anwendungen sind sie vorab zu schätzen. σ^2 ist über die Residualvarianz nach der gewöhnlichen KQ-Methode zu schätzen, σ_ε^2 ist aus dem Datenmaterial zu entnehmen, aus dem auch die Schätzung $\hat{\hat{\beta}}_2$ entstammt.

3.3. Fehlspezifikation

Unter Fehlspezifikation versteht man ganz allgemein einen falschen Modellansatz. Die unter bestimmten Modellannahmen hergeleiteten Schätzverfahren können den Ökonometriker fehlleiten, wenn die angenommenen Eigenschaften des Modells in der Realität nicht gegeben sind. Der Rest des Buches wird sich mit den Auswirkungen des Nichterfülltseins der einen oder anderen Annahme (M1) bis (M5) unseres Regressionsmodells befassen.

3.3.1. Ausschluß exogener Variablen

Hier sollen Spezifikationsfehler diskutiert werden, die die Regressionsfunktion betreffen. Insbesondere ist die Frage zu stellen, ob die richtigen exogenen Variablen ausgewählt wurden. Außerdem steht die Richtigkeit der mathematischen Form der Regressionsfunktion zur Debatte. Diese Frage kann allerdings formal auf die erste zurückgeführt werden, da sich nichtlineare Funktionen durch Polynome genügend hohen Grades approximieren lassen und daher die Frage nach der richtigen Funktionsform auf die Frage nach den aufzunehmenden Potenzen der exogenen Variablen hinausläuft.

[13] GOLDBERGER [1964, S. 259ff.] begründet dieses Verfahren mit Hilfe der (in *5.1.* noch zu behandelnden) verallgemeinerten Methode der kleinsten Quadrate. Vgl. auch THEIL [1963], der dieses Schätzverfahren auch bei anderen Arten externer Information empfiehlt. Vgl. ferner Kap. 8.

Wir wollen daher zunächst untersuchen, in welcher Weise sich die geschätzten Regressionsparameter ändern, wenn in einer linearen Regression eine exogene Variable (fälschlich) ausgelassen wird, wobei diese Variable auch eine Potenz einer anderen in der Regressionsgleichung vorkommenden exogenen Variablen sein kann.

Es sei also

$$\boldsymbol{y}=\beta_1\boldsymbol{x}_1+\cdots+\beta_{n-1}\boldsymbol{x}_{n-1}+\beta_n\boldsymbol{x}_n+\boldsymbol{u} \tag{3.22}$$

eine Regression von y auf $x_1, \ldots, x_n$. Werden die β_i nach der KQ-Methode geschätzt und führen wir den KQ-Residuenvektor $\hat{\boldsymbol{u}}$ ein, dann können wir auch schreiben

$$\boldsymbol{y}=\hat{\beta}_1\boldsymbol{x}_1+\cdots+\hat{\beta}_{n-1}\boldsymbol{x}_{n-1}+\hat{\beta}_n\boldsymbol{x}_n+\hat{\boldsymbol{u}} \tag{3.23}$$

mit

$$\hat{\boldsymbol{u}}'\boldsymbol{x}_i=0, \qquad i=1,\ldots,n-1,n. \tag{3.23'}$$

Wir wollen nun die Variable x_n aus der Menge der Regressoren herausnehmen. Dazu stellen wir eine Regression von x_n auf $x_1, \ldots, x_{n-1}$ auf:

$$\boldsymbol{x}_n=b_1\boldsymbol{x}_1+\cdots+b_{n-1}\boldsymbol{x}_{n-1}+\boldsymbol{e}.$$

Mit den KQ-Schätzungen $\hat{b}_i$ und dem KQ-Residuenvektor $\hat{e}$ wird daraus

$$\boldsymbol{x}_n=\hat{b}_1\boldsymbol{x}_1+\cdots+\hat{b}_{n-1}\boldsymbol{x}_{n-1}+\hat{\boldsymbol{e}} \tag{3.24}$$

mit

$$\hat{\boldsymbol{e}}'\boldsymbol{x}_i=0, \qquad i=1,\ldots,n-1. \tag{3.24'}$$

Nun eliminieren wir $\boldsymbol{x}_n$ in (3.23), indem wir (3.24) einsetzen:

$$\boldsymbol{y}=(\hat{\beta}_1+\hat{b}_1\hat{\beta}_n)\boldsymbol{x}_1+\cdots+(\hat{\beta}_{n-1}+\hat{b}_{n-1}\hat{\beta}_n)\boldsymbol{x}_{n-1}+\hat{\boldsymbol{u}}+\hat{\beta}_n\hat{\boldsymbol{e}}. \tag{3.25}$$

Stellen wir nun zum Vergleich eine Regression von y auf $x_1, \ldots, x_{n-1}$ auf und schreiben sie mit den KQ-Schätzungen $\hat{\hat{\beta}}_i$ und dem KQ-Residuenvektor $\hat{\hat{\boldsymbol{u}}}$:

$$\boldsymbol{y}=\hat{\hat{\beta}}_1\boldsymbol{x}_1+\cdots+\hat{\hat{\beta}}_{n-1}\boldsymbol{x}_{n-1}+\hat{\hat{\boldsymbol{u}}}. \tag{3.26}$$

Wegen (3.23') und (3.24') ist $(\hat{\boldsymbol{u}}+\hat{\beta}_n\hat{\boldsymbol{e}})'\boldsymbol{x}_i=0$, $i=1,\ldots,n-1$, d.h. $\hat{\boldsymbol{u}}+\hat{\beta}_n\hat{\boldsymbol{e}}$ hat gerade die charakterisierenden Eigenschaften eines Residuenvektors einer Regression von y auf $x_1, \ldots, x_{n-1}$. (3.25) und (3.26) können daher gliedweise gleichgesetzt werden, so daß also insbesondere gilt:

$$\hat{\hat{\beta}}_i=\hat{\beta}_i+\hat{b}_i\hat{\beta}_n, \qquad i=1,\ldots,n-1. \tag{3.27}$$

Außerdem ist $\hat{\hat{\boldsymbol{u}}}=\hat{\boldsymbol{u}}+\hat{\beta}_n\hat{\boldsymbol{e}}$.

Bedenkt man, daß die Regressionskoeffizienten partiellen Ableitungen entsprechen, dann läßt sich (3.26) als Kettenregel bei partieller Differentiation verstehen:

$$\frac{\partial y}{\partial x_i}=\left.\frac{\partial y}{\partial x_i}\right|_{x_n}+\frac{\partial y}{\partial x_n}\,\frac{\partial x_n}{\partial x_i}. \tag{3.27'}$$

Wird die Variable x_n aus der Regression ausgeschlossen, dann müssen die anderen Variablen x_i deren Einfluß z.T. übernehmen. Der Einfluß von x_n auf y wird durch $\hat{\beta}_n$ gemessen, der Übernahmeanteil, der auf x_i entfällt, wird durch den Faktor $\hat{b}_i$ bestimmt, der übernommene Anteil also ist $\hat{b}_i \hat{\beta}_n$. Um diesen Betrag muß $\hat{\beta}_i$ vermehrt werden, wenn x_n eliminiert wird (3.27). Man kann diesen Zusammenhang auch anhand des Diagramms 3.2. studieren. Man erhält z.B. $\hat{\hat{\beta}}_1$, in dem man das „Gewicht" des Pfades $x_1 \to x_n \to y$, der ja bei Elimination von x_n fortfällt, als Produkt $\hat{b}_1 \hat{\beta}_n$ auf $\hat{\beta}_1$ hinzuschlägt.[14]

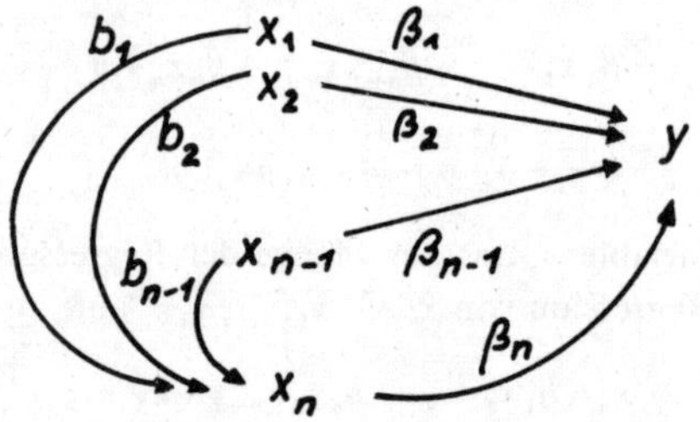

Abb. 3.2. Pfadanalyse

Man sieht: Je gewichtiger die fortgelassene Variable in der erweiterten Regression auftrat (d.h. je größer $\hat{\beta}_n$ war) und je enger die fortgelassene Variable an x_i gebunden ist (d.h. je größer $\hat{b}_i$ ist), um so stärker verändert sich der geschätzte Parameter $\hat{\beta}_i$. Wenn jedoch kein Zusammenhang zwischen x_i und x_n besteht, in dem Sinne nämlich, daß $\hat{b}_i = 0$ ist, kann x_i den Einfluß von x_n nicht übernehmen und es ist $\hat{\hat{\beta}}_i = \hat{\beta}_i$. In manchen Fällen, besonders bei experimentellen Untersuchungen, gelingt es, die Einflußvariablen x_i so zu wählen, daß sie sämtlich unkorreliert (oder wie man auch sagt: orthogonal) sind (vgl. Aufg. (3-25)). Dann können einer Regression beliebig Variablen zugefügt oder aus ihr ausgeschieden werden, ohne daß die Schätzwerte der übrigen Regressionsparameter davon affiziert werden. In der ökonometrischen Praxis hat man es aber in der Regel gerade mit hochkorrelierten Variablen zu tun. Hinzunahme oder Ausschluß einer Variablen können daher die Schätzwerte der übrigen Parameter erheblich ändern.

Wie ändert sich dabei der Erwartungswert der Schätzvariablen? Gehen wir davon aus, daß (3.22) das richtige Regressionsmodell ist, dann sind $\hat{\beta}_i$ und $\hat{\beta}_n$ erwartungstreu. Schließen wir aber die Variable x_n (fälschlich) aus der Regression aus, dann wird nach (3.27)

$$E(\hat{\hat{\beta}}_i / X) = \beta_i + \hat{b}_i \beta_n, \quad i = 1, \ldots, n-1. \tag{3.28}$$

[14] Diese Darstellungsform wird auch als Pfadanalyse bezeichnet; vgl. [VAN DE GEER]. Für Verallgemeinerungen auf den Fall mehrerer ausscheidender Variablen vgl. GOLDBERGER [1968, S. 26ff. und speziell S. 33ff.].

$\hat{\beta}_i$ ist also nicht erwartungstreu. Die systematische Verzerrung beträgt $\hat{b}_i \beta_n$. Da wegen der stets zu erwartenden Kollinearität $\hat{b}_i$ in der Regel verhältnismäßig groß ist, kann selbst bei kleinem β_n das Ausmaß der Verzerrung erheblich sein.

Sie verschwindet jedoch in dem Grenzfall $\beta_n = 0$. In der Tat hat gerade in diesem Fall die Variable x_n keinen Einfluß auf y und kann daher aus der Regression gestrichen werden. Es empfiehlt sich sogar, sie zu streichen, weil die verbleibende Regression einfacher wird und die übrigbleibenden Parameter genauer geschätzt werden können.

In der Praxis bereitet aber gerade die Entscheidung, ob $\beta_n = 0$ ist oder nicht, große Schwierigkeiten, denn $\hat{\beta}_n$ kann (rein zufällig) erheblich von Null abweichen, auch wenn $\beta_n = 0$ ist. Man wird daher allenfalls eine nichtsignifikante Variable ausschließen wollen und hierzu die Signifikanztests von *2.5.4.* heranziehen. Man sollte aber keineswegs automatisch jede nichtsignifikante Variable ausschließen. Gerade wegen der Kollinearität sind die Signifikanztests von so geringer Trennschärfe, daß sie leicht eine Variable als nichtsignifikant erscheinen lassen, obwohl ihr Regressionskoeffizient (vielleicht erheblich) von Null verschieden ist. (Fehler zweiter Art.) Es sei nur an den früher (S. 115) beschriebenen Fall erinnert, wonach zwei Variablen zusammengenommen einen signifikanten Einfluß ausüben können, jede für sich aber nichtsignifikant ist (vgl. Abb. 2.2). Welche der beiden Variablen soll man ausschließen? Darf man überhaupt eine Variable ausschließen? Man wird im allgemeinen diese Fragen allein aufgrund der Ergebnisse statistischer Tests nicht beantworten wollen, sondern wird sich von dem Sachwissen der ökonomischen Theorie leiten lassen.

Diese Probleme tauchen in der ökonometrischen Praxis sehr oft auf, wenn es darum geht, die Veränderungen einer endogenen Variablen y durch eine Regression auf exogene Einflußgrößen zu erklären. Denn die ökonomische Theorie kann gewöhnlich mit einer großen Fülle möglicher Einflußfaktoren aufwarten. Schon aus praktischen Gründen können nicht alle Faktoren in die Regression aufgenommen werden, da wegen der Kollinearität keine verläßlichen Schätzungen mehr ermittelt werden könnten. Außerdem sind die zur Wahl stehenden Konkurrenten oft ähnliche Variablen, die sich manchmal sogar nur im statistischen Meßkonzept unterscheiden. Es wäre unsinnig, zwei sich nur in Nuancen unterscheidende Variablen in die Regression aufnehmen zu wollen, nur weil man nicht weiß, welche von beiden die geeignetere ist.

In derart durch hohe Kollinearität gekennzeichneten Situationen sind Fehlgriffe leicht möglich: Man schließt die richtigen Variablen aus und nimmt falsche Variablen in die Regression auf. Trotz der hierbei auftretenden u. U. erheblichen Fehlschätzungen ist der Schaden dann gering, wenn Prognosen bezweckt werden und wenn die Korrelationsstruktur im Prognosezeitraum erhalten bleibt (vgl. aber Anhang *C3.*).

Es gibt systematische Auswahlverfahren, die zwar nicht frei von Willkür sind, die aber vermutlich doch in vielen Fällen zu einer Regressionsgleichung führen, die wenigstens nicht allzu weit von der Wahrheit entfernt ist (*3.3.2.*).

Beispiel: Wird in die früher angegebene Konsumfunktion (Abb. 0.1) eine lineare Trendvariable aufgenommen (was übrigens nach *3.2.4.* einer Trendbereinigung der Konsum- und Einkommensvariablen entspricht), dann erhalten wir

$$C_t = \underset{(14{,}18)}{50{,}79} + \underset{(0{,}08)}{0{,}62}\, Y_t + \underset{(0{,}81)}{1{,}58}\, t, \qquad t = 1, \ldots, 8 (= 1961, \ldots, 1968).$$

Der Trendparameter ist insignifikant. Da auch keine theoretischen Gründe für die Aufnahme eines linearen Trends sprechen, sollte man besser die Trendvariable wieder streichen. Theoretisch eher begründen läßt sich dagegen die Aufnahme der Variablen Y_{t-1}. Dies führt in der Tat zu einer befriedigenden Konsumfunktion:

$$C_t = \underset{(2{,}73)}{27{,}93} + \underset{(0{,}06)}{0{,}58}\, Y_t + \underset{(0{,}06)}{0{,}19}\, Y_{t-1}.$$

(Siehe ferner das Beispiel auf S. 198.)

3.3.2. Stufenweise Regression*

Ein im Prinzip einfaches Verfahren, aus einer Menge vorgegebener und zur Auswahl stehender exogener Variablen, die zur Erklärung einer endogenen Variablen y relevanten Variablen auszusondern, ist das folgende: Man berechnet zunächst eine Regression von y auf sämtliche exogene Variablen. Die am wenigsten signifikante Variable, d. h. diejenige Variable, deren t-Test-Variable am kleinsten ist, wird sodann ausgeschieden, es sei denn, sie ist in bezug auf ein gegebenes Signifikanzniveau ω signifikant. Danach wird die Regression von y auf die übriggebliebenen exogenen Variablen erneut berechnet und wieder nach der am wenigsten signifikanten Variablen gesucht. Dieser Vorgang wird so lange wiederholt, bis in der zuletzt beschriebenen Regression alle Variablen ω-signifikant sind.

Das Verfahren ist problematisch, weil eine Folge von t-Tests, die nicht einmal unabhängig voneinander sind, insgesamt nicht der angenommenen Sicherheitswahrscheinlichkeit ω entspricht. Außerdem begegnet es oft praktischen Schwierigkeiten. Gerade beim Bestehen hoher Kollinearität ist eine von Rundungsfehlern freie Berechnung der Regression auf *alle* exogenen Variablen kaum noch möglich, wenn die Menge der vorgegebenen Variablen auch nur mäßig groß ist. Daher werden lieber Konstruktionsverfahren angewandt, die, von „unten" beginnend, die Regression aufbauen.

Es werden zunächst Regressionen von y auf jede einzelne der gegebenen exogenen Variablen berechnet. Diejenige Variable, die am meisten zur Erklärung von y, etwa gemessen am Bestimmtheitsmaß oder – was auf dasselbe hinausläuft – gemessen an der t-Testvariablen, beiträgt, wird zunächst ausgewählt. Dann wird versuchsweise eine zweite exogene Variable in die Regression aufgenommen, und zwar wieder diejenige, die zum höchsten multiplen Bestimmtheitsmaß führt. Man wird sie allerdings nur dann in der Regression lassen, wenn sie sich als signifikant erweist, was wir hier einmal annehmen wollen. Nun ist zu prüfen, ob durch die Hinzunahme der zweiten Variablen die zuerst ausgewählte Variable insignifikant geworden ist[15]. In diesem Fall wird sie eliminiert und das Verfahren mit der übriggebliebenen exogenen Variablen fortgesetzt.

Nehmen wir allgemein an, daß auf irgendeiner Stufe des Verfahrens die p Variablen $x_{k_1}, x_{k_2}, \ldots, x_{k_p}$ aus den vorgegebenen n exogenen Variablen $x_1, x_2, \ldots, x_n$ als Regressoren für y (vorläufig) ausgewählt worden sind. Man versucht nun eine der p Variablen auszuschließen, indem man zu jeder Variablen x_{k_i} die zugehörige t-Testvariable $|\hat{\beta}_{k_i}|/\hat{\sigma}(\hat{\beta}_{k_i})$ aus der Regression von y auf $x_{k_1}, \ldots, x_{k_p}$ berechnet, aus diesen Testvariablen die kleinste aussucht und prüft, ob sie unterhalb der ω-Signifikanzschwelle $t_{T-p-1}(\omega)$ bei $T-p-1$ Freiheitsgraden liegt. Ist dies der Fall, dann wird die zugehörige x-Variable ausgeschlossen und die Regression erneut berechnet. Dieses Ausschlußverfahren wird so lange fortgesetzt, bis man keine insignifikante Variable mehr unter den noch vorhandenen Regressoren findet. Nehmen wir an, dies sei bei den oben ausgewählten Variablen $x_{k_1}, \ldots, x_{k_p}$ der Fall. Danach beginnt die Aufbauphase: Man berechnet von jeder ausgeschlossenen Variablen $x_i (i \neq k_1, \ldots, k_p)$ die zugehörige t-Testvariable $|\hat{\beta}_i|/\hat{\sigma}(\hat{\beta}_i)$, wie sie sich ergibt, wenn man die Regression von y auf $x_{k_1}, \ldots, x_{k_p}$ und x_i aufstellt, sucht aus diesen die größte aus und prüft, ob sie die ω-Signifikanzschwelle $t_{T-p-2}(\omega)$ überschreitet. Ist dies der Fall, dann wird die zugehörige x-Variable in die Regression aufgenommen und das Ausschlußverfahren wird wieder aufgenommen. Kann man dagegen keine neue Variable mehr aufnehmen, sei es, daß alle ausgeschlossenen Variablen im Falle ihrer Aufnahme insignifikant sein würden, sei es, daß man schon alle n Variablen aufgenommen hat, dann bricht das Verfahren ab.

Die Auswahl der auf irgendeiner Stufe des Verfahrens durch den t-Test zu überprüfenden Variablen kann auch so erfolgen – und das bringt einen leichten rechnerischen Vorteil –, daß man diejenige Variable wählt, deren Ausschluß (bzw. Hinzunahme) das multiple Bestimmtheitsmaß am wenigsten verringern (bzw. am stärksten erhöhen) würde. Man braucht dann nicht von jeder Variablen die t-Testvariable zu berechnen, sondern nur noch von der ausgewählten Variablen, um deren Signifikanz zu überprüfen. Daß in der Tat dieses Auswahlverfahren mit dem oben beschriebenen identisch ist, liegt daran, daß (etwa im Falle der Aufbauphase) die Variable x_i mit dem größten Bestimmtheitsmaß $r^2_{y \cdot k_1, \ldots, k_p, i}$ nach (3.5) zugleich das größte partielle Bestimmtheitsmaß $r^2_{yi \cdot k_1, \ldots, k_p}$ besitzt und damit nach (3.7) auch den größten Wert der t-Testvariablen. (Ähnlich ist im Falle der Ausschlußphase zu schließen.)

Diese Grundidee eines schrittweise aufbauenden Regressionsverfahrens kann im einzelnen in verschiedenerlei Weise konkretisiert werden, wobei man bemüht

[15] Genau genommen erübrigt sich diese Prüfung. Es läßt sich nämlich allgemein zeigen, daß, wenn bei dem nachfolgend genauer beschriebenen Verfahren die beiden letzten Verfahrensschritte Aufbauschritte waren, in der resultierenden (vorläufigen) Regression neben der zuletzt aufgenommenen Variablen (deren Aufnahme ja an ihre Signifikanz geknüpft ist) auch die im vorletzten Schritt aufgenommene Variable stets signifikant ist.

sein wird, den Rechenaufwand so gering wie möglich zu halten. Hier sei beispielsweise ein von EFROYMSON [1960] stammendes Verfahren dargestellt:

Aus formalen Gründen bezeichnen wir y mit x_0 (nicht zu verwechseln mit der Scheinvariablen, um die wir uns hier nicht zu kümmern brauchen, da sie in allen Regressionen vorkommen soll). Ausgangspunkt ist die Korrelationsmatrix der Variablen $x_0, x_1, \ldots, x_n$, die wir durch einfache Pivot-Operationen schrittweise umformen. Zu jeder Konstellation $(x_{k_1}, \ldots, x_{k_p})$ von Variablen, die in die Regression (vorläufig) aufgenommen worden sind, gibt es eine zugehörige umgeformte $(n+1) \times (n+1)$-Matrix, die wir mit $\boldsymbol{A}_{k_1, \ldots, k_p}$ bezeichnen wollen[16]. Will man eine neue Variable x_k aufnehmen $(k \neq k_1, \ldots, k_p)$ oder eine der aufgenommenen Variablen

$$x_k (k \in \{k_1, \ldots, k_p\})$$

ausschließen, dann erhält man – in beiden Fällen – die zu der neuen Variablen-Konstellation gehörige Matrix $\boldsymbol{A}$ durch die folgende Umformung der alten Matrix $\boldsymbol{A}$: Bezeichnen wir die Elemente der alten Matrix mit a_{ij} und die der neuen Matrix mit a_{ij}^+, dann gilt

$$\begin{aligned}
a_{kk}^+ &= 1/a_{kk} \\
a_{ik}^+ &= -a_{ik}/a_{kk} & (i=0, 1, \ldots, n;\ i \neq k) \\
a_{ki}^+ &= a_{ki}/a_{kk} & (i=0, 1, \ldots, n;\ i \neq k) \\
a_{ij}^+ &= a_{ij} - a_{ik}\, a_{kj}/a_{kk} & (i, j=0, 1, \ldots, n;\ i, j \neq k).
\end{aligned}$$

Der Matrix $\boldsymbol{A}_{k_1, \ldots, k_p}$ können wir im wesentlichen jede gewünschte Information über die Regression von y auf $k_1, \ldots, k_p$ entnehmen:

$$\begin{aligned}
&\hat{\beta}_{k_j} = a_{k_j 0}\, s(y)/s(x_{k_j}), \quad \text{wobei} \quad a_{k_j 0} = -a_{0\, k_j} \\
&r^2_{y \cdot k_1, \ldots, k_p} = 1 - a_{00} = 1 - \hat{\sigma}^2 (T-p-1)/[T\, s^2(y)] \\
&\hat{s}_{k_j k_l} = \hat{\sigma}^2\, a_{k_j k_l}/[T\, s(x_{k_j})\, s(x_{k_l})] \quad (= \text{Kovarianzmatrix}).
\end{aligned}$$

Außerdem können wir an ihr die für das Stufenverfahren benötigten Testvariablen ablesen:

In der *Ausschlußphase* suchen wir $\min_j |a_{0\,k_j}\, a_{k_j 0}/a_{k_j k_j}|$. Denn der zu minimierende Ausdruck ist gerade die Differenz

$$r^2_{y \cdot k_1, \ldots, k_p} - r^2_{y \cdot k_1, \ldots, k_{j-1}, k_{j+1}, \ldots, k_p}.$$

Ist das Minimum (etwa mit k_j) gefunden, dann konstruiert man die Testvariable

$$|(T-p-1)\, a_{0\,k_j}\, a_{k_j 0}/(a_{k_j k_j}\, a_{00})|^{\frac{1}{2}} = |\hat{\beta}_{k_j}|\; \hat{\sigma}(\hat{\beta}_{k_j})$$

und prüft, wie früher beschrieben, ob sie insignifikant ist, woraufhin man die Variable x_j aus der Regression ausschließt.

[16] Zu Beginn des Verfahrens sind überhaupt keine Variablen aufgenommen worden. Dann ist $\boldsymbol{A} = \boldsymbol{A}_\emptyset = \boldsymbol{R}$ zu setzen.

In der *Aufbauphase* suchen wir $\max_i (a_{0i} a_{i0}/a_{ii}; i \neq k_1, \ldots, k_p)$. Denn der zu maximierende Ausdruck ist gerade die Differenz

$$r^2_{y \cdot k_1, \ldots, k_p, i} - r^2_{y \cdot k_1, \ldots, k_p}.$$

Ist das Minimum (etwa mit i) gefunden, dann konstruiert man die Testvariable

$$[(T-p-2)\, a_{0i}\, a_{i0}/(a_{ii}\, a_{00} - a_{0i}\, a_{i0})]^{\frac{1}{2}} = |\hat{\beta}_i|\, \hat{\sigma}(\hat{\beta}_i)$$

und prüft, ob sie signifikant ist, woraufhin man die Variable x_i in die Regression aufnimmt.

Efroymson hat das Verfahren noch dahingehend verfeinert, daß es die Aufnahme zweier hochkorrelierter Variablen in dieselbe Regression verhindert. Weitere schrittweise arbeitende Auswahlverfahren stellen beispielsweise Draper und Smith [1966, Kap. 6] vor.

3.3.3. Aggregationsfehler*

Ein besonderer Typ von Spezifikationsfehler ist der Aggregationsfehler, ein Fehler, den man praktisch bei jeder makroökonomischen Studie begeht[17]. Es handelt sich hierbei um das Problem, eine Vielzahl gleichartiger mikroökonomischer Beziehungen zu entsprechenden makroökonomischen Funktionen zusammenzufassen. Dabei ist die Zusammenfassung von mikroökonomischen Variablen zu entsprechenden makroökonomischen Aggregaten, mag dies nun durch einfaches Aufsummieren oder mittels Durchschnittsbilden geschehen, nur ein Aspekt des Aggregationsproblems. Auch dabei können Fehler auftreten. Wenn aber hier vom Aggregationsfehler gesprochen wird, so ist diejenige Fehlspezifikation einer makroökonomischen Gleichung gemeint, die daher rührt, daß bei ihrer Aufstellung und Begründung von entsprechenden mikroökonomischen Gleichungen ausgegangen wird und deren Form unverändert für die makroökonomische Beziehung übernommen wird.

a) Wir wollen das Aggregationsproblem am Beispiel der Aggregation von Nachfrage- und Konsumfunktionen erörtern. Um die Erörterung übersichtlich zu gestalten, nehmen wir an, es gäbe vier Güter, die zu gegebenen Preisen nachgefragt werden. Für zwei dieser Güter seien Nachfragefunktionen wie folgt formuliert:

$$\begin{aligned} x_1 &= \beta_{11}\frac{p_1}{p_1} + \beta_{12}\frac{p_2}{p_1} + \beta_{13}\frac{p_3}{p_1} + \beta_{14}\frac{p_4}{p_1} + \beta_{15}\frac{y}{p_1} \\ x_2 &= \beta_{21}\frac{p_1}{p_2} + \beta_{22}\frac{p_2}{p_2} + \beta_{23}\frac{p_3}{p_2} + \beta_{24}\frac{p_4}{p_2} + \beta_{25}\frac{y}{p_2}. \end{aligned} \tag{3.29}$$

Dabei ist x_i die nachgefragte Menge des i-ten Gutes, p_i sein Preis und y das Einkommen des nachfragenden Haushaltes. Die Funktionen sind in den Preis- und

[17] Eine ausführliche Behandlung des Aggregationsfehlers in linearen Modellen findet man bei Theil [1954]. Vgl. auch Green [1964].

Einkommensvariablen homogen vom Grad 0, d.h. gleichzeitige Veränderung sämtlicher Preise und des Einkommens um den gleichen Prozentsatz hat keinen Einfluß auf die nachgefragte Menge (keine Geldillusion).

Unser Problem besteht darin, die Nachfragefunktionen für die einzelnen Güter zu einer einzigen Nachfragefunktion für das Güterbündel zusammenzufassen und gleichzeitig die Einzelpreise möglichst weitgehend durch aggregierte Preisindizes zu ersetzen. Aus (3.29) erhalten wir

$$\begin{aligned} x_1 p_1 + x_2 p_2 = (\beta_{11} + \beta_{21}) p_1 + (\beta_{12} + \beta_{22}) p_2 + (\beta_{13} + \beta_{23}) p_3 \\ + (\beta_{14} + \beta_{24}) p_4 + (\beta_{15} + \beta_{25}) y. \end{aligned} \tag{3.30}$$

Wir definieren nun ein Preisaggregat

$$\bar{p}_1 := \gamma_1^{-1} (\beta_1 p_1 + \beta_2 p_2) \quad \text{mit} \quad \beta_i := \beta_{1i} + \beta_{2i},$$

worin γ_1 eine beliebige positive Proportionalitätskonstante ist. Bezieht man es auf das Aggregat einer bestimmten Basisperiode, so erhält man einen Preisindex, freilich i.allg. einen anderen, als ihn die amtliche Statistik liefert. Während der konventionelle LASPEYRES-Index $(x_{10} p_{1t} + x_{20} p_{2t})/(x_{10} p_{10} + x_{20} p_{20})$ das Mengengerüst einer Basisperiode $t = 0$ zur Gewichtung verwendet, wird der ökonometrisch relevante Preisindex $(\beta_1 p_{1t} + \beta_2 p_{2t})/(\beta_1 p_{10} + \beta_2 p_{20})$ durch Gewichtung mit den β_i gebildet – wobei noch zu bemerken ist, daß β_1 und β_2 in Gütermengeneinheiten gemessen werden und daher als spezielle Mengen des ersten bzw. zweiten Gutes aufgefaßt werden können. Wenn wir noch ein analoges Mengenaggregat (bzw. einen Mengenindex) durch Deflation mit dem Preisaggregat $\bar{p}_1$ definieren:

$$\bar{x}_1 := (x_1 p_1 + x_2 p_2)/\bar{p}_1,$$

dann können wir (3.30) wie folgt umformulieren:

$$\bar{x}_1 = \gamma_1 + \beta_3 \frac{p_3}{\bar{p}_1} + \beta_4 \frac{p_4}{\bar{p}_1} + \beta_5 \frac{y}{\bar{p}_1} \tag{3.31}$$

mit $\beta_i = \beta_{1i} + \beta_{2i}$. Wir können die Aggregation noch einen Schritt weiter treiben, wenn wir mit einer beliebigen Konstanten γ_2 das Preisaggregat

$$\bar{p}_2 := \gamma_2^{-1} (\beta_3 p_3 + \beta_4 p_4)$$

einführen und $\beta_5 = \gamma_3$ umbezeichnen:

$$\bar{x}_1 = \gamma_1 + \gamma_2 \frac{\bar{p}_2}{\bar{p}_1} + \gamma_3 \frac{y}{\bar{p}_1}. \tag{3.32}$$

Wir sehen, theoretisch ist es durchaus möglich, eine größere Menge einzelner Nachfragefunktionen mit u.U. vielen Preisen auf eine oder wenige aggregierte Nachfragefunktionen mit wenigen ebenfalls aggregierten Preisvariablen zurückzuführen. Erst in aggregierter Form sind Nachfragefunktionen ökonometrisch schätzbar, die in ihrer ursprünglichen Form mit ihren immensen Variablenmassen überhaupt nicht zu bewältigen wären.

So nahtlos glatt wie bei dem geschilderten Verfahren geht die Aggregation in der Praxis freilich nicht vonstatten, setzt dieses Verfahren doch im Grunde voraus, daß das ökonometrische Schätzproblem, wenn schon nicht bei den Einzelnachfragefunktionen, so doch bei der zusammengefaßten Nachfragefunktion (3.30) gelöst ist. Denn um die Preisaggregate bilden zu können, müssen wir zwar die Preiskoeffizienten in (3.29) nicht in allen Einzelheiten kennen, aber wir müssen doch die Verhältnisse $\beta_1 : \beta_2$ und $\beta_3 : \beta_4$ kennen. In diesem Fall können wir nämlich die Preisaggregate als gewogene Preismittel wir folgt bilden:

$$\bar{p}_1 = \beta'_1 p_1 + \beta'_2 p_2, \qquad \bar{p}_2 = \beta'_3 p_3 + \beta'_4 p_4,$$

wobei die Gewichte β'_i so zu wählen sind, daß

$$\beta'_1 : \beta'_2 = \beta_1 : \beta_2, \qquad \beta'_3 : \beta'_4 = \beta_3 : \beta_4.$$

Die Koeffizienten γ_i in (3.32) sind jetzt nicht beliebig festsetzbar, sondern müssen aus der Regression (3.32) geschätzt werden.

Nun sind allerdings die Verhältnisse $\beta_1 : \beta_2$ und $\beta_3 : \beta_4$ in der Regel nicht bekannt. Daher begnügt man sich in der Praxis damit, konventionelle Preisaggregate (oder -indizes) anstelle der theoretisch erforderlichen zu verwenden. Sie werden von diesen abweichen, und ihre Benutzung in einer aggregierten Nachfragefunktion vom Typ (3.32) führt zu Aggregationsfehlern. Zum Beispiel ist dann γ_1 in (3.31) und (3.32) keine Konstante mehr, wenn $\bar{p}_1$ mit anderen Gewichten als β'_1 und β'_2 aus p_1 und p_2 kombiniert wird. Der Aggregationsfehler ist allerdings dann klein und eventuell vernachlässigbar, wenn die zu aggregierenden Preise p_1 und p_2 bzw. p_3 und p_4 hoch korreliert sind und sich daher im Zeitablauf weitgehend parallel bewegen. Dann spielt es nämlich keine große Rolle, welche Gewichte bei der Indexbildung verwendet werden. Eine Aggregation der Preise ähnlicher, zusammengehöriger Güter erscheint daher noch am ehesten möglich zu sein.

In der Tat werden ökonometrische Nachfrageuntersuchungen, sofern sie nicht auf ganz spezielle Güter (Kaffee, Butter, Schweinefleisch) gerichtet sind, oft auf große, aber in sich noch relativ homogene Gütergruppen abgestellt, etwa auf die Nachfrage nach Nahrungsmitteln, Genußmitteln, Kleidung, Wohnraum usw.

Eine Nachfragefunktion in hochaggregierter Form vom Typ (3.32) ist die folgende britische Exportfunktion, die KLEIN u.a.[18] für den Zeitraum 1948–1956 mit Quartalswerten geschätzt haben:

$$(X_\$)_t = \underset{(29{,}56)}{-211{,}03} + \underset{(0{,}24)}{0{,}91}\left(\frac{p_\$}{p_£}\right)_{t-1} + \underset{(0{,}17)}{2{,}27}(P_\$)_{t-1} \underset{(6{,}78)}{-14{,}80}\,Q_{1t} + \underset{(7{,}01)}{0{,}53}\,Q_{2t} + \underset{(6{,}99)}{1{,}01}\,Q_{3t} + u_t .$$

$X_\$$ = Index des Exportvolumens in den Dollarraum (USA, Kanada, Venezuela),

$p_\$$ = Ein Durchschnitt aus Großhandelspreisindex für nichtlandwirtschaftliche Produkte der USA, dem kanadischen Preisindex für gewerbliche Güter und dem allgemeinen Importpreisindex von Venezuela,

[18] KLEIN u.a. [1961, S. 97].

$p_£$ = Preisindex der britischen Exportgüter mit einer Korrektur für die Pfundabwertung 1949,
$P_\$$ = Ein Durchschnitt aus den zwei Indizes der industriellen Produktion für die USA und Kanada und dem Index des Exportvolumens für Venezuela,
Q_i = Quartalsvariablen.

Man beachte den positiven Koeffizienten bei dem Preisquotienten, der darauf zurückzuführen ist, daß der Exportpreisindex im Nenner steht, während der Preisindex im Zähler im wesentlichen von konkurrierenden Gütern herstammt.

b) Wir gingen bisher von der Vorstellung eines nachfragenden Haushalts aus und haben versucht, über die nachgefragten Güter und deren Preise zu aggregieren. Ebenso wichtig ist die Aggregation über die einzelnen Nachfrager, um auf diese Weise – wie in dem eben beschriebenen Beispiel – von den Mikro- zu entsprechenden Makronachfragefunktionen zu gelangen. Um diesen Vorgang unabhängig von der zuvor ausgeführten Aggregation studieren zu können, denken wir uns die individuellen Nachfragefunktionen schon zu Mikrokonsumfunktionen aggregiert mit folgender einfacher Gestalt:

$$c_i = \alpha_i + \beta_i y_i + u_i, \qquad i = \text{Nummer des Haushalts.} \tag{3.33}$$

Dabei sind c_i und y_i preisbereinigte Konsum- und Einkommensvariablen des i-ten Haushalts, α_i und β_i dessen Regressionsparameter. Durch Aufsummieren über alle Haushalte entsteht mit $\alpha := \sum \alpha_i$:

$$C = \alpha + \sum \beta_i y_i + u, \tag{3.34}$$

worin $C := \sum c_i$ den Gesamtkonsum bedeutet. Wir wünschen jedoch eine Konsumfunktion zu schätzen, in der C als Funktion des Gesamteinkommens $Y = \sum y_i$ ausgedrückt wird. Offenbar gibt es eine solche bei frei variierenden y_i dann und nur dann, wenn alle individuellen marginalen Konsumquoten β_i einander gleich sind: $\beta_i = \beta$ für alle i. Dann ist

$$C = \alpha + \beta Y + u. \tag{3.35}$$

In Wahrheit sind die β_i aber verschieden, und es entsteht ein Aggregationsfehler. Natürlich können wir (3.35) formal immer schreiben, aber dann ist allgemein

$$\beta = \sum \beta_i \frac{y_i}{Y}$$

ein gewogenes Mittel der β_i mit im allgemeinen nichtkonstanten Gewichten. Freilich, falls alle y_i/Y konstant sind, d.h. falls die individuellen Einkommen proportional zum Gesamteinkommen wachsen, also in der Einkommensverteilung keine Veränderung eintritt, dann ist β konstant, auch wenn die β_i verschieden sind, und (3.35) ist eine korrekte Makrokonsumfunktion. Bis zu einem gewissen Grade mag eine solche Korrelation zwischen y_i und Y tatsächlich vorhanden sein, und insoweit ist die makroökonomische marginale Konsumquote β auch weitgehend konstant. Dennoch muß bei einschneidenden Veränderungen der Einkommensverteilung mit Änderungen von β gerechnet werden.

Zum Beispiel erscheint es nicht unplausibel anzunehmen, daß β_i bei Empfängern hoher Einkommen kleiner ist als bei solchen kleiner Einkommen. Wenn sonst keine anderen Faktoren für Unterschiede in den β_i verantwortlich zu machen sind, können wir einen solchen Zusammenhang etwa durch folgende Modifikation von (3.33) darstellen

$$c_i = \alpha_i + \beta\, y_i - \beta'\, y_i^2 + u_i, \tag{3.36}$$

wobei β und β' für alle i konstant und positiv sind. Durch Aufsummieren entsteht jetzt

$$C = \alpha + \beta\, Y - \beta' \sum y_i^2 + u.$$

Mit $\sum y_i^2 = N s_y^2 + Y^2/N$, worin s_y^2 die Varianz der Haushaltseinkommen und N die Zahl der Haushalte ist, erhalten wir

$$C = \alpha + \beta\, Y - \frac{\beta'}{N}\, Y^2 - \beta' N s_y^2 + u. \tag{3.37}$$

Die Einkommensverteilung ist in dieser Konsumfunktion durch ihre Streuung vertreten. Veränderungen dieser Streuung bewirken autonome Konsumänderungen unabhängig von Änderungen in der Höhe des Einkommens.

Unterschiede in den β_i können eventuell auch auf die Zugehörigkeit der Haushalte zu verschiedenen sozialen Klassen zurückgeführt werden, was nicht unbedingt im Widerspruch zu dem vorangegangenen Ansatz steht. Eine solche Abhängigkeit könnte sich in der Mikrokonsumfunktion wie folgt niederschlagen:

$$c_i = \alpha_i + \gamma_1\, y_i\, \varepsilon_{1i} + \gamma_2\, y_i\, \varepsilon_{2i} + u_i. \tag{3.38}$$

Dabei sind ε_1 und ε_2 zwei (0, 1)-Variablen, die genau dann den Wert 1 annehmen, wenn der Haushalt i zur sozialen Schicht 1 bzw. 2 gehört. Aufsummieren führt zu

$$C = \alpha + \gamma_1\, Y_1 + \gamma_2\, Y_2 + u. \tag{3.39}$$

Dabei sind Y_1 und Y_2 die Einkommen der Schichten 1 und 2. Wieder stellen wir fest, daß wir im Falle $\gamma_1 = \gamma_2$ die Einkommensvariablen aggregieren können. Ebenso ist die Aufstellung einer aggregierten Konsumfunktion dann erlaubt, wenn Y_1 und Y_2 stark korreliert sind.

In der ökonometrischen Praxis findet man häufig eine hohe Korrelation der verschiedensten Einkommensteilaggregate. Wegen dieser Kollinearität sind bei Konsumfunktionen mit disaggregierten Einkommen die zu den verschiedenen sozialen Gruppen gehörenden marginalen Konsumquoten oft schwer auseinander zu halten. Vielfach wird (versuchsweise) die Disaggregation in Selbständige und Unselbständige vorgenommen, wobei als dritte Gruppe gelegentlich noch die Rentenempfänger hinzukommen. Die Statistiken gestatten freilich nicht eine derartige strenge Scheidung in soziale Gruppen, vielmehr wird nur das Einkommen in verschiedene Einkommensarten aufgespalten, so daß derselbe Haushalt verschiedene Einkommensarten beziehen kann. Dennoch dürfte etwa eine Aufteilung der Einkommensvariable in Lohn- und Gehaltseinkommen einerseits und Einkommen aus Vermögen und Unternehmertätigkeit andererseits im großen und ganzen auch der oben genannten Aufteilung der Einkommensempfänger entsprechen. Vgl. auch die auf S. 145 angegebenen Beispiele.

c) Im Laufe dieser knappen Einführung in das Aggregationsproblem haben wir mehrere Typen der Aggregation kennengelernt: Aggregation über Güter und deren Preise sowie über Wirtschaftssubjekte. Eine völlig andere Art der Aggregation ökonomischer Variablen wird durch die Verwendung fester, mehr oder weniger langer Perioden in ökonometrischen Modellen erforderlich. Die Modellvariablen beziehen sich immer auf eine solche Periode und fassen in geeigneter Weise das ökonomische Geschehen während dieser Periode zusammen, „aggregieren" es also. Dies kann durch Aufsummieren geschehen wie z.B. bei der Einkommensvariablen oder durch Durchschnittsbildung wie z.B. bei einer Preisvariablen. Über die Auswirkungen dieser *zeitlichen Aggregation* auf die Struktur von Modellen wird später noch mehr zu sagen sein (vgl. *9.2.3.*).

Aufgaben zu Kap. 3

3.1.

(3-1) Man beweise: $r^2_{y\cdot 1,\ldots,n} = \hat{\boldsymbol{\beta}}^{*\prime} \boldsymbol{X}^{*\prime} \boldsymbol{X}^* \hat{\boldsymbol{\beta}}^* / T s^2(y)$ und leite (1.30) als Spezialfall her. Welcher Zusammenhang besteht zwischen r^2 und der Testvariablen (2.63′)?

(3-2) Man beweise: $r^2_{y\cdot 1,\ldots,n} = r^2_{y,\hat{y}}$. (Hinweis: $\operatorname{cov}(y,\hat{y}) = s^2(\hat{y})$.)

(3-3*) Man beweise (3.4′). (Hinweis: Man standisiere x_1, x_2, y und zeige, daß $\hat{u}_{y\cdot 2} = y - r_{y2}\, x_2$, $\hat{u}_{1\cdot 2} = x_1 - r_{12}\, x_2$.)

(3-4*) Aus (3.4) folgt z.B., daß $r^2_{y1\cdot 23}$ aus $r_{y1\cdot 3}$, $r_{y2\cdot 3}$, $r_{12\cdot 3}$, aber auch aus $r_{y1\cdot 2}$, $r_{y3\cdot 2}$, $r_{13\cdot 2}$ berechnet werden kann. Man weise die Übereinstimmung beider Berechnungsmethoden nach, indem man mittels (3.4′) die 6 letzten partiellen Korrelationskoeffizienten auf einfache zurückführt.

(3-5*) Man leite aus (3.5) die folgende Beziehung her:

$$1 - r^2_{y\cdot 123} = (1 - r^2_{y1\cdot 23})(1 - r^2_{y2\cdot 3})(1 - r^2_{y3})$$

und verallgemeinere auf $r^2_{y\cdot 1,\ldots,n}$.

(3-6*) Man beweise (3.6). (Hinweis: Man wähle $i = 1$. Aus (1.30) und *3.2.4.(c)* folgt dann:

$$r_{y1\cdot 2,\ldots,n} = \hat{\beta}_1\, s(\hat{u}_{1\cdot 2,\ldots,n}) / s(\hat{u}_{y\cdot 2,\ldots,n}).$$

Man hat ferner $s^2(\hat{u}_{1\cdot 2\ldots n}) = s^2(x_1)(1 - r^2_{1\cdot 2\ldots n})$ und eine entsprechende Formel für $s^2(\hat{u}_{y\cdot 2\ldots n})$. (Schließlich wird $1 - r^2_{y\cdot 2,\ldots,n}$ mit Hilfe von (3.5) eliminiert.)

(3-7) Man leite (1-26) als Spezialfall von (3.7) her.

3.2.

(3-8) Kann man auf empirischem Wege entscheiden, welche der folgenden beiden hypothetischen Konsumfunktionen die richtige ist:

$$C_t = \alpha + \beta Y_{t-1}, \qquad C = \alpha + \beta Y_{\max},$$

wenn im Beobachtungszeitraum Y_t einem aufsteigenden Trend folgt? ($Y_{\max}$ bedeutet das maximale Einkommen früherer Perioden.) Welcher Zusammenhang besteht mit dem Kollinearitätsproblem?

(3-9) Man zeige, daß die Parameter β_0, β_1, β_2 der Regression $y = \beta_0 + \beta_1 x_1 + \beta_2 x_2 + u$ nicht identifizierbar sind, wenn $x_{1t} \equiv a\, x_{2t} + b$.

(3-10) Man versuche die Regression (3-9) mit den folgenden Daten zu schätzen: y: 1, 1, 2, 4; x_1: 1, 2, 3, 4; x_2: 3, 5, 7, 9.

(3-11) Was bedeutet eine lineare Abhängigkeit zwischen x und der Scheinvariablen in einer einfachen Regression und wie wirkt sie sich auf die Parameterschätzung aus?

(3-12) Wie lautet eine Regression von y auf $x_0 \equiv 1$ und zu welcher KQ-Schätzung führt sie?

(3-13) Bekanntlich kann der Regressionsparameter einer einfachen Regression nur ungenau gemessen werden, wenn die Varianz von x im Beobachtungszeitraum klein ist. Wie ist dieser Umstand im Zusammenhang mit dem Kollinearitätsproblem zu interpretieren?

(3-14) Man berechne die Prognosefehlervarianz $V(e_\tau)$ wie in *3.2.3.* für den Fall, daß $x_{2\tau}^* = -s_2$ und $x_{1\tau}^* = r_{12} s_1$.

(3-15) Man berechne die empirische Korrelation zwischen x_1 und $(x_1/s_1 - x_2/s_2)$ sowie zwischen letzterer Größe und $(x_1/s_1 + x_2/s_2)$, wobei x_1 und x_2 (hoch) korrelierte Variablen seien und s_i abkürzend für $s(x_i)$ steht. (*3.2.4.(b).*)

(3-16) Man beweise durch algebraische Umformung die Gleichheit zwischen den Kovarianzmatrizen $\boldsymbol{S}^*$ nach (3.12) und $\boldsymbol{S}_1$ nach (2.55).

(3-17) Man beweise: Wird in die Regression (3.10*) die unbereinigte Variable x_3 zusätzlich eingeführt mit dem Regressionsparameter β_3^*, dann ist $\hat{\beta}_3^* = 0$, $\hat{\beta}_i^* = \hat{\beta}_i$, $i = 1, 2$, und $\hat{\boldsymbol{u}}^* = \hat{\boldsymbol{u}}$.

(3-18*) Man beweise: Werden in (3.10*) x_1 und x_2, aber nicht y bereinigt, dann ist wieder $\hat{\beta}_i^* = \hat{\beta}_i$, $i = 1, 2$, aber $\hat{\boldsymbol{u}}^* = \hat{\boldsymbol{u}} + \hat{c}\,\boldsymbol{x}_3$. Wird x_3 unbereinigt zusätzlich eingeführt, dann ist wieder $\hat{\beta}_i^* = \hat{\beta}_i$, $i = 1, 2$, $\hat{\boldsymbol{u}}^* = \hat{\boldsymbol{u}}$ und $\hat{\beta}_3^* = \hat{c}$.

(3-19*) $y_{\cdot 2}^*$ und $x_{1\cdot 2}^*$ seien die von x_2 bereinigten Variablen y und x_1. Man zeige, daß $y_{\cdot 2}^*$ nach Bereinigung von $x_{1\cdot 2}^*$ die Variable $y_{\cdot 1,2}^*$ wird, d.h. die von x_1 und x_2 bereinigte Variable y. Was ändert sich, wenn x_1 nicht bereinigt wird?

(3-20) a) Gegeben sei die Regression $y = \alpha + \beta x + \gamma t + u$. Die Variablen y und x werden dadurch trendbereinigt, daß man $y^* = y - a_y - b_y t$ und $x^* = x - a_x - b_x t$ (mit KQ-Schätzungen a_y, b_y, a_x, b_x) bildet. Wie lauten die KQ-Schätzungen der Regression $y^* = \alpha^* + \beta^* x^* + u^*$ und wie lauten sie für $y^* = \alpha^* + \beta^* x^* + \gamma^* t + u^*$, wenn also neben den trendbereinigten Variablen noch die Trendvariable selbst vorkommt?

b) Desgleichen, wenn gemäß $y^* = y - b_y t$, $x^* = x - b_x t$ bereinigt wird. Wie erhält man in diesem Fall die Schätzung $\hat{y}$?

c) Desgleichen, wenn gemäß $y^* = y - c_y t$, $x^* = x - c_x t$ bereinigt wird, wobei c_y und c_x aus homogen angesetzten Trendgleichungen geschätzt worden sind.

d) Desgleichen, wenn y nicht bereinigt wird.

(3-21) Es sei $y_t = \beta_0 + \beta_1 t + \beta_2 t^2$? Man berechne Δy_t und $\Delta^2 y_t := \Delta(\Delta y_t)$.

(3-22*) Es sei $y = \beta_0 + \beta_1 x_1 + \beta_2 x_2 + u$ mit (hoch) korrelierten exogenen Variablen x_1, x_2. Man glaubt a priori zu wissen, daß $\beta_2 = 2\beta_1$, und benutzt diesen Zusammenhang als externe Information bei der Regressionsschätzung, während in Wahrheit $\beta_2 = 2{,}5\,\beta_1$ ist. Wie wirkt sich diese Fehlspezifikation bei Prognosen aus, wenn im Prognosezeitraum der Regressionszusammenhang zwischen x_1 und x_2 zusammenbricht?

3.3.

(3-23) Man bestätige (3.28) an dem Zahlenbeispiel S. 96f.

(3-24) Wie ändern sich die Parameter einer Regression $y=\alpha+\beta x+u$, wenn zusätzlich die Trendvariable t aufgenommen wird? (*3.3.1.*)

(3-25) Besitzt die Zeitreihe y_t (t in Quartalswerten) eine starre Saisonfigur, dann kann man diese nach der KQ-Methode aus der Regression $y=\beta_1 q_1+\beta_2 q_2+\beta_3 q_3+\beta_4 q_4+u$ schätzen. Man zeige, daß die Saisonvariablen q_i paarweise unkorreliert sind und man daher die β_i aus Einzelregressionen getrennt schätzen kann. (Vgl. (2-30).)

(3-26*) Eine quadratische Trendbeziehung $y=\beta_0+\beta_1 t+\beta_2 t^2+u$ kann wie folgt umgeschrieben werden: $y=\gamma_0+\gamma_1 z_1+\gamma_2 z_2+u$ mit den neuen Variablen $z_1=t-\bar{t}$, $z_2=t^2+a t+b$, $a=(\overline{t^2}\,\bar{t}-\overline{t^3})/(\overline{t^2}-\bar{t}^2)$, $b=(\overline{t^3}\,\bar{t}-(\overline{t^2})^2)/(\overline{t^2}-\bar{t}^2)$. In welcher Beziehung stehen die γ_i zu den β_i? Man zeige, daß $z_0(\equiv 1)$, z_1 und z_2 paarweise unkorreliert sind und daher die γ_i je für sich durch einfache Regressionen geschätzt werden können.

(3-27*) Man führe die in *3.3.3.(a)* beschriebene Aggregation von Nachfragesystemen für den allgemeinen n-Güter-Fall durch, wobei $m<n$ Nachfragefunktionen aggregiert werden sollen. Welche Mindestkenntnisse über die Mikro-Preiskoeffizienten β_{ij} sind erforderlich, um die Preis- und Mengenaggregate bilden zu können?

(3-28*) Man vervollständige das Nachfragesystem (3.29) durch Hinzufügen von Nachfragefunktionen für das 3. und 4. Gut und aggregiere letztere zu einem Mengenaggregat $\bar{x}_2$. Man aggregiere schließlich die beiden zu $\bar{x}_1$ und $\bar{x}_2$ gehörigen aggregierten Nachfragefunktionen zu einer Gesamtnachfragefunktion für alle 4 Güter. Eine solche kann man auch durch Aggregation der 4 Einzelnachfragefunktionen erhalten. Man vergleiche.

(3-29*) In welchen Maßeinheiten werden die Koeffizienten β_{ij} in (3.29) gemessen? Werden in (3.30) Koeffizienten mit gleichen Maßeinheiten addiert?

(3-30*) Man schreibe (3.37) so um, daß der (durchschnittliche) Konsum pro Haushalt als Funktion des (durchschnittlichen) Einkommens pro Haushalt in Erscheinung tritt.

4. Systeme von Regressionsgleichungen

4.1. Keine a-priori-Restriktionen

4.1.1. Das Modell

Es kommt gelegentlich vor (vgl. insbesondere *9.2.1.*), daß dieselben exogenen Variablen $x_0, x_1, \ldots, x_n$ zur Erklärung mehrerer endogener Variablen, etwa $y_1, y_2, \ldots, y_m$ herangezogen werden derart, daß jede endogene Variable eine lineare Regression aller exogenen Variablen ist:

$$\begin{aligned}
y_{1t} &= \beta_{10}\, x_{0t}+\beta_{11}\, x_{1t}+\beta_{12}\, x_{2t}+\cdots+\beta_{1n}\, x_{nt}+u_{1t}\\
y_{2t} &= \beta_{20}\, x_{0t}+\beta_{21}\, x_{1t}+\beta_{22}\, x_{2t}+\cdots+\beta_{2n}\, x_{nt}+u_{2t}\\
&\;\;\vdots \qquad\qquad\qquad \vdots\\
y_{mt} &= \beta_{m0}\, x_{0t}+\beta_{m1}\, x_{1t}+\beta_{m2}\, x_{2t}+\cdots+\beta_{mn}\, x_{nt}+u_{mt}.
\end{aligned} \tag{4.1}$$

In diesem System seien sämtliche Parameter β_{ij} unbekannt. Auch über irgendwelche Beziehungen zwischen ihnen sei nichts bekannt.

Könnten wir davon ausgehen, daß die u_{it} stochastisch unabhängig sind, dann hätten wir m vollkommen unabhängige Regressionsgleichungen, die jede für sich nach der Methode der kleinsten Quadrate geschätzt werden könnte. Wir wollen aber eine solche sehr restriktive Annahme nicht treffen, sondern durchaus zulassen, daß u_{it} und u_{jt} miteinander korreliert sind. Allerdings, eine Korrelation zwischen den Periodenwerten der Störvariablen zu verschiedenen Perioden wollen wir wie früher ausschließen: $E(u_{it}\, u_{jt'}|\boldsymbol{X})=0$ für $t \neq t'$. Auch alle anderen früher getroffenen Annahmen über die Wahrscheinlichkeitsverteilung der Störvariablen behalten wir bei. Die möglicherweise vorhandene Korrelation zwischen den Störvariablen verschiedener Gleichungen bedingt aber eine gewisse (wenn auch schwache) Interdependenz zwischen den Gleichungen, die sich auf die Wahl des geeigneten Schätzverfahrens auswirken mag. Sicherlich können wir auch in diesem Fall die Methode der kleinsten Quadrate zur Parameterschätzung heranziehen. Es ist aber die Frage, ob es nicht bessere Schätzverfahren gibt, die die Korrelationsstruktur der Störvariablen ausnutzen. Es wird sich freilich zeigen, daß diese Korrelationsstruktur keine für das Schätzproblem relevante Information beisteuert und daß daher die KQ-Methode unverändert auch für dieses System als „beste" Schätzmethode übernommen werden kann.

Das Modell kann wie folgt im Rahmen des Matrizenkalküls dargestellt werden: Wir führen in Analogie zu $\boldsymbol{X}$ eine Zeitreihenmatrix der endogenen Variablen ein:

$$\boldsymbol{Y} := \begin{pmatrix} y_{11} & y_{21} & \cdots & y_{m1} \\ y_{12} & y_{22} & \cdots & y_{m2} \\ \vdots & \vdots & & \vdots \\ y_{1T} & y_{2T} & \cdots & y_{mT} \end{pmatrix} =: (\boldsymbol{y}_1, \boldsymbol{y}_2, \ldots, \boldsymbol{y}_m)$$

und ähnlich eine Zeitreihenmatrix $\boldsymbol{U}$ der Störvariablen:

$$\boldsymbol{U} := \begin{pmatrix} u_{11} & u_{21} & \cdots & u_{m1} \\ u_{12} & u_{22} & \cdots & u_{m2} \\ \vdots & \vdots & & \vdots \\ u_{1T} & u_{2T} & \cdots & u_{mT} \end{pmatrix} =: (\boldsymbol{u}_1, \boldsymbol{u}_2, \ldots, \boldsymbol{u}_m).$$

Außerdem benötigen wir die Parametermatrix

$$\mathbf{B} := \begin{pmatrix} \beta_{10} & \beta_{20} & \cdots & \beta_{m0} \\ \beta_{11} & \beta_{21} & \cdots & \beta_{m1} \\ \vdots & \vdots & & \vdots \\ \beta_{1n} & \beta_{2n} & \cdots & \beta_{mn} \end{pmatrix} =: (\boldsymbol{\beta}_1, \boldsymbol{\beta}_2, \ldots, \boldsymbol{\beta}_m),$$

die also – darauf ist zu achten – die transponierte Koeffizientenmatrix des Systems (4.1) ist. Letztere hat folgendes Aussehen:

$$\mathbf{B}' = \begin{pmatrix} \beta_{10} & \beta_{11} & \beta_{12} & \dots & \beta_{1n} \\ \beta_{20} & \beta_{21} & \beta_{22} & \dots & \beta_{2n} \\ \vdots & \vdots & \vdots & & \vdots \\ \beta_{m0} & \beta_{m1} & \beta_{m2} & \dots & \beta_{mn} \end{pmatrix}.$$

In der i-ten Spalte von $\mathbf{B}$ (und der i-ten Zeile von $\mathbf{B}'$) stehen die Regressionsparameter der i-ten Gleichung, zusammengefaßt zum Spaltenvektor $\boldsymbol{\beta}_i$ (bzw. zum Zeilenvektor $\boldsymbol{\beta}_i'$).

Die einzelnen Regressionsgleichungen können wir uns jetzt in der bekannten Matrixdarstellung (2.3) geschrieben denken

$$\boldsymbol{y}_i = \boldsymbol{X}\boldsymbol{\beta}_i + \boldsymbol{u}_i, \qquad i = 1, 2, \dots, m$$

oder schließlich in zusammengefaßter Form:

$$\boldsymbol{Y} = \boldsymbol{X}\mathbf{B} + \boldsymbol{U}. \tag{4.2}$$

Wir können (4.1) auch auf andere Weise zusammenfassen, indem wir für jede Periode t die Vektoren $\boldsymbol{y}_{(t)}$, $\boldsymbol{x}_{(t)}$ und $\boldsymbol{u}_{(t)}$ einführen, welche die zur Periode t gehörenden Variablenwerte y_{it}, x_{it} und u_{it} zusammenfassen:

$$\boldsymbol{y}_{(t)} := \begin{pmatrix} y_{1t} \\ y_{2t} \\ \vdots \\ y_{mt} \end{pmatrix}, \quad \boldsymbol{x}_{(t)} := \begin{pmatrix} x_{0t} \\ x_{1t} \\ \vdots \\ x_{nt} \end{pmatrix}, \quad \boldsymbol{u}_{(t)} := \begin{pmatrix} u_{1t} \\ u_{2t} \\ \vdots \\ u_{mt} \end{pmatrix}.$$

Die Zeitreihenmatrix $\boldsymbol{Y}$ kann also entweder in ihre Spaltenvektoren $\boldsymbol{y}_i$ zerlegt werden oder in ihre Zeilenvektoren $\boldsymbol{y}_{(t)}'$:

$$\boldsymbol{Y} = (\boldsymbol{y}_1, \boldsymbol{y}_2, \dots, \boldsymbol{y}_m) = \begin{pmatrix} \boldsymbol{y}_{(1)}' \\ \boldsymbol{y}_{(2)}' \\ \vdots \\ \boldsymbol{y}_{(T)}' \end{pmatrix}.$$

Entsprechendes gilt für die Matrizen $\boldsymbol{X}$ und $\boldsymbol{U}$. (4.1) erscheint jetzt in folgender Darstellung:

$$\boldsymbol{y}_{(t)} = \mathbf{B}'\boldsymbol{x}_{(t)} + \boldsymbol{u}_{(t)}. \tag{4.2'}$$

Wir werden freilich diese Darstellung im folgenden nicht verwenden. Für die später zu behandelnden simultanen Gleichungssysteme ist jedoch eine analoge Darstellungsform gelegentlich sehr zweckmäßig.

Die wichtigsten der früher formulierten *Modellvoraussetzungen*, (M 1) und (M 2), sind jetzt wie folgt zu modifizieren:

(S 1) $$E(\boldsymbol{U}|\boldsymbol{X})=\boldsymbol{0}.$$

(S 2) $$E(\boldsymbol{u}_i\,\boldsymbol{u}_j'|\boldsymbol{X})=\sigma_{ij}\boldsymbol{I} \qquad (i,j=1,2,\dots,m).$$

Dabei bedeutet σ_{ij} die (von sämtlichen x-Variablen und der Periode t unabhängige) Kovarianz zwischen u_{it} und u_{jt}, falls $i\neq j$, und die Varianz von u_{it}, falls $i=j$:

$$\sigma_{ij}=E(u_{it}\,u_{jt}|\boldsymbol{X}).$$

Wir können (S 2) mit Hilfe des oben definierten Störvariablenvektors $\boldsymbol{u}_{(t)}$ auch anders formulieren:

(S 2′) $$E(\boldsymbol{u}_{(t)}\,\boldsymbol{u}_{(t')}'|\boldsymbol{X})=\begin{cases}\boldsymbol{\Sigma} & \text{für } t=t'\\ \boldsymbol{0} & \text{für } t\neq t'\end{cases}$$

worin $\boldsymbol{\Sigma}=(\sigma_{ij})$ die Kovarianzmatrix der $\boldsymbol{u}_1,\dots,\boldsymbol{u}_m$ bedeutet.

Für die Herleitung der ML-Eigenschaften in *4.1.3.* benötigen wir noch die Voraussetzung, daß

(S 3) $$\boldsymbol{\Sigma} \text{ regulär}$$

ist. Dies ist aber eine unproblematische Voraussetzung, die nur dann verletzt ist, wenn eine der endogenen Variablen von den übrigen endogenen und den exogenen Variablen streng linear abhängt.

Ansonsten werden die Voraussetzungen (M 3) bis (M 5) übernommen.

4.1.2. Methode der kleinsten Quadrate

Die KQ-Schätzungen der Parameter der i-ten Gleichung sind analog zu (2.15) zu berechnen:

$$\hat{\boldsymbol{\beta}}_i=(\boldsymbol{X}'\boldsymbol{X})^{-1}\boldsymbol{X}'\boldsymbol{y}_i \qquad (i=1,2,\dots,m).$$

Wir fassen diese Schätzungen zu einer Matrix zusammen und erhalten:

$$\hat{\mathbf{B}}=(\boldsymbol{X}'\boldsymbol{X})^{-1}\boldsymbol{X}'\boldsymbol{Y} \tag{4.3}$$

als *erwartungstreue, konsistente Schätzung* für $\mathbf{B}$. Mit ihrer Hilfe können wir die Zeitreihenmatrix der Residuen aufstellen (vgl. auch (2.21)):

$$\hat{\boldsymbol{U}}:=\boldsymbol{Y}-\hat{\boldsymbol{Y}}=\boldsymbol{Y}-\boldsymbol{X}\hat{\mathbf{B}}=\boldsymbol{Y}-\boldsymbol{X}(\boldsymbol{X}'\boldsymbol{X})^{-1}\boldsymbol{X}'\boldsymbol{Y}. \tag{4.4}$$

Eine *Schätzung der Kovarianzmatrix* $\boldsymbol{\Sigma}$ wird durch

$$\hat{\boldsymbol{\Sigma}}=\frac{1}{T-n-1}\hat{\boldsymbol{U}}'\hat{\boldsymbol{U}}=\frac{1}{T-n-1}(\boldsymbol{Y}'\boldsymbol{Y}-\boldsymbol{Y}'\boldsymbol{X}(\boldsymbol{X}'\boldsymbol{X})^{-1}\boldsymbol{X}'\boldsymbol{Y}) \tag{4.5}$$

gegeben. In der Tat ist das Element i-ter Zeile und j-ter Spalte von $\hat{\boldsymbol{U}}'\hat{\boldsymbol{U}}$ gerade $\sum_t \hat{u}_{it}\,\hat{u}_{jt}$ und daher nach Division durch die Zahl der Freiheitsgrade $T-n-1$ eine Schätzung für σ_{ij}. Diese Schätzung ist *erwartungstreu* und *konsistent*, was man ähnlich wie in *2.4.8.* bzw. *2.4.9.* beweisen kann.

Man kann nun auch genau wie in *2.4.2. Kovarianzmatrizen für die Parameterschätzungen* jeder einzelnen Gleichung aufstellen:

$$\boldsymbol{S}_i := E[(\hat{\boldsymbol{\beta}}_i - \boldsymbol{\beta}_i)(\hat{\boldsymbol{\beta}}_i - \boldsymbol{\beta}_i)'|\boldsymbol{X}] = (\boldsymbol{X}'\boldsymbol{X})^{-1}\,\sigma_{ii}. \tag{4.6}$$

Darüber hinaus lassen sich die Kovarianzen zwischen den Parameterschätzungen verschiedener Gleichungen berechnen. So ist

$$\boldsymbol{S}_{ij} := E[(\hat{\boldsymbol{\beta}}_i - \boldsymbol{\beta}_i)(\hat{\boldsymbol{\beta}}_j - \boldsymbol{\beta}_j)'|\boldsymbol{X}] = (\boldsymbol{X}'\boldsymbol{X})^{-1}\,\sigma_{ij}. \tag{4.7}$$

Erst in dieser Kovarianzmatrix macht sich die Interdependenz in den Störvariablen bemerkbar. Ist $\sigma_{ij}=0$, dann verschwinden auch die Kovarianzen zwischen den Parameterschätzungen der i-ten und der j-ten Gleichung.

4.1.3. Maximum-Likelihood-Prinzip

Mit der KQ-Methode wurde jede Gleichung für sich geschätzt. Es ist zu prüfen, ob diese Schätzung nicht durch simultane Schätzung aller Gleichungen unter Beachtung der Abhängigkeiten unter den Störvariablen verbessert werden kann. Hierzu versuchen wir aus dem ML-Prinzip ein eventuell neues Schätzverfahren herzuleiten, wobei wir die *Normalverteilungshypothese* unterstellen wollen: Die u_{it} $(i=1,\dots,m,\ t=1,\dots,T)$ seien gemeinsam normalverteilt (bei gegebenen x_{jt}). Unter dieser Annahme gilt der *Satz:*

| Die KQ-Schätzungen des Systems (4.1) sind zugleich ML-Schätzungen.

Beweis: Die (bedingte) Dichtefunktion der u_{it} zu festem t lautet (vgl. Anhang *B 7.2.*)

$$f(\boldsymbol{u}_{(t)}|\boldsymbol{X}) = (2\pi)^{-\frac{m}{2}}(\det\boldsymbol{\Sigma})^{-\frac{1}{2}}\exp[-\tfrac{1}{2}\,\boldsymbol{u}'_{(t)}\,\boldsymbol{\Sigma}^{-1}\,\boldsymbol{u}_{(t)}]. \tag{4.8}$$

Wegen der stochastischen Unabhängigkeit der $\boldsymbol{u}_{(t)}$, $t=1,\dots,T$, ist die (bedingte) gemeinsame Dichtefunktion aller u_{it}:

$$f(\boldsymbol{U}|\boldsymbol{X}) = (2\pi)^{-\frac{mT}{2}}(\det\boldsymbol{\Sigma})^{-\frac{T}{2}}\exp\left[-\tfrac{1}{2}\sum_{t=1}^{T}\boldsymbol{u}'_{(t)}\,\boldsymbol{\Sigma}^{-1}\,\boldsymbol{u}_{(t)}\right]. \tag{4.9}$$

Es ist zweckmäßig, die Summe in der Exponentialfunktion wie folgt umzuformen: Die T Summanden $\boldsymbol{u}'_{(t)}\,\boldsymbol{\Sigma}^{-1}\,\boldsymbol{u}_{(t)}$ stehen (als Skalare) auf der Hauptdiagonale der Matrix $\boldsymbol{U}\boldsymbol{\Sigma}^{-1}\boldsymbol{U}'$. Daher ist die Summe gleich der Spur dieser Matrix, wobei noch gilt (Anhang *A13.*): $\mathrm{sp}(\boldsymbol{U}\boldsymbol{\Sigma}^{-1}\boldsymbol{U}') = \mathrm{sp}(\boldsymbol{\Sigma}^{-1}\boldsymbol{U}'\boldsymbol{U})$. Es folgt:

$$f(\boldsymbol{U}|\boldsymbol{X}) = (2\pi)^{-\frac{mT}{2}}(\det\boldsymbol{\Sigma})^{-\frac{T}{2}}\exp[-\tfrac{1}{2}\,\mathrm{sp}(\boldsymbol{\Sigma}^{-1}\boldsymbol{U}'\boldsymbol{U})]. \tag{4.10}$$

Das ist wegen (4.2) zugleich die (bedingte) Dichtefunktion für $\boldsymbol{Y}$, sofern man $\boldsymbol{U}$ durch $\boldsymbol{Y}-\boldsymbol{X}\mathbf{B}$ ersetzt. In dieser Form ist (4.10) aber auch die Likelihoodfunktion der unbekannten Parametermatrizen $\mathbf{B}$ und $\boldsymbol{\Sigma}$:

$$f(\check{\boldsymbol{U}}|\boldsymbol{X}) \equiv L(\mathbf{B},\boldsymbol{\Sigma};\ \boldsymbol{Y},\boldsymbol{X}) \quad \text{mit} \quad \check{\boldsymbol{U}} = \boldsymbol{Y}-\boldsymbol{X}\mathbf{B}. \tag{4.11}$$

(Hierbei haben wir gemäß unserer Konvention von *1.2.1.* U durch $\check{U}$ ersetzt, um damit anzudeuten, daß $\check{U}$ als Funktion der Parametermatrix $\mathbf{B}$ aufzufassen ist.)

Die Maximierung der Likelihood bei gegebenem $\boldsymbol{\Sigma}$ ist gleichbedeutend mit der Minimierung des Spurausdrucks im Exponenten von (4.10) bezüglich $\mathbf{B}$:

$$\mathrm{sp}(\boldsymbol{\Sigma}^{-1}\check{U}'\check{U}) = \mathrm{sp}[\boldsymbol{\Sigma}^{-1}(Y'Y - Y'X\mathbf{B} - \mathbf{B}'X'Y + \mathbf{B}'X'X\mathbf{B})] \to \min_{\mathbf{B}}. \tag{4.12}$$

Daß dieser Ausdruck gerade durch die KQ-Schätzung $\hat{\mathbf{B}}$ minimiert wird, sieht man wie folgt. Wir schreiben $\mathbf{B} = \hat{\mathbf{B}} + \Delta$ mit $\Delta := \mathbf{B} - \hat{\mathbf{B}}$ und formen mit (4.3) den Ausdruck (4.12) um in

$$\mathrm{sp}[\boldsymbol{\Sigma}^{-1}(Y'Y - Y'X(X'X)^{-1}X'Y + \Delta'X'X\Delta)] \to \min_{\Delta}. \tag{4.13}$$

Die Minimierung von (4.13) ist gleichwertig mit der Minimierung von

$$\mathrm{sp}(\boldsymbol{\Sigma}^{-1}\Delta'X'X\Delta) = \mathrm{sp}(X\Delta\boldsymbol{\Sigma}^{-1}\Delta'X') \to \min_{\Delta}. \tag{4.14}$$

Da $\boldsymbol{\Sigma}$ eine positiv definite Matrix ist und damit auch $\boldsymbol{\Sigma}^{-1}$, ist (4.14) nichtnegativ und genau dann Null (und damit am kleinsten), wenn $X\Delta = \mathbf{0}$ ist. Da aber voraussetzungsgemäß die Matrix X vollen Rang besitzt, kann das nur dann eintreten, wenn $\Delta = \mathbf{0}$ ist. Damit ist bewiesen, daß die KQ-Schätzung $\hat{\mathbf{B}}$ zugleich ML-Schätzung ist.

4.1.4. Effizienz

$\hat{\mathbf{B}}$ ist daher bei Bestehen der Normalverteilungshypothese eine *asymptotisch effiziente* Schätzung von $\mathbf{B}$ (bei gegebenem X). Eine Verbesserung unter Berücksichtigung der Interdependenz in den Störvariablen ist offenbar nicht möglich. Das gilt auch dann noch, wenn die Normalverteilungshypothese nicht erfüllt ist und wenn als Alternativschätzung nur *erwartungstreue lineare Schätzungen* zugelassen sind, d.h. solche, die sich linear aus sämtlichen y_{it} zusammensetzen. Unter diesen erwartungstreuen linearen Schätzungen ist $\hat{\mathbf{B}}$ die *beste* in dem Sinne, daß jede Linearkombination aus Elementen von $\hat{\mathbf{B}}$ (und insbesondere auch jedes Element $\hat{\beta}_{ij}$ von $\hat{\mathbf{B}}$) die kleinste Varianz besitzt [GOLDBERGER 1964, S. 246ff.].

4.1.5. Linearkombinationen aus Gleichungen

Die folgenden beiden Gleichungen seien Teil eines Regressionssystems:

$$\begin{aligned} y_1 &= \beta_{10}x_0 + \beta_{11}x_1 + \beta_{12}x_2 + \beta_{13}x_3 + u_1 \\ y_2 &= \beta_{20}x_0 + \beta_{21}x_1 + \beta_{22}x_2 + \beta_{23}x_3 + u_2. \end{aligned} \tag{4.15}$$

Zum Beispiel könnten y_1 und y_2 die Importmengen zweier verschiedener Güter (etwa Kohle und Erdöl) sein, x_1 ein Index der industriellen Produktion, x_2 und x_3 (Durchschnitts-) Preise für die beiden Güter.

Man kann nun aus diesen beiden Einzelimportfunktionen eine Gesamtimportfunktion (für Kohle und Erdöl) bilden, indem man mit Hilfe geeigneter Gewichte a_1 und a_2 die Linearkombination $y = a_1 y_1 + a_2 y_2$ bildet (etwa in Form eines Importmengenindex). Im Spezialfall könnte dabei $a_1 = a_2 = 1$ sein; dann bilden wir y einfach als Summe von y_1 und y_2. Nun ist y wiederum eine (gestörte) lineare Funktion der x_i:

$$y = \beta_0 x_0 + \beta_1 x_1 + \beta_2 x_2 + \beta_3 x_3 + u \tag{4.16}$$

mit $\beta_i = a_1 \beta_{1i} + a_2 \beta_{2i}$, $u = a_1 u_1 + a_2 u_2$.

Wir können jetzt die Parameter β_i nach der KQ-Methode auf zweierlei Weise schätzen: entweder direkt aus der zuletzt angegebenen Regression (4.16) oder indirekt über die Schätzung der beiden Einzelregressionen (4.15). In beiden Fällen erhalten wir das gleiche Ergebnis, d.h.:

$$\hat{\beta}_i = a_1 \hat{\beta}_{i1} + a_2 \hat{\beta}_{i2}. \tag{4.17}$$

Dieses wichtige (wenn auch nicht sonderlich überraschende) Ergebnis wollen wir etwas allgemeiner formulieren und zugleich beweisen. Es ist übrigens als Ergänzung zu ähnlichen in *2.4.5.* hergeleiteten Eigenschaften über Linearkombinationen zu sehen.

$\boldsymbol{A}$ sei eine beliebige $(m \times r)$-Koeffizientenmatrix. Mit ihrer Hilfe bilden wir aus den m y-Variablen r neue endogene Variablen $\tilde{y}$ als Linearkombinationen aus den alten:

$$\tilde{\boldsymbol{Y}} := \boldsymbol{Y}\boldsymbol{A}. \tag{4.18}$$

Desgleichen definieren wir

$$\begin{aligned} \tilde{\boldsymbol{U}} &:= \boldsymbol{U}\boldsymbol{A} \\ \tilde{\mathbf{B}} &:= \mathbf{B}\boldsymbol{A}. \end{aligned} \tag{4.19}$$

Alsdann erhalten wir aus (4.2) durch Multiplikation mit $\boldsymbol{A}$:

$$\tilde{\boldsymbol{Y}} = \boldsymbol{X}\tilde{\mathbf{B}} + \tilde{\boldsymbol{U}}. \tag{4.20}$$

Das heißt, die neuen $\tilde{y}$-Variablen genügen ebenfalls einem System von Regressionen auf die exogenen Variablen x_i. Die KQ-Schätzung von $\tilde{\mathbf{B}}$ lautet:

$$\hat{\tilde{\mathbf{B}}} = (\boldsymbol{X}'\boldsymbol{X})^{-1}\boldsymbol{X}'\tilde{\boldsymbol{Y}}.$$

Mit Hilfe von (4.18) erhalten wir hieraus

$$\hat{\tilde{\mathbf{B}}} = (\boldsymbol{X}'\boldsymbol{X})^{-1}\boldsymbol{X}'\boldsymbol{Y}\boldsymbol{A} = \hat{\mathbf{B}}\boldsymbol{A}. \tag{4.21}$$

Die KQ-Schätzung von $\mathbf{B}$ und $\tilde{\mathbf{B}}$ stehen also in derselben Beziehung (4.19) zueinander wie die Parametermatrizen $\mathbf{B}$ und $\tilde{\mathbf{B}}$ selber, w.z.b.w. Dieses Ergebnis verliert seine Gültigkeit, sobald die zu kombinierenden Regressionen nicht dieselben Regressoren besitzen (vgl. *4.2.1.*).

4.1.6. *Prognosen*

Das Regressionssystem (4.2) können wir, genau wie früher in 2.5.7. beschrieben, zur (bedingten) Prognose der endogenen Variablen benutzen. Für jede einzelne endogene Variable y_i kann zu gegebenen $x_{1\tau}, x_{2\tau}, \ldots, x_{n\tau}$ je ein Prognoseintervall für die Periode τ konstruiert werden. Der Mittelpunkt des Prognoseintervalls ist die Punktprognose $\hat{y}_{i\tau}$. Diese Punktprognosen sind jedoch im allgemeinen nicht stochastisch unabhängig voneinander, weil gewöhnlich die Schätzwerte der Regressionsparameter verschiedener Gleichungen nach (4.7) korreliert sind. Darüber hinaus sind in der Regel auch je zwei endogene Variablen $y_{i\tau}$ und $y_{j\tau}$ korreliert, sofern nämlich die entsprechenden Störvariablen korreliert sind, d.h., sofern $\sigma_{ij} \neq 0$ ist.

Man kann nun diese Korrelationen dazu benutzen, um für eine *multiple* Prognose, d.h. eine gleichzeitige Prognose mehrerer endogener Variablen (etwa $y_{1\tau}, y_{2\tau}, \ldots, y_{m\tau}$), ein ($m$-dimensionales) *Prognoseellipsoid* zu konstruieren, und zwar als Verallgemeinerung des (eindimensionalen) Prognoseintervalls für die einfache Prognose einer einzigen Variablen[1]. Allerdings werden solche Prognoseellipsoide in der ökonometrischen Praxis kaum gebildet, obwohl andererseits selten eine Variable einzeln prognostiziert wird, sondern meist im Verein mit anderen, zugehörigen Variablen. Zum Beispiel prognostiziert man gewöhnlich zugleich mit dem Sozialprodukt auch dessen wichtigste Bestandteile sowie weitere konjunkturrelevante Variablen (wie Beschäftigung, Preisniveaus usw.).

4.2. A-priori-Restriktionen

4.2.1. *Restriktionen in einer Gleichung*

Bisher war angenommen, daß über die Parameter vor ihrer Schätzung (a priori) nichts bekannt ist. In vielen Fällen wird man aber gewisse a-priori-Kenntnisse voraussetzen dürfen. Die β_{ij} unterliegen dann bestimmten a-priori-Restriktionen, die bei der Schätzung zu beachten sind.

Die wichtigsten a-priori-Restriktionen sind von der Art, daß durch sie einige der Parameter β_{ij} gleich Null gesetzt werden (Nullrestriktionen). Das bedeutet, daß nicht alle exogenen Variablen in sämtlichen Gleichungen des Systems (4.1) vorkommen.

Das hat zur Folge, daß das ML-Prinzip bei unbeschränkter Streuungskovarianzmatrix $\boldsymbol{\Sigma}$ jetzt nicht mehr in jeder Gleichung zur KQ-Methode führt[2]. Wenn jedoch die Störvariablen je zweier Gleichungen unkorreliert sind (d.h., $\sigma_{ij}=0$ ist für alle i und j mit $i \neq j$), dann ergibt das ML-Prinzip unter dieser Restriktion gerade wieder

[1] Vgl. GOLDBERGER [1964, S. 210f.] sowie HOOPER u. ZELLNER [1961].

[2] Vgl. hierzu auch ZELLNER [1962], der für diesen Fall eine effiziente Schätzmethode entwickelt hat.

die KQ-Methode (vgl. *11.2.1.*). Man darf allerdings in jedem Fall – auch dann, wenn einzelne $\sigma_{ij} \neq 0$ sind – jede einzelne Gleichung nach der KQ-Methode schätzen und erhält Schätzungen mit den üblichen aus *2.4.* und *2.5.* bekannten Eigenschaften. Eventuell sind aber einige der Schätzungen weniger effizient als bei Verwendung des ML-Prinzips, was jedoch kein großer Schaden ist.

Bei der KQ-Schätzung ist darauf zu achten, daß in den einzelnen Gleichungen im allgemeinen nicht alle exogenen Variablen zugelassen sind. Die allgemeine Schätzformel (4.3) ist daher nicht mehr gültig. $\boldsymbol{\Sigma}$ wird im Prinzip wie früher über die Residuen geschätzt, aber nur die erste Gleichung in (4.5) bleibt gültig.

Die a-priori-Restriktionen können natürlich auch allgemeinerer Art sein. Solange aber jede Restriktion nur die Parameter jeweils einer Gleichung affiziert, kann die Methode der kleinsten Quadrate nach entsprechender Modifikation weiterhin verwendet werden. Ist z.B. das Verhältnis zweier Parameter einer Gleichung bekannt, etwa $\beta_{11} = a\,\beta_{12}$ mit bekanntem Proportionalitätsfaktor a, dann führt man die neue Variable $z = a\,x_1 + x_2$ ein und ersetzt in der ersten Gleichung $\beta_{11}\,x_1 + \beta_{12}\,x_2$ durch $\beta_{12}\,z$ (vgl. *3.2.5.*).

Schwierig wird es erst, wenn a-priori-Restriktionen über die Parameter verschiedener Gleichungen bestehen, etwa wenn eine Proportionalität $\beta_{11} = a\,\beta_{21}$ mit bekanntem a bei der Schätzung berücksichtigt werden muß. Im folgenden Abschnitt wird ein typisches Beispiel für solche a-priori-Restriktionen behandelt.

4.2.2.* *Nachfragesysteme*

a) Die Gesamtausgaben y eines Haushalts werden in die Ausgaben für einige große Gruppen von Gütern und Diensten aufgeteilt:

$$y_t = y_{1t} + y_{2t} + \cdots + y_{mt}. \tag{4.22}$$

Für jede Gruppe wird eine Nachfragegleichung aufgestellt

$$y_{it} = g_i(p_{1t}, p_{2t}, \ldots, p_{mt}, y_t, t, u_{it}),$$

die die Ausgaben y_i in Abhängigkeit von den Gütergruppenpreisen p_i, den Gesamtausgaben und der Zeit darstellt. p_i ist ein aggregierter Preis (bzw. Preisindex). Die Zeitvariable t soll trendartige Veränderungen der Verbrauchergewohnheiten einfangen.

Werden die Funktionen g_i linear angesetzt, dann erhält man das folgende System

$$y_{it} = \beta_{i0} + \beta_{i1}\,p_{1t} + \cdots + \beta_{im}\,p_{mt} + \beta_{i,m+1}\,t + \beta_{i,m+2}\,y_t + u_{it} \qquad (i = 1, \ldots, m). \tag{4.23}$$

Dabei können a priori einige der β_{ij} gleich Null gesetzt werden, nämlich z.B. dann, wenn man überzeugt ist, daß nicht alle Preise einen Einfluß auf die Nachfrage nach jedem Gut haben. Wichtiger aber sind andere a-priori-Restriktionen, die sich aus (4.22) ergeben:

$$\sum_{i=1}^{m} \beta_{ij} \begin{cases} = 0 & \text{für } j = 0, \ldots, m+1 \\ = 1 & \text{für } j = m+2. \end{cases} \tag{4.24}$$

Diese Restriktionen brauchen bei der Schätzung freilich nicht berücksichtigt zu werden. Es zeigt sich nämlich, daß die nach der Methode der kleinsten Quadrate gefundenen Schätzungen $\hat{\beta}_{ij}$ automatisch die Bedingung (4.24) erfüllen.

Aus der ökonomischen Theorie folgen jedoch noch andere Restriktionen, die sehr schwer zu berücksichtigen sind. Nimmt man nämlich an, daß die Nachfragefunktionen g_i aus der Maximierung einer konkaven, differenzierbaren Nutzenfunktion $U(x_1, x_2, \dots, x_m)$ unter Beachtung der Budgetrestriktion $\sum x_i p_i = y$ hervorgegangen sind, wobei x_i die nachgefragte Menge des i-ten Gutes (oder genauer: der i-ten Gütergruppe) bedeutet, dann unterliegen sie den folgenden drei Einschränkungen [3]:

Einmal muß (4.22) erfüllt sein, was mit $y_i = x_i p_i$ der Budgetrestriktion entspricht und was, wie wir sahen, für die lineare Nachfragefunktion (4.23) die Bedingung (4.24) zur Folge hat. Zum anderen muß g_i linear homogen in den $p_1, \dots, p_m$ und y sein, d.h. Multiplikation dieser Variablen mit einem beliebigen gemeinsamen Faktor führt zur Multiplikation des Funktionswertes y_i mit demselben Faktor. Diese Eigenschaft impliziert für das lineare Nachfragesystem (4.23), daß

$$\beta_{i0} = \beta_{i,m+1} = 0. \tag{4.25}$$

(Ein Trend kann also nur noch durch die Einführung zeitvariabler β_{ik} ($k = 1, \dots, m, m+2$) berücksichtigt werden.) Schließlich müssen die *Slutsky-Relationen*

$$s_{ij} = s_{ji} \quad \text{mit} \quad s_{ij} := \frac{\partial x_i}{\partial p_j} + x_j \frac{\partial x_i}{\partial y} = \frac{1}{p_i} \frac{\partial y_i}{\partial p_j} + \frac{y_j}{p_i p_j} \frac{\partial y_i}{\partial y}$$

für $i \neq j$, $i = 1, \dots, m$, $j = 1, \dots, m$ erfüllt sein. Angewandt auf die linearen Nachfragefunktionen (4.23), folgt hieraus nach einiger Rechnung die Bedingung

$$\beta_{ij} = \frac{\beta_i}{\beta_j - 1} \beta_{jj} \quad \text{für } i \neq j;\ i, j = 1, \dots, m, \tag{4.26}$$

wobei wir abkürzend $\beta_{i,m+2} =: \beta_i$ gesetzt haben.

Setzt man

$$\alpha_i := \frac{\beta_{ii}}{1 - \beta_i},$$

dann läßt sich das Nachfragesystem (4.23) unter Berücksichtigung der Restriktionen (4.24) bis (4.26) wie folgt schreiben:

$$y_{it} = \alpha_i p_{it} + \beta_i (y_t - \sum \alpha_j p_{jt}) + u_{it}, \quad \sum \beta_i = 1. \tag{4.27}$$

[3] Vgl. z.B. WOLD u. JUREEN [1953]. Die Annahme der Nutzenmaximierung ist sehr problematisch. Sie mag noch hingehen, solange man sie auf den einzelnen Haushalt bezieht. Ökonometrische Nachfrageanalysen benutzen aber Marktdaten, und es ist die Frage, ob es für die Gesamtheit der Nachfrager eine Art Nutzenmaximierung gibt. Genaugenommen handelt es sich hier wieder um einen Aspekt des Aggregationsproblems.

In dieser Form gestattet es eine einfache Interpretation [STONE, 1954b]: α_i ist diejenige Menge des i-ten Gutes, die unabhängig von den Preisen als feststehender Grundkonsum nachgefragt wird. Für diesen Grundkonsum muß insgesamt der Betrag $\sum \alpha_j p_j$ aufgebracht werden. Der dann noch zur freien Verfügung stehende Betrag $y - \sum \alpha_j p_j$ wird in festen Anteilen $\beta_1, \beta_2, \ldots, \beta_m$ zum Kauf der m Güter aufgeteilt.

Dieses lineare Nachfragesystem mag ein wenig künstlich und zu starr erscheinen, doch ist es eine unmittelbare Folge der Annahme einer zugrundeliegenden Nutzenmaximierung einerseits und der Linearitätshypothese andererseits. Natürlich kann man auch nichtlineare, weniger künstlich anmutende Nachfragesysteme so konstruieren, daß sie aus einer Nutzenmaximierung hervorgehen [4)].

b) Aber in jedem Fall und auch bei anders aufgebauten Nachfragesystemen [5)] wird man bei der *Schätzung* der Parameter Restriktionen zwischen den Parametern verschiedener Gleichungen beachten müssen. Man wird dann nicht mehr jede Gleichung für sich nach der Methode der kleinsten Quadrate schätzen können, sondern muß nach neuen Schätzverfahren Ausschau halten, die die vorgegebenen Restriktionen berücksichtigen.

Bleiben wir z. B. bei dem linearen Nachfragesystem (4.27) von R. STONE. Schätzt man hier jede Gleichung isoliert nach der Methode der kleinsten Quadrate, dann werden zwar die Schätzungen $\hat{\beta}_i$ wegen $\sum y_i = y$ die Bedingung $\sum \hat{\beta}_i = 1$ erfüllen, die Schätzungen $\hat{\alpha}_j$ werden aber in jeder Gleichung anders ausfallen. Es ist also ein Schätzverfahren zu konzipieren, das das Gesamtsystem als Ganzes schätzt. Denkbar wäre etwa die Anwendung des Maximum-Likelihood-Prinzips. STONE [1954b] hat stattdessen das folgende iterative Schätzverfahren vorgeschlagen:

Es werden zunächst erste grobe, mehr oder weniger willkürliche Schätzungen für die β_i angenommen und mit $(\hat{\beta}_i)_1$ bezeichnet. Man bildet sodann die Variablen

$$\begin{aligned} z_{it} &:= y_{it} - (\hat{\beta}_i)_1 \, y_t \\ x_{ijt} &:= \begin{cases} (1 - (\hat{\beta}_i)_1) \, p_{it} & \text{für } i = j \\ -(\hat{\beta}_i)_1 \, p_{jt} & \text{für } i \neq j. \end{cases} \end{aligned} \tag{4.28}$$

Wird nun in (4.27) β_i durch $(\hat{\beta}_i)_1$ ersetzt, dann erhält man das folgende Regressionssystem in den neuen Variablen (4.28)

$$\begin{aligned} z_{1t} &= \alpha_1 x_{11t} + \alpha_2 x_{12t} + \cdots + \alpha_m x_{1mt} + v_{1t} \\ z_{2t} &= \alpha_1 x_{21t} + \alpha_2 x_{22t} + \cdots + \alpha_m x_{2mt} + v_{2t} \\ &\vdots \\ z_{mt} &= \alpha_1 x_{m1t} + \alpha_2 x_{m2t} + \cdots + \alpha_m x_{mmt} + v_{mt}. \end{aligned} \tag{4.29}$$

4) Das gilt z. B. von HOUTHAKKERS [1960] Funktionen $y_i = \alpha_i (y/p_i)^{\beta_i} \, y / \sum_j [\alpha_j (y/p_j)^{\beta_j}]$.

5) Einen kleinen Überblick gibt z. B. YOSHIHARA [1969]. Vgl. auch BARTEN [1968].

Dieses System zeichnet sich durch die sehr starke a-priori-Restriktion aus, daß in sämtlichen Gleichungen dieselben Parameter vorkommen. Das in *4.1.2.* beschriebene Verfahren, jede Gleichung für sich nach der KQ-Methode zu schätzen, versagt daher. Durch einen einfachen Trick gelingt es aber dennoch, die KQ-Methode auf das System (4.29) anzuwenden, und zwar auf das System in seiner Gesamtheit. Hierzu brauchen wir nur die m Zeitreihen der z_{it} $(i=1, \ldots, m, t=1, \ldots, T)$ zu einer einzigen Datenreihe mit mT Werten zusammenzufassen und ähnlich die x_{i1t}, die x_{i2t} usw. Wir führen also die folgenden Datenvektoren ein:

$$\boldsymbol{z}:=\begin{pmatrix} z_{11} \\ \vdots \\ z_{1T} \\ z_{21} \\ \vdots \\ z_{2T} \\ \vdots \\ z_{m1} \\ \vdots \\ z_{mT} \end{pmatrix} \quad \boldsymbol{x}_1:=\begin{pmatrix} x_{111} \\ \vdots \\ x_{11T} \\ x_{211} \\ \vdots \\ x_{21T} \\ \vdots \\ x_{m11} \\ \vdots \\ x_{m1T} \end{pmatrix}, \ldots, \boldsymbol{x}_m:=\begin{pmatrix} x_{1m1} \\ \vdots \\ x_{1mT} \\ x_{2m1} \\ \vdots \\ x_{2mT} \\ \vdots \\ x_{mm1} \\ \vdots \\ x_{mmT} \end{pmatrix}$$

und schätzen die Regression der neuen Variablen $\boldsymbol{z}$ auf $\boldsymbol{x}_1, \ldots, \boldsymbol{x}_m$. Die KQ-Schätzung des Parametervektors $\boldsymbol{\alpha}$ lautet

$$(\hat{\boldsymbol{\alpha}})_1 = (\boldsymbol{X}'\boldsymbol{X})^{-1}\boldsymbol{X}'\boldsymbol{z} \tag{4.30}$$

mit der Datenmatrix $\boldsymbol{X}:=(\boldsymbol{x}_1, \ldots, \boldsymbol{x}_m)$. Es handelt sich um eine erste, noch zu verbessernde Schätzung von $\boldsymbol{\alpha}$. Mit Hilfe dieser Schätzwerte werden sodann die folgenden Variablen gebildet:

$$\begin{aligned} \eta_{it} &:= y_{it} - (\hat{\alpha}_i)_1 \, p_{it} \\ \eta_t &:= y_t - \sum (\hat{\alpha}_j)_1 \, p_{jt}. \end{aligned} \tag{4.31}$$

Werden jetzt in (4.27) die α_i durch $(\hat{\alpha}_i)_1$ ersetzt, dann erhält man die folgenden einfachen Regressionen in den neuen Variablen (4.31):

$$\eta_{it} = \beta_i \, \eta_t + w_{it}, \qquad i=1, \ldots, m. \tag{4.32}$$

Mit Hilfe der KQ-Methode gewinnen wir aus (4.32) verbesserte Schätzungen $(\hat{\beta}_i)_2$ für die Parameter β_i. Wegen $\sum \eta_{it} = \eta_t$ (vgl. (4.31)) erfüllen sie die Bedingung $\sum (\hat{\beta}_i)_2 = 1$.

Mit diesen Schätzungen kann die ganze Schätzprozedur wiederholt werden, um zu verbesserten Schätzungen $(\hat{\alpha}_i)_2$ und nochmals verbesserten Schätzungen $(\hat{\beta}_i)_3$ zu gelangen. Beliebige weitere Wiederholungen können sich anschließen. Man wird dieses Iterationsverfahren abbrechen, wenn sich keine wesentlichen Änderungen in den Schätzwerten ergeben.

* * *

c) Sehr oft werden bei der Schätzung von Nachfragesystemen weitere Restriktionen eingeführt, die auf bestimmte Annahmen über die Gestalt der Nutzenfunktion zurückgeführt werden können. Nimmt man beispielsweise an, daß diese additiv zerlegbar ist, daß also $U(x_1, \ldots, x_m) = \sum U_i(x_i)$, was auf eine unabhängige Nutzenbewertung der Güter hinausläuft, dann folgt die Beziehung [6]

$$\frac{\partial y_i}{\partial p_k} : \frac{\partial y_j}{\partial p_k} = -\frac{\partial y_i}{\partial y} : \frac{\partial y_j}{\partial y}, \qquad i, j \neq k. \tag{4.33}$$

Sie ist zwar für das lineare Ausgabensystem von STONE ohnehin erfüllt, für andere nichtlineare (und damit vermutlich realistischere) Nachfragesysteme stellt sie dagegen eine echte zusätzliche Parameterrestriktion dar.

Derartige Restriktionen reduzieren die an sich große Zahl der zu schätzenden Parameter u. U. beträchtlich und ermöglichen damit überhaupt erst die Schätzung von Nachfragesystemen. Die Schätzmethode wird freilich erheblich komplizierter. Außerdem sind die zu den Restriktionen führenden Annahmen nicht immer sehr realistisch [7].

Empfohlene zusätzliche Literatur zu Teil I, soweit nicht schon in 0.5 aufgeführt: ACTON [1959], EZEKIEL u. FOX [1959], PLACKETT [1960], RAO [1965], DRAPER u. SMITH [1966], GOLDBERGER [1968].

Aufgaben zu Kap. 4

4.1.

(4-1a) Man beweise: $(T-n-1)\hat{\boldsymbol{\Sigma}} = \boldsymbol{Y}'\boldsymbol{Y} - \hat{\mathbf{B}}'\boldsymbol{X}'\boldsymbol{Y} = \boldsymbol{Y}'\boldsymbol{Y} - \hat{\mathbf{B}}'\boldsymbol{X}'\boldsymbol{X}\hat{\mathbf{B}}$. Man gebe explizite Formeln für $\hat{\sigma}_{ij}$ an – ohne Benutzung der Matrixschreibweise.

(4-1b*) Man beweise: $\hat{\boldsymbol{\Sigma}}$ ist regulär, sofern $\operatorname{rg}(\boldsymbol{Y}, \boldsymbol{X}) = m+n+1$. Allgemeiner: $\operatorname{rg}\hat{\boldsymbol{\Sigma}} = \operatorname{rg}(\boldsymbol{Y}, \boldsymbol{X}) - (n+1)$. $\hat{\boldsymbol{\Sigma}}$ ist daher singulär, wenn $T \leqq m+n$ oder wenn etwa $\boldsymbol{y}_1$ eine Linearkombination der $\boldsymbol{y}_2, \ldots, \boldsymbol{y}_m, \boldsymbol{x}_0, \ldots, \boldsymbol{x}_n$ ist. (Hinweis: Anhang *A 12.3.*)

(4-2) Man schreibe nach (4.6) und (4.7) die Kovarianzmatrix aller $\hat{\beta}_{ij}$, $i = 1, \ldots, m$, $j = 1, \ldots, n$, auf.

(4-3) Man beweise mit (4.6): $\sigma(\hat{\beta}_{i1}) : \sigma(\hat{\beta}_{i2}) = \sigma(\hat{\beta}_{j1}) : \sigma(\hat{\beta}_{j2})$. Man leite eine ähnliche Beziehung für die Kovarianzen her.

(4-4) Man beweise mit (4.6) und (4.7): $\rho(\hat{\beta}_{1i}, \hat{\beta}_{2i}) = \rho(u_1, u_2)$.

(4-5) Es sei

$$y_1 = \beta_{11} x_1 + \beta_{12} x_2 + u_1$$
$$y_2 = \beta_{21} x_1 + \beta_{22} x_2 + u_2.$$

[6] Vgl. HOUTHAKKER [1960].

[7] Einen empirischen Test der SLUTSKY-Relationen hat BARTEN [1967] durchgeführt. Vgl. auch BARTEN [1964].

(Alle Variablen seien als Abweichungen vom Mittelwert gemessen.) Man gebe explizite Formeln für die Varianzen und Kovarianzen der β_{ij} an. Wie berechnet man $V(\hat{\beta}_{11}+\hat{\beta}_{21})$?

(4-6) Man forme (4.12) in (4.13) um. (Vgl. die analoge Aufg. (2-8).)

(4-7) Man gewinne aus (4.10) die ML-Schätzung für $\mathbf{\Sigma}$ (Anhang *A 15*).

(4-8*) Man konstruiere die konzentrierte Likelihoodfunktion $L^*(\mathbf{B})$ und maximiere bezüglich $\mathbf{B}$.

(4-9) Man schätze $y=\beta_1 x_1+\beta_2 x_2+u$, wobei $y:=y_1+y_2$ und die y_i zum Regressionssystem (4-5) gehören. In welcher Beziehung stehen die $\hat{\beta}_i$ zu den $\hat{\beta}_{ij}$ und die Kovarianzmatrix von $(\hat{\beta}_1, \hat{\beta}_2)$ zu der Kovarianzmatrix der $\hat{\beta}_{ij}$?

(4-10) (4.15) sei samt zugehörigen Streuungen und Kovarianzen geschätzt worden. Wie berechnet man hieraus die Varianz von $\hat{\beta}_i$ in (4.17)?

(4-11) Es sei

$$y_1=\beta_{11}\, x_1 \qquad\qquad +u_1$$
$$y_2=\beta_{21}\, x_1+\beta_{22}\, x_2+u_2.$$

Man bilde die Regression $y:=y_1+y_2=\beta_1 x_1+\beta_2 x_2+u$.
Dann gilt nicht: $\hat{\beta}_1=\hat{\beta}_{11}+\hat{\beta}_{21}$, $\hat{\beta}_2=\hat{\beta}_{22}$!

(4-12) Es sei $\boldsymbol{Y}=\boldsymbol{X}\mathbf{B}+\boldsymbol{U}$. Mit den neuen Variablen $\boldsymbol{Y}^*=\boldsymbol{Y}+\boldsymbol{X}\boldsymbol{D}$, $\boldsymbol{D}$ beliebig, bildet man das Regressionssystem $\boldsymbol{Y}^*=\boldsymbol{X}\mathbf{B}^*+\boldsymbol{U}$. In welcher Beziehung steht $\mathbf{B}^*$ zu $\mathbf{B}$ und $\hat{\mathbf{B}}^*$ zu $\hat{\mathbf{B}}$?

(4-13) Gegeben sei das System (4-5). Man transformiere wie folgt: $y_1^*=y_1+x_1-x_2$, $y_2^*=y_2+x_1+2x_2$ und bilde das Regressionssystem:

$$y_1^*=\beta_{11}^*\, x_1+\beta_{12}^*\, x_2+u_1$$
$$y_2^*=\beta_{21}^*\, x_1+\beta_{22}^*\, x_2+u_2.$$

In welcher Beziehung stehen die β_{ij}^* zu den β_{ij} und die $\hat{\beta}_{ij}^*$ zu den $\hat{\beta}_{ij}$?

(4-14) Man berechne die Kovarianz zwischen $\hat{y}_{1\tau}$ und $\hat{y}_{2\tau}$ aus den Streuungen und Kovarianzen der $\hat{\beta}_{ij}$ bei gegebenen $x_{0\tau}, x_{1\tau}, \ldots, x_{n\tau}$ (*4.1.6.*).

(4-15) $e_{i\tau}:=y_{i\tau}-\hat{y}_{i\tau}$ sei der Prognosefehler (*4.1.6.*). Man berechne die Kovarianz zwischen $e_{1\tau}$ und $e_{2\tau}$.

4.2.

(4-16*) Gegeben sei das System (4-11). Man stelle (unter der Normalverteilungshypothese) die Likelihoodfunktion (4.9) auf und maximiere (bei gegebenem $\mathbf{\Sigma}$ partiell) bezüglich der β_{ij}. Man zeige, daß die so bestimmten ML-Schätzungen für die zweite Gleichung keine KQ-Schätzungen sind. (Hinweis: Man differenziere $\sum \boldsymbol{u}_{(t)}' \mathbf{\Sigma}^{-1} \boldsymbol{u}_{(t)} =\sigma^{11} \sum u_1^2+2\sigma^{12} \sum u_1 u_2+\sigma^{22} \sum u_2^2$ und setze gleich Null. Man zeige, daß $\sum \hat{u}_1 x_1 =\sum \hat{u}_2 x_1=0$ und daß $\sum \hat{u}_2 x_2 \neq 0$, da andernfalls $\sum \hat{u}_1 x_2=0$ im Widerspruch zu $\sum \hat{u}_1 x_1=0$.)

(4-17) In der Gleichung $y=\beta_1 x_1+\beta_2 x_2+u$ sei $\beta_1=2\beta_2$ a priori vorgegeben. Man kann die Parameter über die Regression $y=\beta_2(2x_1+x_2)+u$ mit $\hat{\beta}_1=2\hat{\beta}_2$ oder über die Regression $y=\beta_1(x_1+\frac{1}{2}x_2)+u$ mit $\hat{\beta}_2=\frac{1}{2}\hat{\beta}_1$ schätzen. Erhält man beide Male die gleiche Schätzung?

(4-18) Warum gilt für das Nachfragesystem (4.23) die Beziehung (4.24) auch mit KQ-geschätzten Parametern? (Vgl. auch (4-9).)

(4-19) Man folgere (4.26) aus den SLUTSKY-Relationen und beweise (4.27).

(4-20*) Man weise für HOUTHAKKERS Nachfragefunktionen (S. 172, Fn. 4) nach, daß sie die Budget-Restriktionen, die Homogenitätsforderung und die SLUTSKY-Relationen erfüllen.

(4-21*) Man beweise: Gilt (4.26) mit $\beta_i = \beta_{i,m+2}$, dann folgt die erste Gleichung von (4.24) für $j = 1, \ldots, m$ aus der zweiten. Deswegen braucht in (4.27) nur noch die Bedingung $\sum \beta_i = 1$ beachtet zu werden.

II. Erweiterungen des Regressionsmodells

In diesem und im folgenden Teil werden systematisch die Voraussetzungen des klassischen Regressionsmodells unter die Lupe genommen: Wie realitätsnah oder -fern sind diese Voraussetzungen; in welcher Weise kann das Modell der Realität besser angepaßt werden; welche Fehler begeht man, wenn man nach der klassischen Methode der kleinsten Quadrate schätzt, obwohl die klassischen Modellvoraussetzungen nicht adäquat sind; wie lassen sich die Schätzmethoden den modifizierten Modellen anpassen und dadurch verbessern; welche neuen Schätzmethoden sind zu entwickeln und welche Eigenschaften haben diese? Das sind die Fragen, denen wir uns im folgenden zuwenden werden und die wir z.T. schon im ersten Teil in den Kapiteln 3 und 4 erörtert haben. In diesem Teil II beschränken wir uns auf ökonometrische Modelle, die sich noch durch eine Gleichung beschreiben lassen. Im Teil III werden interdependente Systeme behandelt.

5. Autokorrelation und Heteroskedastizität

5.1. Die verallgemeinerte Methode der kleinsten Quadrate nach Aitken

5.1.1. Modellvoraussetzungen

Es bereitet formal keine großen Schwierigkeiten, die für die KQ-Methode fundamentale Voraussetzung (M 2) fallen zu lassen und nach einem neuen, allgemeineren Schätzverfahren zu suchen, das der allgemeinen Situation angemessen ist. Wir wollen also von einer beliebig gegebenen Kovarianzmatrix der u_t-Variablen

$$V := E[\boldsymbol{u}\,\boldsymbol{u}'|X] \tag{5.1}$$

ausgehen. Nach (M 2) sollte $V = \sigma^2 \boldsymbol{I}$ sein. Jetzt setzen wir statt dessen nur noch voraus, daß – fast selbstverständlich –

(M 2*) $\qquad V$ regulär

ist[1]. Damit sind zwei sehr einschränkende Voraussetzungen aufgehoben worden. Zum einen lassen wir jetzt im Gegensatz zu früher Autokorrelation in den Störvariablen zu, d.h., es wird nicht mehr gefordert, daß für je zwei verschiedene Perioden

[1] Singularität von V würde bedeuten, daß zwischen den u_t eine strenge lineare Relation der Form $\sum a_t u_t \equiv 0$ besteht, daß also etwa u_T von den früheren Periodenwerten u_t eindeutig linear abhängt. Es wäre unsinnig, das annehmen zu wollen. Andererseits kann sehr wohl eine mehr oder weniger hohe Korrelation zwischen den u_t bestehen.

t und t' die Kovarianz $\mathrm{Cov}(u_t, u_{t'})$ verschwinden müsse. Zum anderen wird die Voraussetzung der Homoskedastizität fallengelassen, d.h., die Varianz $\sigma^2(u_t) = \sigma_t^2$ darf sich mit der Zeit ändern (Heteroskedastizität). Wir haben schon früher darauf hingewiesen, daß (M 2) zwar keine unplausible, aber doch eine recht restriktive Annahme darstellt. Insbesondere ist eine mehr oder weniger starke Autokorrelation in den Störvariablen schon deshalb zu vermuten, weil die Störungen zum größten Teil in den Schwankungen nicht erfaßter ökonomischer oder sozialer Variablen ihren Ursprung haben, und solche Variablen erfahrungsgemäß sehr häufig autokorreliert sind. Desgleichen liegt es nahe, das Vorhandensein von Heteroskedastizität zu vermuten, wenn die exogenen Variablen einem aufsteigenden Trend folgen, da dann auch mit einer trendmäßigen Zunahme der Störvarianz gerechnet werden muß. Autokorrelation und insbesondere Heteroskedastizität werden allerdings gelegentlich auch bei Querschnittsanalysen beobachtet.

5.1.2. Gewöhnliche Methode der kleinsten Quadrate

Würden wir eine lineare Regression $\boldsymbol{y} = \boldsymbol{X\beta} + \boldsymbol{u}$ auch bei Nichtbestehen der Modellannahme (M 2) nach der Methode der kleinsten Quadrate schätzen, so erhielten wir in $\hat{\boldsymbol{\beta}}_{\mathrm{KQ}} = (\boldsymbol{X}'\boldsymbol{X})^{-1}\boldsymbol{X}'\boldsymbol{y}$ nach wie vor eine erwartungstreue Schätzung für $\boldsymbol{\beta}$ (vgl. *2.4.1.*). Die Kovarianzmatrix von $\hat{\boldsymbol{\beta}}_{\mathrm{KQ}}$ lautete aber dann

$$\boldsymbol{S}_{\mathrm{KQ}} = (\boldsymbol{X}'\boldsymbol{X})^{-1}\boldsymbol{X}'\boldsymbol{V}\boldsymbol{X}(\boldsymbol{X}'\boldsymbol{X})^{-1}, \tag{5.2}$$

wie man aus (2.29) ohne Schwierigkeiten berechnen kann. Man erhielte also falsche Standardfehler und damit falsche Konfidenzintervalle für $\boldsymbol{\beta}$, wenn man nach der alten Formel (2.35): $\hat{\boldsymbol{S}} = \hat{\sigma}^2(\boldsymbol{X}'\boldsymbol{X})^{-1}$ die Kovarianzmatrix errechnete. Über Ausmaß und Richtung dieses Fehlers lassen sich kaum allgemeine Aussagen machen.

In dem speziellen Fall allerdings einer einfachen linearen Regression

$$y = \alpha + \beta x + u$$

mit $\beta > 0$, trendbehafteter Variablen x, positiver Autokorrelation in den Störvariablen und konstanter Störvarianz σ^2 läßt sich nachweisen, daß der Standardfehler von β nach (2.35) oder (1.40b) in der Regel unterschätzt wird, und das aus zwei Gründen [2]: Zum einen ergibt (2.35) im Vergleich zu (5.2) einen zu kleinen Wert für $\sigma^2(\hat{\beta})$, auch dann, wenn σ^2 bekannt ist (vgl. Aufg. (5-14)) – das liegt daran, daß (2.35) davon ausgeht, die Störungen u_t seien unkorreliert und glichen sich in ihren Auswirkungen auf den Schätzfehler z.T. aus, während in Wirklichkeit (im vorliegenden Fall positiv korrelierter Störungen) kaum ein solcher Ausgleich stattfindet. Zum anderen wird σ^2 gewöhnlich unterschätzt, da wegen der positiven Autokorrelation die u_t-Werte tendentiell „aneinanderkleben", so daß ihre Varianz be-

[2] Vgl. auch JOHNSTON [1963, bes. S. 188ff.].

sonders bei kleineren Zeitreihen nicht voll zur Entfaltung kommt (vgl. auch Aufg. (5-7)) und Abb. 5.1).

In Abb. 5.1 sind zweimal je zwei dynamische[3] Streudiagramme zu gleichen x-Werten, aber unterschiedlichen Werten der Störvariablen u_t abgebildet. Im Fall (a) folgen die u_t stochastisch unabhängig aufeinander, im Fall (b) sind sie positiv autokorreliert.

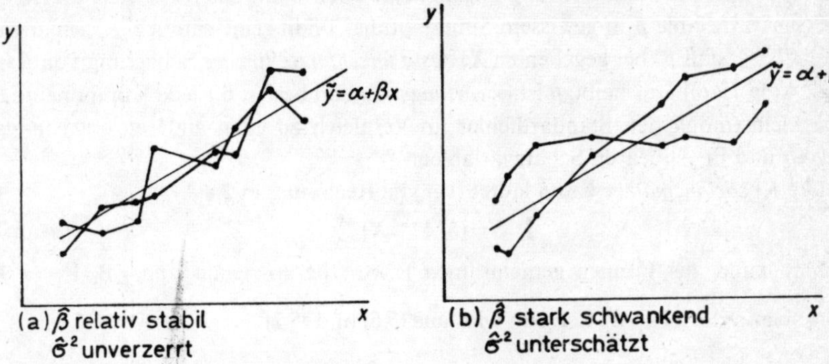

Abb. 5.1. Je zwei Regressionen (*a*) ohne, (*b*) mit positiver Autokorrelation der Störvariablen

5.1.3. *Verallgemeinerte Methode der kleinsten Quadrate*

Nun ist es allerdings die Frage, ob überhaupt bei dem vorliegenden Modell die KQ-Methode das optimale Schätzverfahren darstellt. Was wir suchen, ist eine erwartungstreue Schätzung von $\boldsymbol{\beta}$ mit minimalen Standardfehlern.

Es ist zu erwarten, daß das *ML-Prinzip* uns das optimale Schätzverfahren liefert. Dazu wollen wir annehmen, daß die u_t normalverteilt sind. Ihre Wahrscheinlichkeitsdichte lautet dann (Anhang *B* 7.2)

$$f(u_1, \ldots, u_T) = (2\pi)^{-T/2} (\det \boldsymbol{V})^{-1/2} \exp(-\tfrac{1}{2}\boldsymbol{u}' \boldsymbol{V}^{-1} \boldsymbol{u}). \tag{5.3}$$

Entsprechend ist die Wahrscheinlichkeitsdichte für die y_t bei gegebenen x_{it}

$$f(y_1, \ldots, y_T | \boldsymbol{X}) = (2\pi)^{-T/2} (\det \boldsymbol{V})^{-1/2} \exp[-\tfrac{1}{2}(\boldsymbol{y} - \boldsymbol{X}\boldsymbol{\beta})' \boldsymbol{V}^{-1} (\boldsymbol{y} - \boldsymbol{X}\boldsymbol{\beta})]. \tag{5.4}$$

Liegen die Zeitreihenwerte y_t und x_{it} als Beobachtungsdaten fest, dann stellt (5.4), aufgefaßt als Funktion von $\boldsymbol{\beta}$, die *Likelihoodfunktion* dar. Sie erreicht bei gegebener Matrix $\boldsymbol{V}$ ihr Maximum für dasjenige $\boldsymbol{\beta} = \hat{\boldsymbol{\beta}}$, das

$$\tilde{\boldsymbol{u}}' \boldsymbol{V}^{-1} \tilde{\boldsymbol{u}} = (\boldsymbol{y} - \boldsymbol{X}\boldsymbol{\beta})' \boldsymbol{V}^{-1} (\boldsymbol{y} - \boldsymbol{X}\boldsymbol{\beta}) \to \min_{\boldsymbol{\beta}} \tag{5.5}$$

[3] Der Ausdruck stammt von MENGES [1961, S. 128]. Im Gegensatz zum einfachen Streudiagramm kommt im dynamischen Streudiagramm durch den verbindenden Linienzug die zeitliche Aufeinanderfolge der Beobachtungspunkte zum Ausdruck.

zum Minimum führt. (In dem Spezialfall $\boldsymbol{V}=\sigma^2 \boldsymbol{I}$ erhalten wir natürlich wieder das Prinzip der kleinsten Quadrate.) Die Lösung dieser Minimierungsaufgabe führt zu der folgenden Schätzformel nach AITKEN (vgl. die analoge Rechnung in *2.2.2.*):

$$\hat{\boldsymbol{\beta}}=(\boldsymbol{X}'\boldsymbol{V}^{-1}\boldsymbol{X})^{-1}\boldsymbol{X}'\boldsymbol{V}^{-1}\boldsymbol{y}. \tag{5.6}$$

Natürlich ist diese Schätzung nur dann eine ML-Schätzung, wenn die u_t tatsächlich einer Normalverteilung folgen. Aber auch wenn das nicht der Fall ist, ist die Schätzvariable $\hat{\boldsymbol{\beta}}$ in gewissem Sinne optimal. Man zeigt nämlich – genau wie in *2.4.7.* –, daß $\hat{\boldsymbol{\beta}}$ (bei gegebenem $\boldsymbol{X}$) *beste unverzerrte lineare* Schätzung von $\boldsymbol{\beta}$ ist (vgl. Aufg. (5-6)). Das heißt, $\hat{\boldsymbol{\beta}}$ ist *erwartungstreu* und besitzt für jede Komponente $\hat{\beta}_i$ den kleinstmöglichen Standardfehler im Vergleich zu allen anderen erwartungstreuen und in $\boldsymbol{y}$ linearen Schätzvariablen.

Die *Kovarianzmatrix* von $\hat{\boldsymbol{\beta}}$ lautet (vgl. die Rechnung in *2.4.2.*):

$$\boldsymbol{S}=(\boldsymbol{X}'\boldsymbol{V}^{-1}\boldsymbol{X})^{-1}. \tag{5.7}$$

Man kann aus $\boldsymbol{V}$ einen gemeinsamen Faktor herausziehen und z.B. $\boldsymbol{V}=:\sigma^2\mathbf{P}$ schreiben mit $\sigma^2=\frac{1}{T}\operatorname{Sp}\boldsymbol{V}$. Dann wird aus (5.6) und (5.7):

$$\hat{\boldsymbol{\beta}}=(\boldsymbol{X}'\mathbf{P}^{-1}\boldsymbol{X})^{-1}\boldsymbol{X}'\mathbf{P}^{-1}\boldsymbol{y}, \qquad \boldsymbol{S}=\sigma^2(\boldsymbol{X}'\mathbf{P}^{-1}\boldsymbol{X})^{-1}.$$

σ^2 wird dann als $\hat{\sigma}^2=\hat{\boldsymbol{u}}'\mathbf{P}^{-1}\hat{\boldsymbol{u}}/(T-n-1)$ geschätzt.

Die Anwendung der verallgemeinerten KQ-Methode setzt voraus, daß $\boldsymbol{V}$ oder zumindest $\mathbf{P}$ bekannt ist oder wenigstens konsistent geschätzt werden kann. Das wird nur in speziellen Fällen möglich sein, von denen einer im folgenden näher untersucht werden soll.

5.2. Autokorrelation

5.2.1. Das autoregressive Schema erster Ordnung

Wir nehmen an, die Störvariablen u_t genügen der folgenden *linearen autoregressiven Beziehung erster Ordnung*:

$$u_t=\rho\, u_{t-1}+\varepsilon_t, \qquad |\rho|<1 \tag{5.8}$$

mit

$$E\,\varepsilon_t=0, \qquad E\,\varepsilon_t^2=:\sigma_\varepsilon^2, \qquad E\,\varepsilon_t\,\varepsilon_{t'}=0 \quad \text{für } t\neq t'. \tag{5.9}$$

Die so konstruierte Folge der u_t bildet einen *stochastischen Prozeß*. Sein Wahrscheinlichkeitsgesetz und insbesondere die Varianzen und Kovarianzen der u_t hängen wesentlich von dem den Prozeß „startenden" Anfangswert u_{t_0} ab. Wir wollen annehmen, daß die Startperiode t_0 weit in der Vergangenheit zurückliegt ($t_0<0$ und $|t_0|$ sehr groß, theoretisch: $t_0=-\infty$) und daher der Prozeß schon eine lange Zeit nach den Regeln (5.8) und (5.9) gelaufen ist. In diesem Fall erscheint es als nicht unrealistisch, zusätzlich anzunehmen, daß alle ε_t mit u_{t_0} unkorreliert sind. Daraus folgt sofort, daß auch keine Korrelation zwischen ε_t und $u_{t-\tau}$, $\tau>0$, besteht:

$$E\varepsilon_t u_{t-\tau}=0, \qquad \tau>0. \tag{5.10}$$

Denn

$$E\varepsilon_t u_{t-\tau}=\rho E\varepsilon_t u_{t-\tau-1}+E\varepsilon_t\varepsilon_{t-\tau}=\rho E\varepsilon_t u_{t-\tau-1}=\rho^2 E\varepsilon_t u_{t-\tau-2}=\cdots$$
$$=\rho^{t-\tau-t_0}E\varepsilon_t u_{t_0}=0.$$

Aus der Annahme einer weit zurückliegenden Anfangsperiode t_0 können wir aber wegen $|\rho|<1$ weiterhin folgern, daß der Anfangswert u_{t_0} keinen Einfluß mehr ausübt und daß der Prozeß der u_t *schwach stationär* ist. Darunter verstehen wir allgemein, daß die Erwartungswerte und die Varianzen der u_t von der Zeit unabhängig, also konstant sind und daß die Kovarianzen zwischen u_t und $u_{t-\tau}$ nur von dem zeitlichen Abstand $|\tau|$ abhängen[4], so daß also

$$E u_t = E u_{t'}$$
$$\sigma^2(u_t)=\sigma^2(u_{t'})=:\sigma^2=:\gamma_0 \tag{5.11}$$
$$\mathrm{Cov}(u_t, u_{t-\tau})=\mathrm{Cov}(u_{t'}, u_{t'-\tau})=:\gamma_\tau.$$

Tatsächlich ist $Eu_t=0$, wie man aus (5.8) und (5.9) sofort folgert. Wir können nun unter diesen Annahmen die Autokorrelationsstruktur des autoregressiven Prozesses (5.8) bestimmen. Zunächst errechnen wir aus (5.8) zusammen mit (5.9) und (5.10) die Varianz von u_t:

$$\sigma^2(u_t)=\rho^2\sigma^2(u_{t-1})+\sigma_\varepsilon^2$$

und daher wegen (5.11):

$$\sigma^2=\frac{1}{1-\rho^2}\sigma_\varepsilon^2. \tag{5.12}$$

Ähnlich findet man die Kovarianz zwischen u_t und $u_{t-\tau}$: Multipliziert man (5.8) mit $u_{t-\tau}$ und bildet den Erwartungswert, dann folgt zusammen mit (5.10) und (5.11):

$$\gamma_\tau=\rho\gamma_{\tau-1},$$

also nach sukzessivem Einsetzen:

$$\gamma_\tau=\rho^\tau\sigma^2=\frac{\rho^\tau}{1-\rho^2}\sigma_\varepsilon^2. \tag{5.13}$$

Für die Korrelation ρ_τ zwischen u_t und $u_{t-\tau}$ gilt daher

$$\rho_\tau=\rho^\tau. \tag{5.14}$$

Insbesondere ist ρ gerade die Korrelation unmittelbar aufeinanderfolgender u_t (Autokorrelation erster Ordnung). (5.14) bezeichnet man auch als das Korrelogramm des stochastischen Prozesses. Es hat für $\rho>0$ folgendes Aussehen:

[4] Ein stochastischer Prozeß heißt *stark* stationär, wenn auch für die höheren Momente und mehr noch: für die gemeinsamen Wahrscheinlichkeitsverteilungen der u_t zu (5.11) analoge Beziehungen bestehen (Anhang *B 1.2.*).

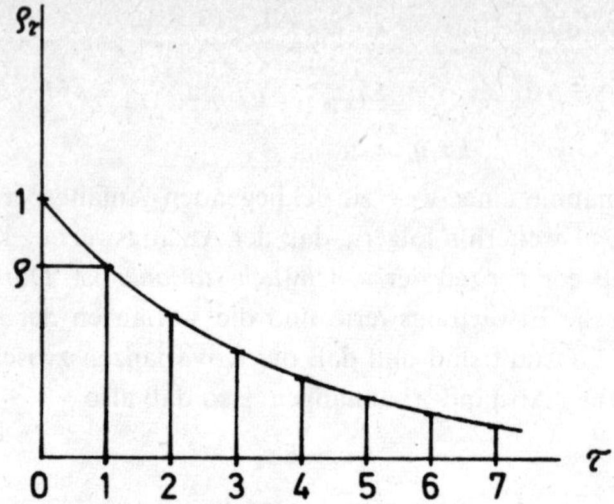

Abb. 5.2. Korrelogramm

Jeder schwach stationäre stochastische Prozeß besitzt ein Korrelogramm mit einer für den Prozeß charakteristischen Gestalt. Wichtig für viele statistische Eigenschaften ist vor allem seine Gestalt für große τ. Geht ρ_τ mit $\tau \to \infty$ gegen 0, dann ist $\bar{u} = \frac{1}{T}\sum_1^T u_t$ eine konsistente Schätzung für Eu, also $\operatorname*{plim}_{T\to\infty} \bar{u} = Eu = 0$ (vgl. auch Anhang *B 10.3.b*).

5.2.2. Verallgemeinerte KQ-Methode bei einfacher Autokorrelation

Wir wollen das AITKENsche Schätzverfahren für den Fall anwenden, daß die Störvariable einem von X unabhängigem linearen autoregressiven Prozeß erster Ordnung folgt, wie in *5.2.1.* beschrieben. Als erstes müssen wir die Kovarianzmatrix V berechnen. Aus (5.13) folgt

$$V = \sigma^2 \begin{pmatrix} 1 & \rho & \rho^2 & \dots & \rho^{T-1} \\ \rho & 1 & \rho & \dots & \rho^{T-2} \\ \vdots & \vdots & \vdots & & \vdots \\ \rho^{T-1} & \rho^{T-2} & \rho^{T-3} & \dots & 1 \end{pmatrix} =: \sigma^2 \mathbf{P}. \qquad (5.15)$$

Die Inverse von V lautet

$$V^{-1} = \frac{1}{(1-\rho^2)\,\sigma^2} \begin{pmatrix} 1 & -\rho & 0 & \dots & 0 & 0 & 0 \\ -\rho & 1+\rho^2 & -\rho & \dots & 0 & 0 & 0 \\ 0 & -\rho & 1+\rho^2 & \dots & 0 & 0 & 0 \\ \vdots & \vdots & \vdots & & \vdots & \vdots & \vdots \\ 0 & 0 & 0 & \dots & -\rho & 1+\rho^2 & -\rho \\ 0 & 0 & 0 & \dots & 0 & -\rho & 1 \end{pmatrix}, \qquad (5.16)$$

wovon man sich durch Nachrechnen der Beziehung $\boldsymbol{V}\boldsymbol{V}^{-1}=\boldsymbol{I}$ überzeugen mag. Mit Hilfe dieser Matrix kann man dann gemäß (5.6) den Parametervektor $\boldsymbol{\beta}$ schätzen. Wie man sieht, können wir in (5.6) die Matrix $\boldsymbol{V}$ durch die *Autokorrelationsmatrix* $\mathbf{P}=\frac{1}{\sigma^2}\boldsymbol{V}$ ersetzen und erhalten:

$$\hat{\boldsymbol{\beta}}=(\boldsymbol{X}'\mathbf{P}^{-1}\boldsymbol{X})^{-1}\boldsymbol{X}'\mathbf{P}^{-1}\boldsymbol{y}. \tag{5.17}$$

Wir können nun auch σ^2 schätzen. Es zeigt sich (vgl. Aufg. (5-8)), daß

$$\hat{\sigma}^2=\frac{1}{T-n-1}\hat{\boldsymbol{u}}'\mathbf{P}^{-1}\hat{\boldsymbol{u}} \tag{5.18}$$

eine erwartungstreue Schätzung von σ^2 darstellt und daher

$$\hat{\boldsymbol{S}}=\hat{\sigma}^2(\boldsymbol{X}'\mathbf{P}^{-1}\boldsymbol{X})^{-1} \tag{5.19}$$

eine erwartungstreue Schätzung von $\boldsymbol{S}$. Mit Hilfe der Diagonalelemente von $\hat{\boldsymbol{S}}$ können jetzt genau wie früher *Konfidenzintervalle* für die Regressionsparameter konstruiert werden.

All diese Schätzungen setzen freilich voraus, daß ρ und damit $\mathbf{P}$ bekannt sind. In der Praxis aber muß man auch ρ schätzen. Eine naheliegende, wenn auch – wie sich herausstellt – unpraktikable Möglichkeit, ρ zu schätzen, bietet das ML-Prinzip. Danach muß man (5.4) nicht nur bezüglich $\hat{\boldsymbol{\beta}}$, sondern auch bezüglich $\boldsymbol{V}$, in unserem Fall also bezüglich σ^2 und ρ maximieren. Dieses Maximierungsproblem führt aber zu sehr komplizierten nichtlinearen Gleichungen, weshalb man in der Praxis lieber das folgende *zweiphasige* Schätzverfahren heranzieht: Man schätzt die gegebene Regression zunächst nach der gewöhnlichen Methode der kleinsten Quadrate, berechnet die KQ-Residuen $\hat{u}_t$ und schätzt die einfache lineare Regression

$$\hat{u}_t=\rho\,\hat{u}_{t-1}+\tilde{\varepsilon}_t, \qquad t=2,3,\ldots,T$$

ebenfalls nach der gewöhnlichen KQ-Methode. Man erhält dann die Schätzung

$$\hat{\rho}=\sum_{2}^{T}\hat{u}_{t-1}\hat{u}_t\Big/\sum_{2}^{T}\hat{u}_{t-1}^2. \tag{5.20}$$

In der zweiten Phase wird dieses $\hat{\rho}$ in $\mathbf{P}$ eingesetzt und $\boldsymbol{\beta}$ nach der verallgemeinerten KQ-Methode (5.17) geschätzt. Unter Umständen erweist es sich als notwendig, das Verfahren zu iterieren, und zwar so lange, bis sich die Schätzungen $\hat{\rho}$ und $\hat{\boldsymbol{\beta}}$ nicht mehr wesentlich ändern. Man beachte allerdings, daß wir keine theoretische Rechtfertigung für dieses Iterationsverfahren geben und daß seine statistischen Implikationen keineswegs klar sind. (Vgl. aber SCHÖNFELD [S. 210ff.] zu den asymptotischen Eigenschaften des zweiphasigen Verfahrens. Danach ist unter allgemeinen Bedingungen die zweiphasige Schätzung $\hat{\boldsymbol{\beta}}$ konsistent und besitzt in (5.19) eine asymptotische Kovarianzmatrix, wobei in $\mathbf{P}$ der Korrelationskoeffizient ρ durch seine konsistente KQ-Schätzung $\hat{\rho}$ ersetzt werden kann.)

5.2.3. *Variablentransformation bei einfacher Autokorrelation*

Vielfach wird in der ökonometrischen Praxis bei Vorliegen von Autokorrelation in den Störvariablen ein anderes, vergleichsweise einfaches Schätzverfahren angewandt. Ist ρ der Autokorrelationskoeffizient erster Ordnung dann transformiert man sämtliche Variablen der gegebenen Regression $y_t = \beta_0 + \beta_1 x_{1t} + \cdots + \beta_n x_{nt} + u_t$ wie folgt:

$$\Delta_\rho y_t = y_t - \rho y_{t-1}, \qquad \Delta_\rho x_{it} = x_{it} - \rho x_{it-1}. \tag{5.21}$$

In den transformierten Variablen ist dann wegen (5.8):

$$\Delta_\rho y_t = \beta_0(1-\rho) + \beta_1 \Delta_\rho x_{1t} + \cdots + \beta_n \Delta_\rho x_{nt} + \varepsilon_t. \tag{5.22}$$

Sind nun die ε_t gemäß (5.9) homoskedastisch und nicht autokorreliert, dann haben wir in der transformierten Regression den klassischen Regressionsfall vor uns, den wir mit der gewöhnlichen KQ-Methode behandeln können.

Es zeigt sich, daß die Schätzungen nach diesem Verfahren in der Regel nur geringfügig von den AITKENschen Schätzungen abweichen (vgl. Aufg. (5-15)). Ausnahmsweise können jedoch größere Abweichungen vorkommen, besonders dann, wenn T klein ist und die Regressoren wenig variieren.

Wieder ist ρ zu schätzen, um die Methode praktisch anwenden zu können. Das kann so, wie in 5.2.2. geschildert, geschehen. Nach DURBIN [1960] ist es aber auch möglich, ρ ohne Umweg über die KQ-Residuen zu schätzen: Wenn wir mit Hilfe von (5.21) die Regression (5.22) wie folgt umschreiben:

$$y_t = \rho y_{t-1} + \beta_0(1-\rho) + \beta_1 x_{1t} - \rho \beta_1 x_{1,t-1} + \cdots + \beta_n x_{nt} - \rho \beta_n x_{n,t-1} + \varepsilon_t, \tag{5.23}$$

dann ist y_t als lineare Regression auf $y_{t-1}, x_{1t}, x_{2t}, \ldots, x_{nt}, x_{1,t-1}, x_{2,t-1}, \ldots, x_{n,t-1}$ dargestellt, wobei freilich die Parameter gewissen Restriktionen unterliegen. (So stehen z.B. die Parameter von x_{1t} und $x_{1,t-1}$ im selben Verhältnis zueinander wie die Parameter von x_{2t} und $x_{2,t-1}$ usw.) Man schätzt nun die Parameter dieser Regression nach der gewöhnlichen KQ-Methode ohne Berücksichtigung dieser Restriktionen und erhält dadurch insbesondere in dem Regressionskoeffizienten von y_{t-1} eine Schätzung $\hat{\rho}$ für ρ. Dieses $\hat{\rho}$ wird sodann benutzt, um nach der eben beschriebenen Transformationsmethode die Regressionsparameter β_i zu schätzen [5].

Beispiel: Für unser früheres Zahlenbeispiel (S. 45) einer einfachen linearen Regression, erhielten wir die Schätzung: $\hat{y} = -0{,}546 + 0{,}246\,x$. Die Ausgangsdaten und die Zeitreihe der Residuen seien hier noch einmal wiedergegeben:

t	1	2	3	4	5	6	7	8	9	10
y	2	2	3	5	4	3	5	5	4	6
x	10	9	15	21	18	18	22	23	20	25
$\hat{u}$	0,090	0,335	−0,139	0,388	0,125	−0,875	0,142	−0,104	−0,367	0,405

[5] GOLLNICK [bes. S. 158ff.] schlägt vor, unter Verzicht auf diesen zweiten Schritt die Regressionsparameter und den Autokorrelationskoeffizienten gleichzeitig anhand des Modells (5.23) zu schätzen.

Nehmen wir an, die Störvariable u_t folge dem autoregressiven Schema (5.8), dann schätzen wir den Autokorrelationskoeffizienten nach (5.20) zu

$$\hat{\rho} = -0{,}381/1{,}238 = -0{,}31.$$

Die Zeitreihen der nach (5.21) transformierten Variablen haben folgendes Aussehen:

t	2	3	4	5	6	7	8	9	10
$\Delta_\rho y$	2,62	3,62	5,93	5,55	4,24	5,93	6,55	5,55	7,24
$\Delta_\rho x$	12,10	17,79	25,65	24,51	23,58	27,58	29,82	27,13	31,20

Man schätzt alsdann die Regression $\Delta_\rho \hat{y} = -0{,}492 + 0{,}236\, \Delta_\rho x$. Die Schätzung des Regressionskoeffizienten $\hat{\beta}$ stimmt mit dem Koeffizienten bei $\Delta_\rho x$ überein; $\hat{\alpha}$ erhalten wir nach Division von $-0{,}492$ durch $1-\hat{\rho}=1{,}31$: $\hat{\alpha}=-0{,}376$. Die beiden Parameterschätzungen weichen von den gewöhnlichen KQ-Schätzungen (siehe oben) ab. Wollen wir die Regressionsparameter nach AITKENS Methode schätzen, dann stellen wir zunächst nach (5.16) die Matrix

$$(1-\hat{\rho}^2)\,\mathbf{P}^{-1} = \begin{pmatrix} 1 & 0{,}31 & & & 0 \\ 0{,}31 & 1{,}096 & \ddots & & \\ & \ddots & \ddots & \ddots & \\ & & \ddots & 1{,}096 & 0{,}31 \\ 0 & & & 0{,}31 & 1 \end{pmatrix}$$

auf und bilden

$$(1-\hat{\rho}^2)\,\boldsymbol{X}'\mathbf{P}^{-1}\boldsymbol{X} = \begin{pmatrix} 16{,}349 & 296{,}401 \\ 296{,}401 & 5727{,}329 \end{pmatrix}$$

und ähnlich

$$(1-\hat{\rho}^2)\,\boldsymbol{X}'\mathbf{P}^{-1}\boldsymbol{y} = \begin{pmatrix} 63{,}679 \\ 1237{,}624 \end{pmatrix}.$$

Nach (5.17) wird nun $\hat{\boldsymbol{\beta}}$ aus dem folgenden Gleichungssystem bestimmt:

$$\begin{pmatrix} 16{,}349 & 296{,}401 \\ 216{,}401 & 5727{,}329 \end{pmatrix} \begin{pmatrix} \hat{\alpha} \\ \hat{\beta} \end{pmatrix} = \begin{pmatrix} 63{,}679 \\ 1237{,}624 \end{pmatrix} \qquad \hat{\alpha}=-0{,}367;\ \hat{\beta}=0{,}235.$$

Zu diesen Rechnungen ist noch zu bemerken, daß es abkürzende Rechenverfahren gibt, bei denen man nicht die einzelnen $\Delta_\rho x$ und $\Delta_\rho y$ zu bestimmen braucht, sondern die für die KQ-Methode notwendigen Produktsummen direkt aus den gegebenen x- und y-Daten ermittelt. Vgl. z.B. THEIL u. NAGAR [1961]. (Fortsetzung des Zahlenbeispiels S. 186.)

5.2.4. *Differenzen*

Für die ökonometrische Praxis hat sich ein *Grenzfall* als besonders wichtig erwiesen. Liegt der Autokorrelationskoeffizient ρ nahe bei 1, dann kann man die Transformationen Δ_ρ angenähert auch mit $\rho=1$ ausführen und erhält als neue Variablen die sogenannten ersten Differenzen

$$\Delta y_t = y_t - y_{t-1}, \qquad \Delta x_{it} = x_{it} - x_{it-1}$$

und anstelle von (5.22) die Differenzen-Regression

$$\Delta y_t = \beta_1\, \Delta x_{1t} + \cdots + \beta_n\, \Delta x_{nt} + \varepsilon_t. \tag{5.24}$$

Man beachte, daß diese Regression kein absolutes Glied enthält, also homogen ist (vgl. *2.3.4.*), es sei denn, unter den exogenen Variablen kommt die Variable t vor (linearer Trend). In diesem Fall ist $\Delta t = 1$ und der Trendkoeffizient wird zum absoluten Glied in der Differenzen-Regression. Auch insofern weicht eine Differenzregression von den üblichen ökonometrischen Zeitreihenregressionen ab, als die Variablen nach der Differenzenbildung zumeist keinen ausgeprägten Trend mehr aufweisen. Das hat zur Folge, daß die exogenen Variablen nach der Differenzenbildung zumeist nur noch schwach miteinander korreliert sind, das Problem der Kollinearität also (vielleicht nur scheinbar?) eliminiert ist. Das mögen Gründe dafür sein, daß man in der ökonometrischen Praxis gelegentlich gern mit ersten Differenzen arbeitet, manchmal auch mit *relativen Differenzen* oder *Veränderungsraten*, z.B. $(y_t - y_{t-1})/y_{t-1}$ usw. (vgl. auch *3.2.4.*). Jedoch ist zu beachten, daß die Differenzentransformation nur zulässig ist, wenn die u_t einem autoregressiven Prozeß mit einem nahe bei 1 liegenden Regressionskoeffizienten folgen. Sind dagegen die u_t unkorreliert, dann sind die $\varepsilon_t = \Delta u_t$ negativ autokorreliert mit $\rho(\varepsilon_t, \varepsilon_{t-1}) = -\frac{1}{2}$.

Beispiel: Bilden wir in dem vorangehenden Zahlenbeispiel die ersten Differenzen[6], dann erhalten wir folgende Zeitreihen

t	2	3	4	5	6	7	8	9	10
Δy	0	+1	+2	−1	−1	+2	0	−1	+2
Δx	−1	+6	+6	−3	0	+4	+1	−3	+5

Die KQ-Methode, angewandt auf die Regression $\Delta y = \beta\,\Delta x + \varepsilon$ liefert die Schätzung $\hat{\beta} = \frac{\sum \Delta x\,\Delta y}{\sum (\Delta x)^2} = 0{,}316$. (Fortsetzung S. 189.)

5.2.5. *Test auf Autokorrelation*

Man wird die hier geschilderten vergleichsweise komplizierten Schätzmethoden natürlich nur dann anwenden wollen, wenn man sicher ist, daß tatsächlich Autokorrelation vorliegt. Wie erkennt man eine möglicherweise vorhandene Autokorrelation in den (nicht direkt beobachtbaren) Störvariablen? Die Vermutung liegt nahe, daß sich Autokorrelation in den Störvariablen als eine entsprechende Autokorrelation in den Residuen einer nach der gewöhnlichen KQ-Methode geschätzten Regression niederschlägt und dort im Prinzip entdeckt werden kann. Zeigen z.B. die Residuen eine auffällig geringe Neigung, das Vorzeichen zu wechseln, kleben sie also gewissermaßen aneinander, dann besteht der Verdacht auf positive Autokorrelation. Freilich kann ein derart ungewöhnliches Verhalten auch Zufallsresultat sein. Um zwischen Zufall und echten Hinweisen auf Autokorrelation unterscheiden zu können, ist ein geeigneter statistischer Test zu konstruieren. Unter den

[6] Die Differenzenbildung erscheint allerdings aufgrund des früher ermittelten Korrelationskoeffizienten $\hat{\rho} = -0{,}31$ nicht gerechtfertigt. Sie wird hier nur zur Demonstration der Methode durchgeführt.

vielen bekannten Tests auf Autokorrelation[7] hat sich in der ökonometrischen Praxis der DURBIN-WATSON-*Test* durchgesetzt. Er geht von der folgenden Testvariablen aus:

$$d := \frac{\sum_{t=2}^{T} (\hat{u}_t - \hat{u}_{t-1})^2}{\sum_{t=1}^{T} \hat{u}_t^2}. \tag{5.25}$$

Zwischen d und $\hat{\rho}$ besteht nach (5.20) approximativ folgender Zusammenhang:

$$d \doteq 2(1-\hat{\rho}). \tag{5.26}$$

Denn

$$d \doteq \sum_2^T (\hat{u}_t - \hat{u}_{t-1})^2 \Big/ \sum_2^T \hat{u}_{t-1}^2 = \sum_2^T \hat{u}_t^2 \Big/ \sum_2^T \hat{u}_{t-1}^2 - 2\hat{\rho} + 1 \doteq 2 - 2\hat{\rho}.$$

Die Approximation ist um so besser, je größer T. Danach ist $d \doteq 0$, wenn $\hat{\rho} = 1$, und $d \doteq 4$, wenn $\hat{\rho} = -1$. Die Mittellage $d \doteq 2$ wird erreicht, wenn $\hat{\rho} = 0$. Man wird also nur dann auf Autokorrelation schließen, wenn d wesentlich von 2 nach oben oder unten abweicht und hierbei gewisse Signifikanzschwellen überschreitet.

Man kann solche Signifikanzschwellen ohne zusätzliche Voraussetzungen über die Wahrscheinlichkeitsverteilung der Störvariablen (also verteilungsfrei) bestimmen.

Die Effizienz des Tests wird aber erhöht, wenn wir von der *Normalverteilungshypothese* ausgehen dürfen. Für den Fall normalverteilter Störvariablen ohne Autokorrelation (Nullhypothese) haben DURBIN und WATSON [1950, 1951] die (bedingte) Wahrscheinlichkeitsverteilung der Testvariablen d (bei gegebenem $\boldsymbol{X}$) näherungsweise bestimmt. Sie ist deswegen nicht exakt anzugeben, weil sie von der realisierten Zeitreihenmatrix $\boldsymbol{X}$ abhängt. Doch lassen sich von $\boldsymbol{X}$ unabhängige Grenzen für die Wahrscheinlichkeitsverteilung von d berechnen. Entsprechend erhält man keine allgemeingültigen Signifikanzschwellen, sondern nur je zwei (von $\boldsymbol{X}$ unabhängige) Grenzen, zwischen denen sie liegen. Wir können z.B. für eine Irrtumswahrscheinlichkeit von 5% zum einseitigen Test der Nullhypothese gegen die Alternativhypothese, daß positive Autokorrelation vorliege, zwei Grenzen d_u und d_0 mit $d_u < d_0 < 2$ angeben derart, daß

bei $d < d_u$ die Hypothese $\rho = 0$ zugunsten der Hypothese $\rho > 0$ verworfen wird,
bei $d > d_0$ die Hypothese $\rho = 0$ angenommen wird, während
bei $d_u < d < d_0$ der Test keine Entscheidung fällt.

Die Grenzen d_u und d_0 hängen noch von T und n ab und liegen um so näher beieinander, je größer T ist, aber auch je kleiner n ist. Sie sind so konstruiert, daß im Falle der Nullhypothese ($\rho = 0$)

$$P(d < d_u) \leq 5\% \quad \text{und} \quad P(d < d_0) \geq 5\%.$$

[7] Für einen nicht-parametrischen Test vgl. z.B. GEARY [1970].

Kennte man die exakte Signifikanzschwelle d^* mit $P(d<d^*)=5\%$, dann könnte man auch in den Fällen $d_u<d<d_0$ zwischen den Hypothesen entscheiden. Für den Fall, daß die Residuen nicht aus einer geschätzten Regression stammen, sondern direkt beobachtbare normalverteilte Größen darstellen, hat VON NEUMANN einen entsprechenden exakten Test auf Autokorrelation entwickelt, der in den frühen ökonometrischen Arbeiten oft benutzt wurde. Seine Signifikanzschwelle liegt ungefähr in der Mitte zwischen d_u und d_0.

Andererseits haben neuere Untersuchungen gezeigt, daß bei trendbehafteten exogenen Variablen d^* eher in der Nähe von d_0 liegt [8]. Insbesondere haben THEIL und NAGAR [1961] einen approximativen d^*-Wert für alternative T, n und Signifikanzwahrscheinlichkeiten tabuliert. Er sollte immer dann zum Test auf Autokorrelation herangezogen werden, wenn die ersten und zweiten Differenzen der Regressorvariablen dem Betrag nach klein sind im Vergleich zu deren Variationsbreite, also insbesondere, wenn die Regressoren einem starken Trend folgen, nicht aber, wenn die Regressoren schon als erste Differenzen in die Regression eingehen. Es zeigt sich, daß für kleine n ($n<5$) und nicht zu kleine T ($T>15$) d^* praktisch mit d_0 übereinstimmt, während für größere n und kleinere T d^* etwas (bis zu 5%) unterhalb d_0 liegt [9].

Für einen Test auf negative Autokorrelation werden die zur Mittellage 2 symmetrisch gelegenen Grenzen $4-d_u$ und $4-d_0$ verwendet.

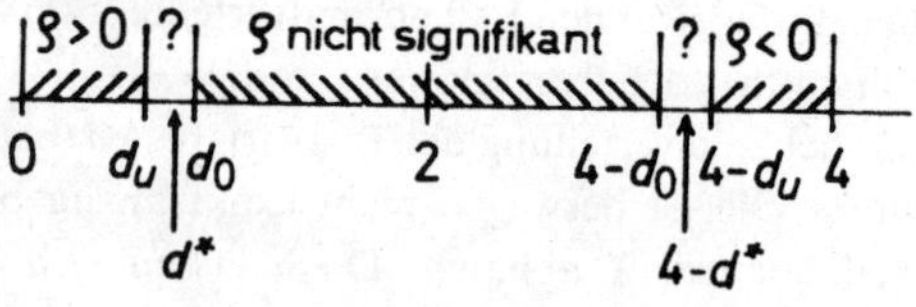

Abb. 5.3. DURBIN-WATSON-Test

Hat man aufgrund des Testergebnisses mit Autokorrelation zu rechnen, dann kann man den Autokorrelationskoeffizienten mit Hilfe von (5.26) approximativ berechnen und die Regression erneut nach der verallgemeinerten KQ-Methode schätzen.

Es ist aber auch sehr leicht möglich, daß ein signifikanter d-Wert gar nicht Ausfluß einer vorhandenen Autokorrelation ist, sondern vielmehr aus einer *Fehlspezifikation* des Regressionsmodells herrührt, z.B. daher, daß eine wesentliche Einflußgröße in das Modell nicht aufgenommen wurde. In der Tat sollte man

[8] Vgl. CHRIST [1966], bes. S. 527f. und die dort angegebene Literatur.

[9] Diese Schwierigkeiten lassen sich auch dadurch überwinden, daß man die Residuen $\hat{u}_t$ derart linear transformiert, daß man stochastisch unabhängige Residuen $\hat{\hat{u}}_t$ erhält [THEIL, 1965, 1968]. Vgl. hierzu und zu den Problemen des DURBIN-WATSON-Tests auch KOERTS u. ABRAHAMSE [1969, Kap. 3 u. 4].

einen signifikanten d-Wert regelmäßig zum Anlaß nehmen, nach neuen erklärenden Variablen zu suchen, um sich erst dann zufriedenzugeben, wenn keine Autokorrelation mehr signifikant festgestellt werden kann. Bei dieser Strategie hat es sich oft gezeigt, daß die Hinzunahme der verzögerten endogenen Variablen y_{t-1} in die Menge der erklärenden Variablen (vgl. Kap. 6) die Autokorrelation in den Residuen erheblich mindert.

Auch eine Fehlspezifikation in der funktionalen Form der Regressionsgleichung kann einen signifikanten d-Wert zur Folge haben. Eine linear angesetzte, in Wahrheit aber nichtlineare Regression kann z.B. das folgende Streudiagramm zeigen:

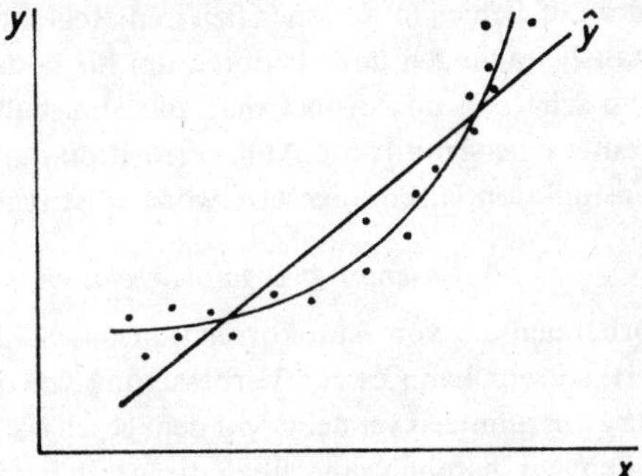

Abb. 5.4. Fehlspezifikation und Residuen

Hier haben bei aufsteigenden x_t-Werten die Residuen eine allzu regelmäßige Verteilung: im ersten und letzten Zeitabschnitt sind sie vorwiegend positiv, im mittleren Zeitabschnitt dagegen vorwiegend negativ. Die Testvariable d wird daher mit großer Wahrscheinlichkeit einen signifikant kleinen Wert annehmen. Eine ähnliche Situation liegt bei Strukturbrüchen vor (vgl. *2.5.5.* und Anhang *C 2.*). Der DURBIN-WATSON-Test kann also auch als *Test auf Linearität* benutzt werden.

Beispiel: Aus der Zeitreihe der Residuen unseres Zahlenbeispiels (S. 184) errechnet man $d = 2{,}42$. Da $d > 2$, ist mit negativer Autokorrelation zu rechnen. Für $T = 15$ und $n = 1$ gelten folgende 5% Grenzen[10]: $4 - d_u = 2{,}92$; $4 - d_0 = 2{,}64$ und nach THEIL und NAGAR: $4 - d^* = 2{,}64$. Für $T = 10$ sind zwar keine Grenzen angegeben, sie würden aber in jedem Fall die angegebenen Schwellenwerte übersteigen. Da der Wert $d = 2{,}42$ noch unterhalb von 2,64 liegt, ist keine negative Autokorrelation signifikant feststellbar. – Übrigens liefert die approximative Berechnung von $\hat{\rho}$ aus d nach (5.26) $\hat{\rho} = -0{,}21$. Dieser Wert weicht von dem früher (S. 185) errechneten Wert $-0{,}31$ relativ stark ab; der Grund der Abweichung ist darin zu sehen, daß bei der Herleitung von (5.26)

$$\sum_{2}^{T} \hat{u}_t^2 = \sum_{1}^{T-1} \hat{u}_t^2 = \sum_{1}^{T} \hat{u}_t^2 \quad \text{gesetzt wurde.}$$

Der Begriff der Autokorrelation wurde im Zusammenhang mit Zeitreihenuntersuchungen eingeführt. Autokorrelation kann aber auch bei *Querschnittsanalysen*

[10] Tafeln für den DURBIN-WATSON-Test: DURBIN u. WATSON [1951], CHRIST [S. 672], THEIL u. NAGAR [1961, S. 802]. Siehe auch den Tafelanhang.

beobachtet werden; allerdings nur dann, wenn die Beobachtungspunkte nach irgendeinem sachlichen Gesichtspunkt geordnet sind (die „natürliche" zeitliche Ordnung entfällt ja bei Querschnittsdaten). Wird z.B. für alle Erhebungseinheiten neben den in die Regression eingehenden Variablen noch ein (quantitatives) Merkmal z gemessen und ordnet man die Erhebungseinheiten nach aufsteigenden z-Werten, dann weist eine eventuell vorhandene Autokorrelation der Residuen auf einen möglichen Einfluß der Variablen z hin. Es ist auch sinnvoll, die Beobachtungspunkte nach der Größe des Wertes einer der Regressorvariablen anzuordnen. Auch in diesem Fall liefert der Test auf Autokorrelation wertvolle Hinweise auf die Richtigkeit oder auf Fehler in der spezifizierten Regression. Werden z.B. die Daten von Haushaltsbefragungen dazu benutzt, um für bestimmte Güter ENGELsche Funktionen zu schätzen, und ordnet man die Haushalte nach wachsendem Einkommen, so deutet eine signifikante Autokorrelation darauf hin, daß vermutlich die Regressionsfunktion falsch angesetzt worden ist (vgl. Abb. 5.4.).

5.2.6. Prognose bei Autokorrelation

So sehr das Vorhandensein von Autokorrelation das Schätzverfahren kompliziert und erschwert, so sehr kann es zur Verbesserung von Prognosen beitragen, sofern man es richtig auszunutzen versteht. Mit dem geschätzten Autokorrelationskoeffizienten $\hat{\rho}$ haben wir nämlich eine über die geschätzte Regression hinausgehende zusätzliche Information. Ohne diese Information konnten wir bisher nur mit Hilfe der Regression allein prognostizieren, und zwar als $\hat{y}_{T+1} = \boldsymbol{x}'_{(T+1)} \hat{\boldsymbol{\beta}}$. Wenn nun aber das Residuum der letzten Beobachtungsperiode $\hat{u}_T$ als Schätzung der entsprechenden Störvariablen bekannt ist und wenn die Störvariablen einem autoregressiven Schema (5.8) folgen, dessen Parameter ρ geschätzt werden konnte, dann läßt sich die Prognose dadurch verbessern, daß man nach (5.8) das Residuum der Prognoseperiode $\hat{u}_{T+1}$ als $\hat{\rho}\,\hat{u}_T$ vorausschätzt und somit insgesamt zu der Prognose

$$\hat{y}_{T+1} = \boldsymbol{x}'_{(T+1)} \hat{\boldsymbol{\beta}} + \hat{\rho}\,\hat{u}_T \tag{5.27}$$

gelangt. Die Schätzung $\hat{\boldsymbol{\beta}}$ ist hierbei nach der verallgemeinerten KQ-Methode zu gewinnen, denn diese ist beste lineare Schätzung (vgl. auch Aufg. (5-20)).

5.3. Heteroskedastizität

5.3.1. Schätzverfahren

Wir wollen jetzt untersuchen, wie sich eine veränderliche Störvarianz

$$\sigma^2(u_t) = \sigma_t^2 \tag{5.28}$$

auf unser Schätzproblem auswirkt. Zur Vereinfachung wollen wir aber annehmen, daß dann keine Autokorrelation vorliegt. In diesem Fall hat die Kovarianzmatrix der u_t folgendes Aussehen:

$$V=\begin{pmatrix}\sigma_1^2 & 0 & \dots & 0\\ 0 & \sigma_2^2 & \dots & 0\\ \vdots & \vdots & & \vdots\\ 0 & 0 & \dots & \sigma_T^2\end{pmatrix} \tag{5.29}$$

und ihre Inverse:

$$V^{-1}=\begin{pmatrix}\sigma_1^{-2} & 0 & \dots & 0\\ 0 & \sigma_2^{-2} & \dots & 0\\ \vdots & \vdots & & \vdots\\ 0 & 0 & \dots & \sigma_T^{-2}\end{pmatrix}. \tag{5.30}$$

Die Anwendung der verallgemeinerten KQ-Methode (5.6) läuft nun offenbar darauf hinaus, daß man alle Variablen der folgenden Maßstabstransformation unterwirft:

$$y_t^*=\frac{1}{\sigma_t}\,y_t,\qquad x_{it}^*=\frac{1}{\sigma_t}\,x_{it},\qquad u_t^*=\frac{1}{\sigma_t}\,u_t \tag{5.31}$$

und die resultierende Regression in den neuen Variablen, nämlich

$$y_t^*=\beta_0\,x_{0t}^*+\beta_1\,x_{1t}^*+\dots+\beta_n\,x_{nt}^*+u_t^*, \tag{5.32}$$

nach der gewöhnlichen KQ-Methode schätzt. Diese fast selbstverständliche Transformation – man beachte, daß $\sigma^2(u_t^*)$ konstant ist – entspricht übrigens in etwa der Transformation (5.21) im Falle der einfachen Autokorrelation, wie man überhaupt zu jeder Matrix V eine zugehörige Variablentransformation angeben kann, derart, daß nach der Transformation die Voraussetzungen für die Anwendung der gewöhnlichen KQ-Methode gegeben sind und diese zu denselben Schätzwerten führt wie die AITKENsche Methode[11].

Auch die Kovarianzmatrix S der Parameterschätzungen ergibt sich aus der zur gewöhnlichen KQ-Methode gehörigen Formel (2.34), angewandt auf die transformierten Variablen:

$$S=(X'V^{-1}X)^{-1}=(X^{*\prime}X^*)^{-1}\,\sigma^{*2},\qquad \text{wobei } \sigma^*=1. \tag{5.33}$$

Wendet man dagegen die gewöhnliche KQ-Methode auf die nichttransformierten Variablen y_t und x_{it} an, dann ist S_{KQ} nach (5.2) zu berechnen. Die dabei entstehenden Standardfehler können beträchtlich größer sein als nach der verallgemeinerten KQ-Methode (vgl. Aufg. (5-23)). Deshalb sollte man, wenn immer der Verdacht auf

[11] Dies folgt aus der allgemein gegebenen Möglichkeit, V^{-1} in ein Produkt der Form $T'T$ zu zerlegen mit einer regulären $(T\times T)$-Matrix T (Anhang *A 12.2.*). Fassen wir diese als Zeitreihen-Transformationsmatrix auf mit $X^*:=TX$ und $y^*:=Ty$, dann wird aus (5.6): $\hat{\beta}=(X'T'TX)^{-1}X'T'Ty=(X^{*\prime}X^*)^{-1}X^{*\prime}y^*$, also eine KQ-Schätzformel. Ähnlich wird aus (5.7): $S=(X^{*\prime}X^*)^{-1}$. Auch gilt für die transformierten u_t-Werte: $E\,u^*u^{*\prime}=TE(u\,u')\,T'=TVT'=T(T'T)^{-1}T'=I$, d.h., u^* erfüllt die Voraussetzungen (M 2) des klassischen Regressionsmodells mit $\sigma^{*2}=1$.
Im obigen Fall der Heteroskedastizität wurde T als Diagonalmatrix gewählt, auf deren Diagonale die reziproken Standardabweichungen $\sigma_1^{-1},\dots,\sigma_T^{-1}$ stehen.

Heteroskedastizität besteht, die KQ-Methode erst nach erfolgter Variablentransformation (5.31) anwenden.

Mit diesem Verfahren können wir in der Praxis freilich nur dann etwas anfangen, wenn die σ_t^2 bekannt sind oder sich hinreichend genau schätzen lassen. Das ist im Prinzip dann möglich, wenn die σ_t^2 einem einfachen Gesetz gehorchen, z.B. eine lineare Funktion von t sind[12]. In den meisten Fällen wird σ_t^2 eine Funktion der x_{it} sein. Es liegt jedenfalls nahe, anzunehmen, daß bei einer einfachen linearen Regression $y_t = \alpha + \beta x_t + u_t$ die Störvarianz mit wachsendem x_t zunimmt. Treffen wir insbesondere die Annahme, daß σ_t proportional zu x_t ist, etwa $\sigma_t = a\, x_t$, dann führt die Maßstabstransformation (5.31) zu folgender Regression (5.32)[13]:

$$\left(\frac{y}{x}\right)_t = \alpha \frac{1}{x_t} + \beta + u_t^*$$

mit den neuen Variablen $y_t^* = y_t/x_t$ und $x_{0t}^* = 1/x_t$, $x_{1t}^* \equiv 1$. Man schätzt nun die Parameter α und β nach der gewöhnlichen KQ-Methode. Anschließend kann man $\sigma^2(u^*) = a^2$ in der üblichen Weise schätzen und hat damit zugleich eine Schätzung des Proportionalitätsfaktors a.

$$\hat{a}^2 = \frac{1}{T-2} \sum_1^T \hat{u}_t^{*2}. \tag{5.34}$$

Eine andere Art von Heteroskedastizität beschreibt GOLDBERGER [1964, S. 245]: Ist σ_t proportional dem Regressionswert, also etwa $\sigma_t = b\, \tilde{y}_t$, dann ist das folgende zweistufige Schätzverfahren anwendbar. Zunächst wird die gegebene Regression nach der gewöhnlichen KQ-Methode geschätzt. Die geschätzten Regressionswerte $\hat{y}_t$ sind dann Schätzungen für $\tilde{y}_t$ und können zur Maßstabstransformation (5.31) herangezogen werden:

$$y_t^* = \frac{y_t}{\hat{y}_t}, \qquad x_{it}^* = \frac{x_{it}}{\hat{y}_t}.$$

Aus (5.32) gewinnt man dann nach der gewöhnlichen KQ-Methode die Parameterschätzungen und schließlich in $\hat{\sigma}^2(u^*)$ eine Schätzung von b^2.

Beispiele: Eine trendmäßig aufsteigende Variable y_t nimmt nicht nur im Laufe der Zeit immer größere Werte an, sondern weist vielfach auch sich ständig vergrößernde Schwankungen auf. Die Störvariable der Trendgleichung $y_t = \alpha + \beta t + u_t$ hat dann eine mit t wachsende Varianz.

In dem folgenden Modell eines exponentiell wachsenden Trends $y_t = \exp(\alpha + \beta t + u_t)$ mit $\sigma^2(u_t) = \sigma^2$ ist die Störvariable multiplikativ als Faktor e^{u_t} an die Trendgleichung angeheftet. Dies führt bei konstanter Varianz von u_t zu zunehmender Varianz von y_t. Dagegen herrscht in der logarithmierten Gleichung $\log y_t = \alpha + \beta t + u_t$ wieder Homoskedastizität (vgl. auch BOX u. COX [1964]).

Die aus Haushaltsbudget-Daten (in Form einer Querschnittsanalyse) gewonnenen ENGELschen Funktionen, in denen die Nachfrage q nach einem Gut als Funktion des Haushaltseinkommens y (z.B.

[12] Für allgemeine Schätzmethoden mit Hilfe der KQ-Residuen vgl. CHEW [1970] u. RAO [1970].

[13] Eine Verallgemeinerung für den Fall, daß $\sigma_t = a_0 + a_1 x_{1t} + a_2 x_{2t} + \cdots + a_n x_{nt}$ findet man bei RUTEMILLER u. BOWERS [1968].

in der Form $q = \alpha + \beta \log y + u$) dargestellt wird, weisen gewöhnlich starke Heteroskedastizität auf, insofern als die Nachfragewerte in Haushalten mit hohem Einkommen wesentlich größeren Schwankungen unterliegen als in Haushalten mit geringerem Einkommen. (Vgl. z.B. CRAMER [1969, S. 142].)

Eine homogene Konsumfunktion $C = \beta Y + \alpha P + u$ mit nominellen Konsum- und Einkommensvariablen und einem Preisindex kann auch in Realwerten dargestellt werden: $C/P = \beta Y/P + \alpha + v$ mit $v = u/P$. Ist u homoskedastisch, dann ist v heteroskedastisch. Ist dagegen σ_u proportional zu P, dann ist v homoskedastisch. Vgl. hierzu KUH u. MEYER [1955].

Weitere Modelle mit Heteroskedastizität findet man bei SCHÖNFELD [S. 141 ff.]. Auch das folgende unkonventionelle Modell [HILDRETH u. HOUCK], das einen stochastisch variierenden Regressionskoeffizienten annimmt, kann auf eine Regressionsgleichung mit heteroskedastischer Störvariablen zurückgeführt werden:

$$y_t = \alpha + (\beta + \varepsilon_t)\, x_t$$

mit einer von x_t stochastisch unabhängigen Zufallsvariablen ε_t mit $E\varepsilon_t = 0$ und $V\varepsilon_t = \sigma_\varepsilon^2$. Setzt man $\varepsilon_t x_t =: u_t$, dann erhält man

$$y_t = \alpha + \beta x_t + u_t$$

mit $Vu_t = x_t^2 \sigma_\varepsilon^2$. Es wird wie in (5.33) geschätzt. Vgl. auch SWAMY [1971].

5.3.2. *Test auf Heteroskedastizität*

In günstigen Fällen kann man es dem Streudiagramm ansehen, ob Heteroskedastizität vorliegt (vgl. Abb. 5.5). Als allgemeiner statistischer Test bietet sich der früher anläßlich der Strukturbruchanalyse (2.5.5.) entwickelte F-Test an, der allerdings die Normalverteilungsannahme voraussetzt. Will man eine der oben dargestellten speziellen Heteroskedastizitätsannahmen prüfen, dann sind hierzu spezielle Tests zu entwickeln [RAMSEY].

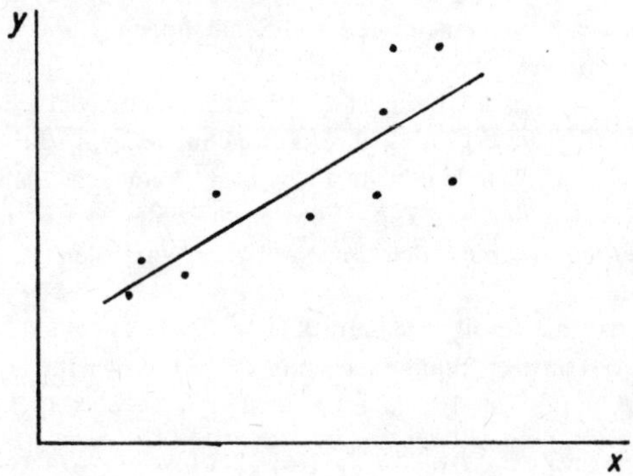

Abb. 5.5. Heteroskedastizität

Bemerkung: In den folgenden Kapiteln gehen wir, wenn nichts anderes ausdrücklich vermerkt ist, immer davon aus, daß die Störvariablen u_t weder Autokorrelation noch Heteroskedastizität aufweisen. Eine gleichzeitige Behandlung dieser Eigenschaften zusammen mit anderen (im folgenden noch zu erörternden) Modifikationen der klassischen Modellannahmen würde diese einführende Darstellung zu sehr komplizieren. Auch weiß man z.Z. noch verhältnismäßig wenig über die Auswirkung mehrerer zugleich eintretender Abweichungen vom klassischen Modell (vgl. *6.2.5.*).

Empfohlene zusätzliche Literatur: SCHÖNFELD [1969, Kap. 5 und 7].

Aufgaben zu Kap. 5

5.1.

(5-1) a) Man leite (5.2) aus (5.1) und (2.29) her.

b) Man leite aus (5.6) eine zu (2.29) analoge Formel her und hieraus (5.7).

(5-2) Man gebe das Normalgleichungssystem für $\hat{\boldsymbol{\beta}}$ nach (5.6) explizit (d.h. ohne Benutzung der Matrixschreibweise) an – zumindest für den Fall einer einfachen Regression – und zeige, daß die Regressionshyperebene i. allg. nicht durch den Schwerpunkt der Beobachtungspunkte geht. Auch ist es nicht richtig, das absolute Glied dadurch zu eliminieren, daß man alle Variablen als Abweichungen von ihren Mittelwerten mißt; vielmehr sind etwa für die Variable x die Abweichungen von

$$\boldsymbol{i}'\boldsymbol{V}^{-1}\boldsymbol{x}/\boldsymbol{i}'\boldsymbol{V}^{-1}\boldsymbol{i}=\sum\sum v^{tt'}x_t/\sum\sum v^{tt'}$$

zu bilden mit $\boldsymbol{V}^{-1}=(v^{tt'})$.

(5-3) Man bestimme durch Differenzieren das Minimum von (5.5) und leite (5.6) her.

(5-4) Man zeige, daß man $\hat{\boldsymbol{\beta}}$ nach (5.6) schon dann bestimmen kann, wenn $\boldsymbol{V}$ nur bis auf einen (skalaren) Faktor bekannt ist.

(5-5) a) Es sei $\boldsymbol{Z}=\boldsymbol{X}\boldsymbol{A}$ mit regulärer Transformationsmatrix $\boldsymbol{A}$ und $\boldsymbol{\alpha}=\boldsymbol{A}^{-1}\boldsymbol{\beta}$. Dann ist die lineare Regression $\boldsymbol{y}=\boldsymbol{X}\boldsymbol{\beta}+\boldsymbol{u}$ äquivalent mit $\boldsymbol{y}=\boldsymbol{Z}\boldsymbol{\alpha}+\boldsymbol{u}$. Man zeige, daß zwischen den verallgemeinerten KQ-Schätzungen $\hat{\boldsymbol{\beta}}$ und $\hat{\boldsymbol{\alpha}}$ die Beziehung $\hat{\boldsymbol{\alpha}}=\boldsymbol{A}^{-1}\hat{\boldsymbol{\beta}}$ besteht (vgl. *2.4.5.b*).

b) Ist insbesondere $x_0\equiv 1$, dann ist die Ersetzung der eigentlichen exogenen Variablen (und nur dieser) durch ihre Abweichungen vom Mittelwert eine solche Transformation. Wie lauten $\boldsymbol{A}$, $\boldsymbol{A}^{-1}$ und $\boldsymbol{\alpha}$? Man zeige, daß $\hat{\alpha}_i=\hat{\beta}_i$, $i=1,\ldots,n$, und $\hat{\alpha}_0=\hat{\beta}_0+\bar{x}_1\hat{\beta}_1+\cdots+\bar{x}_n\hat{\beta}_n$. Für den Spezialfall $\boldsymbol{V}=\sigma^2\boldsymbol{I}$ (gewöhnliche KQ-Methode) stelle man mit den transformierten Variablen das Normalgleichungssystem auf.

(5-6*) Man zeige, daß die verallgemeinerte KQ-Methode zu besten unverzerrten Schätzungen führt. (Hinweis: Bilde $\check{\boldsymbol{\beta}}=\boldsymbol{C}\boldsymbol{y}$ mit $\boldsymbol{C}\boldsymbol{X}=\boldsymbol{I}$ (Erwartungstreue). Falls $\check{\alpha}=\boldsymbol{a}'\check{\boldsymbol{\beta}}$ und $\hat{\alpha}=\boldsymbol{a}'\hat{\boldsymbol{\beta}}$, dann ist $V\check{\alpha}=\boldsymbol{a}'\boldsymbol{C}\boldsymbol{V}\boldsymbol{C}'\boldsymbol{a}$ und $V\hat{\alpha}=\boldsymbol{a}'(\boldsymbol{X}'\boldsymbol{V}^{-1}\boldsymbol{X})^{-1}\boldsymbol{a}$. Ferner ist

$$\boldsymbol{C}\boldsymbol{V}\boldsymbol{C}'-(\boldsymbol{X}'\boldsymbol{V}^{-1}\boldsymbol{X})^{-1}=[\boldsymbol{C}\boldsymbol{T}^{-1}-(\boldsymbol{X}'\boldsymbol{V}^{-1}\boldsymbol{X})^{-1}\boldsymbol{X}'\boldsymbol{T}'][\boldsymbol{C}\boldsymbol{T}^{-1}-(\boldsymbol{X}'\boldsymbol{V}^{-1}\boldsymbol{X})^{-1}\boldsymbol{X}'\boldsymbol{T}']'$$

mit $\boldsymbol{T}'\boldsymbol{T}=\boldsymbol{V}^{-1}$ – vgl. *2.4.7.*)

(5-7*) Man beweise mit Hilfe des Ergebnisses von Aufg. (2-20), daß für die KQ-Residuen gilt:

$$E\hat{\boldsymbol{u}}'\hat{\boldsymbol{u}}=T\sigma^2-sp[(\boldsymbol{X}'\boldsymbol{X})^{-1}\boldsymbol{X}'\boldsymbol{V}\boldsymbol{X}]$$

mit $\sigma^2 := \sum \sigma_t^2 / T$ und daß daher $\hat{\sigma}^2$ keine erwartungstreue Schätzung von σ^2 ist.

(5-8*) Man beweise, daß für die verallgemeinerten KQ-Residuen gilt:

$$E(\hat{\boldsymbol{u}}' \boldsymbol{V}^{-1} \hat{\boldsymbol{u}}) = (T-n-1)$$

und daß daher $\hat{\boldsymbol{u}}' \mathbf{P}^{-1} \hat{\boldsymbol{u}}/(T-n-1)$ eine erwartungstreue Schätzung von σ^2 bei gegebener Matrix $\mathbf{P}$ ist mit σ^2 wie in (5-7) und $\mathbf{P} := \sigma^{-2} \boldsymbol{V}$. (Hinweis: $\hat{\boldsymbol{u}} = \boldsymbol{Q}\boldsymbol{u}$ mit $\boldsymbol{Q} := \boldsymbol{I} - \boldsymbol{X}(\boldsymbol{X}'\boldsymbol{V}^{-1}\boldsymbol{X})^{-1}\boldsymbol{X}'\boldsymbol{V}^{-1}$ und $\boldsymbol{Q}'\boldsymbol{V}^{-1}\boldsymbol{Q} = \boldsymbol{V}^{-1}\boldsymbol{Q}$. Daher ist $E(\hat{\boldsymbol{u}}'\boldsymbol{V}^{-1}\hat{\boldsymbol{u}}) = E\, sp(\boldsymbol{u}'\boldsymbol{Q}'\boldsymbol{V}^{-1}\boldsymbol{Q}\boldsymbol{u}) = sp(\boldsymbol{V}^{-1}\boldsymbol{Q}\boldsymbol{V}) = T-(n+1)$.)

(5-9) Wollte man $\boldsymbol{V}$ durch die Matrix $\hat{\boldsymbol{V}} := \hat{\boldsymbol{u}}\hat{\boldsymbol{u}}'$ schätzen, wobei $\hat{\boldsymbol{u}}$ der KQ-Residuenvektor ist, dann erhielte man eine singuläre Matrix $\hat{\boldsymbol{V}}$. Man zeige, daß $\hat{\boldsymbol{V}}$ vom Rang 1 ist.

(5-10*) a) Es sei

$$\boldsymbol{V} = \sigma^2 \begin{pmatrix} 1 & \rho & \dots & \rho \\ \rho & 1 & \dots & \rho \\ \vdots & \vdots & & \vdots \\ \rho & \rho & \dots & 1 \end{pmatrix},$$

mit $0 \leq \rho < 1$.

Man zeige, daß

$$\boldsymbol{V}^{-1} = \left[\sigma^2(1-\rho)(1+(T-1)\rho)\right]^{-1} \begin{pmatrix} 1+(T-2)\rho & -\rho & \dots & -\rho \\ -\rho & 1+(T-2)\rho & \dots & -\rho \\ \vdots & \vdots & & \vdots \\ -\rho & -\rho & \dots & 1+(T-2)\rho \end{pmatrix}.$$

(Hinweis: $\boldsymbol{V} = \sigma^2[\boldsymbol{I} + \rho(\boldsymbol{i}\boldsymbol{i}' - \boldsymbol{I})]$, ähnlich läßt sich $\boldsymbol{V}^{-1}$ darstellen. Mit dieser Darstellung zeige man, daß $\boldsymbol{V}\boldsymbol{V}^{-1} = \boldsymbol{I}$. Ferner zeige man, daß $\boldsymbol{V}$ positiv-definit ist).

b) Man zeige, daß mit dieser Matrix $\boldsymbol{V}$ die verallgemeinerte KQ-Methode, angewandt auf eine inhomogene Regressionsgleichung, zur selben Schätzung $\hat{\boldsymbol{\beta}}$ führt wie die gewöhnliche KQ-Methode. (Hinweis: Bis auf einen (skalaren) Faktor ist $\boldsymbol{V}^{-1} = \boldsymbol{I} - a\,\boldsymbol{i}\boldsymbol{i}'$ mit einem Skalar a. Man messe alle eigentlichen exogenen Variablen als Abweichungen von ihren Mittelwerten (vgl. (5-5)). $x_0 \equiv 1$. Dann ist

$$\boldsymbol{X}'\boldsymbol{i}\boldsymbol{i}'\boldsymbol{X} = \begin{pmatrix} T^2 & 0 & \dots & 0 \\ 0 & 0 & \dots & 0 \\ \vdots & \vdots & & \vdots \\ 0 & 0 & \dots & 0 \end{pmatrix}, \quad \boldsymbol{X}'\boldsymbol{i}\boldsymbol{i}'\boldsymbol{y} = \begin{pmatrix} T\sum y \\ 0 \\ \vdots \\ 0 \end{pmatrix}.$$

Ist $\boldsymbol{X}^*$ die Matrix der eigentlichen Regressoren und $\boldsymbol{\beta}^*$ der zugehörige Koeffizientenvektor, dann lautet das Normalgleichungssystem nach der verallgemeinerten KQ-Methode:

$$\begin{pmatrix} (1-aT)T & \boldsymbol{o}' \\ \boldsymbol{o} & \boldsymbol{X}^{*\prime}\boldsymbol{X}^* \end{pmatrix} \begin{pmatrix} \hat{\alpha}_0 \\ \hat{\boldsymbol{\beta}}^* \end{pmatrix} = \begin{pmatrix} (1-aT)\sum y \\ \boldsymbol{X}^{*\prime}\boldsymbol{y} \end{pmatrix}$$

mit $\hat{\alpha}_0 = \hat{\beta}_0 + \sum_1^n \hat{\beta}_i \bar{x}_i$. Hieraus folgt die Behauptung.)

5.2.

(5-11) Man berechne in (5.8) die Korrelation zwischen u_t und ε_t unter Beachtung von (5.9) und (5.10) – und allgemeiner zwischen $u_{t+\tau}$ und ε_t.

(5-12) Durch sukzessives Einsetzen in (5.8) erhält man die folgende unendliche Reihe: $u_t = \sum_{\tau=0}^{\infty} \rho^\tau \varepsilon_{t-\tau}$. Man leite hieraus (5.12) und (5.13) her – unter der Voraussetzung, daß (bei $|\rho| < 1$) die Reihen konvergieren und daß man mit ihnen wie mit endlichen Summen rechnen kann.

(5-13*) Man berechne (ähnlich wie in *5.2.1.*) σ^2 und ρ_τ für einen stationären Prozeß, der der folgenden rekursiven Gleichung genügt:

$$u_t = b_1 u_{t-1} + b_2 u_{t-2} + \varepsilon_t,$$

wobei ε_t die Gleichungen (5.9) und (5.10) befolgt. (Hinweis: Man quadriere die den Prozeß beschreibende Gleichung, bilde den Erwartungswert und erhält:

$$(1 - b_1^2 - b_2^2)\,\sigma^2 = 2 b_1 b_2 \rho_1 \sigma^2 + \sigma_\varepsilon^2.$$

Multipliziert man dagegen die Gleichung mit u_{t-1} und bildet den Erwartungswert, dann erhält man $(1-b_2)\rho_1 \sigma^2 = b_1 \sigma^2$. Aus diesen beiden Beziehungen errechnet man ρ_1 und σ^2. Durch Multiplikation mit $u_{t-\tau}$ findet man eine rekursive Beziehung für ρ_τ.)

(5-14*) a) Es sei $y_t = \alpha + \beta x_t + u_t$, $u_t = \rho u_{t-1} + \varepsilon_t$ (wie in *5.2.1.*). Mit Hilfe von (5.2) und (5.15) beweise man, daß

$$V(\hat\beta_{\mathrm{KQ}}) = \frac{\sigma^2}{T s^2(x)} \left(1 + \frac{2}{s^2(x)} \sum_{\tau=1}^{T-1} \rho^\tau C_\tau\right) \quad \text{mit} \quad C_\tau = \frac{1}{T} \sum_{t=1}^{T-\tau} (x_t - \bar x)(x_{t+\tau} - \bar x).$$

(Hinweis: Es ist zweckmäßig x_t durch $x_t^* := x_t - \bar x$ zu ersetzen und die Formel für die Kovarianzmatrix $\boldsymbol{S}^*_{\mathrm{KQ}}$ der eigentlichen Regressionskoeffizienten zu benutzen, die man dadurch erhält, daß man in (5.2) $\boldsymbol{X}$ durch $\boldsymbol{X}^*$ ersetzt, und die man mit Hilfe von (2.29) beweist.)

b) Man zeige, daß bei trendbehafteten x_t-Werten und $\rho > 0$ $V(\hat\beta_{\mathrm{KQ}}) > \sigma^2/(T s^2(x))$.

c) Sind andererseits die x_t stochastisch unabhängig und identisch verteilt, dann geht $V(\hat\beta_{\mathrm{KQ}})$ mit $T \to \infty$ asymptotisch gegen $\sigma^2/(T s^2(x))$. (Hinweis: $\operatorname{plim}_{T\to\infty} C_\tau = 0$.)

(5-15*) a) Man berechne $(\Delta_\rho \boldsymbol{X})'(\Delta_\rho \boldsymbol{X})$ und $(\Delta_\rho \boldsymbol{X})'(\Delta_\rho \boldsymbol{y})$ und vergleiche mit $\boldsymbol{X}'\mathbf{P}^{-1}\boldsymbol{X}$ bzw. $\boldsymbol{X}'\mathbf{P}^{-1}\boldsymbol{y}$ (*5.2.3.*). (Hinweis: Man bestimme die zur Operation Δ_ρ gehörige Transformationsmatrix $\boldsymbol{\Delta}_\rho$; beachte, daß $\boldsymbol{\Delta}_\rho \boldsymbol{X}$ nur $T-1$ Zeilen besitzt. Es ist

$$\boldsymbol{\Delta}_\rho' \boldsymbol{\Delta}_\rho = \begin{pmatrix} \rho^2 & -\rho & & & & 0 \\ -\rho & 1+\rho^2 & -\rho & & & \\ & -\rho & 1+\rho^2 & -\rho & & \\ & & \ddots & \ddots & \ddots & \\ & & & -\rho & 1+\rho^2 & -\rho \\ 0 & & & & -\rho & 1 \end{pmatrix}.$$

Man beachte den Unterschied zu $\mathbf{P}^{-1}$.)

b) Man zeige, daß die nach folgender Variablentransformation vorgenommene gewöhnliche KQ-Schätzung mit der verallgemeinerten KQ-Schätzung mit V aus (5.15) übereinstimmt:

$$x_{i1}^* = \sqrt{1-\rho^2}\, x_{i1}, \quad x_{it}^* = \Delta_\rho x_{it}, \quad t=2, \ldots, T,\ i=0, \ldots, n$$

$$y_1^* = \sqrt{1-\rho^2}\, y_1, \quad y_t^* = \Delta_\rho y_t, \quad t=2, \ldots, T.$$

(Hinweis: Man bestimme die Transformationsmatrix $\boldsymbol{T}$ und berechne $\boldsymbol{T}'\boldsymbol{T}$ – vgl. die Fußnote auf S. 191.)

(5-16*) Es sei $y_t = \beta x_t + u_t$ mit u_t wie in (*5.2.1.*). Man schätze β nach der verallgemeinerten KQ-Methode oder nach der gewöhnlichen KQ-Methode mit Δ_ρ-transformierten Variablen, beide Male bei bekanntem ρ (z.B. $\rho = 0{,}8$). Wie groß ist der Genauigkeitsgewinn im Vergleich zu $\hat{\beta}_{KQ}$, falls

a) $x_t = t$ und $T=4$?

b) $x_t = t$ und $T \to \infty$?

c) die x_t stochastisch unabhängig identisch verteilt sind mit $E x_t = 0$ und $T \to \infty$?

(Hinweis: Man bestimmt $V(\hat{\beta}_{KQ})$ wie in (5-14), jedoch mit x_t bzw. $\overline{x^2}$ anstelle von $x_t - \bar{x}$ bzw. $s^2(x)$. Für die verallgemeinerte KQ-Schätzung ist

$$V\hat{\beta} = \sigma^2/[x_1^2 + \sum_2^T (\Delta_\rho x_t)^2 /(1-\rho^2)].$$

Im Fall (b) gehen $(\sum t^2)\, V(\hat{\beta}_{KQ})$ und $(\sum t^2)\, V(\hat{\beta})$ beide gegen $\sigma^2(1+\rho)/(1-\rho)$. Im Fall (c) geht $\sum x^2\, V(\hat{\beta}_{KQ})$ stochastisch gegen σ^2 (vgl. (5-14, c)) und $\sum x^2\, V(\hat{\beta})$ gegen $\sigma^2(1-\rho^2)/(1+\rho^2)$.)

(5-17) Man zeige, daß $\rho(\Delta u_t, \Delta u_{t-1}) = -\frac{1}{2}$, wenn die u_t unkorreliert sind.

(5-18) Man berechne die Wahrscheinlichkeit dafür, daß von 30 Residuen die ersten und letzten 10 positiv und die mittleren negativ sind, unter der Annahme, daß jedes Residuum mit gleicher Wahrscheinlichkeit positiv wie negativ ist und die Residuen (näherungsweise) stochastisch unabhängig sind. (Warum können Residuen nicht stochastisch unabhängig sein?)

(5-19) Wie sind die KQ-Residuen verteilt, wenn eine einfache lineare Regression mit einem Strukturbruch im absoluten Glied ohne dessen Berücksichtigung geschätzt worden ist? (Skizze!)

(5-20) Man zeige, daß man zur Prognoseformel (5.27) auch dadurch gelangt, daß man mit der Δ_ρ-transformierten Regression auf übliche Weise prognostiziert.

5.3.

(5-21) Wie sehen die Normalgleichungen im Falle der Heteroskedastizität aus?

(5-22) Bei der Schätzung von Engelkurven aus Haushaltsbudgetdaten einer Querschnittsanalyse wird die Einkommensvariable x in der Regel so gemessen, daß alle Werte, die in ein bestimmtes Einkommensintervall i fallen, dem Intervallmittelpunkt x_i zugerechnet werden. Das hat zur Folge, daß es zu einem x_i-Wert mehrere (etwa k_i) y_t-Werte gibt, wobei y z.B. Ausgaben für Nahrungsmittel bedeutet. Werden diese zum arithmetischen Mittel $\bar{y}_i$ zusammengefaßt, dann erhält man aus der ursprünglichen Regression $y_t = \alpha + \beta x_t + u_t$, $t =$ Nummer des Haushalts, eine neue Regression $\bar{y}_i = \alpha + \beta x_i + \bar{u}_i$, $i =$ Intervallnummer. Unter der Annahme, daß u_t homoskedastisch ist. ist $\bar{u}_i$ heteroskedastisch. Beweis! Wie lautet die zugehörige Transformation (5.31)? Vgl. auch HAITOVSKY [1973].

(5-23*) Es sei $y_t = \beta t + u_t$, $\sigma_t = a t$. Man berechne $\sigma^2(\hat{\beta}_{KQ})$ und $\sigma^2(\hat{\beta})$ und vergleiche. Man zeige insbesondere, daß $\lim_{T\to\infty} \sigma^2(\hat{\beta})/\sigma^2(\hat{\beta}_{KQ}) = \frac{5}{9}$. (Hinweis: Benutze die Tatsache, daß $\sum_1^T t^k = T^{k+1}/(k+1) + O(T^k)$ mit $\lim_{T\to\infty} [O(T^k)/T^{k+1}] = 0$.)

(5-24*) Man beweise (3.18) und (3.21) als Anwendungen von (5.2) bzw. (5.6).

6. Verzögerte Variablen

6.1. Dynamische Modelle

Wir haben bisher angenommen, daß die Regressorvariablen x_{it} unabhängig von den Störvariablen u_t, gewissermaßen „von außen“ vorgegeben sind. Diese Voraussetzung wird nun dahingehend modifiziert, daß wir als erklärende Variablen neben den exogenen Variablen alten Typs noch die um eine oder mehrere Perioden verzögerten Werte der endogenen Variablen zulassen. Wir gehen also davon aus, daß die endogene Variable y_t zum Zeitpunkt t u.a. durch ihre eigenen Werte aus vergangenen Perioden $y_{t-1}, y_{t-2}, \ldots, y_{t-\tau}$ beeinflußt wird. Eine solche Regressionsgleichung hat daher allgemein folgende Gestalt (in linearisierter Form):

$$y_t = \beta_0 + \beta_1 y_{t-1} + \beta_2 y_{t-2} + \cdots + \beta_\tau y_{t-\tau} + \beta_{\tau+1} x_{\tau+1,t} + \cdots + \beta_n x_{n,t} + u_t. \quad (6.1)$$

Dabei wurden die exogenen Variablen mit dem Index $\tau+1$ beginnend bis n durchnumeriert, um genau wie früher insgesamt n erklärende Variablen zählen zu können. Der Fall $\tau=0$ führt auf die klassische Regression des Teils I zurück. Im Fall $\tau \neq 0$ sprechen wir von einer *stochastischen Differenzengleichung* oder einer *autoregressiven Beziehung* oder schließlich (etwas ungenauer) von einer *dynamischen Beziehung*

6.1.1. Beispiele

Beispiel: Nach der Habit-Persistence-Hypothese von T. M. BROWN [1952] ist der private Konsum eine Funktion sowohl des Einkommens als auch des um eine Periode verzögerten Konsums: $C_t = \beta_0 + \beta_1 C_{t-1} + \beta_2 Y_t + u_t$. Vgl. auch das folgende Beispiel (a).

Mit den Daten des Anhangs *C1.* findet man beispielsweise für die BRD 1961 bis 1968:

$$C_t = \underset{(2{,}53)}{22{,}85} + \underset{(0{,}06)}{0{,}60}\, Y_t + \underset{(0{,}07)}{0{,}21}\, C_{t-1}.$$

Die Anpassung ist besser als bei Einführung einer Trendvariablen, wie wir das auf S. 152 versucht haben.

Art und Ausmaß der Abhängigkeit von verzögerten Werten hängen gewiß auch von der Periodenlänge ab, ob es sich also z.B. um Jahre, Quartale oder Monate handelt. Es dürfte auch klar sein, daß dynamische Beziehungen der Art (6.1) vor allem in der Zeitreihenökonometrie auftreten. Kommen in einer Querschnittsanalyse Variablen vor, die sich auf einen früheren Zeitpunkt als dem der Erhebung beziehen, so sind sie deshalb noch nicht als verzögerte Variablen im Sinne des hier behandelten Modells anzusehen.

Das Auftreten verzögerter endogener Variablen in ökonometrischen Modellen kann viele unterschiedliche Gründe haben. Es ist aber immer Ausdruck jenes allgemeinen Phänomens, daß Einflußgrößen selten unmittelbar und prompt wirksam werden, sondern oft erst allmählich, nach einer mehr oder weniger langen Zeit ihren Einfluß voll zur Geltung bringen können. Insbesondere führen folgende dynamische Mechanismen zu Modellen mit verzögerten endogenen Variablen – sie seien an konkreten, wenn auch stark vereinfachten ökonomischen Modellen vorgestellt:

a) Anpassungsmechanismus: Wir gehen davon aus, daß es zu jedem Wert der (hier als exogen angenommenen) Einkommensvariablen Y_t ein geplantes oder gewünschtes Konsumniveau C_t^p (bis auf Zufallsstörungen eindeutig) gibt, derart, daß

$$C_t^p = \alpha + \beta Y_t + u_t. \tag{6.2}$$

Der tatsächlich realisierte Konsum C_t hängt jedoch noch vom Konsum der Vorperiode C_{t-1} ab und wird nur z.T. dem geplanten Konsum angepaßt. Die Anpassung erfolgt durch Bildung eines gewogenen Mittels:

$$C_t = (1-\gamma)\, C_t^p + \gamma\, C_{t-1}, \quad 0 < \gamma < 1. \tag{6.3}$$

Nach Einsetzen von (6.2) erhält man die folgende Gleichung mit verzögerter endogener Variablen:

$$\begin{aligned} C_t &= \alpha(1-\gamma) + \gamma\, C_{t-1} + \beta(1-\gamma)\, Y_t + (1-\gamma)\, u_t \\ &=: \beta_0 + \beta_1\, C_{t-1} + \beta_2\, Y_t + v_t. \end{aligned} \tag{6.4}$$

Kompliziertere Anpassungsmechanismen liefern Gleichungen mit um mehrere Perioden verzögerten Variablen.

b) Erwartungsbildung: Wir betrachten wieder eine Konsumfunktion, nehmen aber jetzt an, daß der Konsum C_t in Abhängigkeit von einer für die Zukunft erwarteten Einkommensgröße Y_t^E vorweg geplant und realisiert wird:

$$C_t = \alpha + \beta\, Y_t^E + u_t. \tag{6.5}$$

Die zukünftig erwartete Höhe des Einkommens bestimmt sich als gewogenes Mittel aus dem entsprechenden Erwartungswert der Vorperiode und dem tatsächlich realisierten Einkommen der laufenden Periode

$$Y_t^E = \gamma\, Y_{t-1}^E + (1-\gamma)\, Y_t, \quad 0 < \gamma < 1. \tag{6.6}$$

Man eliminiert das praktisch nicht meßbare[1] Y_t^E, indem man (6.5) für die Periode $t-1$ ansetzt und nach Multiplikation mit γ von (6.5) subtrahiert. Man erhält:

$$\begin{aligned} C_t &= \alpha(1-\gamma)+\gamma\, C_{t-1}+\beta(1-\gamma)\, Y_t+u_t-\gamma\, u_{t-1} \\ &=: \beta_0+\beta_1\, C_{t-1}+\beta_2\, Y_t+v_t. \end{aligned} \tag{6.7}$$

Diese Gleichung stimmt bis auf die Störvariable vollkommen mit (6.4) überein. Im Gegensatz zu (6.4) kann aber jetzt die Störvariable v_t Autokorrelation aufweisen, nämlich dann, wenn die u_t unkorreliert sind.

Andere Erwartungsbildungsprozesse sind denkbar und führen u. U. zu komplizierteren Regressionsgleichungen (vgl. Aufg. (6-3)).

c) Verteilte Verzögerungen: Eine endogene Variable y_t hänge von der exogenen Variablen x_t und deren früheren Periodenwerten ab:

$$y_t=\alpha+\beta(\gamma_0 x_t+\gamma_1 x_{t-1}+\gamma_2 x_{t-2}+\cdots)+u_t. \tag{6.8}$$

Dabei können durchaus unendlich viele Vorperioden im Spiele sein. Die Parameter $\gamma_0, \gamma_1, \ldots$ stellen die Gewichte dar, die den einzelnen Perioden hinsichtlich des Einflusses der exogenen Variablen auf y_t zukommen. Sie bilden eine *Gewichtsverteilung*, welche insbesondere im Fall $\gamma_i \geq 0$ und $\sum \gamma_i = 1$ analog zu einer diskreten Wahrscheinlichkeitsverteilung aufgebaut ist[2]. Der Mittelwert dieser Verteilung wird gelegentlich als *mittlere Verzögerung* bezeichnet.

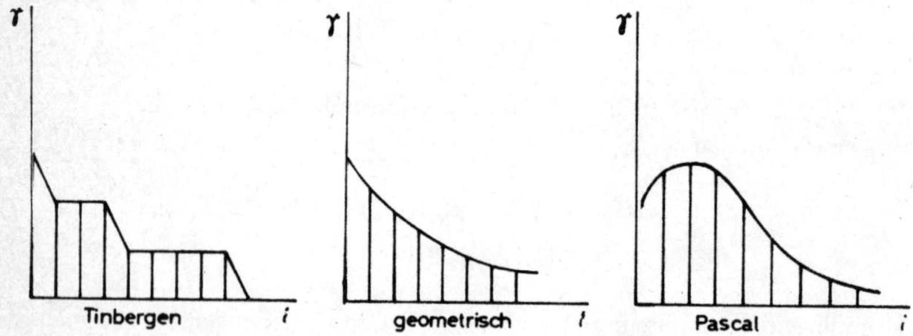

Abb. 6.1. Gewichtsverteilungen für verteilte Verzögerungen

Es ist natürlich völlig unmöglich, eine unendliche Gewichtsverteilung ökonometrisch zu schätzen. Sogar eine schon nach wenigen Perioden abbrechende Ver-

[1] Plan- und Erwartungsgrößen werden tatsächlich in beschränktem Maß erhoben und könnten daher theoretisch in ein ökonometrisches Modell aufgenommen werden. In der ökonometrischen Praxis sind aber bisher in dieser Richtung kaum Versuche unternommen worden. Vgl. Ifo-Konjunkturtest. (Laufend veröffentlicht im ifo-Schnelldienst, München. Siehe auch MARQUARDT u. STRIGEL [1959] sowie STRIGEL [1967].)

[2] Es ist u. U. sogar möglich, der Gleichung (6.8) eine Wahrscheinlichkeitsinterpretation zu unterschieben. Vgl. z. B. SOLOW [1960].

teilung führt in der Regel zu wenig verläßlichen Schätzungen. Der Grund liegt in der zumeist starken Kollinearität zwischen den um eine oder mehrere Perioden verschobenen Zeitreihen der x_t. Andererseits gibt es ökonomische Prozesse, die sich durch Fernwirkungen über viele Perioden hinweg auszeichnen. Man ist daher gezwungen, zu a priori stark eingeschränkten Verteilungen überzugehen, die sich schon durch wenige Verteilungsparameter festlegen lassen. So hat TINBERGEN die aufeinanderfolgenden Perioden in Gruppen zusammengefaßt und jeder Gruppe ein gemeinsames (Durchschnitts-)Gewicht zugeordnet (vgl. Abb. 6.1). Als praktikabel haben sich einfache theoretische Verteilungen erwiesen, so insbesondere die geometrische Verteilung, aber auch Verallgemeinerungen wie z.B. die PASCAL-Verteilung[3]. Im Falle der geometrischen Verteilung ist $\gamma_i = (1-\gamma)\gamma^i$ mit $0<\gamma<1$ und daher

$$y_t = \alpha + \beta(1-\gamma)\sum_{i=0}^{\infty} \gamma^i x_{t-i} + u_t. \tag{6.9}$$

Setzt man (6.9) für die Periode $t-1$ an und subtrahiert man diese Gleichung nach Multiplikation mit γ von (6.9), dann erhält man

$$y_t = \alpha(1-\gamma) + \gamma\, y_{t-1} + \beta(1-\gamma)\, x_t + u_t - \gamma\, u_{t-1}. \tag{6.10}$$

Das ist aber für den Anwendungsfall[4] $y = C$ und $x = Y$ gerade (6.7). Umgekehrt erhält man (6.9) aus (6.10) durch sukzessives Eliminieren der verzögerten endogenen Variablen auf der rechten Seite von (6.10) mit Hilfe eben dieser Gleichung (6.10), nachdem man sie für die Perioden $t-1, t-2, \ldots$ angesetzt hat.

Komplizierte Verzögerungsverteilungen behandelt man zweckmäßigerweise mit Hilfe des Verzögerungsoperators D:

$$D\,x_t := x_{t-1}.$$

Es liegt nahe, folgende Regel einzuführen:

$$\left(\sum a_i D^i\right) x_t := \sum a_i\, x_{t-i}.$$

Dann kann man mit diesen formalen Polynomen in D sinnvoll rechnen wie mit gewöhnlichen (u. U. unendlichen) Polynomen in einer Variablen. Insbesondere lautet (6.8) in der neuen Schreibweise:

$$y_t = \alpha + \beta\left(\sum_0^{\infty} \gamma_i D^i\right) x_t + u_t. \tag{6.11}$$

Ist nun die Verteilung der γ_i so geartet, daß die (unendliche) Summe in D konvergiert und gleich einer rationalen Funktion von D ist, z.B.

$$\sum_0^{\infty} \gamma_i D^i = \sum_{i=0}^{k} \delta_i D^i \Big/ \left(1 - \sum_{j=1}^{\tau} \beta_j D^j\right), \tag{6.11'}$$

[3] Vgl. SOLOW [1960] und JORGENSON [1965].

[4] Ein anderer wichtiger Anwendungsfall liegt in der Investitionstheorie vor. Vgl. KOYCK [1954]. Vgl. auch JORGENSON [1965].

dann wird aus (6.11):

$$\left(1-\sum_{1}^{\tau}\beta_j D^j\right) y_t=\alpha\left(1-\sum_{1}^{\tau}\beta_j\right)+\beta\left(\sum_{0}^{k}\delta_i D^i\right) x_t+\left(1-\sum_{1}^{\tau}\beta_j D^j\right) u_t$$

oder nach geeigneter Umbezeichnung:

$$y_t=\beta_0+\sum_{1}^{\tau}\beta_j y_{t-j}+\sum_{0}^{k}\alpha_i x_{t-i}+v_t.$$

Das entspricht bis auf die Verzögerungen in den exogenen Variablen und bis auf die besondere Form der Störvariablen der Gleichung (6.1).

d) Bestandseinflüsse[5]: In einer Investitionsfunktion werden die Nettoanlageinvestitionen I als Funktion des Sozialprodukts Y und des Kapitalstocks K angesetzt:

$$I_t=\alpha+\beta Y_t+\gamma K_t+u_t.$$

Nun ist definitionsgemäß $I_t=\Delta K_t=K_t-K_{t-1}$. Man kann daher die Variable K_t eliminieren und erhält:

$$\Delta I_t=\beta\,\Delta Y_t+\gamma I_t+\Delta u_t \quad \text{bzw.} \quad I_t=\frac{\beta}{1-\gamma}\Delta Y_t+\frac{1}{1-\gamma}I_{t-1}+\frac{1}{1-\gamma}\Delta u_t.$$

Solche oder ähnliche Modelle treten gelegentlich auch bei Nachfragefunktionen auf[6].

e) Dynamische Gleichungssysteme: Die endogene Variable y hängt von einer anderen Variablen verzögert ab. Diese steht aufgrund einer oder mehrerer weiterer ökonomischer Beziehungen wieder in Abhängigkeit von y. Damit ist indirekt eine Abhängigkeit der Variablen y_t von ihren eigenen Vorperiodenwerten gegeben. (Vgl. auch *9.2.1.*)

Das bekannteste Beispiel[7] ist wohl das Spinnwebmodell (q^A und q^N = Angebots- bzw. Nachfragemengen, p = Marktpreis):

$$\begin{aligned} q_t^A &= \alpha+\beta p_{t-1}+u_t \\ q_t^N &= \gamma-\delta p_t+v_t \\ q^A &= q^N =: q. \end{aligned} \tag{6.12}$$

Man erhält durch Eliminieren je einer Variablen die folgenden beiden Differenzengleichungen für q und p:

$$\begin{aligned} q_t &= (\alpha+\beta\gamma/\delta)-(\beta/\delta)\,q_{t-1}+(\delta u_t+\beta v_{t-1})/\delta \\ p_t &= (\gamma-\alpha)/\delta-(\beta/\delta)\,p_{t-1}+(v_t-u_t)/\delta. \end{aligned} \tag{6.13}$$

[5] Für eine andere Version vgl. GOLLNICK [S. 170ff.].

[6] Vgl. HOUTHAKKER u. TAYLOR [1966].

[7] Ein größeres ökonometrisches Modell, das weitgehend mit aus Erwartungsbildungen resultierenden Verzögerungen operiert, findet man bei KLEIN [1950].

6.1.2. Zeitpfad autoregressiv bestimmter Variablen

Bei den früher (im Teil I) betrachteten Regressionsmodellen war die zeitliche Entwicklung (der Zeitpfad) der endogenen Variablen durch die Zeitreihen der exogenen Variablen schon vollkommen festgelegt, wenn wir einmal von den Einflüssen der Störvariablen absehen. Bleiben die exogenen Variablen konstant, so änderte sich auch die endogene Variable nicht. Das ist in dem Modell (6.1) mit verzögerten endogenen Variablen anders. Hier gibt es eine endogen bedingte zeitliche Entwicklung von y_t auch dann, wenn keine exogenen Variablen vorhanden sind oder wenn diese konstant gehalten werden. Dieser endogene Zeitpfad wird durch die autoregressive Verknüpfung in Gang gehalten. Seine Gestalt hängt wesentlich von den Anfangswerten der endogenen Variablen ab, also von den Werten $y_0, y_{-1}, y_{-2}, \dots, y_{-\tau+1}$. Sind diese Werte und die exogenen Variablenwerte gegeben, dann kann man mit Hilfe von (6.1) sukzessive $y_1, y_2, \dots$, also den ganzen Zeitpfad y_t berechnen – von den Störvariablen wollen wir zunächst einmal absehen.

Je nach den zugrundeliegenden Regressionsparametern und Anfangswerten können dabei sehr unterschiedliche Zeitpfade entstehen, auch dann, wenn – wie wir annehmen wollen – die exogenen Variablen konstant sind und keine Störvariablen vorhanden sind. y_t kann gedämpften oder explodierenden Schwingungen unterworfen sein, oder der Zeitpfad kann sich monoton einem Gleichgewichtswert nähern oder aber auch mit zunehmender Geschwindigkeit ins Unendliche entweichen.

Zumeist wird es einen *Gleichgewichtswert* y^g geben[8], den man aus (6.1) dadurch erhält, daß man alle y_t-Variablen gleich y^g setzt und (6.1) nach y^g auflöst. Das Gleichgewicht heißt *stabil*, wenn der Zeitpfad von jeder Anfangskonstellation aus zu ihm hinführt, im anderen Fall heißt es *labil*. Wir wollen dieses Verhalten an einem einfachen Beispiel näher untersuchen.

Gegeben sei die Konsumfunktion

$$C_t = \alpha + \beta C_{t-1} + \gamma Y_t. \tag{6.14}$$

Dies ist formal eine inhomogene lineare Differenzengleichung erster Ordnung. Wir setzen $Y_t = Y^g$, einem konstanten (langfristigen) Einkommenswert und bestimmen den Zeitpfad von C bei einem Anfangswert C_0. Zunächst berechnen wir den (langfristigen) Gleichgewichtswert C^g aus

$$C^g = \alpha + \beta C^g + \gamma Y^g: \tag{6.15}$$

$$C^g = \frac{\alpha}{1-\beta} + \frac{\gamma}{1-\beta} Y^g, \qquad \text{falls } \beta \neq 1. \tag{6.16}$$

[8] Nämlich genau dann, wenn $\beta_1 + \beta_2 + \dots + \beta_\tau \neq 1$ ist.

(In dem Ausnahmefall $\beta=1$ existiert kein Gleichgewichtswert.) $\gamma/(1-\beta)$ ist die *langfristige* marginale Konsumquote, während γ die entsprechende *kurzfristige* Quote darstellt. Ändert sich nach einer langen Periode konstanten Einkommens das Einkommen kurzfristig um ΔY, dann ändert sich der Konsum in der nächstfolgenden Periode um $\gamma\,\Delta Y$. Bleibt aber das Einkommen auf dem neuen Niveau über lange Zeit wieder konstant, dann ändert sich C langfristig um den Betrag $\frac{\gamma}{1-\beta}\Delta Y$, welcher für den Normalfall $0<\beta<1$ größer ist als der kurzfristige Änderungsbetrag.

Subtrahiert man (6.15) von (6.14), so erhält man für $Y_t \equiv Y^g$ die folgende *homogene* Differenzengleichung erster Ordnung:

$$C_t - C^g = \beta(C_{t-1} - C^g). \tag{6.17}$$

Bei $|\beta|<1$ nähert sich also C_t ausgehend von C_0 in geometrischer Progression dem Gleichgewichtswert C^g, und zwar monoton, falls $\beta>0$, dagegen alternierend, falls $\beta<0$. Für $|\beta|>1$ ist der Prozeß instabil[9].

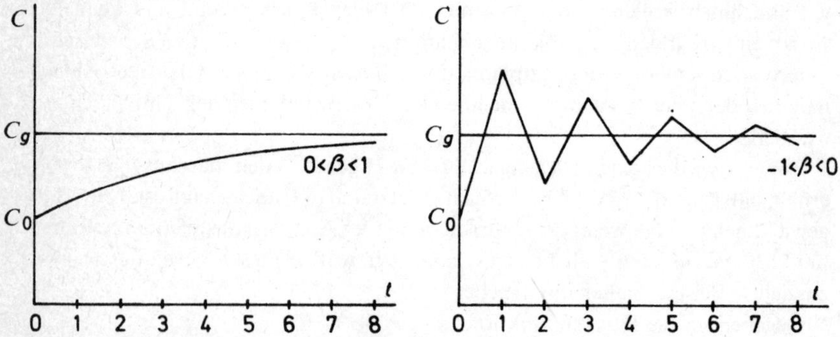

Abb. 6.2. Annäherung an das Gleichgewicht

Allgemein wird der Zeitpfad von C durch die Formel

$$C_t = \beta^t(C_0 - C^g) + C^g \tag{6.18}$$

gegeben, die man aus (6.17) durch sukzessives Einsetzen herleitet.

Auch für das allgemeinere Modell (6.1) kann der Zeitpfad der endogenen Variablen in geschlossener Form dargestellt werden, sofern die exogenen Variablen konstant gehalten werden.

[9] Die beiden letzten Fälle sind natürlich in dem vorliegenden Beispiel unrealistisch.

Ob ein Prozeß (6.1) stabil ist oder nicht, ist an den Lösungen der sogenannten *charakteristischen Gleichung*

$$\zeta^{\tau}=\beta_1\zeta^{\tau-1}+\beta_2\zeta^{\tau-2}+\cdots+\beta_{\tau}$$

abzulesen. Der Prozeß ist (bei konstant gehaltenen exogenen Variablen und $u_t\equiv 0$) genau dann *stabil*, wenn diese (möglicherweise komplexen) Lösungen sämtlich dem Betrage nach kleiner als 1 sind.

Sind $\zeta_1, \zeta_2, \ldots, \zeta_{\tau}$ die Lösungen und sind diese sämtlich verschieden, dann hat man in $y_t=y^g+a_1\zeta_1^t+\cdots+a_{\tau}\zeta_{\tau}^t$ den allgemeinsten Zeitpfad für y_t, der der Differenzengleichung (6.1) genügt. Die Parameter a_i können so gewählt werden, daß der Zeitpfad durch τ vorgegebene Anfangswerte hindurchgeht (vgl. auch Ott [1963]).

6.1.3. Stochastische Differenzengleichungen, Stationarität

Nehmen wir nun die zunächst außerachtgelassene Störvariable wieder in das dynamische Modell auf, so wird bei einem stabilen Prozeß die Tendenz zum Gleichgewicht hin bestehen bleiben. Auf dem Weg dorthin wird aber der Prozeß ständig gestört und kommt nie auch nur annäherungsweise zur Ruhe. Dabei ist zu beachten, daß die Störungen nicht einfach nur den Zeitpfad additiv überlagern. Vielmehr rückt jede Störung den ganzen nachfolgenden Zeitpfad aus seiner ungestörten Position heraus. Jede Störung wirkt über alle folgenden Perioden nach, wenn auch mit fortschreitend abgeschwächter Kraft.

Die Folge der y_t bildet also einen *stochastischen Prozeß*, dessen bedingtes Wahrscheinlichkeitsgesetz einerseits von den Zeitreihen der exogenen Variablen, andererseits von den Anfangswerten $y_0, y_{-1}, \ldots, y_{-\tau+1}$ abhängt, im übrigen aber durch das Wahrscheinlichkeitsgesetz der u_t bestimmt ist. Sind z.B. die u_t normalverteilt, dann sind es auch die y_t. Nehmen wir allgemeiner an, daß die u_t alle der gleichen (also zeitinvarianten) Wahrscheinlichkeitsverteilung folgen und stochastisch unabhängig sind, dann gilt für einen stabilen Prozeß bei konstant bleibenden exogenen Variablen, daß er asymptotisch stationär wird. D.h., mit fortschreitendem Zeitindex ($t\to\infty$) wird die Wahrscheinlichkeitsverteilung der y_t zeitinvariant und von den Anfangswerten unabhängig. Insbesondere werden Mittelwert und Varianz von y_t zeitinvariant. Das gleiche gilt von den Kovarianzen:

$$E\,y_t\to\mu_y$$

$$V\,y_t\to\sigma_y^2$$

$$\mathrm{Cov}(y_t, y_{t-\tau})\to\gamma_{\tau,y}.$$

μ_y, σ_y^2 und $\gamma_{\tau,y}$ sind die asymptotischen Momente (nämlich Mittelwert, Varianz und Kovarianzen) des stochastischen Prozesses y_t. Wir können sogar davon ausgehen, daß schon die Anfangswerte diesem stationären Wahrscheinlichkeitsgesetz entstammen; dann ist die Folge der y_t von Anfang an stationär. Wir haben einen

Spezialfall eines stabilen und damit asymptotisch stationären Prozesses in *5.2.1.* schon kennengelernt. Eine Konsequenz der Stabilität ist ferner[10], daß die aus den Werten einer endlichen Zeitspanne ($t=1,2,\dots,T$) gebildeten empirischen Momente 1. und 2. Ordnung wie

$$\bar{y}=\frac{1}{T}\sum y_t, \quad s^2(y)=\frac{1}{T}\sum (y_t-\bar{y})^2 \quad \text{und} \quad c_{\tau,y}=\frac{1}{T-\tau}\sum (y_t-\bar{y})(y_{t-\tau}-\bar{y})$$

mit Wahrscheinlichkeit gegen die entsprechenden asymptotischen Momente μ_y, σ_y^2 und $\gamma_{\tau,y}$ konvergieren, wenn $T\to\infty$.

Bei Anwesenheit von beliebig variierenden exogenen Variablen in der Regression (6.1) bleiben diese Eigenschaften des stochastischen Prozesses y_t i.allg. nicht erhalten; besonders dann nicht, wenn eine der exogenen Variablen unbeschränkt wächst. Wenn aber auch die exogenen Variablen einem stationären Prozeß folgen, dann bleiben auch die y_t stationär (sofern die Stabilitätsbedingung erfüllt ist), und es liegt nahe, anzunehmen, daß die oben formulierte Eigenschaft über die empirischen Momente erhalten bleibt, ja sogar auf die entsprechenden Momente zwischen den exogenen Variablen wie auch zwischen den exogenen und den verzögerten endogenen Variablen ausgedehnt werden kann[11].

6.1.4. Die Momentenmatrix

Um diese Annahme knapp formulieren zu können, wollen wir jetzt alle erklärenden Variablen, die exogenen wie die verzögerten endogenen, einheitlich mit dem von 1 bis n durchnumerierten Symbol x_{it} kennzeichnen und als *vorherbestimmte Variablen* bezeichnen. Zu ihnen rechnet aus formalen Gründen natürlich noch die Scheinvariable x_{0t}.

Diese einheitliche Bezeichnungsweise sollte freilich nicht verschleiern, daß wir es nach wie vor mit zwei sehr unterschiedlichen Variablentypen zu tun haben: $x_{1,t}, x_{2,t}, \dots, x_{\tau,t}$ sind resp. die verzögerten endogenen Variablen $y_{t-1}, y_{t-2}, \dots, y_{t-\tau}$, während die restlichen Variablen exogen gegeben sind. Entsprechend umfaßt die Datenmatrix $\boldsymbol{X}$ die Zeitreihen der verzögerten endogenen Variablen wie auch der exogenen Variablen:

$$\boldsymbol{X}=\begin{pmatrix} x_{01} & y_0 & y_{-1} & y_{-2} & \cdots & y_{-\tau+1} & x_{\tau+1,1} & \cdots & x_{n1} \\ x_{02} & y_1 & y_0 & y_{-1} & \cdots & y_{-\tau+2} & x_{\tau+1,2} & \cdots & x_{n2} \\ x_{03} & y_2 & y_1 & y_0 & \cdots & y_{-\tau+3} & x_{\tau+1,3} & \cdots & x_{n3} \\ \vdots & \vdots & \vdots & \vdots & & \vdots & \vdots & & \vdots \\ x_{0T} & y_{T-1} & y_{T-2} & y_{T-3} & \cdots & y_{T-\tau} & x_{\tau+1,T} & \cdots & x_{nT} \end{pmatrix}. \qquad (6.19)$$

[10] Vgl. z.B. GOLDBERGER [1964, S. 152]. Zum Beweis ist allerdings die Existenz höherer Momente erforderlich. Es sei z.B. $y_t=\beta y_{t-1}+u_t$, $|\beta|<1$. Dann ist $E\bar{y}=o$ und – vgl. (5.13) –

$$V\bar{y}=E\bar{y}^2=\Big(\sum_t\sum_{t'}E\,y_t\,y_{t'}\Big)/T^2=(E\,y^2/T)\left(1+2\sum_{t=1}^{T-1}(1-t/T)\,\beta^t\right)\leqq(E\,y^2/T)(1+2\sum|\beta|^t)\to o.$$

[11] Vgl. GOLDBERGER [1964, S. 269 u. S. 143ff.].

Diese Schreibweise hat den Vorteil, daß wir die Regression (6.1) wieder in der geläufigen Matrixform darstellen können:

$$\boldsymbol{y}=\boldsymbol{X}\boldsymbol{\beta}+\boldsymbol{u}. \tag{6.1'}$$

Auch können wir wieder $\boldsymbol{X}'\boldsymbol{X}$ bilden. Diese Matrix, durch T dividiert, faßt aber gerade die empirischen Momente der Zeitreihendaten zusammen. Von ihr wollen wir nun annehmen, daß ihr Erwartungswert (auch in der Grenze $T\to\infty$) existiert, daß ihr Wahrscheinlichkeitslimes existiert und daß[12]

$$\lim_{T\to\infty} E\frac{1}{T}\boldsymbol{X}'\boldsymbol{X}=\operatorname*{plim}_{T\to\infty}\frac{1}{T}\boldsymbol{X}'\boldsymbol{X}=:\overline{\boldsymbol{M}} \tag{6.20}$$

und $\overline{\boldsymbol{M}}$ regulär ist.

(6.20) ähnelt der Modellannahme (M 4) des klassischen Regressionsmodells (vgl. S. 92). Im Unterschied zu damals wird allerdings jetzt auch die Existenz des Erwartungswertes der Momentenmatrix und seines Grenzwertes vorausgesetzt. Das ist deshalb erforderlich, weil jetzt die Störvariablen nicht mehr als von allen x_{it} unabhängig angenommen werden können (vgl. *6.2.1.*). Die Bildung von *bedingten* Erwartungswerten bei gegebener Matrix $\boldsymbol{X}$ ist daher jetzt nicht sehr sinnvoll. Vielmehr wollen wir bei der Erwartungswertbildung die Matrix $\boldsymbol{X}$ mit einbeziehen. Man beachte im übrigen, daß im Gegensatz zu (M 4) jetzt nicht die Existenz und Regularität von $\lim(\boldsymbol{X}'\boldsymbol{X}/T)$, sondern nur von $\operatorname{plim}(\boldsymbol{X}'\boldsymbol{X}/T)$ vorausgesetzt wird, was eine schwächere Annahme darstellt.

Wir benötigen (6.20) zum Beweis von Konsistenzeigenschaften der Schätzvariablen. Doch handelt es sich nicht um *notwendige* Bedingungen für die Konsistenz. Vielmehr kann Konsistenz auch unter allgemeineren Umständen gesichert sein. Es ist jedoch sehr schwierig, derartige allgemeinere Bedingungen für Konsistenz aufzufinden, weshalb wir uns hier mit den *hinreichenden* Bedingungen (6.20) begnügen. Auch dürfte klar sein, daß die zuvor in *6.1.3.* angebrachten Bemerkungen über Stabilität und Stationarität nur die Annahme (6.20) plausibel machen sollten. (6.20) könnte durchaus auch für gewisse nichtstationäre Prozesse gültig sein.

6.2. Schätzprobleme

6.2.1. Modellannahmen

Grundlage des zu schätzenden Modells ist die Regressionsgleichung (6.1), die wir der Bequemlichkeit halber nochmals angeben wollen:

$$y_t=\beta_0\,x_{0t}+\beta_1\,y_{t-1}+\cdots+\beta_\tau\,y_{t-\tau}+\beta_{\tau+1}\,x_{\tau+1,t}+\cdots+\beta_n\,x_{n,t}+u_t. \tag{6.1}$$

Wie früher teilen wir die *Variablen des Modells* in die *endogene* Variable y, in (von außen vorgegebene) *exogene* Variablen x_i und in die *Störvariable* u ein. Zu

[12] Diese Annahme entspricht der Annahme (2.9) von CHRIST [1966, S. 354]. Sie kann auf andere Modellannahmen zurückgeführt werden [SCHÖNFELD 1971, S. 50].

allen Variablen gibt es Periodenwerte für $t=1,\dots,T$. Hinzu treten die *Anfangswerte* $y_0, y_{-1}, \dots, y_{-\tau+1}$ der endogenen Variablen.

Für eine feste *Periode t* klassifizieren wir wie folgt: y_t ist die *abhängige* Variable, alle übrigen in (6.1) auftretenden Variablen bis auf die *Störvariable* u_t sind die *vorherbestimmten* Variablen. Diese werden daher wie in *6.1.4.* auch einheitlich mit dem Symbol x bezeichnet, wobei $y_{t-i} =: x_{i,t}$, $i=1,\dots,\tau$.

Diese Begriffe sollten nicht verwechselt werden. Man beachte insbesondere, daß der zur Periode t gehörende Wert der endogenen Variablen y_t für die Periode t die Bedeutung einer abhängigen Variablen hat, für die Perioden $t+1, t+2, \dots, t+\tau$ dagegen als vorherbestimmte Variable auftritt. All diese verschiedenen Variablen zeichnen sich durch unterschiedliche stochastische Eigenschaften aus, die im folgenden erörtert werden.

Über die exogenen Variablen und die Störvariablen treffen wir ähnliche Voraussetzungen wie im klassischen Regressionsmodell, gehen allerdings jetzt von etwas stärkeren Varianten aus. Wir setzen voraus:

(V1) u_t ist stochastisch unabhängig von den exogenen Variablen $x_{it'}$ (für alle $i=\tau+1,\dots,n$, $t=1,\dots,T$, $t'=1,\dots,T$) und von den endogenen Anfangswerten $y_0, y_{-1}, \dots, y_{-\tau+1}$.

(V2) u_t ist stochastisch unabhängig von $u_{t'}$ (falls $t \neq t'$).

(V3) Die Wahrscheinlichkeitsverteilung von u_t ist zeitinvariant.

(V4) $E u_t = 0$.

(V5) Alle Momente zweiter Ordnung existieren[13]. Insbesondere ist $E u_t^2 =: \sigma^2$.

(V6) $\lim\limits_{T\to\infty} E \frac{1}{T} X'X = \operatorname{plim}\limits_{T\to\infty} \frac{1}{T} X'X =: \bar{M}$ ist regulär[14].

Darüberhinaus treffen wir gelegentlich die Annahme

(V7) u_t ist normalverteilt.

Man kann die Voraussetzungen (V1) und (V2) über die stochastische Unabhängigkeit abschwächen. Mindesterfordernis ist aber dann die Unkorreliertheit. Auch müssen sich die Abhängigkeiten mit größer werdendem zeitlichen Abstand hinreichend rasch abschwächen. Diese allgemeinen Bedingungen sind jedoch so kompliziert, daß wir uns mit den einfacheren der stochastischen Unabhängigkeit begnügen wollen. Man beachte aber, daß Autokorrelation in den Störvariablen durch (V2) ausgeschlossen wird.

Aus (V1) und (V2) folgt nun, daß

$$u_t \text{ stochastisch unabhängig von } x_{it'} \text{ für } i=0,\dots,n \text{ und } t' \leq t \tag{6.21}$$

ist. Insbesondere ist also u_t stochastisch unabhängig von $y_{t'}$ für $t' < t$: Die Störvariable der Periode t hängt nicht von *früheren* Werten der endogenen Variablen (und natürlich nach (V1) auch nicht von den Werten der exogenen Variablen) ab.

[13] Gelegentlich wird auch die Existenz höherer Momente benötigt.

[14] Diese Annahme entspricht (6.20) und wurde in *6.1.4.* erörtert.

Beweis: Wie man durch sukzessives Einsetzen der verzögerten endogenen Variablen in (6.1) feststellt, ist $y_{t'}$ eine Funktion von exogenen Variablen, von den Störvariablen $u_{t'}, u_{t'-1}, \ldots, u_1$ und von den endogenen Anfangswerten. Nach (V1) und (V2) ist aber u_t für $t > t'$ von eben diesen Variablen stochastisch unabhängig und ist daher auch von $y_{t'}$ stochastisch unabhängig.

(6.21) ist die grundlegende Eigenschaft der *vorherbestimmten* Variablen. Dagegen ist die weitreichendere Annahme (V1) kennzeichnende Eigenschaft der *exogenen Variablen.* Für die übrigen vorherbestimmten Variablen, die ja endogener Natur sind, gilt (V1) nicht. Im Gegenteil: zwischen y_t und $u_{t'}$ besteht immer eine mehr oder weniger stark ausgeprägte stochastische Abhängigkeit, sofern $t \geq t'$. Denn jede Störvariable beeinflußt nach (6.1) den gegenwärtigen Wert und zukünftige Werte der endogenen Variablen (vgl. auch Aufg. (6-14)). Diese unvermeidbare Abhängigkeit ist der Grund für alle Schwierigkeiten, denen wir bei der Analyse der stochastischen Eigenschaften der Schätzvariablen begegnen werden. Um so größere Bedeutung kommt (6.21) zu, wo zumindest für einen Teil der Variablen stochastische Unabhängigkeit behauptet wird.

Aus (6.21) folgt sofort, daß

$$E(u_t x_{it'}) = 0 \quad \text{für } t' \leq t \text{ und } i = 0, \ldots, n. \tag{6.22}$$

In Worten: die Störvariable ist mit allen vorherbestimmten Variablen der laufenden Periode wie der vorangegangenen Perioden unkorreliert.

6.2.2. *KQ-Verzerrung bei kleinen Stichproben*

Wir schätzen die Regression (6.1) nach der KQ-Methode und versuchen, möglichst viele Eigenschaften der KQ-Schätzvariablen aus dem klassischen Regressionsmodell auf das hier vorliegende Verzögerungsmodell hinüberzuretten. Die Schätzvariable lautet wie früher

$$\hat{\boldsymbol{\beta}} = (\boldsymbol{X}'\boldsymbol{X})^{-1}\boldsymbol{X}'\boldsymbol{y}$$

mit der in (6.19) gegebenen Matrix $\boldsymbol{X}$. Nach Einsetzen von $\boldsymbol{y} = \boldsymbol{X}\boldsymbol{\beta} + \boldsymbol{u}$ erhalten wir wie in *2.4.1.*

$$\hat{\boldsymbol{\beta}} = \boldsymbol{\beta} + (\boldsymbol{X}'\boldsymbol{X})^{-1}\boldsymbol{X}'\boldsymbol{u}. \tag{6.23}$$

Versuchen wir jetzt den Erwartungswert von $\hat{\boldsymbol{\beta}}$ zu bilden. Hierzu berechnen wir zunächst $E\boldsymbol{X}'\boldsymbol{u}$. Das typische Element von $\boldsymbol{X}'\boldsymbol{u}$ ist $\sum_{t=0}^{T} x_{it} u_t$. Wegen (6.22) ist aber der Erwartungswert jedes einzelnen Summanden 0 und daher

$$E\boldsymbol{X}'\boldsymbol{u} = \boldsymbol{o}. \tag{6.24}$$

Außerdem kann nach (V6) $E(\boldsymbol{X}'\boldsymbol{X})$ gebildet werden. Damit ist aber noch nicht gesagt, ob auch $E(\boldsymbol{X}'\boldsymbol{X})^{-1}$ existiert. Und selbst wenn das der Fall wäre, könnten wir daraus nicht schließen, daß $E[(\boldsymbol{X}'\boldsymbol{X})^{-1}\boldsymbol{X}'\boldsymbol{u}]=\boldsymbol{o}$ ist. Denn die Komponenten von $(\boldsymbol{X}'\boldsymbol{X})^{-1}$ sind i.allg. mit den Komponenten von $\boldsymbol{X}'\boldsymbol{u}$ korreliert. Es ist also damit zu rechnen, daß der Erwartungswert $E\hat{\boldsymbol{\beta}}$, sofern er überhaupt existiert, von $\boldsymbol{\beta}$ abweicht und daher $\hat{\boldsymbol{\beta}}$ i.allg. *keine erwartungstreue Schätzung* von $\boldsymbol{\beta}$ ist.

Über das mögliche Ausmaß dieser Verzerrung ist nur in speziellen Fällen etwas bekannt. So besteht nach HURWICZ [1950] (vgl. auch JOHNSTON [1963, S. 214f.] und Aufg. (6-16)) eine systematische Unterschätzung (negative Verzerrung) des Regressionsparameters β in der folgenden einfachen autoregressiven Beziehung: $y_t=\alpha+\beta y_{t-1}+u_t$ mit $\beta>0$. Diese Verzerrung kann bedeutend sein und ist i.allg. um so größer, je kleiner die zugrunde liegende Zeitreihe ist. Sie verschwindet allmählich mit wachsender Zeitreihenlänge, sofern $|\beta|<1$. Außerdem ist $\hat{\beta}$ konsistent[15]. Dies ist eine allgemeine Eigenschaft der KQ-Schätzvariablen, der wir uns in *6.2.4.* zuwenden wollen.

Zunächst aber stellt sich die Frage, ob – besonders im Hinblick auf die oben erörterte Verzerrung – die KQ-Methode überhaupt die geeignete Schätzmethode für eine Regression mit verzögerten endogenen Variablen darstellt. Wir versuchen die Frage dadurch zu beantworten, daß wir das Maximum-Likelihood-Prinzip als allgemeinen Schätzansatz auf das vorliegende Schätzproblem anwenden.

6.2.3. *Maximum Likelihood*

Zur Anwendung dieses Prinzips setzen wir die Normalverteilungshypothese (V 7) voraus (vgl. auch *1.3.* und *2.5.2.*). Danach gilt für die Dichtefunktion der u_t:

$$f_{\boldsymbol{u}}(u_1, \ldots, u_T)=(2\pi)^{-T/2}\,\sigma^{-T}\exp\left\{-\frac{1}{2\sigma^2}\sum_1^T u_t^2\right\}. \tag{6.25}$$

Wir denken uns nun die exogenen Variablen, abkürzend zusammengefaßt zu der Matrix $\boldsymbol{X}^e$, und die Anfangswerte, zusammengefaßt zum Vektor $\boldsymbol{y}^a$, fest gegeben. Dann stellt (6.1) eine umkehrbare lineare Transformation des Zeitreihenvektors $\boldsymbol{y}$ in den Zeitreihenvektor $\boldsymbol{u}$ dar, z.B. für $\tau=3$, $T=5$:

$$\begin{pmatrix} u_1\\ u_2\\ u_3\\ u_4\\ u_5 \end{pmatrix}=\begin{pmatrix} 1 & 0 & 0 & 0 & 0\\ -\beta_1 & 1 & 0 & 0 & 0\\ -\beta_2 & -\beta_1 & 1 & 0 & 0\\ -\beta_3 & -\beta_2 & -\beta_1 & 1 & 0\\ 0 & -\beta_3 & -\beta_2 & -\beta_1 & 1 \end{pmatrix}\begin{pmatrix} y_1\\ y_2\\ y_3\\ y_4\\ y_5 \end{pmatrix}+\begin{pmatrix} c_1\\ c_2\\ c_3\\ c_4\\ c_5 \end{pmatrix}$$

(mit nur von $\boldsymbol{X}^e$ und $\boldsymbol{y}^a$ abhängigen Konstanten $c_1, \ldots, c_5$). Die Transformationsmatrix hat Dreiecksgestalt und ihre Determinante hat den Wert 1. Wir können daher einfach durch Elimination der u_t vermöge (6.1) die Dichtefunktion (6.25) in

[15] Nach ANDERSON [1959] kann Konsistenz auch für $|\beta|>1$ nachgewiesen werden.

die Dichtefunktion der endogenen Variablen überführen (Anhang *B 7.2.*):

$$f_{\boldsymbol{y}}(y_1, \ldots, y_T | \boldsymbol{X}^e, \boldsymbol{y}^a) = f_{\boldsymbol{u}}(u_1, \ldots, u_T) \quad \text{mit} \quad u_t = y_t - \sum_{i=0}^{n} \beta_i x_{it}. \tag{6.26}$$

Dieser Ausdruck ist bei gegebenen Zeitreihendaten $y_1, \ldots, y_T$ und x_{it} eine Funktion der Parameter $\beta_0, \ldots, \beta_n$ und σ: die *Likelihoodfunktion.* Die ML-Schätzungen sind dann diejenigen Werte $\hat{\beta}_0, \ldots, \hat{\beta}_n$ und $\hat{\sigma}$, für die die Likelihoodfunktion ihr Maximum annimmt. Bei festem σ wird nach (6.25) das Maximum aber gerade für diejenigen Werte $\hat{\beta}_i$ erreicht, die den Ausdruck

$$\sum \check{u}_t^2 = \sum_{t=1}^{T} \left(y_t - \sum_{i=0}^{n} \beta_i x_{it} \right)^2$$

minimieren. Das heißt,

▌ die ML-Schätzungen sind zugleich KQ-Schätzungen.

Das gilt auch für die Schätzung der Störvarianz, wenn man einmal davon absieht, daß die ML-Schätzung die Zahl der Freiheitsgrade nicht berücksichtigt:

$$(\hat{\sigma}^2)_{\mathrm{ML}} = \frac{1}{T} \sum_{1}^{T} \hat{u}_t^2. \tag{6.27}$$

Wir sehen, daß uns das ML-Prinzip kein neues Schätzverfahren beschert hat. Es bleibt also bei der KQ-Methode. Mit der Tatsache, daß sie i.allg. keine erwartungstreuen Schätzvariablen liefert, müssen wir uns abfinden.

Andererseits führt das ML-Prinzip unter sehr allgemeinen Bedingungen – hier ist es vor allem Bedingung (V6) – zu Schätzvariablen mit höchst wünschenswerten *asymptotischen* Eigenschaften: Sie sind *konsistent, asymptotisch normalverteilt* und *asymptotisch effizient* mit einer *asymptotischen Kovarianzmatrix* $\bar{\boldsymbol{S}}$, die sich aus der Likelihoodfunktion berechnen läßt (vgl. Anhang *B 13.2.*). Es zeigt sich, daß wie im Fall der klassischen linearen Regression $\bar{\boldsymbol{S}}$ durch

$$\hat{\boldsymbol{S}} = (\boldsymbol{X}'\boldsymbol{X})^{-1} \hat{\sigma}^2. \tag{6.28}$$

geschätzt werden kann.

Diese asymptotischen Eigenschaften sagen zwar im Prinzip nichts über die stochastischen Eigenschaften der ML-Schätzvariablen bei kurzen Zeitreihen aus, man hofft aber, daß man keine allzu großen Fehler begeht, wenn man die asymptotischen Werte, insbesondere also (6.28), bei der Abschätzung von Schätzfehlern benutzt. Mit anderen Worten, es werden genau wie im klassischen Regressionsfall *Konfidenzintervalle* (oder auch -ellipsoide) konstruiert, obwohl man weiß, daß die diese begründende Theorie nicht mehr exakt, sondern nur noch asymptotisch gültig ist.

Da z.Z. keine bessere hinreichend allgemeine Theorie für kurze Zeitreihen vorhanden ist, sind diese asymptotischen Eigenschaften besonders wichtig. Sie sollen daher im nächsten Abschnitt z.T. noch einmal, aber unabhängig von der Normalverteilungshypothese erörtert werden.

6.2.4. Asymptotische Eigenschaften*

a) Die *Konsistenz* der KQ-Schätzung wurde schon in *2.4.6.* für das klassische Regressionsmodell festgestellt. Zum Beweis wurden damals die Eigenschaft der Erwartungstreue und die Formel für die Kovarianzmatrix von $\hat{\boldsymbol{\beta}}$ benutzt. In dem jetzt vorliegenden Regressionsmodell mit Verzögerungen ist aber, wie wir sahen, $\hat{\boldsymbol{\beta}}$ nicht mehr erwartungstreu, ja sogar die Existenz des Erwartungswertes und erst recht der Varianzen von $\hat{\boldsymbol{\beta}}$ ist nicht einmal gesichert. Deshalb ist im folgenden ein neues Beweisverfahren zu entwickeln. Es erweist sich als typisch für viele andere Konsistenzbeweise in der Ökonometrie.

Kernstück des *Beweises* für die *Konsistenz* von $\hat{\boldsymbol{\beta}}$ ist die Beziehung

$$\operatorname*{plim}_{T\to\infty} \frac{1}{T} \boldsymbol{X}'\boldsymbol{u} = \boldsymbol{o}. \tag{6.29}$$

Sie folgt aus der analogen Gleichung (6.24) und den Modellannahmen[16]. Denn nach (6.24) ist $E\left[\frac{1}{T}\boldsymbol{X}'\boldsymbol{u}\right] = \boldsymbol{o}$. (6.29) ist also bewiesen, wenn noch gezeigt werden kann, daß die Kovarianzmatrix von $\frac{1}{T}\boldsymbol{X}'\boldsymbol{u}$ mit $T\to\infty$ gegen $\boldsymbol{O}$ geht[17]. Wir berechnen hierzu zunächst die Kovarianzmatrix von $\boldsymbol{X}'\boldsymbol{u}/\sqrt{T}$:

$$V\left(\frac{1}{\sqrt{T}}\boldsymbol{X}'\boldsymbol{u}\right) = E\left(\frac{1}{\sqrt{T}}\boldsymbol{X}'\boldsymbol{u}\boldsymbol{u}'\boldsymbol{X}\frac{1}{\sqrt{T}}\right) = \sigma^2 E\left(\frac{1}{T}\boldsymbol{X}'\boldsymbol{X}\right). \tag{6.30}$$

Denn für ein beliebiges Element dieser Matrix gilt[18] wegen (V 2) und (6.21):

$$\begin{aligned}
&\frac{1}{T} E\Big(\sum_t x_{it} u_t \sum_{t'} x_{jt'} u_{t'}\Big) \\
&= \frac{1}{T}\sum_t E(x_{it} x_{jt} u_t^2) + \frac{1}{T}\sum_{t>t'} E(x_{it} x_{jt'} u_t u_{t'}) + \frac{1}{T}\sum_{t<t'} E(x_{it} x_{jt'} u_t u_{t'}) \\
&= \frac{1}{T}\sum_t E(x_{it} x_{jt}) E u_t^2 + \frac{1}{T}\sum_{t>t'} E(x_{it} x_{jt'} u_{t'}) E(u_t) + \frac{1}{T}\sum_{t<t'} E(x_{it} x_{jt'} u_t) E(u_{t'}) \\
&= \sigma^2 E \sum_t \frac{1}{T} x_{it} x_{jt}
\end{aligned}$$

16) Vgl. GOLDBERGER [1964, S. 274]. Wie fundamental (6.24) für (6.29) ist, geht aus den Bemerkungen von GOLDBERGER auf S. 279 hervor.

17) Es würde genügen, zu zeigen, daß die Varianz eines beliebigen Elements von $\frac{1}{T}\boldsymbol{X}'\boldsymbol{u}$ gegen 0 geht (Anhang *B 10.3.*). Daß wir hier etwas mehr beweisen, liegt daran, daß wir die Zwischenergebnisse des Beweisganges später noch einmal benötigen.

18) Hierbei wird die Existenz von Momenten dritter Ordnung vorausgesetzt.

wegen (V 3), (V 4) und (V 5). Damit ist (6.30) bewiesen. Nach (V 6) aber folgt aus (6.30):

$$\lim_{T\to\infty} V\left(\frac{1}{\sqrt{T}}\,\boldsymbol{X}'\boldsymbol{u}\right)=\sigma^2\overline{\boldsymbol{M}} \tag{6.31}$$

und daher $\lim V(\boldsymbol{X}'\boldsymbol{u}/T)=\lim V(\boldsymbol{X}'\boldsymbol{u}/\sqrt{T})\,\lim(1/T)=\boldsymbol{O}$. Damit ist auch (6.29) bewiesen.

Nun kann die Konsistenz von $\hat{\boldsymbol{\beta}}$ leicht bewiesen werden: Nach (6.23) und dem Theorem von SLUTSKY (Anhang *B 10.4.*) ist

$$\begin{aligned}\operatorname{plim}\hat{\boldsymbol{\beta}}&=\boldsymbol{\beta}+\operatorname{plim}(\boldsymbol{X}'\boldsymbol{X})^{-1}\boldsymbol{X}'\boldsymbol{u}\\&=\boldsymbol{\beta}+\left[\operatorname{plim}\left(\frac{1}{T}\,\boldsymbol{X}'\boldsymbol{X}\right)\right]^{-1}\operatorname{plim}\left[\frac{1}{T}\,\boldsymbol{X}'\boldsymbol{u}\right]=\boldsymbol{\beta}\end{aligned}$$

wegen (6.29) und (V 6), w.z.b.w.

b) Man kann zeigen, daß (unter sehr allgemeinen Bedingungen) $\hat{\boldsymbol{\beta}}$ *asymptotisch normalverteilt* ist [DURBIN, 1960; SCHÖNFELD, 1971, S. 51].

Die *asymptotische Kovarianzmatrix* erhalten wir nach einem (eher heuristischen als strengen) Argument von CHRIST [S. 378 f.] wie folgt: Es ist nach (6.23)

$$\sqrt{T}(\hat{\boldsymbol{\beta}}-\boldsymbol{\beta})=\left(\frac{1}{T}\,\boldsymbol{X}'\boldsymbol{X}\right)^{-1}\boldsymbol{X}'\boldsymbol{u}\,\frac{1}{\sqrt{T}}.$$

$\boldsymbol{X}'\boldsymbol{u}/\sqrt{T}$ besitzt aber nach (6.31) eine Kovarianzmatrix, die für $T\to\infty$ gegen $\sigma^2\overline{\boldsymbol{M}}$ geht. Es liegt nun nahe anzunehmen, daß die Verteilung von $\boldsymbol{X}'\boldsymbol{u}/\sqrt{T}$ mit $T\to\infty$ gegen eine Grenzverteilung, und zwar genauer gegen eine Normalverteilung strebt mit der (asymptotischen) Kovarianzmatrix $\sigma^2\overline{\boldsymbol{M}}$. Andererseits ist nach (V 6) $\operatorname{plim}\left(\frac{1}{T}\,\boldsymbol{X}'\boldsymbol{X}\right)^{-1}=\overline{\boldsymbol{M}}^{-1}$ und daher hat (nach Anhang *B 11.8.2.*) $\sqrt{T}(\hat{\boldsymbol{\beta}}-\boldsymbol{\beta})$ die asymptotische Kovarianzmatrix $\overline{\boldsymbol{M}}^{-1}\sigma^2\,\overline{\boldsymbol{M}}\,\overline{\boldsymbol{M}}^{-1}=\overline{\boldsymbol{M}}^{-1}\sigma^2$. Zusammen mit der Konsistenz von $\hat{\boldsymbol{\beta}}$ folgt, daß die asymptotische Kovarianzmatrix von $\hat{\boldsymbol{\beta}}$ durch

$$\bar{\boldsymbol{S}}=\frac{1}{T}\,\overline{\boldsymbol{M}}^{-1}\sigma^2$$

gegeben wird. Ebensogut ist aber auch $\hat{\boldsymbol{S}}$ nach (6.28) eine asymptotische Kovarianzmatrix (vgl. auch Anhang *B 11.4.*), weil nach (V 6) $\left(\frac{1}{T}\,\boldsymbol{X}'\boldsymbol{X}\right)^{-1}$ stochastisch gegen $\overline{\boldsymbol{M}}^{-1}$ konvergiert und weil $\hat{\sigma}^2$ eine *konsistente Schätzung* von σ^2 ist.

Diese letzte Konsistenzeigenschaft läßt sich gerade so wie in *2.4.9.* beweisen, wobei noch vorauszusetzen ist, daß das Moment vierter Ordnung von u_t existiert.

6.2.5. Autokorrelation

Wenn eine Regression sowohl verzögerte endogene Variablen als auch autokorrelierte Störvariablen besitzt, dann brechen alle voranstehenden Schlußfolgerungen zur Konsistenz zusammen. Tatsächlich ist die Konsistenz der KQ-Schätzungen nun nicht mehr gesichert[19], obwohl doch Verzögerungen ohne Autokorrelation zu konsistenten und Autokorrelation ohne Verzögerungen (vgl. *5.1.2.*) zu erwartungstreuen KQ-Schätzungen führen.

Autoregressiven Modellen mit autokorrelierten Störvariablen kann man jedoch leicht in der ökonometrischen Praxis begegnen. Mehrere der früher (in *6.1.1.b,c,d*) betrachteten dynamischen Systeme führten zu Gleichungen mit verzögerten endogenen Variablen und mit Störvariablen, die aus anderen Zufallsvariablen durch Linearkombination hervorgingen und die daher aller Wahrscheinlichkeit nach eine mehr oder weniger stark ausgeprägte Autokorrelation aufweisen.

Für derartige Modelle sind daher neue Schätzverfahren zu entwickeln, die wenigstens wieder die Konsistenz garantieren[20].

Mit Vorsicht zu verwenden ist auch der DURBIN-WATSON-Test auf Autokorrelation, wenn verzögerte endogene Variablen in der Regression vorkommen. Denn es zeigt sich, daß in diesem Fall die Testvariable d eine systematische Verzerrung aufweist, deren Ausmaß jedoch noch nicht hinreichend genau erforscht zu sein scheint. Es wird empfohlen, die obere Grenze d_0 als Signifikanzschwelle beim Test auf positive Autokorrelation zu verwenden[21].

Aufgaben zu Kap. 6

6.1.

(6-1) Man analysiere die folgende Kombination von Anpassungsmechanismus und Erwartungsbildung am Beispiel der Konsumfunktion:

$$C_t^p = \alpha + \beta Y_t^E + u_t, \qquad C_t = (1-\gamma) C_t^p + \gamma C_{t-1}, \qquad Y_t^E = \delta Y_{t-1}^E + (1-\delta) Y_t.$$

(6-2) Wie lautet die autoregressive Beziehung zwischen den v_t in (6.7), wenn die u_t einem stationären Prozeß entstammen und zwischen ihnen die folgende Beziehung besteht:

$$u_t = \delta u_{t-1} + \varepsilon_t, \qquad E\,\varepsilon_t = 0, \qquad E\,\varepsilon_t^2 = \sigma_\varepsilon^2, \qquad E\,\varepsilon_t\,\varepsilon_{t'} = 0, \qquad E\,\varepsilon_t\,u_{t'} = 0, \qquad t' < t.$$

Bei welchem Wert für δ verschwindet die Autokorrelation erster Ordnung zwischen den v_t? Wie groß ist in diesem Fall die Autokorrelation zweiter Ordnung? (Hinweis: $\rho(v_t, v_{t-1}) = 0$ für $\delta = \gamma$ oder $\delta = 1/\gamma$.)

(6-3) Zu welchen Konsumfunktionen führt (6.5), wenn einer der folgenden Erwartungsbildungsprozesse zugrunde liegt:

a) $Y_t^E = \gamma Y_{t-1}^E + (1-\gamma) Y_{t-1}$.

b) $Y_t^E = Y_t + \gamma (Y_{t-1}^E - Y_t) + \delta (Y_{t-2}^E - Y_{t-1})$?

(6-4) Wie ändert sich die Störvariable in (6.4) bzw. (6.7), wenn auch die Anpassungs- bzw. Erwartungsbildungsprozesse zufallsgestört sind?

[19] Vgl. JOHNSTON [S. 215f.] und die dort zitierte Literatur.

[20] Vgl. hierzu etwa KOYCK [1954], NERLOVE [1958], GUPTA [1971] und DHRYMES [1971], sowie den Anhang D.

[21] Vgl. die Bemerkung 4.11 bei CHRIST [S. 527].

(6-5*) Man schreibe die folgende autoregressive Beziehung so um, daß y als lineare Funktion von verteilten Verzögerungen von x erscheint:

$$y_t = \alpha + \beta y_{t-1} + \gamma y_{t-2} + \delta x_t.$$

(Hinweis: Durch sukzessives Einsetzen berechne man zumindest die Koeffizienten von $x_{t-1}, x_{t-2}, x_{t-3}$. Man kann auch den Operator D benutzen und $(1-\beta D - \gamma D^2)^{-1}$ in eine Potenzreihe entwickeln.)

(6-6*) Die PASCAL-Verteilung (mit Parametern λ, k) lautet

$$\gamma_i = (1-\lambda)^k \binom{-k}{i} (-\lambda)^i, \qquad i = 0, 1, 2, \ldots,$$

mit $0 < \lambda < 1$, $k > 0$ ganzzahlig. Dabei ist

$$\binom{-k}{i} = (-k)(-k-1)\ldots(-k-i+1)/i!, \quad \binom{-k}{0} = 1.$$

Es sei $y_t = \sum_i \gamma_i x_{t-i} + u_t$. Man entwickle die zugehörige autoregressive Beziehung für y_t. (Hinweis: Man benutze den D-Operator. Es ist $\sum \gamma_i D^i = [(1-\lambda)/(1-\lambda D)]^k$).

(6-7*) Man stelle geometrisch verteilte Verzögerungen mit Hilfe des Operators D in der Form (6.11) dar, berechne die Summe (6.11′) und leite hieraus die autoregressive Beziehung (6.10) her.

(6-8) a) Man leite aus dem folgenden Akzelerator-Multiplikator-Modell Differenzengleichungen für Y und I her und berechne Zeitpfade aufgrund gegebener Anfangswerte:

$$C_t = \alpha Y_{t-1}, \quad I_t = \beta (C_t - C_{t-1}) + \gamma, \quad Y_t = C_t + I_t.$$

b) Dasselbe für eine der folgenden Investitionsfunktionen

$$I_t = \beta (Y_t - Y_{t-1}) + \gamma, \quad I_t = \beta (Y_{t-1} - Y_{t-2}) + \gamma.$$

(6-9) Man leite aus dem folgenden Marktanpassungsmodell Differenzengleichungen für p, q^A und q^N her und berechne Zeitpfade:

$$q_t^A = \alpha + \beta p_t, \quad q_t^N = \gamma - \delta p_t, \quad p_t = p_{t-1} + \lambda (q_t^N - q_t^A).$$

(6-10) Man ersetze im Modell (6-8) die Konstante γ durch die Variable I^{aut} (autonome Investition) und bestimme den langfristigen Multiplikator für Y bezüglich I^{aut}. (Hinweis: Man bestimme das Gleichgewichtseinkommen Y^g in Abhängigkeit von I^{aut}.)

(6-11) Bei welcher Parameterkonstellation ist das Marktanpassungsmodell (6.12) bzw. (6-9) stabil?

(6-12) a) Man bestimme die langfristige Konsumquote in den auf S. 152 und S. 198 angegebenen Konsumfunktionen.

b) Wie läßt sich allgemein bei einer Konsumfunktion mit verteilten Verzögerungen in Y die langfristige marginale Konsumquote definieren?

(6-13) Es sei $C_t = \alpha + \beta C_{t-1} + \gamma Y_t$ und $Y_t \equiv t$. Man analysiere den allgemeinen Zeitpfad für C_t. (Hinweis: Es gibt einen Gleichgewichtspfad für C_t, der ein linearer Trend ist mit der langfristigen marginalen Konsumquote als Steigung und zu dem beliebige Abweichungen mit der Rate β zurückkehren.)

6.2.

(6-14) Man zeige, daß aufgrund von (6.1) aus den Modellannahmen *6.2.1.* folgt, daß $E(y_t u_t)=\sigma^2$ und $E(y_t u_{t-1})=\beta_1 \sigma^2$. Wie berechnet man allgemein $E(y_t u_{t'})$?

(6-15) Man ersetze in (V 1) und (V 2) die stochastische Unabhängigkeit durch Unkorreliertheit und leite (6.22) ab.

(6-16*) Man berechne $(\hat{\beta})_{KQ}$ für die Regression $y_t=\beta y_{t-1}+u_t$ und zeige, daß $\hat{\beta}=\beta+A/B$ mit

$$A=\sum_2^T u_t u_{t-1}+u_1 y_0+\beta\left(\sum_3^T u_t u_{t-2}+u_2 y_0\right)+\beta^2\left(\sum_4^T u_t u_{t-3}+u_3 y_0\right)$$
$$+\cdots+\beta^{T-1} u_T y_0$$
$$B=\sum_{t=1}^T(\beta^{t-1} y_0+\beta^{t-2} u_1+\beta^{t-3} u_2+\cdots+u_{t-1})^2.$$

(Hinweis: $y_t=\beta^t y_0+\beta^{t-1} u_1+\beta^{t-2} u_2+\cdots+u_t$.)
Was läßt sich über $E\hat{\beta}$ und über plim $\hat{\beta}$ sagen, falls $|\beta|<1$?

(6-17) Man zeige, daß $\hat{\sigma}^2=\sum \hat{u}_t^2/T$ die ML-Schätzung für σ^2 ist.

(6-18*) Man berechne die asymptotische Kovarianzmatrix (6.27) nach dem ML-Prinzip (Anhang *B 13.2.*), und zwar entweder im Verein mit $\hat{\sigma}^2$ oder über die konzentrierte Likelihoodfunktion ohne $\hat{\sigma}^2$ (Anhang *B 13.5.*, vgl. auch *1.4.14.*). Man bestimme ebenso die asymptotische Varianz von $\hat{\sigma}$ und von $\hat{\sigma}^2$.

(6-19) Man zeige, daß die Varianz eines beliebigen Elementes von $\boldsymbol{X}'\boldsymbol{u}$ für $T\to\infty$ gegen 0 geht.

(6-20*) a) Es sei $\boldsymbol{X}=\boldsymbol{X}^e$, und (M1), (M2), (M3) und (V6) seien erfüllt. Man beweise die Konsistenz von $\hat{\boldsymbol{\beta}}$. (Hinweis: $E(\boldsymbol{X}'\boldsymbol{u})=\boldsymbol{o}$, $V(\boldsymbol{X}'\boldsymbol{u})=\sigma^2 E\boldsymbol{X}'\boldsymbol{X}$ – vgl. Anhang *B 6.2.*)

b) Man zeige, daß für diesen Fall die Konsistenzeigenschaft erhalten bleibt, wenn man anstelle von (V6) die Bedingung $\lim E[(\boldsymbol{X}'\boldsymbol{X}/T)^{-1}]<\infty$ setzt. (Hinweis: Man berechne $V\hat{\boldsymbol{\beta}}$ unter Beachtung von Anhang *B 6.2.*)

c) Man vergleiche die verschiedenen Annahmen, die je für sich zur Konsistenz von $\hat{\boldsymbol{\beta}}$ führen: *2.4.6.*, (2-18), *6.2.4.a*, (6-20a), (6-20b).

7. Fehler in den Variablen

7.1. Das Modell

Es war bisher unsere stillschweigende Annahme – nur einmal in *1.1.6.* haben wir sie explizit erwähnt –, daß sämtliche beobachtbaren Variablen fehlerfrei gemessen worden sind. In der Praxis müssen wir freilich mit z.T. erheblichen Meßfehlern rechnen. Sie haben ihre Ursache in zahlreichen Fehlerquellen[1], die sowohl in der Erhebung (falsche Abgrenzung der Erhebungsmasse, falsche Antworten auf Befragungen, falsch gestellte Fragen, Unklarheiten in den Definitionen von Merkmalen und deren Ausprägungen, Stichprobenfehler usw. – vgl. auch *7.1.3.*) als auch in der Aufbereitung der Daten liegen können (wie z.B. Übertragungsfehler, Rechen- und Rundungsfehler). Daten können gelegentlich so stark fehlerbehaftet

[1] Vgl. z.B. HANSEN, HURWITZ u. BERSHAD [1961], MORGENSTERN [1965], DENTON u. KUIPER [1965], ZARKOVICH [1966], COCHRAN [1968].

sein, daß sie zur Analyse ökonometrischer Beziehungen praktisch untauglich sind. Dennoch werden in der ökonometrischen Praxis zumeist ziemlich unbekümmert aus den verschiedensten Quellen stammende Daten verwendet, ohne daß man sich über ihre Qualität ausreichend Rechenschaft ablegt.

In diesem Kapitel wollen wir daher die Auswirkungen von Meßfehlern in den Variablen auf die ökonometrische Parameterschätzung untersuchen. In den späteren Kapiteln ist dann wieder von exakt gemessenen Variablen die Rede.

Die gemessenen Variablen werden wie früher mit x_i und y bezeichnet, ihre exakten (fehlerfreien) Werte mit ξ_i und η. Die Differenzen $x_i - \xi_i$ bzw. $y - \eta$ sind die Meßfehler.

7.1.1. Systematische Fehler

Betrachten wir zunächst systematische Meßfehler, die über dem ganzen Beobachtungszeitraum invariant bleiben. Wir unterscheiden vor allem zwei Typen systematischer Fehler: absolute und relative (prozentuale) Fehler. Bei ersteren ist die Differenz $x_{it} - \xi_{it} = b_i$ konstant, bei letzteren ist x_{it} proportional zu ξ_{it} also $x_{it} = a_i \xi_{it}$ mit $a_i = 1 + p_i/100$, worin p_i den festen (positiven oder negativen) Prozentsatz angibt, um den der wahre Wert über – oder unterschätzt wird. Entsprechendes gilt für Fehler in der endogenen Variablen.

Eine lineare Regression in den fehlerfreien Variablen (mit Störvariable ε_t)

$$\eta_t = \beta_0 + \beta_1 \xi_{1t} + \cdots + \beta_i \xi_{it} + \cdots + \beta_n \xi_{nt} + \varepsilon_t \tag{7.1}$$

bleibt linear, auch wenn alle oder einzelne Variablen durch ihre mit absoluten und/oder relativen Fehlern behafteten Meßwerte ersetzt werden. Doch ändern sich die Regressionsparameter, und zwar wie folgt: Wird eine Variable ξ_i durch $x_i = a_i \xi_i + b_i$ ersetzt, dann verwandelt sich (7.1) in

$$\eta_t = \beta_0 - \frac{b_i}{a_i} \beta_i + \beta_1 \xi_{1t} + \cdots + \frac{\beta_i}{a_i} x_{it} + \cdots + \beta_n \xi_{nt} + \varepsilon_t. \tag{7.2}$$

Es ändern sich also nur das absolute Glied und der bei ξ_i stehende Regressionskoeffizient. Wird η durch $y = a\eta + b$ ersetzt, dann entsteht aus (7.1):

$$y_t = a\beta_0 + b + a\beta_1 \xi_{1t} + \cdots + a\beta_n \xi_{nt} + u_t \quad \text{mit} \quad u_t := a\varepsilon_t. \tag{7.3}$$

Es werden also alle eigentlichen Regressionskoeffizienten sowie die Standardabweichung der Störvariablen mit dem Proportionalitätsfaktor a durchmultipliziert; das absolute Glied wird zusätzlich um den absoluten Fehlerbetrag b verschoben.

Wie ändern sich nun die *KQ-Schätzungen* der Parameter, wenn man die exakten Variablenwerte durch ihre fehlerbehafteten Meßwerte ersetzt? Da diese Ersetzungen spezielle lineare Variablentransformationen darstellen, können wir unter Berufung auf früher (in *2.4.5.*) ermittelte Ergebnisse über lineare Transformationen die Antwort leicht geben: Beim Übergang von (7.1) zu (7.2) bzw. (7.3) ändern sich die

Parameterschätzungen in genau derselben Weise wie die Parameter selbst (vgl. auch Aufg. (7-3)).

Bezüglich der Parameter einer mit fehlerhaft gemessenen Variablen aufgestellten Regression sind also die KQ-Schätzungen konsistente und beste Schätzvariablen, solange die Meßfehler sich nicht ändern. Das gilt entsprechend auch noch für die mit Hilfe einer geschätzten Regression aufgestellte Prognose, soweit im Prognosezeitraum dieselben Meßfehler vorherrschen wie im Schätzzeitraum. Man muß sich nur darüber im klaren sein, daß man die mit (systematischen) Meßfehlern behaftete Variable y prognostiziert und nicht die fehlerfreie Variable η, die man im übrigen auch gar nicht kennen kann, solange man nichts über den Meßfehler weiß.

Allerdings wird es nicht sehr häufig vorkommen, daß ein systematischer Meßfehler über längere Zeit konstant bleibt. Vielmehr werden immer wieder in mehr oder weniger langen zeitlichen Abständen Veränderungen im Erhebungskonzept vorgenommen einschließlich eventueller Umdefinitionen der zu messenden Variablen. Sind diese Änderungen erheblich, dann werden sie sich in *Strukturbrüchen* niederschlagen. Wie wir wissen, können diese im Prinzip mit Hilfe geeigneter Sprungvariablen ökonometrisch erfaßt werden, sofern die Strukturbrüche nicht zu rasch aufeinanderfolgen.

Meistens wird man sich hierbei mit einer *Sprungvariablen für das absolute Glied* begnügen können und die eigentlichen Regressionskoeffizienten konstant lassen dürfen, und zwar selbst dann, wenn mit der Veränderung des Erhebungskonzepts eine Verschiebung im relativen Fehler einhergeht. Ist nämlich

$$x = a\,\xi = \xi + \frac{p}{100}\,\bar{\xi} + \frac{p}{100}\,(\xi - \bar{\xi})$$

mit einem mittleren ξ-Wert $\bar{\xi}$ aus dem Beobachtungszeitraum, ist ferner der Fehlerprozentsatz p nicht allzu groß und sind ebenso die Abweichung $\xi_t - \bar{\xi}$ im Beobachtungszeitraum vergleichsweise gering, während $\bar{\xi}$ selbst relativ groß ist, dann kann man approximativ $x = a\,\xi \doteq \xi + \frac{p}{100}\,\bar{\xi}$ setzen, den proportionalen Fehler also näherungsweise durch einen absoluten Fehler ersetzen (vgl. Aufg. (7-4)).

Folgen derartige Strukturbrüche rasch aufeinander, dann können sie u. U. den Charakter von Zufallsschwankungen annehmen. Zumindest erscheint es in erster Approximation sinnvoll, alle nichtsystematischen Meßfehler als Zufallsfehler anzusehen. Mit ihnen wollen wir uns im folgenden beschäftigen.

7.1.2. Zufällige Fehler

Gemessener und „wahrer“ (aber unbekannter) Wert einer ökonometrischen Variablen seien wie folgt miteinander verknüpft:

$$\begin{aligned} x_{it} &= \xi_{it} + v_{it}, \qquad i = 0, 1, \ldots, n \\ y_t &= \eta_t + w_t. \end{aligned} \tag{7.4}$$

Die Meßfehler v_{it} und w_t seien Zufallsvariablen, über die wir die folgenden Annahmen treffen wollen:

(F1) Sie sind stochastisch unabhängig von sämtlichen wahren Werten ξ_{it} und η_t, $i=0, 1, \dots, n$, $t=1, \dots, T$.

(F2) Sie sind untereinander stochastisch unabhängig, und zwar sowohl innerhalb derselben Periode wie über verschiedene Perioden hinweg[2)].

(F3) Sie besitzen zeitinvariante Wahrscheinlichkeitsverteilungen und haben insbesondere konstante Varianzen $\sigma_{v_i}^2$ und σ_w^2. Einzelne dieser Varianzen können u. U. verschwinden, nämlich genau dann, wenn die zugehörige Variable fehlerfrei gemessen wird. Insbesondere ist $\sigma_{v_0}=0$, wenn $\xi_0=x_0$ die Scheinvariable ist.

(F4) $E v_{it}=E w_t=0$.

(F5) Zwischen den wahren Werten bestehe die lineare Regression

$$\eta_t=\beta_0+\beta_1 \xi_{1t}+\dots+\beta_n \xi_{nt}+\varepsilon_t \tag{7.1}$$

mit einer von den sämtlichen ξ_{it}, v_{it} und w_t unabhängigen Störvariablen ε_t, für die $E\varepsilon_t=0$ und $V\varepsilon_t=\sigma_\varepsilon^2$ ist.

(F6) In Analogie zu (M3) und (M4) nehmen wir ferner an, daß

$$\Xi'\,\Xi \quad \text{fast sicher regulär} \tag{7.5}$$

ist und (zum Beweis von Konsistenzeigenschaften) daß

$$\lim_{T\to\infty} E\,\frac{1}{T}\,\Xi'\,\Xi=\operatorname*{plim}_{T\to\infty}\frac{1}{T}\,\Xi'\,\Xi=:\overline{\boldsymbol{M}}_\xi \tag{7.6}$$

existiert und regulär ist. Dabei ist Ξ die zu $\boldsymbol{X}$ analoge Zeitreihenmatrix der ξ_{it}.

Über das Verteilungsgesetz der ξ_{it} und η_t werden keine weiteren Annahmen gemacht.

Setzen wir (7.4) in (7.1) ein, dann erhalten wir in den gemessenen Variablen die lineare Beziehung

$$\begin{aligned} y_t&=\beta_0+\beta_1 x_{1t}+\dots+\beta_n x_{nt}+\varepsilon_t+w_t-\sum_{i=1}^n \beta_i v_{it}\\ &=:\beta_0+\beta_1 x_{1t}+\dots+\beta_n x_{nt}+u_t. \end{aligned} \tag{7.7}$$

Dies ist nun freilich nur der Form nach eine klassische lineare Regression. Die wesentliche Modellvoraussetzung (M1): $E(u_t|\boldsymbol{X})=0$, ist verletzt, denn die neue Störvariable u_t ist offenbar nicht mehr stochastisch unabhängig von den fehlerbehafteten x_{it}.

2) (F2) kann dahingehend abgeschwächt werden, daß nur stochastische Unabhängigkeit über verschiedene Perioden hinweg angenommen wird. In diesem Fall müssen aber, um das in 7.2.2. beschriebene Schätzverfahren anwenden zu können, neben den Fehlervarianzen auch die Kovarianzen $\operatorname{Cov}(v_i, v_j)$ und $\operatorname{Cov}(v_i, w)$ bekannt sein. (Vgl. auch Aufg. (7-12).)

Man rechnet mit Hilfe der Modellannahmen (F 1) bis (F 4) leicht nach, daß

$$\begin{aligned} E(x_{it}\,u_t) &= E(\xi_{it}+v_{it})\left(\varepsilon_t+w_t-\sum_{j=1}^{n}\beta_j\,v_{jt}\right) \\ &= -\beta_i\,E\,v_{it}^2 = -\beta_i\,\sigma_{v_i}^2 \neq 0, \end{aligned} \tag{7.8}$$

obwohl $E\,u_t=0$. x_{it} und u_t sind also korreliert. Es ist dann auch $E(u_t|x_{it})\neq 0$ – im Widerspruch zu (M 1).

Damit entfällt die wichtigste Eigenschaft der exogenen Variablen des klassischen Regressionsmodells. Man ist daher geneigt, die x_i nicht mehr als exogene Variablen zu bezeichnen. Echt exogen sind vielmehr die ξ_i; doch sie sind von Zufallsfehlern überlagert und daher verborgen (latent).

Mit der Möglichkeit stochastischer Abhängigkeit zwischen den verschiedenen Periodenwerten der Störvariablen einerseits und einer Variablen der rechten Seite einer Regressionsgleichung andererseits haben wir uns schon im voranstehenden Kapitel vertraut gemacht. Damals bestand aber immer noch stochastische Unabhängigkeit zwischen den „gleichzeitigen" Variablenwerten (genauer: zwischen der Störvariablen u_t zur Periode t und den Variablen der rechten Seite der zur gleichen Periode t gehörigen Regressionsgleichung). Das war gerade die kennzeichnende Eigenschaft der vorherbestimmten Variablen. Jetzt können wir nicht einmal mit dieser schwachen Unabhängigkeitseigenschaft rechnen. Die Folge wird sein, daß das klassische Schätzverfahren der kleinsten Quadrate versagt und daß daher neue Schätzmethoden entwickelt werden müssen.

Bevor wir uns aber diesen Fragen zuwenden, erwähnen wir noch einige

7.1.3. Interpretationen des Fehlermodells

a) Bei der Entwicklung des Modells gingen wir davon aus, daß eine eindeutig definierte Variable ξ gegeben ist, die wir jedoch nicht fehlerfrei messen können. Der Meßwert ist mit einem (systematischen oder zufälligen) Meßfehler behaftet. Im einfachsten Fall beruht dieser Meßfehler auf einem falsch ausgeführten Meßvorgang. Eine an sich hinreichend klar definierte Größe wird aus Unachtsamkeit oder aus mangelhafter Einsicht in den Meßvorgang nicht korrekt gemessen (oder erhoben) und damit verfälscht.

b) Bei Stichprobenerhebungen verzichtet man aus Gründen der Kostenersparnis ausdrücklich auf eine vollständige Messung und nimmt den Stichprobenfehler bewußt in Kauf. Dieser läßt sich aber relativ genau abschätzen, jedenfalls sofern die Stichprobe unter bestimmten statistischen Voraussetzungen korrekt erhoben worden ist.

c) Meßfehler sind aber auch bei Totalerhebungen und bei sorgfältiger Erfassung aller Daten zu erwarten. Denn gehen wir zunächst einmal davon aus, daß eine Größe durch ihre Meßvorschrift definiert ist, so werden wir bei korrekter Anwendung dieser Vorschrift nur dann einen Meßfehler ausschließen, wenn sie immer zu einem eindeutigen Meßergebnis führt. Im allgemeinen gibt es aber solche idealen Meßvorschriften nicht, vielmehr enthalten sie fast immer einen, wenn auch bisweilen minimalen, Ermessensspielraum derart, daß eindeutige Ergebnisse nicht zu erwarten sind. Ein Meßfehler ist dann auch bei peinlichster Beachtung der Meßvorschrift kaum zu vermeiden. Sein Ausmaß ist u. U. durch unabhängige Wiederholungen der Messung, sofern diese möglich sind, abzuschätzen.

d) Es kommt hinzu, daß auch die mit einer idealen Meßvorschrift gemessene Variable keineswegs mit der Variablen übereinzustimmen braucht, die man eigentlich messen wollte und die vielleicht die relevante Variable in einem ökonometrischen Modell gewesen wäre. Gerade in der Sozialstatistik steht der Statistiker ständig vor der Notwendigkeit, Kompromisse zu schließen zwischen seinem Idealbild von der zu messenden Größe und den mangelhaften Meßmöglichkeiten. Indem er zur Lösung dieses Konflikts auf Ersatzdaten ausweicht, „verfälscht" er das Ergebnis[3)]. Genau genommen, mißt er eine Variante der angestrebten Variablen, und jede Änderung des Erhebungskonzepts führt zu einer neuen Variante. Bisweilen kann der Ökonometriker aus vorliegenden statistischen Daten sich die Variante, die ihm zu einer bestimmten ökonometrischen Beziehung am geeignetsten erscheint, zusammenbauen. Umgekehrt verzichtet er gelegentlich auf die angemessenere Variante, obwohl sie vorhanden ist, und verwendet zur Vereinfachung des Gesamtmodells (z.B. zur Reduktion der Zahl der Variablen) eine weniger gut angepaßte Variable.

e) Im Extremfall kann eine ökonometrisch relevante Variable als prinzipiell nicht meßbar erscheinen. Es fragt sich dann allerdings, ob wir in diesem Fall überhaupt noch sinnvoll von einer Variablen sprechen können. So sind z.B. Motivationsintensitäten, die für bestimmte beobachtbare und ökonomisch relevante Verhaltensweisen verantwortlich sind, wohl kaum direkt meßbar. Es dürfte jedoch im Prinzip möglich sein, durch Befragungen oder durch psychologische Tests Daten zu gewinnen, die zumindest als unmittelbarer Ausdruck der gemeinten Variablen, wenn schon nicht als diese selbst aufgefaßt werden können. Freilich auch solche eher indirekt gemessene Größen sind selten zu erhalten. Der Ökonometriker, dem genaue Meßwerte höchst willkommen wären, muß sich mit Ersatzdaten begnügen. Ein Beispiel ist FRIEDMANS Permanent Income-Hypothese[4)]. Danach gibt es eine Konsumfunktion $C^* = \beta^* Y^* + \varepsilon$, die zwei fiktive Variablen miteinander verknüpft: Y^* ist das von Zufallsfluktuationen bereinigte gegenwärtige Dauereinkommen eines Haushalts, bereinigt u.U. nur nach dessen subjektivem Empfinden; C^* ist der zu Y^* gehörige normale (bzw. als normal empfundene) Konsum. In Wahrheit

3) Zu dem hier angesprochenen *Adäquationsproblem* vgl. MENGES [1968, S. 39–42].

4) Mit dieser Hypothese und einigen zusätzlichen Annahmen gelang es FRIEDMAN [1957], gewisse Widersprüche zwischen den Ergebnissen von Zeitreihen- und Querschnittsuntersuchungen aufzuklären. LANCASTER [1966] führt allerdings Argumente an, die dagegen sprechen, das Modell von FRIEDMAN als Fehlermodell zu behandeln.

weichen die beobachteten Einkommens- und Konsumwerte Y und C natürlich von diesen fiktiven Werten ab. Die übliche Konsumfunktion $C=\alpha+\beta Y+u$ ist daher nach dieser Hypothese als Modell mit Fehlern in den Variablen aufzufassen.

f) Eine Regression von y auf x spiegelt – so nimmt man gemeinhin an – einen Kausalzusammenhang $x \rightarrow y$ wieder. Nun mag aber in Wahrheit der beobachtete Zusammenhang von dem (kausalen) Einfluß einer dritten Variablen z herrühren: $x \leftarrow z \rightarrow y$, der sich in den beiden Regressionen $x=\alpha+\beta z+v$, $y=\gamma+\delta z+w$ mit den klassischen Modellannahmen (insbesondere der stochastischen Unabhängigkeit zwischen z und v sowie zwischen z und w) manifestiert. Elimination von z führt zu der Gleichung $y=a+bx+u$ mit $a=\gamma-\alpha\delta/\beta$, $b=\delta/\beta$ und $u=w-(\delta/\beta)v$. Der Störterm u aber ist jetzt mit x korreliert. Tatsächlich liegt hier wieder die Situation unseres Fehlermodells vor. Denn die beiden latenten Variablen $\xi=\alpha+\beta z$ und $\eta=\gamma+\delta z$ genügen der störungsfreien Beziehung $\eta=a+b\xi$, während die beobachtbaren Variablen x und y von diesen um die „Fehlerterme“ v und w abweichen (vgl. auch *1.1.5.* und *1.2.4.b*). Dieses Beispiel leitet zu den interdependenten Modellen über, die wir im Teil III behandeln wollen.

7.2. Das Schätzproblem

7.2.1. Inkonsistente KQ-Schätzungen

Die Korrelation zwischen Störvariable u_t und erklärenden Variablen x_{it} im Fehlermodell (7.5) hat zur Folge, daß die Methode der kleinsten Quadrate zu inkonsistenten Parameterschätzungen führt. Das Ausmaß der Verzerrung hängt von verschiedenen Faktoren ab.

Führen wir wieder die bekannten Matrixdefinitionen ein, dann können wir (7.7) in der Form $\boldsymbol{y}=\boldsymbol{X}\boldsymbol{\beta}+\boldsymbol{u}$ schreiben, und die KQ-Schätzung lautet $\hat{\boldsymbol{\beta}}=(\boldsymbol{X}'\boldsymbol{X})^{-1}\boldsymbol{X}'\boldsymbol{y}$. Sind ferner $\boldsymbol{\Xi}$, $\boldsymbol{\eta}$ und $\boldsymbol{\varepsilon}$ die zu $\boldsymbol{X}$, $\boldsymbol{y}$ und $\boldsymbol{u}$ analogen Zeitreihenmatrizen für (7.1) und $\boldsymbol{V}$ und $\boldsymbol{w}$ die zugehörigen Zeitreihenmatrizen der Zufallsfehler [5], dann ist nach (7.4)

$$\boldsymbol{X}=\boldsymbol{\Xi}+\boldsymbol{V} \qquad \boldsymbol{y}=\boldsymbol{\eta}+\boldsymbol{w} \tag{7.4'}$$

und nach (7.1)

$$\boldsymbol{\eta}=\boldsymbol{\Xi}\boldsymbol{\beta}+\boldsymbol{\varepsilon} \tag{7.1'}$$

und daher

$$\begin{aligned}\hat{\boldsymbol{\beta}} &= [(\boldsymbol{\Xi}+\boldsymbol{V})'(\boldsymbol{\Xi}+\boldsymbol{V})]^{-1}(\boldsymbol{\Xi}+\boldsymbol{V})'(\boldsymbol{\Xi}\boldsymbol{\beta}+\boldsymbol{\varepsilon}+\boldsymbol{w})\\ &= \left[\frac{1}{T}\boldsymbol{\Xi}'\boldsymbol{\Xi}+\frac{1}{T}\boldsymbol{V}'\boldsymbol{\Xi}+\frac{1}{T}\boldsymbol{\Xi}'\boldsymbol{V}+\frac{1}{T}\boldsymbol{V}'\boldsymbol{V}\right]^{-1}\cdot\\ &\quad\cdot\left[\frac{1}{T}\boldsymbol{\Xi}'\boldsymbol{\Xi}\boldsymbol{\beta}+\frac{1}{T}\boldsymbol{\Xi}'(\boldsymbol{\varepsilon}+\boldsymbol{w})+\frac{1}{T}\boldsymbol{V}'\boldsymbol{\Xi}\boldsymbol{\beta}+\frac{1}{T}\boldsymbol{V}'(\boldsymbol{\varepsilon}+\boldsymbol{w})\right].\end{aligned}$$

[5] $\boldsymbol{V}$ ist nicht zu verwechseln mit der ebenso bezeichneten Matrix in Kap. 5.

Diese Schätzvariable ist i. allg. nicht erwartungstreu, sie ist auch keine lineare Funktion der Zufallsvariablen $\boldsymbol{V}$ und $\boldsymbol{w}$. Um zu prüfen, ob die Verzerrung wenigstens bei langen Beobachtungsreihen verschwindet, lassen wir T gegen ∞ gehen. Dabei wird (7.6) vorausgesetzt.

Wegen der in *7.1.2.* vorausgesetzten Unabhängigkeitseigenschaften ist dann

$$\begin{aligned} &\operatorname{plim} \frac{1}{T} \boldsymbol{V}'\boldsymbol{\Xi} = \mathbf{0}, \qquad \operatorname{plim} \frac{1}{T} \boldsymbol{\Xi}'(\boldsymbol{\varepsilon}+\boldsymbol{w}) = \boldsymbol{o}, \\ &\operatorname{plim} \frac{1}{T} \boldsymbol{V}'(\boldsymbol{\varepsilon}+\boldsymbol{w}) = \boldsymbol{o}, \qquad \operatorname{plim} \frac{1}{T} \boldsymbol{V}'\boldsymbol{V} = \boldsymbol{\Sigma}_v, \end{aligned} \tag{7.9}$$

wobei $\boldsymbol{\Sigma}_v$ die Kovarianzmatrix der $v_0, v_1, \ldots, v_n$ ist, die übrigens wegen der Annahmen (F 2) und (F 3) die Gestalt einer Diagonalmatrix hat mit aus Nullen bestehender erster Zeile und erster Spalte, sofern $\xi_0 = x_0$ die Scheinvariable ist – (allerdings spielt für die folgenden Ableitungen die Gestalt von $\boldsymbol{\Sigma}_v$ keine Rolle). Man beweist die ersten beiden Beziehungen ähnlich wie (6.29) unter Zuhilfenahme von (F 6); die beiden letzten Beziehungen folgen aus CHINTSCHINS Theorem (Anhang *B10.2.*) und den Annahmen (F 2) und (F 3).

Nach dem Theorem von SLUTSKY (Anhang *B10.4.*) ist dann

$$\operatorname*{plim}_{T\to\infty} \hat{\boldsymbol{\beta}} = (\overline{\boldsymbol{M}}_\xi + \boldsymbol{\Sigma}_v)^{-1} \overline{\boldsymbol{M}}_\xi \boldsymbol{\beta} = (\boldsymbol{I} + \overline{\boldsymbol{M}}_\xi^{-1} \boldsymbol{\Sigma}_v)^{-1} \boldsymbol{\beta}. \tag{7.10}$$

Der Beweis ändert sich nicht wesentlich, wenn man (im Falle einer inhomogenen Regression) alle Variablen als Abweichungen von ihren arithmetischen Mitteln mißt (vgl. *2.3.*), und man erhält eine analoge Beziehung für den Vektor $\boldsymbol{\beta}^*$ der eigentlichen Regressionskoeffizienten:

$$\operatorname*{plim}_{T\to\infty} \hat{\boldsymbol{\beta}}^* = (\overline{\boldsymbol{M}}_\xi^* + \boldsymbol{\Sigma}_v^*)^{-1} \overline{\boldsymbol{M}}_\xi^* \boldsymbol{\beta}^* = (\boldsymbol{I} + \overline{\boldsymbol{M}}_\xi^{*\,-1} \boldsymbol{\Sigma}_v^*)^{-1} \boldsymbol{\beta}^*. \tag{7.10'}$$

Dabei ist $\boldsymbol{\Sigma}_v^*$ die Kovarianzmatrix der $v_1, v_2, \ldots, v_n$ und

$$\overline{\boldsymbol{M}}_\xi^* = \operatorname{plim} \left(\frac{1}{T} \boldsymbol{\Xi}^{*\prime} \boldsymbol{\Xi}^* \right).$$

Im Spezialfall einer einfachen Regression $y = \alpha + \beta x + u$ wird daraus

$$\operatorname{plim} \hat{\beta} = \frac{\beta}{1 + \sigma_v^2 / \bar{\sigma}_\xi^2} \quad \text{mit} \quad \bar{\sigma}_\xi^2 = \operatorname*{plim}_{T\to\infty} \frac{1}{T} \sum_1^T (\xi_t - \bar{\xi})^2. \tag{7.11}$$

Die *asymptotische Verzerrung* ist danach um so größer, je größer der relative Fehler von x, gemessen an dem Verhältnis $\sigma_v / \bar{\sigma}_\xi$, ist. Es handelt sich um die analoge Verzerrung, die wir im Falle des relativen systematischen Fehlers beim Übergang von (7.1) zu (7.2) kennengelernt haben. Er führt bei positivem β zu einer Unterschätzung. Die folgende Figur möge diese Unterschätzung von β veranschaulichen:

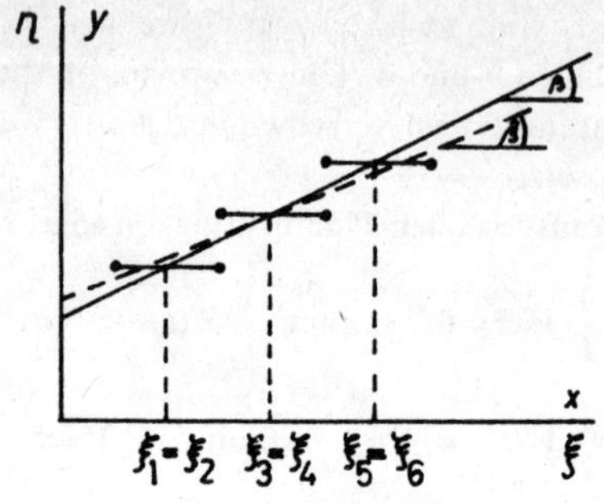

Abb. 7.1. KQ-Verzerrung bei Fehlern in x

6 Beobachtungspunkte sind so entstanden, daß ξ drei Werte je zweimal angenommen hat, wobei jeweils das eine Mal ein positiver, das andere Mal ein negativer Fehlerterm gleichen Betrages die Messungen x_i verfälscht; zur Vereinfachung wurden y als fehlerfrei und die Regression als störungsfrei angenommen.

Man beachte, daß nur die Fehler in den x_i für die KQ-Verzerrung verantwortlich sind. In der Tat kann ein Fehler w in y einfach zu der Störvariablen der Regression ε hinzugeschlagen werden und diese allein führt ja bekanntlich nicht zu systematischen Fehlschätzungen.

7.2.2. Konsistente Schätzmethoden

a) Sind die Fehlervarianzen σ_{vi}^2 der erklärenden Variablen x_i bekannt, dann kann man (ähnlich wie im Falle eines bekannten systematischen Fehlers) die KQ-Verzerrung korrigieren, um auf diese Weise zu konsistenten Schätzungen zu gelangen. Man braucht nur (7.10) auf beiden Seiten von links mit $(\boldsymbol{I}+\overline{\boldsymbol{M}}_{\xi}^{-1}\boldsymbol{\Sigma}_v)$ zu multiplizieren. In praxi ist allerdings $\overline{\boldsymbol{M}}_{\xi}$ durch eine geeignete Schätzung zu ersetzen. Hierzu bemerken wir zunächst, daß wegen (7.6), (7.4′) und (7.9)

$$\operatorname*{plim}_{T\to\infty}\frac{1}{T}\boldsymbol{X}'\boldsymbol{X}=\overline{\boldsymbol{M}}_{\xi}+\boldsymbol{\Sigma}_v=:\overline{\boldsymbol{M}}_x \tag{7.12}$$

ist. Für die Schätzung ersetzen wir $\overline{\boldsymbol{M}}_x$ durch $\frac{1}{T}\boldsymbol{X}'\boldsymbol{X}$. Alsdann finden wir nach (7.10) in

$$\hat{\hat{\boldsymbol{\beta}}}=\left(\frac{1}{T}\boldsymbol{X}'\boldsymbol{X}-\boldsymbol{\Sigma}_v\right)^{-1}\frac{1}{T}\boldsymbol{X}'\boldsymbol{X}\,\hat{\boldsymbol{\beta}}$$

oder

$$\hat{\hat{\boldsymbol{\beta}}}=\left(\frac{1}{T}\boldsymbol{X}'\boldsymbol{X}-\boldsymbol{\Sigma}_v\right)^{-1}\frac{1}{T}\boldsymbol{X}'\boldsymbol{y} \tag{7.13}$$

eine *konsistente* Schätzung für $\boldsymbol{\beta}$ bei bekannter Matrix $\boldsymbol{\Sigma}_v$. In der Tat stellt man mit Hilfe von (7.12) und (7.10) leicht fest, daß

$$\operatorname{plim} \hat{\hat{\boldsymbol{\beta}}} = \boldsymbol{\beta}. \tag{7.14}$$

Der Vektor der eigentlichen Regressionskoeffizienten $\boldsymbol{\beta}^*$ wird natürlich durch (7.13) mitgeschätzt. Man erhält aber eine explizite Schätzformel für $\boldsymbol{\beta}^*$, wenn man ganz ähnlich wie in *2.3.1.* alle Variablen als Abweichungen von ihren arithmetischen Mitteln ansetzt:

$$\hat{\hat{\boldsymbol{\beta}}}^* = \left(\frac{1}{T}\boldsymbol{X}^{*\prime}\boldsymbol{X}^* - \boldsymbol{\Sigma}_v^*\right)^{-1} \frac{1}{T}\boldsymbol{X}^{*\prime}\boldsymbol{y}^*. \tag{7.13'}$$

Im Spezialfall einer *einfachen Regression* $y = \alpha + \beta x + u$ erhalten wir für den Regressionskoeffizienten[6]:

$$\hat{\hat{\beta}} = \frac{\operatorname{cov}(x, y)}{s_x^2 - \sigma_v^2} \tag{7.15}$$

und für das absolute Glied wie üblich:

$$\hat{\hat{\alpha}} = \bar{y} - \hat{\hat{\beta}}\bar{x}. \tag{7.16}$$

b) Nachdem $\boldsymbol{\beta}$ konsistent geschätzt worden ist, können wir nun auch bei bekannter Fehlervarianz σ_w^2 die *Störvarianz* σ_ε^2 der (latenten) Regression (7.1) schätzen.

$$\hat{\sigma}_u^2 = \frac{1}{T}\sum \hat{u}_t^2 = \frac{1}{T}(\boldsymbol{y} - \boldsymbol{X}\hat{\hat{\boldsymbol{\beta}}})'(\boldsymbol{y} - \boldsymbol{X}\hat{\hat{\boldsymbol{\beta}}})$$

ist eine konsistente Schätzung[7] für σ_u^2. Andererseits ist nach (7.7) $\sigma_u^2 = \sigma_\varepsilon^2 + \sigma_w^2 + \boldsymbol{\beta}'\boldsymbol{\Sigma}_v\boldsymbol{\beta}$. Folglich schätzen wir σ_ε^2 konsistent durch $\hat{\sigma}_\varepsilon^2 := \hat{\sigma}_u^2 - \sigma_w^2 - \hat{\hat{\boldsymbol{\beta}}}'\boldsymbol{\Sigma}_v\hat{\hat{\boldsymbol{\beta}}}$. Eine einfache Rechnung unter Benutzung von (7.13) zeigt, daß

$$\hat{\sigma}_\varepsilon^2 = \frac{1}{T}\boldsymbol{y}'\boldsymbol{y} - \frac{1}{T}\boldsymbol{y}'\boldsymbol{X}\hat{\hat{\boldsymbol{\beta}}} - \sigma_w^2. \tag{7.17}$$

c)* Schließlich ist die *asymptotische Kovarianzmatrix* $\boldsymbol{S}$ von $\hat{\hat{\boldsymbol{\beta}}}$ zu ermitteln. Wir begnügen uns damit, den Standardfehler von $\hat{\hat{\beta}}$ für den Fall der einfachen Regression (7.15) herzuleiten.

Wenn wir uns sämtliche Variablen als Abweichungen von ihren arithmetischen Mitteln vorstellen, ist nach (7.15) $\hat{\hat{\beta}} = \overline{xy}/(\overline{x^2} - \sigma_v^2)$ und daher nach (7.1) und (7.4):

$$\hat{\hat{\beta}} - \beta = \frac{\overline{x(\varepsilon + w) - \beta\,\xi\,v - \beta(v^2 - \sigma_v^2)}}{\overline{x^2} - \sigma_v^2} =: \frac{Z}{N}. \tag{7.18}$$

Dabei ist $\operatorname{plim} Z = 0$ und $\operatorname{plim} N = \bar{\sigma}_x^2 - \sigma_v^2 = \bar{\sigma}_\xi^2$ und daher $\operatorname{plim} \hat{\hat{\beta}} = \beta$.

[6] Eine ganz ähnliche Formel leitet JOHNSTON [S. 159f.] mit anderen Mitteln ab. – (7.16) ergibt sich aus (7.13), wenn man bedenkt, daß erste Zeile und Spalte von $\boldsymbol{\Sigma}_v$ aus Nullen bestehen.

[7] Der Beweis kann ähnlich wie in 2.4.9. geführt werden (vgl. Aufg. (7-13)).

Dieses Ergebnis ist uns natürlich schon bekannt. Darüber hinaus haben wir aber[8] $EZ=0$ und können wie folgt die Varianz von $\sqrt{T}Z$ berechnen: Es ist

$$V(\sqrt{T}\,\overline{x(\varepsilon+w)})=\frac{1}{T}E[\sum_t x_t(\varepsilon_t+w_t)]^2=\frac{1}{T}\sum_t E\,x_t^2\,E(\varepsilon_t+w_t)^2$$
$$=E\,s_x^2(\sigma_\varepsilon^2+\sigma_w^2),$$

$$V(\sqrt{T}\,\beta\,\overline{\xi\,v})=\frac{1}{T}\beta^2 E[\sum_t \xi_t v_t]^2=\frac{1}{T}\beta^2\sum_t E\,\xi_t^2\,E\,v_t^2=\beta^2 E\,s_\xi^2\,\sigma_v^2,$$

$$V[\sqrt{T}\,\beta(\overline{v^2}-\sigma_v^2)]=T\,\beta^2 E(\overline{v^2}-\sigma_v^2)^2=T\,\beta^2 E(\overline{v^2})^2-T\,\beta^2\sigma_v^4$$
$$=\frac{\beta^2}{T}[\sum_t E\,v_t^4+\sum_{t\neq t'}E\,v_t^2\,E\,v_{t'}^2]-T\,\beta^2\sigma_v^4=\beta^2(E\,v^4-\sigma_v^4),$$

$$T^2\,\mathrm{Cov}(\overline{x(\varepsilon+w)},\overline{\xi\,v})=E[\sum_t x_t(\varepsilon_t+w_t)\sum_{t'}(\xi_{t'}\,v_{t'})=\sum_t[E(x_t\,\xi_t\,v_t)\,E(\varepsilon_t+w_t)]=0,$$

$$T^2\,\mathrm{Cov}(\overline{x(\varepsilon+w)},\overline{v^2}-\sigma_v^2)=E[\sum_t x_t(\varepsilon_t+w_t)\sum_{t'}v_{t'}^2]=0,$$

$$T^2\,\mathrm{Cov}(\overline{\xi\,v},\overline{v^2}-\sigma_v^2)=E[\sum_t \xi_t\,v_t\sum_{t'}v_{t'}^2]=\sum_t E\,\xi_t\,E\,v_t^3=E\,v^3\,E(\sum_t\xi_t)$$
$$=E\,v^3\,E(\sum_t x_t)=0,\qquad \text{da } \sum_t x_t=0.$$

Folglich ist

$$V(\sqrt{T}\,Z)=(\sigma_\varepsilon^2+\sigma_w^2)\,E\,s_x^2+\beta^2\sigma_v^2\,E\,s_\xi^2+\beta^2(E\,v^4-\sigma_v^4)$$

und nach (F6)

$$\lim_{T\to\infty}V(\sqrt{T}\,Z)=(\sigma_\varepsilon^2+\sigma_w^2)\,\bar\sigma_x^2+\beta^2\sigma_v^2(\bar\sigma_x^2-\sigma_v^2)+\beta^2 E\,v^4-\beta^2\sigma_v^4.$$

Nach einem schon in *6.2.4.* benutzten Argument ist daher die asymptotische Varianz von $\hat{\hat{\beta}}$ durch

$$\bar\sigma^2(\hat{\hat{\beta}})=\frac{1}{T}\,\frac{\bar\sigma_x^2(\sigma_\varepsilon^2+\sigma_w^2+\beta^2\sigma_v^2)+\beta^2(E\,v^4-2\sigma_v^4)}{(\bar\sigma_x^2-\sigma_v^2)^2}$$

gegeben.

Im Falle einer normalverteilten Fehlervariablen v kann $E\,v^4$ durch $3\sigma_v^4$ ersetzt werden. Ist $\bar\sigma_x^2$ im Vergleich zu σ_v^2 groß, so können wir approximativ schreiben:

$$\bar\sigma^2(\hat{\hat{\beta}})\doteq\frac{1}{T}\,\frac{\sigma_\varepsilon^2+\sigma_w^2+\beta^2\sigma_v^2}{\bar\sigma_x^2}=\frac{1}{T}\,\frac{\sigma_u^2}{\bar\sigma_x^2}$$

in Übereinstimmung mit (1.39).

[8] Hierbei wie auch bei der folgenden Ableitung gehen wir davon aus, daß in (7.18) nur die Variablen x und ξ als Abweichungen von ihren Mittelwerten gemessen sind, nicht aber die Variablen ε, w und v. Bei dieser Konvention ändert sich nur der Zähler in (7.18), und zwar um den Betrag $\beta\,\bar v^2$. Da aber $\mathrm{plim}(\sqrt{T}\,\bar v^2)=0$ (denn $\mathrm{plim}\,\bar v=0$, und $\sqrt{T}\,\bar v$ ist nach Anhang *B 11.3.* asymptotisch normalverteilt), wird durch diese Modifikation weder die Eigenschaft $\mathrm{plim}\,Z=0$ noch die asymptotische Varianz von $\sqrt{T}Z$ geändert (vgl. Anhang *B 11.8.2.*). – Außerdem benötigen wir für die folgenden Berechnungen die Existenz des vierten Moments von v.

Im übrigen ist nach dem zentralen Grenzwertsatz (Anhang *B11.6.*) $\hat{\hat{\beta}}$ asymptotisch normalverteilt.

7.2.3.* *Maximum Likelihood*

Unter der sehr speziellen Annahme, daß sämtliche Stör- und Fehlervariablen sowie die Variablen ξ_{it} normalverteilt sind, und bei den ξ_{it} zwischen den Perioden keine stochastische Abhängigkeit und auch keine Veränderung der Wahrscheinlichkeitsverteilung besteht, kann (7.13) auch aus dem *ML-Prinzip* hergeleitet werden[9].

Hierzu definieren wir $\xi'_{(t)} := (\xi_{0t}, \xi_{1t}, \ldots, \xi_{nt})$, $\boldsymbol{M}_{\boldsymbol{\xi}\boldsymbol{\xi}} := E\,\boldsymbol{\xi}_{(t)}\,\boldsymbol{\xi}'_{(t)}$, $\boldsymbol{m}_{\boldsymbol{\xi}\eta} = E\,\boldsymbol{\xi}_{(t)}\,\eta_t$ und die analogen Vektoren bzw. Matrizen $\boldsymbol{x}_{(t)}$, $\boldsymbol{M}_{\boldsymbol{x}\boldsymbol{x}}$, $\boldsymbol{m}_{\boldsymbol{x}y}$. Dann kann (7.1) in der Form $\eta_t = \boldsymbol{\xi}'_{(t)}\,\boldsymbol{\beta} + \varepsilon_t$ geschrieben werden. Multiplikation von links mit $\boldsymbol{\xi}_{(t)}$ und Erwartungsbildung liefert die Beziehung

$$\boldsymbol{M}_{\boldsymbol{\xi}\boldsymbol{\xi}}\,\boldsymbol{\beta} = \boldsymbol{m}_{\boldsymbol{\xi}\eta}, \tag{7.19}$$

da wegen der vorausgesetzten Unabhängigkeit zwischen ε_t und ξ_{it} $E\,\boldsymbol{\xi}_{(t)}\,\varepsilon_t = 0$ ist. Des weiteren ist nach (7.4) $\boldsymbol{x}_{(t)} = \boldsymbol{\xi}_{(t)} + \boldsymbol{v}_{(t)}$ und $y_t = \eta_t + w_t$ mit $\boldsymbol{v}'_{(t)} = (v_{0t}, v_{1t}, \ldots, v_{nt})$ und daher $\boldsymbol{M}_{\boldsymbol{x}\boldsymbol{x}} = \boldsymbol{M}_{\boldsymbol{\xi}\boldsymbol{\xi}} + \boldsymbol{\Sigma}_{\boldsymbol{v}}$ und $\boldsymbol{m}_{\boldsymbol{x}y} = \boldsymbol{m}_{\boldsymbol{\xi}\eta}$. Aus (7.19) folgt daher

$$\boldsymbol{\beta} = (\boldsymbol{M}_{\boldsymbol{x}\boldsymbol{x}} - \boldsymbol{\Sigma}_{\boldsymbol{v}})^{-1}\,\boldsymbol{m}_{\boldsymbol{x}y}. \tag{7.20}$$

Nun ist bei normalverteilten Größen das empirische Moment einer unabhängigen Stichprobe immer die ML-Schätzung des entsprechenden theoretischen Moments, in unserem Fall also $\frac{1}{T}\boldsymbol{X}'\boldsymbol{X} = \hat{\boldsymbol{M}}_{\boldsymbol{x}\boldsymbol{x}}$ und $\frac{1}{T}\boldsymbol{X}'\boldsymbol{y} = \hat{\boldsymbol{m}}_{\boldsymbol{x}y}$. Ersetzt man also in (7.20) die theoretischen Momente durch ihre Schätzungen, dann erhält man die ML-Schätzung für $\boldsymbol{\beta}$; sie stimmt aber mit (7.13) überein.

* * *

Man beachte, daß dieses mit unterschiedlichen Prämissen in *7.2.2.* und *7.2.3.* abgeleitete Schätzverfahren die Kenntnis von $\boldsymbol{\Sigma}_{\boldsymbol{v}}$, also der Fehlervarianzen voraussetzt. Das ist nun allerdings keine so unrealisitische Voraussetzung, wie es zunächst den Anschein haben mag. Besonders gut läßt sich eine Fehlervarianz abschätzen, wenn die Messung aufgrund einer Zufallsstichprobe erfolgte, und der Meßfehler sich nur in dem Stichprobenfehler niederschlägt. Aber auch in vielen anderen Fällen sind zumindest grobe Abschätzungen über die Fehlervarianz möglich, und diese können und sollten in (7.13) berücksichtigt werden.

Dennoch ist die Schätzformel (7.13) unbefriedigend, und man mag sich fragen, ob nicht ein Schätzverfahren existiert, das ohne Kenntnis der σ^2_{vi} auskommt. Diese Frage ist jedoch gerade für den zuletzt erwähnten Fall durchgehend normalverteilter Variablen mit zeitinvarianten Verteilungen zu verneinen. Wenn nämlich in (7.4) alle Variablen normalverteilt sind und die σ^2_{vi} unbekannt sind, dann kann aus

[9] Vgl. JOHNSTON [S. 168ff.]. Man findet dort auch weitere Ausführungen zum ML-Prinzip [S. 150ff.].

dem allein beobachtbaren Wahrscheinlichkeitsgesetzt der x_i nicht mehr eindeutig auf die Verteilung der ξ_i zurückgeschlossen werden, denn die normalverteilte Variable x_i kann auf unendlich vielfältige Weise in zwei normalverteilte Variablen ξ_i und v_i zerlegt werden. Könnte man nun trotzdem $\boldsymbol{\beta}$ konsistent schätzen, dann wäre man auch in der Lage, mit Hilfe von (7.20) $\boldsymbol{\Sigma}_v \boldsymbol{\beta}$ konsistent zu schätzen und damit schließlich wegen deren Diagonalgestalt die Matrix $\boldsymbol{\Sigma}_v$ selbst – jedenfalls sofern alle $\beta_i \neq 0$ sind, was wir voraussetzen wollen. Das heißt, man könnte die Wahrscheinlichkeitsverteilung der v_i und damit der ξ_i konsistent schätzen entgegen unserer zuvor gewonnenen Erkenntnis der prinzipiellen Unmöglichkeit dieser gleichzeitigen Schätzung.

In anderen Fällen freilich – wenn also die ξ_i nicht normalverteilt sind oder wenn ihr Verteilungsgesetzt sich mit der Zeit ändert, etwa einen Trend aufweist – ist eine konsistente Schätzung von $\boldsymbol{\beta}$ auch bei unbekannten σ^2_{vi} u. U. möglich. Dies leistet z. B. das

7.2.4. *Verfahren von Wald*

Es wurde von WALD [1940] für den Fall einer einfachen linearen Regression $\eta = \alpha + \beta\,\xi + \varepsilon$ mit fehlerbehafteten Variablen $x = \xi + v$, $y = \eta + w$ entwickelt, später aber auch auf den Fall der multiplen Regression übertragen [HOOPER und THEIL, 1958].

Danach werden die Beobachtungspunkte in zwei gleich große Mengen aufgeteilt (wobei wir annehmen wollen, daß T geradzahlig ist), und zwar so, daß die ξ_t-Werte der ersten Teilmenge sämtlich kleiner sind als die der zweiten Teilmenge. $\bar{x}_1$ und $\bar{x}_2$ (bzw. $\bar{y}_1$ und $\bar{y}_2$) seien die arithmetischen Mittel der x_t (bzw. y_t) in den beiden Teilmengen. Dann werden β und α einfach durch die Ausdrücke

$$
\begin{aligned}
(\hat{\beta})_w &= \frac{\bar{y}_2 - \bar{y}_1}{\bar{x}_2 - \bar{x}_1} \\
(\hat{\alpha})_w &= \bar{y} - (\hat{\beta})_w\, \bar{x}
\end{aligned}
\tag{7.21}
$$

geschätzt.

Die nach diesem Verfahren geschätzte Regressionsgerade geht also durch die Schwerpunkte der beiden Teilmengen von Beobachtungspunkten und ist dadurch festgelegt[10] (vgl. Abb. 7.2).

Die Schätzungen sind unter der Bedingung konsistent, daß $\operatorname{plim}(\bar{\xi}_2 - \bar{\xi}_1)$ existiert und positiv ist[11]. Denn wegen $\operatorname{plim} \bar{v}_i = \operatorname{plim} \bar{w}_i = \operatorname{plim} \bar{\varepsilon}_i = 0$ $(i = 1, 2)$ ist

$$
\begin{aligned}
\operatorname*{plim}_{T\to\infty} (\hat{\beta})_w &= \operatorname*{plim}_{T\to\infty} \frac{\beta\,\bar{\xi}_2 - \beta\,\bar{\xi}_1}{\bar{\xi}_2 - \bar{\xi}_1} = \beta, \\
\operatorname*{plim}_{T\to\infty} (\hat{\alpha})_w &= \alpha + \beta \operatorname*{plim}_{T\to\infty} \bar{\xi} - \operatorname*{plim}_{T\to\infty} (\hat{\beta})_w \operatorname*{plim}_{T\to\infty} \bar{\xi} = \alpha .
\end{aligned}
$$

10) Nach einer Modifikation von BARTLETT [1949] erhält man u. U. bessere Ergebnisse, wenn man eine gewisse mittlere Menge von Beobachtungspunkten unberücksichtigt läßt.

11) Diese Bedingung kann nach WALD weitgehend abgeschwächt werden.

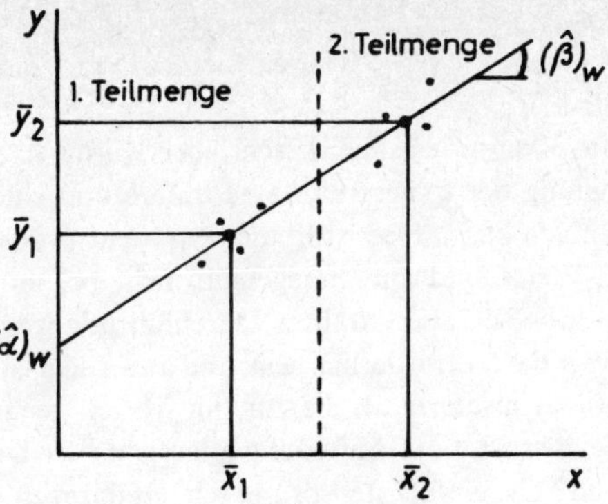

Abb. 7.2. Verfahren von WALD

WALD hat auch ein Verfahren zur Konstruktion von *Konfidenzintervallen* entwickelt. Es zeigt sich nämlich, daß bei normalverteilten Fehler- und Störvariablen die folgende Größe eine t-Verteilung mit $T-2$ Freiheitsgraden besitzt:

$$\frac{(\hat{\beta})_w-\beta}{s_{\hat{\beta}}}=t_{T-2} \tag{7.22}$$

mit

$$s_{\hat{\beta}}:=\frac{\sqrt{s_y'^2-2\beta s_{xy}'+\beta^2 s_x'^2}}{\frac{1}{2}(\bar{x}_2-\bar{x}_1)\sqrt{T}} \tag{7.23}$$

$$s_x'^2=\Big(\sum_1 (x_t-\bar{x}_1)^2+\sum_2 (x_t-\bar{x}_2)^2\Big)/(T-2)$$

$$s_y'^2=\Big(\sum_1 (y_t-\bar{y}_1)^2+\sum_2 (y_t-\bar{y}_2)^2\Big)/(T-2)$$

$$s_{xy}'=\Big(\sum_1 (x_t-\bar{x}_1)(y_t-\bar{y}_1)+\sum_2 (x_t-\bar{x}_2)(y_t-\bar{y}_2)\Big)/(T-2),$$

wobei der Index 1 oder 2 andeuten soll, daß an der Summen- bzw. Querschnittsbildung nur eine der beiden Teilmengen beteiligt ist. Man beachte die Ähnlichkeit von (7.22) mit (1.55) und von (7.23) mit der klassischen Standardfehlerformel für den Regressionskoeffizienten (1.40b). In der Tat kann der Zähler von (7.23) als Schätzung für σ_u angesehen werden, während der Bestandteil $\frac{1}{2}(\bar{x}_2-\bar{x}_1)$ im Nenner ein dem $s(x)$ entsprechendes Streuungsmaß darstellt. Ist nun $t(\omega)$ ein zur Konfidenzwahrscheinlichkeit ω gehöriger Sicherheitskoeffizient, dann hat man für große T in

$$(\hat{\beta})_w \pm t(\omega)\,\hat{s}_{\hat{\beta}}$$

ein Konfidenzintervall für β, wobei $\hat{s}_{\hat{\beta}}$ aus $s_{\hat{\beta}}$ dadurch hervorgeht, daß in (7.23) β durch $(\hat{\beta})_w$ ersetzt wird. Für kleinere T bietet sich das folgende genauere Konstruktionsverfahren an: Man löst die in β quadratische Gleichung

$$[(\hat{\beta})_w-\beta]^2=t^2(\omega)\,s_{\hat{\beta}}^2,$$

wobei $s_{\hat{\beta}}$ durch den Ausdruck in (7.23) zu ersetzen ist, und erhält in den beiden Lösungen, die für nicht zu kleine T reell existieren, die Grenzen des Konfidenzintervalls.

Das Verfahren von WALD, wie es hier beschrieben wurde, setzt voraus, daß man die geforderte Aufteilung der ξ_t-Werte in eine untere und eine obere Teilmenge auch wirklich vornehmen kann. Das ist freilich eine sehr problematische Voraussetzung, denn die ξ_t-Werte sind annahmegemäß nicht bekannt. Zwar sind auch andere Aufteilungen möglich, aber zu ihrer Durchführung werden immer irgendwelche Kenntnisse über die ξ_t erforderlich sein, und außerdem ist die oben beschriebene Aufteilung optimal insofern, als sie zur (im Mittel) genauesten Parameterschätzung führt. Wie aber ist diese Aufteilung angesichts der Unkenntnis über die ξ_t-Werte zu realisieren? Die einfachste Lösung scheint darin zu bestehen, daß man ersatzweise die beobachteten x_t-Werte in der geschilderten Weise aufteilt (vgl. Abb. 7.2). Das kann aber zu gefährlichen systematischen Schätzfehlern führen besonders dann, wenn die Meßfehler v_t relativ groß sind. Sind hingegen die v_t im Vergleich zur Streuung der x_t klein, dann ist zu erwarten, daß eine Aufteilung der x_t-Werte in eine untere und eine obere Teilmenge eine entsprechende Aufteilung der ξ_t-Werte impliziert und damit eine konsistente Schätzung nach dem WALDschen Verfahren ermöglicht.

Dies wird insbesondere dann der Fall sein, wenn die x_t-Werte stark trendbehaftet sind und wenn der Abstand zwischen zwei aufeinanderfolgenden x_t-Werten mindestens doppelt so groß ist wie der maximal zu erwartende Meßfehler[12]. Dagegen versagt das Verfahren von WALD, wenn man es auf den in *7.2.3.* beschriebenen Fall unabhängig und identisch normalverteilter ξ_t anwenden wollte und man keine Kenntnis über die Streuung der Meßfehler v_t besitzt. Wie man sieht, sind also gewisse, wenn auch geringe a-priori-Kenntnisse über die Streuung der v_t erforderlich, um das Schätzverfahren von WALD mit Erfolg anwenden zu können.

Beispiel: In Kap. 1 haben wir eine einfache lineare Regression zu $\hat{y} = -0{,}546 + 0{,}246\,x$ nach der KQ-Methode geschätzt. Mit den dort angegebenen Daten (vgl. S. 41) können wir nach dem Verfahren von WALD die Regression erneut schätzen. Die 10 Beobachtungspunkte werden in 2 gleich große Teilmengen unterteilt:

y	2	2	3	4	3
x	10	9	15	18	18

y	5	5	5	4	6
x	21	22	23	20	25

Aus den ersten 5 Beaobachtungspunkten berechnen wir die arithmetischen Mittel $\bar{x}_1 = 14{,}0$; $\bar{y}_1 = 2{,}8$ und entsprechend aus den letzten 5 Beobachtungspunkten $\bar{x}_2 = 22{,}2$; $\bar{y}_2 = 5{,}0$. Nach (7.21) ist dann $(\hat{\beta})_w = 0{,}268$ und $(\hat{\alpha})_w = -0{,}956$.

[12] In diesem Fall kann man die ξ_t nicht nur in eine untere und eine obere Teilmenge aufteilen, sondern darüber hinaus der Größe nach ordnen und ein besseres Verfahren zur Schätzung der Parameter heranziehen. Vgl. THEIL [1950].

Aufgaben zu Kap. 7

7.1.

(7-1) Es sei $\eta=\alpha+\beta\,\xi+\varepsilon$. Bei der Messung der Variablen werde η systematisch um 5% unterschätzt und ξ um 10% überschätzt. In welchem Ausmaß werden die Parameter α, β, σ systematisch verschätzt?

(7-2) Wie ändert sich (7.1), wenn alle Variablen mit systematischen Fehlern behaftet sind?

(7-3) a) Es sei $\boldsymbol{A}$ eine Diagonalmatrix mit den Diagonalelementen $a_1, \ldots, a_n$ und a eine Konstante. Man zeige, daß die Ersetzung von ξ_i durch $x_i=a_i\,\xi_i$ und von η durch $y=a\,\eta$ die Regression $\boldsymbol{\eta}=\boldsymbol{\Xi}\,\boldsymbol{\beta}+\boldsymbol{\varepsilon}$ in die Regression $\boldsymbol{y}=\boldsymbol{X}\,\boldsymbol{\gamma}+\boldsymbol{u}$ verwandelt mit $\boldsymbol{\gamma}=a\,\boldsymbol{A}^{-1}\boldsymbol{\beta}$ und $\boldsymbol{u}=a\,\boldsymbol{\varepsilon}$. Ferner gilt für die KQ-Schätzungen: $\hat{\boldsymbol{\gamma}}=a\,\boldsymbol{A}^{-1}\hat{\boldsymbol{\beta}}$ und $\hat{\sigma}_u=a\,\hat{\sigma}_\varepsilon$.

b) Wie ändern sich die Standardfehler (allgemeiner: die Kovarianzmatrix) von $\hat{\boldsymbol{\gamma}}$ im Vergleich zu den Standardfehlern von $\hat{\boldsymbol{\beta}}$?

(7-4) Es sei $\eta=\alpha+\beta\,\xi$ und $x=1,1\,\xi$. Wie lautet die Regression von η auf x? Man zeige, daß man diese Regression approximativ durch $\eta=\alpha'+\beta\,x$ mit $\alpha'=\alpha-0,1\,\beta\,\bar{\xi}$ darstellen kann. Man beurteile die Güte der Approximation für $\bar{\xi}=100$ und $\xi=90$ mit z.B. $\alpha=10$, $\beta=1$ (Skizze!). Eine andere Approximation ist $\eta\doteq\alpha''+\beta\,x$ mit $\alpha''=\alpha-0,1\,\beta\,\bar{x}$. (Vgl. auch Aufg. (2-34).)

(7-5) Man berechne $\mathrm{Cov}(x, u)$ für die in *7.1.3.f* abgeleitete Regressionsbeziehung.

7.2.

(7-6) Man zeige mittels (7.10), daß (7.11) auch für die einzelnen Regressionskoeffizienten einer multiplen Regression gilt, sofern die ξ_i (im Beobachtungszeitraum) unkorreliert sind (und alle Variablen als Abweichungen von ihrem arithmetischen Mittel gemessen werden).

(7-7*) Man beweise (7.11) aus (7.10), ohne die Variablen zuvor in ihre Abweichungen vom arithmetischen Mittel zu transformieren, und leite eine entsprechende Formel für $\hat{\alpha}$ ab: $\operatorname{plim}\hat{\alpha}=\alpha+\bar{\mu}_\xi\,\beta/(1+\bar{\sigma}_\xi^2/\sigma_v^2)$. Hinweis:

$$\boldsymbol{\Sigma}_v=\begin{pmatrix}0 & 0\\ 0 & 1\end{pmatrix}\sigma_v^2, \qquad \overline{\boldsymbol{M}}_{\xi}=\begin{pmatrix}1 & \bar{\mu}_\xi\\ \bar{\mu}_\xi & \bar{\sigma}_\xi^2+\bar{\mu}_\xi^2\end{pmatrix}.$$

(7-8) Welche Konsequenz hätte FRIEDMANS Permanent-Income-Hypothese hinsichtlich der Messung der marginalen Konsumquote? (Vgl. (7.11).)

(7-9) Man zeige, daß sich (7.13) in die für numerische Rechnungen bequemere Formel $\hat{\hat{\boldsymbol{\beta}}}=(\boldsymbol{X}'\boldsymbol{X}-T\,\boldsymbol{\Sigma}_v)^{-1}\boldsymbol{X}'\boldsymbol{y}$ umformen läßt.

(7-10) Man schreibe das auf (7.13) führende Normalgleichungssystem ausführlich hin, auch für den Fall, daß $\mathrm{Cov}(v_i, v_j)\neq 0$.

(7-11) Man zeige, daß nach (7.13) $\hat{\hat{\beta}}_0=\bar{y}-\sum\hat{\hat{\beta}}_i\,\bar{x}_i$ ist, und beweise (7.13').

(7-12*) Man zeige, daß bei bekanntem Kovarianzvektor $\boldsymbol{\sigma}_{v,w}$ die folgende Schätzung konsistent ist:

$$\hat{\boldsymbol{\beta}}=\left(\frac{1}{T}\boldsymbol{X}'\boldsymbol{X}-\boldsymbol{\Sigma}_v\right)^{-1}\left(\frac{1}{T}\boldsymbol{X}'\boldsymbol{y}-\boldsymbol{\sigma}_{v,w}\right).$$

(7-13) Man beweise die Konsistenz von $\hat{\sigma}_u^2$ gemäß *7.2.2.b.* (Hinweis: $\operatorname{plim}\hat{\hat{\boldsymbol{\beta}}}=\boldsymbol{\beta}$, $\operatorname{plim}\boldsymbol{X}'\boldsymbol{X}/T$ und $\operatorname{plim}\boldsymbol{X}'\boldsymbol{u}/T$ endlich, $\operatorname{plim}\boldsymbol{u}'\boldsymbol{u}/T=\sigma_u^2$.)

(7-14) Man beweise (7.17).

(7-15) Man berechne für das Zahlenbeispiel von S. 230 das Konfidenzintervall für β nach dem Verfahren von WALD.

(7-16) ξ_t sei trendbehaftet, derart, daß $2v_t < \Delta\xi_t$. Für das Verfahren von WALD werden die x_t gemäß ihrer Größe in zwei Gruppen aufgeteilt. Inwieweit bedingt diese Gruppierung eine entsprechende Aufteilung der ξ_t ihrer Größe nach? Man beantworte diese Frage auch für den Fall, daß man das WALDsche Verfahren auf die ersten Differenzen Δx_t anwendet.

(7-17) Man schätze die Regression des Zahlenbeispiels von S. 230 nach dem Verfahren von BARTLETT, indem man die 2 mittleren Beobachtungspunkte unterdrückt.

8.* A-priori-Wahrscheinlichkeiten

8.1. A-priori-Restriktionen

8.1.1. Deterministische a-priori-Restriktionen

Gewöhnlich gehen die statistischen Schätzverfahren davon aus, daß keinerlei a-priori-Kenntnisse über die unbekannten Parameter vorliegen. Alles, was man über die Parameter in Erfahrung bringen kann, soll allein aus den der Schätzung zugrundeliegenden Beobachtungsdaten entnommen werden. Tatsächlich hat man aber in den meisten Fällen zumindest grobe Vorstellungen über die Größenordnung der zu schätzenden Parameter, Vorstellungen, die aus früheren ökonometrischen Studien oder aus anderen, allgemeinen Erfahrungen (auch solchen qualitativer Natur) und insbesondere aus der ökonomischen Theorie stammen können. Man darf sicherlich verbesserte Schätzergebnisse erwarten, wenn es gelingt, diese a-priori-Kenntnisse, auch wenn sie nur sehr vage sind, in den eigentlichen Schätzvorgang zusammen mit den Beobachtungsdaten einzubringen[1].

In *3.2.5.* und besonders in *4.2.* haben wir gesehen, wie derartige a-priori-Informationen über die zu schätzenden Parameter bei der Schätzung berücksichtigt werden können. Allerdings handelte es sich dort um a-priori-Informationen sehr spezieller Art, nämlich um von vornherein gegebene, exakte lineare Relationen zwischen den Parametern einer oder mehrerer Regressionsgleichungen. Im Extremfall war einer der Parameter extern numerisch vorgegeben (*3.2.5.*). Solche „exakten" a-priori-Kenntnisse über die Parameter wird man in der ökonometrischen Praxis freilich selten besitzen. Häufig aber kann man schon vor der Schätzung Angaben machen, in welchen Bereich sich der unbekannte Parameter mit Sicherheit (oder mit hoher Wahrscheinlichkeit) befindet. Mit derartigen, eher vagen und relativ groben a-priori-Informationen wollen wir uns im folgenden befassen.

[1] Allerdings werden die Möglichkeiten, eine ökonomische Theorie empirisch zu überprüfen, in dem Maße eingeschränkt, wie man eben diese Theorie als a-priori-Wissen zur Parameterschätzung heranzieht.

Im einfachsten Fall wird eine a priori gegebene Bereichsrestriktion über einen Parameter β_i durch Ungleichungen, etwa

$$b_i \leq \beta_i \leq b'_i \tag{8.1}$$

ausgedrückt. Dabei sind b_i und b'_i als extreme Werte, als Schranken anzusehen, von denen man erwartet, daß sie der Parameterwert β_i nicht überschreitet. Am häufigsten, weil theoretisch leicht begründbar, sind a priori festgelegte Vorzeichen für die Parameter. Mit $b_i = 0$, $b'_i = \infty$ besagt z.B. (8.1), daß β_i nicht negativ sein kann. Ein Beispiel für einen zweiseitig begrenzten Parameterbereich ist die Restriktion $0 \leq \beta \leq 1$ für die marginale Konsumquote β.

Auch Beziehungen zwischen verschiedenen Parametern müssen nicht notwendig exakt, sondern können durch Bereichsangaben in Form von linearen Ungleichungen gegeben sein.

Ist man sich z.B. nicht ganz sicher, daß sich die beiden Exponenten einer COBB-DOUGLAS-Produktionsfunktion $Y = \gamma A^\alpha K^\beta$ zu 1 ergänzen, hält es aber für ausgeschlossen, daß die Summe $\alpha + \beta$ wesentlich von 1 abweicht, dann könnte man dieses a-priori-Wissen etwa durch die Ungleichung $0{,}9 \leq \alpha + \beta \leq 1{,}1$ ausdrücken. Allgemein handelt es sich um lineare Ungleichungen des folgenden Typs:

$$\sum_{i=0}^{n} c_i \beta_i \leq d \tag{8.2}$$

mit gewissen gegebenen Koeffizienten c_i und d.

Es gibt grundsätzlich zwei Wege, derartige a-priori-Informationen bei der *Parameterschätzung* auszunutzen. Der eine Weg besteht darin, die Parameter zunächst ohne Berücksichtigung der a priori gegebenen Restriktionen nach den üblichen Verfahren zu schätzen und nachträglich zu prüfen, ob die so geschätzten Parameterwerte die Restriktionen verletzen. Tun sie das, dann wird dies als Indiz für eine Fehlspezifikation angesehen und als Aufforderung, nach alternativen Regressionsbeziehungen zu suchen. Die a-priori-Restriktionen fungieren in diesem Fall als Auswahlkriterium, um zwischen verschiedenen theoretisch möglichen Formen einer Regressionsbeziehung die geeignetste auszuwählen (vgl. *3.3.*).

Erscheint aber eine Regression theoretisch hinreichend gut begründet und werden dennoch einige a-priori-Restriktionen durch die Parameterschätzwerte verletzt, dann wird man diese Unstimmigkeit auf die immer präsenten Zufallsstörungen zurückführen müssen. In diesem Fall ist das Schätzverfahren derart zu modifizieren, daß die a-priori-Restriktionen von den Schätzwerten zwingend beachtet werden.

Es sei also die lineare Regression

$$y = \beta_0 + \beta_1 x_1 + \cdots + \beta_n x_n + u$$

unter Beachtung aller eventuell vorgegebenen Restriktionen vom Typ (8.1) oder (8.2) aus gemessenen Beobachtungsdaten (z.B. Zeitreihen) zu schätzen. Wir nehmen an, daß ansonsten die Voraussetzungen des klassischen linearen Regressionsmodells erfüllt sind.

Alsdann empfiehlt es sich, wieder das *Prinzip der kleinsten Quadrate* heranzuziehen, jedoch derart modifiziert, daß die Restriktionen nicht verletzt werden. Man führe also die Residuenquadratsumme $Q=\sum_{1}^{T}\tilde{u}_t^2$ zu einem Minimum unter Beachtung der vorgegebenen Restriktionen.

Q ist eine quadratische Funktion in den Parametern $\beta_0, \beta_1, \ldots, \beta_n$, die jedoch nur innerhalb des durch die gegebenen linearen Ungleichungen eingeschränkten Bereichs variieren dürfen. In diesem Bereich (oder auf dessen Rand) ist die Q minimierende Parameterkonstellation $(\beta_0, \beta_1, \ldots, \beta_n)$ aufzufinden; sie stellt die modifizierte KQ-Schätzung der Regressionsparameter dar.

Diese Minimierungsaufgabe ist – von einfachen Spezialfällen abgesehen – nicht mit den klassischen Methoden der Differentialrechnung (wie in *2.2.2.*) zu lösen. Sie ist vielmehr ein Standardproblem des sogenannten *quadratischen Programmierens*, wofür numerische Lösungsverfahren entwickelt worden sind [2)]. Damit ist unser Schätzproblem bei Beachtung von Bereichs-Restriktionen im Prinzip als gelöst anzusehen.

8.1.2. Stochastische a-priori-Restriktionen

Den deterministischen Restriktionen in Form linearer Ungleichungen haftet eine gewisse Starrheit an, die den tatsächlichen a-priori-Kenntnissen von den unbekannten Parametern sehr oft nicht entspricht. (8.1) gibt z. B. starre Grenzen für den Parameter β_i an, die auf keinen Fall überschritten werden dürfen. In Wirklichkeit sind wir selten so sicher, derartige feste Grenzen angeben zu können. Vielmehr erscheint uns oft eine Grenzüberschreitung immerhin möglich, wenn wir ihr auch nur eine geringe Wahrscheinlichkeit zubilligen wollen. Umgekehrt werden wir meistens in der Lage sein, innerhalb des Zulässigkeitsbereichs (8.1) einen (oft wesentlich) engeren Bereich anzugeben, in dem wir den unbekannten Parameter mit relativ hoher Wahrscheinlichkeit vermuten, während der weitere Bereich (8.1) dann nur noch der äußersten Absicherung dient. Man kann noch weiter gehen und versuchen, mehrere (ineinander geschachtelte) Bereiche mit zugehörigen Wahrscheinlichkeiten für das Auftreten des Parameters anzugeben; womöglich wird man auch einen a priori wahrscheinlichsten Parameterwert aufzeigen können. Diese Vorstellungen, konsequent zu Ende gedacht, führen schließlich dazu, daß man sich eine ganze Wahrscheinlichkeitsverteilung für den unbekannten Parameter als a priori vorgeben denken kann. Keine großen Schwierigkeiten bereitet diese Vorstellung einer a-priori-Verteilung in dem Fall, daß der unbekannte Parameter extern mit anderen Daten geschätzt worden ist. In diesem Fall wird nämlich β_i durch die extern gefundene Schätzvariable $\hat{\beta}_i$ ersetzt, und diese besitzt als Zufallsvariable eine Wahr-

2) Vgl. z. B. KRELLE u. KÜNZI [1962]. Vgl. auch JUDGE u. TAKAYAMA [1966].

scheinlichkeitsverteilung. Wie wir wissen (vgl. *3.2.5.*), gibt es Schätzverfahren, die die Kenntnis von Wahrscheinlichkeitsverteilungen bei einigen Parametern bei gleichzeitiger vollständiger Unkenntnis über die Werte der übrigen Parameter ausnutzen.

Es liegt aber nahe, die Idee einer a-priori-Wahrscheinlichkeitsverteilung auf sämtliche unbekannte Parameter auszudehnen. Das ist jedoch nur möglich, wenn wir *subjektive Wahrscheinlichkeiten* zulassen. Denn gemäß der objektivistischen Häufigkeitsinterpretation sind Parameter keine Zufallsvariablen, sondern feste, wenn auch unbekannte Größen. Aber gerade unsere Unkenntnis oder unsere mangelhafte Kenntnis über ihre Größe verleiht ihnen den logischen Status von Zufallsvariablen mit bestimmten (subjektiven) Wahrscheinlichkeitsverteilungen, die genau den Stand unserer unvollkommenen Kenntnis über die Parameter wiedergeben [3)].

Beispiel: Ein Parameter β (z.B. die marginale Konsumquote) sei auf das Intervall $0 \leq \beta \leq 1$ beschränkt. Als am wahrscheinlichsten werde der Wert 0,7 angesehen. Werte bis ganz in die Nähe von 1 werden aber immer noch als möglich erachtet, wenn ihnen auch eine rasch abfallende Wahrscheinlichkeitsdichte zuerkannt wird. Ansonsten möge die subjektive Wahrscheinlichkeitsverteilung von β nur wenig schief sein und näherungsweise die Gestalt der GAUSSschen Glockenkurve besitzen. Die a-priori-Verteilung kann dann approximativ als eine Normalverteilung mit dem Mittelwert 0,7 und der Standardabweichung 0,1 beschrieben werden; dabei ist die Standardabweichung so gewählt, daß das Hinaustreten aus dem oben angegebenen Zulässigkeitsbereich nur mit vernachlässigbar kleiner Wahrscheinlichkeit möglich ist.

Besitzt man außer der Intervallbeschränkung keine weiteren a-priori-Informationen oder vielmehr diese, daß jeder Wert zwischen 0 und 1 für gleich wahrscheinlich gehalten wird, dann ist die a-priori-Verteilung die Rechtecksverteilung über dem Einheitsintervall (vgl. Abb. 8.1).

Der Sonderfall *vollkommener Ungewißheit* über einen Parameterwert β ist ebenfalls als spezielle a-priori-Verteilung darstellbar. Sie hat angenähert die Gestalt einer Normalverteilung mit sehr großer Standardabweichung.

Läßt man diese gegen unendlich gehen, so erhält man eine sogenannte diffuse Wahrscheinlichkeitsverteilung. Sie wird durch eine überall konstante und positive „Dichtefunktion“ dargestellt:

$$f(\beta) = c > 0 \quad \text{für} \quad -\infty < \beta < \infty. \tag{8.3}$$

Das ist natürlich keine echte Wahrscheinlichkeitsverteilung mehr, kann aber, wie oben beschrieben, durch solche approximiert werden und läßt im übrigen durchaus die bekannten Wahrscheinlichkeitsoperationen zu.

3) Es ist hier nicht möglich, die logischen Grundlagen einer subjektiven Wahrscheinlichkeitstheorie zu entwickeln. Der Hinweis muß genügen, daß es möglich ist, die Existenz subjektiver Wahrscheinlichkeiten aus gewissen Axiomen rationalen Verhaltens abzuleiten. Im wesentlichen bedeutet die Aussage, man gebe einem (ungewissen) Ereignis die (subjektive) Wahrscheinlichkeit von z.B. 2/3, daß man bereit ist, im Verhältnis 2:1 auf das Eintreten dieses Ereignisses zu wetten. Vgl. auch SAVAGE [1954].

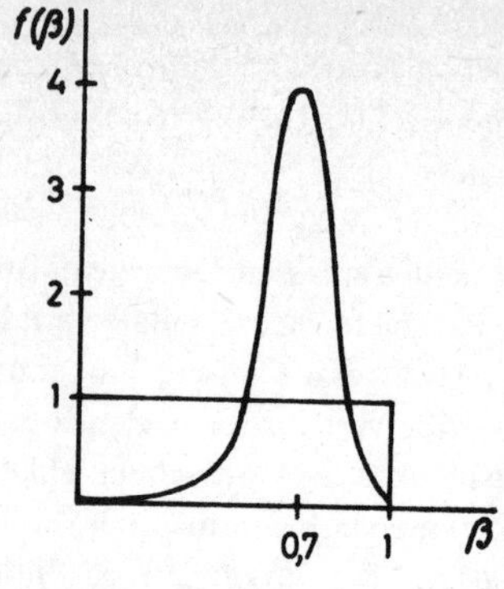

Abb. 8.1. Zwei *a*-priori-Verteilungen

Auch für den Parameter σ, die Standardabweichung der Störvariablen in einer Regression, können die verschiedensten a-priori-Verteilungen vorgegeben sein. Der Parameter ist aber ex definitione auf die positive Halbachse beschränkt, ohne daß damit schon eine a-priori-Information vorliegen würde. Daran liegt es, daß der Fall vollkommener Ungewißheit gewöhnlich nicht wie in (8.3) dargestellt werden kann. Wenn wir aber statt σ den logarithmisch transformierten Parameter $\log \sigma$ betrachten, dann entfällt eine Beschränkung, und es erscheint u. U. angebracht, vollkommene Ungewißheit durch eine diffuse Gleichverteilung für $\log \sigma$ darzustellen. Zurücktransformiert auf σ erhalten wir die „Dichtefunktion"

$$f(\sigma)=\frac{c}{\sigma} \quad \text{für } 0<\sigma<\infty \quad (c>0). \tag{8.4}$$

Sie wollen wir als Ausdruck vollkommener Ungewißheit bezüglich σ auffassen.

8.2. Der Bayes-Schluß

8.2.1. *Theorem von Bayes*

Den folgenden Überlegungen wollen wir ein ökonometrisches Regressionsmodell zugrunde legen, für dessen Parameter $\beta_0, \beta_1, \ldots, \beta_n$ und σ eine a-priori-Verteilung gegeben ist. Außerdem liegen Beobachtungen über die Variablen etwa in Form von Zeitreihen vor. Das statistische Problem besteht darin, aus diesen Beobachtungen *und* der gegebenen a-priori-Verteilung Rückschlüsse auf die unbekannten Parameter zu ziehen, insbesondere also (Punkt- und Intervall-)Schätzungen der Parameterwerte, aber auch (Punkt- und Intervall-)Prognosen zukünftiger Werte der endogenen Variablen zu gewinnen.

Das geeignete Instrument zur Lösung dieser Aufgabe ist das Theorem von BAYES, an das hier kurz erinnert sei[4]. Es sei x eine diskrete Zufallsvariable, die die Werte $\xi_1, \xi_2, \ldots$ mit den Wahrscheinlichkeiten $p(\xi_i|\theta)$ annimmt: $\sum_i p(\xi_i|\theta)=1$. Diese hängen noch von einem Parameter θ ab, welcher selbst eine (subjektive) Wahrscheinlichkeitsverteilung besitzt und die Werte $\vartheta_1, \vartheta_2, \ldots, \vartheta_r$ mit den Wahrscheinlichkeiten $p(\vartheta_i)$ annimmt. Wird nun ein ganz bestimmter Wert, z.B. ξ_j der Zufallsvariablen x beobachtet, dann impliziert diese Beobachtung eine neue, nämlich die bedingte Wahrscheinlichkeitsverteilung für θ bei gegebenem $x=\xi_j$. Denn es ist

$$\begin{aligned} P(\theta=\vartheta_i|x=\xi_j) &= P(\theta=\vartheta_i \text{ und } x=\xi_j)/P(x=\xi_j) \\ &= P(x=\xi_j \text{ und } \theta=\vartheta_i)\Big/\sum_{k=1}^{r} P(x=\xi_j \text{ und } \theta=\vartheta_k) \end{aligned}$$

oder schließlich

$$P(\theta=\vartheta_i|x=\xi_j)=P(x=\xi_j|\theta=\vartheta_i)\,p(\vartheta_i)\Big/\sum_{k=1}^{r} P(x=\xi_j|\theta=\vartheta_k)\,p(\vartheta_k). \tag{8.5}$$

Das ist das *Theorem von* BAYES. In abgekürzter, nicht ganz korrekter Ausdrucksweise, können wir hierfür auch schreiben[5]

$$p(\theta|x) \propto p(x|\theta)\,p(\theta). \tag{8.6}$$

Dabei wurde der Nenner auf der rechten Seite von (8.5) unterdrückt, insofern er eine von θ unabhängige (aber von x abhängige) Normierungskonstante darstellt. $p(\theta)$ ist unsere *a-priori-Verteilung* des Parameters θ, $p(\theta|x)$ ist die sogenannte *a-posteriori-Verteilung* bezüglich der Beobachtung x. $p(x|\theta)$ ist bei gegebenem x gerade die *Likelihoodfunktion* von θ.

Das Theorem (8.6) gilt auch für stetig verteilte Variablen und Parameter. Die in (8.6) vorkommenden Funktionen sind dann sämtlich Dichtefunktionen. (8.6) bleibt auch noch dann richtig, wenn sowohl x als auch θ durch einen Beobachtungs- bzw. Parametervektor $\boldsymbol{x}$ bzw. $\boldsymbol{\theta}$ ersetzt werden und die entsprechenden Verteilungen als gemeinsame Wahrscheinlichkeitsverteilungen gedeutet werden. In dieser Form ist das Theorem nun unmittelbar auf unser ökonometrisches Schätzproblem anwendbar.

8.2.2. Bayes-Schätzung einer linearen Regression

Wir brauchen hierzu nur die Likelihoodfunktion für das Modell $\boldsymbol{y}=\boldsymbol{X\beta}+\boldsymbol{u}$ aus *2.1.2.* mit normalverteiltem Variablenvektor $\boldsymbol{u}$ aufzustellen (vgl. (1.33) und *4.1.3.*):

$$p(\boldsymbol{y}, \boldsymbol{X}|\boldsymbol{\beta}, \sigma) \propto \frac{1}{\sigma^T} \exp\left[-\frac{1}{2\sigma^2}(\boldsymbol{y}-\boldsymbol{X\beta})'(\boldsymbol{y}-\boldsymbol{X\beta})\right] p(\boldsymbol{X}). \tag{8.7}$$

[4] Vgl. z.B. MENGES [1968, S. 105ff.]. Eine spezielle, ziemlich weitgehende Einführung in die Bayesstatistik findet man bei LINDLEY [1965]. Anwendungen auf die Ökonometrie geben ZELLNER [1971], HARKEMA [1971] und RICHARD [1973].

[5] Das Zeichen $\propto$ bedeutet „ist proportional" – hier im Hinblick auf die einzig interessierende Variable θ. Genau genommen sollten die drei in (8.6) vorkommenden Wahrscheinlichkeitsverteilungen nicht mit dem selben Symbol p bezeichnet werden. Doch sind Verwechslungen nicht zu befürchten.

Dabei wird angenommen, daß die Verteilung von $\boldsymbol{X}$ von den Parametern $\boldsymbol{\beta}$ und σ nicht abhängt. Der Faktor $p(\boldsymbol{X})$ kann daher in der Proportion (8.7) fortgelassen werden. Ist nun noch eine a-priori-Verteilung für die Parameter durch die Dichtefunktion $p(\boldsymbol{\beta}, \sigma)$ gegeben, dann haben wir in

$$p(\boldsymbol{\beta}, \sigma \mid \boldsymbol{y}, \boldsymbol{X}) \propto \frac{1}{\sigma^T} \exp\left[-\frac{1}{2\sigma^2}(\boldsymbol{y}-\boldsymbol{X}\boldsymbol{\beta})'(\boldsymbol{y}-\boldsymbol{X}\hat{\boldsymbol{\beta}})\right] p(\boldsymbol{\beta}, \sigma) \tag{8.8}$$

bis auf einen Normierungsfaktor die gesuchte a-posteriori-Verteilung der Parameter vor uns. Diesen finden wir als das Reziproke des Integrals der rechten Seite von (8.8), integriert bzgl. $\mathrm{d}\beta_0\,\mathrm{d}\beta_1 \ldots \mathrm{d}\beta_n\,\mathrm{d}\sigma$.

Die a-posteriori-Verteilung einzelner Parameter, z.B. von σ allein oder vom Parametervektor $\boldsymbol{\beta}$ allein errechnet man als *Randverteilungen* aus (8.8) durch „Ausintegrieren" der nicht interessierenden Parameter, also

$$\begin{aligned} p(\sigma \mid \boldsymbol{y}, \boldsymbol{X}) &= \int p(\boldsymbol{\beta}, \sigma \mid \boldsymbol{y}, \boldsymbol{X})\,\mathrm{d}\boldsymbol{\beta} \\ p(\boldsymbol{\beta} \mid \boldsymbol{y}, \boldsymbol{X}) &= \int p(\boldsymbol{\beta}, \sigma \mid \boldsymbol{y}, \boldsymbol{X})\,\mathrm{d}\sigma. \end{aligned} \tag{8.9}$$

Besonders einfache Verhältnisse liegen bei vollständiger Ungewißheit über die Parameter (im früher angegebenen Sinne) vor, wenn also die a-priori-Verteilungen der β_i und σ durch (8.3) und (8.4) gegeben sind und wenn a priori stochastische Unabhängigkeit zwischen diesen Parametern besteht. Dann wird aus (8.8)

$$p(\boldsymbol{\beta}, \sigma \mid \boldsymbol{y}, \boldsymbol{X}) \propto \frac{1}{\sigma^{T+1}} \exp\left[-\frac{1}{2\sigma^2}(\boldsymbol{y}-\boldsymbol{X}\boldsymbol{\beta})'(\boldsymbol{y}-\boldsymbol{X}\boldsymbol{\beta})\right]. \tag{8.10}$$

Integration über σ (Aufg. (8-4)) liefert die a-posteriori-Verteilung für $\boldsymbol{\beta}$:

$$p(\boldsymbol{\beta} \mid \boldsymbol{y}, \boldsymbol{X}) \propto [(\boldsymbol{y}-\boldsymbol{X}\boldsymbol{\beta})'(\boldsymbol{y}-\boldsymbol{X}\boldsymbol{\beta})]^{-T/2}. \tag{8.11}$$

Dies ist eine $(n+1)$-dimensionale STUDENT-Verteilung für $\boldsymbol{\beta}$.

Als *Punktschätzung* für $\boldsymbol{\beta}$ können wir nun den dichtesten Wert der a-posteriori-Verteilung von $\boldsymbol{\beta}$ nehmen. Offenbar ist das gerade der Parametervektor $\hat{\boldsymbol{\beta}}$, für den der Ausdruck $(\boldsymbol{y}-\boldsymbol{X}\boldsymbol{\beta})'(\boldsymbol{y}-\boldsymbol{X}\boldsymbol{\beta})$ ein Minimum wird; d.h. $\hat{\boldsymbol{\beta}}$ ist unsere bekannte KQ-Schätzung:

$$\hat{\boldsymbol{\beta}} = (\boldsymbol{X}'\boldsymbol{X})^{-1}\boldsymbol{X}'\boldsymbol{y}.$$

Eine *Bereichsschätzung* finden wir, indem wir zu einer gewünschten Konfidenzwahrscheinlichkeit ω (z.B. $\omega = 95\,\%$) einen durch eine Isodichtefläche der Verteilung (8.11) begrenzten Bereich derart abteilen, daß innerhalb dieses Bereichs die Wahrscheinlichkeitsmasse gemäß (8.11) gerade ω beträgt. Es zeigt sich, daß wir auf diese Weise wieder zu den früher behandelten Konfidenzellipsoiden gelangen (vgl. Aufg. (8-5)).

Stimmen also die Ergebnisse der BAYES-Statistik im Falle der vollständigen Ungewißheit im wesentlichen mit denen der klassischen Statistik überein, so sind doch ganz andere Ergebnisse zu erwarten, wenn andere a-priori-Verteilungen im Spiel sind.

Nehmen wir z.B. an, daß $\boldsymbol{\beta}$ a priori normalverteilt ist:

$$p(\boldsymbol{\beta}) \propto \exp[-\tfrac{1}{2}(\boldsymbol{\beta}-\tilde{\boldsymbol{\beta}})' \boldsymbol{\Sigma}_{\boldsymbol{\beta}}^{-1} (\boldsymbol{\beta}-\tilde{\boldsymbol{\beta}})] \tag{8.12}$$

mit bekanntem Mittelwertsvektor $\tilde{\boldsymbol{\beta}}$ und bekannter Kovarianzmatrix $\boldsymbol{\Sigma}_{\boldsymbol{\beta}}$. Die a-priori-Verteilung von σ sei wie früher. Dann folgt aus (8.8) und (8.9) für die a-posteriori-Verteilung von $\boldsymbol{\beta}$:

$$p(\boldsymbol{\beta} \mid \boldsymbol{y}, \boldsymbol{X}) \propto [(\boldsymbol{y}-\boldsymbol{X}\boldsymbol{\beta})'(\boldsymbol{y}-\boldsymbol{X}\boldsymbol{\beta})]^{-\frac{T}{2}} \exp[-\tfrac{1}{2}(\boldsymbol{\beta}-\tilde{\boldsymbol{\beta}})' \boldsymbol{\Sigma}_{\boldsymbol{\beta}}^{-1} (\boldsymbol{\beta}-\tilde{\boldsymbol{\beta}})]. \tag{8.13}$$

8.2.3. Bayes-Prognose

Haben wir mit Hilfe des BAYES-Theorems die a-posteriori-Verteilung der Parameter ermittelt, dann sind wir in der Lage, auch eine (bedingte) Wahrscheinlichkeitsverteilung $p(y_\tau \mid \boldsymbol{x}_{(\tau)}, \boldsymbol{X}, \boldsymbol{y})$ für einen zukünftigen y-Wert zu konstruieren – natürlich immer unter der Annahme, daß das zugrundeliegende Modell auch für die Periode τ gültig bleibt. Diese Wahrscheinlichkeitsverteilung ist die Grundlage für alle Arten von Prognosen, seien es Punkt- oder Intervallprognosen. Sie wird daher auch *Prognoseverteilung* genannt.

Zunächst ist nach (8.7) für die Periode τ:

$$p(y_\tau \mid \boldsymbol{x}_{(\tau)}, \boldsymbol{\beta}, \sigma) \propto \frac{1}{\sigma} \exp\left[-\frac{1}{2\sigma^2}(y_\tau - \boldsymbol{x}'_{(\tau)}\boldsymbol{\beta})^2\right]. \tag{8.14}$$

Unter der Annahme, daß keine Autokorrelation besteht, ist (bei gegebenen $\boldsymbol{x}_{(\tau)}$, $\boldsymbol{\beta}$ und σ) y_τ von den früheren Werten $\boldsymbol{y}$ und $\boldsymbol{X}$ stochastisch unabhängig. Daher ist

$$p(y_\tau \mid \boldsymbol{x}_{(\tau)}, \boldsymbol{\beta}, \sigma) = p(y_\tau \mid \boldsymbol{x}_{(\tau)}, \boldsymbol{\beta}, \sigma, \boldsymbol{y}, \boldsymbol{X}). \tag{8.15}$$

Ähnlich sind $\boldsymbol{\beta}$ und σ a posteriori von $\boldsymbol{x}_{(\tau)}$ stochastisch unabhängig; denn sie sind a priori von $\boldsymbol{x}_{(\tau)}$ unabhängig, und die Likelihoodfunktion (8.7) ändert sich durch die Aufnahme von $\boldsymbol{x}_{(\tau)}$ neben $\boldsymbol{y}$ und $\boldsymbol{X}$ nur um einen Proportionalitätsfaktor (aus $p(\boldsymbol{X})$ wird $p(\boldsymbol{X}, \boldsymbol{x}_{(\tau)})$); daher ist

$$p(\boldsymbol{\beta}, \sigma \mid \boldsymbol{x}_{(\tau)}, \boldsymbol{y}, \boldsymbol{X}) = p(\boldsymbol{\beta}, \sigma \mid \boldsymbol{y}, \boldsymbol{X}).$$

Aus den beiden letzten Beziehungen folgt

$$p(y_\tau, \boldsymbol{\beta}, \sigma \mid \boldsymbol{x}_{(\tau)}, \boldsymbol{y}, \boldsymbol{X}) = p(y_\tau \mid \boldsymbol{x}_{(\tau)}, \boldsymbol{\beta}, \sigma)\, p(\boldsymbol{\beta}, \sigma \mid \boldsymbol{y}, \boldsymbol{X}). \tag{8.16}$$

Schließlich erhalten wir die Prognoseverteilung durch Integration über die nicht interessierenden Parameter $\boldsymbol{\beta}$ und σ:

$$p(y_\tau \mid \boldsymbol{x}_{(\tau)}, \boldsymbol{y}, \boldsymbol{X}) = \iint p(y_\tau, \boldsymbol{\beta}, \sigma \mid \boldsymbol{x}_{(\tau)}, \boldsymbol{y}, \boldsymbol{X})\, \mathrm{d}\boldsymbol{\beta}\, \mathrm{d}\sigma. \tag{8.17}$$

Man kann nun den Modalwert oder den Mittelwert dieser Verteilung als Punktprognose $\hat{y}_\tau$ verwenden, also z.B.

$$\hat{y}_\tau = E(y_\tau \mid \boldsymbol{x}_{(\tau)}, \boldsymbol{y}, \boldsymbol{X}). \tag{8.18}$$

Wie die Prognoseverteilung aussieht, hängt nun wesentlich von der angenommenen a-priori-Verteilung der Parameter ab. Unter der Annahme vollkommener Ungewißheit (im oben definierten Sinne) erhalten wir durch Einsetzen von (8.14) und (8.10) in (8.16) und (8.17) und nach längeren Rechnungen:

$$\begin{aligned} p(y_\tau \mid \boldsymbol{x}_{(\tau)}, \boldsymbol{y}, \boldsymbol{X}) &\propto \iint \frac{1}{\sigma^{T+2}} \exp\left[-\frac{1}{2\sigma^2}\{(y_\tau - \boldsymbol{x}'_{(\tau)}\boldsymbol{\beta})^2 + (\boldsymbol{y}-\boldsymbol{X\beta})'(\boldsymbol{y}-\boldsymbol{X\beta})\}\right] \mathrm{d}\boldsymbol{\beta}\,\mathrm{d}\sigma \\ &\propto \int \{(y_\tau - \boldsymbol{x}'_{(\tau)}\boldsymbol{\beta})^2 + (\boldsymbol{y}-\boldsymbol{X\beta})'(\boldsymbol{y}-\boldsymbol{X\beta})\}^{-\frac{T+1}{2}} \mathrm{d}\boldsymbol{\beta} \\ &\propto \left[1 + \frac{(y_\tau - \boldsymbol{x}'_{(\tau)}\hat{\boldsymbol{\beta}})^2}{(T-n-1)\,\hat{\sigma}^2 (1 + \boldsymbol{x}'_{(\tau)}(\boldsymbol{X}'\boldsymbol{X})^{-1}\boldsymbol{x}_{(\tau)})}\right]^{-\frac{T-n}{2}} \end{aligned} \tag{8.19}$$

mit den KQ-Schätzungen $\hat{\boldsymbol{\beta}}$ und $\hat{\sigma}^2$.

Es zeigt sich demnach, daß $(y_\tau - \hat{y}_\tau)/\hat{\sigma}(e)$ eine mit $T-n-1$ Freiheitsgraden t-verteilte Zufallsvariable ist, wobei $\hat{y}_t$ und $\hat{\sigma}(e)$ wie früher in *2.5.7.* definiert sind (Anhang *B 8.3.*). Ebenso wie früher können wir aufgrund dieses Ergebnisses Prognoseintervalle konstruieren. Die Übereinstimmung mit den Resultaten aus *2.5.7.* ist jedoch nur gegeben, wenn – wie hier angenommen – a priori vollkommene Ungewißheit herrscht, so daß also nur die Daten „sprechen".

Aufgaben zu Kap. 8

8.1.

(8-1) Für die einfache lineare Regression $y = \alpha + \beta x + u$ liefere die gewöhnliche KQ-Schätzung aufgrund vorliegender Daten für β den Schätzwert $\hat{\beta} = 1{,}3$. A priori ist aber bekannt, daß $\beta \leq 1$ sein muß. Man zeige, daß die unter Beachtung dieser Restriktion modifizierte KQ-Schätzung $\hat{\hat{\beta}} = 1$ ist.

(8-2) Man zeige, daß auch bei der durch Restriktionen modifizierten KQ-Methode das absolute Glied β_0 durch $\hat{\beta}_0 = \bar{y} - \sum \hat{\beta}_i \bar{x}_i$ geschätzt wird, sofern β_0 keinerlei Restriktionen unterliegt. (Hinweis: Man minimiere $\sum \hat{u}_t^2$ bei gegebenen $\hat{\beta}_1, \ldots, \hat{\beta}_n$.)

(8-3) Man zeige, daß die folgende für $\log \sigma$ bestehende „Dichtefunktion" $h(\log \sigma) \propto 1$ für σ selbst die „Dichtefunktion" $f(\sigma) \propto \frac{1}{\sigma}$ impliziert und für σ^2 die „Dichte" $g(\sigma^2) \propto \frac{1}{\sigma^2}$. (Hinweis: $\mathrm{d}(\log \sigma) = \mathrm{d}\sigma/\sigma$, $h(\log \sigma)\,\mathrm{d}(\log \sigma) = f(\sigma)\,\mathrm{d}\sigma$, $g(\sigma^2)\,\mathrm{d}\sigma^2 = f(\sigma)\,\mathrm{d}\sigma$.)

8.2.

(8-4*) Man beweise (8.11). (Hinweis: Die Variablentransformation $z = (\boldsymbol{y} - \boldsymbol{X\beta})'(\boldsymbol{y} - \boldsymbol{X\beta})/2\sigma^2$ verwandelt das Integral von (8.10) bezüglich σ bis auf eine positive Proportionalitätskonstante in

$$[(\boldsymbol{y}-\boldsymbol{X\beta})'(\boldsymbol{y}-\boldsymbol{X\beta})]^{-\frac{T}{2}} \int_0^\infty z^{\frac{T}{2}-1} e^{-z}\,\mathrm{d}z.$$

Das letze Integral ist wieder eine positive Proportionalitätskonstante und kann daher fortgelassen werden.)

(8-5) Man zeige, daß nach (8.11)

$$p(\boldsymbol{\beta}\,|\,\boldsymbol{y}, \boldsymbol{X}) \propto [(\boldsymbol{\beta}-\hat{\boldsymbol{\beta}})' \boldsymbol{X}' \boldsymbol{X} (\boldsymbol{\beta}-\hat{\boldsymbol{\beta}}) + \boldsymbol{y}' \boldsymbol{P} \boldsymbol{y}]^{-\frac{T}{2}}$$

und daß daher eine Hyperfläche konstanter Dichte durch die Gleichung

$$(\boldsymbol{\beta}-\hat{\boldsymbol{\beta}})' \boldsymbol{X}' \boldsymbol{X} (\boldsymbol{\beta}-\hat{\boldsymbol{\beta}}) = c$$

gegeben wird (Ellipsoid).

(8-6) Für den speziellen Fall einer einfachen Regression zeige man, daß nach (8.11)

$$p(\alpha, \beta\,|\,\boldsymbol{y}, \boldsymbol{X}) \propto \left[s_y^2 - \hat{\beta}^2 s_x^2 + (\beta-\hat{\beta})^2 s_x^2 + (\alpha - \hat{\alpha} + (\beta-\hat{\beta})\,\bar{x})^2\right]^{-\frac{T}{2}}.$$

(8-7*) Es sei $y = \alpha + \beta x + u$ eine einfache lineare Regression, über deren Parameter vollständige Ungewißheit im Sinne von *8.1.2.* herrschen möge. Man bestimme die a-posteriori-Verteilung von β. (Hinweis: Integriere (8-6) bezüglich α. Variablentransformation: $(\alpha - \hat{\alpha} + (\beta-\hat{\beta})\,\bar{x})/(s_y^2 - \hat{\beta}^2 s_x^2 + (\beta-\hat{\beta})^2 s_x^2)^{\frac{1}{2}} = z$. Das Integral ist proportional

$$\{1 + (\beta-\hat{\beta})^2/[\hat{\sigma}^2(\hat{\beta})(T-2)]\}^{-(T-1)/2},$$

d.h. $(\beta-\hat{\beta})/\hat{\sigma}(\hat{\beta})$ ist t-verteilt mit $T-2$ Freiheitsgraden, vgl. Anhang *B 8.3.*)

(8-8) Wie sieht die a-posteriori-Verteilung von β aus, wenn a priori β über (0,1) gleichförmig verteilt ist und ansonsten die Bedingungen von (8-7) erfüllt sind?

(8-9*) Es seien die Voraussetzungen von (8-7) gegeben bis auf die a-priori-Verteilung von β, die jetzt als Normalverteilung mit Mittelwert $\frac{1}{2}$ und Standardabweichung $\frac{1}{2}$ angenommen wird. Wie lautet die a-posteriori-Verteilung von β?

(8-10*) Man beweise (8.19).
(Hinweis: Man definiere $\boldsymbol{X}_p' = (\boldsymbol{X}', \boldsymbol{x}_{(\tau)})$, $\boldsymbol{y}_p' = (\boldsymbol{y}', y_\tau)$, $\hat{\boldsymbol{\beta}}_p = (\boldsymbol{X}_p' \boldsymbol{X}_p)^{-1} \boldsymbol{X}_p' \boldsymbol{y}_p$. Dann wird der Integrand in (8.19) nach (2.50): $(\boldsymbol{y}_p - \boldsymbol{X}_p \boldsymbol{\beta})'(\boldsymbol{y}_p - \boldsymbol{X}_p \boldsymbol{\beta}) = \hat{\boldsymbol{u}}_p' \hat{\boldsymbol{u}}_p + (\hat{\boldsymbol{\beta}}_p - \boldsymbol{\beta})' \boldsymbol{X}_p' \boldsymbol{X}_p (\hat{\boldsymbol{\beta}}_p - \boldsymbol{\beta})$ mit $\hat{\boldsymbol{u}}_p = \boldsymbol{y}_p - \boldsymbol{X}_p \hat{\boldsymbol{\beta}}_p$, und das Integral ist proportional $(\hat{\boldsymbol{u}}_p' \hat{\boldsymbol{u}}_p)^{-(T-n)/2}$. Nun ist wieder nach (2.50): $\hat{\boldsymbol{u}}_p' \hat{\boldsymbol{u}}_p = \hat{\boldsymbol{u}}' \hat{\boldsymbol{u}} + \hat{u}_\tau^2 - (\hat{\boldsymbol{\beta}}_p - \hat{\boldsymbol{\beta}})' \boldsymbol{X}_p' \boldsymbol{X}_p (\hat{\boldsymbol{\beta}}_p - \hat{\boldsymbol{\beta}}) = \hat{\boldsymbol{u}}' \hat{\boldsymbol{u}} + \hat{u}_\tau^2 (1 - \boldsymbol{x}_{(\tau)}' (\boldsymbol{X}_p' \boldsymbol{X}_p)^{-1} \boldsymbol{x}_{(\tau)})$, da $\boldsymbol{X}_p' \boldsymbol{X}_p (\hat{\boldsymbol{\beta}}_p - \hat{\boldsymbol{\beta}}) = \boldsymbol{X}_p' \boldsymbol{y}_p - \boldsymbol{X}' \boldsymbol{y} - \boldsymbol{x}_{(\tau)} \boldsymbol{x}_{(\tau)}' \hat{\boldsymbol{\beta}} = \boldsymbol{x}_{(\tau)} (y_\tau - \boldsymbol{x}_{(\tau)}' \hat{\boldsymbol{\beta}}) = \boldsymbol{x}_{(\tau)} \hat{u}_\tau$. Ferner ist $1 - \boldsymbol{x}_{(\tau)}' (\boldsymbol{X}_p' \boldsymbol{X}_p)^{-1} \boldsymbol{x}_{(\tau)} = 1/(1 + \boldsymbol{x}_{(\tau)}' (\boldsymbol{X}' \boldsymbol{X})^{-1} \boldsymbol{x}_{(\tau)})$.)

III. Interdependente Systeme

9. Das vollständige ökonometrische Modell

9.1. Grundlagen

9.1.1. Einführende Bemerkungen

Bisher hatten wir angenommen, daß die erklärenden Variablen einer Regression in jeder Periode extern vorgegeben waren (als sogenannte vorherbestimmte Variablen), sei es, daß sie überhaupt exogener Natur waren, sei es, daß sie, wenn auch endogen durch die Regressionsgleichung bestimmt, zu vorangegangenen Perioden gehörten und von dort her ihren Einfluß geltend machten. Man wird aber in einer ökonomischen Gleichung, wenn überhaupt, so nur sehr wenige echt exogene Variablen vorfinden, also Variablen, die ausschließlich durch Faktoren bestimmt werden, die außerhalb des betrachteten ökonomischen Modells liegen. Vielmehr wird meistens mit einem, wenn auch noch so geringen Einfluß der endogenen Variablen auf die (zunächst) als exogen angenommenen erklärenden Variablen zu rechnen sein. Dieser als Rückkopplung zu verstehende Einfluß läßt sich oft durch die Angabe weiterer ökonomischer Gleichungen, in denen die endogene Variable der ersten Gleichung nun als Einflußfaktor auftritt, explizit machen.

Auf diese Weise erhalten wir ein System von ökonomischen Beziehungen, in dem all die gegenseitigen Beeinflussungen (die sogenannten Interdependenzen) der ökonomischen Variablen zum Ausdruck kommen. Zumindest ein Teil der ursprünglich als exogen angenommenen Variablen der ersten Gleichung wird dann endogen, andere Variablen bleiben auch bei Berücksichtigung aller Interdependenzen exogen. Die erste (oder irgend eine andere) Gleichung eines solchen Systems interdependenter Gleichungen hat dann etwa folgendes Aussehen

$$y_{1t} = -\gamma_2 y_{2t} - \gamma_3 y_{3t} - \cdots - \gamma_{g_*} y_{g_* t} + \beta_1 x_{1t} + \beta_2 x_{2t} + \cdots + \beta_{m_*} x_{m_* t} + u_t. \qquad (9.1)$$

Auf der rechten Seite stehen also neben den m_* *vorherbestimmten Variablen* x_{it}, die sich aus *exogenen* und *verzögerten endogenen Variablen* zusammensetzen, noch $g_* - 1$ *endogene Variablen* der laufenden Periode t. Sie werden im Gegensatz zu ersteren und in Abhängigkeit von diesen aus dem Gleichungssystem bestimmt und heißen daher auch – ebenso wie die links stehende Variable y_{1t} – *(gemeinsam) abhängige Variablen*[1].

[1] Zu diesen Begriffen vgl. auch *6.2.1.* Eine genaue Definition ergibt sich erst implizit aus den stochastischen Eigenschaften dieser Variablen – vgl. *9.1.7.*

Formal scheint zunächst kein Unterschied zu einer gewöhnlichen Regressionsgleichung zu bestehen. Aber die Natur der rechts stehenden Variablen hat sich geändert. Es können nicht mehr alle erklärenden Variablen als vorgegeben angesehen werden, zumindest einige werden gemeinsam von den übrigen, den vorherbestimmten Variablen und den Störvariablen über die Gleichungen des Gesamtsystems bestimmt. Wie sich zeigen wird, impliziert das unter den üblichen Annahmen über die stochastische Natur der exogenen Variablen eine stochastische Abhängigkeit zwischen Störvariable und abhängigen Variablen der rechten Seite. Damit ist eine wesentliche Modellannahme – nämlich (M 1) bzw. (6.21) – für das klassische Regressionsmodell verletzt, und die theoretische Grundlage für die Anwendung der gewöhnlichen Methode der kleinsten Quadrate existiert nicht mehr. Mit den hieraus resultierenden Schwierigkeiten und ihrer Überwindung wird sich der gesamte Teil III befassen.

9.1.2. Exogene Variablen

Wenn wir also die Absicht haben, die Interdependenzen zwischen ökonomischen Variablen in einem ökonometrischen Modell adäquat zu berücksichtigen, so stellt sich die Frage, welche Variablen denn überhaupt noch außerhalb dieser Interdependenzen stehen können, also als exogen bestimmt anzusehen sind. Diese Frage läßt sich nicht eindeutig beantworten, da – wie schon gesagt – Interdependenzen fast immer vorhanden sind und es sich nur darum handeln kann, zu entscheiden, ob diese schwach genug sind, um sie unberücksichtigt lassen zu können. Ob man eine Variable als exogen betrachtet oder nicht, ist daher z.T. Ermessensfrage und hängt u.a. von den Zielen ab, die man mit dem Bau und der Analyse eines ökonometrischen Modells verfolgt. Allgemein sollte man sich von dem Grundsatz leiten lassen, daß eine exogene Variable zwar die abhängigen Variablen (kausal) beeinflußt, ihrerseits aber nicht von diesen beeinflußt wird (vgl. auch *1.1.2.* und *1.1.5.*).

Unproblematisch ist die Entscheidung bei Variablen, die nicht (oder nur unwesentlich) unter menschlichem Einfluß stehen, ihrerseits aber das ökonomische Geschehen mitbestimmen, wie etwa die Jahresregenmenge (oder andere Wettervariablen) in einer landwirtschaftlichen Produktions- oder Angebotsfunktion. Ferner gibt es zahlreiche soziale Variablen, die ökonomisch relevant sind, selbst aber von ökonomischen Faktoren nur unwesentlich oder relativ langsam beeinflußt werden, wie etwa Veränderungen in der Bevölkerungszahl oder die Zahl der jährlichen Eheschließungen[2)] (die z.B. für eine Nachfragefunktion nach dauerhaften Konsumgütern relevant sein kann).

Aber auch eigentlich ökonomische Größen können u.U. (zumindest in erster Näherung) als exogen angesehen werden. So wird der Export eines (wirtschaftlich) kleinen Landes in ein großes Land wesentlich von dessen Sozialprodukt und Preisniveau abhängen, während er umgekehrt diese Variablen wohl kaum beeinflussen

2) Aber hier melden sich gewisse Zweifel. Vgl. z.B. Lebergott [1965, S. 335–371].

wird; sie sind daher für das Exportland als exogen anzusehen. Vielfach geht man einen Schritt weiter und betrachtet aus den gleichen Gründen die Exportvariable selbst als exogen. Für das Importland sind Sozialprodukt und Preisniveau natürlich endogene Variablen – ein Beispiel dafür, daß dieselbe Variable, je nachdem, in welchem Zusammenhang sie gesehen wird, einmal exogen, das andere Mal endogen sein kann. Andere Beispiele findet man bei der Gegenüberstellung von mikroökonomischen und korrespondierenden makroökonomischen Funktionen. Die Nachfrage eines Haushalts nach einem Gut hängt z.B. von dessen Einkommen ab, das exogen bestimmt wird. Das Gesamteinkommen einer Nation wäre dagegen in einer Nachfragefunktion als Teil eines makroökonomischen Modells endogen anzusetzen.

Schließlich kann man alle die Variablen (näherungsweise) als exogen ansehen, über deren Höhe eine Entscheidungseinheit zumindest in gewissen Grenzen freie Verfügungsgewalt besitzt. Hierher gehören alle vom Staat festsetzbaren ökonomischen Daten, wie Staatsausgaben, Steuern[3)], Diskontsätze usw. Bei näherem Zusehen ist freilich der exogene Charakter gerade dieser Variablen sehr zweifelhaft. In dem Maße nämlich, wie die Entscheidungsvariablen Diskontsatz oder Staatsausgaben (eigentlich nur ein kleiner Teil der Staatsausgaben – der größte Teil ist langfristig praktisch festgelegt) zur Konjunktursteuerung eingesetzt werden, reagieren sie auf konjunkturelle Variablen, sind also von diesen weitgehend abhängig und damit doch eher endogener Natur, dies um so mehr, je genauer hierbei gewisse feste „automatische" Entscheidungsregeln befolgt werden.

Vielfach werden ökonomische Variablen wie exogene behandelt, obwohl sie das auch bei wohlwollender Interpretation nicht sind. Man erhält dann systematisch verzerrte Schätzungen, wobei das Ausmaß der Verzerrung u.U. groß sein kann. In vielen Fällen fällt diese Verzerrung aber nicht sehr ins Gewicht, weshalb man trotz falschen Modellansatzes oft immer noch zu brauchbaren Ergebnissen kommt. Die meisten unserer früher angegebenen Beispiele enthalten, streng genommen, auf der rechten Seite der Regression abhängige Variablen.

9.1.3. *Allgemeine Form eines interdependenten linearen Systems*

Die einzelnen Gleichungen des linearen ökonometrischen Systems sind vom Typ (9.1). Dabei können in verschiedenen Gleichungen unterschiedliche Variablen vorkommen. Umgekehrt kann dieselbe Variable in verschiedenen Gleichungen auftreten. Wir nehmen an, daß in dem Modell insgesamt g endogene Variablen $y_1, \dots, y_g$ und m vorherbestimmte Variablen $x_1, \dots, x_m$ einschließlich einer Scheinvariablen vorkommen. Das ganze System kann dann, nachdem wir aus Symmetriegründen alle abhängigen Variablen auf die linke Seite gebracht haben, in der

[3)] Genaugenommen ist nur der Steuersatz exogen, nicht aber das Steueraufkommen. Dennoch wird in vielen (aber nicht in allen) ökonometrischen Modellen das Steueraufkommen – oft nach Steuerarten aufgegliedert – exogen angesetzt.

folgenden allgemeinen Form dargestellt werden[4]):

$$\begin{aligned}
\gamma_{11}y_{1t}+\gamma_{12}y_{2t}+\cdots+\gamma_{1g}y_{gt}&=\beta_{11}x_{1t}+\beta_{12}x_{2t}+\cdots+\beta_{1m}x_{mt}+u_{1t}\\
\gamma_{21}y_{1t}+\gamma_{22}y_{2t}+\cdots+\gamma_{2g}y_{gt}&=\beta_{21}x_{1t}+\beta_{22}x_{2t}+\cdots+\beta_{2m}x_{mt}+u_{2t}\\
\vdots\qquad\qquad & \qquad\qquad\qquad\qquad\qquad\vdots\\
\gamma_{g1}y_{1t}+\gamma_{g2}y_{2t}+\cdots+\gamma_{gg}y_{gt}&=\beta_{g1}x_{1t}+\beta_{g2}x_{2t}+\cdots+\beta_{gm}x_{mt}+u_{gt}\\
&\qquad\qquad\qquad t=1,2,\ldots,T
\end{aligned}\tag{9.2}$$

oder kürzer

$$\sum_{j=1}^{g}\gamma_{ij}y_{jt}=\sum_{k=1}^{m}\beta_{ik}x_{kt}+u_{it},\qquad i=1,\ldots,g,\qquad t=1,\ldots,T. \tag{9.2'}$$

Dabei sind einige der Koeffizienten γ_{ij} und β_{ik} a priori gleich Null, nämlich dann, wenn die entsprechenden Variablen y_j bzw. x_k in der i-ten Gleichung nicht vorkommen. Außerdem ist in jeder Gleichung ein γ-Koeffizient gleich Eins.

Eine andere Darstellungsform erhalten wir in der Matrizenschreibweise. Wir definieren die Zeitreihenmatrizen

$$\boldsymbol{Y}=\begin{pmatrix} y_{11} & y_{21} & \cdots & y_{g1}\\ \vdots & \vdots & & \vdots\\ y_{1T} & y_{2T} & \cdots & y_{gT}\end{pmatrix}\qquad \boldsymbol{X}=\begin{pmatrix} x_{11} & x_{21} & \cdots & x_{m1}\\ \vdots & \vdots & & \vdots\\ x_{1T} & x_{2T} & \cdots & x_{mT}\end{pmatrix}\qquad \boldsymbol{U}=\begin{pmatrix} u_{11} & u_{21} & \cdots & u_{g1}\\ \vdots & \vdots & & \vdots\\ u_{1T} & u_{2T} & \cdots & u_{gT}\end{pmatrix}$$

und die Koeffizientenmatrizen

$$\boldsymbol{\Gamma}'=\begin{pmatrix} \gamma_{11} & \gamma_{12} & \cdots & \gamma_{1g}\\ \gamma_{21} & \gamma_{22} & \cdots & \gamma_{2g}\\ \vdots & \vdots & & \vdots\\ \gamma_{g1} & \gamma_{g2} & \cdots & \gamma_{gg}\end{pmatrix}\qquad \mathbf{B}'=\begin{pmatrix} \beta_{11} & \beta_{12} & \cdots & \beta_{1m}\\ \beta_{21} & \beta_{22} & \cdots & \beta_{2m}\\ \vdots & \vdots & & \vdots\\ \beta_{g1} & \beta_{g2} & \cdots & \beta_{gm}\end{pmatrix}.$$

Dann schreiben wir für (9.2)

$$\boldsymbol{Y\Gamma}=\boldsymbol{X}\mathbf{B}+\boldsymbol{U}. \tag{9.3}$$

Man beachte, daß die Koeffizientenmatrizen in (9.3) im Vergleich zu ihrer Stellung in (9.2) transponiert worden sind. In den *Spalten* von $\boldsymbol{\Gamma}$ und $\mathbf{B}$ stehen also die Koeffizienten der einzelnen Gleichungen des Systems (9.2). Diese Schreibweise entspricht aber genau der in *2.1.2.* und *4.1.1.* benutzten Konvention zur Darstellung einer Regression bzw. eines Systems von Regressionen. Gelegentlich ist auch die folgende Darstellungsform nützlich: Mit $\boldsymbol{y}'_{(t)}=(y_{1t},y_{2t},\ldots,y_{gt})$, $\boldsymbol{x}'_{(t)}=(x_{1t},x_{2t},\ldots,x_{mt})$ und $\boldsymbol{u}'_{(t)}=(u_{1t},u_{2t},\ldots,u_{gt})$ bezeichnen wir die zur Periode t gehörenden Variablenvektoren; sie sind die t-ten Zeilen der Matrizen $\boldsymbol{Y}$, $\boldsymbol{X}$ und $\boldsymbol{U}$. Dann läßt sich (9.2) in der Form

$$\boldsymbol{\Gamma}'\boldsymbol{y}_{(t)}=\mathbf{B}'\boldsymbol{x}_{(t)}+\boldsymbol{u}_{(t)},\qquad t=1,2,\ldots,T, \tag{9.4}$$

darstellen.

[4]) Derartige lineare ökonometrische Modelle werden auch als Modelle vom Cowles-Commission-Typ bezeichnet; sie wurden in den Cowles-Commission-Monographs No. 10 und No. 14 [KOOPMANS 1950; HOOD u. KOOPMANS, 1953] ausführlich dargestellt.

Man wird bemerkt haben, daß in (9.2) gerade so viele Gleichungen aufgeführt worden sind, wie abhängige Variablen in dem Modell vorkommen. Wir wollen darüberhinaus annehmen, daß das Gleichungssystem für jede Konstellation der vorherbestimmten Variablen und der Störvariablen eindeutig nach den abhängigen Variablen aufgelöst werden kann. Das Modell nennen wir in dem Fall *vollständig*.

Notwendige und hinreichende Bedingung für die Vollständigkeit ist, daß

$$\boldsymbol{\Gamma} \text{ regulär} \tag{9.5}$$

ist oder, was auf dasselbe hinausläuft, daß

$$\det \boldsymbol{\Gamma} \neq 0 \tag{9.5'}$$

ist.

Man beachte, daß der Spezialfall $\boldsymbol{\Gamma}=\boldsymbol{I}$ auf das in Kap. 4 behandelte Regressionsgleichungssystem zurückführt.

9.1.4. Beispiele

a) Der einfachste Fall eines interdependenten Systems ist vielleicht das Marktgleichgewichtsmodell für ein Gut auf einem vollkommenen Markt. Es besteht aus einer Nachfrage- und einer Angebotsfunktion

$$\begin{aligned} q_t &= \alpha - \beta p_t + u_{1t} \qquad (\beta > 0) \\ q_t &= \gamma + \delta p_t + u_{2t} \qquad (\delta > 0). \end{aligned} \tag{9.6}$$

Darin sind q und p Gleichgewichtsmenge und -preis des Gutes. Sie sind die abhängigen Variablen; vorherbestimmte Variablen fehlen bis auf die Scheinvariable. In der Form (9.2) lautet das System

$$\begin{aligned} q_t + \beta p_t &= \alpha + u_{1t} \\ q_t - \delta p_t &= \gamma + u_{2t}. \end{aligned}$$

Die Koeffizientenmatrizen sind also

$$\boldsymbol{\Gamma}' = \begin{pmatrix} 1 & \beta \\ 1 & -\delta \end{pmatrix} \qquad \mathbf{B}' = \begin{pmatrix} \alpha \\ \gamma \end{pmatrix}.$$

Damit das Modell vollständig ist, muß gemäß (9.5′) $\delta + \beta \neq 0$ sein, was aber wegen der Voraussetzung $\delta > 0$, $\beta > 0$ ohnehin erfüllt ist und daher keine zusätzliche Bedingung darstellt.

Ohne das Modell inhaltlich zu ändern, können wir es auch als Dreigleichungssystem mit 3 abhängigen Variablen schreiben:

$$\begin{aligned} q_{Nt} &= \alpha - \beta p_t + u_{1t} \\ q_{At} &= \gamma + \delta p_t + u_{2t} \\ q_{Nt} &= q_{At}. \end{aligned} \tag{9.7}$$

Dabei ist q_N die nachgefragte und q_A die angebotene Menge. Die dritte Gleichung, eine sogenannte Identität, gibt die Bedingung für ein Marktgleichgewicht wieder. Durch Substitution in (9.7) können wir sie eliminieren und erhalten wieder (9.6). Es wird also angenommen, daß sich der Markt in jeder Periode t im Gleichgewicht befindet.

b) Ein Marktgleichgewichtsmodell mit exogenen Variablen erhalten wir, wenn die Nachfrage außer vom Marktpreis noch vom Einkommen Y der Nachfrager abhängt und das Angebot etwa eines landwirtschaftlichen Produktes von der Regenmenge R:

$$\begin{aligned} q_t &= \alpha_1 - \beta_1 p_t + \gamma_1 Y_t + u_{1t} \\ q_t &= \alpha_2 + \beta_2 p_t + \gamma_2 R_t + u_{2t}. \end{aligned} \tag{9.8}$$

Die Koeffizientenmatrizen lauten

$$\boldsymbol{\Gamma}' = \begin{pmatrix} 1 & \beta_1 \\ 1 & -\beta_2 \end{pmatrix}, \quad \mathbf{B}' = \begin{pmatrix} \alpha_1 & \gamma_1 & 0 \\ \alpha_2 & 0 & \gamma_2 \end{pmatrix},$$

wobei $y_1 = q$, $y_2 = p$, $x_1 = 1$, $x_2 = Y$ und $x_3 = R$ gesetzt worden ist.

c) Das Spinnwebmodell (*6.1.1.e*) ist ein Marktmodell mit verzögerten Variablen.

d) Das folgende vereinfachte KEYNESsche System wurde von HAAVELMO zu Demonstrationszwecken eingeführt. Es besteht aus einer Konsumfunktion und einer Identität

$$\begin{aligned} C &= \alpha + \beta Y + u \\ Y &= C + X \end{aligned} \tag{9.9}$$

mit Y = Volkseinkommen, C = privater Konsum, X = private Investitionen + Staatsausgaben + Außenhandelsbeitrag. Y und C sind endogen, X ist exogen. Y und C werden bei gegebenem X gemeinsam bestimmt. Werden die abhängigen Variablen auf die linke Seite gebracht, erhält man

$$\begin{aligned} C - \beta Y &= \alpha + u \\ -C + Y &= X + 0. \end{aligned}$$

Also ist

$$\boldsymbol{\Gamma}' = \begin{pmatrix} 1 & -\beta \\ -1 & 1 \end{pmatrix}, \quad \mathbf{B}' = \begin{pmatrix} \alpha & 0 \\ 0 & 1 \end{pmatrix}.$$

Vollständigkeit des Modells setzt voraus, daß $1 - \beta \neq 0$ oder $\beta \neq 1$ ist.

e) Ein etwas größeres, aber immer noch recht bescheidenes Modell stammt von L. KLEIN [1950, S. 68]. Es wurde mit Daten der USA aus den Jahren 1921 – 1941 geschätzt (sämtliche Variablen in Milliarden Dollar zu Preisen von 1934):

$$C_t = 16{,}78 + 0{,}02\,\Pi_t + 0{,}23\,\Pi_{t-1} + 0{,}80\,W_t + u_{1t} \tag{1}$$

$$I_t = 17{,}79 + 0{,}23\,\Pi_t + 0{,}55\,\Pi_{t-1} - 0{,}15\,K_{t-1} + u_{2t} \tag{2}$$

$$W_{1t} = 1{,}60 + 0{,}42\,Y_{1t} + 0{,}16\,Y_{1t-1} + 0{,}13\,t + u_{3t} \tag{3}$$

$$Y+T=C+I+G \tag{4}$$

$$Y=\Pi+W \tag{5}$$

$$W=W_1+W_2 \tag{6}$$

$$Y_1=Y+T-W_2 \tag{7}$$

$$I=\Delta K \tag{8}$$

Dabei bedeuten

C = Privater Konsum
Π = Gewinne
W_1 = Lohnsumme des privaten Sektors
W_2 = Lohnsumme des Staatssektors
W = Gesamte Lohnsumme
I = Nettoinvestitionen samt Vorratsveränderungen
K = Kapitalstock zum Jahresende
Y = Nettosozialprodukt zu Faktorkosten
T = Indirekte Steuern abzüglich Subventionen
G = Staatsausgaben zuzüglich Außenhandelsbeitrag
Y_1 = Teil des Netto-Sozialprodukts zu Marktpreisen, der im privaten Sektor erstellt worden ist
t = Zeitvariable mit $t=0$ für 1931

In der Konsumfunktion (1) ist die Einkommensvariable disaggregiert worden. Die Investitionsfunktion (2) erhebt die Gewinne zum Hauptmotor der Investitionen, der nur durch den bereits realisierten Kapitalstock gebremst wird. (3) ist eine Nachfragefunktion nach Arbeit im privaten Sektor. Sie läßt sich aus einer gesamtwirtschaftlichen Produktionsfunktion ableiten. Die realisierte Lohnsumme richtet sich vornehmlich nach dem im privaten Sektor erstellten Nettosozialprodukt. Hinzu tritt ein Trendglied, das nach KLEIN den wachsenden Einfluß der Gewerkschaften bei den Lohnforderungen widerspiegelt. Sämtliche Verhaltensgleichungen enthalten verzögerte Variablen, was aus Erwartungsbildungsmechanismen erklärt werden kann (vgl. *6.1.1.*). Die übrigen Gleichungen sind Identitäten zwischen den Aggregaten der volkswirtschaftlichen Gesamtrechnung. (Der Zeitindex wurde hier fortgelassen.)

Endogen sind die 8 Variablen $C, \Pi, W, I, W_1, Y_1, K, Y$.

Exogene Variablen sind neben der Scheinvariablen 1: T, W_2, G, t.

Sonstige vorherbestimmte Variablen sind $\Pi_{-1}, K_{-1}, (Y_1)_{-1}$, das sind insgesamt 16 Variablen, 8 abhängige und 8 vorherbestimmte. Man kann allerdings das Modell etwas verkürzen, ohne an den drei ersten Gleichungen etwas zu ändern, indem man zunächst (8) eliminiert und gleichzeitig K aus dem Katalog der Variablen streicht. Ebenso streichen wir Y und eliminieren diese Variable in den Identitäten (4), (5) und (7), wobei eine von diesen überflüssig wird. So erhalten wir die neuen Identitäten:

$$Y_1 = C + I + G - W_2 \qquad (4')$$

$$Y_1 - W_1 = \Pi + T \qquad (5')$$

$$W = W_1 + W_2. \qquad (6)$$

Die endogenen Variablen sind jetzt C, Π, W, I, W_1, Y_1.

In der Schreibweise (9.2) müßte man dieses Modell bzw. seine Koeffizientenmatrix (mit gerundeten Zahlen) wie folgt darstellen:

C	Π	W	I	W_1	Y_1	1	T	W_2	G	t	Π_{-1}	K_{-1}	$(Y_1)_{-1}$	u
1	−0,02	−0,8	0	0	0	17	0	0	0	0	0,2	0	0	u_1
0	−0,2	0	1	0	0	18	0	0	0	0	0,6	−0,2	0	u_2
0	0	0	0	1	−0,4	1,6	0	0	0	0,1	0	0	0,2	u_3
−1	0	0	−1	0	1	0	0	−1	1	0	0	0	0	0
0	−1	0	0	−1	1	0	1	0	0	0	0	0	0	0
0	0	1	0	−1	0	0	0	1	0	0	0	0	0	0

Man beachte, wie viele Koeffizienten a priori Null sind.

9.1.5. Strukturgleichungen

Die Gleichungen eines interdependenten ökonometrischen Systems werden *Strukturgleichungen* genannt. Sie zerfallen in zwei Haupttypen, die *stochastischen Strukturgleichungen* oder *Reaktionsgleichungen* und die *Identitäten.*

Die stochastischen Strukturgleichungen werden gewöhnlich nach ihrem Ursprung unterteilt in *Verhaltensgleichungen*, die in aggregierter Form das Verhalten von Wirtschaftssubjekten beschreiben, *technologische Gleichungen*, die z.B. wie die Produktionsfunktion technologisch vorgegebene Restriktionen kennzeichnen und *institutionelle Gleichungen*, die wie z.B. eine Steueraufkommensfunktion aus institutionell vorgegebenen Umständen herstammen. Diese Unterscheidungen sind nicht immer klar aufrechtzuhalten, da die Übergänge fließend sind. Sie sind im übrigen für die ökonometrischen Schätzmethoden ohne Belang.

Die Identitäten [5)] sind entweder *Definitionsgleichungen* wie etwa die Gleichungen (4) und (8) im vorstehenden Modell von KLEIN, oder sie geben *Gleichgewichtsbedingungen* wieder. Für letztere findet man im Modell (9.7) ein offensichtliches Beispiel. Aber auch die Beziehungen (5), (6) und (7) im Modell von KLEIN sind, genau genommen, Gleichgewichtsbedingungen. Der Unterschied zwischen diesen beiden Begriffen ist praktisch irrelevant, zumal eine genaue Abgrenzung wohl nicht möglich ist. So könnte man in dem Modell von KLEIN die Variable Y ebenso gut durch (5) wie durch (4) definieren und dann (4) anstatt (5) als Gleichgewichts-

5) Es handelt sich hier nicht um Identitäten im mathematischen Sinne.

bedingung ansehen. Scheinbar sind alle Identitäten im Modell von KLEIN Definitionsgleichungen, sind doch die Variablen als ex-post-Größen gerade so definiert, daß diese Gleichungen „identisch" erfüllt sind. Daß aber eben diese ex-post-Variablen zugleich in den Reaktionsgleichungen vorkommen, zeigt, daß zumindest für einige Märkte das Bestehen eines Gleichgewichts postuliert wird[6].

Die Unterscheidung in stochastische Strukturgleichungen und Identitäten ist für die Ökonometrie insofern wichtig, als nur erstere Störvariablen enthalten. Identitäten sind störungsfrei. Man kann ihnen natürlich dennoch formal eine Störvariable zuordnen; deren Streuung ist aber a priori gleich Null. Auch kommen unbekannte, zu schätzende Parameter nur in den stochastischen Strukturgleichungen vor, während die Koeffizienten der Identitäten fest gegeben sind (meistens $= \pm 1$). Selbstverständlich kann man sämtliche Identitäten zusammen mit einer entsprechenden Zahl endogener Variablen eliminieren, so daß man nur noch stochastische Strukturgleichungen zurückbehält.

Wir haben die Strukturgleichungen *linear* angesetzt. Das entspricht weit verbreiteter Praxis, die ihre Begründung in der relativ einfachen Manipulierbarkeit linearer Systeme findet. Gelegentlich kommen aber nichtlineare Identitäten vor, wie z. B. die Identität „Wert = Preis × Menge"[7]. Arbeitet man in einem ökonometrischen Modell zugleich mit preisbereinigten wie mit nominellen Wertgrößen und werden auch die Preise modellmäßig zu erklären versucht, dann ist man gezwungen, solche Identitäten zu berücksichtigen[8]. Oft werden sie dann in künstlich linearisierter Form eingeführt[9]. Aus $y = pq$ z. B. wird

$$y - \bar{y} \doteq (p - \bar{p})\,\bar{q} + (q - \bar{q})\,\bar{p}$$

oder

$$y \doteq -\bar{y} + \bar{q}\,p + \bar{p}\,q,$$

worin $\bar{p}, \bar{q}$ und $\bar{y} = \bar{p}\,\bar{q}$ mittlere Werte (jedoch nicht unbedingt die arithmetischen Mittel) der Variablen p, q, y aus dem Beobachtungsmaterial sind. Fügt man den Linearisierungsfaktor $(p - \bar{p})(q - \bar{q})$ als Störterm u hinzu und läßt die Werte der Koeffizienten offen, dann entsteht eine Gleichung

$$y = \alpha + \beta p + \gamma q + u,$$

die den stochastischen Strukturgleichungen ähnlich sieht und gelegentlich auch als solche behandelt wird, obwohl dieses Vorgehen nicht ganz korrekt ist.

[6] Vgl. hierzu auch CHRIST [S. 67].

[7] Über die Schwierigkeiten, die bei nichtlinearen ökonometrischen Modellen auftreten, möge man sich bei MALINVAUD [S. 277 ff.] informieren. Über praktische Erfahrungen mit Nichtlinearitäten berichtet KLEIN [1969].

[8] In realen Größen sollten beispielsweise aus theoretischen Gründen die Konsumfunktion und andere Nachfragefunktionen angesetzt werden. Dagegen sind die aus der VWG stammenden Identitäten mit nominellen Größen hinzuschreiben.

[9] Vgl. z. B. KLEIN [1962, S. 223].

9.1.6. A-priori-Restriktionen [10]

Wie schon gesagt, müssen keineswegs sämtliche Variablen in allen Gleichungen vorkommen, d.h. nicht alle in (9.2) aufgeführten Koeffizienten müssen $\neq 0$ sein. Auch können a priori gegebene Abhängigkeiten zwischen den Parametern bestehen. Da diese an dem System (9.2) nicht erkennbar sind, müssen sie als wesentlicher Bestandteil des Modells gesondert angegeben werden.

Nehmen wir an, daß nur lineare Beziehungen zu beachten sind und daß sie sich nur auf die Parameter je einer Gleichung beziehen, dann lassen sie sich durch Angabe je eines linearen Gleichungssystems für die Parameter jeder Gleichung mit a priori gegebenen Koeffizienten darstellen. Für die i-te Gleichung haben wir z.B. [11]

$$\boldsymbol{R}_i \begin{pmatrix} \boldsymbol{\gamma}_i \\ \boldsymbol{\beta}_i \end{pmatrix} = \boldsymbol{r}_i, \qquad i = 1, 2, \ldots, g. \tag{9.10}$$

Darin sind $\boldsymbol{\gamma}_i$ und $\boldsymbol{\beta}_i$ die i-ten Spalten der Matrizen $\boldsymbol{\Gamma}$ und $\mathbf{B}$; $\boldsymbol{R}_i$ ist eine gegebene Koeffizientenmatrix und $\boldsymbol{r}_i$ ein gegebener Koeffizientenvektor. Selbstverständlich sollen die Restriktionen (9.10) sich nicht widersprechen, auch sollen sie linear unabhängig sein. Beide Forderungen werden genau dann erfüllt, wenn $\boldsymbol{R}_i$ von vollem Rang ist, also

$$\operatorname{rg} \boldsymbol{R}_i = r_i, \tag{9.11}$$

der Zahl der Gleichungen des Systems (9.10), ist.

Im einzelnen haben wir mit folgenden Typen von a-priori-Restriktionen zu rechnen:

1. *Normierung:* Um eindeutige Schätzwerte für die Parameter zu erhalten, muß in jeder Gleichung ein Parameter gleich Eins gesetzt werden. Am zweckmäßigsten erfolgt die Normierung so, daß die Einsen auf der Diagonale der Matrix $\boldsymbol{\Gamma}$ stehen. (Vgl. das KLEIN-Modell.) Aber auch andere Normierungen sind möglich.
2. *Nullrestriktionen:* Gewisse Variablen werden als in einer Gleichung nicht vorkommend postuliert. Je mehr Parameter man mit Berechtigung Null setzen kann, desto besser wird der Rest geschätzt.
3. Andere *numerische Festsetzung* bekannter Parameter:
   a) bei Definitionsgleichungen;
   b) bei institutionellen Gleichungen (z.B. werden vorgegebene Steuersätze als Parameter in die Steuerfunktion eingesetzt);
   c) bei der Übernahme bekannter Parameterwerte aus anderen ökonometrischen Untersuchungen (z.B. aus einer Querschnittsanalyse).
4. *Lineare Beziehungen* zwischen zwei oder mehr Parametern einer Gleichung: Insbesondere kann der Parameter einer Variablen mit dem einer anderen

[10] Zu den folgenden Ausführungen vgl. auch *4.2.1*.

[11] Die Symbole $\boldsymbol{R}_i$, $\boldsymbol{r}_i$ und r_i sind nicht mit Korrelations-Matrizen, -Vektoren oder -Koeffizienten zu verwechseln. Diese kommen im ganzen Teil III nicht vor.

Variablen übereinstimmen, oder der eine Parameterwert ist gleich dem negativen, oder generell dem k-fachen Wert des anderen Parameters, wobei k aber vorgegeben ist. Solche Beziehungen erhält man leicht bei Elimination der Definitionsgleichungen.

Wird z. B. in dem Modell von KLEIN die Variable W in der Konsumgleichung durch $W_1 + W_2$ nach (6) ersetzt, dann sind in der neuen Konsumfunktion die bei W_1 und W_2 stehenden Parameter a priori einander gleich, d. h., die marginale Konsumquote wird für beide Gruppen von Lohn- und Gehaltsempfängern als gleich groß angenommen.

In einem ökonometrischen Modell (9.3) mit Restriktionen (9.10) sind natürlich nur noch die frei bleibenden Parameter zu schätzen einschließlich der Verteilungsparameter der Störvariablen, also insbesondere der Streuungen und Kovarianzen.

9.1.7. *Stochastische Modellannahmen*

In der Tat ist das Modell erst dann vollständig beschrieben, wenn neben (9.3) und (9.10) auch noch die Wahrscheinlichkeitsverteilung der darin vorkommenden Variablen, insbesondere der Störvariablen näher gekennzeichnet ist. Man trifft praktisch dieselben Annahmen (V 1) bis (V 7) wie in *6.2.1.* mit dem einzigen Unterschied, daß dort die Variable u_t durch den Vektor $\boldsymbol{u}_{(t)}$ der sämtlichen Störvariablen einer Periode zu ersetzen ist.

Über verschiedene Perioden hinweg soll keine Korrelation zwischen den u_{it} bestehen (insbesondere keine Autokorrelation). Dagegen können die u_{it} innerhalb einer Periode sehr wohl korreliert sein.

$$\boldsymbol{\Sigma} := E\,\boldsymbol{u}_{(t)}\,\boldsymbol{u}'_{(t)} =: (\sigma_{ij})$$

sei die Matrix der Streuungen und Kovarianzen $\sigma_{ij} = E u_{it} u_{jt}$ zwischen den Störvariablen einer beliebigen Periode. $\boldsymbol{\Sigma}$ ist von t unabhängig (Homoskedastizität).

Sofern Identitäten in dem Modell vorkommen, sind die entsprechenden Zeilen und Spalten von $\boldsymbol{\Sigma}$ mit Nullen besetzt. Für den Teil der Matrix $\boldsymbol{\Sigma}$, der sich auf die Störvariablen der *stochastischen* Strukturgleichungen bezieht, wollen wir annehmen, daß er eine *reguläre* Untermatrix darstellt (vgl. Annahme (S 3) von *4.1.1.*).

Ein Spezialfall, der sogenannte *Diagonalfall* ist noch zu erwähnen. Er liegt dann vor, wenn die Störvariablen verschiedener Gleichungen stochastisch unabhängig voneinander sind. In diesem Fall verschwinden die Kovarianzen σ_{ij} zwischen u_{it} und u_{jt} für $i \neq j$ und $\boldsymbol{\Sigma}$ erhält Diagonalgestalt mit den Varianzen $\sigma_{ii} = \sigma_i^2 = V(u_i)$ auf der Diagonalen:

$$\boldsymbol{\Sigma} = \begin{pmatrix} \sigma_1^2 & & & 0 \\ & \sigma_2^2 & & \\ & & \ddots & \\ 0 & & & \sigma_g^2 \end{pmatrix}.$$

Dieser Fall ist nicht unbedingt unrealistisch, wenn man bedenkt, daß die einzelnen Strukturgleichungen jeweils einen eigenen Verhaltenssektor beschreiben, und man davon ausgeht, daß die wesentlichen Einflußgrößen in den Gleichungen explizit berücksichtigt worden sind, so daß die Störvariable wirklich nur noch reine Zufallsfluktuationen erfaßt. Unter diesem Gesichtspunkt kann man eine Korrelation zwischen zwei Störvariablen geradezu als Indiz für Fehlspezifikation ansehen. Andererseits bringt die doch sehr spezielle Annahme des Diagonalfalls keine wesentliche Erleichterung bei den meisten Schätzproblemen, weshalb man lieber von einer allgemeineren Matrix $\boldsymbol{\Sigma}$ ausgeht.

Wichtig ist die Annahme, daß stochastische Unabhängigkeit zwischen sämtlichen Störvariablen aller Perioden einerseits und sämtlichen exogenen Variablen aller Perioden andererseits, also zwischen $\boldsymbol{U}$ und $\boldsymbol{X}^e$, besteht[12]. Erst durch diese Eigenschaft sind die exogenen Variablen als solche definiert. Ebenso soll $\boldsymbol{U}$ von $\boldsymbol{y}^a$, dem Vektor aller endogenen Anfangswerte, stochastisch unabhängig sein. Wie in *6.2.1.* folgern wir hieraus, daß $\boldsymbol{u}_{(t)}$ von den vorherbestimmten Variablen der laufenden Periode t und aller früheren Perioden stochastisch unabhängig ist. Dagegen besteht stochastische Abhängigkeit zwischen $\boldsymbol{u}_{(t)}$ und $\boldsymbol{y}_{(t)}$ (vgl. *6.2.1.*).

Über die Verteilung der exogenen Variablen wollen wir keine speziellen Annahmen treffen, außer vielleicht der, daß ihre Parameter in keinerlei Beziehung zu den Modellparametern stehen. Außerdem nehmen wir wieder an, daß mit Wahrscheinlichkeit 1

$$\boldsymbol{X}'\boldsymbol{X} \text{ regulär}$$

ist und daß (6.20) gilt.

Aus beweistechnischen Gründen werden wir gelegentlich den Fall erwähnen, daß alle vorherbestimmten Variablen exogen sind: $\boldsymbol{X} = \boldsymbol{X}^e$.

9.2. Struktur und reduzierte Form

9.2.1. Reduzierte Form

Wir gingen davon aus, daß das ökonometrische Modell vollständig ist, daß es sich also nach den abhängigen Variablen eindeutig auflösen läßt. Nach der Auflösung erscheinen die abhängigen Variablen als lineare Funktionen der vorherbestimmten und der Stör-Variablen. Das System dieser linearen Funktionen heißt die *reduzierte Form* des ökonometrischen Modells. Dieses selbst wird zur Unterscheidung auch die *Strukturform* des Modells genannt, seine Gleichungen bekanntlich *Strukturgleichungen* und seine Parameter *Strukturparameter*. Formal erhalten wir die reduzierte Form durch einfache Matrizenoperationen. Aus (9.3) wird

$$\boldsymbol{Y} = \boldsymbol{X}\mathbf{B}\boldsymbol{\Gamma}^{-1} + \boldsymbol{U}\boldsymbol{\Gamma}^{-1}$$

[12] Zur Bezeichnung vgl. *6.2.3.*

oder mit der Umbezeichnung

$$\Pi := \mathbf{B}\Gamma^{-1}, \qquad V := U\Gamma^{-1} \tag{9.12}$$

$$Y = X\Pi + V. \tag{9.13}$$

Ausführlich geschrieben lautet die reduzierte Form

$$\begin{aligned} y_{1t} &= \pi_{11}x_{1t} + \pi_{12}x_{2t} + \cdots + \pi_{1m}x_{mt} + v_{1t} \\ y_{2t} &= \pi_{21}x_{1t} + \pi_{22}x_{2t} + \cdots + \pi_{2m}x_{mt} + v_{2t} \\ &\vdots \\ y_{gt} &= \pi_{g1}x_{1t} + \pi_{g2}x_{2t} + \cdots + \pi_{gm}x_{mt} + v_{gt} \end{aligned} \qquad t = 1, \ldots, T \tag{9.14}$$

mit der Koeffizientenmatrix $\Pi' = (\pi_{ij})$. Darin sind die v_{it} lineare Funktionen der $u_{1t}, \ldots, u_{gt}$. Die Kovarianzmatrix Σ_v der $v_{1t}, \ldots, v_{gt}$ geht daher durch die folgende Transformation aus Σ hervor (vgl. Anhang *B4.3.*):

$$\Sigma_v = \Gamma'^{-1}\Sigma\Gamma^{-1} \tag{9.15}$$

Im übrigen bleibt $Ev_{it} = 0$ und $Ev_{it}v_{jt'} = 0$ für $t \neq t'$.

Die neuen Parameter π_{ij} ergeben sich eindeutig aus dem Auflösungsalgorithmus; sie sind nichtlineare (aber rationale) Funktionen der Strukturparameter β und γ. Sofern sie bei exogenen Variablen stehen, können sie als *Multiplikatoren* im Sinne der theoretischen Volkswirtschaftslehre aufgefaßt werden.

Beispiel: Die reduzierte Form des *Haavelmo*-Modells lautet

$$\begin{aligned} C &= \frac{\alpha}{1-\beta} + \frac{\beta}{1-\beta}X + \frac{1}{1-\beta}u \\ Y &= \frac{\alpha}{1-\beta} + \frac{1}{1-\beta}X + \frac{1}{1-\beta}u \end{aligned} \tag{9.16}$$

mit der Koeffizientenmatrix

$$\Pi' = \begin{pmatrix} \pi_{11} & \pi_{12} \\ \pi_{21} & \pi_{22} \end{pmatrix} = \frac{1}{1-\beta}\begin{pmatrix} \alpha & \beta \\ \alpha & 1 \end{pmatrix}.$$

(9.13) ist bis auf die unterschiedliche Bezeichnung völlig äquivalent dem in *4.1.* behandelten Regressionsgleichungssystem (4.2). Es ist zugleich eine *Prognoseform* des ursprünglichen ökonometrischen Modells. Denn bei gegebenen vorherbestimmten Variablen einer Periode τ kann man aus (9.14) sofort die Regressionswerte der endogenen Variablen zu dieser Periode τ berechnen und als Prognosewerte verwenden.

Ferner erkennt man an (9.14) unmittelbar, daß die bedingte Wahrscheinlichkeitsverteilung von $\boldsymbol{y}_{(t)}$ bei gegebenem $\boldsymbol{x}_{(t)}$ durch die Verteilung von $\boldsymbol{v}_{(t)}$ und damit von $\boldsymbol{u}_{(t)}$ eindeutig bestimmt ist. Ist z.B. $\boldsymbol{u}_{(t)}$ und damit auch $\boldsymbol{v}_{(t)}$ normalverteilt, dann ist auch $\boldsymbol{y}_{(t)}$ bei gegebenem $\boldsymbol{x}_{(t)}$ normalverteilt und die Verteilungen von $\boldsymbol{y}_{(t)}$ und $\boldsymbol{v}_{(t)}$ unterscheiden sich nur im Schwerpunkt: während $E[\boldsymbol{v}_{(t)}|\boldsymbol{x}_{(t)}]=0$ ist, ist

$$E[\boldsymbol{y}_{(t)}|\boldsymbol{x}_{(t)}]=\boldsymbol{\Pi}'\boldsymbol{x}_{(t)}.$$

Kommen unter den vorherbestimmten Variablen verzögerte endogene Variablen vor, dann kann man die reduzierte Form derart weiter reduzieren, daß in jeder Gleichung neben den exogenen Variablen nur eine endogene Variable samt ihren eigenen Verzögerungen vorkommt. Man erreicht das durch schrittweises Eliminieren derjenigen verzögerten endogenen Variablen, die nicht zu der abhängigen Variablen der Gleichung gehören [13]. Auf diese Weise erhält man für jede endogene Variable eine autoregressive Gleichung vom Typ (6.1), auf die die in Kap. 6 entwickelte Theorie ihre Anwendung findet. Das System dieser Gleichungen können wir als *vollkommen reduzierte Form* bezeichnen. In der Regel stimmen die Differenzengleichungen für die endogenen Variablen in ihrem homogenen Teil überein.

9.2.2. Kausalstruktur und Pfeilschema

Da die reduzierte Form zugleich die Prognoseform des ökonometrischen Modells ist, könnte man meinen, es genüge, diese Form zu schätzen, zumal man nach *4.1.* in der KQ-Methode eine einfache und konsistente Schätzmethode zur Verfügung hat. Die Strukturform zeichnet sich aber in mehrfacher Hinsicht gegenüber der reduzierten Form aus.

a) Sie enthält zumeist mehr Information als die reduzierte Form. Denn diese kann man zwar, wie wir sahen, aus ihr gewinnen, aber umgekehrt läßt sich aus einer beliebig numerisch spezifizierten reduzierten Form im allgemeinen nicht mehr auf die Strukturform zurückschließen.

b) Die einzelnen Strukturgleichungen beschreiben die Verhaltensweisen sowie technologische und institutionelle Beziehungen in separaten ökonomischen Sektoren, vielfach sogar das Verhalten von unterschiedlichen Gruppen wirtschaftlich handelnder Individuen. In den Gleichungen der reduzierten Form sind dagegen all diese verschiedenen Einflüsse zu einem Konglomerat zusammengeschmolzen. Schon allein deshalb beanspruchen die Strukturgleichungen ein eigenes Interesse.

c) Es kommt hinzu, daß die einzelnen Strukturgleichungen relativ autonom sind. Das heißt, ändert sich aufgrund irgendwelcher äußerer Einflüsse ein Parameter in einer der Strukturgleichungen oder treten neue Variablen in diese Gleichung hinzu, dann hat das im allgemeinen keinen Einfluß auf die Gültigkeit der übrigen Gleichungen, die also zumeist unverändert weiter bestehen werden. Dagegen kann

[13] Ein besonders einfaches Beispiel ist der Übergang von (6.12) nach (6.13) im Beispiel (e) von *6.1.1.* Vgl. auch Aufg. (6-9) und Aufg. (9-13).

die Änderung auch nur eines Strukturparameters u. U. sämtliche Parameter der reduzierten Form automatisch mitverändern. (Man vgl. z. B. die Stellung des Parameters β in der reduzierten Form (9.16).)

d) Schließlich zeigt die Strukturform und nur diese das Ineinandergreifen der einzelnen Einflußfaktoren auf. An ihr kann man die *Kausalstruktur* des ökonomischen Geschehens ablesen.

Eine einfache Methode, die kausalen Verknüpfungen, soweit sie das ökonometrische Modell beschreibt, graphisch sichtbar zu machen, ist das *Pfeilschema*. Von diesem gibt es mehrere Versionen. Wir wollen hier die Version von SIMON [1953] schildern. Ausgangspunkt ist die Zerlegung des gesamten Gleichungssystems in ein hierarchisches System voneinander abhängender Teilsysteme. Man sucht zunächst ein kleinstes vollständiges Teilsystem, d. h. ein Teilsystem von Gleichungen, das sich nach den darin vorkommenden abhängigen Variablen bei Kenntnis der vorherbestimmten Variablen auflösen läßt und das kein kleineres Teilsystem mit dieser Eigenschaft besitzt. Gibt es mehrere solche kleinste vollständige Teilsysteme, dann sind alle aufzusuchen. Die Mengen der zu ihnen gehörenden abhängigen Variablen sind dann disjunkt. Sämtliche abhängigen Variablen dieser Teilsysteme bezeichnen wir als vorherbestimmte Variablen zweiter Stufe (im Gegensatz zu den eigentlich vorherbestimmten, die zur ersten Stufe gehören). Das Verfahren wird nun wiederholt, nachdem die vorherbestimmten Variablen um die eben gewonnenen vorherbestimmten Variablen zweiter Stufe vermehrt worden sind. Man erhält vorherbestimmte Variablen dritter Stufe und wiederholt das Verfahren erneut. Es bricht ab, sobald sämtliche abhängigen Variablen erfaßt worden sind. Man erkennt nun an dem derart zerlegten Gleichungssystem, daß die vorherbestimmten Variablen einer bestimmten Stufe die Variablen der folgenden Stufe bestimmen, aber nicht umgekehrt. Die Interdependenz ist also an diesen Stellen aufgehoben oder besser: zu einer einseitig gerichteten Dependenz degeneriert. Interdependent sind immer nur die abhängigen Variablen eines Teilsystems bestimmter Stufe. Damit sind die Abhängigkeitsrichtungen zwischen den Variablen bloßgelegt und können nun durch ein Pfeilschema sichtbar gemacht werden.

Beispiel: Gegeben sei das folgende Modell

$$y_1 + \gamma_{12} y_2 = \beta_{11} x_1 + u_1 \qquad (1)$$

$$\gamma_{21} y_1 + y_2 = \beta_{21} x_1 + \beta_{22} x_2 + u_2 \qquad (2)$$

$$\gamma_{32} y_2 + y_3 + \gamma_{34} y_4 = \beta_{33} x_3 + u_3 \qquad (3)$$

$$\gamma_{43} y_3 + y_4 = \beta_{42} x_2 + \beta_{43} x_3 + u_4 \qquad (4)$$

$$\gamma_{51} y_1 + y_5 = \beta_{51} x_1 + u_5 \qquad (5)$$

$$\gamma_{63} y_3 + \gamma_{65} y_5 + y_6 = \beta_{63} x_3 + u_6 . \qquad (6)$$

Dann lassen sich die Gleichungen wie folgt hierarchisch ordnen:

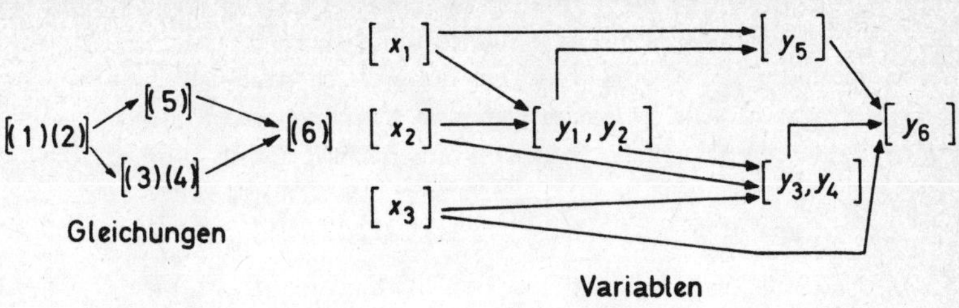

Abb. 9.1. Pfeilschema

Eine entsprechende Abhängigkeits- (oder „Kausal"-)struktur existiert unter den abhängigen Variablen mit Einschluß der vorherbestimmten Variablen als primäre Einflußgrößen (Größen erster Stufe) (vgl. Abb. 9.1).

9.2.3. Rekursive Systeme

Die Abhängigkeitsstruktur eines Modells kann drei extreme Formen annehmen (vgl. Abb. 9.2):

a) Die sämtlichen Gleichungen bilden schon ein kleinstes vollständiges System. In diesem Fall herrscht vollkommene Interdependenz: die vorherbestimmten Variablen bestimmen sämtliche abhängigen Variablen en bloc.

b) Jede abhängige Variable steht allein in genau einer Gleichung. Das ist der Fall eines Modells, das sich schon in seiner reduzierten Form befindet. Das System zerfällt vollständig in unabhängige Einzelgleichungen.

c) Die Gleichungen können derart angeordnet werden, daß die erste Gleichung nur eine abhängige Variable enthält und jede folgende genau eine neue abhängige Variable. Mit diesem Fall, der übrigens (b) als Spezialfall enthält, wollen wir uns im folgenden befassen,

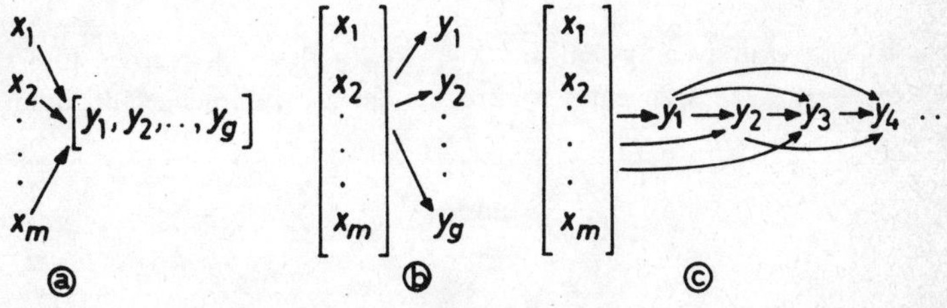

Abb. 9.2. Spezielle Pfeilschemata

In Abb. 9.2(c) müssen nicht alle Pfeile verwirklicht sein. Sofern aber das System nicht an einer Stelle zerfällt, sofern also wenigstens ein Pfeil die Kette der abhängigen Variablen zusammenhält, herrscht vollständige Dependenz.

Ein Gleichungssystem vom Typ (c) ist dadurch charakterisiert, daß nach geeigneter Anordnung seiner Gleichungen und Variablen die Matrix $\boldsymbol{\Gamma}$ *Dreiecksgestalt* besitzt (einige Parameter γ oder β können a priori Null sein):

$$\begin{aligned}
y_1 \qquad\qquad &= \beta_{11} x_1 + \cdots + \beta_{1m} x_m + u_1 \\
\gamma_{21} y_1 + y_2 \qquad &= \beta_{21} x_1 + \cdots + \beta_{2m} x_m + u_2 \\
\gamma_{31} y_1 + \gamma_{32} y_2 + y_3 &= \beta_{31} x_1 + \cdots + \beta_{3m} x_m + u_3 \qquad (9.17) \\
\vdots \qquad \ddots \qquad & \quad \vdots \qquad\qquad\qquad \vdots \\
\gamma_{g1} y_1 + \gamma_{g2} y_2 + \gamma_{g3} y_3 + \cdots + y_g &= \beta_{g1} x_1 + \cdots + \beta_{gm} x_m + u_g .
\end{aligned}$$

Wenn außerdem bezüglich $\boldsymbol{\Sigma}$ der *Diagonalfall* vorliegt, die u_i also unkorreliert sind, dann sprechen wir von einem *rekursiven System*. Es zeigt sich, daß ein solches System (im Gegensatz zu echt interdependenten Systemen) Gleichung für Gleichung konsistent durch die KQ-Methode geschätzt werden kann (vgl. *11.2.1.b*). Dieser Umstand allein macht einem das rekursive System sehr sympathisch. Darüber hinaus entspricht es unseren Vorstellungen von einseitig gerichteten Kausalstrukturen. Tatsächlich wurde die Meinung vertreten, daß nur solche Systeme ökonometrisch sinnvoll sind[14] und daß jedenfalls bei extrem kurzen Perioden nur einseitig gerichtete Abhängigkeiten zwischen ökonomischen Variablen auftreten dürften. Diese Idee klingt recht plausibel, doch haben wir es in der ökonometrischen Praxis mit erheblich längeren Perioden zu tun, als zur Begründung dieser Theorie angenommen werden muß. In den längeren (Makro-) Perioden aber werden viele Einzelwirkungen der kleineren (Mikro-)Perioden verwischt und zu globalen Wirkungen aggregiert. Die in den Mikroperioden verzögert auftretenden Rückwirkungen erscheinen in den Makroperioden praktisch gleichzeitig mit den ersten Wirkungen und ergeben dadurch das Phänomen der Interdependenz.

Das folgende Modell möge diesen Sachverhalt veranschaulichen. In den Mikroperioden sei

$$\begin{aligned}
C_t &= \beta Y_{t-1} \\
Y_t &= C_t + X_t, \qquad X \text{ exogen}.
\end{aligned}$$

Das ist ein rekursives System mit $Y_{t-1} \to C_t \to Y_t (\leftarrow X_t)$. Werden nun s Mikroperioden $t+1, \ldots, t+s$ zu einer Makroperiode τ zusammengefaßt, dann gilt für eine solche

$$\sum_1^s C_{t+i} = \beta \sum_1^s Y_{t+i-1} \quad \text{und} \quad \sum_1^s Y_{t+i} = \sum_1^s C_{t+i} + \sum_1^s X_{t+i}.$$

[14] Vgl. Wold [1954].

Werden die drei letzten Summen mit $\tilde{Y}_\tau$, $\tilde{C}_\tau$ und $\tilde{X}_\tau$ bezeichnet, dann ist für große s approximativ $\sum_1^s Y_{t+i-1} \doteq \tilde{Y}_\tau$ und wir haben in den Makroperioden das interdependente System

$$\tilde{C}_\tau = \beta\, \tilde{Y}_\tau$$
$$\tilde{Y}_\tau = \tilde{C}_\tau + \tilde{X}_\tau .$$

Aufgaben zu Kap. 9

9.1.

(9-1) Wie lauten $\boldsymbol{\Gamma}$ und $\mathbf{B}$ für das System (9.7)?

(9-2) Man berechne $\det \boldsymbol{\Gamma}$ im Modell von KLEIN.

(9-3) Man schreibe die Koeffizientenmatrizen $\boldsymbol{\Gamma}'$ und $\mathbf{B}'$ für das größere System von KLEIN (mit 8 abhängigen Variablen) an und vergleiche mit dem Schema auf S. 249.

(9-4) Man eliminiere sämtliche Identitäten im Modell von KLEIN und beobachte, welche neuen a-priori-Restriktionen entstehen.

(9-5) Wie lauten $\boldsymbol{\Gamma}$, $\mathbf{B}$ und $\det \boldsymbol{\Gamma}$ für das folgende Modell [GRUBER, S. 38ff.]:

$$C = \alpha_0 + \alpha_1 Y + \alpha_2 C_{-1} + u_1 \qquad Y = C + I - I_m + G + E_x$$
$$I = \beta_0 + \beta_1 Y + \beta_2 U_{-1} + u_2 \qquad U = Y - L - U^{st}$$
$$I_m = \gamma_0 + \gamma_1 Y + \gamma_2 (I_m)_{-1} + u_3 \qquad \text{exogen: } G, L, U^{st}, E_x$$

(I_m = Importe, U = Unternehmergewinne im privaten Sektor, L = Löhne und Gehälter, G = Staatsausgaben, E_x = Exporte).

(9-6) Man verifiziere, daß $pq = \bar{p}\bar{q} + \bar{q}(p-\bar{p}) + \bar{p}(q-\bar{q}) + (p-\bar{p})(q-\bar{q})$ und begründe damit die auf S. 250 angegebene lineare Approximation von pq. Man leite diese Formel auch aus einer TAYLOR-Entwicklung ab.

(9-7) Man linearisiere entsprechend den Ausdruck $y = x/p$.

(9-8) Alle Variablen sollen als relative Differenzen (Veränderungsraten) gemessen werden (z. B. $\Delta p/p_{-1}$). Man linearisiere unter dieser Bedingung die Veränderungsrate von pq: $\Delta(pq)/(pq)_{-1}$. (Hinweis: Setze in (9-6) p_{-1} und q_{-1} an die Stelle von $\bar{p}$ bzw. $\bar{q}$.)

(9-9) Wie sehen die Matrizen $\boldsymbol{R}_i$ und $\boldsymbol{r}_i$ für die Restriktionen vom Typ 1 bis 4 (*9.1.6.*) aus?

(9-50) Wie lauten die a-priori-Restriktionen zum Modell (9.8)?

9.2.

(9-11) Man berechne die reduzierte Form der Modelle (a) bis (d) in *9.1.4.*

(9-12) a) Man zeige, daß im HAAVELMO-Modell $E(Cu) = E(Yu) = \sigma_u^2/(1-\beta)$.
b) Ähnliche Abhängigkeiten bestehen zwischen endogenen und latenten Variablen im Marktmodell (9.6) oder (9.8). (Hinweis: Man benutze die reduzierte Form.)

(9-13) Man berechne reduzierte und vollkommen reduzierte Form für das folgende Modell:

$$y_1 - 2y_2 = (y_1)_{-1} + 3x + u_1$$
$$2y_1 + y_2 = 2(y_2)_{-1} \qquad + u_2$$

(Hinweis: Man kann den Operator D benutzen und das System nach y_1, y_2 so auflösen, als ob D ein gewöhnlicher Koeffizient wäre.)

(9-14) Wie sieht das Pfeilschema für das Modell von KLEIN oder für das Modell (9-5) aus?
(9-15) Wie ändert sich das Pfeilschema in dem Beispiel von *9.2.2.*; wenn

$$\gamma_{32}=0 \text{ oder wenn } \gamma_{63}=0 \text{ ist?}$$

(9-16) Man vergleiche das Pfeilschema des KEYNESschen Modells aus *10.2.1.* mit den folgenden 3 Modifikationen: a) In der Sparfunktion wird Y durch Y_{-1} ersetzt. b) Statt M wird i als exogen angenommen. c) Die Sparfunktion wird durch eine Konsumfunktion und die Identität $S=I$ durch $Y=C+I$ ersetzt. Außerdem wird wie eben i als exogen angenommen.
(9-17) Man zeige, daß das Mikroperioden-Modell von S. 258 den gleichen langfristigen Einkommensmultiplikator hat wie das entsprechende Makroperioden-Modell.

10. Identifikation und Schätzproblem

10.1. Identifikation

10.1.1. Begriff

Bedingt durch die generelle Interdependenz, treffen wir gelegentlich bei ökonometrischen Modellen auf ein eigenartiges Phänomen. Es kann sich u.U. herausstellen, daß es aufgrund empirischer Daten, und habe man noch so viele gesammelt, schlechterdings nicht möglich ist, auf die Strukturparameter eindeutig zurückzuschließen. Das ist immer dann der Fall, wenn zwei verschiedene numerische Spezifikationen der Strukturparameter innerhalb desselben gegebenen Modells zu genau den gleichen Konsequenzen hinsichtlich der Verteilung der beobachtbaren Variablen führen. Dann kann man offensichtlich aufgrund der beobachteten Variablenwerte allein nicht entscheiden, welche der beiden Spezifikationen für die beobachteten Werte ursächlich verantwortlich ist. In einem solchen Fall sagt man, das Modell sei *nicht identifizierbar*. Es hat dann keinen Zweck, nach der Schätzmethode auch nur zu suchen.

Das Problem der Identifizierbarkeit ist allgemeiner und nicht auf die Ökonometrie beschränkt. Werden zwei verschiedene Theorien zur Erklärung desselben empirischen Sachverhalts angeboten und stimmen beide Theorien in ihren empirisch nachprüfbaren Konsequenzen logisch völlig überein, dann kann zwischen ihnen auf empirischem Wege nicht entschieden werden.

In der Ökonometrie begegneten wir bisher diesem Phänomen anläßlich der Diskussion über die Kollinearität (*3.2.1.*). Da wir aber annehmen, daß $\boldsymbol{X}'\boldsymbol{X}$ regulär ist, scheidet diese Quelle möglicher Identifikationsschwierigkeiten jetzt aus. An ihre Stelle treten andere Ursachen für mögliche Nichtidentifizierbarkeit, die wir nun näher untersuchen wollen. Hierzu sind einige neue Begriffe einzuführen.

Wir unterscheiden zwischen *Struktur* und *Modell.* Im Modell sind die Parameter, soweit sie nicht durch a-priori-Restriktionen festgelegt sind, numerisch unbestimmt. Eine zu einem Modell gehörige Struktur geht aus diesem durch numerische Spezifikation sämtlicher Parameter (auch der Verteilungsparameter der Störvariablen) hervor. Wenn also $\boldsymbol{\Gamma}$, $\mathbf{B}$ und $\boldsymbol{\Sigma}$ numerisch festliegen, und zwar so, daß die a-priori-Restriktionen (9.10) und daß (9.5) beachtet werden, dann sprechen wir von einer Struktur. Insbesondere ist ($\hat{\boldsymbol{\Gamma}}$, $\hat{\mathbf{B}}$, $\hat{\boldsymbol{\Sigma}}$) eine (aufgrund eines Schätzverfahrens) geschätzte Struktur. Unter den sämtlichen Strukturen des Modells befindet sich – das ist unsere Grundannahme – die wahre[1)], aber unbekannte Struktur, die es zu schätzen gilt. Das Modell selbst kann als Menge seiner sämtlichen Strukturen aufgefaßt werden.

Jede Struktur impliziert, wie wir in *9.2.1.* gesehen haben, zu jeder Konstellation der vorherbestimmten Variablen eine bedingte Wahrscheinlichkeitsverteilung der abhängigen Variablen einer Periode.

Zwei Strukturen ein und desselben Modells heißen *äquivalent*, wenn sie die gleiche (bedingte) Wahrscheinlichkeitsverteilung der abhängigen Variablen induzieren.

Da aber bei gegebenen vorherbestimmten Variablenwerten die abhängigen Variablen die einzig beobachtbaren Variablen sind – die Störvariablen wurden ja als nicht direkt beobachtbar (als latent) angenommen –, lassen sich zwei äquivalente Strukturen empirisch nicht auseinanderhalten.

Eine zu einem Modell gehörige Struktur, zu der es mindestens eine (bzw. zu der es keine) äquivalente und zum gleichen Modell gehörige andere Struktur gibt, ist daher innerhalb dieses Modells *nicht identifizierbar* (bzw. *identifizierbar*).

Es kann vorkommen, daß eine Struktur innerhalb eines Modells zwar als ganze nicht identifizierbar ist, daß aber doch einzelne Gleichungen oder einzelne Parameter identifizierbar sind. Ein *Strukturparameter* heißt innerhalb eines Modells und bezüglich einer Struktur dieses Modells *identifizierbar*, wenn er in jeder zur gegebenen Struktur äquivalenten Struktur des Modells seinen Wert beibehält. Eine *Strukturgleichung* heißt (innerhalb eines Modells und bezüglich einer Struktur dieses Modells), *identifizierbar*, wenn ihre sämtlichen Parameter identifizierbar sind. Schließlich ist offenbar die Struktur als ganze genau dann identifizierbar, wenn alle ihre Gleichungen es sind.

Unter der Annahme, daß ein Modell unter seinen möglichen Strukturen eine wahre Struktur besitzt, können wir auch ein *Modell* als identifizierbar bezeichnen, wenn seine wahre Struktur es ist. Entsprechendes gilt für die Parameter oder die Gleichungen eines Modells. Da wir allerdings die wahre Struktur nicht kennen, scheint es, daß wir nicht entscheiden können, ob ein Modell identifizierbar ist

[1)] Sie ist in dem Sinne „wahr", als sie zu einer (bedingten) Wahrscheinlichkeitsverteilung für die beobachtbaren endogenen Variablen führt, die mit den Beobachtungen selbst voll übereinstimmt. In der Praxis wird man wohl kaum erwarten dürfen, daß ein – wenn auch noch so sorgfältig formuliertes – Modell eine wahre Struktur enthält. Vielmehr muß man sich mit mehr oder weniger guten Approximationen an die wahre Struktur zufrieden geben.

oder nicht. Es wird sich jedoch zeigen, daß wir praktisch ohne Kenntnis der wahren Struktur diese Entscheidung treffen können, und zwar allein aufgrund der besonderen Form des Modells.

Der Identifizierbarkeitsbegriff basiert vornehmlich auf dem Äquivalenzbegriff für Strukturen eines Modells. Ihn wollen wir etwas eingehender untersuchen. Dabei beschränken wir uns – wie auch sonst – auf lineare Modelle[2].

10.1.2. Äquivalenz und reduzierte Form

Zwei Strukturen eines linearen Modells sind genau dann äquivalent, wenn sie die (numerisch) gleiche reduzierte Form besitzen.

Denn genau in diesem Fall induzieren sie zu jeder Konstellation der vorherbestimmten Variablen die gleiche bedingte Wahrscheinlichkeitsverteilung für die abhängigen Variablen. Sobald sich nämlich zwei reduzierte Formen numerisch in ihren Parametern π_{ij} oder in der Verteilung der Störvariablen v_i unterscheiden, implizieren sie im ersten Fall unterschiedliche Mittelwertsvektoren bei den abhängigen Variablen, im zweiten Fall unterschiedliche Verteilungen der abhängigen Variablen um ihren Mittelwertsvektor.

Als Konsequenz können wir die folgenden Sätze formulieren:

Die reduzierte Form ist als solche immer identifizierbar.

Eine Struktur ist innerhalb eines Modells genau dann identifizierbar, wenn keine andere Struktur des Modells die gleiche reduzierte Form hat.

Weiter gilt:

Zwei Strukturen sind genau dann äquivalent, wenn sie durch eine umkehrbare lineare Transformation auseinander hervorgehen.

Sind nämlich zwei Strukturen $\boldsymbol{Y\Gamma}_i = \boldsymbol{X}\mathbf{B}_i + \boldsymbol{U}_i$ $(i=1,2)$ derart mittels einer regulären Transformationsmatrix $\boldsymbol{T}$ verbunden, daß[3]

$$\boldsymbol{\Gamma}_2 = \boldsymbol{\Gamma}_1 \boldsymbol{T}, \quad \mathbf{B}_2 = \mathbf{B}_1 \boldsymbol{T} \quad \text{und} \quad \boldsymbol{U}_2 (=) \boldsymbol{U}_1 \boldsymbol{T} \tag{10.1}$$

ist, dann haben beide Strukturen die gleiche reduzierte Form, denn nach (9.12) ist:

$$\boldsymbol{\Pi}_2 = \mathbf{B}_2 \boldsymbol{\Gamma}_2^{-1} = \mathbf{B}_1 \boldsymbol{T}(\boldsymbol{\Gamma}_1 \boldsymbol{T})^{-1} = \mathbf{B}_1 \boldsymbol{\Gamma}_1^{-1} = \boldsymbol{\Pi}_1$$

und

$$\boldsymbol{V}_2 = \boldsymbol{U}_2 \boldsymbol{\Gamma}_2^{-1} (=) \boldsymbol{U}_1 \boldsymbol{T}(\boldsymbol{\Gamma}_1 \boldsymbol{T})^{-1} = \boldsymbol{U}_1 \boldsymbol{\Gamma}_1^{-1} = \boldsymbol{V}_1.$$

Sie sind mithin äquivalent. Haben umgekehrt zwei Strukturen die gleiche reduzierte Form, dann ist $\mathbf{B}_2 \boldsymbol{\Gamma}_2^{-1} = \mathbf{B}_1 \boldsymbol{\Gamma}_1^{-1}$ und $\boldsymbol{U}_2 \boldsymbol{\Gamma}_2^{-1} (=) \boldsymbol{U}_1 \boldsymbol{\Gamma}_1^{-1}$. Mit der

[2] Zum Identifikationsproblem für nichtlineare Modelle vgl. das Buch von FISHER [1966]. Bei Anwesenheit verzögerter endogener Variablen ist das Identifikationsproblem etwas anders anzupacken, obgleich sich dieselben Ergebnisse einstellen; vgl. SCHÖNFELD [1971, Kap. 15].

[3] Hierbei bedeutet das Zeichen (=) Gleichheit in den Wahrscheinlichkeitsverteilungen. – Die Gleichungen der transformierten Struktur sind Linearkombinationen der Gleichungen der ursprünglichen Struktur.

Transformationsmatrix $\boldsymbol{T}=\boldsymbol{\Gamma}_1^{-1}\boldsymbol{\Gamma}_2$ geht dann die eine Struktur gemäß (10.1) linear aus der anderen hervor, w.z.b.w.

Für die Kovarianzmatrizen äquivalenter Strukturen gilt übrigens

$$\boldsymbol{\Sigma}_2=\boldsymbol{T}'\boldsymbol{\Sigma}_1\boldsymbol{T}. \tag{10.2}$$

Man beachte, daß die Äquivalenz zweier Strukturen eines Modells immer impliziert, daß beide Strukturen sämtlichen a-priori-Restriktionen genügen. Solange über die Verteilung der Störvariablen keine Restriktionen vorgegeben sind (vgl. aber *10.1.5.*), brauchen nur Parameterrestriktionen, wie sie in *9.1.6.* diskutiert worden sind, beachtet zu werden. In diesem Fall hängt die Frage, ob ein Modell oder eine Gleichung des Modells identifizierbar ist, fast ausschließlich von Art und Anzahl der Parameterrestriktionen ab, also letztlich von dem System (9.10). Dieser Frage wollen wir uns in *10.1.4.* zuwenden. Zunächst aber einige

10.1.3. Beispiele

a) Eines der einfachsten nichtidentifizierbaren Modelle ist das Marktmodell (a) aus *9.1.4.* Betrachten wir es zunächst ohne Störvariablen. In diesem Fall besteht die Lösung, Gleichgewichtsmenge und -preis, aus einem festen Punkt (q^*, p^*), dem Schnittpunkt von Angebots- und Nachfragekurve in Abb. 10.1.

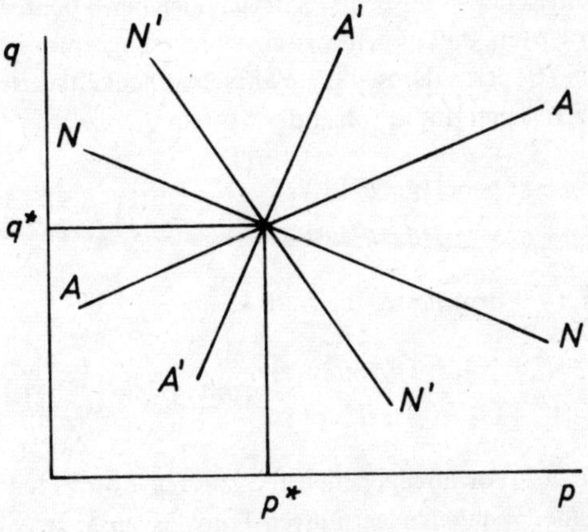

Abb. 10.1. Zwei Strukturen zum einfachen Marktmodell mit gleicher Lösung

Dieser Punkt ist das einzige empirische Datum und offenbar ist es nicht möglich, aus ihm allein auf Angebots- und Nachfragekurve zurückzuschließen. Beliebig viele Angebots- und Nachfragesysteme haben dieselbe Lösung. Sie lassen sich alle durch lineare Transformationen ineinander überführen.

Diese Situation wird nicht besser, wenn wir wieder Störvariablen zulassen, über deren Streuungen und Kovarianz wir aber keine Kenntnis haben. Wir können hierzu annehmen, daß u_1 und u_2 gemeinsam normalverteilt sind mit einer bestimmten Kovarianzmatrix $\boldsymbol{\Sigma}$. Betrachten wir z.B. das folgende System

$$\text{(a1)} \qquad \begin{aligned} q-q^* &= -(p-p^*)+u_1 \quad &\text{(Nachfrage)}\\ q-q^* &= p-p^*+u_2 \quad &\text{(Angebot)}. \end{aligned}$$

Es hat im Mittel die Lösung (p^*, q^*). Bei zufällig variierenden Störgliedern ist aber auch die Lösung (d.h. der Schnittpunkt von Nachfrage- und Angebotskurve) eine Zufallsgröße. Die reduzierte Form lautet:

$$\begin{aligned} q &= q^* + \tfrac{1}{2}(u_1+u_2) =: q^* + v_1\\ p &= p^* + \tfrac{1}{2}(u_1-u_2) =: p^* + v_2. \end{aligned}$$

Sind u_1 und u_2 unkorreliert und haben beide die gleiche Streuung (z.B. 1), dann gilt – wie man leicht nachrechnet – gleiches für v_1 und v_2 und damit für p und q:

$$\boldsymbol{\Sigma}_{\boldsymbol{u}} = \begin{pmatrix} 1 & 0\\ 0 & 1 \end{pmatrix}, \qquad \boldsymbol{\Sigma}_{\boldsymbol{v}} = \begin{pmatrix} \frac{1}{2} & 0\\ 0 & \frac{1}{2} \end{pmatrix}.$$

Die Dichtefunktion von (p, q) wird daher im (p, q)-Koordinatensystem durch eine Schar konzentrischer Kreise als Kurven gleicher Dichte dargestellt. Entsprechend ist zu erwarten, daß ein empirisches Streudiagramm in etwa die Gestalt einer Kreisscheibe besitzt. Dieselbe Wahrscheinlichkeitsverteilung für (q, p) erhalten wir aber z.B. auch durch folgendes System

$$\text{(a2)} \qquad \begin{aligned} q-q^* &= -\tfrac{1}{2}(p-p^*)+u'_1\\ q-q^* &= \tfrac{1}{2}(p-p^*)+u'_2 \end{aligned} \quad \text{mit} \quad \boldsymbol{\Sigma}_{\boldsymbol{u}'} = \begin{pmatrix} \frac{5}{8} & \frac{3}{8}\\ \frac{3}{8} & \frac{5}{8} \end{pmatrix}.$$

Denn die reduzierte Form lautet diesmal

$$\begin{aligned} q &= q^* + \tfrac{1}{2}(u'_1+u'_2) =: q^* + v'_1\\ p &= p^* + (u'_1-u'_2) =: p^* + v'_2 \end{aligned} \quad \text{mit} \quad \boldsymbol{\Sigma}_{\boldsymbol{v}'} = \begin{pmatrix} \frac{1}{2} & 0\\ 0 & \frac{1}{2} \end{pmatrix}.$$

Sie ist also mit der zuvor angegebenen reduzierten Form identisch. Das Streudiagramm kann daher nicht den geringsten Hinweis darüber geben, welches der beiden Angebots-Nachfrage-Systeme das wahre sein mag.

Tatsächlich geht das zweite durch die folgende lineare Transformation aus dem ersten hervor: Man bildet zwei gewogene Mittel der beiden ersten Gleichungen, einmal mit den Gewichten $\frac{3}{4}$ und $\frac{1}{4}$, das andere Mal mit den Gewichten $\frac{1}{4}$ und $\frac{3}{4}$. Dabei wird $u'_1 = \frac{3}{4}u_1 + \frac{1}{4}u_2$ und $u'_2 = \frac{1}{4}u_1 + \frac{3}{4}u_2$. $\boldsymbol{\Sigma}_{\boldsymbol{u}'}$ kann nun unmittelbar berechnet werden.

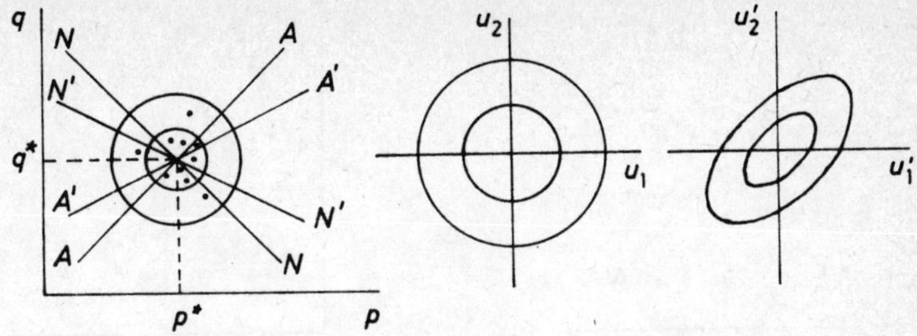

Abb. 10.2. Zwei Angebots-Nachfrage-Systeme zum gleichen Streudiagramm

Flachere Angebots- und Nachfragekurven, deren Störvariablen positiv korreliert sind, ergeben also das gleiche empirische Bild wie steilere Kurven mit unkorrelierten Störvariablen.

Aber auch die folgende Struktur mit unkorrelierten Störvariablen hat dieselbe reduzierte Form wie die beiden vorangehenden:

$$\text{(a3)}\qquad \begin{aligned} q-q^* &= -2(p-p^*)+u_1'' \\ q-q^* &= \tfrac{1}{2}(p-p^*)+u_2'' \end{aligned} \qquad \text{mit} \quad \Sigma_{u''}=\begin{pmatrix} \frac{5}{2} & 0 \\ 0 & \frac{5}{8} \end{pmatrix}.$$

Das zeigt, daß auch dann, wenn man a priori weiß, daß die Störvariablen unkorreliert sind, das Marktmodell nicht identifizierbar ist.

b) Das folgende Beispiel zeigt einen extremen Fall. Das System laute diesmal

$$\text{(b1)}\qquad \begin{aligned} q-q^* &= -(p-p^*)+u_1 \\ q-q^* &= p-p^*+u_2 \end{aligned} \qquad \Sigma_u=\begin{pmatrix} 0{,}1 & 0 \\ 0 & 10 \end{pmatrix}.$$

Die Störvariablen haben also sehr unterschiedliche Streuungen. Für die reduzierte Form ergibt sich die Kovarianzmatrix

$$\Sigma_v=\frac{1}{4}\begin{pmatrix} 10{,}1 & -9{,}9 \\ -9{,}9 & 10{,}1 \end{pmatrix}.$$

Die gleiche Kovarianzmatrix des reduzierten Systems aber erhält man auch aus folgendem System mit stark negativ korrelierten Störvariablen

$$\text{(b2)}\qquad \begin{aligned} q-q^* &= -2(p-p^*)+u_1' \\ q-q^* &= \tfrac{1}{2}(p-p^*)+u_2' \end{aligned} \qquad \Sigma_{u'}=\frac{1}{16}\begin{pmatrix} 43{,}6 & -59{,}4 \\ -59{,}4 & 90{,}1 \end{pmatrix}.$$

Die beiden Systeme sind daher empirisch nicht voneinander unterscheidbar. Sie induzieren dasselbe Streudiagramm, wie auch aus der folgenden Abbildung andeutungsweise hervorgeht, wo einige Beobachtungspunkte als Schnittpunkte gestörter Angebots- und Nachfragekurven eingezeichnet worden sind.

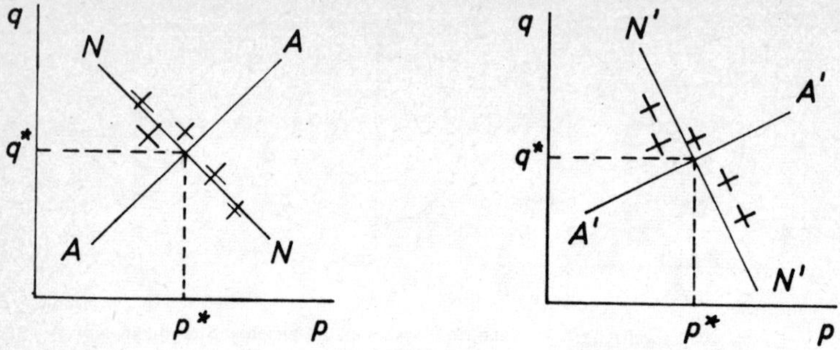

Abb. 10.3. Zwei weitere Angebots-Nachfrage-Systeme mit gleichem Streudiagramm

Bemerkenswert ist die Gestalt des Streudiagramms, das sich eng um eine Gerade schließt, so daß man prima facie eine ausgesprochen gute Schätzung erwartet. Jedoch weiß man nicht, welche Funktion man eigentlich schätzt: die Nachfragefunktion wie in der ersten Struktur oder eine Mischung von Angebots- und Nachfragefunktion wie in der zweiten Struktur? Ohne a-priori-Kenntnisse über $\boldsymbol{\Sigma}$ kann man keine Entscheidung treffen.

c) Wir nehmen an, es gebe eine exogene Variable x, die in beiden Gleichungen unseres Marktmodells vorkommt, das also jetzt folgende Gestalt hat:

$$q=\alpha_1+\beta_1 p+\gamma_1 x+u_1$$
$$q=\alpha_2+\beta_2 p+\gamma_2 x+u_2.$$

Auch dieses Modell ist nicht identifizierbar, denn zu jeder Struktur findet man sofort beliebig viele äquivalente Strukturen. Man braucht nur eine der Gleichungen durch ein gewogenes Mittel beider Gleichungen zu ersetzen und erhält ein äquivalentes Gleichungssystem.

d) Nehmen wir statt dessen an, das Modell (9.8) beschreibe den Marktmechanismus korrekt:

$$q=\alpha_1+\beta_1 p+\gamma_1 Y+u_1$$
$$q=\alpha_2+\beta_2 p+\gamma_2 R+u_2.$$

Versuchen wir jetzt eine der Gleichungen durch eine Linearkombination beider zu ersetzen, so werden wir ein System erhalten, in dem in einer Gleichung beide exogenen Variablen Y und R vorkommen. Das aber wird durch das Modell explizit ausgeschlossen. Es gibt also innerhalb des Modells zu keiner Struktur eine von ihr verschiedene äquivalente Struktur, es sei denn γ_1 oder γ_2 würden gleich Null sein, was wir hier für die wahre Struktur ausschließen wollen. Wie man sieht, kann man also im wesentlichen ohne Kenntnis der wahren Struktur die Identifizierbarkeit des Modells konstatieren: man muß nur wissen, daß $\gamma_1 \neq 0$ und $\gamma_2 \neq 0$, daß also die Variablen R und Y in der wahren Struktur tatsächlich vorkommen.

e) Nehmen wir nun aber an, es sei $\gamma_1 = 0$, aber $\gamma_2 \neq 0$. Die Einkommensvariable habe also keinen Einfluß auf die Nachfrage, oder – was im Ergebnis auf dasselbe hinausläuft – die Einkommensvariable variiere nicht in dem Beobachtungszeitraum, so daß sie zum absoluten Glied hinzuzuschlagen ist und ihr Einfluß nicht gemessen werden kann.

In diesem Fall ist nur die Nachfragefunktion identifizierbar, denn sie läßt sich nicht durch eine Linearkombination beider Gleichungen ersetzen, ohne daß die Variable R in ihr erschiene, die aber in der Nachfragefunktion laut Modellannahme nichts zu suchen hat. Dagegen ist die Angebotsfunktion nicht identifizierbar, denn sie läßt sich immer durch ein gewogenes Mittel beider Gleichungen ersetzen, ohne daß damit die Modellrestriktionen verletzt würden.

f) Das HAAVELMO-Modell ist identifizierbar. Dabei brauchen wir nur die Identifizierbarkeit der Konsumfunktion zu prüfen; die Identität ist a priori gegeben und braucht nicht geschätzt zu werden. Die Konsumfunktion aber ist identifizierbar, weil sie sich nicht durch eine Linearkombination der beiden Gleichungen des Modells ersetzen läßt. In einer solchen käme ja die Variable X vor, die nicht zur Konsumfunktion gehört.

10.1.4. Kriterien

a) Wir entwickeln nun ein Kriterium, anhand dessen man leicht nachprüfen kann, ob eine Strukturgleichung identifizierbar ist. Hierbei beschränken wir uns aber auf den Fall, daß in den stochastischen Strukturgleichungen außer den Normierungsvorschriften nur solche a-priori-Restriktionen vorkommen, die das Verschwinden einzelner Parameter vorschreiben; die übrigen Parameter sind frei. Für jede Gleichung steht also a priori fest, welche Variablen in ihr vorkommen und welche nicht. Außerdem können Identitäten im Modell vorkommen. Deren Identifizierbarkeit ist aber von vornherein sichergestellt, braucht also nicht geprüft zu werden. Ferner nehmen wir an, daß für die Störvariablen der stochastischen Strukturgleichungen keine a-priori-Restriktionen zu beachten sind.

Für die folgenden Überlegungen brauchen wir nicht zwischen abhängigen und vorherbestimmten Variablen zu unterscheiden. Es ist daher zweckmäßig, sie vorübergehend alle mit dem gleichen Symbol z_i $(i = 1, \ldots, n,\ n = m + g)$ zu bezeichnen. Ferner stellen wir uns vor, alle Variablen bis auf das Störglied seien auf die linke Seite geschafft und die Parameter alle gleichmäßig mit α_{ij} bezeichnet worden. Das Modell hat dann (ohne Zeitindex) folgendes Aussehen

$$\begin{aligned} \alpha_{11} z_1 + \alpha_{12} z_2 + \cdots + \alpha_{1n} z_n &= u_1 \\ \vdots \qquad\qquad & \quad \vdots \\ \alpha_{g1} z_1 + \alpha_{g2} z_2 + \cdots + \alpha_{gn} z_n &= u_g . \end{aligned} \tag{10.3}$$

Sind nun aus der ersten Gleichung gerade s Variablen a priori ausgeschlossen worden und nehmen wir an, es seien – was sich durch Umordnen immer erreichen läßt – gerade die ersten s Variablen, dann hat (10.3) folgendes Aussehen

$$\begin{array}{l} 0 + 0 + \cdots + 0 + \alpha_{1s+1} z_{s+1} + \cdots + \alpha_{1n} z_n = u_1 \\ \alpha_{21} z_1 + \alpha_{22} z_2 + \cdots + \alpha_{2s} z_s + \alpha_{2s+1} z_{s+1} + \cdots + \alpha_{2n} z_n = u_2 \\ \vdots \\ \alpha_{g1} z_1 + \alpha_{g2} z_2 + \cdots + \alpha_{gs} z_s + \alpha_{gs+1} z_{s+1} + \cdots + \alpha_{gn} z_n = u_g . \end{array} \tag{10.4}$$

In den Nullen der ersten Gleichung sind, abgesehen von der Normierungsvorschrift, um die wir uns aber nicht zu kümmern brauchen, sämtliche a-priori-Restriktionen dieser Gleichung zusammengefaßt.

Nun kann offenbar die erste Gleichung ohne Verletzung der a-priori-Restriktionen durch eine geeignete Linearkombination aller Gleichungen ersetzt werden, wenn $s<g-1$ ist. Denn in diesem Fall[4)] ist der Rang der unter den Nullen stehenden Koeffizientenmatrix, die wir mit $\boldsymbol{A}$ bezeichnen wollen, kleiner als $g-1$, und es existiert eine nichttriviale Linearkombination der $g-1$ Zeilen von $\boldsymbol{A}$ mit dem Ergebnis $(0,0,\ldots,0)$. Indem man dann noch ein geeignetes Vielfaches der ersten Gleichung zu dieser Linearkombination der $g-1$ anderen hinzufügt, kann man erreichen, daß auch die Normierungsvorschrift der ersten Gleichung aufrechterhalten bleibt. Daß die auf diese Weise insgesamt entstehende Linearkombination aller g Gleichungen von der ersten Gleichung verschieden ist, wird durch die Modellannahme (9.5) garantiert, die ja impliziert, daß die g Zeilen der gesamten Koeffizientenmatrix (α_{ij}) linear unabhängig sind – Gleichheit zwischen der ersten Zeile und der betrachteten Linearkombination würde aber gerade lineare Abhängigkeit unter den g Zeilen implizieren. Man findet also im Falle $s<g-1$ äquivalente Strukturen mit verschiedenen ersten Gleichungen. Daraus folgt:

Eine Gleichung eines Modells ist nicht identifizierbar, wenn weniger als $g-1$ Variablen a priori aus ihr ausgeschlossen worden sind, also wenn $s<g-1$.

Das ist das sogenannte *Abzählkriterium*. Da in einem vollständigen Modell genau g abhängige Variablen, von denen gewöhnlich eine einen normierten Parameter besitzt, vorkommen, kann man ihm auch die folgende Form geben:

Eine Gleichung (9.1) ist nicht identifizierbar, wenn weniger vorherbestimmte Variablen ausgeschlossen worden sind, als abhängige Variablen mit freien Parametern in ihr vorkommen, also wenn

$$m-m_*<g_*-1.$$

Beweis: Da $s=m-m_*+g-g_*$, ist die Beziehung $s<g-1$ mit $m-m_*<g_*-1$ äquivalent, w.z.b.w.

Das Abzählkriterium gibt eine *notwendige* Bedingung für die Identifizierbarkeit einer Gleichung eines Modells an: Diese kann allenfalls nur dann identifizierbar

[4)] Zu den folgenden Ausführungen vgl. Anhang *A 8.* und *A 9.1.*

sein, wenn mindestens $g-1$ Variablen a priori ausgeschlossen sind. Ob der Ausschluß von so viel Variablen auch wirklich die Identifizierbarkeit garantiert, ist damit noch nicht gesagt. Dennoch wird das Abzählkriterium oft als *hinreichendes* Kriterium in der folgenden Form verwandt:

> Eine Gleichung eines Modells ist identifizierbar, wenn mindestens $g-1$ Variablen a priori aus ihr ausgeschlossen worden sind.

Diese Aussage ist strenggenommen falsch. Jedoch wird man in der Praxis kaum je einen Fehler machen, wenn man das Kriterium in dieser Form zur Überprüfung der Identifizierbarkeit verwendet. Denn immerhin besteht bei $s \geq g-1$ die Matrix $\boldsymbol{A}$, von extremen Sonderfällen abgesehen, praktisch immer aus linear unabhängigen Zeilen und aus linear unabhängigen Zeilen kann man nur auf triviale Weise eine Nullzeile linear kombinieren; d.h., es ist in diesem Fall nicht möglich, die erste Zeile durch eine Linearkombination zu ersetzen, ohne die a-priori-Restriktionen zu verletzen.

Beispiel: Das HAAVELMO-Modell hat $g=2$ Gleichungen. In der ersten Gleichung ist eine Modellvariable ausgeschlossen. Das ist gerade ausreichend, um aufgrund des Abzählkriteriums Identifizierbarkeit zu garantieren.

b) Das genaue (notwendige und hinreichende) Identifizierbarkeitskriterium, das sogenannte *Rangkriterium*, kann man sich nach den obigen Überlegungen leicht herleiten. Es lautet:

> Eine Gleichung eines Modells ist genau dann identifizierbar, wenn (bei Zugrundelegung der wahren Struktur[5])
> $$\operatorname{rg} \boldsymbol{A} = g-1$$
> ist.

Hieraus folgt sofort wieder das notwendige Abzählkriterium, denn wenn für eine Gleichung $s<g-1$ ist, muß auch $\operatorname{rg} \boldsymbol{A} < g-1$ sein und die Gleichung ist nicht identifizierbar. Umgekehrt folgt aus $s \geq g-1$ nicht, daß $\operatorname{rg} \boldsymbol{A} = g-1$. Das Abzählkriterium ist eben, wie wir schon gesehen haben, kein hinreichendes Kriterium für Identifizierbarkeit. Das folgende abstrakte Modell mag als *Gegenbeispiel* dienen:

$$\begin{aligned} y_2 + \gamma_{13} y_3 &= \beta_{11} x_1 && + u_1 \\ y_1 + \gamma_{22} y_2 \quad &= && \beta_{22} x_2 + u_2 \\ y_2 \quad &= \beta_{31} x_1 && + u_3 . \end{aligned}$$

[5] Dieser Zusatz braucht in der Praxis nicht beachtet zu werden. Man stellt dort den Rang von $\boldsymbol{A}$ ohne Rücksicht auf eine spezielle numerische Spezifikation fest. Ergibt es sich, daß $\boldsymbol{A}$ *im Regelfall* von vollem Rang ist, also höchstens bei ganz speziell gewählten Parameterwerten diesen Rang nicht erreicht, dann gilt die Gleichung als identifizierbar, obwohl theoretisch die wahre Struktur derart speziell sein kann, daß $\operatorname{rg} \boldsymbol{A} < g-1$. Da aber ein solcher Fall in der Praxis kaum vorkommen wird, ist der Zusatz tatsächlich nur der Vollständigkeit halber angebracht worden.
Für andere Formen des Rangkriteriums vgl. Aufg. (10-13, 14).

Aus der ersten Gleichung sind zwei Variablen ausgeschlossen worden: $s=2$. Mit $g=3$ ist $s=g-1$. Würden wir nun das Abzählkriterium als hinreichendes Identifizierbarkeitskriterium gebrauchen, müßten wir die erste Gleichung als identifizierbar ansehen. Tatsächlich ist aber

$$\operatorname{rg} \boldsymbol{A} = \operatorname{rg} \begin{pmatrix} 1 & \beta_{22} \\ 0 & 0 \end{pmatrix} = 1 < g-1,$$

und die erste Gleichung ist nicht identifizierbar.

Ändern wir jedoch das Modell dahingehend ab, daß die Variable x_2 auch in der dritten Gleichung (mit dem Koeffizienten β_{32}) vorkommt, dann ist

$$\operatorname{rg} \boldsymbol{A} = \operatorname{rg} \begin{pmatrix} 1 & \beta_{22} \\ 0 & \beta_{32} \end{pmatrix} = 2 = g-1,$$

sofern $\beta_{32} \neq 0$, und die erste Gleichung ist identifizierbar. Das Rangkriterium gestattet also, bei nur oberflächlichem Wissen über die wahre Struktur [6)] die Frage nach der Identifizierbarkeit einer Gleichung eines Modells eindeutig zu beantworten, und ist insofern dem Abzählkriterium überlegen. Wenn man sich dennoch in der Praxis mit dem (einfacheren) Abzählkriterium begnügt, so deshalb, weil derartige Fälle, in denen Rang- und Abzählkriterium zu unterschiedlichen Ergebnissen führen, praktisch kaum vorkommen.

Man unterscheidet im Hinblick auf das Abzählkriterium drei Fälle:

(1) $s<g-1$ bzw. $m-m_* < g_* - 1$, dann heißt die Gleichung *unteridentifiziert*.

(2) $s=g-1$ bzw. $m-m_* = g_* - 1$, dann heißt die Gleichung *genau identifiziert*.

(3) $s>g-1$ bzw. $m-m_* > g_* - 1$, dann heißt die Gleichung *überidentifiziert*.

c) Bisher wurden nur Nullsetzungen als a-priori-Restriktionen betrachtet. Das Abzählkriterium läßt sich aber auf allgemeine a-priori-Restriktionen vom Typ (9.10) übertragen. Allgemein lautet es:

> Eine Gleichung ist nicht identifizierbar, wenn die Zahl $r-1$ der echten (d.h. über die bloße Normierung hinausgehenden) unabhängigen a-priori-Restriktionen in dieser Gleichung kleiner als die Zahl $g-1$ der restlichen Gleichungen des Systems ist: $r<g$.

Zu beachten ist noch, daß diese Bedingungen nur unter der Voraussetzung gelten, daß keine a-priori-Restriktionen über die Störvariablen in den Reaktionsgleichungen beachtet werden müssen, wie der folgende Abschnitt zeigt.

6) In dem Beispiel muß man zur Beantwortung der Identifizierbarkeitsfrage nur wissen, ob $\beta_{32} \neq 0$ oder $\beta_{32} = 0$ ist. Es ist also nicht möglich, eine an sich nicht identifizierbare Gleichung durch formales Hinzufügen einer Variablen an geeigneter Stelle identifizierbar zu machen. Die formal hinzugefügte Variable muß auch in der wahren Struktur vorkommen, um Identifizierbarkeit zu garantieren. Man vgl. hierzu auch Beispiele (d) und (e) von *10.1.3*.

10.1.5. Identifizierende Restriktionen für Σ*

Eine Gleichung kann bei hinreichend starken a-priori-Kenntnissen über die Verteilung der Störvariablen und insbesondere über deren Kovarianzmatrix Σ identifizierbar sein, auch wenn das Abzählkriterium negativ ausfällt.

Dies ist z.B. schon dann der Fall, wenn man weiß, daß die Störvariablen einem Verteilungstyp folgen mit Eigenschaften, die bei der Bildung von Linearkombinationen verloren gehen. Einschränkungen auf einen bestimmten Verteilungstyp findet man aber kaum in der ökonometrischen Praxis, es sei denn, die geläufige Beschränkung auf den Typ der Normalverteilung. Aber gerade dieser Verteilungstyp bleibt bei der Bildung von Linearkombinationen erhalten. Die a-priori-Information, daß die Störvariablen normalverteilt seien, hat also, für sich allein genommen, noch keine identifizierende Wirkung.

Dagegen können einschneidende Kenntnisse über Σ die Identifizierbarkeit einzelner Gleichungen bewirken. Das sei an einem *Beispiel* gezeigt [7].

Angenommen, das einfache Marktmodell (9.6) beschreibe einen Markt und man wisse, 1. daß die Störvariablen unkorreliert sind und 2. daß die Varianz von u_2 doppelt so groß ist wie die von u_1. Dann hat Σ a priori folgende Gestalt:

$$\Sigma = \begin{pmatrix} \sigma_1^2 & 0 \\ 0 & 2\sigma_1^2 \end{pmatrix}.$$

Für die reduzierte Form berechnen wir aus (9.6)

$$\begin{aligned} q &= \frac{\gamma\beta + \delta\alpha}{\beta+\delta} + \frac{\delta u_1 + \beta u_2}{\beta+\delta} =: q^* + v_1 \\ p &= \frac{\alpha-\gamma}{\beta+\delta} + \frac{u_1 - u_2}{\beta+\delta} =: p^* + v_2 \end{aligned} \tag{10.5}$$

mit

$$\Sigma_v = \frac{\sigma_1^2}{(\beta+\delta)^2} \begin{pmatrix} \delta^2 + 2\beta^2 & \delta - 2\beta \\ \delta - 2\beta & 3 \end{pmatrix} =: \begin{pmatrix} w_{11} & w_{12} \\ w_{21} & w_{22} \end{pmatrix}. \tag{10.6}$$

Die reduzierte Form ist aus der Verteilung von (p, q) im Prinzip empirisch zu erschließen, sofern uns nur genügend viele (theoretisch: unendlich viele) Beobachtungen zur Verfügung stehen, denn (p^*, q^*) ist der Schwerpunkt der Verteilung von (p, q) und Σ_v deren Kovarianzmatrix.

Ist aber die reduzierte Form bekannt, dann können wir auch die Strukturparameter bestimmen. Denn zunächst leiten wir aus (10.6) die beiden Bestimmungsgleichungen

$$\begin{aligned} \delta - 2\beta &= 3w_{12}/w_{22} \\ \delta^2 + 2\beta^2 &= 3w_{11}/w_{22} \end{aligned} \tag{10.6'}$$

[7] Eine ganze Reihe ähnlicher Beispiele findet man bei CHRIST [S. 334ff.].

her. Sie ergeben zwei Lösungspaare (δ, β), von denen aber unter der a-priori-Voraussetzung, daß $\delta > 0$ und $\beta > 0$ sind, nur eines zulässig ist. Diese Lösung setzen wir in das von (10.5) herstammende System linearer Bestimmungsgleichungen ein und lösen dieses nach α und γ auf:

$$\begin{aligned} \delta\alpha + \beta\gamma &= q^*(\beta + \delta) \\ \alpha - \gamma &= p^*(\beta + \delta). \end{aligned}$$

Somit erhalten wir eindeutig die Strukturparameter α, β, γ, δ und schließlich auch σ_1^2 aus (10.6). Das Modell ist also unter den angegebenen Restriktionen über $\boldsymbol{\Sigma}$ identifizierbar.

Ist das Verhältnis der Varianzen σ_2^2/σ_1^2 nur ungenau bekannt, weiß man z.B. nur, daß es zwischen 1,5 und 2,5 liegt, dann sind auch die Strukturparameter nur entsprechend ungenau aus der reduzierten Form zu ermitteln. Die Struktur ist dann nur in gewissen Grenzen identifizierbar.

Identifizierbarkeit zumindest der Nachfragefunktion ist auch dann erreichbar, wenn man weiß, daß die Nachfragefunktion keinen Zufallsstörungen unterliegt, also $u_1 = 0$ ist. Dann ist a priori

$$\boldsymbol{\Sigma} = \begin{pmatrix} 0 & 0 \\ 0 & \sigma_2^2 \end{pmatrix}.$$

Jeder Versuch, die Nachfragefunktion durch irgendeine Linearkombination aus Nachfrage- und Angebotsfunktion zu ersetzen, würde diese a-priori-Restriktion verletzen. Deshalb ist die Nachfragefunktion (nicht aber die Angebotsfunktion) identifizierbar. Das wird auch aus folgender Abbildung ersichtlich, in der die Beobachtungspunkte des Streudiagramms alle auf der Nachfragekurve liegen[8].

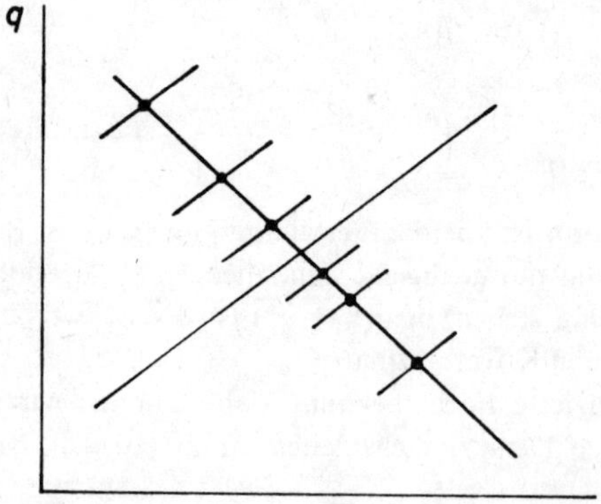

Abb. 10.4. Marktmodell mit ungestörter Nachfragefunktion

[8] Vgl. auch Beispiel (b) aus *10.1.3.*

Für die Praxis würde es genügen, wenn bekannt wäre, daß die Nachfragefunktion im Vergleich zur Angebotsfunktion nur sehr geringen Schwankungen unterworfen ist. Dann ist die Nachfragefunktion zumindest approximativ aus den Beobachtungspunkten bestimmbar. Dieses Argument spielte eine wichtige Rolle bei den frühen Versuchen, Nachfragefunktionen nach landwirtschaftlichen Produkten zu messen[9].

Im allgemeinen aber sind Identifizierbarkeit garantierende a-priori-Kenntnisse über die Kovarianzmatrix nicht verfügbar, weshalb man bei der Überprüfung der Identifizierbarkeit von Modellen fast ausschließlich von den in *10.1.4.* genannten Kriterien Gebrauch macht.

Immerhin verdient der Fall des *rekursiven Systems* ein gewisses Interesse. Es ist, wie man unter Ausnutzung der Diagonalgestalt von Σ beweisen kann, immer identifizierbar (vgl. Aufg. (10-17)).

10.2. Methode der kleinsten Quadrate

10.2.1. Gewöhnliche *KQ-Methode*

Für nichtidentifizierbare Modelle gibt es überhaupt keine sinnvolle Schätzmethode. Identifizierbare Modelle sind dagegen im Prinzip konsistent schätzbar. Jedoch bedeutet das nicht, daß etwa die gewöhnliche Methode der kleinsten Quadrate eine brauchbare Schätzmethode sein müßte. Im Gegenteil, es zeigt sich, daß die Anwendung auf die einzelnen Gleichungen in der Regel zu inkonsistenten Schätzungen mit bisweilen erheblichen Verzerrungen führt. Deren Ursache liegt in der Interdependenz der Strukturgleichungen des Modells, die die gewöhnliche KQ-Methode nicht adäquat berücksichtigt.

Auf diesen Umstand hat zuerst HAAVELMO [1943] hingewiesen. Er benutzte das in *9.1.4.d* angegebene Modell zur Demonstration der KQ-Verzerrung. Das HAAVELMO-Modell lautete

$$C=\alpha+\beta Y+u$$

$$Y=C+X, \qquad X \text{ exogen}.$$

Die reduzierte Form haben wir in (9.16) kennengelernt. Schätzen wir aus beobachteten Daten (Y_t, C_t, X_t), $t=1, \ldots, T$, den Parameter β nach der KQ-Methode, dann erhalten wir nach (1.17)

$$\hat{\beta}=\frac{\operatorname{cov}(C, Y)}{s^2(Y)}.$$

Ersetzen wir C und Y durch die Ausdrücke der reduzierten Form (9.16), dann wird

$$\hat{\beta}=\frac{\beta s^2(X)+(1+\beta)\operatorname{cov}(X, u)+s^2(u)}{s^2(X)+2\operatorname{cov}(X, u)+s^2(u)}.$$

[9] SCHULTZ [1938] erreichte durch verschiedene Bereinigungsverfahren eine weitgehende Reduktion der Störvariablen in der Nachfragefunktion, während er bei der Angebotsfunktion die witterungsbedingten Fluktuationen voll zur Geltung kommen ließ.

Nun ist[10)]

$$\operatorname*{plim}_{T\to\infty} s^2(X) =: \bar{\sigma}_X^2 > 0, \quad \operatorname*{plim}_{T\to\infty} \operatorname{cov}(X,u) = 0 \quad \text{und} \quad \operatorname*{plim}_{T\to\infty} s^2(u) = \sigma_u^2.$$

Daher gilt

$$\operatorname*{plim}_{T\to\infty} \hat{\beta} = \frac{\beta\bar{\sigma}_X^2 + \sigma_u^2}{\bar{\sigma}_X^2 + \sigma_u^2}$$

oder anders formuliert:

$$\operatorname*{plim}_{T\to\infty} \hat{\beta} = \beta + \frac{(1-\beta)\,\sigma_u^2/\bar{\sigma}_X^2}{1+\sigma_u^2/\bar{\sigma}_X^2}. \tag{10.7}$$

$\hat{\beta}$ ist also *nicht konsistent* und β wird (falls $\beta < 1$) systematisch überschätzt. Das Ausmaß der Verzerrung hängt zunächst von β selbst ab und des weiteren wesentlich von dem Verhältnis $\sigma_u/\bar{\sigma}_X$. Je geringer also die Störvariable im Vergleich zur exogenen Variablen streut, um so kleiner ist die Verzerrung[11)]. In einer wachsenden Wirtschaft (mit einer einem starken Trend unterliegenden Variablen X) ist also bei diesem Beispiel mit geringen Verzerrungen zu rechnen. Auch in anderen Fällen beobachtet man häufig, daß die KQ-Verzerrung verhältnismäßig klein ausfällt, weshalb man mit der KQ-Methode im allgemeinen mit relativ gutem Erfolg arbeitet, obwohl sie im Prinzip inkonsistent ist. Andererseits sind durchaus Fälle denkbar mit erheblichen KQ-Verzerrungen, wie das alsbald folgende Beispiel zeigen wird.

Es ist im übrigen sehr lehrreich, die Ursache der KQ-Verzerrung im HAAVELMO-Modell graphisch zu verfolgen. Wir erhalten graphisch eine Lösung (d.h. die Gleichgewichtswerte) des Modells, in dem wir in der üblichen Weise Konsum- und Bilanzlinie in einem (C, Y)-Diagramm zum Schnitt bringen

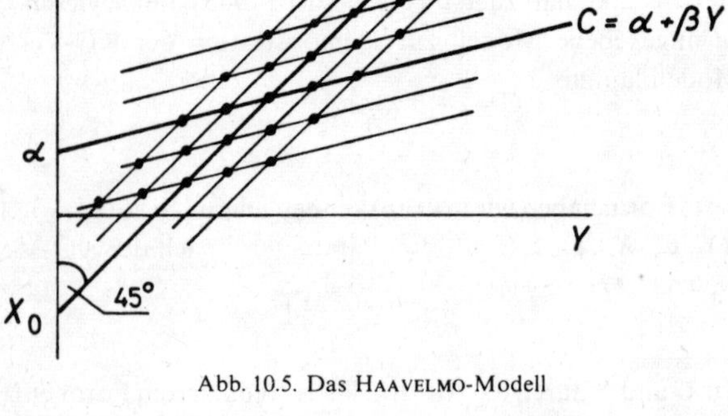

Abb. 10.5. Das HAAVELMO-Modell

[10)] Vgl. zur zweiten Limesgleichung den Beweis von (6.29) in *6.2.2.* Die erste Gleichung ist eine Konsequenz der Annahme (V 6), und die letzte Gleichung folgt aus der allgemeinen Konsistenzeigenschaft für Momente (Anhang *B 12.3.*).

[11)] Man beachte, daß die Variablen X und u in gleichen Einheiten (z.B. Milliarden DM) gemessen werden.

a) Betrachten wir zunächst den Extremfall, daß $\sigma_u^2 = 0$ und $X = X_0$ konstant ist. In diesem Fall gibt es nur einen Schnittpunkt. Es besteht keine Möglichkeit, die Konsumfunktion zu schätzen.

b) Ein weiterer Extremfall ist: Variierende Störvariable, aber konstantes $X = X_0$. Die Schnittpunkte liegen dann alle auf der Geraden $C = Y - X_0$. Die geschätzte Funktion hat die Steigung 1 und hat absolut nichts mit der Konsumfunktion zu tun. Das Modell ist nicht identifizierbar.

c) Realistisch ist die Annahme, daß die u_t und X_t beide variieren. Jede Kombination von u- und X-Werten sei unabhängig voneinander möglich. Wir erhalten eine Anzahl von Schnittpunkten in Form eines Streudiagramms. Die durch dieses Streudiagramm nach der KQ-Methode gelegte Regressionsgerade ist jedoch nicht die Konsumfunktion. Sie verläuft, von Zufallsschwankungen abgesehen, immer steiler als die Konsumfunktion, d.h., $\hat{\beta}$ ist mit hoher Wahrscheinlichkeit größer als das wahre β. Daran ändern auch lange Zeitreihen nichts, solange die Streuung der X_t nicht größer wird. Je weniger die u variieren und je größer die Streuung der X ist, um so mehr approximiert die durch das Streudiagramm gelegte Regressionsgerade die wahre Konsumfunktion.

Umgekehrt wird die Verzerrung um so größer, je weniger die X-Werte variieren, je mehr wir uns also dem nichtidentifizierbaren Fall (b) nähern. So gibt es einen stetigen Übergang von vernachlässigbar kleinen KQ-Verzerrungen (bei großem $\bar{\sigma}_X/\sigma_u$) bis hin zum Fall der Nichtidentifizierbarkeit, bei dem wir uns mit der KQ-Methode total verschätzen würden, (dies gilt für $\bar{\sigma}_X/\sigma_u \to 0$).

Das folgende *Beispiel eines* KEYNESschen *Modells* zeigt, daß die KQ-Verzerrungen so extrem sein können, daß sie zu einer systematischen Verkehrung des Vorzeichens gewisser Parameter führen können[12]. Es sei

$$S = \pi Y + u_1 \quad \text{(Sparfunktion)}$$

$$I = \alpha - \beta i + u_2 \quad \text{(Investitionsfunktion)}$$

$$L = \gamma Y - \delta i + u_3 \quad \text{(Liquiditätspräferenzfunktion)}$$

$$S = I, \quad L = M \quad \text{(Gleichgewichtsbedingungen)}$$

M exogen.

Sämtliche Parameter sind positiv. Das Modell ist identifizierbar, sofern M variiert. Nehmen wir aber an, daß M nur sehr gering variiert, im Extremfall, daß M konstant gehalten wird ($M = M_0$), z.B. mit dem Ziel der Konjunkturstabilisierung, und nehmen wir zur Vereinfachung ferner an, daß $u_1 = u_3 = 0$, während die Störvariable u_2 der Investitionsfunktion große Schwankungen aufweist, wie das ja auch in der Praxis beobachtet werden kann: Dann wird die Investitionsfunktion vollkommen falsch geschätzt. Man sieht dies deutlich an der reduzierten Form des

[12] Ein anderes historisch bedeutsames Beispiel wird in Aufg. (10-33) behandelt. Vgl. auch WORKING [1927].

Modells:

$$\begin{aligned} Y &= (\alpha\delta \;+\; \beta M + \;\delta u_2)/v \\ i &= (\alpha\gamma \;-\; \pi M + \;\gamma u_2)/v \\ I &= (\alpha\pi\delta + \beta\pi M + \pi\delta u_2)/v \end{aligned} \qquad (10.8)$$

mit $v = \pi\delta + \beta\gamma$. Ist jetzt $M = M_0$ konstant, dann variieren i und I nur aufgrund der Zufallsvariation von u_2, und zwar so, daß

$$\mathrm{d}I/\mathrm{d}i = \pi\delta/\gamma > 0$$

ist, während in der Investitionsfunktion $\mathrm{d}I/\mathrm{d}i = -\beta < 0$ ist. Man mißt also eine „Zinsabhängigkeit" der Investitionen, die überhaupt nichts mit der wahren Zinsabhängigkeit zu tun hat, ja sogar das verkehrte Vorzeichen hat. Dieser Sachverhalt bleibt im wesentlichen bestehen, wenn M in dem Beobachtungszeitraum nur wenig variiert (vgl. Aufg. (10-23)). Erst bei größerer Streuung der M-Werte wird allmählich eine Annäherung an die wahre Investitionsfunktion erreicht.

Das folgende bekannte Diagramm möge diesen Sachverhalt veranschaulichen.

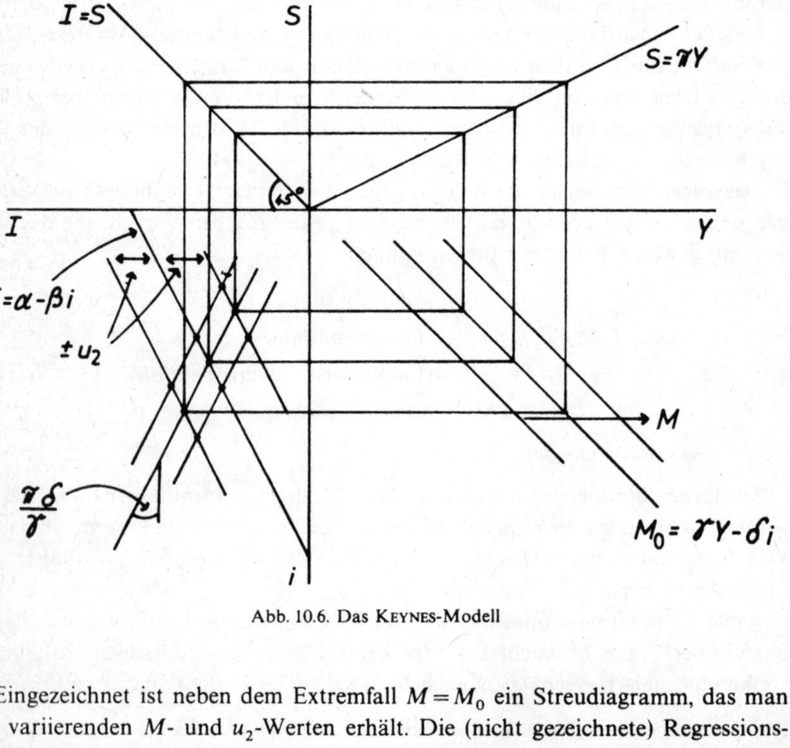

Abb. 10.6. Das KEYNES-Modell

Eingezeichnet ist neben dem Extremfall $M = M_0$ ein Streudiagramm, das man bei variierenden M- und u_2-Werten erhält. Die (nicht gezeichnete) Regressionsgerade (von I auf i) hat eine Neigung, die zwischen $\pi\delta/\gamma$ und $-\beta$ liegt.

Die gewöhnliche KQ-Methode führt also in der Regel zu inkonsistenten Schätzungen[13]. Andererseits sollte man erwarten, daß ein identifizierbares Modell konsistent schätzbar ist. In der Tat sind eine Fülle von konsistenten Schätzverfahren für interdependente Modelle vorgeschlagen worden, die im folgenden erörtert werden sollen.

10.2.2. Indirekte KQ-Methode

Wäre die reduzierte Form der wahren Struktur eines Modells numerisch bekannt und ist dieses identifizierbar, dann wäre im Prinzip auch die Struktur selbst bekannt, denn man könnte sie eindeutig aus der reduzierten Form zurückgewinnen. (Genau dieser Umstand ist ja der Inhalt des Identifikationsbegriffs.) Nun wird einem in der Praxis natürlich kaum je die reduzierte Form vollkommen numerisch bekannt sein. Man kann sie aber mit Hilfe empirischer Daten (z.B. Zeitreihen) schätzen, und zwar konsistent schätzen nach der gewöhnlichen KQ-Methode. Es liegt daher nahe, den Versuch zu unternehmen, die Strukturparameter auf dem Umweg über die reduzierte Form zu schätzen.

Die *indirekte Methode der kleinsten Quadrate* ist ein solches Schätzverfahren. Es beruht auf folgendem Prinzip. Man schätzt zunächst die reduzierte Form, also die Parametermatrix $\boldsymbol{\Pi}$ nach der KQ-Methode (vgl. *4.1.*) und versucht dann mit Hilfe des Gleichungssystems (9.12) unter Berücksichtigung aller Restriktionen (9.10) die Strukturparameter zu berechnen. Man kann hierbei Gleichung für Gleichung vorgehen.

Betrachten wir z.B. die erste Gleichung des Modells. Sie hat in Matrixschreibweise nach (9.4) folgendes Aussehen:

$$\boldsymbol{\gamma}' \boldsymbol{y}_{(t)} = \boldsymbol{\beta}' \boldsymbol{x}_{(t)} + u_t. \tag{10.9}$$

Dabei sind $\boldsymbol{\gamma}$ und $\boldsymbol{\beta}$ die ersten Spalten der Matrizen $\boldsymbol{\Gamma}$ bzw. $\mathbf{B}$ und $u_t := u_{1t}$ die Störvariable der ersten Gleichung. Durch Beschränkung der Beziehung (9.12) in der Form $\boldsymbol{\Pi\Gamma} = \mathbf{B}$ auf eben diese Spalten und Ersetzung der Matrix $\boldsymbol{\Pi}$ durch ihre KQ-Schätzung $\hat{\boldsymbol{\Pi}}$, erhält man das folgende Gleichungssystem für $\hat{\boldsymbol{\gamma}}$ und $\hat{\boldsymbol{\beta}}$

$$\hat{\boldsymbol{\Pi}} \hat{\boldsymbol{\gamma}} = \hat{\boldsymbol{\beta}} \tag{10.10}$$

oder ausführlicher:

$$\begin{array}{ccccccc} \hat{\pi}_{11}\hat{\gamma}_1 & + & \hat{\pi}_{21}\hat{\gamma}_2 & + \cdots + & \hat{\pi}_{g1}\hat{\gamma}_g & = & \hat{\beta}_1 \\ \vdots & & \vdots & & \vdots & & \vdots \\ \hat{\pi}_{1m}\hat{\gamma}_1 & + & \hat{\pi}_{2m}\hat{\gamma}_2 & + \cdots + & \hat{\pi}_{gm}\hat{\gamma}_g & = & \hat{\beta}_m. \end{array} \tag{10.10'}$$

Das sind m homogene Gleichungen für $g+m$ Parameter. Das Gleichungssystem ist also nicht eindeutig nach den Parametern auflösbar. Werden aber die für die Parameter der ersten Gleichung relevanten a-priori-Restriktionen berücksichtigt,

[13] Für weitere Beispiele im Zusammenhang mit dem Marktmodell vgl. BRONFENBRENNER [1953].

d. h., läßt man nur solche Schätzwerte zu, die den Restriktionen genügen, dann wird eine eindeutige Lösbarkeit von (10.10) u. U. möglich. Im allgemeinen werden die Restriktionen durch (9.10) gegeben. Wir beschränken uns hier aber auf den bei weitem häufigsten Spezialtyp, dem der Nullrestriktion (vgl. *9.1.6.b*). Danach seien $g-g_*$ abhängige und $m-m_*$ vorherbestimmte Variablen aus der ersten Gleichung ausgeschlossen, so daß diese zusammen mit der Normierungsvorschrift etwa die Gestalt von (9.1) besitzt oder in Vektorschreibweise

$$\gamma_1' \boldsymbol{y}_{1(t)} = \boldsymbol{\beta}_1' \boldsymbol{x}_{1(t)} + u_t \tag{10.11}$$

mit $\boldsymbol{y}'_{1(t)} = (y_{1t}, y_{2t}, \ldots, y_{g_* t})$, $\boldsymbol{x}'_{1(t)} = (x_{1t}, x_{2t}, \ldots, x_{m_* t})$ und $\gamma_1' = (\gamma_1, \gamma_2, \ldots, \gamma_{g_*})$, $\boldsymbol{\beta}_1' = (\beta_1, \beta_2, \ldots, \beta_{m_*})$. Die Variablenvektoren $\boldsymbol{y}_{(t)}$ und $\boldsymbol{x}_{(t)}$ sind also in je zwei Teile zerlegt worden, in den Teil der in die Gleichung aufgenommenen Variablen und den Teil der ausgeschlossenen Variablen, die wir zu den Vektoren $\boldsymbol{y}_{2(t)}$ und $\boldsymbol{x}_{2(t)}$ zusammenfassen wollen, so daß also

$$\begin{aligned} \boldsymbol{y}'_{(t)} &= (\boldsymbol{y}'_{1(t)}, \boldsymbol{y}'_{2(t)}) \\ \boldsymbol{x}'_{(t)} &= (\boldsymbol{x}'_{1(t)}, \boldsymbol{x}'_{2(t)}). \end{aligned} \tag{10.12}$$

Entsprechend zerlegen wir die Parametervektoren:

$$\gamma = \begin{pmatrix} \gamma_1 \\ \gamma_2 \end{pmatrix} = \begin{pmatrix} \gamma_1 \\ \boldsymbol{o} \end{pmatrix}, \quad \boldsymbol{\beta} = \begin{pmatrix} \boldsymbol{\beta}_1 \\ \boldsymbol{\beta}_2 \end{pmatrix} = \begin{pmatrix} \boldsymbol{\beta}_1 \\ \boldsymbol{o} \end{pmatrix} \tag{10.13}$$

und schließlich die Matrix $\boldsymbol{\Pi}$ (bzw. entsprechend $\hat{\boldsymbol{\Pi}}$):

$$\boldsymbol{\Pi} = \begin{pmatrix} \boldsymbol{\Pi}_{11} & \boldsymbol{\Pi}_{12} \\ \boldsymbol{\Pi}_{21} & \boldsymbol{\Pi}_{22} \end{pmatrix}. \tag{10.14}$$

Aus dem Gleichungssystem (10.10) wird dann

$$\hat{\boldsymbol{\Pi}}_{11} \hat{\gamma}_1 = \hat{\boldsymbol{\beta}}_1 \tag{10.15}$$

$$\hat{\boldsymbol{\Pi}}_{21} \hat{\gamma}_1 = \boldsymbol{o} \tag{10.16}$$

oder ausführlicher:

$$\begin{aligned} \hat{\pi}_{11} \hat{\gamma}_1 \quad &+ \cdots + \hat{\pi}_{g_* 1} \hat{\gamma}_{g_*} \quad = \hat{\beta}_1 \\ &\vdots \\ \hat{\pi}_{1 m_*} \hat{\gamma}_1 \quad &+ \cdots + \hat{\pi}_{g_* m_*} \hat{\gamma}_{g_*} \quad = \hat{\beta}_{m_*} \end{aligned} \tag{10.15'}$$

$$\begin{aligned} \hat{\pi}_{1, m_*+1} \hat{\gamma}_1 &+ \cdots + \hat{\pi}_{g_*, m_*+1} \hat{\gamma}_{g_*} = 0 \\ &\vdots \\ \hat{\pi}_{1m} \hat{\gamma}_1 \quad &+ \cdots + \hat{\pi}_{g_* m} \hat{\gamma}_{g_*} \quad = 0. \end{aligned} \tag{10.16'}$$

(10.16) ist ein homogenes lineares Gleichungssystem zur Bestimmung von $\hat{\gamma}_1$. Es hat $m-m_*$ Gleichungen für g_* unbekannte Parameter, wovon einer durch die Normierungsvorschrift festgelegt ist. Die Lösbarkeit von (10.16) hängt nun entscheidend von dem Verhältnis der Zahl der Gleichungen zur Zahl der Unbekannten ab. Es sind 3 Fälle zu unterscheiden:

(1) $m - m_* < g_* - 1$. (10.16) ist *unterbestimmt*. Es gibt keine eindeutige Lösung. Nach dem Abzählkriterium (9.4) ist die Strukturgleichung *unteridentifiziert*.

(2) $m - m_* = g_* - 1$. Kommt noch eine Normierungsvorschrift (z. B. $\gamma_1 = 1$) hinzu, dann ist (10.16) in der Regel[14] *eindeutig lösbar*. Die Strukturgleichung ist *genau identifizierbar*.

(3) $m - m_* > g_* - 1$. (10.16) ist *überbestimmt* und in der Regel[14] nicht lösbar. Die Strukturgleichung ist *überidentifiziert*.

Man findet also nach dieser Methode nur im Falle der genauen Identifizierbarkeit eine eindeutige Schätzung des Parametervektors γ_1 und damit nach (10.15) auch des Parametervektors $\boldsymbol{\beta}_1$.

In diesem Fall ist die indirekte KQ-Schätzung $(\hat{\gamma}_1, \hat{\boldsymbol{\beta}}_1)$ *konsistent*. Das liegt daran, daß die KQ-Schätzung $\hat{\boldsymbol{\Pi}}$ unter den Modellannahmen konsistent ist, d.h. insbesondere daß plim $\hat{\boldsymbol{\Pi}}_{11} = \boldsymbol{\Pi}_{11}$ und plim $\hat{\boldsymbol{\Pi}}_{21} = \boldsymbol{\Pi}_{21}$. Mit $T \to \infty$ geht daher (10.15, 16) gegen $\boldsymbol{\Pi}_{11}$ plim $\hat{\gamma}_1 =$ plim $\hat{\boldsymbol{\beta}}_1$, $\boldsymbol{\Pi}_{21}$ plim $\hat{\gamma}_1 = \boldsymbol{o}$. Andererseits besteht das analoge Gleichungssystem $\boldsymbol{\Pi}_{11} \gamma_1 = \boldsymbol{\beta}_1$, $\boldsymbol{\Pi}_{21} \gamma_1 = \boldsymbol{o}$. Da die zu schätzende Gleichung des Modells annahmegemäß identifizierbar ist, bestimmt dieses Gleichungssystem eindeutig die Strukturparameter γ_1 und $\boldsymbol{\beta}_1$. Es ist also plim $\hat{\gamma}_1 = \gamma_1$, plim $\hat{\boldsymbol{\beta}}_1 = \boldsymbol{\beta}_1$. Vgl. auch Aufg. (10-13, 14).

Daß wir eine nichtidentifizierbare Gleichung nicht schätzen können, war zu erwarten. Überraschend und etwas deprimierend ist aber die Tatsache, daß auch überidentifizierte Gleichungen nach der indirekten KQ-Methode nicht geschätzt werden können. Es gibt in diesem Fall einfach zu viele Bestimmungsgleichungen für die Parameter. Man müßte eine Auswahl treffen oder aber das ganze Gleichungssystem (10.16) verwenden und einen Kompromiß zwischen den sich widersprechenden Lösungen schließen. Auf die eine oder andere Weise versuchen das auch die später zu erörternden Schätzverfahren. Für die indirekte KQ-Methode bleibt jedoch der Anwendungsbereich sehr beschränkt, denn man findet in der ökonometrischen Praxis selten genau identifizierbare Gleichungen, mag dies auch eher auf eine Fehlspezifikation zurückgehen, wie LIU [1960] vermutet[15], als den tatsächlichen ökonometrischen Gegebenheiten entsprechen. Die indirekte KQ-Methode ist also für die ökonometrische Praxis von geringem Wert. Sie besitzt dennoch eine fundamentale Bedeutung deshalb, weil alle noch zu behandelnden Schätzverfahren im Falle der genauen Identifizierbarkeit auf diese Methode zurückführen. Sie sei deshalb an einigen Beispielen näher erläutert.

[14] Eine Ausnahme könnte eintreten, wenn $\hat{\boldsymbol{\Pi}}_{21}$ nicht von vollem Rang ist. Das ist aber für eine zufällig, durch Schätzung zustandegekommene Matrix nur mit Wahrscheinlichkeit 0 möglich.

[15] Nach LIU müßte bei richtiger Spezifikation sogar Unteridentifikation die Regel sein.

10.2.3. Beispiele

Gegeben sei das in *10.1.3.e* beschriebene Marktmodell mit der Modifikation, daß jetzt in der Angebotsfunktion zwei vorherbestimmte Variablen (neben der Regenmenge z.B. der Vorjahrespreis) vorkommen. Außerdem wollen wir die Variablen- und Parameterbezeichnung dem allgemeinen Schema anpassen:

$$y_1 + \gamma_{12}\, y_2 = \beta_{10} \qquad\qquad\qquad\qquad + u_1 \qquad \text{(Nachfrage)}$$
$$y_1 + \gamma_{22}\, y_2 = \beta_{20} + \beta_{21}\, x_1 + \beta_{22}\, x_2 + u_2 \qquad \text{(Angebot).}$$

Die Nachfragegleichung ist überidentifiziert, die Angebotsgleichung ist nicht-identifizierbar. Die reduzierte Form lautet

$$y_1 = \frac{\gamma_{22}\,\beta_{10} - \gamma_{12}\,\beta_{20}}{\gamma_{22} - \gamma_{12}} - \frac{\gamma_{12}\,\beta_{21}}{\gamma_{22} - \gamma_{12}}\, x_1 - \frac{\gamma_{12}\,\beta_{22}}{\gamma_{22} - \gamma_{12}}\, x_2 + v_1$$
$$y_2 = \frac{\beta_{20} - \beta_{10}}{\gamma_{22} - \gamma_{12}} + \frac{\beta_{21}}{\gamma_{22} - \gamma_{12}}\, x_1 + \frac{\beta_{22}}{\gamma_{22} - \gamma_{12}}\, x_2 + v_2 .$$

Das allgemeine Schema der reduzierten Form ist

$$y_1 = \pi_{10} + \pi_{11}\, x_1 + \pi_{12}\, x_2 + v_1$$
$$y_2 = \pi_{20} + \pi_{21}\, x_2 + \pi_{22}\, x_2 + v_2 .$$

Setzen wir die Parameter π_{ij} den ihnen entsprechenden Ausdrücken in den Strukturparametern gleich, dann erhalten wir für diese 6 Bestimmungsgleichungen. Damit scheint die Auflösbarkeit nach den 6 Strukturparametern garantiert zu sein. Die Bestimmungsgleichungen haben aber folgende Form:

a) Für die erste Strukturgleichung:

$$\pi_{10} + \gamma_{12}\, \pi_{20} = \beta_{10}$$
$$\pi_{11} + \gamma_{12}\, \pi_{21} = 0$$
$$\pi_{12} + \gamma_{12}\, \pi_{22} = 0.$$

b) für die zweite Strukturgleichung

$$\pi_{10} + \gamma_{22}\, \pi_{20} = \beta_{20}$$
$$\pi_{11} + \gamma_{22}\, \pi_{21} = \beta_{21}$$
$$\pi_{12} + \gamma_{22}\, \pi_{22} = \beta_{22} .$$

Wie man sieht, zerfällt System a) in eine (10.15) entsprechende Bestimmungsgleichung für β_{10} bei gegebenem γ_{12} und in ein (10.16) entsprechendes Zweigleichungssystem für γ_{12}. Letzteres aber ist bei beliebiger Wahl der π_{ij}, insbesondere nach Einsetzen von KQ-Schätzwerten $\hat{\pi}_{ij}$ in der Regel überbestimmt und läßt keine Lösung für $\hat{\gamma}_{12}$ zu.

Umgekehrt gibt es im System b) zu wenig Gleichungen zur eindeutigen Bestimmung sämtlicher Parameter γ_{22}, β_{20}, β_{21}, β_{22}. Das Gleichungssystem (10.16) entfällt hier. Erst wenn man γ_{22} (beliebig) festlegt, erhält man eindeutige Lösungen für die restlichen Parameter. Die Ursache für dieses Versagen liegt in der Nichtidentifizierbarkeit der zweiten Strukturgleichung.

c) Betrachten wir noch den Fall, daß a priori $\beta_{22}=0$ (so daß also auch $\pi_{12}=\pi_{22}=0$). Dann erhalten wir folgende Bestimmungsgleichungen für die Parameter der ersten Strukturgleichung:

$$\pi_{10}+\gamma_{12}\,\pi_{20}=\beta_{10}$$
$$\pi_{11}+\gamma_{12}\,\pi_{21}=0.$$

Es ist in der Regel (d.h. falls $\hat{\pi}_{21}\neq 0$) nach Einsetzen von KQ-Schätzwerten für die π_{ij} eindeutig nach γ_{12} und β_{10} auflösbar. In der Tat ist gerade in diesem Fall die Nachfragegleichung genau identifizierbar. Die zweite Strukturgleichung ist nach wie vor nicht zu schätzen, weil nicht identifizierbar.

d) Ein numerisches Beispiel möge die einzelnen erforderlichen Rechengänge veranschaulichen. Gegeben sei die folgende Strukturgleichung eines ökonometrischen Modells

$$y_1+\gamma_2\,y_2=\beta_1\,x_1+u. \tag{10.17}$$

In den restlichen Gleichungen des Modells mögen noch eine weitere abhängige Variable y_3 und eine weitere vorherbestimmte Variable x_2 vorkommen. Die angegebene Strukturgleichung ist dann genau identifizierbar. Solange uns nur die Schätzung dieser Gleichung interessiert, brauchen wir uns um y_3 nicht zu kümmern. Es sind also nur Daten für y_1, y_2, x_1 und x_2 erforderlich. Alle Variablen seien als Abweichungen von ihren arithmetischen Mitteln gemessen, weswegen wir das absolute Glied weggelassen haben:

y_1	−10	−7	−6	−4	0	3	5	4	7	8
y_2	−4	−5	−3	−1	−2	0	2	4	5	4
x_1	5	2	3	1	0	0	−2	−2	−3	−4
x_2	−11	−8	−2	−5	−2	2	5	3	8	10

Wir berechnen zuerst die Parameter der reduzierten Form, aber nur soweit die Variablen y_1 und y_2 betroffen sind.

$$\hat{y}_1=\hat{\pi}_{11}\,x_1+\hat{\pi}_{12}\,x_2=-1{,}218\,x_1+0{,}428\,x_2$$
$$\hat{y}_2=\hat{\pi}_{21}\,x_1+\hat{\pi}_{22}\,x_2=-0{,}575\,x_1+0{,}257\,x_2.$$

Dabei wurden die $\hat{\pi}_{ij}$ aus folgenden Gleichungssystemen berechnet

$$\begin{array}{ll} \hat{\pi}_{11}\sum x_1^2 \;\;\;+\hat{\pi}_{12}\sum x_1\,x_2=\sum x_1\,y_1 & \hat{\pi}_{21}\sum x_1^2 \;\;\;+\hat{\pi}_{22}\sum x_1\,x_2=\sum x_1\,y_2 \\ \hat{\pi}_{11}\sum x_2\,x_1+\hat{\pi}_{12}\sum x_2^2 \;\;\;=\sum x_2\,y_1 & \hat{\pi}_{21}\sum x_2\,x_1+\hat{\pi}_{22}\sum x_2^2 \;\;\;=\sum x_2\,y_2 \end{array} \tag{10.18}$$

mit

$$\begin{pmatrix} \sum x_1^2 & \sum x_1\,x_2 & \sum x_1\,y_1 & \sum x_1\,y_2 \\ \sum x_2\,x_1 & \sum x_2^2 & \sum x_2\,y_1 & \sum x_2\,y_2 \end{pmatrix} = \begin{pmatrix} 72 & -162 & -157 & -83 \\ -162 & 420 & 377 & 201 \end{pmatrix}$$

Nun bestehen folgende lineare Beziehungen zwischen Strukturparametern und Parametern der reduzierten Form:

$$\begin{aligned}\pi_{11}+\gamma_2\,\pi_{21}&=\beta_1\\ \pi_{12}+\gamma_2\,\pi_{22}&=0.\end{aligned} \tag{10.19}$$

Man erhält sie aus (10.15) und (10.16) oder aber durch Einsetzen der y_i aus der reduzierten Form in die Strukturgleichung:

$$\pi_{11}\,x_1+\pi_{12}\,x_2+\gamma_2\,\pi_{21}\,x_1+\gamma_2\,\pi_{22}\,x_2=\beta_1\,x_1.$$

Da nämlich diese Gleichung identisch in x_1 und x_2 gilt, müssen die bei den x_i stehenden Koeffizienten obige Gleichungen (10.19) erfüllen. Aus ihnen ermitteln wir nach Einsetzen der Schätzwerte $\hat{\pi}_{ij}$ Schätzungen für die Strukturparameter:

$$\begin{aligned}\hat{\gamma}_2&=-\hat{\pi}_{12}/\hat{\pi}_{22} &&=-1{,}673\\ \hat{\beta}_1&=\hat{\pi}_{11}+\hat{\gamma}_2\,\hat{\pi}_{21}&&=-0{,}259.\end{aligned}$$

Man kann sich übrigens die Berechnung der $\hat{\pi}_{ij}$ ersparen, denn es gilt das folgende „Normalgleichungssystem“ für die Strukturparameter:

$$\begin{aligned}\hat{\beta}_1\sum x_1^2&=\sum y_1\,x_1+\hat{\gamma}_2\sum y_2\,x_1\\ \hat{\beta}_1\sum x_1\,x_2&=\sum y_1\,x_2+\hat{\gamma}_2\sum y_2\,x_2.\end{aligned} \tag{10.20}$$

Multipliziert man nämlich die erste Gleichung von (10.19), nachdem man alle Parameter durch ihre Schätzwerte ersetzt hat, mit $\sum x_{1t}^2$, die zweite mit $\sum x_{1t}\,x_{2t}$ und addiert, dann erhält man unter Berücksichtigung von (10.18) die erste Gleichung von (10.20). Entsprechend resultiert die zweite Gleichung aus Multiplikationen mit $\sum x_{1t}\,x_{2t}$ und $\sum x_{2t}^2$.

(10.20) ist formal analog dem bekannten Normalgleichungssystem für die gewöhnliche KQ-Methode aufgebaut. Man beachte jedoch den Unterschied (vgl. Aufg. (10-29)). Derartige „Normalgleichungen“ lassen sich allgemein aufstellen, wie im folgenden gezeigt werden soll. (Fortsetzung des Zahlenbeispiels auf S. 293.)

10.2.4. *Normalgleichungen*

Entsprechend der Zerlegung der Variablenvektoren in (10.12) zerlegen wir die Zeitreihenmatrizen

$$\boldsymbol{X}=(\boldsymbol{X}_1,\boldsymbol{X}_2),\qquad \boldsymbol{Y}=(\boldsymbol{Y}_1,\boldsymbol{Y}_2). \tag{10.21}$$

Dann können wir die erste Strukturgleichung (10.11) auch in der folgenden, sämtliche Perioden zusammenfassenden Form schreiben:

$$\boldsymbol{Y}_1\,\boldsymbol{\gamma}_1=\boldsymbol{X}_1\,\boldsymbol{\beta}_1+\boldsymbol{u}. \tag{10.22}$$

Nach Einsetzen der Schätzwerte erhalten wir folgende Beziehung

$$\boldsymbol{Y}_1\,\hat{\boldsymbol{\gamma}}_1=\boldsymbol{X}_1\,\hat{\boldsymbol{\beta}}_1+\hat{\boldsymbol{u}}. \tag{10.22'}$$

Der Residuenvektor $\hat{\boldsymbol{u}}$ ist eine Linearkombination der Residuenvektoren der reduzierten Form:

$$\hat{\boldsymbol{u}}=\hat{\boldsymbol{V}}\hat{\boldsymbol{\gamma}}, \tag{10.23}$$

denn wegen (10.10) ist $\hat{\boldsymbol{V}}\hat{\boldsymbol{\gamma}}=(\boldsymbol{Y}-\boldsymbol{X}\hat{\boldsymbol{\Pi}})\,\hat{\boldsymbol{\gamma}}=\boldsymbol{Y}\hat{\boldsymbol{\gamma}}-\boldsymbol{X}\,\hat{\boldsymbol{\beta}}=\hat{\boldsymbol{u}}$. Da aber nach (2.17) $\boldsymbol{X}'\,\hat{\boldsymbol{V}}=\boldsymbol{O}$ ist, folgt

$$\boldsymbol{X}'\,\hat{\boldsymbol{u}}=\boldsymbol{o}. \tag{10.24}$$

Multiplizieren wir also (10.22′) von links mit $\boldsymbol{X}'$, so erhalten wir das folgende System von Bestimmungsgleichungen für die Schätzungen[16].

$$\boldsymbol{X}'\boldsymbol{X}_1\hat{\boldsymbol{\beta}}_1=\boldsymbol{X}'\boldsymbol{Y}_1\hat{\boldsymbol{\gamma}}_1 \tag{10.25}$$

oder ausführlicher:

$$\begin{aligned}
\hat{\beta}_1\sum x_1^2 \quad +\hat{\beta}_2\sum x_1x_2+\cdots+\hat{\beta}_{m_*}\sum x_1x_{m_*}&=\hat{\gamma}_1\sum x_1y_1+\hat{\gamma}_2\sum x_1y_2+\cdots\\
&\quad+\hat{\gamma}_{g_*}\sum x_1y_{g_*}\\
\hat{\beta}_1\sum x_2x_1+\hat{\beta}_2\sum x_2^2 \quad +\cdots+\hat{\beta}_{m_*}\sum x_2x_{m_*}&=\hat{\gamma}_1\sum x_2y_1+\hat{\gamma}_2\sum x_2y_2+\cdots\\
\vdots \qquad\qquad\qquad\qquad &\quad+\hat{\gamma}_{g_*}\sum x_2y_{g_*}\\
\hat{\beta}_1\sum x_mx_1+\hat{\beta}_2\sum x_mx_2+\cdots+\hat{\beta}_{m_*}\sum x_mx_{m_*}&=\hat{\gamma}_1\sum x_my_1+\hat{\gamma}_2\sum x_my_2+\cdots\\
&\quad+\hat{\gamma}_{g_*}\sum x_my_{g_*}.
\end{aligned} \tag{10.25'}$$

Das sind m homogene Gleichungen für die m_*+g_* Parameterschätzungen. Hinzu kommt die Normierungsvorschrift $\hat{\gamma}_1=1$. Eindeutige Lösbarkeit ist also in der Regel nur im Fall $m=m_*+g_*-1$ garantiert. Das ist nach dem Abzählkriterium gerade der Fall der genauen Identifizierbarkeit. Bei Nichtidentifizierbarkeit liegen zu wenig Bestimmungsgleichungen vor, bei Überidentifikation zu viel.

Wenden wir uns letzterem Fall zu.

10.2.5. Methode der Hilfsvariablen

Das Dilemma der Überidentifikation kann man entweder behutsam lösen oder man kann es brutal zerschlagen. Die Methode der Hilfsvariablen geht den zweiten, einfacheren Weg. Sie besteht darin, daß in das Normalgleichungssystem (10.25) gerade nur so viele Gleichungen aufgenommen werden, wie zur eindeutigen Lösbarkeit nach den Strukturparametern erforderlich ist. Zunächst benutzt man also sämtliche vorherbestimmten Variablen aus der zu schätzenden Strukturgleichung und bildet das Gleichungssystem

$$\boldsymbol{X}_1'\boldsymbol{X}_1\hat{\boldsymbol{\beta}}_1=\boldsymbol{X}_1'\boldsymbol{Y}_1\hat{\boldsymbol{\gamma}}_1. \tag{10.26}$$

Alsdann werden noch g_*-1 vorherbestimmte Variablen aus dem Restmodell als sogenannte *Hilfsvariablen* ausgewählt – wegen der Identifizierbarkeit der Gleichung gibt es mindestens so viele – und ihre Zeitreihen zur Matrix $\tilde{\boldsymbol{X}}_1$ zusammengefaßt. Fügt man nun zu (10.26) das Gleichungssystem

$$\tilde{\boldsymbol{X}}_1'\boldsymbol{X}_1\hat{\boldsymbol{\beta}}_1=\tilde{\boldsymbol{X}}_1'\boldsymbol{Y}_1\hat{\boldsymbol{\gamma}}_1 \tag{10.27}$$

hinzu, dann hat man genügend viele Gleichungen, um $\hat{\boldsymbol{\beta}}_1$ und $\hat{\boldsymbol{\gamma}}_1$ zu bestimmen.

Die so gewonnenen Schätzungen für $\boldsymbol{\beta}_1$ und $\boldsymbol{\gamma}_1$ sind *konsistent*.

Zum *Beweis* dieser Behauptung bemerken wir zunächst, daß

$$\boldsymbol{X}_1\boldsymbol{\beta}_1=\boldsymbol{Y}_1\boldsymbol{\gamma}_1-\boldsymbol{u}_1.$$

[16] Eine andere Ableitung findet man in Aufg. (10-31). Man wird (10.10) bzw. (10.15, 16) benutzen, wenn $\hat{\Pi}$ schon berechnet ist: wenn nicht, gibt (10.25) die bequemere Schätzmethode.

Multiplikation mit X_1' bzw. $\tilde{X}_1'$ und Subtraktion von (10.26) bzw. (10.27) liefert nach Division durch T das Gleichungssystem

$$\frac{1}{T}(X_1, \tilde{X}_1)' X_1(\hat{\beta}_1 - \beta_1) - \frac{1}{T}(X_1, \tilde{X}_1)' Y_1(\hat{\gamma}_1 - \gamma_1) = \frac{1}{T}(X_1, \tilde{X}_1)' u_1. \qquad (10.28)$$

Nach einem früher in *6.2.4.* angeführten Argument geht mit $T \to \infty$ die rechte Seite mit Wahrscheinlichkeit gegen o. Wegen der eindeutigen Lösbarkeit des Gleichungssystems (auch in der Grenze[17] $T \to \infty$) ist daher

$$\operatorname*{plim}_{T\to\infty} \hat{\beta}_1 = \beta_1, \qquad \operatorname*{plim}_{T\to\infty} \hat{\gamma}_1 = \gamma_1. \qquad (10.29)$$

Ein genereller Mangel der Methode der Hilfsvariablen liegt darin, daß sie nicht vorschreibt, welche Variablen als Hilfsvariablen auszuwählen sind. Zwar gibt es einige Anhaltspunkte (möglichst hohe Korrelation mit Y_1, möglichst geringe Korrelation mit X_1), aber diese sind so vage, daß die Auswahl fast immer willkürlich erscheint. Außerdem muß man sich fragen, ob die nichtberücksichtigten Variablen nicht noch wertvolle Information enthalten, die man eigentlich zur Verbesserung der Schätzung heranziehen sollte. So bleibt dieses Verfahren trotz seiner Einfachheit doch unbefriedigend.

Der Fall d des vorigen Abschnitts *10.2.3.* mit den Bestimmungsgleichungen (10.20) kann als *Beispiel* dienen, wenn man annimmt, daß in dem Modell neben x_2 noch weitere vorherbestimmte Variablen $x_3, x_4, \ldots$ vorkommen, daß aber nur x_2 als Hilfsvariable genommen wurde.

Aufgaben zu Kap. 10

10.1.

(10-1) Man zeige, daß die folgenden beiden Strukturen eines einfachen Marktmodells äquivalent sind:

$$\begin{aligned} q-q^* &= -(p-p^*) + u_1 \\ q-q^* &= p-p^* \quad\;\; + u_2 \end{aligned} \qquad \Sigma_u = \begin{pmatrix} 1 & -0{,}9 \\ -0{,}9 & 1 \end{pmatrix}$$

$$\begin{aligned} q-q^* &= -9(p-p^*) + u_1' \\ q-q^* &= \qquad\qquad\;\; u_2' \end{aligned} \qquad \Sigma_{u'} = \begin{pmatrix} 77 & 0{,}05 \\ 0{,}05 & 0{,}05 \end{pmatrix}$$

Durch welche lineare Transformation geht die eine Struktur in die andere über?

(10-2) Wie lautet die Transformationsmatrix T, die (a1) in (a2) überführt (*10.1.3.*)? Man verifiziere (10.2) an diesem Beispiel.

(10-3) a) Durch welche lineare Transformation geht (a3) aus (a2) hervor?

b) Dasselbe für (b1) und (b2).

(10-4) Die Nachfragefunktion ist identifizierbar, wenn das Angebot vollkommen unelastisch ist und die Störvariablen von Nachfrage- und Angebotsfunktion unkorreliert sind. (Vgl. auch (10-1).)

[17] Von gewissen seltenen Ausnahmefällen abgesehen, ist $B := \operatorname{plim}(X_1, \tilde{X}_1)'(X_1, -Y_1)/T$ regulär. Die asymptotische Kovarianzmatrix für $(\hat{\beta}_1', \hat{\gamma}_1')$ ist $B^{-1}CB'^{-1}/T$ mit $C := \operatorname{plim}(X_1, \tilde{X}_1)'(X_1, \tilde{X}_1)/T$.

(10-5) Wieviel unbekannte Strukturparameter (einschließlich der Kovarianzmatrix) besitzt das Modell c in *10.1.3.* und wieviel die zugehörige reduzierte Form? Welche Konsequenz ergibt sich hieraus für die Identifizierbarkeit des Modells?

(10-6) Man überprüfe mit Hilfe des Abzählkriteriums die Identifizierbarkeit des Modells von KLEIN (in beiden in *9.1.4.e* angegebenen Formen) und des Modells (9-5). Welche Gleichungen sind über-, welche genau identifiziert?

(10-7) a) Das Modell von KLEIN werde dadurch modifiziert, daß sämtliche verzögerte Variablen bis auf K_{-1} fortgelassen werden. Man überprüfe die Identifizierbarkeit.

b) Desgleichen für die folgende weitergehende Modifikation:

$$\begin{aligned} C &= \alpha_0 + \alpha_1 W + \alpha_2 \Pi & \qquad Y &= C + I \\ I &= \beta_0 + \beta_1 \Pi + \beta_2 K_{-1} & Y &= \Pi + W \\ W &= \gamma_0 + \gamma_1 Y & I &= \Delta K. \end{aligned}$$

(10-8) Man prüfe mit Hilfe des Abzähl-(bzw. Rang-)Kriteriums in der einen oder anderen Form die Identifizierbarkeit der Marktmodelle *9.1.4.a, b, c, 10.1.3.c.*

(10-9) Desgleichen für das Modell aus *9.2.2.*

(10-10) Man beweise: Ein interdependentes Modell, das nur abhängige Variablen besitzt ist nicht identifizierbar (es sei denn, es besteht nur aus Identitäten). An diesem Sachverhalt ändert sich nichts, wenn in allen Reaktionsgleichungen die gleiche vorherbestimmte Variable (z. B. die Scheinvariable) vorkommt.

(10-11) Man zeige, daß das Modell aus *10.1.4.b* vollständig ist, sofern $\gamma_{13} \neq 0$. Welche Gleichungen sind identifizierbar? Man konstruiere ein Pfeilschema.

(10-12*) Die Variablen y und x eines Modells seien so angeordnet, daß die Zerlegung (10.12) möglich ist und daß für die Parameter der 1. Gleichung (10.13) gilt. Entsprechend seien die Koeffizientenmatrizen zerlegt: $\boldsymbol{\Gamma}' = (\boldsymbol{\Gamma}_1', \boldsymbol{\Gamma}_2')$, $\mathbf{B}' = (\mathbf{B}_1', \mathbf{B}_2')$. Dann ist $(\boldsymbol{\Gamma}_2', \mathbf{B}_2')$ gerade die Matrix $\boldsymbol{A}$ von *10.1.4.*, zu der noch eine Nullzeile hinzugefügt ist. Man beweise: Aus $\operatorname{rg} \boldsymbol{A} = g-1$ folgt $\operatorname{rg} \mathbf{B}_2 \geq g_* - 1$. (Hinweis: $\boldsymbol{\Gamma}$ ist regulär. $\operatorname{rg} \boldsymbol{\Gamma}_2 = g - g_*$.)

(10-13*) a) Die Identifizierbarkeit der 1. Gleichung eines Modells ist gleichbedeutend damit, daß $\operatorname{rg} \boldsymbol{\Pi}_{21} = g_* - 1$. (Hinweis: Aus (9.12) folgt für die 1. Gleichung unter Beachtung der a-priori-Restriktionen (10.13): $\boldsymbol{\Pi}_{11} \gamma_1 = \boldsymbol{\beta}_1$, $\boldsymbol{\Pi}_{21} \gamma_1 = \boldsymbol{o}$; vgl. (10.15, 16). Diese Gleichungen müssen bei Identifizierbarkeit (bis auf die Normierung) eindeutig nach γ_1 und $\boldsymbol{\beta}_1$ auflösbar sein.)

b) Die Identifizierbarkeit der 1. Gleichung eines Modells mit der Normierung bei y_1 (d. h. $\gamma_1 = 1$) ist auch gleichbedeutend damit, daß $\operatorname{rg} \boldsymbol{\Pi}_{2*} = g_* - 1$. Dabei geht $\boldsymbol{\Pi}_{2*}$ aus $\boldsymbol{\Pi}_{21}$ durch Elimination der ersten Spalte hervor. (Hinweis: Bezeichnet man die erste Spalte von $\boldsymbol{\Pi}_{21}$ mit $\boldsymbol{\pi}$ und zerlegt man γ_1 wie in (11.2), dann sind die Gleichungssysteme $\boldsymbol{\Pi}_{21} \gamma_1 = \boldsymbol{o}$ und $\boldsymbol{\Pi}_{2*} \gamma_* = \boldsymbol{\pi}$ äquivalent. Lösbarkeit des letzteren impliziert $\operatorname{rg} \boldsymbol{\Pi}_{2*} = \operatorname{rg}(\boldsymbol{\pi}, \boldsymbol{\Pi}_{2*}) = \operatorname{rg} \boldsymbol{\Pi}_{21}$.)

(10-14*) Man beweise: $\operatorname{rg} \boldsymbol{A} - g = \operatorname{rg} \boldsymbol{\Pi}_{21} - g_*$. Identifizierbarkeit der 1. Gleichung ist daher (nach dem Rangkriterium) gleichbedeutend damit, daß $\operatorname{rg} \boldsymbol{\Pi}_{21} = g_* - 1$. ($\boldsymbol{\Pi}_{21}$ wie in (10.14).) (Hinweis: $\operatorname{rg} \boldsymbol{A} = \operatorname{rg}(\boldsymbol{\Gamma}_2', \mathbf{B}_2') = \operatorname{rg}(\boldsymbol{\Gamma}_2', \mathbf{B}_2' - \boldsymbol{\Gamma}_2' \boldsymbol{\Pi}_{22}') = \operatorname{rg}(\boldsymbol{\Gamma}_2', \boldsymbol{\Gamma}_1' \boldsymbol{\Pi}_{21}') = \operatorname{rg} \boldsymbol{\Gamma}_2 + \operatorname{rg}(\boldsymbol{\Pi}_{21} \boldsymbol{\Gamma}_1) = g - g_* + \operatorname{rg} \boldsymbol{\Pi}_{21}$, wobei $\operatorname{rg}(\boldsymbol{\Pi}_{21} \boldsymbol{\Gamma}_1) = \operatorname{rg}((\boldsymbol{\Pi}_{21}, \mathbf{0}) \boldsymbol{\Gamma}) = \operatorname{rg}(\boldsymbol{\Pi}_{21}, \mathbf{0}) = \operatorname{rg} \boldsymbol{\Pi}_{21}$.)

(10-15*) Man zeige, daß die beiden Lösungen von (10.6′) reell sind und daß mindestens eine Lösung für β negativ ist.

(10-16*) Man zeige, daß das Marktmodell (9.6) mit $\beta > 0$, $\delta > 0$ identifizierbar ist, wenn die Störvariablen unkorreliert sind und a priori $\sigma_1 = \sigma_2$ ist. (Hinweis: a) Bestimme die reduzierte Form wie in *10.1.5.* und gewinne aus ihr die Strukturparameter zurück. Oder: b) Jede lineare Transformation $\boldsymbol{T}$, die die Normierung beachtet, zerstört die a-priori-Restriktionen über $\boldsymbol{\Sigma}$, es sei denn $\boldsymbol{T} = \boldsymbol{I}$.)

(10-17) Gegeben sei das folgende rekursive System: $y_1 = \alpha_0 + u_1$, $y_2 + \beta_1 y_1 = \beta_0 + u_2$, $y_3 + \gamma_2 y_2 + \gamma_1 y_1 = \gamma_0 + u_3$, $\boldsymbol{\Sigma}$ diagonal. Durch welche Linearkombinationen lassen sich die 1., 2. oder 3. Gleichung ersetzen, ohne daß die Dreiecksgestalt der Koeffizientenmatrix zerstört wird? Welche Gestalt hat die zugehörige Transformationsmatrix $\boldsymbol{T}$? Man zeige, daß durch jede derartige Transformation die Diagonalgestalt von $\boldsymbol{\Sigma}$ zerstört wird, es sei denn $\boldsymbol{T} = \boldsymbol{I}$.

10.2.

(10-18) Man zeige für das HAAVELMO-Modell, daß plim $\hat{\beta} = 1$, falls $\bar{\sigma}_X^2 = 0$.

(10-19) Man berechne die relative asymptotische Verzerrung für die KQ-Schätzung der marginalen Sparquote $1 - \beta$ im HAAVELMO- Modell.

(10-20*) Man entwickle eine Schätz-Methode der kleinsten quadratischen Abstände in Richtung der steigenden 45°-Linie und zeige, daß sie das HAAVELMO-Modell konsistent schätzt. (Hinweis: Der zu minimierende Ausdruck lautet: $\Sigma(y_t - \alpha - \beta x_t)^2 / (1-\beta)^2$.)

(10-21) Man berechne die asymptotische KQ-Verzerrung in den Marktmodellen von (10-8).

(10-22) Man zeige (etwa mit Hilfe des Abzählkriteriums), daß das KEYNES-Modell (*10.2.1.*) mit $M \equiv M_0$ nicht identifizierbar ist.

(10-23*) a) Man zeige, daß für die KQ-Schätzung des Zinsparameters β in der Investitionsfunktion des KEYNES-Modells (mit $u_1 = u_3 = 0$) gilt:

$$\text{plim}\, \hat{\beta} = (\gamma \pi \delta \sigma_u^2 - \beta \pi^2 \bar{\sigma}_M^2)/(\gamma^2 \sigma_u^2 + \pi^2 \bar{\sigma}_M^2)$$

und daß daher plim $\hat{\beta}$ gegen $\pi \delta / \gamma$ geht für $\bar{\sigma}_M^2 \to 0$.

b) Inwieweit ändert sich dieses Ergebnis, wenn auch für die Konsumfunktion eine Störvariable zugelassen wird?

(10-24) Man zeige, daß im KEYNES-Modell i mit u_2 korreliert ist.

(10-25) Wie groß ist die KQ-Verzerrung im KEYNES-Modell für π?

(10-26) Man wende die indirekte KQ-Methode auf das HAAVELMO-Modell an. Man zeige, daß $\hat{\beta} = \hat{\pi}_{12}/\hat{\pi}_{22}$ und $\hat{\alpha} = \hat{\pi}_{21}/\hat{\pi}_{22}$, falls die reduzierte Form $C = \pi_{11} + \pi_{12} X + v_1$, $Y = \pi_{21} + \pi_{22} X + v_2$ lautet (vgl. (9.16)). Man zeige ferner, daß $\hat{\beta} = \text{cov}(C, X) / \text{cov}(Y, X)$ und $\hat{\alpha} = \bar{C} - \hat{\beta} \bar{Y}$.

(10-27) Man versuche das Marktmodell (9.6) nach der indirekten KQ-Methode zu schätzen.

(10-28) Man stelle die Bestimmungsgleichungen für die Parameter des Marktmodells (9.8) nach der indirekten KQ-Methode auf und zeige die Übereinstimmung mit der Methode der Hilfsvariablen.

(10-29) Man stelle das Normalgleichungssystem für das Zahlenbeispiel (10.17) nach der gewöhnlichen KQ-Methode auf und vgl. mit (10.20). Man bestimme die gewöhnlichen KQ-Schätzungen und vergleiche.

(10-30) Man schreibe die reduzierte Form ausführlich hin und bestimme die Teilmatrizen Π_{ij} nach (10.14). Welche Zeilen- und Spaltenzahl haben sie? Desgleichen für die Unterteilung von $\boldsymbol{\Gamma}$ und $\mathbf{B}$ nach (10-12).

(10-31*) Man leite (10.25) ohne Rekurs aus (10.23) und (10.24) ab. (Hinweis: Es sei $\boldsymbol{\Pi}_1' := (\boldsymbol{\Pi}_{11}', \boldsymbol{\Pi}_{21}')$ – vgl. (10.14). Dann ist $\hat{\boldsymbol{\Pi}}_1 = (\boldsymbol{X}'\boldsymbol{X})^{-1}\boldsymbol{X}'\boldsymbol{Y}_1$, $\hat{\boldsymbol{\Pi}}_1\hat{\gamma}_1 = (\hat{\boldsymbol{\beta}}_1', \boldsymbol{o}')'$ nach (10.15, 16), $\boldsymbol{X}(\hat{\boldsymbol{\beta}}_1', \boldsymbol{o}')' = \boldsymbol{X}_1\hat{\boldsymbol{\beta}}_1$. Hieraus folgt die Behauptung.)

(10-32) Wie sehen die Normalgleichungen für die Nachfragefunktion aus *10.2.3.* aus, wenn x_1 als Hilfsvariable verwendet wird?

(10-33*) a) Man schätze die Nachfragegleichung im einfachen Marktmodell (9.6) bei vollkommen unelastischem Angebot ($\delta = 0$) und unabhängigen Störvariablen nach der indirekten KQ-Methode, indem man q als exogen auffaßt. Ist q von u_1 stochastisch unabhängig? Man zeige, daß man zu der gleichen Schätzung kommt, wenn man nach der gewöhnlichen KQ-Methode die (Umkehr-)-Regression von p auf q berechnet. Man weise die Konsistenz dieser Schätzmethode nach. Welche Verzerrung erhält man bei Anwendung der gewöhnlichen KQ-Methode auf die Regression von q auf p?

b) Analog messe man die (asymptotische) KQ-Verzerrung einer Schätzung der Nachfragefunktion, wenn diese in Wahrheit vollkommen unelastisch ist und wenn $\sigma_1^2 \gg \sigma_2^2$.

(10-34) Wie lauten die Normalgleichungen nach der indirekten KQ-Methode für die Konsumfunktion des folgenden Modells: $C = \alpha + \beta Y + \gamma Y_{-1}$, $Y = C + X$.

(10-35*) Man schätze die Investitionsfunktion im Keynes-Modell nach der indirekten KQ-Methode (bzw. der Methode der Hilfsvariablen) und vergleiche mit dem Ergebnis der direkten KQ-Methode (10-23).

(10-36) Man schätze die Liquiditätspräferenzfunktion im Keynes-Modell nach der indirekten KQ-Methode. (Hinweis: Beachte, auch die Scheinvariable ist eine exogene Variable.)

(10-37) Man versuche die erste Gleichung des Modells aus *10.1.4.b* nach der indirekten KQ-Methode zu schätzen.

(10-38) Für die indirekten KQ-Residuen gilt (10.24) $\boldsymbol{X}'\hat{\boldsymbol{u}} = \boldsymbol{o}$. Man leite (10.24) aus (10.25) her.

11. Schätzmethoden für interdependente Modelle

Die in *10.2.* behandelten Schätzverfahren waren entweder inkonsistent oder nur auf sehr spezielle Fälle anwendbar oder willkürbehaftet. Wir suchen Verfahren, die von diesen Mängeln frei sind. Man unterscheidet Schätzverfahren bei voller und bei beschränkter Information je nachdem, ob sie sämtliche a-priori-Informationen ausnutzen oder nur einen Teil davon. Dabei kommen hauptsächlich solche a-priori-Informationen in Betracht, die sich auf die Parameter der Strukturgleichungen beziehen (Ausnahme in *11.2.1.*) und hier wiederum außer der Normierungsvorschrift nur Nullrestriktionen. Allerdings lassen sich die zu schildernden Verfahren auch auf den Fall, daß andere Restriktionen vorkommen, verallgemeinern.

11.1. Schätzmethoden bei beschränkter Information

11.1.1. Zweistufige Methode der kleinsten Quadrate

a) Dieses Schätzverfahren wurde von THEIL [1953] [1] und BASMANN [1957] unabhängig entwickelt und ist in gewissem Sinne eine Verallgemeinerung der gewöhnlichen KQ-Methode. Deren Inkonsistenz rührt, wie wir wissen, daher, daß die auf der rechten Seite von (9.1) stehenden abhängigen Variablen $y_{2t}, \ldots, y_{g_* t}$ von der Störvariablen u_t stochastisch abhängig sind. Die Idee der neuen Schätzmethode besteht nun darin, diese Abhängigkeit (wenigstens für $T \to \infty$) dadurch zu eliminieren, daß die Variablen $y_{2t}, \ldots, y_{g_* t}$ durch ihre aus der reduzierten Form stammenden Regressionswerte $\hat{y}_{2t}, \ldots, \hat{y}_{g_* t}$ ersetzt werden.

Zu schätzen ist also eine Strukturgleichung des Modells, etwa Gleichung (9.1), die wir hier noch einmal wiedergeben:

$$y_{1t} = -\gamma_2 y_{2t} - \gamma_3 y_{3t} - \cdots - \gamma_{g_*} y_{g_* t} + \beta_1 x_{1t} + \cdots + \beta_{m_*} x_{m_* t} + u_{1t}. \qquad (11.1)$$

Diesmal wollen wir jedoch alle Variablen außer y_1 auf der rechten Seite stehen lassen. Wir bezeichnen mit γ_* den Vektor der auf der rechten Seite bei den abhängigen Variablen stehenden Koeffizienten:

$$\gamma'_* := (-\gamma_2, -\gamma_3, \ldots, -\gamma_{g_*}) =: (\gamma_2^*, \gamma_3^*, \ldots, \gamma_{g_*}^*),$$

so daß wir also (11.1) auch wie folgt darstellen können:

$$y_{1t} = \gamma_2^* y_{2t} + \cdots + \gamma_{g_*}^* y_{g_* t} + \beta_1 x_{1t} + \cdots + \beta_{m_*} x_{m_* t} + u_{1t}. \qquad (11.1')$$

γ_* hängt mit dem früher, nach (10.13) definierten Parametervektor γ_1 eng zusammen:

$$\gamma'_1 = (\gamma_1, \gamma_2, \ldots, \gamma_{g_*}) = (\gamma_1, -\gamma'_*) = (1, -\gamma'_*) \qquad (11.2)$$

Daneben haben wir natürlich noch den Parametervektor $\boldsymbol{\beta}_1$:

$$\boldsymbol{\beta}'_1 = (\beta_1, \beta_2, \ldots, \beta_{m_*}).$$

Wir nehmen ferner an, daß insgesamt m vorherbestimmte Variablen im Modell vorkommen und daß

$$m - m_* \geq g_* - 1 \qquad (11.3)$$

ist, so daß wir also nach dem Abzählkriterium (11.1) als identifizierbar ansehen können. Es kommen außerdem möglicherweise weitere abhängige Variablen vor, um die wir uns aber, wenn wir nur die vorliegende Gleichung schätzen wollen, nicht zu kümmern brauchen.

[1] Vgl. auch THEIL [1961, S. 334–344].

Wir bilden nun die reduzierte Form des Modells und greifen uns die Gleichungen für $y_2, \ldots, y_{g_*}$ heraus:

$$\begin{aligned} y_{2t} &= \pi_{21} x_{1t} + \pi_{22} x_{2t} + \cdots + \pi_{2m} x_{mt} + v_2 \\ &\vdots \qquad\qquad\qquad\qquad\qquad \vdots \\ y_{g_* t} &= \pi_{g_* 1} x_{1t} + \pi_{g_* 2} x_{2t} + \cdots + \pi_{g_* m} x_{mt} + v_{g_*}. \end{aligned} \tag{11.4}$$

Angenommen, die π_{ij} wären uns bekannt. Dann könnten wir die theoretischen y_{it}-Werte berechnen:

$$\tilde{y}_{it} = \pi_{i1} x_{1t} + \pi_{i2} x_{2t} + \cdots + \pi_{im} x_{mt}; \qquad i = 2, \ldots, g_*.$$

Sie hängen nur von vorherbestimmten Variablen ab und sind daher von den Störvariablen u_{it} und v_{it} stochastisch unabhängig. Könnten wir daher in (11.1) die rechts stehenden abhängigen Variablen durch ihre theoretischen Werte ersetzen, dann hätten wir in

$$y_{1t} = \gamma_2^* \tilde{y}_{2t} + \gamma_3^* \tilde{y}_{3t} + \cdots + \gamma_{g_*}^* \tilde{y}_{g_* t} + \beta_1 x_{1t} + \cdots + \beta_{m_*} x_{m_* t} + w_t$$

eine Regressionsbeziehung vor uns, die nach der gewöhnlichen KQ-Methode konsistent geschätzt werden könnte, denn die $\tilde{y}_{it}$ sind von $w_t = u_t + \sum_2^{g_*} \gamma_i^* v_{it}$ stochastisch unabhängig.

Nun sind uns aber die π_{ij} nicht bekannt. Daher ersetzen wir sie durch ihre KQ-Schätzwerte $\hat{\pi}_{ij}$, von denen wir wissen, daß sie konsistent sind, und ersetzen entsprechend $\tilde{y}_{it}$ durch $\hat{y}_{it}$:

$$\begin{aligned} \hat{y}_{2t} &= \hat{\pi}_{21} x_{1t} + \hat{\pi}_{22} x_{2t} + \cdots + \hat{\pi}_{2m} x_{mt} \\ &\vdots \qquad\qquad\qquad\qquad\qquad \vdots \\ \hat{y}_{g_* t} &= \hat{\pi}_{g_* 1} x_{1t} + \hat{\pi}_{g_* 2} x_{2t} + \cdots + \hat{\pi}_{g_* m} x_{mt} \end{aligned} \tag{11.5}$$

Alsdann ist zu erwarten, daß die nach der KQ-Methode aus der Regression

$$y_{1t} = \gamma_2^* \hat{y}_{2t} + \gamma_3^* \hat{y}_{3t} + \cdots + \gamma_{g_*}^* \hat{y}_{g_* t} + \beta_1 x_{1t} + \cdots + \beta_{m_*} x_{m_*} + \hat{w}_t \tag{11.6}$$

gewonnenen Parameterschätzungen konsistente Schätzungen sind. (Die Variable $\hat{w}$ wird hierbei implizit durch (11.6) definiert.)

Diese Schätzmethode wird *zweistufig* genannt, weil sie auf einer ersten Stufe die KQ-Methode anwendet, um die Parameter der reduzierten Form zu schätzen, und auf einer zweiten Stufe dieselbe Methode noch einmal benutzt, um aus der gegebenen Strukturgleichung die Strukturparameter zu schätzen, nachdem dort die abhängigen Variablen durch ihre aus der ersten Stufe gewonnenen Regressionswerte ersetzt worden sind.

Das Verfahren kann aber dahingehend technisch vereinfacht werden, daß man ohne die Berechnung der $\hat{\pi}_{ij}$ auf der ersten Stufe auskommt. Um zu diesem praktikableren Verfahren zu gelangen, bedienen wir uns wieder des Matrizenkalküls.

b) Wir zerlegen die Zeitreihenmatrix $\boldsymbol{Y}_1$ der in der Strukturgleichung vorkommenden Variablen in $\boldsymbol{Y}_1 = (\boldsymbol{y}_1, \boldsymbol{Y}_*)$ mit

$$\boldsymbol{y}_1 := \begin{pmatrix} y_{11} \\ y_{12} \\ \vdots \\ y_{1T} \end{pmatrix} \quad \text{und} \quad \boldsymbol{Y}_* := \begin{pmatrix} y_{21} & y_{31} \cdots y_{g_*1} \\ y_{22} & y_{32} \cdots y_{g_*2} \\ \vdots & \vdots \quad\quad \vdots \\ y_{2T} & y_{3T} \cdots y_{g_*T} \end{pmatrix}.$$

Entsprechend sind $\hat{\boldsymbol{w}}$ und $\boldsymbol{X}_1$ definiert. Dann wird aus (11.6):

$$\boldsymbol{y}_1 = \hat{\boldsymbol{Y}}_* \boldsymbol{\gamma}_* + \boldsymbol{X}_1 \boldsymbol{\beta}_1 + \hat{\boldsymbol{w}}. \tag{11.7}$$

$\hat{\boldsymbol{Y}}_*$ wird durch das Gleichungssystem (11.5) gegeben, das wir mit der entsprechend definierten Koeffizientenmatrix $\hat{\boldsymbol{\Pi}}_*$ wie folgt schreiben können:

$$\hat{\boldsymbol{Y}}_* = \boldsymbol{X}\hat{\boldsymbol{\Pi}}_*. \tag{11.8}$$

Dabei wird $\hat{\boldsymbol{\Pi}}_*$ nach der KQ-Methode (vgl. *4.1.2*) als

$$\hat{\boldsymbol{\Pi}}_* = (\boldsymbol{X}'\boldsymbol{X})^{-1}\boldsymbol{X}'\boldsymbol{Y}_*$$

berechnet, so daß sich für $\hat{\boldsymbol{Y}}_*$ ergibt:

$$\hat{\boldsymbol{Y}}_* = \boldsymbol{X}(\boldsymbol{X}'\boldsymbol{X})^{-1}\boldsymbol{X}'\boldsymbol{Y}_*. \tag{11.9}$$

Nun bilden wir das zu (11.7) gehörende Normalgleichungssystem für die Strukturparameter:

$$\begin{pmatrix} \hat{\boldsymbol{Y}}_*'\hat{\boldsymbol{Y}}_* & \hat{\boldsymbol{Y}}_*'\boldsymbol{X}_1 \\ \boldsymbol{X}_1'\hat{\boldsymbol{Y}}_* & \boldsymbol{X}_1'\boldsymbol{X}_1 \end{pmatrix} \begin{pmatrix} \hat{\boldsymbol{\gamma}}_* \\ \hat{\boldsymbol{\beta}}_1 \end{pmatrix} = \begin{pmatrix} \hat{\boldsymbol{Y}}_*'\boldsymbol{y}_1 \\ \boldsymbol{X}_1'\boldsymbol{y}_1 \end{pmatrix}. \tag{11.10}$$

Es läßt sich zunächst aufgrund der Gleichung

$$\boldsymbol{X}_1'\hat{\boldsymbol{Y}}_* = \boldsymbol{X}_1'\boldsymbol{Y}_*$$

vereinfachen; diese ergibt sich daraus, daß wegen (11.9) $\boldsymbol{X}'\hat{\boldsymbol{Y}}_* = \boldsymbol{X}'\boldsymbol{Y}_*$ und $\boldsymbol{X}_1$ ein Teil von $\boldsymbol{X}$ ist. Sodann können wir $\hat{\boldsymbol{Y}}_*'\hat{\boldsymbol{Y}}_*$ und ebenso $\hat{\boldsymbol{Y}}_*'\boldsymbol{y}_1$ mit Hilfe von (11.9) so umformen, daß nur noch die direkt beobachtbaren Variablen vorkommen. Wir erhalten schließlich das folgende

Bestimmungsgleichungssystem („Normalgleichungen"):

$$\begin{pmatrix} \boldsymbol{Y}_*'\boldsymbol{X}(\boldsymbol{X}'\boldsymbol{X})^{-1}\boldsymbol{X}'\boldsymbol{Y}_* & \boldsymbol{Y}_*'\boldsymbol{X}_1 \\ \boldsymbol{X}_1'\boldsymbol{Y}_* & \boldsymbol{X}_1'\boldsymbol{X}_1 \end{pmatrix} \begin{pmatrix} \hat{\boldsymbol{\gamma}}_* \\ \hat{\boldsymbol{\beta}}_1 \end{pmatrix} = \begin{pmatrix} \boldsymbol{Y}_*'\boldsymbol{X}(\boldsymbol{X}'\boldsymbol{X})^{-1}\boldsymbol{X}'\boldsymbol{y}_1 \\ \boldsymbol{X}_1'\boldsymbol{y}_1 \end{pmatrix}. \tag{11.11}$$

Es kann aus den empirischen Daten aufgebaut werden. Diese seien hier noch einmal zusammengestellt:

$\boldsymbol{Y}_1$		$\boldsymbol{X}$	
$\boldsymbol{y}_1$	$\boldsymbol{Y}_*$	$\boldsymbol{X}_1$	$\boldsymbol{X}_2$
y_{11}	$y_{21} \cdots y_{g_*1}$	$x_{11} \cdots x_{m_*1}$	$x_{m_*+1,1} \cdots x_{m1}$
$\vdots$	$\vdots \quad \vdots$	$\vdots \quad \vdots$	$\vdots \quad \vdots$
y_{1T}	$y_{2T} \cdots y_{g_*T}$	$x_{1T} \cdots x_{m_*T}$	$x_{m_*+1,T} \cdots x_{mT}$

Man beachte, daß die Variablen $y_{g_*+1}, \ldots, y_g$ zur Schätzung der ersten Strukturgleichung nicht benötigt werden.

Ferner seien die einzelnen Matrizen noch ausführlich angegeben. Man findet sie als Teile der folgenden großen Produktsummen-Matrix:

$\sum y_1^2$	$\sum y_1 y_2 \;\ldots \sum y_1 y_{g_*}$	$\sum y_1 x_1 \;\ldots \sum y_1 x_{m_*}$	$\sum y_1 x_{m_*+1} \;\ldots \sum y_1 x_m$	
$\sum y_2 y_1$ $\vdots$ $\boxed{Y_*' y_1}$ $\sum y_{g_*} y_1$	$\sum y_2^2 \;\ldots \sum y_2 y_{g_*}$ $\vdots$ $\boxed{Y_*' Y_*}$ $\vdots$ $\sum y_{g_*} y_2 \;\ldots \sum y_{g_*}^2$	$\sum y_2 x_1 \;\ldots \sum y_2 x_{m_*}$ $\vdots$ $\boxed{Y_*' X_1}$ $\vdots$ $\sum y_{g_*} x_1 \;\ldots \sum y_{g_*} x_{m_*}$	$\sum y_2 x_{m_*+1} \;\ldots \sum y_2 x_m$ $\vdots$ $\vdots$ $\sum y_{g_*} x_{m_*+1} \;\ldots \sum y_{g_*} x_m$	$\boxed{Y_*' X}$
$\sum x_1 y_1$ $\vdots$ $\boxed{X_1' y_1}$ $\sum x_{m_*} y_1$	$\sum x_1 y_2 \;\ldots \sum x_1 y_{g_*}$ $\vdots$ $\boxed{X_1' Y_*}$ $\vdots$ $\sum x_{m_*} y_2 \;\ldots \sum x_{m_*} y_{g_*}$	$\sum x_1^2 \;\ldots \sum x_1 x_{m_*}$ $\vdots$ $\boxed{X_1' X_1}$ $\vdots$ $\sum x_{m_*} x_1 \;\ldots \sum x_{m_*}^2$	$\sum x_1 x_{m_*+1} \;\ldots \sum x_1 x_m$ $\vdots$ $\vdots$ $\sum x_{m_*} x_{m_*+1} \ldots \sum x_{m_*} x_m$	
$\sum x_{m_*+1} y_1$ $\vdots$ $\sum x_m y_1$	$\sum x_{m_*+1} y_2 \ldots \sum x_{m_*+1} y_{g_*}$ $\vdots$ $\vdots$ $\sum x_m y_2 \;\ldots \sum x_m y_{g_*}$	$\sum x_{m_*+1} x_1 \ldots \sum x_{m_*+1} x_{m_*}$ $\vdots$ $\vdots$ $\sum x_m x_1 \;\ldots \sum x_m x_{m_*}$	$\sum x_{m_*+1}^2 \;\ldots \sum x_{m_*+1} x_m$ $\vdots$ $\vdots$ $\sum x_m x_{m_*+1} \ldots \sum x_m^2$	
$\boxed{X' y_1}$	$\boxed{X' Y_*}$		$\boxed{X' X}$	

Die Koeffizientenmatrix in (11.11) ist mit Wahrscheinlichkeit 1 regulär, sofern die erste Gleichung identifizierbar ist. Denn in diesem Fall sind die $m_* + g_* - 1$ Regressoren der zweiten Stufe $\hat{y}_2, \ldots, \hat{y}_{g_*}, x_1, \ldots, x_{m_*}$ mit Wahrscheinlichkeit 1 linear unabhängig, da sie als Linearkombinationen aus mindestens ebenso vielen linear unabhängigen Variablen $x_1, x_2, \ldots, x_m$ hervorgehen (vgl. auch Aufg. (11-7,8)). Gelegentlich kann jedoch, besonders bei starker Kollinearität, die Koeffizientenmatrix nahezu singulär sein, was zu rechentechnischen Schwierigkeiten führt. Ganz ähnliche Schwierigkeiten ergeben sich fast regelmäßig bei der Berechnung von $(\boldsymbol{X}'\boldsymbol{X})^{-1}$ (vgl. auch *11.3.3.e*).

c)* Die *Konsistenz* der zweistufigen KQ-Schätzung läßt sich ähnlich beweisen wie die Konsistenz der KQ-Schätzung in *6.2.4.*:

Wenn wir abkürzend

$$\boldsymbol{Z} := (\hat{\boldsymbol{Y}}_*, \boldsymbol{X}_1) \quad \text{und} \quad \boldsymbol{\delta}' := (\boldsymbol{\gamma}_*', \boldsymbol{\beta}_1')$$

setzen, dann läßt sich die Lösung des Normalgleichungssystems (11.10) als

$$\hat{\boldsymbol{\delta}} = (\boldsymbol{Z}'\boldsymbol{Z})^{-1} \boldsymbol{Z}' \boldsymbol{y}_1$$

schreiben. Ferner ist nach (11.7)

$$\boldsymbol{y}_1 = \boldsymbol{Z}\boldsymbol{\delta} + \hat{\boldsymbol{w}}$$

und daher

$$\hat{\boldsymbol{\delta}} - \boldsymbol{\delta} = (\boldsymbol{Z}'\boldsymbol{Z})^{-1} \boldsymbol{Z}' \hat{\boldsymbol{w}} = (\boldsymbol{Z}'\boldsymbol{Z})^{-1} \boldsymbol{Z}' \boldsymbol{u}. \qquad (11.12)$$

Die zweite Gleichung besteht deshalb, weil nach (11.1') und (11.6) $\hat{\boldsymbol{w}}=\boldsymbol{u}-\sum \gamma_i^* \hat{\boldsymbol{v}}_i$ und sowohl $\boldsymbol{X}_1' \hat{\boldsymbol{v}}_i=\boldsymbol{o}$ als auch $\hat{\boldsymbol{Y}}_*' \hat{\boldsymbol{v}}_i=\hat{\boldsymbol{\Pi}}_*' \boldsymbol{X}' \hat{\boldsymbol{v}}_i=\boldsymbol{o}$ ist (vgl. (2.17)).

Man könnte nun zunächst daran denken, aus (11.12), ähnlich wie wir das in *2.4.1.* getan haben, die Erwartungstreue von $\hat{\boldsymbol{\delta}}$ herzuleiten. Tatsächlich ist das aber nicht möglich, weil $\boldsymbol{Z}$ oder doch zumindest der darin vorkommende Teil $\hat{\boldsymbol{Y}}_*$ von $\boldsymbol{u}$ stochastisch abhängig ist, was daran liegt, daß $\hat{\boldsymbol{Y}}_*$ nach (11.8) algebraisch von $\hat{\boldsymbol{\Pi}}_*$ und $\hat{\boldsymbol{\Pi}}_*$ von dem endogenen $\boldsymbol{Y}_*$ abhängt. Allerdings werden diese Abhängigkeiten um so unbedeutender sein, je größer T ist, weil dann $\hat{\boldsymbol{\Pi}}_*$ stochastisch gegen $\boldsymbol{\Pi}_*$ konvergiert. Es ist also anzunehmen, daß, wenn schon nicht $E\boldsymbol{Z}'\boldsymbol{u}=\boldsymbol{o}$, so doch

$$\operatorname*{plim}_{T\to\infty} \frac{1}{T} \boldsymbol{Z}'\boldsymbol{u}=\boldsymbol{o} \tag{11.13}$$

ist. Tatsächlich läßt sich (11.13) mit Hilfe der Ergebnisse von *6.2.4.* leicht beweisen. Danach ist nämlich $\operatorname{plim}(\boldsymbol{X}'\boldsymbol{u}/T)=\boldsymbol{o}$ und daher erst recht $\operatorname{plim}(\boldsymbol{X}_1'\boldsymbol{u}/T)=\boldsymbol{o}$. Es folgt ferner mit (11.8) und dem Theorem von SLUTSKY, daß auch $\operatorname{plim}(\hat{\boldsymbol{Y}}_*'\boldsymbol{u}/T)= \operatorname{plim}(\hat{\boldsymbol{\Pi}}_*'\boldsymbol{X}'\boldsymbol{u}/T)=\boldsymbol{\Pi}_*' \operatorname{plim}(\boldsymbol{X}'\boldsymbol{u}/T)=\boldsymbol{o}$ wegen der Konsistenz von $\hat{\boldsymbol{\Pi}}_*$. Damit ist (11.13) bewiesen.

Wenn wir nun noch nachweisen können, daß $\operatorname{plim}[(\boldsymbol{Z}'\boldsymbol{Z}/T)^{-1}]$ existiert, dann ist nach (11.12) die Konsistenz von $\hat{\boldsymbol{\delta}}$ bewiesen. Die Existenz des letzteren Grenzwerts folgt aber aus der gemäß (V6) vorausgesetzten Existenz und Regularitätseigenschaft von $\bar{\boldsymbol{M}}:=\operatorname{plim}(\boldsymbol{X}'\boldsymbol{X}/T)$ und der in b schon benutzten Tatsache, daß $\boldsymbol{Z}$ durch eine lineare Transformation aus $\boldsymbol{X}$ hervorgeht. Diese lautet nämlich: $\boldsymbol{Z}= \boldsymbol{X}(\hat{\boldsymbol{\Pi}}_*, \boldsymbol{G})$ mit $\boldsymbol{G}'=(\boldsymbol{I}_{m_*}, \boldsymbol{0}')$, worin $\boldsymbol{0}'$ eine $(m_* \times (m-m_*))$-Nullmatrix bedeutet. Alsdann ist $\bar{\boldsymbol{M}}_z:=\operatorname{plim}(\boldsymbol{Z}'\boldsymbol{Z}/T)=(\boldsymbol{\Pi}_*, \boldsymbol{G})'\bar{\boldsymbol{M}}(\boldsymbol{\Pi}_*, \boldsymbol{G})$. Nun ist aber mit einer entsprechenden Aufteilung der Matrix $\boldsymbol{\Pi}_*$:

$$(\boldsymbol{\Pi}_*, \boldsymbol{G})=\begin{pmatrix} \boldsymbol{\Pi}_{1*} & \boldsymbol{I} \\ \boldsymbol{\Pi}_{2*} & \boldsymbol{0} \end{pmatrix}.$$

Wegen $\operatorname{rg} \boldsymbol{I}=m_*$ und $\operatorname{rg} \boldsymbol{\Pi}_{2*}=g_*-1$ bei Identifizierbarkeit der 1. Strukturgleichung (vgl. Aufg. (10-13)) ist daher $\operatorname{rg}(\boldsymbol{\Pi}_*, \boldsymbol{G})=m_*+g_*-1$, und daher auch $\operatorname{rg} \bar{\boldsymbol{M}}_z=m_*+g_*-1$, d.h., $\bar{\boldsymbol{M}}_z$ ist regulär und $\operatorname{plim}[(\boldsymbol{Z}'\boldsymbol{Z}/T)^{-1}]$ existiert nach SLUTSKYS Theorem (vgl. Anhang *B10.4.*).

d) Es läßt sich nun des weiteren sofort die *asymptotische Kovarianzmatrix* $\bar{\boldsymbol{S}}$ der Schätzungen angeben; sie sind (unter sehr allgemeinen Bedingungen) mit dieser Matrix *asymptotisch normalverteilt*:

$$\bar{\boldsymbol{S}}=\begin{pmatrix} \boldsymbol{Y}_*'\boldsymbol{X}(\boldsymbol{X}'\boldsymbol{X})^{-1}\boldsymbol{X}'\boldsymbol{Y}_* & \boldsymbol{Y}_*'\boldsymbol{X}_1 \\ \boldsymbol{X}_1'\boldsymbol{Y}_* & \boldsymbol{X}_1'\boldsymbol{X}_1 \end{pmatrix}^{-1} \sigma_u^2. \tag{11.14}$$

Man wird dabei in der Praxis σ_u^2 durch die Varianz der Residuen $\hat{u}_t$ schätzen. Wie man zeigen kann, ist diese Schätzung konsistent (vgl. Aufg. (11-11)). Man beachte die große Ähnlichkeit von (11.11) und (11.14) mit den entsprechenden Formeln (2.13) und (2.34) der gewöhnlichen KQ-Methode (vgl. auch *11.1.4.*).

Zum *Beweis* der asymptotischen Normalität benötigen wir noch die (ziemlich schwachen) Voraussetzungen über $\boldsymbol{X}$ und $\boldsymbol{u}$, die wir auch dem analogen Beweis im Falle der KQ-Schätzungen zugrundegelegt haben (vgl. *1.4.7.* und Aufg. (2-21)), nämlich, daß die x_{it} exogen und beschränkt sind mit $\lim \boldsymbol{X}'\boldsymbol{X}/T = \overline{\boldsymbol{M}}$ regulär und daß die u_t alle der gleichen Wahrscheinlichkeitsverteilung folgen[2]. Wir benutzen die im vorigen Abschnitt *c* gewonnenen Resultate. Danach ist

$$(\hat{\boldsymbol{\delta}}-\boldsymbol{\delta})\sqrt{T}=(\boldsymbol{Z}'\boldsymbol{Z}/T)^{-1}(\hat{\boldsymbol{\Pi}}_*,\boldsymbol{G})'\boldsymbol{X}'\boldsymbol{u}/\sqrt{T}.$$

Nun ist $E(\boldsymbol{X}'\boldsymbol{u})=\boldsymbol{o}$ und $V(\boldsymbol{X}'\boldsymbol{u}|\boldsymbol{X})=\sigma^2\boldsymbol{X}'\boldsymbol{X}$. Es ist daher nach dem zentralen Grenzwertsatz (Anhang *B11.7.3.*) $\boldsymbol{X}'\boldsymbol{u}/\sqrt{T}$ asymptotisch normalverteilt mit asymptotischer Kovarianzmatrix $\sigma^2\overline{\boldsymbol{M}}$. Es folgt (nach Anhang *B11.8.2.*), daß $(\hat{\boldsymbol{\delta}}-\boldsymbol{\delta})\sqrt{T}$ ebenfalls asymptotisch normalverteilt ist mit asymptotischer Kovarianzmatrix $\sigma^2\boldsymbol{M}_z^{-1}(\boldsymbol{\Pi}_*,\boldsymbol{G})'\overline{\boldsymbol{M}}(\boldsymbol{\Pi}_*,\boldsymbol{G})\overline{\boldsymbol{M}}_z^{-1}=\sigma^2\overline{\boldsymbol{M}}_z^{-1}$. $\hat{\boldsymbol{\delta}}-\boldsymbol{\delta}$ ist daher mit der Matrix $\sigma^2\boldsymbol{Z}'\boldsymbol{Z}$, d.h. mit $\overline{\boldsymbol{S}}$ wie in (11.14) asymptotisch normalverteilt, w.z.b.w.

e) Beispiel: Wir gehen von dem früher in *10.2.3.* analysierten Zahlenbeispiel (S. 281)

$$y_1=\gamma_2^* y_2+\beta_1 x_1+u_1$$

aus: Es mögen die gleichen Daten wie in *10.2.3.* (als Abweichungen vom Mittelwert) zur Verfügung stehen. Sie lassen sich nach dem folgenden Schema den Zeitreihenmatrizen der zweistufigen KQ-Methode zuordnen:

y_1	y_2	x_1	x_2
	$\boldsymbol{Y}_*$	$\boldsymbol{X}_1$	
		$\underbrace{\qquad\qquad}_{\boldsymbol{X}}$	

Man berechnet nun nacheinander:

$$\boldsymbol{X}'\boldsymbol{X}=\begin{pmatrix}72 & -162\\ -162 & 420\end{pmatrix},\quad (\boldsymbol{X}'\boldsymbol{X})^{-1}=\frac{1}{3996}\begin{pmatrix}420 & 162\\ 162 & 72\end{pmatrix},$$

$$\boldsymbol{Y}_*'\boldsymbol{X}=(-83;\,201),\quad \boldsymbol{Y}_*'\boldsymbol{X}(\boldsymbol{X}'\boldsymbol{X})^{-1}=\frac{1}{3996}(-2298;\,1026),$$

$$\boldsymbol{Y}_*'\boldsymbol{X}(\boldsymbol{X}'\boldsymbol{X})^{-1}\boldsymbol{X}'\boldsymbol{Y}_*=\frac{396960}{3996},\quad \boldsymbol{Y}_*'\boldsymbol{X}_1=(-83),$$

$$\boldsymbol{X}_1'\boldsymbol{X}_1=(72),\quad \boldsymbol{X}_1'\boldsymbol{y}_1=(-157),$$

$$\boldsymbol{X}'\boldsymbol{y}_1=\begin{pmatrix}-157\\ 377\end{pmatrix},\quad \boldsymbol{Y}_*'\boldsymbol{X}(\boldsymbol{X}'\boldsymbol{X})^{-1}\boldsymbol{X}'\boldsymbol{y}_1=\frac{747588}{3996}$$

und hat schließlich das folgende Normalgleichungssystem zu lösen:

$$\begin{pmatrix}\dfrac{396960}{3996} & -83\\ -83 & 72\end{pmatrix}\begin{pmatrix}\hat{\gamma}_2^*\\ \hat{\beta}_1\end{pmatrix}=\begin{pmatrix}\dfrac{747588}{3996}\\ -157\end{pmatrix}.$$

[2] Diese Voraussetzungen können abgeschwächt werden. Insbesondere können auch verzögerte endogene Variablen unter den x_i vorkommen – vgl. Christ [S. 441f.], Schönfeld [1971. Kap. 17] sowie *6.2.4.*

Die zweistufigen KQ-Schätzungen lauten demnach

$$\hat{\gamma}_2^* = 1{,}673 \quad \text{und} \quad \hat{\beta}_1 = -0{,}259.$$

Wie zu erwarten, stimmen die Schätzungen mit den nach der indirekten KQ-Methode errechneten überein, wenn man $\gamma_2^* = -\gamma_2$ beachtet (vgl. *11.3.2.*).

11.1.2. Maximum Likelihood bei beschränkter Information (MLBI)

Das ML-Prinzip ist bekanntlich ein sehr allgemeiner Ansatz zur Lösung von Schätzproblemen. ANDERSON und RUBIN [1949] haben dieses Prinzip auf das vorliegende Problem der Schätzung von Strukturgleichungen angewandt und hieraus ein neues Schätzverfahren entwickelt. Dabei wurden – wie im voranstehenden Verfahren – nur solche a-priori-Informationen ausgenutzt, die sich auf die zu schätzende Gleichung beziehen [3].

Die Idee ist die folgende: Es wird zunächst unter der Normalverteilungshypothese die Likelihoodfunktion für das Gesamtmodell aufgestellt (vgl. *11.2.1.*). Sie ist (bei gegebenen Daten) eine Funktion der sämtlichen Modellparameter γ_{ij}, β_{kl}, σ_{ij}, soweit diese nicht durch a-priori-Restriktionen schon festgelegt sind. Dabei werden aber nur die a-priori-Restriktionen über die Parameter der zu schätzenden (etwa der ersten) Gleichung berücksichtigt, alle anderen Restriktionen bleiben unberücksichtigt. Man tut also so, als ob alle nicht zur ersten Gleichung gehörenden Parameter frei sind, also keinerlei Restriktionen unterliegen, insbesondere auch nicht a priori gleich Null sind. Die so spezifizierte Likelihoodfunktion ist dann eine Funktion der in der ersten Gleichung a priori zugelassenen Parameter und sämtlicher übrigen Parameter, ob sie nun durch a-priori-Restriktionen zugelassen sind oder nicht:

$$L = L(\gamma_2, \ldots, \gamma_{g_*}, \beta_1, \ldots, \beta_{m_*}, \gamma_{21}, \ldots, \gamma_{2g}, \beta_{21}, \ldots, \beta_{2m}, \ldots, \gamma_{g1}, \ldots, \beta_{gm}, \sigma_{11}, \ldots, \sigma_{gg}).$$

Es wird sodann L bezüglich der Parameter maximiert. Dabei ist nicht zu erwarten, daß man eindeutige Werte für die außerhalb der ersten Gleichung sich befindenden Parameter erhält, denn diese sind ja wegen der fehlenden (oder besser: vernachlässigten) a-priori-Restriktionen nicht identifizierbar. Auf diese Parameter kommt es aber auch gar nicht an. Für die Parameter $\gamma_2, \ldots, \gamma_{g_*}, \beta_1, \ldots, \beta_{m_*}$ der ersten Gleichung erhält man dagegen eindeutige Schätzwerte, die L maximieren – jedenfalls sofern, wie wir immer voraussetzen wollen, die erste Gleichung identifizierbar ist.

Wir wollen diesen Ansatz hier nicht weiter verfolgen, denn es zeigt sich [KOOPMANS u. HOOD], daß er auf ein Schätzverfahren hinausläuft, das wir im folgenden aus einem anderen Prinzip, und zwar ohne Annahme der Normalverteilungshypothese, herleiten wollen.

[3] Das Verfahren wird in der angelsächsischen Literatur oft abkürzend mit LISE (für: Limited Information Single Equation Method) bezeichnet, weil es zur Schätzung einzelner Gleichungen eines Systems herangezogen wird. Es läßt sich aber zu einer Methode der simultanen Schätzung auch größerer Untersysteme verallgemeinern. Ganz entsprechend läßt sich das folgende Prinzip (11.2.3.) verallgemeinern [GOLDBERGER 1964, S. 338ff.].

11.1.3. Prinzip des minimalen Varianzquotienten

Dieses Prinzip geht von folgender Vorstellung aus. Angenommen, wir würden die wahren Parameter γ_i in der Strukturgleichung

$$y_1+\gamma_2 y_2+\cdots+\gamma_{g_*} y_{g_*}=\beta_1 x_1+\cdots+\beta_{m_*} x_{m_*}+u \tag{11.15}$$

kennen. Dann könnten wir die linke Seite von (11.15) zu einer neuen Variablen $y:=\sum_1^{g_*}\gamma_i y_i$ mit $\gamma_1=1$ zusammenfassen. Es blieben dann nur noch die Parameter $\beta_1,\ldots,\beta_{m_*}$ aus der Regression

$$y=\beta_1 x_1+\cdots+\beta_{m_*} x_{m_*}+u \tag{11.16}$$

zu schätzen. Fügen wir zu dieser Regression die restlichen vorherbestimmten Variablen des Modells $x_{m_*+1},\ldots,x_m$ als weitere Regressoren hinzu, dann erhalten wir formal die Regression

$$y=\delta_1 x_1+\cdots+\delta_{m_*} x_{m_*}+\delta_{m_*+1} x_{m_*+1}+\cdots+\delta_m x_m+w. \tag{11.17}$$

Ist die Gleichung (11.16) nicht fehlspezifiziert, dann muß $\delta_1=\beta_1,\ldots,\delta_{m_*}=\beta_{m_*}$, $\delta_{m_*+1}=\cdots=\delta_m=0$ und $u=w$ sein.

Allerdings ist eine derartige Übereinstimmung zwischen den nach der KQ-Methode geschätzten Regressionen (11.16) und (11.17) wegen stets vorhandener Schätzfehler nicht zu erwarten. Doch werden die Abweichungen mit hoher Wahrscheinlichkeit nicht signifikant sein. Wir messen die Abweichung durch den *Varianzquotienten*

$$\lambda=\frac{\sum \hat{u}_t^2}{\sum \hat{w}_t^2}. \tag{11.18}$$

Es ist stets $\lambda\geq 1$, denn durch die Hinzunahme neuer Variablen kann die Anpassung der Regression nicht schlechter werden, d.h. es muß $\sum \hat{w}^2\leq\sum \hat{u}^2$ sein. Wir erwarten aber eine verhältnismäßig geringe Differenz $\lambda-1$.

Nun sind uns die γ_i nicht bekannt. Wir können aber die Variable y und den Quotienten λ auch mit Hilfe irgendwelcher Schätz- oder Probewerte γ_i bilden. Dabei werden wir aufgrund der soeben angestellten Überlegungen die Probewerte γ_i so wählen, daß λ einen kleinstmöglichen Wert annimmt. Genau diese Werte $\hat{\gamma}_i$, die wir also nach dem Prinzip

$$\lambda \underset{\gamma_i}{\rightarrow} \min,$$

dem *Prinzip des minimalen Varianzquotienten*, gefunden haben, wählen wir als plausibelste Schätzungen für die Parameter γ_i. Zugleich mit den so bestimmten Schätzwerten $\hat{\gamma}_i$ finden wir über die Regression (11.16) Schätzungen $\hat{\beta}_j$ für die restlichen Parameter unserer Strukturgleichung.

Im folgenden ist aus diesem Prinzip ein praktikables *Schätzverfahren* herzuleiten. Hierzu führen wir den Zeitreihenvektor $\boldsymbol{y}$ der y_t-Werte ein und erinnern an die

Zerlegung (*10.21*). Es gilt definitionsgemäß

$$\boldsymbol{y} := \boldsymbol{Y}_1 \boldsymbol{\gamma}_1 . \tag{11.19}$$

Bei den Regressionen (11.16) von $\boldsymbol{y}$ auf $\boldsymbol{X}_1$ und (11.17) von $\boldsymbol{y}$ auf $\boldsymbol{X}$ erhalten wir nach der KQ-Methode folgende Residualquadratsummen (vgl. (2.21')):

$$\hat{\boldsymbol{u}}'\hat{\boldsymbol{u}} = \boldsymbol{y}'\boldsymbol{y} - \boldsymbol{y}'\boldsymbol{X}_1(\boldsymbol{X}_1'\boldsymbol{X}_1)^{-1}\boldsymbol{X}_1'\boldsymbol{y}$$

$$\hat{\boldsymbol{w}}'\hat{\boldsymbol{w}} = \boldsymbol{y}'\boldsymbol{y} - \boldsymbol{y}'\boldsymbol{X}(\boldsymbol{X}'\boldsymbol{X})^{-1}\boldsymbol{X}'\boldsymbol{y}.$$

Setzen wir (11.19) ein und führen wir folgende Abkürzungen ein (vgl. auch (4.5)):

$$\begin{aligned} \boldsymbol{W}_1 &:= \boldsymbol{Y}_1'\boldsymbol{Y}_1 - \boldsymbol{Y}_1'\boldsymbol{X}_1(\boldsymbol{X}_1'\boldsymbol{X}_1)^{-1}\boldsymbol{X}_1'\boldsymbol{Y}_1 \\ \boldsymbol{W} &:= \boldsymbol{Y}_1'\boldsymbol{Y}_1 - \boldsymbol{Y}_1'\boldsymbol{X}(\boldsymbol{X}'\boldsymbol{X})^{-1}\boldsymbol{X}'\boldsymbol{Y}_1, \end{aligned} \tag{11.20}$$

dann erhalten wir

$$\hat{\boldsymbol{u}}'\hat{\boldsymbol{u}} = \boldsymbol{\gamma}_1'\boldsymbol{W}_1\boldsymbol{\gamma}_1, \qquad \hat{\boldsymbol{w}}'\hat{\boldsymbol{w}} = \boldsymbol{\gamma}_1'\boldsymbol{W}\boldsymbol{\gamma}_1,$$

und schließlich für den Quotienten (11.18):

$$\lambda = \frac{\boldsymbol{\gamma}_1'\boldsymbol{W}_1\boldsymbol{\gamma}_1}{\boldsymbol{\gamma}_1'\boldsymbol{W}\boldsymbol{\gamma}_1}. \tag{11.21}$$

Er ist bezüglich $\boldsymbol{\gamma}_1$ zu minimieren. Differentiation nach den Elementen von $\boldsymbol{\gamma}_1$ und Nullsetzen ergibt:

$$(\boldsymbol{\gamma}_1'\boldsymbol{W}\boldsymbol{\gamma}_1)\boldsymbol{W}_1\boldsymbol{\gamma}_1 - (\boldsymbol{\gamma}_1'\boldsymbol{W}_1\boldsymbol{\gamma}_1)\boldsymbol{W}\boldsymbol{\gamma}_1 = \boldsymbol{o}.$$

Nach Division durch $\boldsymbol{\gamma}_1'\boldsymbol{W}\boldsymbol{\gamma}_1$ erhalten wir

$$(\boldsymbol{W}_1 - \lambda\boldsymbol{W})\boldsymbol{\gamma}_1 = \boldsymbol{o}. \tag{11.22}$$

Dies ist bei gegebenem λ ein homogenes lineares Gleichgewichtssystem für $\boldsymbol{\gamma}_1$ (mit ebenso vielen Gleichungen wie Parametern γ_i), das bekanntlich nur dann eine nichttriviale Lösung zuläßt, wenn

$$\det(\boldsymbol{W}_1 - \lambda\boldsymbol{W}) = 0 \tag{11.23}$$

ist. Es ist also, damit das Problem überhaupt zu einer Lösung führt, λ so zu bestimmen, daß (11.23) erfüllt ist. Nun bedeutet (11.23) eine algebraische Gleichung für λ. Wegen der Symmetrie von $\boldsymbol{W}$ und $\boldsymbol{W}_1$ und weil $\boldsymbol{W}_1$ positiv definit ist, sind sämtliche Lösungen reell[4]. Unter diesen Lösungen suchen wir die kleinste, da wir ja λ minimieren wollen, und bezeichnen sie mit $\hat{\lambda}$. Sie wird in (11.22) eingesetzt. Die Matrix

[4] Man zeigt dies, indem man (11.23) auf ein Eigenwertproblem zurückführt und dann Anhang *A11.2.* heranzieht: Da wegen der vorausgesetzten Regularität von $\boldsymbol{W}_1$ (vgl. Aufg. (11-16)) $\lambda = 0$ keine Lösung von (11.23) sein kann, gibt es vermöge der Beziehung $\lambda = 1/\kappa$ eine eindeutige Korrespondenz zwischen allen Lösungen λ von (11.23) und allen Lösungen $\kappa \neq 0$ von $\det(\boldsymbol{W} - \kappa\boldsymbol{W}_1) = 0$. Die letzte Gleichung aber ist äquivalent zu $\det(\boldsymbol{B}\boldsymbol{W}\boldsymbol{B}' - \kappa\boldsymbol{I}) = 0$ mit $\boldsymbol{B}'\boldsymbol{B} = \boldsymbol{W}_1^{-1}$ (Anhang *A12.2.*). λ zu minimieren ist daher gleichbedeutend damit, den größten Eigenwert κ_0 von $\boldsymbol{B}\boldsymbol{W}\boldsymbol{B}'$ aufzusuchen. $\boldsymbol{B}\boldsymbol{W}\boldsymbol{B}'$ ist positiv semidefinit (vgl. Aufg. (11-16) und Anhang *A12.2.*). Sofern $\boldsymbol{W} \neq \boldsymbol{0}$ ist, was wir hier voraussetzen wollen (vgl. Aufg. (11-19)), ist $\kappa_0 \neq 0$ (und reell). Daher existiert $\hat{\lambda}$.

dieses homogenen Gleichungssystems hat den Rang $g_* - 1$, sofern $\hat{\lambda}$ eine einfache Wurzel von (11.23) ist, was wir hier voraussetzen können. Daher besitzt (11.22) eine bis auf einen gemeinsamen Faktor eindeutige Lösung; sie wird nach der Normierung $\gamma_1 = 1$ eindeutig und liefert die gewünschte Schätzung $\hat{\gamma}_1$. Schließlich gewinnen wir $\hat{\boldsymbol{\beta}}_1$ aus der Regression (11.16) als

$$\hat{\boldsymbol{\beta}}_1 = (\boldsymbol{X}_1' \boldsymbol{X}_1)^{-1} \boldsymbol{X}_1' \boldsymbol{y}$$

oder mit (11.19):

$$\hat{\boldsymbol{\beta}}_1 = (\boldsymbol{X}_1' \boldsymbol{X}_1)^{-1} \boldsymbol{X}_1' \boldsymbol{Y}_1 \hat{\gamma}_1 . \tag{11.24}$$

Die einzelnen Schritte der MLBI-Methode zur Schätzung der Strukturgleichung (11.15) können wie folgt zusammengefaßt werden:

a) Aufstellen der benötigten Zeitreihenmatrizen $\boldsymbol{Y}_1, \boldsymbol{X}_1, \boldsymbol{X}$ ($\boldsymbol{X}_1$ ist ein Teil von $\boldsymbol{X}$).
b) Berechnen der Matrizen $\boldsymbol{W}_1$ und $\boldsymbol{W}$ nach (11.20).
c) Aufsuchen der kleinsten Lösung $\hat{\lambda}$ von (11.23).
d) Auflösen des Gleichungssystems (11.22) nach γ_1.
e) Normieren der Lösung ergibt $\hat{\gamma}_1$.
f) Bestimmung von $\hat{\boldsymbol{\beta}}_1$ nach (11.24).

Dies ist ein relativ kompliziertes Verfahren. Insbesondere der Schritt c erfordert rechentechnischen Aufwand. Allerdings gibt es für Probleme dieser Art programmierte Standardtechniken, nämlich numerische Verfahren zur Berechnung des *größten* Eigenwerts einer Matrix. Das Aufsuchen der kleinsten Wurzel $\hat{\lambda}$ von (11.23) ist ja äquivalent dem Problem, die größte Wurzel $\hat{\mu}$ von $\det(\boldsymbol{Q} - \mu \boldsymbol{I}) = 0$ zu finden [5] mit

$$\boldsymbol{Q} = (\boldsymbol{W}_1 - \boldsymbol{W})^{-1} \boldsymbol{W}$$

und $\hat{\mu} = 1/(\hat{\lambda} - 1)$. $\hat{\mu}$ ist aber der größte Eigenwert von $\boldsymbol{Q}$. Außerdem ist wegen (11.22) $(\boldsymbol{Q} - \hat{\mu}\boldsymbol{I})\hat{\gamma}_1 = \boldsymbol{o}$. $\hat{\gamma}_1$ ist also der zum größten Eigenwert gehörige Eigenvektor von $\boldsymbol{Q}$. Das folgende *Iterationsverfahren* liefert zugleich $\hat{\mu}$ und $\hat{\gamma}_1$:

Man beginne mit einer beliebigen ersten Approximation $\gamma_1^{(1)}$ von $\hat{\gamma}_1$ und berechne $\boldsymbol{Q}\gamma_1^{(1)} = \gamma_1^{(2)}$. Man dividiere sodann (etwa) die erste Komponente von $\gamma_1^{(2)}$ durch die erste Komponente von $\gamma_1^{(1)}$; das Ergebnis $\mu^{(1)}$ ist eine Approximation an das gesuchte $\hat{\mu}$. Ist nun $\gamma_1^{(2)} \neq \mu^{(1)}\gamma_1^{(1)}$, dann wird das Verfahren mit $\gamma_1^{(2)}$ anstelle von $\gamma_1^{(1)}$ wiederholt. Man erhält $\gamma_1^{(3)}$ und $\mu^{(2)}$. Das Verfahren wird so lange fortgesetzt, bis mit gewünschtem Genauigkeitsgrad $\gamma_1^{(i+1)} = \mu^{(i)}\gamma_1^{(i)}$ ist. Alsdann ist $\mu^{(i)}$ der gesuchte größte Eigenwert $\hat{\mu}$ und $\gamma_1^{(i)}$ nach Normierung die gesuchte MLBI-Schätzung $\hat{\gamma}_1$.

Bezüglich der stochastischen Eigenschaften der MLBI-Schätzungen vgl. man *11.1.4.*

[5] Hierbei ist noch zu erwähnen, daß – wie man zeigen kann – für überidentifizierte Gleichungen $\boldsymbol{W}_1 - \boldsymbol{W}$ positiv definit ist und daher $(\boldsymbol{W}_1 - \boldsymbol{W})^{-1}$ existiert. (Vgl. Aufg. (11-17, 18)). Des weiteren folgt, daß in diesem Fall $\hat{\lambda} > 1$ sein muß. Für gerade identifizierbare Gleichungen erübrigt sich die Berechnung von $\hat{\lambda}$, denn dann ist $\hat{\lambda} = 1$ (vgl. *11.3.2.*).

11.1.4.* k-Klasse und Doppel-k-Klasse

a) Gewöhnliche KQ-, zweistufige KQ- und MLBI-Methode sind Spezialfälle einer größeren Klasse von Schätzverfahren, der sogenannten *k*-Klasse (nach THEIL [1961, S. 231 f.]).

Wir haben schon früher auf die Ähnlichkeit zwischen gewöhnlicher und zweistufiger KQ-Methode hingewiesen. Der Unterschied besteht formal nur darin, daß bei der Bildung der Koeffizientenmatrix des Normalgleichungssystems (11.10) $\boldsymbol{Y}_*$ durch $\hat{\boldsymbol{Y}}_*$ ersetzt worden ist. Diese beiden Zeitreihenmatrizen unterscheiden sich um die Zeitreihenmatrix der Residuen der reduzierten Form, soweit sich diese auf $\boldsymbol{Y}_*$ bezieht:

$$\hat{\boldsymbol{V}}_* := \boldsymbol{Y}_* - \hat{\boldsymbol{Y}}_* = \boldsymbol{Y}_* - \boldsymbol{X}\hat{\boldsymbol{\Pi}}_* = (\boldsymbol{I} - \boldsymbol{X}(\boldsymbol{X}'\boldsymbol{X})^{-1}\boldsymbol{X}')\boldsymbol{Y}_*. \tag{11.25}$$

Nun können wir in der bekannten Weise – vgl. (2.20) – die folgende Zerlegung vornehmen

$$\boldsymbol{Y}_*'\boldsymbol{Y}_* = \hat{\boldsymbol{Y}}_*'\hat{\boldsymbol{Y}}_* + \hat{\boldsymbol{V}}_*'\hat{\boldsymbol{V}}_*.$$

Ähnlich ist

$$\boldsymbol{Y}_*'\boldsymbol{y}_1 = \hat{\boldsymbol{Y}}_*'\boldsymbol{y}_1 + \hat{\boldsymbol{V}}_*'\boldsymbol{y}_1,$$

so daß wir schließlich für (11.10) schreiben können

$$\begin{pmatrix} \boldsymbol{Y}_*'\boldsymbol{Y}_* - \hat{\boldsymbol{V}}_*'\hat{\boldsymbol{V}}_* & \boldsymbol{Y}_*'\boldsymbol{X}_1 \\ \boldsymbol{X}_1'\boldsymbol{Y}_* & \boldsymbol{X}_1'\boldsymbol{X}_1 \end{pmatrix} \begin{pmatrix} \hat{\boldsymbol{\gamma}}_* \\ \hat{\boldsymbol{\beta}}_1 \end{pmatrix} = \begin{pmatrix} \boldsymbol{Y}_*'\boldsymbol{y}_1 - \hat{\boldsymbol{V}}_*'\boldsymbol{y}_1 \\ \boldsymbol{X}_1'\boldsymbol{y}_1 \end{pmatrix}. \tag{11.26}$$

Die Normalgleichungen der zweistufigen KQ-Methode unterscheiden sich also von denen der gewöhnlichen KQ-Methode, angewandt auf eine Strukturgleichung vom Typ (11.1'), nur in der „Korrektur" $\hat{\boldsymbol{V}}_*'\hat{\boldsymbol{V}}_*$ und $\hat{\boldsymbol{V}}_*'\boldsymbol{y}_1$ in einem Teil der Koeffizientenmatrix bzw. des Vektors der rechten Seite. Dabei ist, wie aus (11.25) folgt (vgl. auch (4.5)):

$$\begin{aligned} \hat{\boldsymbol{V}}_*'\hat{\boldsymbol{V}}_* &= \boldsymbol{Y}_*'(\boldsymbol{I} - \boldsymbol{X}(\boldsymbol{X}'\boldsymbol{X})^{-1}\boldsymbol{X}')\boldsymbol{Y}_* = \boldsymbol{Y}_*'\boldsymbol{Y}_* - (\boldsymbol{Y}_*'\boldsymbol{X})(\boldsymbol{X}'\boldsymbol{X})^{-1}(\boldsymbol{X}'\boldsymbol{Y}_*) \\ \hat{\boldsymbol{V}}_*'\boldsymbol{y}_1 &= \boldsymbol{Y}_*'(\boldsymbol{I} - \boldsymbol{X}(\boldsymbol{X}'\boldsymbol{X})^{-1}\boldsymbol{X}')\boldsymbol{y}_1 = \boldsymbol{Y}_*'\boldsymbol{y}_1 - (\boldsymbol{Y}_*'\boldsymbol{X})(\boldsymbol{X}'\boldsymbol{X})^{-1}(\boldsymbol{X}'\boldsymbol{y}_1). \end{aligned} \tag{11.27}$$

Die einzelnen Matrizen dieser Formeln findet man in dem Schema auf S. 291.

Die *k-Klasse* besteht nun aus all den Schätzverfahren, für die ein – u.U. von T und von den beobachteten Variablen $\boldsymbol{Y}_1$ und $\boldsymbol{X}$ abhängender – Faktor k konstruiert wird, unter dessen Mitwirkung das folgende Normalgleichungssystem zur Bestimmung der Schätzwerte für die Parameter $\boldsymbol{\gamma}^*$ und $\boldsymbol{\beta}_1$ einer identifizierbaren Strukturgleichung aufgestellt wird:

$$\begin{pmatrix} \boldsymbol{Y}_*'\boldsymbol{Y}_* - k\hat{\boldsymbol{V}}_*'\hat{\boldsymbol{V}}_* & \boldsymbol{Y}_*'\boldsymbol{X}_1 \\ \boldsymbol{X}_1'\boldsymbol{Y}_* & \boldsymbol{X}_1'\boldsymbol{X}_1 \end{pmatrix} \begin{pmatrix} \hat{\boldsymbol{\gamma}}_* \\ \hat{\boldsymbol{\beta}}_1 \end{pmatrix} = \begin{pmatrix} \boldsymbol{Y}_*'\boldsymbol{y}_1 - k\hat{\boldsymbol{V}}_*'\boldsymbol{y}_1 \\ \boldsymbol{X}_1'\boldsymbol{y}_1 \end{pmatrix}. \tag{11.28}$$

Je nachdem, welcher Faktor k verwendet wird, erhält man die verschiedensten speziellen Schätzmethoden, insbesondere für

$k=0$: die gewöhnliche KQ-Methode,

$k=1$: die zweistufige KQ-Methode,

$k=\lambda$: die MLBI-Methode.

Letzteres kann mit Hilfe einiger komplizierterer algebraischer Operationen gezeigt werden (vgl. *11.1.5.*).

b) Die Schätzungen sind *konsistent*, wenn

$$\underset{T\to\infty}{\operatorname{plim}}\, k=1. \tag{11.29}$$

Das ist aufgrund der Konsistenzeigenschaft der zweistufigen KQ-Schätzung, bei der ja $k=1$ ist, ohne weiteres einzusehen, denn mit $T\to\infty$ gehen die Normalgleichungen (11.28) in diesem Falle gegen die Normalgleichungen (11.26) der zweistufigen KQ-Methode.

Es folgt, daß auch die Schätzungen nach der *MLBI-Methode* konsistent sind, denn, wie man zeigen kann [6], ist $\operatorname{plim}\hat{\lambda}=1$. Dagegen ist, wie wir wissen, die gewöhnliche KQ-Methode ($k=0$) nicht konsistent.

Unter sehr allgemeinen Bedingungen [7] und sofern

$$\underset{T\to\infty}{\operatorname{plim}}\sqrt{T}\,(k-1)=0 \tag{11.29'}$$

ist, führen die Schätzverfahren der k-Klasse zu asymptotisch normalverteilten Schätzvariablen $(\hat{\boldsymbol{\gamma}}_*, \hat{\boldsymbol{\beta}}_1)$. Deren *asymptotische Kovarianzmatrix* wird konsistent durch (11.14) geschätzt.

Beweis: Bezeichnen wir die durch T dividierte Koeffizientenmatrix von (11.28) abkürzend mit $\boldsymbol{M}_k$ und den Parametervektor mit $\boldsymbol{\delta}_k$, dann folgt aus (11.28):

$$\boldsymbol{M}_k(\hat{\boldsymbol{\delta}}_k-\boldsymbol{\delta}_k)=\frac{1}{T}\begin{pmatrix}(\boldsymbol{Y}_*-k\hat{\boldsymbol{V}}_*)'\boldsymbol{u}\\ \boldsymbol{X}_1'\boldsymbol{u}\end{pmatrix}=\frac{1}{T}\begin{pmatrix}(\boldsymbol{Y}_*-\hat{\boldsymbol{V}}_*)'\boldsymbol{u}\\ \boldsymbol{X}_1'\boldsymbol{u}\end{pmatrix}-(k-1)\frac{1}{T}\begin{pmatrix}\hat{\boldsymbol{V}}_*'\boldsymbol{u}\\ \boldsymbol{o}\end{pmatrix}.$$

Der vorletzte Vektor ist gerade $\boldsymbol{Z}'\boldsymbol{u}$ von *11.1.1.c*. Daher folgt mit (11.12):

$$\sqrt{T}(\hat{\boldsymbol{\delta}}_k-\boldsymbol{\delta}_k)=\boldsymbol{M}_k^{-1}\left[(\boldsymbol{Z}'\boldsymbol{Z}/T)\sqrt{T}(\hat{\boldsymbol{\delta}}-\boldsymbol{\delta})-\sqrt{T}(k-1)(\boldsymbol{u}'\hat{\boldsymbol{V}}_*/T,\boldsymbol{o}')'\right].$$

Wie wir aus *11.1.1.c* wissen, ist $\sqrt{T}(\hat{\boldsymbol{\delta}}-\boldsymbol{\delta})$ asymptotisch normalverteilt. Ferner ist wegen (11.29) $\operatorname{plim}\boldsymbol{M}_k=\overline{\boldsymbol{M}}_z$. Da $\operatorname{plim}(\boldsymbol{u}'\hat{\boldsymbol{V}}_*/T)$ existiert, geht der letzte Ausdruck in den eckigen Klammern wegen (11.29′) mit Wahrscheinlichkeit gegen Null. Es folgt (nach Anhang *B 11.8.2.*), daß $\sqrt{T}(\hat{\boldsymbol{\delta}}_k-\boldsymbol{\delta}_k)$ asymptotisch dieselbe Verteilung besitzt wie $\sqrt{T}(\hat{\boldsymbol{\delta}}-\boldsymbol{\delta})$, also wie die zweistufige KQ-Schätzvariable, w.z.b.w.

Es zeigt sich, daß die Bedingung (11.29′) auch für die *MLBI-Methode* erfüllt ist, deren Schätzungen also dieselbe asymptotische Kovarianzmatrix haben wie die der zweistufigen KQ-Methode.

[6] Vgl. etwa GOLDBERGER [1964, S. 343f.].

[7] Es sind das dieselben Bedingungen, die die asymptotische Normalität der zweistufigen KQ-Schätzungen garantieren. Vgl. auch THEIL [1961, S. 231].

c) Von NAGAR [1962] stammt eine Verallgemeinerung der k-Klasse zur sogenannten *Doppel-k-Klasse*. Diese Schätzverfahren funktionieren mit zwei Faktoren k_1 und k_2, die an den folgenden Stellen im System der Normalgleichungen angebracht werden:

$$\begin{pmatrix} \boldsymbol{Y}_*' \boldsymbol{Y}_* - k_1 \hat{\boldsymbol{V}}_*' \hat{\boldsymbol{V}}_* & \boldsymbol{Y}_*' \boldsymbol{X}_1 \\ \boldsymbol{X}_1' \boldsymbol{Y}_* & \boldsymbol{X}_1' \boldsymbol{X}_1 \end{pmatrix} \begin{pmatrix} \hat{\boldsymbol{\gamma}}_* \\ \hat{\boldsymbol{\beta}}_1 \end{pmatrix} = \begin{pmatrix} \boldsymbol{Y}_*' \boldsymbol{y}_1 - k_2 \hat{\boldsymbol{V}}_*' \boldsymbol{y}_1 \\ \boldsymbol{X}_1' \boldsymbol{y}_1 \end{pmatrix}. \tag{11.30}$$

Die Methode hat ähnliche Eigenschaften wie die einfache k-Klasse, auf die sie bei $k_1 = k_2$ zurückführt. Die Einführung zweier Faktoren hat den Vorteil, daß man sie im Hinblick auf bestimmte optimale Schätzeigenschaften (z.B. auf Effizienz) geeignet wählen kann.

11.1.5.* MLBI als k-Klasse-Verfahren

Es ist zu zeigen, daß die MLBI-Schätzungen mit denen der k-Klasse ($k = \lambda$) übereinstimmen. Der Beweis ist erbracht, wenn die Äquivalenz der zu beiden Methoden gehörenden Bestimmungsgleichungen nachgewiesen wird. Zur Erinnerung seien die zwei verschiedenen Formen, in denen die erste Strukturgleichung des Modells in Anpassung an die jeweilige Schätzmethode sich schreiben läßt, zusammen mit den Bestimmungsgleichungen für die Schätzungen gegenübergestellt:

MLBI	*k-Klasse, k = λ*
$\boldsymbol{Y}_1 \boldsymbol{\gamma}_1 = \boldsymbol{X}_1 \boldsymbol{\beta}_1 + \boldsymbol{u}$	$\boldsymbol{y}_1 = \boldsymbol{Y}_* \boldsymbol{\gamma}_* + \boldsymbol{X}_1 \boldsymbol{\beta}_1 + \boldsymbol{u}$
$(\boldsymbol{W}_1 - \lambda \boldsymbol{W}) \hat{\boldsymbol{\gamma}}_1 = \boldsymbol{o}$	$(\boldsymbol{Y}_*' \boldsymbol{Y}_* - \lambda \hat{\boldsymbol{V}}_*' \hat{\boldsymbol{V}}_*) \hat{\boldsymbol{\gamma}}_* + \boldsymbol{Y}_*' \boldsymbol{X}_1 \hat{\boldsymbol{\beta}}_1 = \boldsymbol{Y}_*' \boldsymbol{y}_1 - \lambda \hat{\boldsymbol{V}}_*' \boldsymbol{y}_1$
$\boldsymbol{X}_1' \boldsymbol{Y}_1 \hat{\boldsymbol{\gamma}}_1 = \boldsymbol{X}_1' \boldsymbol{X}_1 \hat{\boldsymbol{\beta}}_1$	$\boldsymbol{X}_1' \boldsymbol{Y}_* \hat{\boldsymbol{\gamma}}_* + \boldsymbol{X}_1' \boldsymbol{X}_1 \hat{\boldsymbol{\beta}}_1 = \boldsymbol{X}_1' \boldsymbol{y}_1$

Den Zusammenhang zwischen beiden Formen vermitteln die Beziehungen

$$\boldsymbol{\gamma}_1 = \begin{pmatrix} \gamma_1 \\ -\boldsymbol{\gamma}_* \end{pmatrix} = \begin{pmatrix} 1 \\ -\boldsymbol{\gamma}_* \end{pmatrix}, \qquad \boldsymbol{Y}_1 = (\boldsymbol{y}_1, \boldsymbol{Y}_*). \tag{11.31}$$

Hieraus folgt schon die Äquivalenz der beiden letzten Teilsysteme von Bestimmungsgleichungen. Denn aus den MLBI-Gleichungen wird:

$$\boldsymbol{X}_1' \boldsymbol{X}_1 \hat{\boldsymbol{\beta}}_1 = \boldsymbol{X}_1' \boldsymbol{Y}_1 \hat{\boldsymbol{\gamma}}_1 = \boldsymbol{X}_1' (\boldsymbol{y}_1, \boldsymbol{Y}_*) \begin{pmatrix} 1 \\ -\hat{\boldsymbol{\gamma}}_* \end{pmatrix} = \boldsymbol{X}_1' \boldsymbol{y}_1 - \boldsymbol{X}_1' \boldsymbol{Y}_* \hat{\boldsymbol{\gamma}}_*.$$

Die ersten Teilsysteme sind dagegen nicht äquivalent. Wir können aber das gesamte MLBI-Bestimmungsgleichungssystem in ein äquivalentes System derart umformen, daß die Übereinstimmung mit dem k-Klassen-System zu Tage tritt. Hierzu multiplizieren wir das zweite Teilsystem der MLBI-Gleichungen von links mit $\boldsymbol{Y}_1' \boldsymbol{X}_1 (\boldsymbol{X}_1' \boldsymbol{X}_1)^{-1}$ und erhalten wegen (11.20):

$$(\boldsymbol{Y}_1' \boldsymbol{Y}_1 - \boldsymbol{W}_1) \hat{\boldsymbol{\gamma}}_1 = \boldsymbol{Y}_1' \boldsymbol{X}_1 \hat{\boldsymbol{\beta}}_1.$$

Wird dieses Gleichungssystem zu dem ersten MLBI-Teilsystem hinzuaddiert, erhalten wir das folgende neue Teilsystem

$$(Y_1' Y_1 - \lambda W)\hat{\gamma}_1 = Y_1' X_1 \hat{\beta}_1 .$$

Zusammen mit dem zweiten Teilsystem gibt es ein dem ursprünglichen äquivalentes Bestimmungsgleichungssystem für MLBI-Schätzungen ab. Das neue Teilsystem läßt sich aber wie folgt umformen

$$\left[\begin{pmatrix} y_1' y_1 & y_1' Y_* \\ Y_*' y_1 & Y_*' Y_* \end{pmatrix} - \lambda \begin{pmatrix} y_1' P y_1 & y_1' P Y_* \\ Y_*' P y_1 & Y_*' P Y_* \end{pmatrix}\right] \begin{pmatrix} 1 \\ -\hat{\gamma}_* \end{pmatrix} = \begin{pmatrix} y_1' X_1 \\ Y_*' X_1 \end{pmatrix} \hat{\beta}_1 .$$

Dabei ist $P := I - X(X'X)^{-1} X'$ und $W = Y_1' P Y_1$ nach (11.20). Es folgt:

$$\begin{aligned} y_1' y_1 - \lambda y_1' P y_1 - (y_1' Y_* - \lambda y_1' P Y_*)\hat{\gamma}_* &= y_1' X_1 \hat{\beta}_1 \\ Y_*' y_1 - \lambda Y_*' P y_1 - (Y_*' Y_* - \lambda Y_*' P Y_*)\hat{\gamma}_* &= Y_*' X_1 \hat{\beta}_1 . \end{aligned}$$

Die erste Gleichung können wir fortlassen, da sie von den übrigen Gleichungen des Gesamtsystems linear abhängt. (Dies gilt nämlich wegen (11.23) schon für die erste Gleichung des ursprünglichen ersten MLBI-Teilsystems – andernfalls gäbe es keine Lösung mit $\gamma_1 = 1$ – und diese Eigenschaft bleibt erhalten, wenn eine Linearkombination der Gleichungen des zweiten MLBI-Teilsystems zu dieser ersten Gleichung hinzuaddiert wird.) Das letzte Gleichungssystem stimmt aber mit dem ersten Teilsystem der k-Klassen-Bestimmungsgleichung überein, weil $\hat{V}_* = P Y_*$ und daher $Y_*' P Y_* = \hat{V}_*' \hat{V}_*$.

11.2. Schätzmethoden bei voller Information

Die folgenden Schätzverfahren sind so konstruiert, daß sie alle verfügbaren a-priori-Restriktionen beachten und daher die durch sie gegebene a-priori-Information über das Modell vollständig ausnutzen. Infolgedessen werden die Strukturgleichungen jetzt nicht mehr einzeln für sich geschätzt, sondern das Gesamtmodell wird „simultan" geschätzt.

11.2.1. Maximum Likelihood

Um aus dem ML-Prinzip ein Schätzverfahren zu gewinnen, gehen wir von der Annahme aus, die u_i seien *gemeinsam normalverteilt*. Außerdem wollen wir vorläufig annehmen, daß alle Identitäten des gegebenen Modells (zusammen mit einer entsprechenden Zahl endogener Variablen) eliminiert worden sind, so daß im verbleibenden Modell nur noch stochastische Strukturgleichungen vorkommen. Zu einer Periode t ist dann die Dichtefunktion der $u_{1t}, \ldots, u_{gt}$ gegeben durch

$$f_u(u_{(t)}) = (2\pi)^{-g/2} (\det \Sigma)^{-\frac{1}{2}} \exp\left[-\tfrac{1}{2} u_{(t)}' \Sigma^{-1} u_{(t)}\right]. \tag{11.32}$$

Bei gegebenen vorherbestimmten Variablen $\boldsymbol{x}_{(t)}$ sind die abhängigen Variablen $\boldsymbol{y}_{(t)}$ gemäß der reduzierten Form (9.13) eine lineare Funktion von $\boldsymbol{u}_{(t)}$ und daher ebenfalls gemeinsam normalverteilt, jedoch nach (9.4) mit der Dichtefunktion (*B* 7.2.)

$$\begin{aligned} f_{\boldsymbol{y}}(\boldsymbol{y}_{(t)} | \boldsymbol{x}_{(t)}) &= (2\pi)^{-\frac{g}{2}} |\det \boldsymbol{\Gamma}| (\det \boldsymbol{\Sigma})^{-\frac{1}{2}} \\ &\cdot \exp[-\tfrac{1}{2}(\boldsymbol{y}'_{(t)}\boldsymbol{\Gamma} - \boldsymbol{x}'_{(t)}\mathbf{B})\boldsymbol{\Sigma}^{-1}(\boldsymbol{\Gamma}'\boldsymbol{y}_{(t)} - \mathbf{B}'\boldsymbol{x}_{(t)})]. \end{aligned} \tag{11.33}$$

In dem speziellen Falle, daß alle vorherbestimmten Variablen exogen sind, können wir wegen der stochastischen Unabhängigkeit der $\boldsymbol{u}_{(t)} (t=1, \dots, T)$ die Dichtefunktion sämtlicher Periodenwerte der endogenen Variablen bei gegeben exogenen Variablen durch Multiplikation leicht gewinnen:

$$f(\boldsymbol{Y}|\boldsymbol{X}^e) = \prod_{t=1}^{T} f_{\boldsymbol{y}}(\boldsymbol{y}_{(t)} | \boldsymbol{x}_{(t)}). \tag{11.34}$$

Ähnlich wie beim Beweis von (6.26) können wir aber auch hier zeigen, daß (11.34) im wesentlichen gültig bleibt, wenn unter den vorherbestimmten Variablen verzögerte endogene Variablen vorkommen. Es ändert sich lediglich die Menge der die Verteilung bestimmenden Variablen: zu $\boldsymbol{X}^e$ tritt noch $\boldsymbol{y}^a$, der Vektor der Anfangswerte, hinzu. Der Ausdruck (11.34) ist, aufgefaßt als Funktion der unbekannten Parameter, zugleich die *Likelihoodfunktion* $L = L(\boldsymbol{\Gamma}, \mathbf{B}, \boldsymbol{\Sigma})$. Diese ist unter Beachtung sämtlicher a-priori-Restriktionen zu maximieren. Dabei erweist es sich als zweckmäßig, die *logarithmierte Likelihoodfunktion* zu verwenden:

$$\begin{aligned} \log L &= c + T \log |\det \boldsymbol{\Gamma}| - \frac{T}{2} \log \det \boldsymbol{\Sigma} \\ &\quad - \tfrac{1}{2} \sum_{t=1}^{T} [(\boldsymbol{y}'_{(t)}\boldsymbol{\Gamma} - \boldsymbol{x}'_{(t)}\mathbf{B})\boldsymbol{\Sigma}^{-1}(\boldsymbol{\Gamma}'\boldsymbol{y}_{(t)} - \mathbf{B}'\boldsymbol{x}_{(t)})] \\ &= c + T \log |\det \boldsymbol{\Gamma}| - \frac{T}{2} \log \det \boldsymbol{\Sigma} \\ &\quad - \tfrac{1}{2} \operatorname{sp}[\boldsymbol{\Sigma}^{-1}(\boldsymbol{Y\Gamma} - \boldsymbol{X}\mathbf{B})'(\boldsymbol{Y\Gamma} - \boldsymbol{X}\mathbf{B})] \end{aligned} \tag{11.35}$$

mit einer belanglosen Konstanten c.

Unterliegt $\boldsymbol{\Sigma}$ keinen a-priori-Restriktionen [8)] (außer der, positiv-definit zu sein), dann ist die (partielle) Maximierung von $\log L$ bezüglich $\boldsymbol{\Sigma}$ (bei gegebenen $\boldsymbol{\Gamma}$ und $\mathbf{B}$) noch verhältnismäßig einfach zu bewerkstelligen. Differentiation nach den

[8)] Wir sehen sogar von der ex definitione notwendigen Restriktion $\sigma_{ij} = \sigma_{ji}$ ab, behandeln also bei den folgenden Ableitungen die Elemente von $\boldsymbol{\Sigma}$ als unabhängige Variablen. Da die solcherart vorgenommene Maximierung dennoch zu einer symmetrischen Matrix $\boldsymbol{\Sigma}$ führt, wird unsere Vorgehensweise im nachhinein vom Ergebnis her gerechtfertigt. Denn wenn in jedem Fall nur eine symmetrische Matrix $\boldsymbol{\Sigma}$ die Likelihoodfunktion maximiert, dann spielt es offenbar keine Rolle, ob a priori $\boldsymbol{\Sigma}$ als symmetrisch angenommen wird oder nicht.

Elementen von $\boldsymbol{\Sigma}$ (vgl. Anhang *A15.*) und Nullsetzen liefert das Gleichungssystem

$$-\frac{T}{2}\boldsymbol{\Sigma}^{-1}+\frac{1}{2}\boldsymbol{\Sigma}^{-1}(\boldsymbol{Y\Gamma}-\boldsymbol{X}\mathbf{B})'(\boldsymbol{Y\Gamma}-\boldsymbol{X}\mathbf{B})\boldsymbol{\Sigma}^{-1}=\mathbf{0}$$

mit der Lösung

$$\boldsymbol{\Sigma}^*=\frac{1}{T}(\boldsymbol{Y\Gamma}-\boldsymbol{X}\mathbf{B})'(\boldsymbol{Y\Gamma}-\boldsymbol{X}\mathbf{B}). \tag{11.36}$$

Setzen wir an die Stelle der Parametermatrizen $\boldsymbol{\Gamma}$ und $\mathbf{B}$ deren ML-Schätzungen. dann erhalten wir die ML-Schätzung

$$\hat{\boldsymbol{\Sigma}}=\frac{1}{T}(\boldsymbol{Y}\hat{\boldsymbol{\Gamma}}-\boldsymbol{X}\hat{\mathbf{B}})'(\boldsymbol{Y}\hat{\boldsymbol{\Gamma}}-\boldsymbol{X}\hat{\mathbf{B}})=\frac{1}{T}\hat{\boldsymbol{U}}'\hat{\boldsymbol{U}}=\frac{1}{T}\sum_{t=1}^{T}\hat{\boldsymbol{u}}_{(t)}\hat{\boldsymbol{u}}'_{(t)}. \tag{11.36'}$$

Dabei ist $\hat{\boldsymbol{u}}_{(t)}$ der Vektor der ML-Residuen $\hat{u}_{it}$.

Es zeigt sich also, daß die σ_{ij} durch die analogen Momente der Residuen geschätzt werden:

$$\hat{\sigma}_{ij}=\frac{1}{T}\sum_{t=1}^{T}\hat{u}_{it}\hat{u}_{jt}. \tag{11.37}$$

Setzt man (11.36) in (11.35) ein, dann erhält man eine auf $\boldsymbol{\Gamma}$ und $\mathbf{B}$ „konzentrierte" logarithmische Likelihoodfunktion (vgl. Anhang *B13.5.*)

$$\log L^*=T\log|\det\boldsymbol{\Gamma}|-\frac{T}{2}\log\det\left[\frac{1}{T}(\boldsymbol{Y\Gamma}-\boldsymbol{X}\mathbf{B})'(\boldsymbol{Y\Gamma}-\boldsymbol{X}\mathbf{B})\right]+d \tag{11.38}$$

mit einer belanglosen Konstanten d.

Sie ist bezüglich der restriktionsfreien Parameter von $\boldsymbol{\Gamma}$ und $\mathbf{B}$ zu maximieren. Diese Maximierung bereitet jedoch große mathematische Schwierigkeiten und ist im allgemeinen in geschlossener Form nicht durchführbar. Jedoch führen numerische Maximierungsverfahren (z.B. die Gradientenmethode [Chernoff u. Divinsky, Rao]) in der Regel zum Ziel.

b) Im *Diagonalfall* können wir nicht, wie oben beschrieben, vorgehen. In diesem Fall erhält aber die Likelihoodfunktion eine etwas einfachere Gestalt:

$$\log L=c+T\log|\det\boldsymbol{\Gamma}|-\frac{T}{2}\sum_{i=1}^{g}\log\sigma_i^2-\frac{1}{2}\sum_{t=1}^{T}\sum_{i=1}^{g}\check{u}_{it}^2/\sigma_i^2 \tag{11.39}$$

mit

$$\check{u}_{it}=\sum_{j=1}^{g}\gamma_{ij}y_{jt}-\sum_{k=1}^{m}\beta_{ik}x_{kt}.$$

Partielle Maximierung bezüglich der σ_i liefert jetzt die Schätzwerte

$$\hat{\sigma}_i^2=\frac{1}{T}\sum_{t=1}^{T}\hat{u}_{it}^2. \tag{11.40}$$

Werden diese (aber mit beliebigen Probewerten) in (11.39) eingesetzt, erhält man die konzentrierte logarithmische Likelihoodfunktion für $\boldsymbol{\Gamma}$ und $\mathbf{B}$:

$$\log L^* = d + \frac{T}{2}\log(\det \boldsymbol{\Gamma})^2 - \frac{T}{2}\sum_{i=1}^{g}\log\left(\frac{1}{T}\sum_{t=1}^{T}\breve{u}_{it}^2\right), \tag{11.41}$$

worin $\breve{u}_{it}$ wie in (11.39) durch den Ausdruck in γ_{ij} und β_{ik} zu ersetzen ist.

Jedoch auch diese Funktion kann nicht mit elementaren Mitteln maximiert werden[9].

Interessant aber ist der Spezialfall des *rekursiven Systems.* In diesem Fall hat $\boldsymbol{\Gamma}$ Dreiecksgestalt, und es ist $\det \boldsymbol{\Gamma} \equiv 1$. Die Minimierung von L^* führt dann nach (11.39) direkt auf das Prinzip der kleinsten Quadrate für jede einzelne Gleichung:

$$\sum_{t=1}^{T}\breve{u}_{it}^2 \to \min.$$

c) ML-Schätzungen sind (unter sehr allgemeinen Bedingungen) *konsistent, asymptotisch normal* und *asymptotisch effizient.* Die *asymptotische Kovarianzmatrix* für die sämtlichen freien Parameter γ_{ij} und β_{ik} des Modells schätzt man konsistent durch die folgende Matrix (vgl. Anhang *B13.2.* und *B13.5.*):

$$\hat{\hat{\mathbf{S}}} = -\left(\frac{\partial^2 \log L^*}{\partial\alpha_r\,\partial\alpha_s}\bigg|_{(\boldsymbol{\Gamma},\mathbf{B})=(\hat{\boldsymbol{\Gamma}},\hat{\mathbf{B}})}\right)_{r,s}^{-1}. \tag{11.42}$$

Darin bedeuten die α irgendwelche freie Parameter γ_{ij} oder β_{ik}, und die Indizes r und s durchlaufen die Menge der Parameternummern, nachdem die freien Parameter in irgendeine Anordnung gebracht und durchnumeriert worden sind. Die zweiten Ableitungen sind an der Stelle des Parameterraums zu bilden, an der sich die ML-Schätzung befindet, was in (11.42) durch einen Zusatz hinter dem senkrechten Strich vermerkt worden ist.

d) Wir haben zur Herleitung der ML-Schätzformeln die Annahme benötigt, daß alle *Identitäten* eliminiert worden seien. Wir brauchten sie insbesondere, um die Dichtefunktion der abhängigen Variablen (11.33) hinschreiben zu können, die im Falle bestehender Identitäten nicht existieren würde. Diese Annahme können wir nun fallen lassen. Wir können uns nämlich vorstellen, daß zusammen mit jeder Identität eine abhängige Variable dadurch eliminiert worden ist, daß geeignete Vielfache dieser Identität zu den einzelnen Strukturgleichungen hinzuaddiert worden sind. Solche (Pivot-)Operationen ändern aber weder den Wert der Determinante $\boldsymbol{\Gamma}$ noch die Störvariable u_{it}. Daher können die konzentrierten logarithmischen Likelihoodfunktionen (11.38) bzw. (11.41) unverändert auf den Fall eines Modells mit Identitäten übertragen werden. Desgleichen bleiben die Schätzformeln (11.37) bzw. (11.40) für $\boldsymbol{\Sigma}$ unverändert.

[9] Ein Anwendungsbeispiel findet man bei MENGES [1961, S. 155ff.].

Beispiel: Die konzentrierte logarithmische Likelihoodfunktion des HAAVELMO-Modells lautet nach (11.38) oder (11.41):

$$\log L^* = T \log|1-\beta| - \frac{T}{2}\log\left(\frac{1}{T}\sum_t (C_t - \alpha - \beta Y_t)^2\right).$$

Denn es ist $\det \Gamma = 1-\beta$, und es kommt nur eine stochastische Strukturgleichung in dem Modell vor. Man gelangt zur selben Likelihoodfunktion, wenn man in dem HAAVELMO-Modell die Identität $Y = C + X$ zusammen etwa mit der Variablen C eliminiert und das aus nur einer Strukturgleichung bestehende „Modell" $(1-\beta)\,Y = \alpha + X + u$ zugrundelegt.

Differentiation von $\log L^*$ nach α und β und Nullsetzen liefert das folgende System von Bestimmungsgleichungen für die ML-Schätzungen:

$$\sum C_t = \hat{\alpha} T + \hat{\beta} \sum Y_t$$

$$\sum (C_t - \hat{\alpha} - \hat{\beta} Y_t)^2 = (1-\hat{\beta}) \sum (C_t - \hat{\alpha} - \hat{\beta} Y_t)\, Y_t .$$

Die erste Gleichung ist uns von der KQ-Methode her als Bestimmungsgleichung für das absolute Glied $\hat{\alpha}$ bekannt. Mit ihrer Hilfe können wir $\hat{\alpha}$ in der zweiten Gleichung eliminieren und erhalten

$$\sum [(C_t - \bar{C}) - \hat{\beta}(Y_t - \bar{Y})]^2 = (1-\hat{\beta}) \sum [(C_t - \bar{C}) - \hat{\beta}(Y_t - \bar{Y})]\, Y_t,$$

wobei das letzte Y_t auch durch $Y_t - \bar{Y}$ ersetzt werden kann. Dies scheint nun eine quadratische Gleichung für $\hat{\beta}$ zu sein. Die weitere Rechnung zeigt aber, daß das quadratische Glied fortfällt; man erhält die folgende Lösung:

$$\hat{\beta} = \frac{\operatorname{cov}(C, Y) - s^2(C)}{s^2(Y) - \operatorname{cov}(C, Y)}.$$

Wegen $Y = C + X$ wird hieraus schließlich

$$\hat{\beta} = \frac{\operatorname{cov}(C, X)}{\operatorname{cov}(Y, X)}.$$

Das aber ist die nach der indirekten KQ-Methode gewonnene Schätzformel für $\hat{\beta}$.

11.2.2. Linearisierte ML-Methode*

In dem Bemühen, die sehr umständlichen Berechnungen der ML-Schätzungen zu vereinfachen, ohne jedoch den Kern der ML-Methode zu verändern, wurde diese von ROTHENBERG und LEENDERS [1964] in die sogenannte linearisierte ML-Methode abgewandelt. Die Modifikation besteht darin, daß das nichtlineare System von Bestimmungsgleichungen, das man durch Differentiation der logarithmischen Likelihoodfunktion (11.35) oder (11.41) nach den Parametern und anschließendem Nullsetzen erhält, durch eine Taylorreihen-Entwicklung linear (in den Parametern) approximiert wird. Dabei ist für das Zentrum der Entwicklung eine konsistente Parameterschätzung mit für $T \to \infty$ hinreichend rasch gegen Null konvergierender Kovarianzmatrix zu wählen, z.B. also die zweistufige KQ-Schätzung.

Ist $\boldsymbol{\theta} = (\theta_1, \theta_2, \ldots, \theta_r)'$ der Vektor aller freien Parameter des Modells und ist $\hat{\boldsymbol{\theta}}$ seine zweistufige KQ-Schätzung, dann lautet das lineare Bestimmungsgleichungssystem für die linearisierte ML-Schätzung $\hat{\hat{\boldsymbol{\theta}}}$:

$$\left(\frac{\partial^2 \log L}{\partial\theta_i \partial\theta_j}\bigg|_{\boldsymbol{\theta}=\hat{\boldsymbol{\theta}}}\right)_{i,j} (\hat{\hat{\boldsymbol{\theta}}} - \hat{\boldsymbol{\theta}}) = -\left(\frac{\partial \log L}{\partial\theta_i}\bigg|_{\boldsymbol{\theta}=\hat{\boldsymbol{\theta}}}\right)_i.$$

Diese Methode führt unter allgemeinen Bedingungen zu effizienten Schätzungen ebenso wie die gewöhnliche ML-Methode[9a].

11.2.3.* Dreistufige Methode der kleinsten Quadrate

Diese Methode wurde von ZELLNER und THEIL [1962] entwickelt. Sie baut auf der zweistufigen KQ-Methode auf, nutzt aber im Gegensatz zu dieser alle a-priori-Informationen des Modells aus und ist insofern mit der ML-Methode bei voller Information vergleichbar. Sie unterscheidet sich aber von dieser durch eine bedeutend einfachere Berechnungsmethode: Man erhält die Schätzungen als Lösung eines linearen Systems von Bestimmungsgleichungen ähnlich wie bei der linearisierten ML-Methode.

Die dreistufige KQ-Methode läßt sich aus einer speziellen Darstellungsform der zweistufigen KQ-Methode entwickeln. Wir knüpfen hierzu an die in *10.2.5.* dargestellte Methode der Hilfsvariablen an. Dort hatten wir Bestimmungsgleichungen für die Parameter dadurch gewonnen, daß wir eine (etwa die erste) Strukturgleichung

$$y_1 = \boldsymbol{Y}_* \boldsymbol{\gamma}_* + \boldsymbol{X}_1 \boldsymbol{\beta}_1 + \boldsymbol{u}_1 \qquad (11.43)$$

von links mit $\boldsymbol{X}'$ durchmultiplizierten:

$$\boldsymbol{X}' y_1 = \boldsymbol{X}' \boldsymbol{Y}_* \boldsymbol{\gamma}_* + \boldsymbol{X}' \boldsymbol{X}_1 \boldsymbol{\beta}_1 + \boldsymbol{X}' \boldsymbol{u}_1 \qquad (11.44)$$

und das Glied $\boldsymbol{X}' \boldsymbol{u}_1$ gleich Null setzten. Das ergab im allgemeinen, d.h. bei einer überidentifizierten Strukturgleichung mehr (nämlich m) Bestimmungsgleichungen, als Parameter zu bestimmen waren (nämlich $g_* - 1 + m_*$). Nur im Falle einer genau identifizierbaren Gleichung, wenn also $m = g_* - 1 + m_*$ ist, können wir die Bestimmungsgleichungen lösen und erhalten gerade die Schätzungen nach der indirekten KQ-Methode. Bei überidentifizierten Strukturgleichungen mußten wir eine mehr oder weniger willkürliche Auswahl aus dem System von Bestimmungsgleichungen treffen. Gerade in dieser Willkür liegt das Unbefriedigende an der Methode der Hilfsvariablen. Ein Ausweg könnte nun darin bestehen, daß man zwischen den zu vielen (und sich daher widersprechenden) Bestimmungsgleichungen in gewissem Sinne „vermittelt“, und hierfür bietet sich wieder die Methode der kleinsten Quadrate an. Um dieses Verfahren genauer zu beschreiben,

[9a] Erwähnt werden sollte noch ein neueres auf WOLD („Fixpunktmethode“) zurückgehendes und von LYTTKENS („Iterative Instrumentalvariablenmethode“) modifiziertes Schätzverfahren, das hinsichtlich sowohl seiner stochastischen Eigenschaften, als auch seines rechentechnischen Aufwandes durchaus günstig im Vergleich zur ML-Methode abschneidet [MOSBAEK u. WOLD 1970]. Der Ausgangspunkt dieser Methoden ist zunächst ähnlich dem der zweistufigen KQ-Methode. Ähnlich wie dort, werden die auf der rechten Seite der zu schätzenden Gleichung stehenden endogenen Variablen durch geeignete Schätzwerte ersetzt. Jedoch stammen diese nicht einfach aus der reduzierten Form, sondern werden durch ein Iterationsverfahren, das das ganze Modell erfaßt, schrittweise verbessert, wobei die volle Information des Modells ausgenutzt wird.

ist es zweckmäßig, zunächst einige abkürzende Bezeichnungen einzuführen. Es sei

$$Z_1 := (Y_*, X_1), \qquad \delta_1 := \begin{pmatrix} \gamma_* \\ \beta_1 \end{pmatrix}.$$

Dabei bezieht sich in den neuen Symbolen der Index 1 auf die Nummer der zu schätzenden Strukturgleichung[10]. Wir können dann (11.43) wie folgt kurz zusammenfassen:

$$y_1 = Z_1 \delta_1 + u_1 \tag{11.45}$$

und entsprechend (11.44)

$$X' y_1 = X' Z_1 \delta_1 + X' u_1. \tag{11.46}$$

Führen wir nun (vorübergehend) die folgenden m-zeiligen Vektoren und Matrizen ein:

$$y_1^+ := X' y_1, \qquad Z_1^+ := X' Z_1, \qquad u_1^+ := X' u_1, \tag{11.47}$$

dann erscheint (11.46) in der Form einer Regressionsbeziehung

$$y_1^+ = Z_1^+ \delta_1 + u_1^+ \tag{11.48}$$

zwischen der Variablen y_1^+ und $g_* - 1 + m_*$ „Regressorvariablen" z_i^+. Für diese neuen (künstlichen) Variablen liegen m Beobachtungspunkte vor, die gemäß (11.47) aus den T ursprünglichen Beobachtungspunkten kombiniert worden sind.

Man könnte daher jetzt versuchen, δ_1 mittels der KQ-Methode aus der Regression (11.48) zu schätzen. Es ist hierbei jedoch zu beachten, daß der Vektor u_1^+ eine Kovarianzmatrix besitzt, die gewissermaßen Heteroskedastizität und Autokorrelation aufweist:

$$V_1^+ := V(u_1^+) = E(u_1^+ u_1^{+\prime}) = X' E(u_1 u_1') X = \sigma_1^2 X' X. \tag{11.49}$$

Dabei ist σ_1^2 die Varianz von u_1. Wir werden daher die verallgemeinerte KQ-Methode (vgl. *5.1.3.*) zur Schätzung von δ_1 heranziehen und erhalten nach (5.6) das folgende System von Bestimmungsgleichungen (Normalgleichungen):

$$Z_1^{+\prime} V_1^{+-1} Z_1^+ \hat{\delta}_1 = Z_1^{+\prime} V_1^{+-1} y_1^+$$

oder ausführlich, wenn wir aus (11.47) und (11.49) einsetzen und mit σ_1^2 multiplizieren:

$$\boxed{\;} \; Z_1' X (X'X)^{-1} X' Z_1 \hat{\delta}_1 = Z_1' X (X'X)^{-1} X' y_1. \tag{11.50}$$

Man kann nun zeigen, daß wir in (11.50) nur eine andere Form der uns bekannten Normalgleichungen (11.11) der zweistufigen KQ-Methode vor uns haben. Denn aufgrund der Definition von Z_1 und δ_1 läßt sich (11.50) ausführlicher schreiben:

$$\begin{pmatrix} Y_*' X (X'X)^{-1} X' Y_* & Y_*' X (X'X)^{-1} X' X_1 \\ X_1' X (X'X)^{-1} X' Y_* & X_1' X (X'X)^{-1} X' X_1 \end{pmatrix} \begin{pmatrix} \hat{\gamma}_* \\ \hat{\beta}_1 \end{pmatrix} = \begin{pmatrix} Y_*' X (X'X)^{-1} X' y_1 \\ X_1' X (X'X)^{-1} X' y_1 \end{pmatrix}. \tag{11.51}$$

[10] δ_1 ist mit dem in *11.1.1.c* definierten δ identisch. Dagegen unterscheidet sich Z_1 von dem damals definierten Z durch die Verwendung von Y_* anstelle von $\hat{Y}_*$.

Nun ist offenbar $X(X'X)^{-1}X'X = X$ und daher (wenn wir uns bei der letzten Matrix X auf die Teilmatrix X_1 beschränken)

$$X(X'X)^{-1}X'X_1 = X_1. \tag{11.52}$$

Setzen wir diese Beziehung in (11.51) ein, erhalten wir sofort das Normalgleichungssystem (11.11) der zweistufigen KQ-Methode, w. z. b. w.

Die Idee der *dreistufigen KQ-Methode* besteht nun darin, das eben geschilderte Verfahren auf das ganze Modell „simultan" anzuwenden. Wir führen hierzu zu jeder Strukturgleichung Parametervektoren $\boldsymbol{\delta}_i$ und Zeitreihenmatrizen $\boldsymbol{Z}_i$ $(i = 1, \ldots, g)$ ein, wie wir das für die erste Strukturgleichung getan haben. Wenn wir alle Gleichungen des Modells von links mit X' durchmultiplizieren, erhalten wir das folgende System von Regressionsbeziehungen

$$\begin{aligned} X'y_1 &= X'Z_1\delta_1 && && + X'u_1 \\ X'y_2 &= && X'Z_2\delta_2 && + X'u_2 \\ &\vdots && \ddots && \vdots \\ X'y_g &= && && X'Z_g\delta_g + X'u_g. \end{aligned} \tag{11.53}$$

Um zu einer noch kompakteren Schreibweise zu gelangen, fassen wir Parametervektoren, Datenmatrizen und Störvariablenvektoren wie folgt zusammen:

$$\delta^+ = \begin{bmatrix} \delta_1 \\ \delta_2 \\ \vdots \\ \delta_g \end{bmatrix}, \quad y^+ = \begin{bmatrix} X'y_1 \\ X'y_2 \\ \vdots \\ X'y_g \end{bmatrix}, \quad Z^+ = \begin{bmatrix} X'Z_1 & 0 & \ldots & 0 \\ 0 & X'Z_2 & \ldots & 0 \\ \vdots & \vdots & & \vdots \\ 0 & 0 & \ldots & X'Z_g \end{bmatrix}, \quad u^+ = \begin{bmatrix} X'u_1 \\ X'u_2 \\ \vdots \\ X'u_g \end{bmatrix} \tag{11.54}$$

und erhalten für (11.53):

$$y^+ = Z^+\delta^+ + u^+. \tag{11.55}$$

Man beachte, daß $\boldsymbol{\delta}^+$ aus sämtlichen unbekannten Parametern der Strukturgleichungen des Modells besteht, aufgereiht zu einem einzigen Vektor. $\boldsymbol{y}^+$ und $\boldsymbol{Z}^+$ können aus den gegebenen Daten gebildet werden, $\boldsymbol{u}^+$ hat die folgende Kovarianzmatrix[11)]

$$V^+ = \begin{bmatrix} \sigma_{11}X'X & \sigma_{12}X'X & \ldots & \sigma_{1g}X'X \\ \sigma_{21}X'X & \sigma_{22}X'X & \ldots & \sigma_{2g}X'X \\ \vdots & \vdots & & \vdots \\ \sigma_{g1}X'X & \sigma_{g2}X'X & \ldots & \sigma_{gg}X'X \end{bmatrix}. \tag{11.56}$$

Wenden wir nun die verallgemeinerte KQ-Methode auf (11.55) an, dann erhalten wir die folgenden „Normalgleichungen" zur Bestimmung der Parameterschätzungen:

$$Z^{+\prime}V^{+-1}Z^+\hat{\delta}^+ = Z^{+\prime}V^{+-1}y^+. \tag{11.57}$$

[11)] Sie läßt sich auch kürzer als Kroneckerprodukt $\Sigma \otimes X'X$ schreiben. Dabei gilt $(V^+)^{-1} = \Sigma^{-1} \otimes (X'X)^{-1}$.

Die Auflösung dieses Systems ergibt die Schätzungen nach der dreistufigen KQ-Methode. Dabei ist $(V^+)^{-1} = (\sigma^{ij}(X'X)^{-1})_{\substack{i=1,\ldots,g \\ j=1,\ldots,g}}$, worin σ^{ij} die Elemente von Σ^{-1} sind.

Vorauszusetzen ist allerdings, daß die Kovarianzmatrix Σ der u_i regulär ist, weil andernfalls V^+ nicht invertiert werden könnte. Diese Voraussetzung ist aber erfüllt, sofern in dem System nur stochastische Strukturgleichungen vorkommen. Wir müssen also annehmen, daß in dem Modell keine Identitäten vorkommen, bzw. daß diese vorher eliminiert worden sind. Kommen Identitäten vor, dann ist es allerdings zweckmäßiger, sie nicht erst zu eliminieren, um danach die dreistufige KQ-Methode anzuwenden, sondern sie einfach zu ignorieren. Das heißt, man wendet die dreistufige KQ-Methode nur auf das Teilsystem der stochastischen Strukturgleichungen des Modells an. Die oben entwickelten Formeln können unverändert übernommen werden, nur muß in (11.53) die Zahl g als die Anzahl der stochastischen Strukturgleichungen uminterpretiert werden. Schließlich kann man nach THEIL und ZELLNER in Übereinstimmung mit (5.7) auch die asymptotische Kovarianzmatrix der sämtlichen Parameterschätzungen angeben[12)]:

$$\Sigma_{\hat{\delta}^+} = (Z^{+\prime} V^{+-1} Z^+)^{-1} = \begin{bmatrix} \sigma^{11} Z_1' X(X'X)^{-1} X' Z_1 \ldots \sigma^{1g} Z_1' X(X'X)^{-1} X' Z_g \\ \vdots \qquad\qquad\qquad \vdots \\ \sigma^{g1} Z_g' X(X'X)^{-1} X' Z_1 \ldots \sigma^{gg} Z_g' X(X'X)^{-1} X' Z_g \end{bmatrix}^{-1}. \quad (11.58)$$

Die Elemente σ^{ij} sind allerdings unbekannt und müssen – damit die Methode überhaupt funktionieren kann – durch Schätzwerte ersetzt werden. THEIL und ZELLNER schlagen vor, zunächst alle Gleichungen des Modells nach der zweistufigen KQ-Methode zu schätzen und aus den Residuen die Kovarianzmatrix Σ zu schätzen. Mit Hilfe von $\hat{\Sigma}$ anstelle von Σ wird dann nach (11.56) die Matrix $\hat{V}^+$ gebildet und zur endgültigen Parameterschätzung nach (11.57) herangezogen.

Nach ROTHENBERG und LEENDERS [1964] ist die dreistufige KQ-Methode *asymptotisch effizient* (ebenso wie die ML-Methode), sofern über Σ keine a-priori-Restriktionen vorliegen oder sofern X nur aus exogenen Variablen besteht ($X = X^e$) und die üblichen Limesbedingungen (vgl. *9.1.7.*) über $X'X$ erfüllt sind. Im Diagonalfall (Σ diagonal) reduziert sich die dreistufige auf die zweistufige KQ-Methode, wie man aus (11.56) und (11.57) ersehen kann, wenn man dort $\sigma_{ij} = 0$ setzt für alle $i \neq j$, und dann mit (11.50) vergleicht.

11.2.4. Simultane KQ-Methode*

Hier sei kurz ein von T.M. BROWN [1960] entwickeltes Schätzverfahren vorgestellt, das auf einer sehr einfachen Idee beruht.

12) Eine kürzere Schreibweise mit Hilfe des KRONECKER-Produkts ist die folgende:

$$\Sigma_{\hat{\delta}^+} = [Z^{+\prime}(\Sigma^{-1} \otimes (X'X)^{-1}) Z^+]^{-1}.$$

Wie wir wissen, führt die indirekte KQ-Methode nur bei genau identifizierbaren Strukturgleichungen zu eindeutigen Parameterschätzungen. Bei überidentifizierten Gleichungen dagegen funktioniert sie nicht. Das liegt daran, daß die überidentifizierenden Restriktionen in den Strukturgleichungen zu Restriktionen in den Gleichungen der reduzierten Form führen, diese aber bei der Anwendung der KQ-Methode auf die reduzierte Form nicht beachtet werden. Es ist daher zu erwarten, daß man mit Hilfe der indirekten KQ-Methode auch bei überidentifizierten Strukturgleichungen konsistente Schätzungen erhält, wenn man nur sämtliche im Modell enthaltenen a-priori-Informationen voll ausnutzt. Da diese sich allerdings in der reduzierten Form in Restriktionen niederschlagen, die die Parameter unterschiedlicher Gleichungen verbinden (nämlich in den in Aufg. (10-13) angegebenen Rangrestriktionen), ist dort die KQ-Methode nicht auf jede Gleichung getrennt anzuwenden, sondern auf das Gesamtsystem der reduzierten Form. Das heißt, man minimiert die Gesamtsumme der quadrierten Residuen der reduzierten Form:

$$\sum_{i=1}^{g} \sum_{t=1}^{T} \check{v}_{it}^2 \to \min_{\boldsymbol{\Gamma}, \mathbf{B}}$$

unter Beachtung aller a-priori-Restriktionen über $\boldsymbol{\Gamma}$ und $\mathbf{B}$.

In Matrixschreibweise können wir stattdessen auch formulieren:

$$\operatorname{sp} \check{\boldsymbol{V}}' \check{\boldsymbol{V}} = \operatorname{sp}(\boldsymbol{Y} - \boldsymbol{X}\mathbf{B}\boldsymbol{\Gamma}^{-1})'(\boldsymbol{Y} - \boldsymbol{X}\mathbf{B}\boldsymbol{\Gamma}^{-1}) \to \min_{\boldsymbol{\Gamma}, \mathbf{B}}. \tag{11.59}$$

Trotz der einfachen Grundidee dieses Prinzips erfordert die Durchführung der Minimierungsaufgabe einen ziemlich großen Rechenaufwand. Ähnlich wie bei der ML-Methode ist ein System nichtlinearer Bestimmungsgleichungen zu lösen, wofür BROWN ein iteratives Verfahren vorgeschlagen hat. Wir wollen aber dieses Verfahren hier nicht weiter verfolgen.

Nach NAKAMURA [1960] sind die Parameterschätzungen der simultanen KQ-Methode konsistent.

Interessant ist noch ein formaler Vergleich der simultanen KQ-Methode mit der *ML-Methode bei voller Information.* Wie man an der konzentrierten Likelihoodfunktion (11.38) in der Form

$$\log L^* = -\frac{T}{2} \log \det \left(\frac{1}{T} \boldsymbol{\Gamma}^{-2} \check{\boldsymbol{U}}' \check{\boldsymbol{U}}\right) + d$$

erkennt, bedeutet wegen der Beziehung $\boldsymbol{V} = \boldsymbol{U}\boldsymbol{\Gamma}^{-1}$ die Maximierung der Likelihoodfunktion nichts anderes als die Minimierung

$$\det(\check{\boldsymbol{V}}' \check{\boldsymbol{V}}) \to \min_{\boldsymbol{\Gamma}, \mathbf{B}}.$$

Im Gegensatz hierzu minimiert die simultane KQ-Methode die Spur von $\check{\boldsymbol{V}}' \check{\boldsymbol{V}}$. In beiden Fällen aber werden sämtliche a-priori-Restriktionen für $\boldsymbol{\Gamma}$ und $\mathbf{B}$ beachtet, d.h., es wird nur über die freien Parameter minimiert. Die Determinante

$\det(\check{V}'\check{V})$ wird übrigens in der Wahrscheinlichkeitsrechnung gewöhnlich die *verallgemeinerte Varianz* der g Residuenvektoren genannt.

11.3. Vergleich der Schätzmethoden

In diesem Abschnitt sollen die vorgeführten Schätzmethoden hinsichtlich ihrer stochastischen Eigenschaften, aber auch unter dem Gesichtspunkt des rechentechnischen Aufwandes miteinander verglichen werden. Des weiteren kommen einige gemeinsame Eigenschaften und gewisse formale Übereinstimmungen zur Sprache.

11.3.1. Abweichungen vom Mittelwert und Bereinigung*

In den meisten Fällen wird in den zu schätzenden Strukturgleichungen ein absolutes Glied vorkommen. Es ist die Frage, ob wir ähnlich wie bei der gewöhnlichen KQ-Methode das absolute Glied dadurch aus dem Schätzproblem eliminieren können, daß wir alle Variablen als Abweichungen von ihren Mittelwerten messen, wie wir das übrigens bei unseren Zahlenbeispielen in *10.2.3.* und *11.1.1.* getan haben. Wir wollen zeigen, daß dies bei den Schätzverfahren aus *11.1.* und *11.2.* tatsächlich möglich ist.

Wir wollen darüber hinaus das für die KQ-Methode in *3.2.4.c* bewiesene und verallgemeinerte Theorem von FRISCH und WAUGH auf die Schätzverfahren für Gleichungssysteme übertragen, d.h., wir wollen zeigen, daß eine beliebige exogene (oder auch vorherbestimmte) Variable des Modells dadurch (samt zugehörigem Parameter) eliminiert werden kann, daß man sämtliche übrigen Variablen von dieser Variablen nach der KQ-Methode „bereinigt". In dem speziellen Fall, daß die zu eliminierende Variable die Scheinvariable 1 ist, haben wir dann auch die Möglichkeit der Elimination des konstanten Gliedes mitbewiesen.

a) Wir beweisen die Bereinigungsmöglichkeit zunächst für die Schätzverfahren der *k-Klasse*.

Hierzu wollen wir das Normalgleichungssystem der k-Klasse in einer neuen Form darstellen, die die Verwandtschaft zur Methode der Hilfsvariablen zeigt:

$$\begin{pmatrix} (\boldsymbol{Y}_* - k\hat{\boldsymbol{V}}_*)'\boldsymbol{Y}_* & (\boldsymbol{Y}_* - k\hat{\boldsymbol{V}}_*)'\boldsymbol{X}_1 \\ \boldsymbol{X}_1'\boldsymbol{Y}_* & \boldsymbol{X}_1'\boldsymbol{X}_1 \end{pmatrix} \begin{pmatrix} \hat{\boldsymbol{\gamma}}_* \\ \hat{\boldsymbol{\beta}}_1 \end{pmatrix} = \begin{pmatrix} (\boldsymbol{Y}_* - k\hat{\boldsymbol{V}}_*)'\boldsymbol{y}_1 \\ \boldsymbol{X}_1'\boldsymbol{y}_1 \end{pmatrix}. \tag{11.60}$$

Die Übereinstimmung dieser Darstellungsform mit dem in (11.28) wiedergegebenem Normalgleichungssystem ergibt sich daraus, daß aufgrund der Residueneigenschaft (2.17) $\hat{\boldsymbol{V}}_*'\boldsymbol{X}_1 = \boldsymbol{0}$ und $\hat{\boldsymbol{V}}_*'\boldsymbol{Y}_* = \hat{\boldsymbol{V}}_*'(\hat{\boldsymbol{Y}}_* + \hat{\boldsymbol{V}}_*) = \hat{\boldsymbol{V}}_*'\boldsymbol{X}\hat{\boldsymbol{\Pi}}_* + \hat{\boldsymbol{V}}_*'\hat{\boldsymbol{V}}_* = \hat{\boldsymbol{V}}_*'\hat{\boldsymbol{V}}_*$ ist.

(11.60) hat die typische Form eines Normalgleichungssystems für die Methode der Hilfsvariablen. Dabei fungieren als Hilfsvariablen einmal die in $\boldsymbol{X}_1$ zusammengefaßten vorherbestimmten Variablen aus der zu schätzenden Gleichung, zum anderen die Variablen $y_i - k\hat{v}_i$, $i=2,\ldots,g_*$. Das sind zusammen gerade so viele Hilfsvariablen, wie Parameter zu schätzen sind.

Wir wollen nun in (11.60) den Parameter einer der vorherbestimmten Variablen, etwa $\hat{\beta}_1$, eliminieren. Wir gehen hierbei anders vor als früher in *3.2.4.c.* Zunächst schreiben wir die erste Bestimmungsgleichung des zweiten Teilsystems von (11.60) ausführlich hin:

$$\begin{aligned}\hat{\gamma}_2 \sum x_{1t} y_{2t} + \cdots + \hat{\gamma}_{g_*} \sum x_{1t} y_{g_*t} + \hat{\beta}_1 \sum x_{1t}^2 + \hat{\beta}_2 \sum x_{1t} x_{2t} + \cdots + \hat{\beta}_{m_*} \sum x_{1t} x_{m_*t} \\ = \sum x_{1t} y_{1t}.\end{aligned} \tag{11.61}$$

Wir können sie als Bestimmungsgleichung für $\hat{\beta}_1$ ansehen, wenn die übrigen Parameter über das verbleibende Gleichungssystem schon bestimmt worden sind.

Nun eliminieren wir durch geeignete Pivotoperationen in jeder Gleichung des Restsystems die Unbekannte $\hat{\beta}_1$. Bezeichnen wir mit z_i irgendeine Variable aus der Menge der Hilfsvariablen oder aus der Menge der Variablen der zu schätzenden Gleichung und lautet eine beliebige Normalgleichung etwa

$$\begin{aligned}\hat{\gamma}_2 \sum z_{it} y_{2t} + \cdots + \hat{\gamma}_{g_*} \sum z_{it} y_{g_*t} + \hat{\beta}_1 \sum z_{it} x_{1t} + \hat{\beta}_2 \sum z_{it} x_{2t} + \cdots + \hat{\beta}_{m_*} \sum z_{it} x_{m_*t} \\ = \sum z_{it} y_{1t},\end{aligned}$$

dann wird ein beliebiger Koeffizient dieser Gleichung, den wir jetzt abkürzend mit $c_{ij} = \sum z_{it} z_{jt}$ bezeichnen wollen, durch die Pivotoperation in den neuen Koeffizienten

$$c_{ij}^* = \sum z_{it} z_{jt} - \sum z_{it} x_{1t} \sum x_{1t} z_{jt} / \sum x_{1t}^2$$

transformiert. Wie man sofort nachrechnet, ist aber

$$c_{ij}^* = \sum z_{it}^* z_{jt}^*$$

mit

$$z_{it}^* = z_{it} - \frac{\sum z_{it} x_{1t}}{\sum x_{1t}^2} x_{1t}. \tag{11.62}$$

z_i^* ist aber offensichtlich das KQ-Residuum einer homogenen Regression von z_i auf x_1, d.h., z_i^* ist die von x_1 bereinigte Variable z_i. Das um $\hat{\beta}_1$ und um (11.61) reduzierte Normalgleichungssystem wird also ebenso wie das ursprüngliche System gebildet, jedoch mit bereinigten Variablen anstelle der ursprünglichen Variablen. Dabei sind allerdings die Hilfsvariablen vom Typ $z_i = y_i - k\hat{v}_i$ bereinigt worden, nachdem sie aus den ursprünglichen, unbereinigten Variablen y und x aufgebaut worden sind. Es ist nun nur noch zu zeigen, daß man zu derselben bereinigten Hilfsvariablen z_i^* kommt, wenn man sie von vornherein mit bereinigten Variablen y^* und x^* in derselben Weise aufbaut wie die unbereinigte Hilfsvariable z_i aus den ursprünglichen Variablen y und x.

Nun ist aber für eine Hilfsvariable des genannten Typs

$$\sum z_{it} x_{1t} = \sum y_{it} x_{1t} - k \sum \hat{v}_{it} x_{1t} = \sum y_{it} x_{1t}.$$

Daher ist nach (11.62)

$$z_{it}^* = y_{it}^* - k \hat{v}_{it}, \qquad \text{falls } z_{it} = y_{it} - k \hat{v}_{it}.$$

Schließlich bleibt darauf zu verweisen, daß $\hat{v}_i$, das Residuum der Regression von y_i auf $x_1, x_2, \ldots, x_m$, zugleich das Residuum $\hat{v}_i^*$ der Regression von y_i^* auf $x_2^*, \ldots, x_m^*$ ist (vgl. hierzu *3.2.4.c*).

Damit haben wir bewiesen, daß die Elimination einer vorherbestimmten Variablen bei gleichzeitiger Bereinigung sämtlicher Variablen von der eliminierten Variablen für die verbleibenden Strukturparameter zu unveränderten Schätzwerten führt, sofern eine Schätzmethode der k-Klasse verwendet wird und der Koeffizient k bei dem Bereinigungsvorgang keine Veränderung erfährt. Letzteres ist insbesondere für die zweistufige KQ-Methode gesichert, da in diesem Fall $k=1$ ist. Aber auch für die MLBI-Methode bleibt $k=\lambda$ von der Bereinigung unberührt, was daraus folgt, daß die λ bestimmenden Matrizen $\boldsymbol{W}$ und $\boldsymbol{W}_1$ von (11.20) nach (4.5) Kovarianzmatrizen von KQ-Residuen sind und diese – wie wir eben gesehen haben – durch die Bereinigung nicht verändert werden. Für diese beiden Schätzmethoden ist daher das geschilderte Bereinigungsverfahren durchführbar.

Darüber hinaus können wir auch die asymptotische Kovarianzmatrix der nach Elimination von $\hat{\beta}_1$ verbleibenden Parameterschätzungen nach der früher angegebenen Formel (11.14) berechnen, sofern wir nur dort alle Variablen von x_1 bereinigen. Zum Beweis vgl. *2.4.2.b*.

Schließlich bleiben auch die Residuen unverändert, wenn die Schätzung mit bereinigten Variablen ausgeführt wird, was man genauso einsieht wie im Falle der KQ-Residuen.

b) Für die *ML-Methode* bei voller Information gilt das (verallgemeinerte) Theorem von Frisch und Waugh, sofern die zu eliminierende Variable x_1 in allen stochastischen Strukturgleichungen vorkommt.

Ausgangspunkt unserer Überlegungen ist die logarithmische Likelihoodfunktion (11.35):

$$\log L = c + T \log|\det \boldsymbol{\Gamma}| - \frac{T}{2} \log\det \boldsymbol{\Sigma} - \frac{1}{2} \operatorname{sp}(\boldsymbol{\Sigma}^{-1} \check{\boldsymbol{U}}' \check{\boldsymbol{U}}), \tag{11.63}$$

wobei für den Spurausdruck auch $\sum_i \sum_j \sigma^{ij} \sum_t \check{u}_{it} \check{u}_{jt}$ geschrieben werden kann mit

$$\check{u}_{it} = \sum_{h=1}^{g} \gamma_{ih} y_{ht} - \sum_{k=1}^{m} \beta_{ik} x_{kt}, \qquad i = 1, \ldots, g.$$

Nehmen wir an, daß x_1 in jeder stochastischen Strukturgleichung des Modells vorkommt, daß also für kein i der Parameter β_{i1} a priori gleich Null ist, dann ist im Maximum der Likelihoodfunktion

$$\frac{\partial \log L}{\partial \beta_{i1}} = 0 \quad \text{für alle} \quad i = 1, \ldots, g.$$

Die Differentiation nach β_{i1} ergibt

$$\frac{\partial \log L}{\partial \beta_{i1}} = \sum_j \sigma^{ij} \sum_t x_{1t} \check{u}_{jt}.$$

Fassen wir alle Differentialquotienten für $i = 1, \ldots, g$ zu einem Spaltenvektor zusammen, und setzen diesen gleich Null, dann können wir schreiben:

$$\boldsymbol{\Sigma}^{-1} \hat{\boldsymbol{U}}' \boldsymbol{x}_1 = \boldsymbol{o}.$$

Hieraus folgt

$$\hat{\boldsymbol{U}}' \boldsymbol{x}_1 = \boldsymbol{o} \tag{11.64}$$

oder ausführlicher:

$$\sum \hat{u}_{it} x_{1t} = 0 \quad \text{für} \quad i = 1, \ldots, g.$$

Das sind g Bestimmungsgleichungen für die β_{i1}, die gerade die übliche Gestalt von KQ-Normalgleichungen haben:

$$\sum_{h=1}^{g} \hat{\gamma}_{ih} \sum_t y_{ht} x_{1t} = \hat{\beta}_{i1} \sum_t x_{1t}^2 + \sum_{k=2}^{m} \hat{\beta}_{ik} \sum_t x_{kt} x_{1t}.$$

Mit Hilfe dieser Bestimmungsgleichungen können wir nun in der Likelihoodfunktion die β_{i1} eliminieren, um dadurch eine konzentrierte Likelihoodfunktion für die restlichen Parameter zu erhalten. Diese hat dasselbe Aussehen wie (11.63) mit dem einzigen Unterschied, daß an die Stelle der u_{it} folgende Ausdrücke treten:

$$u_{it}^* = \sum_{h=1}^{g} \gamma_{ih} y_{ht}^* - \sum_{k=2}^{m} \beta_{ik} x_{kt}^*$$

mit

$$y_{ht}^* = y_{ht} - \Big(\sum_t y_{ht} x_{1t} / \sum_t x_{1t}^2\Big) x_{1t}$$

$$x_{kt}^* = x_{kt} - \Big(\sum_t x_{kt} x_{1t} / \sum_t x_{1t}^2\Big) x_{1t}.$$

Das heißt, in der neuen Likelihoodfunktion sind die ursprünglichen Variablen durch bereinigte Variablen ersetzt worden. Die ML-Schätzungen der Strukturparameter eines Modells außer den β_{i1} erhält man also auch als ML-Schätzungen aus einem Modell, in dem die Variable x_1 gestrichen worden ist und zugleich alle beobachtbaren Variablen von x_1 bereinigt worden sind, das ansonsten aber mit dem ursprünglichen Modell übereinstimmt. Ebenso erhält man die Kovarianzmatrix dieser Parameter aus diesem von x_1 bereinigten Modell, da man sie in der üblichen Weise aus der konzentrierten Likelihoodfunktion berechnen kann (vgl. Anhang *B13.5.*). Des weiteren sieht man, daß auch die ML-Residuen durch die Bereinigung nicht verändert werden.

c) Für die simultane KQ-Methode beweist man die Bereinigungsmöglichkeit ganz ähnlich. Das Prinzip dieser Schätzmethode kann nach (11.59) kurz durch

$$\mathrm{sp}(\tilde{\boldsymbol{V}}'\tilde{\boldsymbol{V}}) \to \min$$

angegeben werden. Nun ist wegen (9.12)

$$\mathrm{sp}(\boldsymbol{V}'\boldsymbol{V}) = \mathrm{sp}(\boldsymbol{\Gamma}'^{-1}\boldsymbol{U}'\boldsymbol{U}\boldsymbol{\Gamma}^{-1}) = \mathrm{sp}((\boldsymbol{\Gamma}'\boldsymbol{\Gamma})^{-1}\boldsymbol{U}'\boldsymbol{U}) = \mathrm{sp}(\mathbf{A}\boldsymbol{U}'\boldsymbol{U}) \tag{11.65}$$

mit $\mathbf{A} := (\boldsymbol{\Gamma}'\boldsymbol{\Gamma})^{-1}$.

Die Minimierung von $\mathrm{sp}(\mathbf{A}\tilde{\boldsymbol{U}}'\tilde{\boldsymbol{U}})$ ist aber formal in derselben Weise durchzuführen wie die in *b* ausgeführte Minimierung von $\mathrm{sp}(\boldsymbol{\Sigma}^{-1}\tilde{\boldsymbol{U}}'\tilde{\boldsymbol{U}})$, zumal $\mathbf{A}$ genau wie $\boldsymbol{\Sigma}^{-1}$ symmetrisch und regulär ist. Nehmen wir daher wieder an, daß x_1 in keiner stochastischen Strukturgleichung a priori ausgeschlossen ist, dann erhalten wir dieselben Bestimmungsgleichungen für die $\hat{\beta}_{i1}$ wie in (11.64):

$$\hat{\boldsymbol{U}}'\boldsymbol{x}_1 = \boldsymbol{o}.$$

Wie früher bei der ML-Methode können wir nun die β_{i1} in (11.65) eliminieren und erhalten

$$\mathrm{sp}\,\tilde{\boldsymbol{V}}^{*\prime}\tilde{\boldsymbol{V}}^{*} = \mathrm{sp}\,\mathbf{A}\tilde{\boldsymbol{U}}^{*\prime}\tilde{\boldsymbol{U}}^{*}.$$

Wird dieser Ausdruck bezüglich der restlichen Parameter minimiert, dann erhalten wir gerade das Minimum von $\tilde{\boldsymbol{V}}'\tilde{\boldsymbol{V}}$ und damit Schätzungen nach der simultanen KQ-Methode.

d) Schließlich läßt sich in ähnlicher Weise auch für die dreistufige KQ-Methode zeigen, daß die Elimination einer vorherbestimmten Variablen x_1 bei gleichzeitiger Bereinigung der übrigen Variablen von x_1 die Parameterschätzungen und ebenso die Residuen unverändert läßt, sofern x_1 in allen stochastischen Strukturgleichungen vorkommt.

Zusammenfassend stellen wir fest, daß in allen betrachteten Schätzverfahren die Bereinigung von einer zu eliminierenden vorherbestimmten Variablen ohne Konsequenzen für die Parameterschätzungen möglich ist, wobei nur bei den Schätzverfahren mit voller Information darauf zu achten ist, daß die zu eliminierende Variable in allen stochastischen Strukturgleichungen vorkommt.

Hieraus folgt umgekehrt, daß die Bereinigung sämtlicher Variablen von einer Variablen x_1, die in der zu schätzenden Gleichung bzw. (bei Verfahren mit voller Information) im ganzen System der zu schätzenden Gleichungen nicht vorkommt, die Parameterschätzungen und die Residuen gerade so verändert, wie das bei der Aufnahme der Variablen x_1 in die zu schätzende Gleichung bzw. in alle zu schätzenden Gleichungen ohne Bereinigung der übrigen Variablen der Fall wäre.

Ohne Beweis sei noch erwähnt, daß alle Resultate erhalten bleiben, wenn nicht nur eine, sondern mehrere Variablen zu gleicher Zeit eliminiert werden. Zur Beweisführung dieser Verallgemeinerung bedient man sich zweckmäßigerweise konsequent des Matrizenkalküls, den wir hier nur ganz am Rande verwendet haben.

Ist speziell $x_{1t}=1$ die Scheinvariable und damit β_{i1} das absolute Glied der i-ten Gleichung, dann besagen die gefundenen Ergebnisse, daß man das absolute Glied in einem Modell eliminieren kann, wenn man gleichzeitig die Variablen als Abweichungen von ihren arithmetischen Mitteln mißt. Ein anderer wichtiger Anwendungsfall ist dann gegeben, wenn $x_{1t}=t$ eine lineare Trendvariable ist, wie das dem Theorem von FRISCH und WAUGH entspricht.

11.3.2. Übereinstimmung im Falle genauer Identifizierbarkeit*

Alle in diesem Kapitel behandelten Schätzverfahren sind Verallgemeinerungen der indirekten KQ-Methode.

Sie sind erfunden worden, weil die – an sich einfachere – indirekte KQ-Methode im Falle überidentifizierter Strukturgleichungen versagt; sie führen aber auf diese zurück[13], sobald genaue Identifizierbarkeit vorliegt. Für Schätzmethoden bei beschränkter Information genügt die genaue Identifizierbarkeit der zu schätzenden Gleichung, während für Schätzmethoden bei voller Information die genaue Identifizierbarkeit aller Gleichungen des Modells erforderlich ist, um zur indirekten KQ-Methode zu gelangen.

a) Daß die *zweistufige KQ-Methode*, angewandt auf eine genaue identifizierbare Strukturgleichung, auf die indirekte KQ-Methode zurückführt, folgt z.B. aus den Überlegungen auf S. 307, die in *11.2.3.* zu einem neuen Ansatz für die zweistufige KQ-Methode geführt haben (vgl. auch *d)*). Ein direkter, rechnerischer Nachweis dieser Übereinstimmung ergibt sich aber auch aus der Darstellung (11.60), die (bei $k=1$) die zweistufige KQ-Methode als eine spezielle Hilfsvariablen-Methode zeigt:

$$\hat{Y}'_* Y_* \hat{\gamma}_* + \hat{Y}'_* X_1 \hat{\beta}_1 = \hat{Y}'_* y_1 \tag{11.66a}$$

$$X'_1 Y_* \hat{\gamma}_* + X'_1 X_1 \hat{\beta}_1 = X'_1 y_1 . \tag{11.66b}$$

Nun ist

$$\hat{Y}'_* = \hat{\Pi}'_* X' = \hat{\Pi}'_{1*} X'_1 + \hat{\Pi}'_{2*} X'_2 .$$

Multiplizieren wir also (11.66b) von links mit $\hat{\Pi}'_{1*}$ und subtrahieren die resultierende Gleichung von (11.66a), dann erhalten wir

$$\hat{\Pi}'_{2*} X'_2 Y_* \hat{\gamma}_* + \hat{\Pi}'_{2*} X'_2 X_1 \hat{\beta}_1 = \hat{\Pi}'_{2*} X'_2 y_1 . \tag{11.67}$$

[13] Eine Ausnahme bilden diejenigen Schätzverfahren der k- und Doppel-k-Klasse, deren k-Werte auch im Falle genauer Identifizierbarkeit ungleich Eins bleiben (wie z.B. die gewöhnliche KQ-Methode).

Setzen wir (11.67) an die Stelle von (11.66a), dann entsteht ein dem ursprünglichen äquivalentes Normalgleichungssystem. Ist nun die zu schätzende Strukturgleichung genau identifizierbar, dann ist $m - m_* = g_* - 1$ und $\hat{\boldsymbol{\Pi}}_{2*}$ ist eine quadratische Matrix. Wir dürfen davon ausgehen, daß sie regulär ist[14], und können daher in (11.67) mit $\hat{\boldsymbol{\Pi}}_{2*}'^{-1}$ von links durchmultiplizieren. Wir erhalten in

$$\boldsymbol{X}_2' \boldsymbol{Y}_* \hat{\boldsymbol{\gamma}}_* + \boldsymbol{X}_2' \boldsymbol{X}_1 \hat{\boldsymbol{\beta}}_1 = \boldsymbol{X}_2' \boldsymbol{y}_1 \tag{11.68}$$

ein zu (11.67) äquivalentes Gleichungssystem. Tritt es an die Stelle von (11.66a), dann haben wir (in leicht modifizierter Form) die Normalgleichungen der indirekten KQ-Methode (10.25) vor uns, w.z.b.w.

b) Daß auch die *MLBI-Methode* im Falle genauer Identifizierbarkeit auf die indirekte KQ-Methode führt, liegt daran, daß in diesem Fall $\hat{\lambda} = 1$ ist (vgl. z.B. Aufg. (11-18), Teil b)) und daher die MLBI-Methode mit der zweistufigen KQ-Methode übereinstimmt, von der wir eben die Übereinstimmung mit der indirekten KQ-Methode gezeigt haben.

c) Die *ML-Methode bei voller Information* stimmt ebenfalls mit der indirekten KQ-Methode überein, sofern alle Strukturgleichungen genau identifizierbar sind. In diesem Fall unterliegen nämlich die Koeffizienten der reduzierten Form keinerlei a-priori-Restriktionen; sie sind freie Parameter. Dann führt aber die ML-Methode, angewandt auf die reduzierte Form, – ob nun der Diagonalfall vorausgesetzt wird oder nicht – bekanntlich zu KQ-Schätzungen (vgl. *4.1.3.*). Aus ihnen lassen sich in eindeutiger Weise die ML-Schätzungen für die Strukturparameter gewinnen, indem man die zwischen Strukturparametern und Parametern der reduzierten Form bestehenden Beziehungen (10.15), (10.16) nach ersteren auflöst. So geht aber gerade die indirekte KQ-Methode vor.

d) Für die *dreistufige KQ-Methode* läßt sich derselbe Sachverhalt nachweisen. Sind nämlich alle Strukturgleichungen genau identifizierbar, dann hat das System (11.55) gerade so viele Gleichungen, wie Parameter zu schätzen sind. Wendet man in diesem Fall die verallgemeinerte KQ-Methode auf (11.55) an, minimiert man also die quadratische Form $\boldsymbol{u}^{+\prime} \boldsymbol{V}^+ \boldsymbol{u}^+$, so werden die Residuen $\hat{\boldsymbol{u}}^+ = \boldsymbol{o}$. Aus (11.55) wird dann ein Bestimmungsgleichungssystem für die Parameterschätzungen, wenn man die rechte Seite Null setzt. Alsdann stimmt es aber mit dem Normalgleichungssystem der indirekten KQ-Methode überein.

An dieser Stelle sei noch erwähnt, daß die dreistufige KQ-Methode für eine bestimmte Gleichung zu den gleichen Schätzwerten führt wie die zweistufige KQ-Methode, sofern die übrigen Gleichungen sämtlich genau identifiziert sind [ZELLNER u. THEIL, 1962]. Ist die herausgegriffene Gleichung selbst ebenfalls genau identifiziert, dann reduziert sich – in Übereinstimmung mit den obigen Ausführungen – die Schätzprozedur auf die indirekte KQ-Methode.

[14] Zumindest gilt das mit Wahrscheinlichkeit 1. Man beachte außerdem, daß $\operatorname{plim} \hat{\boldsymbol{\Pi}}_{2*} = \boldsymbol{\Pi}_{2*}$ und daß nach dem Rangkriterium in der Form von Aufg. (10-13b) $\boldsymbol{\Pi}_{2*}$ regulär ist.

e) Schließlich stimmt auch die *simultane KQ-Methode* mit der indirekten KQ-Methode überein, wenn alle Strukturgleichungen genau identifizierbar sind. Man kann dies mit denselben Argumenten wie für die ML-Methode nachweisen.

Die formalen Beziehungen zwischen den verschiedenen Schätzmethoden wurden insbesondere von CHOW [1964] eingehend erforscht.

11.3.3. Beschränkte und volle Information

Die Einteilung der Schätzverfahren in solche mit beschränkter und solche mit voller Information erlaubt eine Gegenüberstellung ihrer wichtigsten Eigenschaften.

a) Bei den Verfahren mit voller Information ist prima facie zu erwarten, daß sie im Vergleich zu den Verfahren mit beschränkter Information zu besseren Schätzergebnissen führen, da sie alle gegebenen a-priori-Restriktionen berücksichtigen und die in ihnen steckende Information ausnutzen. Diese Erwartung wird sich allerdings nicht in jedem Fall erfüllen, da es natürlich auch darauf ankommt, daß das Schätzverfahren die gebotene a-priori-Information vollkommen nutzt. Von dem *ML-Verfahren bei voller Information* weiß man, daß es unter sehr allgemeinen Bedingungen zu *asymptotisch effizienten* Schätzungen führt. Interessanterweise haben die *dreistufigen KQ-Schätzvariablen* unter ähnlichen Bedingungen die gleiche asymptotische Kovarianzmatrix wie die ML-Schätzvariablen; sie sind also ebenfalls *asymptotisch effizient*[15] – und außerdem einfacher zu berechnen.

Die Schätzverfahren bei beschränkter Information sind dagegen nicht asymptotisch effizient. Die *MLBI-Methode* liefert aber *asymptotisch beschränkt effiziente* Schätzvariablen, wobei die Beschränkung sich darauf bezieht, daß nur solche Schätzverfahren zum Vergleich zugelassen sind, die die gleiche a-priori-Information wie die MLBI-Methode benutzen, nämlich nur die Information über die Menge der aus der zu schätzenden Gleichung ausgeschlossenen vorherbestimmten Variablen. Da aber die *zweistufige KQ-Methode* (und allgemeiner jede Schätzmethode der k-Klasse mit $\operatorname{plim}\sqrt{T}(k-1)=0$) Schätzungen mit der gleichen asymptotischen Kovarianzmatrix liefert wie die MLBI-Methode, ist sie ebenfalls in dem oben beschriebenen Sinne asymptotisch beschränkt effizient.

b) Dem Vorteil der (zumindest asymptotisch) größeren Genauigkeit der Schätzverfahren mit voller Information steht der Nachteil ihrer größeren Anfälligkeit bei *Fehlspezifikationen* gegenüber. Alle Aussagen über die Eigenschaften von Schätzverfahren, insbesondere die Effizienzaussagen, beruhen auf der Annahme, daß das zu schätzende Modell richtig spezifiziert ist. Bei dem gegenwärtigen Stand der ökonometrischen Praxis ist das eine sehr gewagte Annahme.

Ist nun aber wenigstens eine Gleichung des Modells (zumindest angenähert) korrekt spezifiziert, dann besteht eine gute Chance, daß ein Schätzverfahren mit *beschränkter Information* diese Gleichung konsistent schätzt. Denn die möglichen

[15] Vgl. die Bemerkung am Schluß von *11.2.3.*

Fehlspezifikationen der anderen Gleichungen des Modells werden sich nicht negativ auf die Schätzung der einen korrekt spezifizierten Gleichung auswirken, solange nur die Menge der in dem Modell insgesamt aufzunehmenden vorherbestimmten Variablen richtig spezifiziert worden ist. Aber selbst dann, wenn nicht alle vorherbestimmten Variablen, die einen merklichen Einfluß auf die abhängigen Variablen des Modells haben, aufgeführt worden sind, kann ein typisches Schätzverfahren bei beschränkter Information noch konsistent sein, wie die Methode der Hilfsvariablen zeigt[16]. Systematische Fehlschätzungen sind eigentlich erst dann zu erwarten, wenn einige Variablen des Modells fälschlich als exogen spezifiziert worden sind (vgl. auch Punkt *d*).

Wird dagegen ein Verfahren mit *voller Information* zur simultanen Parameterschätzung herangezogen, dann kann die Fehlspezifikation auch nur einer Gleichung die Schätzungen sämtlicher Parameter über den Haufen werfen, da i.allg. alle Schätzungen mehr oder weniger stark von der falschen a-priori-Information abhängen. Für die ML-Methode bei voller Information ist diese hohe Sensitivität hinsichtlich Fehler in der Modellspezifikation festgestellt worden[17].

c) Ein weiterer wesentlicher Vorzug der Verfahren mit beschränkter Information ist ihre verhältnismäßig *einfache Anwendung*. Das gilt insbesondere für die zweistufige KQ-Methode.

d) Hinzu kommt die Möglichkeit, daß man mit diesen Verfahren *einzelne Gleichungen* schätzen kann, ohne daß man genaue Kenntnisse über das Modell besitzt, in das diese Gleichung eingebettet ist. Dieser Punkt ist vor allem dann wichtig, wenn sich das Interesse des Ökonometrikers tatsächlich nur auf die Erhellung einer bestimmten Verhaltensgleichung richtet, und nicht so sehr auf die Konstruktion eines vollständigen Modells. Er muß zwar in der Regel auch dann ein vollständiges Modell betrachten, wenn es ihm nur auf die eine Gleichung ankommt, aber dieses Modell ist für ihn nicht Selbstzweck, sondern nur notwendige Ergänzung der zu schätzenden Gleichung, um zu konsistenten Schätzungen zu gelangen. In der Tat kann eine Verhaltensgleichung, wie wir wissen, nicht für sich allein genommen, konsistent geschätzt werden, wenn außer der „zu erklärenden" Variablen noch andere endogene Variablen in ihr vorkommen. Vielmehr muß man diese anderen endogenen Variablen selbst wieder durch weitere Strukturgleichungen „erklären". Treten dabei neue Variablen auf, die auch endogener Natur sind, so sind auch für diese wieder neue Strukturgleichungen zu finden, bis schließlich mit einigem Geschick und viel Glück ein vollständiges Modell entsteht, das die ursprüngliche Gleichung als Kern enthält. Bei Verwendung eines Schätzverfahrens mit beschränkter Information braucht man nun aber keine sehr genauen Vorstellungen von diesem hilfsweise benötigten Modell zu haben. Wichtig ist nur, daß man die insgesamt vorkommenden vorherbestimmten Variablen kennt.

16) Dieser Punkt wird unter e weiter verfolgt.

17) Vgl. z.B. SUMMERS [1965].

Genau in dieser Hinsicht kann man jedoch Spezifikationsfehler begehen, auf die wir oben schon hingewiesen haben. Wenn man nämlich das Modell gewissermaßen zu früh abschließt, indem man Variablen als exogen annimmt, obwohl sie endogen sind und eigentlich durch weitere Strukturgleichungen „erklärt' werden müßten, dann ist die Menge der vorherbestimmten Variablen nicht korrekt spezifiziert, und man wird asymptotisch verzerrte Schätzungen erhalten.

Will man z. B. die Konsumfunktion

$$C = \alpha + \beta Y + u$$

schätzen, so muß man weitere Strukturgleichungen einführen, um auch die endogene Variable Y zu „erklären". Man könnte nun versucht sein, dies einfach über die Identität

$$Y = C + X$$

mit exogener Variblen X zu erreichen und erhielte in der Tat ein formal abgeschlossenes Modell (nämlich das HAAVELMO-Modell). Es stellt sicherlich eine Verbesserung gegenüber dem einfachen Eingleichungsmodell der isolierten Konsumfunktion mit exogener Variablen Y dar. Doch wird man bezweifeln müssen, ob X wirklich exogen ist. Tatsächlich läßt sich X in einzelne Nachfragekomponenten auflösen, von denen wenigstens einige (wie etwa die privaten Anlageinvestitionen) endogener Natur sind. Führt man für diese Komponenten weitere Verhaltensgleichungen ein, dann kommt man rasch zu einem vergleichsweise großen Modell, z. B. zu dem in *9.1.4.* angeführten (noch relativ kleinen) Modell von L. R. KLEIN.

Gemessen an diesem Modell, sind die anhand des HAAVELMO-Modells durchgeführten Schätzungen der Konsumfunktion etwa mit der zweistufigen KQ-Methode inkonsistent[18]. Natürlich braucht man sich nicht mit dem KLEIN-Modell zufriedenzugeben, sondern kann weiterhin versuchen, einige der als exogen angenommenen Variablen als endogen zu definieren und über zusätzliche Strukturgleichungen zu erklären – wie das ja auch L. R. KLEIN [1950] getan hat. Man wird freilich diesen Prozeß auf irgendeiner Stufe beenden müssen. Es ist anzunehmen, daß man in der Regel um so bessere Schätzungen (etwa mit der zweistufigen KQ-Methode) erhält, je umfangreicher das die zu schätzende Gleichung umhüllende Modell ist, daß aber zusätzliche Vergrößerungen des Modells einen immer geringeren Beitrag für die Verbesserung der Schätzung (im Sinne einer Reduktion der asymptotischen Verzerrung) liefern.

e) Eine in manchen Fällen sehr nützliche Flexibilität besitzen die Schätzverfahren mit beschränkter Information dadurch, daß sie, wie schon bemerkt, i. allg. auch noch dann zu konsistenten Schätzungen führen, wenn nicht alle vorherbestimmten Variablen des Modells benutzt worden sind. Die Methode der Hilfsvariablen ist

[18] Über das mögliche numerische Ausmaß dieser Inkonsistenz vgl. ein empirisches Beispiel bei CRAMER [S. 201].

in dieser Hinsicht ein extremer Fall, weil sie aus den vorhandenen vorherbestimmten Variablen eine Minimalzahl zur Schätzung der Strukturgleichung auswählt. Die Schätzverfahren der k-Klasse benutzen dagegen im Prinzip alle vorherbestimmten Variablen des Modells. Es ist aber durchaus möglich, einen Mittelweg zu gehen und z.B. die zweistufige KQ-Methode so zu modifizieren, daß bei der Bildung der reduzierten Form nur eine Auswahl der vorherbestimmten Variablen des Modells als Regressoren zugelassen werden. Ähnlich kann man bei der MLBI-Methode oder bei anderen Verfahren der k-Klasse vorgehen. Die Schätzungen sind dann immer noch konsistent, wenn auch weniger effizient als bei einer vollen Berücksichtigung aller vorherbestimmten Variablen.

Es kann sich erweisen, daß man eine derartige Auswahl treffen muß, weil anders das Schätzverfahren praktisch nicht durchführbar ist. Das ist insbesondere bei großen Modellen der Fall, die sehr viele vorherbestimmte Variablen haben, die dann zumeist auch noch stark interkorreliert sind. Es besteht dann sehr oft ein krasses Mißverhältnis zwischen der relativ geringen Zahl der in der Gleichung und der großen Zahl der insgesamt vorkommenden vorherbestimmten Variablen. In solchen Fällen ist die Bestimmung der reduzierten Form oder – was auf dasselbe hinauskommt – die Inversion der Matrix $\boldsymbol{X}'\boldsymbol{X}$ aus rechentechnischen Gründen nicht mehr möglich. Man ist daher gezwungen, unter den vorherbestimmten Variablen eine Auswahl zu treffen.

Besser ist allerdings ein indirektes Auswahlverfahren, das wie folgt funktioniert: Es werden zunächst die sämtlichen vorherbestimmten Variablen $x_1, \ldots, x_m$ in neue Variablen $z_1, \ldots, z_m$ linear transformiert derart, daß in gewissem Sinne z_1 den größten Teil der Varianz aller x_i auffängt, z_2 den größten Teil der Restvarianz, nachdem der Einfluß von z_1 eliminiert worden ist, usw. Alsdann werden etwa die ersten q Variablen $z_1, \ldots, z_q$ als Hilfsvariablen ausgewählt, wobei $q \geq g_* - 1 + m_*$ sein muß.

Die Transformation wird durch das *Hauptkomponentenverfahren* bewerkstelligt[19]. Hierzu werden zunächst alle Variablen als Abweichungen vom Mittelwert gemessen und standardisiert. Die Matrix $\boldsymbol{X}'\boldsymbol{X}$ ist dann die Korrelationsmatrix der Datenreihen. Man sucht sodann einen Koeffizientenvektor $\boldsymbol{a}_1$ derart, daß $\boldsymbol{a}_1'\boldsymbol{a}_1 = 1$ und $\boldsymbol{z}_1 = \boldsymbol{X}\boldsymbol{a}_1$ die größtmögliche (empirische) Varianz besitzt. Diese wird durch $\boldsymbol{a}_1'\boldsymbol{X}'\boldsymbol{X}\boldsymbol{a}_1$ gegeben, ein Ausdruck der unter der Nebenbedingung $\boldsymbol{a}_1'\boldsymbol{a}_1 = 1$ zu maximieren ist. Diese Maximierungsaufgabe führt zu dem Problem, den größten Eigenwert von $\boldsymbol{X}'\boldsymbol{X}$ samt zugehörigem Eigenvektor $\boldsymbol{a}_1$ zu finden, eine Aufgabe, die wir in anderem Zusammenhang in *11.1.3.* schon kennengelernt haben. Alsdann sucht man einen zweiten Komponentenvektor $\boldsymbol{a}_2$ derart, daß $\boldsymbol{a}_2'\boldsymbol{a}_2 = 1$, $\boldsymbol{X}\boldsymbol{a}_2$ mit $\boldsymbol{X}\boldsymbol{a}_1$ unkorreliert ist (d.h. $\boldsymbol{a}_2'\boldsymbol{X}'\boldsymbol{X}\boldsymbol{a}_1 = 0$ ist) und $\boldsymbol{z}_2 := \boldsymbol{X}\boldsymbol{a}_2$ unter diesen Nebenbedingungen die größtmögliche Varianz besitzt. Dieses Problem führt auf

[19] Vgl. hierzu KLOEK u. MENNES [1960].

die Suche nach dem zweitgrößten Eigenwert von $X'X$ nebst zugehörigem Eigenvektor a_2. Man fährt in dieser Weise so lange fort, bis man mindestens so viele z_i gewonnen hat, daß die Methode der Hilfsvariablen anwendbar ist, und bis die Eigenwerte – das sind die jeweils maximalen Varianzen – vernachlässigbar klein geworden sind (was natürlich z.T. Ermessensfrage ist).

Es dürfte sich übrigens als zweckmäßig erweisen, das Hauptkomponentenverfahren nur auf die nicht in der Gleichung vorkommenden vorherbestimmten Variablen, also auf die Matrix X_2 anzuwenden und die in X_1 zusammengefaßten Variablen auf alle Fälle als Hilfsvariablen zu verwenden. Es ist dann nur noch eine Auswahl unter den Hauptkomponenten von X_2 zu treffen derart, daß man mindestens $g_* - 1$ Hauptkomponenten herauszieht.

Bleibt es bei dieser Zahl, dann wird die Schätzung nach der Methode der Hilfsvariablen durchgeführt. Wählt man aber mehr Hauptkomponenten als unbedingt erforderlich, dann müssen diese etwa gemäß der zweistufigen KQ-Methode weiterverarbeitet werden. Das führt dazu, daß in den Normalgleichungen (11.11) die Matrix $\hat{Y}'_* = Y'_* X(X'X)^{-1}X'$ durch $Y'_* Z_*(Z'_* Z_*)^{-1} Z'_*$ zu ersetzen ist, wobei $Z_* := (z_1, \ldots, z_q)$ sich aus den m_* Variablen von X_1 und aus den $q - m_*$ ersten Hauptkomponenten von X_2 zusammensetzt. Ähnlich sind die anderen Verfahren der k-Klasse zu modifizieren.

11.3.4. Eigenschaften bei kleinen Stichproben

Im vorigen Abschnitt (besonders unter a) haben wir die verschiedenen Schätzverfahren im Hinblick auf ihre asymptotischen Schätzeigenschaften verglichen. Das aber sind Eigenschaften (wie etwa die Konsistenz, die asymptotische Effizienz und die asymptotische Normalität), die nur für große Stichproben (bzw. Zeitreihen), und auch dann nur näherungsweise als erfüllt angesehen werden können. Wie groß aber der Stichprobenumfang T sein muß, damit die für $T \to \infty$ geltende Eigenschaft auch schon für endliches T zumindest approximativ (aber doch mit hinreichender Genauigkeit) erfüllt ist, diese Frage bleibt offen.

Beispielsweise besagt die Aussage, eine Schätzvariable $\hat{\theta}$ sei asymptotisch normalverteilt, daß $\hat{\theta}$ nach geeigneter Normierung eine Wahrscheinlichkeitsverteilung besitzt, die mit $T \to \infty$ gegen eine Normalverteilung strebt. Hieraus kann man schließen, daß sich von einem hinreichend großen T ab die Verteilung von $\hat{\theta}$ so weit der Normalverteilung genähert hat, daß man sie für die meisten praktischen Zwecke der Normalverteilung gleichsetzen kann. Von welchem T ab dies möglich ist, kann jedoch allein aus der Eigenschaft der asymptotischen Normalität von $\hat{\theta}$ nicht erschlossen werden.

Eine andere wichtige Eigenschaft einer Schätzvariablen $\hat{\theta}$ ist deren Streuung. Für die meisten ökonometrischen Schätzverfahren können wir jedoch nur asymptotische Varianzen bzw. Standardabweichungen von $\hat{\theta}$ angeben. Genaugenommen, sind uns nicht einmal diese exakt bekannt, sondern nur über konsistente Schätzungen zugänglich (vgl. z.B. (11.14), (11.42) und (11.58)). Die Frage ist auch hier wieder, von welchem T ab man mit zufriedenstellender Genauigkeit mit den asymptotischen Formeln rechnen kann. Die Frage ist insbesondere, ob ein in der üblichen Weise mit Hilfe der asymptotischen Standardabweichung und einer Konfidenzwahrscheinlichkeit ω konstruiertes Konfidenzintervall $\hat{\theta} \pm k\hat{\bar{\sigma}}_{\hat{\theta}}$ auch noch bei kleinem T den wahren Parameterwert θ in etwa mit der Wahrscheinlichkeit ω einschließt. Hierbei interessieren uns vor allem solche T-Werte, wie sie in ökonometrischen Zeitreihenanalysen verhältnismäßig häufig vorkommen, also in erster Linie T-Werte zwischen 10 und 30, aber auch darüber liegende Zahlen. Wir könnten solche und ähnliche Fragen beantworten, wenn wir die Wahrscheinlichkeitsverteilung der ökonometrischen Schätzvariablen $\hat{\theta}$ unter alternativen Schätzmethoden für kleine Stichproben (bzw. kurze Zeitreihen) ermitteln könnten. Genau zu diesem Problem kann jedoch die ökonometrische Theorie z.Z. nur wenig beitragen.

Es gibt grundsätzlich zwei verschiedene methodische Ansätze zur Ermittlung der Wahrscheinlichkeitsverteilung von Schätzvariablen für kleine Stichproben. Die eine Methode geht den mathematisch-analytischen Weg, die andere bedient sich gewisser Simulationsexperimente. Über diese Methoden, besonders aber über letztere, soll hier kurz berichtet werden.

a) Der *mathematische Ansatz* geht davon aus, daß die Schätzvariable $\hat{\theta}$ eine Funktion der stochastischen Variablen des Modells ist, also insbesondere eine Funktion der Störvariablen, sofern die exogenen Variablen als fest gegeben angesehen werden. Diese Funktion ist durch das jeweilige Schätzverfahren und durch das vorliegende Modell eindeutig bestimmt und daher im Prinzip bekannt. Wird darüber hinaus die Wahrscheinlichkeitsverteilung der Störvariablen (z.B. als gemeinsame Normalverteilung) vorgegeben, dann läßt sich die Wahrscheinlichkeitsverteilung von $\hat{\theta}$ grundsätzlich berechnen, und zwar in Abhängigkeit von den wahren Modellparametern, unter denen natürlich auch θ vorkommt. Man kann somit die Verteilung von $\hat{\theta}$ mit dem Parameterwert θ vergleichen und dadurch u.a. feststellen, mit welchen Abweichungen $\hat{\theta}-\theta$ im Mittel zu rechnen ist.

Dieses Programm scheitert jedoch an den fast unüberwindlichen Hindernissen, die sich schon bei nur mäßig großen Modellen einer exakten Berechnung der Wahrscheinlichkeitsverteilung von $\hat{\theta}$ in den Weg stellen. Die Berechnungen werden bald so kompliziert, daß allenfalls noch approximative Aussagen möglich sind. Immerhin haben Basmann [1961, 1963] und Nagar [1959] für einfache ökonometrische Modelle die stochastischen Eigenschaften von zweistufigen KQ- bzw. k-Klasse-Schätzvariablen teils exakt, teils angenähert ermittelt. Bei größeren Modellen oder bei anderen Schätzverfahren wird die mathematische Analyse der Schätzeigenschaften jedoch so kompliziert, daß bis heute noch kein durchschlagender Erfolg erzielt werden konnte.

b) In dieser Situation versucht die *Simulationsmethode* weiterreichende Einblicke in die stochastischen Eigenschaften von Schätzvariablen zu gewinnen. Dies gelingt ihr deshalb, weil sie nicht mathematisch deduktiv, sondern quasi experimentell an das Problem herangeht und daher auf diffizile mathematische Überlegungen verzichten kann. Auf der anderen Seite erfordert sie jedoch einen hohen Rechenaufwand bei vergleichsweise recht mageren Ergebnissen. Denn diese sind nur numerischer Natur, beziehen sich also immer auf ein numerisch spezifiziertes ökonometrisches Modell (eine ökonometrische Struktur). Verallgemeinerungen der numerischen Aussagen sind nicht ohne weiteres möglich.

Im einzelnen funktioniert die Simulationsmethode (auch Monte-Carlo-Methode genannt) wie folgt. Es werden die Eigenschaften eines Schätzverfahrens anhand eines gegebenen ökonometrischen Modells experimentell erforscht. Als Beispiel diene uns das Modell, das H. WAGNER [1958] in einer der ersten ökonometrischen Monte-Carlo-Studien verwendet hat[20]. Es hat folgende Gestalt

$$C=\gamma_1 Y+\beta_1+u_1$$
$$I=\gamma_2 Y+\beta_2 Y_{-1}+\beta_3+u_2$$
$$Y=C+I+X$$

X exogen, (u_1, u_2) normalverteilt.

Für die Parameter werden nun mehr oder weniger willkürlich gewisse numerische Werte festgesetzt, z.B. (nach WAGNER) $\gamma_1=0{,}5$, $\beta_1=0{,}25$, $\gamma_2=0{,}1$, $\beta_2=0{,}3$, $\beta_3=0{,}15$. Auch die Standardabweichungen σ_1, σ_2 und die Kovarianz σ_{12} für u_1 und u_2 sind numerisch festzulegen, z.B. $\sigma_1=\sigma_2=1$, $\sigma_{12}=0{,}5$. Dadurch wird aus dem Modell eine ökonometrische Struktur.

Es soll nun geprüft werden, wie genau verschiedene Schätzmethoden die numerisch festgelegten Parameter schätzen, wenn die der Schätzung zugrundeliegenden Daten gemäß dieser vorgegebenen Struktur entstanden sind.

Hierzu muß man also zunächst mit Hilfe der Struktur künstliche Zeitreihen für die Variablen des Modells erzeugen. Der erste Schritt hierzu ist die künstliche Erzeugung von Zeitreihen für die Störvariablen. Das geschieht wie folgt: Mit Hilfe eines geeigneten Zufallsmechanismus (eines sogenannten Zufallsgenerators), der unabhängige $(0, \sigma_1)$-normalverteilte Zufallsvariablen liefert, wird eine Folge von Werten $u_{11}, u_{12}, \ldots, u_{1T}$ realisiert und als Zeitreihe der latenten Variablen u_{1t}, $t=1, \ldots, T$ interpretiert. Hierbei kann T beliebig gewählt werden; von Interesse sind vor allem Zeitreihenlängen zwischen 10 und 30. Man findet derartige Realisationen normalverteilter Variablen in Tafeln zusammengestellt[21], man kann sie sich aber auch durch eine Rechenanlage mit Hilfe von Standardprogrammen erzeugen lassen. Gewöhnlich sind diese Werte allerdings standardisiert normalverteilt, d.h., sie haben die Varianz 1. Um Variablen mit einer gewünschten vor-

[20] Die Methode selbst ist sehr viel älter. Sie wurde zu Beginn dieses Jahrhunderts in der theoretischen Statistik verwendet und später zur Lösung von physikalischen und Operations-Research-Problemen nach geeigneten Modifikationen herangezogen.

[21] Vgl. z.B. WETZEL, JÖHNK u. NAEVE [1967, S. 44f.].

gegebenen Standardabweichung σ zu erhalten, sind daher die aus dem Zufallsgenerator stammenden Zahlen noch mit σ zu multiplizieren. Zum Beispiel könnten sich auf diese Weise die folgenden Zahlen als Realisationsfolge für die Störvariable u_1 mit $\sigma_1 = 1$ ergeben:

0,256 −0,236 −0,905 0,070 1,708 −2,267 −1,155 ....

Entsprechend ist eine Folge für u_2 zu erzeugen. Sind u_1 und u_2 unkorreliert, dann sind die Realisationen für u_2 genauso wie für u_1 mit neuen Zufallszahlen und gegebenenfalls mit einer anderen Standardabweichung σ_2 zu konstruieren. Besteht aber eine Korrelation zwischen u_1 und u_2, dann ist diese bei der Erzeugung der Zeitreihe für u_2 zu berücksichtigen. Man berechnet hierzu die theoretische Regression von u_2 auf u_1: Der Regressionskoeffizient ist $\beta_{2\cdot 1} = \sigma_{12}/\sigma_1^2$ und die Residualvarianz $\sigma_{2\cdot 1}^2 = \sigma_2^2 - \beta_{2\cdot 1}\sigma_{12}$. Man bestimmt nun zu jedem zuvor erzeugten u_{1t} einen zugehörigen Wert u_{2t}, indem man sich von dem Zufallsgenerator eine standardisiert normalverteilte Größe z_t erzeugen läßt und $u_{2t} = \sigma_{2\cdot 1} z_t + \beta_{2\cdot 1} u_{1t}$ bildet.

Zur Berechnung von Zeitreihen für die endogenen Variablen aus der ökonometrischen Struktur ist nun noch die Kenntnis der exogenen Variablenwerte und der Anfangswerte erforderlich. In WAGNERS Modell wurde für die exogene Variable X ein linearer Trend angenommen, und zwar $X_t = 0{,}25t$, $t = 1, 2, \ldots, T$. Für die Variable Y ist ein Anfangswert Y_0 vorzugeben, z.B. $Y_0 = 1$.

Nun können nacheinander für jede Periode t die Variablenwerte Y_t, C_t und I_t aus dem Modell berechnet werden. Man setze hierzu den exogen gegebenen Wert X_t und aus der Vorperiode den schon berechneten Wert Y_{t-1} sowie die aus dem Zufallsgenerator stammenden Werte u_{1t} und u_{2t} in das Modell ein und löse es nach Y_t, C_t und I_t auf. Diese Rechnung wird erheblich vereinfacht, wenn man zuvor die reduzierte Form des Modells bildet, weil sich dann seine Auflösung in jeder einzelnen Periode erübrigt.

Aus den so konstruierten künstlichen Zeitreihen können jetzt nach verschiedenen Schätzverfahren Schätzungen für die Parameter gewonnen werden, z.B. für den Parameter γ_1 die gewöhnliche KQ-Schätzung $\hat{\gamma}_1$ und die zweistufige KQ-Schätzung $\hat{\hat{\gamma}}_1$.

Bei einem Vergleich der Schätzungen mit dem wahren Parameterwert $\gamma_1 = 0{,}5$ läßt sich feststellen, welche Schätzmethode genauer „getroffen" hat. Allerdings darf aus diesem einfachen Vergleich noch kein Schluß über die relative Güte einer Schätzmethode gezogen werden, da das bessere Abschneiden einer der beiden Methoden allein von der zufälligen Konstellation der erzeugten u_{it}-Werte herrühren mag. Nicht, wie gut ein Schätzverfahren in einem zufällig herausgegriffenen Einzelfall, sondern wie gut es im Durchschnitt funktioniert, interessiert uns. Um das feststellen zu können, müssen wir das eben beschriebene Simulationsverfahren mehrmals wiederholen, wobei jedesmal neue Zufallszahlen aus dem Zufallsgenerator herauszuziehen sind. WAGNER hat die Zeitreihen für die endogenen Variablen (von der Länge $T=20$) 100mal simuliert und jedesmal die Strukturparameter nach verschiedenen Schätzmethoden geschätzt. Man erhält auf diese Weise für jede Schätzvariable (also z.B. für $\hat{\gamma}_1$ und $\hat{\hat{\gamma}}_1$) je eine Häufigkeitsverteilung von je 100 Werten, die als ein ungefähres Abbild ihrer Wahrscheinlichkeitsverteilung gelten kann.

Auf der Grundlage dieser Wahrscheinlichkeitsverteilungen der Schätzvariablen lassen sich nun die Schätzmethoden beurteilen. Dies kann in vielfacher Hinsicht geschehen. Zum einen können Abweichungen der gefundenen Verteilung von der asymptotischen Verteilung, wie sie die Theorie fordert, studiert werden und damit all die früher aufgeworfenen Fragen (S. 322f.) beantwortet werden. Zum anderen können die Schätzvariablen hinsichtlich ihrer durchschnittlichen Schätzqualitäten miteinander verglichen werden.

Auch dabei sind verschiedene Gesichtspunkte zu berücksichtigen. Die zu verschiedenen Schätzmethoden gehörenden Schätzvariablen ein und desselben Parameters unterscheiden sich vor allem in dem Ausmaß ihrer Verzerrung, also darin, wie weit die Parameterschätzung im Mittel von dem Parameterwert abweicht. Des weiteren unterscheiden sie sich aber auch in dem Ausmaß ihrer Streuung. So wird typischerweise $\hat{\gamma}_1$ eine größere Verzerrung aufweisen als $\hat{\hat{\gamma}}_1$, aber zugleich eine kleinere Streuung (vgl. Abb. 11.1).

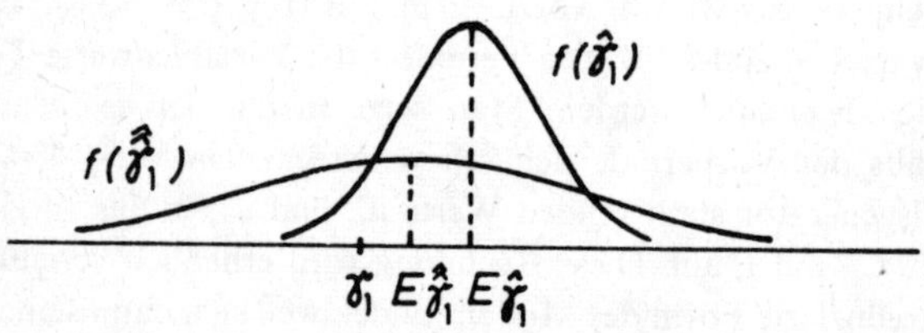

Abb. 11.1. Wahrscheinlichkeitsverteilungen zweier Schätzvariablen

In einem solchen Fall ist keineswegs klar, welche Schätzvariable vorzuziehen ist. Man kann sich allerdings auf ein Abstandsmaß einigen, das beide Aspekte zusammenfassend berücksichtigt, nämlich den mittleren quadratischen Abstand der Schätzvariable vom Parameterwert, also $E(\hat{\gamma}_1-\gamma_1)^2$ und entsprechend $E(\hat{\hat{\gamma}}_1-\gamma_1)^2$. Dabei ist

$$E(\hat{\gamma}_1-\gamma)^2 = V\hat{\gamma}+(E\hat{\gamma})^2 .$$

Bei der Benutzung solcher Maßzahlen ist allerdings Vorsicht geboten. Sie sind nur sinnvoll, wenn die Varianz einer Schätzvariablen endlich ist. In den meisten Fällen aber ist die Varianz unendlich[22], und sehr häufig existiert nicht einmal

[22] Vgl. z.B. BASMANN [1961, 1963].

der Erwartungswert der Schätzvariablen. In solchen Fällen erscheint auch die Berechnung von Stichprobenmittelwert und -varianz aus der Häufigkeitsverteilung der durch Simulation gewonnenen Schätzwerte wenig sinnvoll. Man sollte dann lieber einige aussagekräftige Quantile bestimmen, insbesondere den Zentralwert (anstelle des Mittelwerts), die Quartilswerte und eventuell das 5. und 95. Perzentil.

Wie auch immer die Ergebnisse einer Simulationsstudie ausfallen mögen, es ist klar, daß sie zunächst nur für das der Simulation zugrundeliegende Modell gelten, ja sogar nur für eine ganz spezielle ökonometrische Struktur dieses Modells. Zu etwas allgemeineren Aussagen gelangt man erst, wenn man die Parameterstruktur des Modells über einen möglichst großen Bereich numerisch variiert und das Simulationsexperiment unter den verschiedensten Parameterspezifikationen wiederholt. Schließlich ist es nützlich, die an einem Modell gewonnenen Ergebnisse an einem anderen Modell zu erproben. Eine Schätzmethode, die sich bei dem ersten Modell als optimal herausgestellt hat, kann u.U. bei dem zweiten Modell sehr schlecht abschneiden. Aus diesen Gründen sind sehr umfangreiche Simulationsstudien erforderlich, will man auch nur einigermaßen allgemeine Aussagen über die relative Qualität alternativer Schätzverfahren gewinnen[23)].

Wie zu erwarten, läßt sich aufgrund der bisherigen Simulationsstudien keine eindeutige Rangfolge über die Qualität der verschiedenen Schätzmethoden aufstellen. Zu stark hängen die Ergebnisse von den verwendeten Modellen, aber auch von den Vergleichskriterien ab. Immerhin lassen sich einige überschlägige Hinweise geben.

Bei fast allen Studien schnitt die gewöhnliche KQ-Methode schlecht ab, in vielen Fällen war sie die schlechteste Methode überhaupt. Allerdings bedeutet das noch nicht, daß sie viel schlechter als andere, verfeinertere Schätzmethoden rangiert. Auch erwies sie sich hinsichtlich ihrer Robustheit häufig anderen Verfahren gegenüber als überlegen. Wegen ihrer rechentechnischen Einfachheit ist sie nach wie vor zumindest im Stadium des Aufbaus eines ökonometrischen Modells zu empfehlen.

Die Beurteilung der ML-Methode, die ja vom asymptotischen Standpunkt aus als optimale Schätzmethode gelten kann, ist recht unterschiedlich. In einigen Studien schneidet sie deutlich am besten ab, während sie in anderen den einfacheren Methoden, wie MLBI- und zweistufiger KQ-Methode unterlegen ist. Auch zwischen den beiden letzteren ist keine deutliche Rangordnung festzustellen, wenn auch die MLBI-Methode in vielen Simulationsstudien einen kleinen Vorsprung zu haben scheint. Da aber die zweistufige KQ-Methode rechentechnisch bedeutend einfacher zu handhaben ist, dürfte sie praktisch vorzuziehen sein.

23) In den letzten Jahren sind einige größere Simulationsstudien entstanden, so insbesondere: SUMMERS [1965], QUANDT [1965], CRAGG [1967], SEIBT [1968], GRENZDÖRFFER [1969].

Aufgaben zu Kap. 11

11.1.

(11-1) Man berechne $\hat{\hat{S}}$ in dem Beispiel *11.1.1.*e.

(11-2) Man stelle die 2-KQ-Normalgleichungen für die Nachfragegleichung des Marktmodells (9.8) auf und verifiziere die Übereinstimmung mit den Bestimmungsgleichungen der indirekten KQ-Methode.

(11-3) a) Man stelle die 2-KQ-Normalgleichungen für die Nachfragegleichung des ersten Marktmodells von *10.2.3.* auf.

b) Desgleichen, wenn in die Nachfragegleichung eine exogene Variable (z.B. Einkommen) aufgenommen worden ist.

(11-4) Man wende die 2-KQ-Methode auf das HAAVELMO-Modell an.

(11-5) Wie funktioniert die 2-KQ-Methode, wenn a) nur abhängige Variablen, b) nur vorherbestimmte Variablen rechts in der zu schätzenden Gleichung vorkommen? Wie sehen die Normalgleichungen aus?

(11-6a) Man stelle Formeln für die KQ- und die 2-KQ-Schätzungen für das folgende rekursive System auf:

$$y_1 = \alpha_1 x_1 + \alpha_2 x_2 + u_1, \qquad y_2 = \gamma_1 y_1 + \beta_1 x_1 + u_2.$$

(11-6b*) Man zeige, daß im Falle $E(u_1 u_2) = 0$ sowohl die KQ- als auch die 2-KQ-Schätzungen der Parameter γ_1 und β_1 in (11-6) konsistent sind.

(11-7) Man zeige, daß die 2-KQ-Methode, auf eine unteridentifizierte Gleichung angewandt, nicht zu eindeutigen Schätzungen führt. (Hinweis: $\hat{\boldsymbol{y}}_2, \ldots, \hat{\boldsymbol{y}}_{g_*}, \boldsymbol{x}_1, \ldots, \boldsymbol{x}_{m_*}$ sind linear abhängig, falls $g_* - 1 + m_* > m$.)

(11-8) a) Die 2-KQ-Methode funktioniert auch dann nicht, wenn (in dem Beobachtungszeitraum) eine exakte lineare Beziehung zwischen $\boldsymbol{y}_2, \ldots, \boldsymbol{y}_{g_*}, \boldsymbol{x}_1, \ldots, \boldsymbol{x}_{m_*}$ besteht. (Hinweis: Dieselbe lineare Beziehung besteht zwischen den $\hat{\boldsymbol{y}}_i$ und $\boldsymbol{x}_j$ – vgl. *4.1.5.*)

b) Handelt es sich um eine systematische (nicht nur auf den Beobachtungszeitraum beschränkte) Beziehung, also um eine Identität, dann ist die zu schätzende Gleichung nicht identifizierbar. Man mache sich diesen Sachverhalt insbesondere an dem folgenden Beispiel-Modell klar:

$$y_1 = \gamma_2 y_2 + \gamma_3 y_3 + \beta_1 x_1 + u, \qquad y_2 = y_3 + x_1, \qquad y_3 = \ldots.$$

c) Die Strukturgleichung ist auch dann nicht identifizierbar, wenn y_1 als Identität von $y_2, \ldots, y_{g_*}, x_1, \ldots, x_m$ linear abhängt. (Beispiel: y_1 wie oben, $y_1 = y_2 - y_3 - x_1$, $y_3 = \ldots$.) Man zeige, daß in diesem Fall die 2-KQ-Methode gerade die Koeffizienten der Identität liefert (im Beispiel: $\hat{\gamma}_2 = 1$, $\hat{\gamma}_3 = -1$, $\hat{\beta}_1 = -1$). (Hinweis: Aus (11.10) folgt, daß die 2-KQ-Methode die gleichen Schätzungen liefert, wenn $\boldsymbol{y}_1$ durch $\hat{\boldsymbol{y}}_1$ ersetzt wird.)

d) Ist die zu schätzende Strukturgleichung gemäß b oder c nicht identifizierbar, dann kann man die Identifizierbarkeit durch Elimination von Variablen mit Hilfe der Identitäten wieder herstellen. Gab es vor der Elimination in der Strukturgleichung neben der Normierung nur Nullrestriktionen, dann bleibt es auch nach der Elimination bei Restriktionen von diesem Typ. Man mache sich diese Zusammenhänge an den Beispielen in b und c klar.

e) Ist andererseits die Strukturgleichung identifizierbar, dann sind mit Wahrscheinlichkeit 1 $\boldsymbol{y}_1, \ldots, \boldsymbol{y}_{g_*}, \boldsymbol{x}_1, \ldots, \boldsymbol{x}_{m_*}$ linear unabhängig, sofern $g_* + m_* \leq T$. Dasselbe gilt für $\hat{\boldsymbol{y}}_2, \ldots, \hat{\boldsymbol{y}}_{g_*}, \boldsymbol{x}_1, \ldots, \boldsymbol{x}_{m_*}$. (Man beachte (11-14).)

(11-9) Neben der Strukturgleichung (11.1) bestehe eine Identität, wonach y_2 eine lineare Funktion der $x_i, i=1, \ldots, m$ ist, derart, daß y_2 von mindestens einer nicht zu (11.1) gehörenden x-Variablen echt abhängt. Man zeige, daß nach der 2-KQ-Methode y_2 wie eine exogene Variable behandelt werden kann.

(11-10) Man zeige, daß $\boldsymbol{X}_1' \hat{\boldsymbol{u}} = \boldsymbol{o}$ und $\hat{\boldsymbol{Y}}_*' \hat{\boldsymbol{u}} = \boldsymbol{o}$, wenn $\hat{\boldsymbol{u}}$ der 2-KQ-Residuenvektor ist. Enthält insbesondere die zu schätzende Gleichung ein absolutes Glied, dann ist $\sum \hat{u}_t = o$. (Hinweis: $\hat{\boldsymbol{u}} = \boldsymbol{y}_1 - \boldsymbol{Y}_* \hat{\boldsymbol{\gamma}}_* - \boldsymbol{X}_1 \hat{\boldsymbol{\beta}}_1$. Man benutze (11.66).)

(11-11*) Man beweise die Konsistenz von $s^2(\hat{\boldsymbol{u}})$. (Hinweis: $\hat{\boldsymbol{u}} = \boldsymbol{Z}'(\boldsymbol{\delta} - \hat{\boldsymbol{\delta}}) + \boldsymbol{u}$ mit $\boldsymbol{Z} = (\boldsymbol{Y}_*, \boldsymbol{X}_1)$, $\boldsymbol{\delta}' = (\boldsymbol{\gamma}_*', \boldsymbol{\beta}_1')$. Zu zeigen: $\operatorname{plim}(\hat{\boldsymbol{u}}' \hat{\boldsymbol{u}}/T) = \operatorname{plim}(\boldsymbol{u}' \boldsymbol{u}/T) = \sigma^2$.)

(11-12) Man zeige, daß

$$\begin{aligned} \hat{\boldsymbol{u}}' \hat{\boldsymbol{u}} &= \boldsymbol{y}_1' \boldsymbol{y}_1 + \hat{\boldsymbol{\gamma}}_*' \boldsymbol{Y}_*' \boldsymbol{Y}_* \hat{\boldsymbol{\gamma}}_* - 2 \boldsymbol{y}_1' \boldsymbol{Y}_* \hat{\boldsymbol{\gamma}}_* - \boldsymbol{y}_1' \boldsymbol{X}_1 \hat{\boldsymbol{\beta}}_1 + \hat{\boldsymbol{\gamma}}_*' \boldsymbol{Y}_*' \boldsymbol{X}_1 \hat{\boldsymbol{\beta}}_1 \\ &= \boldsymbol{y}_1' \boldsymbol{y}_1 + \hat{\boldsymbol{\gamma}}_*' \boldsymbol{Y}_*' \boldsymbol{Y}_* \hat{\boldsymbol{\gamma}}_* - 2 \boldsymbol{y}_1' \boldsymbol{Y}_* \hat{\boldsymbol{\gamma}}_* - \hat{\boldsymbol{\beta}}_1' \boldsymbol{X}_1' \boldsymbol{X}_1 \hat{\boldsymbol{\beta}}_1 . \end{aligned}$$

Wo finden sich die hierbei auftretenden Matrizen in dem Schema auf S. 191? (Hinweis: Benutze (11.11).)

(11-13) Man wende die MLBI-Methode auf das HAAVELMO-Modell an.

(11-14) Man beweise:

a) Nach Elimination aller Identitäten eines vollständigen Modells zusammen mit einer gleichen Zahl von Variablen kann zwischen den verbleibenden Variablen des Modells keine exakte (für alle t gleichbleibende) lineare Beziehung mehr bestehen, sofern (laut Modellannahmen *9.1.7.*) $\boldsymbol{X}'\boldsymbol{X}$ und $\boldsymbol{\Sigma}_R$ regulär sind, wobei $\boldsymbol{\Sigma}_R$ die Kovarianzmatrix der zu den Reaktionsgleichungen gehörenden Störvariablen ist.

b) Man kann die Elimination so vornehmen, daß die erste Strukturgleichung, sofern sie identifizierbar ist, unverändert bleibt.

(Hinweis: a) Bilde nach Elimination die reduzierte Form. $\boldsymbol{\Sigma}_v$ ist regulär. Bestünde eine lineare Abhängigkeit zwischen den y_i und x_j, dann bestünde ebenfalls eine zwischen den v_i und den x_j, d.h., eine Linearkombination der v_i wäre gleich einer Linearkombination der x_j. Wegen der stochastischen Unabhängigkeit zwischen den v_i und den x_j müßten beide Linearkombinationen verschwinden, und es wären entweder die v_i oder die x_j linear abhängig. Sowohl das eine wie das andere widerspricht aber den Modellannahmen. b) Träte im Laufe des Eliminationsprozesses eine Identität auf, die nur aus Variablen der ersten Strukturgleichung besteht, dann wäre diese nicht identifizierbar.)

(11-15) Wo finden sich die einzelnen Matrixbestandteile von $\boldsymbol{W}$ und $\boldsymbol{W}_1$ in dem Schema auf S. 191?

(11-16*) Man zeige: $\boldsymbol{W}$ und $\boldsymbol{W}_1$ sind positiv semidefinit. $\boldsymbol{W}$ (bzw. $\boldsymbol{W}_1$) ist genau dann regulär, wenn $\operatorname{rg}(\boldsymbol{Y}_1, \boldsymbol{X}) = g_* + m$ (bzw. $\operatorname{rg}(\boldsymbol{Y}_1, \boldsymbol{X}_1) = g_* + m_*$), und allgemeiner: $\operatorname{rg} \boldsymbol{W} = \operatorname{rg}(\boldsymbol{Y}_1, \boldsymbol{X}) - m$, $\operatorname{rg} \boldsymbol{W}_1 = \operatorname{rg}(\boldsymbol{Y}_1, \boldsymbol{X}_1) - m_*$. (Hinweis: Anhang *A 12.3.*) Wie groß muß T mindestens sein, damit nicht $\boldsymbol{W}$ bzw. $\boldsymbol{W}_1$ singulär ist? Man zeige, daß für eine identifizierbare Gleichung bei hinreichend großem T $\boldsymbol{W}_1$ mit Wahrscheinlichkeit 1 regulär ist (11-8e) und ebenso $\boldsymbol{W}$, sofern alle Identitäten wie in (11-14) eliminiert worden sind. Ist $\boldsymbol{W}$ im Falle des HAAVELMO-Modells regulär?

(11-17*) Man zeige, daß $\boldsymbol{W}_1 - \boldsymbol{W} = \boldsymbol{Y}_1' \boldsymbol{P}_1 \boldsymbol{X}_2 (\boldsymbol{X}_2' \boldsymbol{P}_1 \boldsymbol{X}_2)^{-1} \boldsymbol{X}_2' \boldsymbol{P}_1 \boldsymbol{Y}_1$. (Hinweis: Man invertiere die unterteilte Matrix $\boldsymbol{X}'\boldsymbol{X}$ nach der Regel *A7.2.* und beachte, daß $\boldsymbol{P}_1 := \boldsymbol{I} - \boldsymbol{X}_1(\boldsymbol{X}_1'\boldsymbol{X}_1)^{-1}\boldsymbol{X}_1'$ idempotent ist.)

(11-18*) a) Man zeige, daß $\text{rg}(\boldsymbol{W}_1 - \boldsymbol{W}) = \min(m - m_*, g_*)$ mit Wahrscheinlichkeit 1, sofern die Strukturgleichung identifizierbar und $T \geq g_* + m_*$ ist. (Hinweis: Nach (11-8e) ist $\text{rg}(\boldsymbol{Y}_1, \boldsymbol{X}_1) = g_* + m_*$ mit Wahrscheinlichkeit 1. Nach *A12.3.* ist daher $\boldsymbol{Y}_1' \boldsymbol{P}_1 \boldsymbol{Y}_1$ regulär und daher gilt nach *A9.2.* $\text{rg}(\boldsymbol{P}_1 \boldsymbol{Y}_1) = g_*$. Ferner ist $\text{rg}\boldsymbol{X}_2 = m - m_*$ und daher mit Wahrscheinlichkeit 1: $\text{rg}(\boldsymbol{X}_2' \boldsymbol{P}_1 \boldsymbol{Y}_1) = \min(m - m_*, g_*)$. Aus (11-17) folgt dann die Behauptung.)

b) Bei genauer Identifikation ist $\text{rg}(\boldsymbol{W}_1 - \boldsymbol{W}) = g_* - 1$ und daher $\hat{\lambda} = 1$.

c) $\text{plim}[(\boldsymbol{W}_1 - \boldsymbol{W})/T]$ hat für eine identifizierbare Gleichung den Rang $g_* - 1$. Daher ist $\text{plim}\,\hat{\lambda} = 1$. (Hinweis: $\text{plim}(\boldsymbol{Y}_1' \boldsymbol{P}_1 \boldsymbol{X}_2/T) = \boldsymbol{\Pi}_{21}' \,\text{plim}(\boldsymbol{X}_2' \boldsymbol{P}_1 \boldsymbol{X}_2/T)$. Daher ist nach (11-17) und wegen (V6): $\text{plim}[(\boldsymbol{W}_1 - \boldsymbol{W})/T] = \boldsymbol{\Pi}_{21}' \,\text{plim}(\boldsymbol{X}_2' \boldsymbol{P}_1 \boldsymbol{X}_2/T)\boldsymbol{\Pi}_{21})$. Man ziehe ferner (10-14) heran.)

(11-19) Man zeige, daß (sofern $\boldsymbol{X}'\boldsymbol{X}$ regulär ist) $\boldsymbol{W} = \boldsymbol{0}$ genau dann, wenn sämtliche y_i, $i = 1, \ldots, g_*$, von $\boldsymbol{x}_1, \ldots, \boldsymbol{x}_m$ linear abhängen, und daß daher mit Wahrscheinlichkeit 1 $\boldsymbol{W} \neq \boldsymbol{0}$ ist, sofern wenigstens eine Variable y_i, $i = 1, \ldots, g_*$, nicht durch eine Identität linear an die x_i gebunden ist und sofern $T > m$.

(11-20*) Ist es rechentechnisch günstiger, den größten Eigenwert von $\boldsymbol{Q}$ aufzusuchen, anstatt das auf S. 296, Fn. 4 beschriebene Eigenwertproblem zu lösen? (Hinweis: $\mu = \kappa/(1-\kappa)$, $0 < \kappa < 1$. Mit $\kappa \to 1$ geht $\mu \to \infty$.)

(11-21) Was liefert die MLBI-Methode für das rekursive System (11-6)?

(11-22) Man zeige mit Hilfe von (11.27) die Äquivalenz von (11.26) und (11.11).

(11-23) Man wende ein Schätzverfahren der k-Klasse mit $k = 1 - 1/T$ auf das HAAVELMO-Modell an. Sind die Schätzungen konsistent? Wie lautet die asymptotische Kovarianzmatrix?

11.2

(11-24) Man beweise (11.33) mit Hilfe der Dichtefunktion der v_t.

(11-25) Man zeige, daß zwei äquivalente Strukturen den gleichen Wert der Likelihoodfunktion haben.

(11-26*) Man bestimme nach (11.42) die asymptotische Varianz der Schätzvariablen $\hat{\beta}$ aus dem HAAVELMO-Modell.

(11-27) Man stelle die 3-KQ-Normalgleichungen für das Marktmodell (9.8) auf, in dessen Angebotsgleichung noch eine weitere exogene Variable aufgenommen worden ist. Man vgl. mit (11-3b).

11.3.

(11-28) Man zeige, daß alle Schätzverfahren von Kap. 11 mit der gewöhnlichen KQ-Methode übereinstimmen, wenn das Modell aus nur einer Gleichung besteht.

(11-29) Es sei $y_1 = \beta_{11} x_1 + \cdots + \beta_{1m_*} x_{m_*} + u_1$ eine Strukturgleichung eines Modells. Man zeige:

a) Die Gleichung ist identifizierbar; sie ist überidentifiziert, sofern $m_* < m$.

b) Jedes Schätzverfahren der k-Klasse führt zu gewöhnlichen KQ-Schätzungen.

c) Die indirekte KQ-Methode ist nicht anwendbar, wenn $m_* < m$.

d) Die ML-Methode bei voller Information führt i. allg. nicht zu KQ-Schätzungen. (Gegenbeispiel: (4-16).)

e) Im Diagonalfall führt jedoch die ML-Methode zu KQ-Schätzungen.

f) Die ML-Methode führt ferner dann zu KQ-Schätzungen, wenn die $x_1, \ldots, x_{m_*}$ in sämtlichen Reaktionsgleichungen des Modells zusammen vorkommen.

g) Für die dreistufige KQ-Methode gilt ebenfalls d, e, f.

(11-30) Falls u_1 von den übrigen u_i stochastisch unabhängig ist, kann die Variable y_1 von (11-29) in den übrigen Gleichungen des Modells wie eine exogene Variable behandelt werden. Warum?

(11-31) Man zeige, daß zwei- und dreistufige KQ-Methode auf ein rekursives System i. allg. nicht anwendbar sind. (Gegenbeispiel: $y_1 = \alpha_1 x_1 + u_1$, $y_2 = \gamma_1 y_1 + \beta_1 x_1 + u_2$, $E(u_1 u_2) = 0$.)

(11-32*) Man maximiere $\boldsymbol{a}'\boldsymbol{X}'\boldsymbol{X}\boldsymbol{a}$ unter der Nebenbedingung $\boldsymbol{a}'\boldsymbol{a} = 1$ mit Hilfe eines Lagrangemultiplikators λ. Man zeige, daß im Maximum $\boldsymbol{X}'\boldsymbol{X}\boldsymbol{a} = \lambda\boldsymbol{a}$, wobei $\lambda = \boldsymbol{a}'\boldsymbol{X}'\boldsymbol{X}\boldsymbol{a}$ als maximaler Eigenwert von $\boldsymbol{X}'\boldsymbol{X}$ zu wählen ist.

(11-33*) Man zeige unter der Normalverteilungshypothese, daß die Schätzvariable $\hat{\gamma}_2$ aus (10.17) keinen Mittelwert und erst recht keine Streuung (wohl aber eine asymptotische Streuung) besitzt. (Hinweis: $\hat{\gamma}_2 = -\hat{\pi}_{12}/\hat{\pi}_{22}$, $\hat{\pi}_{22}$ normal. Man versuche, das Integral

$$\int_0^\infty \frac{1}{x} \exp\left[-\tfrac{1}{2}(x-\mu)^2\right] \mathrm{d}x$$

zu berechnen oder zumindest im Bereich $0 < x < \varepsilon$ abzuschätzen.)

(11-34) a) Man berechne künstliche Zeitreihen für Y, C, und I in WAGNERS Modell mit der auf S. 325 angegebenen Zeitreihe für u_{1t} und der folgenden Zeitreihe für u_{2t}:

$$-0{,}919 \quad -1{,}592 \quad 1{,}249 \quad 2{,}286 \quad 0{,}043 \quad -1{,}537 \quad 3{,}211.$$

b) Man schätze γ_1 mit verschiedenen Schätzmethoden und vergleiche.

(11-35) a) Man konstruiere nach dem Schema (5.8) mit $\rho = 0{,}5$ (bzw. $\rho = 0{,}9$) eine Folge u_t mit dem Anfangswert $u_0 = 1$ unter Verwendung der in (11-34) angegebenen Folge als ε_t-Folge.

b) Man verwende die so konstruierten u_t als Störvariablen in der Trendbeziehung $y_t = \beta t + u_t = 2t + u_t$ und berechne den Zeitpfad für y_t. Danach schätze man β nach der gewöhnlichen und nach der verallgemeinerten KQ-Methode und vergleiche mit $\beta = 2$.

(11-36*) Man leite das in *11.3.1.* (*a*) angegebene Bereinigungsverfahren für die Schätzverfahren der k-Klasse (und zugleich für die Methode der Hilfsvariablen) nach der in *3.4.2.* (*c*) entwickelten Beweismethode her.

Anhang A: **Matrizenkalkül**

In diesem Buch werden die Elemente der Matrizenrechnung als bekannt vorausgesetzt. Einführungen findet der Leser z.B. bei KLINGST [1963], ZURMÜHL [1964], GRÖBNER [1966], WETZEL u.a. [1968], AITKEN [1969] sowie SEARLE und HAUSMAN [1970].

Dennoch sollen hier zur Erinnerung die Grundbegriffe kurz dargestellt werden. Außerdem sollen einige Spezialitäten zur Sprache kommen, die in den genannten Einführungen zumeist nicht behandelt werden, für die Erörterung gewisser ökonometrischer Probleme aber unerläßlich sind.

A1. Definitionen

Eine $(m \times n)$-*Matrix* $\boldsymbol{A}$ ist ein rechteckiges Zahlenschema, bestehend aus m Zeilen und n Spalten:

$$\boldsymbol{A} := \begin{pmatrix} a_{11} & a_{12} & \dots & a_{1n} \\ a_{21} & a_{22} & \dots & a_{2n} \\ \vdots & \vdots & & \vdots \\ a_{m1} & a_{m2} & \dots & a_{mn} \end{pmatrix} = (a_{ij})_{\substack{i=1,\dots,m \\ j=1,\dots,n}}.$$

Eine $(m \times 1)$-Matrix $\boldsymbol{a}$ heißt ein m-dimensionaler (Spalten-)*Vektor*, bestehend aus m Komponenten

$$\boldsymbol{a} := \begin{pmatrix} a_1 \\ a_2 \\ \vdots \\ a_m \end{pmatrix}.$$

Entsprechend ist ein Zeilenvektor als $(1 \times n)$-Matrix definiert.

Eine (1×1)-Matrix ist ein *Skalar*, also eine gewöhnliche (hier meist reelle) Zahl. Eine $(n \times n)$-Matrix heißt *quadratisch*.

Die Elemente $a_{11}, a_{22}, \dots$ heißen *Diagonalelemente*.

Spezielle Matrizen:

$$\textit{Diagonalmatrix:}\ \boldsymbol{D} = \begin{pmatrix} d_1 & 0 & \dots & 0 \\ 0 & d_2 & \dots & 0 \\ \vdots & \vdots & \ddots & \vdots \\ 0 & 0 & \dots & d_n \end{pmatrix}, \qquad \textit{Dreiecksmatrix:} \begin{pmatrix} a_{11} & 0 & \dots & 0 \\ a_{21} & a_{22} & \dots & 0 \\ \vdots & \vdots & & \vdots \\ a_{n1} & a_{n2} & \dots & a_{nn} \end{pmatrix}$$

$$(n \times n)\textit{-Einheitsmatrix}\ \boldsymbol{I}_n = \boldsymbol{I} := \begin{pmatrix} 1 & 0 & \dots & 0 \\ 0 & 1 & \dots & 0 \\ \vdots & \vdots & & \vdots \\ 0 & 0 & \dots & 1 \end{pmatrix}, \qquad i\text{-ter}\ \textit{Einheitsvektor}\ \boldsymbol{e}_i := \begin{pmatrix} 0 \\ \vdots \\ 1 \\ \vdots \\ 0 \end{pmatrix} \leftarrow i$$

$$(m \times n)\textit{-Nullmatrix}\ \boldsymbol{0}_{m,n} = \boldsymbol{0} := \begin{pmatrix} 0 & 0 & \dots & 0 \\ 0 & 0 & \dots & 0 \\ \vdots & \vdots & & \vdots \\ 0 & 0 & \dots & 0 \end{pmatrix}, \qquad \textit{Nullvektor:}\ \boldsymbol{o} := \begin{pmatrix} 0 \\ \vdots \\ 0 \end{pmatrix}$$

$$\textit{Einsenvektor}\ \boldsymbol{i} = \begin{pmatrix} 1 \\ \vdots \\ 1 \end{pmatrix}$$

A 2. Transponieren einer Matrix

Werden die Zeilen und Spalten der Matrix $\boldsymbol{A}$ vertauscht, so entsteht die *transponierte* Matrix

$$\boldsymbol{A}' := \begin{pmatrix} a_{11} & a_{21} & \dots & a_{m1} \\ a_{12} & a_{22} & \dots & a_{m2} \\ \vdots & \vdots & & \vdots \\ a_{1n} & a_{2n} & \dots & a_{mn} \end{pmatrix}.$$

Es gilt:

$$(\boldsymbol{A}')' = \boldsymbol{A}.$$

Ein transponierter Spaltenvektor ist ein Zeilenvektor und umgekehrt. Im folgenden sollen Spaltenvektoren immer mit einem ungestrichenen Symbol (etwa $\boldsymbol{a}$) bezeichnet werden und daher Zeilenvektoren mit gestrichenem Symbol ($\boldsymbol{a}'$).

Eine quadratische Matrix heißt *symmetrisch*, wenn $A' = A$ gilt. Diagonalmatrizen und speziell die Einheitsmatrix sind symmetrisch. Ebenso ist ein Skalar immer symmetrisch.

A 3. Matrixverknüpfungen

Zwei $(m \times n)$-Matrizen $\boldsymbol{A} = (a_{ij})$ und $\boldsymbol{B} = (b_{ij})$ werden *addiert* bzw. *subtrahiert*, indem man sie elementweise addiert bzw. subtrahiert:

$$\boldsymbol{A} \underset{(-)}{+} \boldsymbol{B} = (a_{ij} \underset{(-)}{+} b_{ij})_{\substack{i=1,\dots,m \\ j=1,\dots,n}}.$$

Eine $(m \times n)$-Matrix $\boldsymbol{A} = (a_{ij})$ wird mit einem *Skalar a multipliziert*, indem man jedes Element von $\boldsymbol{A}$ mit a multipliziert:

$$a\,\boldsymbol{A} = (a\,a_{ij})_{\substack{i=1,\dots,m \\ j=1,\dots,n}}.$$

Unter dem *skalaren Produkt* zweier m-dimensionaler Vektoren $\boldsymbol{a}' = (a_1 \dots a_m)$ und $\boldsymbol{b}' = (b_1 \dots b_m)$ versteht man die Summe der elementweisen Produkte:

$$\boldsymbol{a}'\boldsymbol{b} = \sum_1^m a_i\,b_i = a_1\,b_1 + \dots + a_m\,b_m.$$

Eine $(m \times n)$-Matrix $\boldsymbol{A} = (a_{ij})$ wird mit einer $(n \times p)$-Matrix $\boldsymbol{B} = (b_{jk})$ *multipliziert*, indem man die skalaren Produkte jeder i-ten Zeile von $\boldsymbol{A}$ mit jeder k-ten Spalte von $\boldsymbol{B}$ bildet und zu einer Matrix

$$\boldsymbol{C} = (c_{ik}) := \left(\sum_{j=1}^n a_{ij}\,b_{jk} \right)_{\substack{i=1,\dots,m \\ k=1,\dots,p}}$$

zusammenstellt.

$\boldsymbol{C}$ ist also eine $(m \times p)$-Matrix. Das Produkt ist nur dann definiert, wenn $\boldsymbol{A}$ gerade so viele Spalten wie $\boldsymbol{B}$ Zeilen hat. Es stimmt dann hinsichtlich der Zeilenzahl mit $\boldsymbol{A}$, hinsichtlich der Spaltenzahl mit $\boldsymbol{B}$ überein.

Das Produkt einer quadratischen Matrix mit sich selbst wird mit $\boldsymbol{A}^2$ bezeichnet.

Für Vektoren $\boldsymbol{a}$ und $\boldsymbol{b}$ (wie oben definiert) gelten speziell die beiden folgenden Produkte:

$$\boldsymbol{a}'\,\boldsymbol{b} = (a_1 \dots a_m) \begin{pmatrix} b_1 \\ \vdots \\ b_m \end{pmatrix} = \sum_{i=1}^m a_i\,b_i,$$

$$\boldsymbol{a}\,\boldsymbol{b}' = \begin{pmatrix} a_1 \\ \vdots \\ a_m \end{pmatrix} (b_1 \dots b_m) = \begin{pmatrix} a_1\,b_1 & a_1\,b_2 & \dots & a_1\,b_m \\ a_2\,b_1 & a_2\,b_2 & \dots & a_2\,b_m \\ \vdots & \vdots & & \vdots \\ a_m\,b_1 & a_m\,b_2 & \dots & a_m\,b_m \end{pmatrix}.$$

Im allgemeinen ist $\boldsymbol{A}\boldsymbol{B} \neq \boldsymbol{B}\boldsymbol{A}$.

A4. Matrixalgebra

Man kann mit diesen Verknüpfungen im wesentlichen so rechnen wie mit reellen Zahlen. Zu beachten ist allerdings, daß immer nur Matrizen verknüpft werden dürfen, die bezüglich Zeilen- und Spaltenzahl zueinander passen. Es gelten insbesondere die folgenden elementaren *Rechenregeln:*

$$\boldsymbol{A}+\boldsymbol{B}=\boldsymbol{B}+\boldsymbol{A}, \quad (\boldsymbol{A}+\boldsymbol{B})+\boldsymbol{C}=\boldsymbol{A}+(\boldsymbol{B}+\boldsymbol{C})=:\boldsymbol{A}+\boldsymbol{B}+\boldsymbol{C},$$

$$\boldsymbol{A}+\boldsymbol{0}=\boldsymbol{A}, \quad \boldsymbol{A}+(\boldsymbol{B}-\boldsymbol{A})=\boldsymbol{B}, \quad (\boldsymbol{A}+\boldsymbol{B})'=\boldsymbol{A}'+\boldsymbol{B}',$$

$$(\boldsymbol{A}\boldsymbol{B})\boldsymbol{C}=\boldsymbol{A}(\boldsymbol{B}\boldsymbol{C})=:\boldsymbol{A}\boldsymbol{B}\boldsymbol{C}, \quad (\boldsymbol{A}\boldsymbol{B})'=\boldsymbol{B}'\boldsymbol{A}',$$

$$(\boldsymbol{A}+\boldsymbol{B})\boldsymbol{C}=\boldsymbol{A}\boldsymbol{C}+\boldsymbol{B}\boldsymbol{C}, \quad \boldsymbol{C}(\boldsymbol{A}+\boldsymbol{B})=\boldsymbol{C}\boldsymbol{A}+\boldsymbol{C}\boldsymbol{B},$$

$$(a+b)\boldsymbol{A}=a\boldsymbol{A}+b\boldsymbol{A}, \quad a(\boldsymbol{A}+\boldsymbol{B})=a\boldsymbol{A}+a\boldsymbol{B},$$

$$a(\boldsymbol{A}\boldsymbol{B})=(a\boldsymbol{A})\boldsymbol{B}=\boldsymbol{A}(a\boldsymbol{B})=:a\boldsymbol{A}\boldsymbol{B}, \quad a\boldsymbol{A}=(a\boldsymbol{I})\boldsymbol{A},$$

$$\boldsymbol{I}\boldsymbol{A}=\boldsymbol{A}\boldsymbol{I}=\boldsymbol{A}, \quad \boldsymbol{0}\boldsymbol{A}=\boldsymbol{A}\boldsymbol{0}=\boldsymbol{0}.$$

Zu jeder Matrix $\boldsymbol{A}$ lassen sich die Produkte $\boldsymbol{A}\boldsymbol{A}'$ und $\boldsymbol{A}'\boldsymbol{A}$ bilden. Sie sind symmetrisch, denn z. B. gilt $(\boldsymbol{A}\boldsymbol{A}')'=(\boldsymbol{A}')'\boldsymbol{A}'=\boldsymbol{A}\boldsymbol{A}'$.

A5. Determinante

Die Determinante einer (quadratischen) $(n\times n)$-Matrix $\boldsymbol{A}$ ist definiert als

$$\det\boldsymbol{A}=\sum_{(i_1,\dots,i_n)} \pm a_{1i_1}a_{2i_2}\dots a_{ni_n}.$$

Dabei ist $(i_1, i_2, \dots, i_n)$ eine Permutation der Zahlenfolge $(1, 2, \dots, n)$. Summiert wird über sämtliche $n!$ Permutationen. Das Vorzeichen ist $+$, wenn die Permutation $(i_1, i_2, \dots, i_n)$ durch eine gerade Zahl von Vertauschungen aus der Folge $(1, 2, \dots, n)$ zustande gebracht werden kann, andernfalls ist es $-$.

Es gelten die folgenden *Regeln:*

$$\det(\boldsymbol{A}\boldsymbol{B})=\det\boldsymbol{A}\det\boldsymbol{B}, \quad \det\boldsymbol{I}=1, \quad \det(a\boldsymbol{A})=a^n\det\boldsymbol{A},$$

$$\det\boldsymbol{A}'=\det\boldsymbol{A}, \quad \det(\boldsymbol{A}^{-1})=(\det\boldsymbol{A})^{-1} \quad (\text{vgl. } A6).$$

Es ist $\det\boldsymbol{D}=d_1 d_2 \dots d_n=\prod_{i=1}^{n} d_i$, falls $\boldsymbol{D}$ eine *Diagonalmatrix* ist. Allgemeiner gilt: die Determinante einer *Dreiecksmatrix* ist gleich dem Produkt der Diagonalelemente.

A6. Matrixinversion

Eine quadratische Matrix $\boldsymbol{A}$ heißt *invertierbar*, wenn es eine Matrix $\boldsymbol{A}^{-1}$ gibt mit $\boldsymbol{A}\boldsymbol{A}^{-1}=\boldsymbol{A}^{-1}\boldsymbol{A}=\boldsymbol{I}$. $\boldsymbol{A}^{-1}$ ist eindeutig bestimmt und heißt die *Inverse* von $\boldsymbol{A}$. Eine invertierbare Matrix wird auch *regulär* genannt.

Es gelten die folgenden *Regeln* für invertierbare Matrizen:

$$(\boldsymbol{A}\boldsymbol{B})^{-1}=\boldsymbol{B}^{-1}\boldsymbol{A}^{-1}, \quad (\boldsymbol{A}^{-1})^{-1}=\boldsymbol{A}, \quad \boldsymbol{I}^{-1}=\boldsymbol{I}, \quad (a\boldsymbol{A})^{-1}=a^{-1}\boldsymbol{A}^{-1}, \quad (\boldsymbol{A}^{-1})'=(\boldsymbol{A}')^{-1}.$$

Ist $\boldsymbol{A}$ symmetrisch, dann ist auch $\boldsymbol{A}^{-1}$ symmetrisch. Ist $\boldsymbol{D}$ die früher angegebene Diagonalmatrix, dann ist

$$\boldsymbol{D}^{-1}=\begin{pmatrix} d_1^{-1} & & 0 \\ & \ddots & \\ 0 & & d_n^{-1} \end{pmatrix}.$$

Wie bei der Multiplikation ist auch bei der Division, d.h. bei der Multiplikation mit der Inversen einer Matrix auf die Stellung der Matrizen zu achten: Im allgemeinen ist $\boldsymbol{A}^{-1}\boldsymbol{B}\neq\boldsymbol{B}\boldsymbol{A}^{-1}$.

Bezeichnet man mit a^{ij} das in der i-ten Zeile und j-ten Spalte stehende Element von $\boldsymbol{A}^{-1}$ und mit A_{ji} die zu dem Element a_{ji} von $\boldsymbol{A}$ gehörige *Adjunkte*, d.h. die mit $(-1)^{i+j}$ multiplizierte Determinante derjenigen Matrix, die aus A durch Streichen der j-ten Zeile und i-ten Spalte hervorgeht, dann ist

$$a^{ij} = (\det A)^{-1} A_{ji}.$$

A ist also genau dann invertierbar, wenn $\det A \neq 0$ ist.

Beispiel:

$$A = \begin{pmatrix} a & b \\ c & d \end{pmatrix} \Rightarrow A^{-1} = \frac{1}{ad-bc} \begin{pmatrix} d & -b \\ -c & a \end{pmatrix}.$$

A7. Unterteilte Matrizen

A7.1. Häufig sind Matrizen aus Teilmatrizen zusammengesetzt, z.B.

$$A = \left(\begin{array}{ccc|ccc} a_{11} & \cdots & a_{1p} & a_{1,p+1} & \cdots & a_{1n} \\ \vdots & & \vdots & \vdots & & \vdots \\ a_{r1} & \cdots & a_{rp} & a_{r,p+1} & \cdots & a_{rn} \\ \hline a_{r+1,1} & \cdots & a_{r+1,p} & a_{r+1,p+1} & \cdots & a_{r+1,n} \\ \vdots & & \vdots & \vdots & & \vdots \\ a_{m1} & \cdots & a_{mp} & a_{m,p+1} & \cdots & a_{mn} \end{array}\right) =: \begin{pmatrix} A_{11} & A_{12} \\ A_{21} & A_{22} \end{pmatrix},$$

wobei nebeneinanderstehende Teilmatrizen die gleiche Zeilenzahl und untereinanderstehende die gleiche Spaltenzahl haben.

Es ist

$$A' = \begin{pmatrix} A'_{11} & A'_{21} \\ A'_{12} & A'_{22} \end{pmatrix}.$$

Ist ferner

$$B = \begin{pmatrix} B_{11} & B_{12} \\ B_{21} & B_{22} \end{pmatrix}$$

ebenfalls eine unterteilte Matrix derart, daß B_{11} und B_{12} je p Zeilen haben und B_{21} und B_{22} je $n-p$ Zeilen, dann gilt für das *Produkt:*

$$AB = \begin{pmatrix} A_{11}B_{11} + A_{12}B_{21} & A_{11}B_{12} + A_{12}B_{22} \\ A_{21}B_{11} + A_{22}B_{21} & A_{21}B_{12} + A_{22}B_{22} \end{pmatrix}.$$

Ähnlich ist bei anderer Unterteilung der Matrizen zu verfahren. Man rechnet allgemein so, als ob die Teilmatrizen Elemente einer Matrix wären, muß jedoch immer darauf achten, daß die Matrixoperationen ausführbar sind, d.h. insbesondere, daß die zu multiplizierenden Teilmatrizen in Zeilen- und Spaltenzahl zueinander passen (multiplizierbar sind).

A7.2. Sind in dem obigen Beispiel A, A_{11} und (damit auch) A_{22} quadratisch (d.h. ist $m=n$ und $r=p$) und sind A und A_{22} invertierbar, dann gilt für die *Inverse* von A:

$$A^{-1} = \begin{pmatrix} H_{11}^{-1} & -H_{11}^{-1} A_{12} A_{22}^{-1} \\ -A_{22}^{-1} A_{21} H_{11}^{-1} & A_{22}^{-1} + A_{22}^{-1} A_{21} H_{11}^{-1} A_{12} A_{22}^{-1} \end{pmatrix}$$

mit

$$H_{11} = A_{11} - A_{12} A_{22}^{-1} A_{21}.$$

Man bestätigt die Richtigkeit dieser Inversion durch Ausmultiplizieren des Produktes $AA^{-1} = I$. Auch ist H_{11} tatsächlich invertierbar, wie man aus der folgenden Produktdarstellung (die wir in *A12.* noch einmal benötigen) folgern kann:

$$\begin{pmatrix} I & -A_{12}A_{22}^{-1} \\ 0 & A_{22}^{-1} \end{pmatrix} \begin{pmatrix} A_{11} & A_{12} \\ A_{21} & A_{22} \end{pmatrix} \begin{pmatrix} I & 0 \\ -A_{22}^{-1}A_{21} & A_{22}^{-1} \end{pmatrix} = \begin{pmatrix} H_{11} & 0 \\ 0 & A_{22}^{-1} \end{pmatrix}.$$

Der erste und dritte Faktor sind (z.B. nach dem folgenden Determinantensatz) sicherlich regulär; ist auch $\boldsymbol{A}$ regulär, dann ist auch die rechtsstehende Matrix und damit (wiederum nach dem folgenden Determinantensatz) $\boldsymbol{H}_{11}$ regulär.

A 7.3. Ist in der quadratischen Matrix $\boldsymbol{A}$ die Teilmatrix $\boldsymbol{A}_{12}=\boldsymbol{0}$ und ist auch $\boldsymbol{A}_{11}$ quadratisch $(r=p)$, dann ist

$$\det \boldsymbol{A}=\det \boldsymbol{A}_{11} \det \boldsymbol{A}_{22}.$$

A 8. Lineare Abhängigkeit

Ein Vektor $\boldsymbol{a}$ heißt *linear abhängig von* den Vektoren $\boldsymbol{a}_1, \boldsymbol{a}_2, \ldots, \boldsymbol{a}_n$, wenn es Koeffizienten (reelle Zahlen) $\alpha_1, \alpha_2, \ldots, \alpha_n$ gibt, so daß

$$\boldsymbol{a}=\alpha_1 \boldsymbol{a}_1+\alpha_2 \boldsymbol{a}_2+\cdots+\alpha_n \boldsymbol{a}_n.$$

Die rechte Seite dieser Gleichung wird auch eine *Linearkombination* der $\boldsymbol{a}_1, \ldots, \boldsymbol{a}_n$ genannt.

Aus n Vektoren $\boldsymbol{a}_1, \ldots, \boldsymbol{a}_n$ kann man auf triviale Weise den Nullvektor linear kombinieren, indem man sämtliche Koeffizienten $\alpha_i=0$ setzt.

Die Vektoren $\boldsymbol{a}_1, \boldsymbol{a}_2, \ldots, \boldsymbol{a}_n$ heißen *linear abhängig*, wenn es Koeffizienten $\alpha_1, \alpha_2, \ldots, \alpha_n$ gibt, die nicht sämtlich Null sind, so daß

$$\sum_{i=1}^{n} \alpha_i \boldsymbol{a}_i=\boldsymbol{o}.$$

In diesem Fall ist mindestens einer der Vektoren $\boldsymbol{a}_1, \ldots, \boldsymbol{a}_n$ von den übrigen linear abhängig.

Die Vektoren $\boldsymbol{a}_1, \ldots, \boldsymbol{a}_n$ heißen *linear unabhängig*, wenn sie nicht linear abhängig sind. In diesem Fall ist keiner der Vektoren von den übrigen linear abhängig.

Mehr als n n-dimensionale Vektoren sind immer linear abhängig. Aus n linear unabhängigen n-dimensionalen Vektoren läßt sich jeder andere n-dimensionale Vektor eindeutig linear kombinieren. Die n Einheitsvektoren der Dimension n sind linear unabhängig.

A 9. Rang

A 9.1. Die Maximalzahl linear unabhängiger Spaltenvektoren heißt der *Rang* einer Matrix $\boldsymbol{A}$. Er ist zugleich die Maximalzahl linear unabhängiger Zeilenvektoren (Spaltenrang = Zeilenrang).

Es gilt:

$$\operatorname{rg} \boldsymbol{A}=\operatorname{rg} \boldsymbol{A}' \qquad \operatorname{rg}(\boldsymbol{A}\boldsymbol{B}) \leq \min(\operatorname{rg} \boldsymbol{A}, \operatorname{rg} \boldsymbol{B}).$$

Der Rang einer $(m \times n)$-Matrix $\boldsymbol{A}$ kann nie größer als ihre Zeilen- oder Spaltenzahl sein:

$$\operatorname{rg} \boldsymbol{A} \leq \min(m, n).$$

Eine Matrix $\boldsymbol{A}$ heißt von *vollem Rang*, wenn

$$\operatorname{rg} \boldsymbol{A}=\min(m, n).$$

Ist $\boldsymbol{A}$ quadratisch $(m=n)$ und von vollem Rang $(\operatorname{rg} \boldsymbol{A}=n)$, dann heißt $\boldsymbol{A}$ *regulär*. $\boldsymbol{A}$ ist genau dann regulär, wenn $\det \boldsymbol{A} \neq 0$, also auch genau dann, wenn $\boldsymbol{A}$ invertierbar ist. Eine nichtreguläre Matrix wird auch *singulär* genannt.

A 9.2. Es gilt:

$$\operatorname{rg} \boldsymbol{A}'\boldsymbol{A}=\operatorname{rg} \boldsymbol{A}.$$

Beweis: Eine beliebige Linearkombination der Spalten von $\boldsymbol{A}$ mit Koeffizienten α_i läßt sich in der Form $\boldsymbol{A}\boldsymbol{\alpha}$ darstellen, wobei $\boldsymbol{\alpha}$ die Koeffizienten α_i zu einem Vektor zusammenfaßt. Entsprechendes gilt für die Linearkombinationen der Spalten von $\boldsymbol{A}'\boldsymbol{A}$. Nun ist $\boldsymbol{A}\boldsymbol{\alpha}=\boldsymbol{o}$ genau dann, wenn $\boldsymbol{A}'\boldsymbol{A}\boldsymbol{\alpha}=\boldsymbol{o}$, denn aus $\boldsymbol{A}\boldsymbol{\alpha}=\boldsymbol{o}$ folgt $\boldsymbol{A}'\boldsymbol{A}\boldsymbol{\alpha}=\boldsymbol{o}$ und aus $\boldsymbol{A}'\boldsymbol{A}\boldsymbol{\alpha}=\boldsymbol{o}$ folgt zunächst $\boldsymbol{\alpha}'\boldsymbol{A}'\boldsymbol{A}\boldsymbol{\alpha}=0=(\boldsymbol{A}\boldsymbol{\alpha})'\boldsymbol{A}\boldsymbol{\alpha}$ und daraus schließlich $\boldsymbol{A}\boldsymbol{\alpha}=\boldsymbol{o}$. Die mit gleichen Koeffizienten gebildeten Linearkombinationen der Spalten von $\boldsymbol{A}$ bzw. von $\boldsymbol{A}'\boldsymbol{A}$ sind also entweder beide gleich oder beide ungleich dem Nullvektor. $\boldsymbol{A}$ und $\boldsymbol{A}'\boldsymbol{A}$ haben daher die gleiche Maximalzahl linear unabhängiger Spalten, sind also von gleichem Rang, w.z.b.w.

Hieraus folgt, daß die aus einer $(m \times n)$-Matrix $\boldsymbol{A}$ gebildete $(n \times n)$-Matrix $\boldsymbol{A}'\boldsymbol{A}$ genau dann regulär ist, wenn $\operatorname{rg}\boldsymbol{A} = n$. Im Falle $m \geq n$ heißt das, daß $\boldsymbol{A}$ von vollem Rang ist.

Ist $\boldsymbol{A}$ eine *reguläre* (quadratische) Matrix, dann ist

$$\operatorname{rg}\boldsymbol{A}\boldsymbol{B} = \operatorname{rg}\boldsymbol{B}.$$

Entsprechendes gilt für eine Multiplikation von rechts. Insbesondere ist das Produkt regulärer Matrizen regulär.

Beweis: Wegen der Regularität von $\boldsymbol{A}$ ist mit $\boldsymbol{A}\boldsymbol{B}\boldsymbol{\alpha} = \boldsymbol{o}$ zugleich auch $\boldsymbol{B}\boldsymbol{\alpha} = \boldsymbol{o}$. Der Rest des Beweises verläuft gerade so wie beim vorangegangenen Beweis.

A10. Lineare Transformationen

A10.1. Ein System homogen linearer Funktionen

$$\begin{aligned} y_1 &= a_{11}x_1 + a_{12}x_2 + \cdots + a_{1n}x_n \\ y_2 &= a_{21}x_1 + a_{22}x_2 + \cdots + a_{2n}x_n \\ &\vdots \\ y_m &= a_{m1}x_1 + a_{m2}x_2 + \cdots + a_{mn}x_n \end{aligned}$$

kann in Matrixschreibweise kurz in der Form

$$\boldsymbol{y} = \boldsymbol{A}\boldsymbol{x}$$

dargestellt werden. Darin ist $\boldsymbol{A} = (a_{ij})$ die *Koeffizientenmatrix* des linearen Systems und sind $\boldsymbol{y}$ und $\boldsymbol{x}$ die Variablenvektoren (in Spaltenform), also

$$\boldsymbol{y} := \begin{pmatrix} y_1 \\ \vdots \\ y_m \end{pmatrix}, \quad \boldsymbol{x} := \begin{pmatrix} x_1 \\ \vdots \\ x_n \end{pmatrix}.$$

Durch das lineare System wird jedem n-dimensionalen Vektor $\boldsymbol{x}$ ein („linear transformierter") m-dimensionaler Vektor $\boldsymbol{y}$ zugeordnet. Dabei wird jede Linearkombination von Vektoren $\boldsymbol{x}_i$ in die entsprechende Linearkombination der den $\boldsymbol{x}_i$ zugeordneten Vektoren $\boldsymbol{y}_i$ transformiert.

Die Transformation heißt *eindeutig umkehrbar*, wenn es zu jedem Vektor $\boldsymbol{y}$ genau einen Vektor $\boldsymbol{x}$ gibt, dem $\boldsymbol{y}$ vermöge des linearen Systems zugeordnet ist. Sie ist genau dann eindeutig umkehrbar, wenn $m = n$ und $\boldsymbol{A}$ regulär ist. In diesem Fall findet man den mit $\boldsymbol{y}$ korrespondierenden Vektor $\boldsymbol{x}$ durch Links-Multiplikation der Transformationsgleichung mit $\boldsymbol{A}^{-1}$:

$$\boldsymbol{x} = \boldsymbol{A}^{-1}\boldsymbol{y}.$$

Diese (ebenfalls lineare) Transformation wird auch *Umkehrtransformation* genannt. Zu gegebenem $\boldsymbol{y}$ heißt $\boldsymbol{x} = \boldsymbol{A}^{-1}\boldsymbol{y}$ die (eindeutige) *Lösung des Gleichungssystems* $\boldsymbol{y} = \boldsymbol{A}\boldsymbol{x}$.

Man kann natürlich auch die Lösungen von Gleichungssystemen mit nichtregulärer Koeffizientenmatrix untersuchen.

A10.2. Von besonderem Interesse sind *homogene Gleichungssysteme* – sie liegen vor, wenn $\boldsymbol{y} = \boldsymbol{o}$ ist. Wir wollen des weiteren annehmen, daß so viele Gleichungen wie Unbekannte vorhanden sind, daß also $\boldsymbol{A}$ quadratisch ist. Das homogene Gleichungssystem

$$\boldsymbol{A}\boldsymbol{x} = \boldsymbol{o}$$

hat die triviale Lösung $\boldsymbol{x} = \boldsymbol{o}$. *Nichttriviale Lösungen* existieren dann und nur dann, wenn $\boldsymbol{A}$ singulär ist, d.h., wenn $\det\boldsymbol{A} = 0$ ist. Ist insbesondere $\operatorname{rg}\boldsymbol{A} = n - 1$ und n die Zahl der Gleichungen (wie auch der Unbekannten), dann ist die Lösung von $\boldsymbol{A}\boldsymbol{x} = \boldsymbol{o}$ bis auf einen beliebigen skalaren Faktor eindeutig bestimmt, d.h., zu je zwei nichttrivialen Lösungen $\boldsymbol{x}_1$ und $\boldsymbol{x}_2$ gibt es eine Zahl c, so daß $\boldsymbol{x}_1 = c\,\boldsymbol{x}_2$. Man erhält eine eindeutige Lösung, wenn man noch eine Normierungsvorschrift für die Lösung einführt, z.B. daß die Summe der Komponenten 1 betragen soll.

A11. Eigenwerte

A11.1. Das Gleichungssystem

$$\boldsymbol{A}\,\boldsymbol{x} = \lambda\,\boldsymbol{x}$$

mit quadratischer Matrix $\boldsymbol{A}$ ist ein spezielles homogenes Gleichungssystem, wie man an der Form

$$(\boldsymbol{A} - \lambda\,\boldsymbol{I})\,\boldsymbol{x} = \boldsymbol{o}$$

erkennt. Es hat genau dann eine nichttriviale Lösung, wenn

$$\det(\boldsymbol{A} - \lambda\,\boldsymbol{I}) = 0.$$

Eine (u.U. komplexe) Zahl λ, für die diese Gleichung erfüllt ist, heißt ein *Eigenwert* von $\boldsymbol{A}$. Das oben angegebene Gleichungssystem hat also genau dann nichttriviale Lösungen, wenn λ ein Eigenwert von $\boldsymbol{A}$ ist. Die zu λ gehörige Lösung $\boldsymbol{x}$ heißt ein *Eigenvektor* von $\boldsymbol{A}$. Da, sofern $\boldsymbol{A}$ aus n-Zeilen besteht, die Determinante ein Polynom in λ vom Grad n ist, gibt es höchstens n verschiedene Eigenwerte.

A11.2. Die Eigenwerte einer *symmetrischen* Matrix sind sämtlich *reell*. Die zu verschiedenen Eigenwerten gehörenden Eigenvektoren sind in diesem Fall *orthogonal* zueinander, d.h. ihr Skalarprodukt verschwindet.

Beweis: a) Sind λ_1 und λ_2 zwei verschiedene Eigenwerte und $\boldsymbol{x}_1$ und $\boldsymbol{x}_2$ zugehörige Eigenvektoren, dann ist $\lambda_2\,\boldsymbol{x}_1'\,\boldsymbol{x}_2 = \boldsymbol{x}_1'\,\boldsymbol{A}\,\boldsymbol{x}_2 = \boldsymbol{x}_2'\,\boldsymbol{A}\,\boldsymbol{x}_1 = \lambda_1\,\boldsymbol{x}_2'\,\boldsymbol{x}_1 = \lambda_1\,\boldsymbol{x}_1'\,\boldsymbol{x}_2$. Wegen $\lambda_1 \neq \lambda_2$ folgt daraus $\boldsymbol{x}_1'\,\boldsymbol{x}_2 = 0$. b) Aus der Orthogonalität der Eigenvektoren folgt noch die Eigenschaft der Eigenwerte, reell zu sein. Denn wäre λ ein nicht reeller Eigenwert, dann wäre auch die konjugiert komplexe Zahl $\bar{\lambda}$ ein Eigenwert und $\lambda \neq \bar{\lambda}$. Die zugehörigen Eigenvektoren wären ebenfalls konjugiert komplex und könnten daher nicht orthogonal zueinander sein.

Sind alle Eigenwerte einer symmetrischen Matrix $\boldsymbol{A}$ verschieden und bringt man sie in eine bestimmte Anordnung (z.B. $\lambda_1 > \lambda_2 > \cdots > \lambda_n$), dann bilden die zugehörigen normierten Eigenvektoren, wenn man sie zu einer (quadratischen) Matrix $\boldsymbol{P}$ zusammenstellt, eine sogenannte *orthogonale* Matrix mit der Eigenschaft

$$\boldsymbol{P}'\boldsymbol{P} = \boldsymbol{P}\boldsymbol{P}' = \boldsymbol{I}.$$

Es ist also $\boldsymbol{P}^{-1} = \boldsymbol{P}'$.

Ist $\boldsymbol{D}$ eine Diagonalmatrix, deren Diagonale mit den Eigenwerten in der oben angegebenen Reihenfolge besetzt ist, dann gilt

$$\boldsymbol{A}\boldsymbol{P} = \boldsymbol{P}\boldsymbol{D}.$$

Denn für die i-te Spalte $\boldsymbol{x}_i$ von $\boldsymbol{P}$ gilt $\boldsymbol{A}\,\boldsymbol{x}_i = \lambda_i\,\boldsymbol{x}_i$.

Hieraus und aus der Orthogonalitätseigenschaft von $\boldsymbol{P}$ folgt sofort die folgende *fundamentale Produktdarstellung* von $\boldsymbol{A}$:

$$\boldsymbol{A} = \boldsymbol{P}\boldsymbol{D}\boldsymbol{P}'.$$

Die in diesem Abschnitt über symmetrische Matrizen aufgestellten Sätze gelten nach geringfügiger Modifikation auch für den Fall, daß nicht alle Eigenwerte verschieden sind.

A12. Quadratische Formen

A12.1. Die quadratische Funktion (oder Form) in n Veränderlichen $x_1, \ldots, x_n$

$$y = \sum_{i=1}^{n} \sum_{j=1}^{n} a_{ij}\,x_i\,x_j$$

läßt sich in Matrixschreibweise als

$$y = \boldsymbol{x}'\,\boldsymbol{A}\,\boldsymbol{x}$$

darstellen. Dabei kann die *Koeffizientenmatrix* $\boldsymbol{A} := (a_{ij})$ ohne Beschränkung der Allgemeinheit als symmetrisch angenommen werden. $\boldsymbol{x}' = (x_1, \ldots, x_n)$ ist der Variablenvektor.

Eine quadratische Form heißt *positiv semidefinit*, wenn für jeden Vektor $\boldsymbol{x}$ gilt:

$$\boldsymbol{x}'\boldsymbol{A}\boldsymbol{x} \geq 0.$$

Sie heißt *positiv definit*, wenn für jeden Vektor $\boldsymbol{x}$ mit $\boldsymbol{x} \neq \boldsymbol{o}$ gilt:

$$\boldsymbol{x}'\boldsymbol{A}\boldsymbol{x} > 0.$$

Diese Begriffe werden auch auf die Koeffizientenmatrix $\boldsymbol{A}$ angewandt.

Eine spezielle positiv definite quadratische Form ist $y = \boldsymbol{x}'\boldsymbol{x}$ mit $\boldsymbol{A} = \boldsymbol{I}$.

Eine positiv semidefinite Matrix $\boldsymbol{A}$ ist genau dann positiv definit, wenn sie regulär ist. In diesem Fall ist $\det \boldsymbol{A} > 0$. Mit $\boldsymbol{A}$ ist auch $\boldsymbol{A}^{-1}$ positiv definit.

A12.2. Ist $\boldsymbol{B}$ eine beliebige $(m \times n)$-Matrix, dann ist

$$\boldsymbol{A} := \boldsymbol{B}'\boldsymbol{B}$$

positiv semidefinit und (daher) genau dann positiv definit, wenn $\operatorname{rg} \boldsymbol{B} = n$ ist (A9). *Beweis:* $\boldsymbol{x}'\boldsymbol{A}\boldsymbol{x} = \boldsymbol{x}'\boldsymbol{B}'\boldsymbol{B}\boldsymbol{x} = (\boldsymbol{B}\boldsymbol{x})'\boldsymbol{B}\boldsymbol{x} \geq 0$.

Dies läßt sich wie folgt verallgemeinern: Ist $\boldsymbol{C}$ positiv semidefinit, dann ist $\boldsymbol{B}'\boldsymbol{C}\boldsymbol{B}$ ebenfalls positiv semidefinit.

Umgekehrt gibt es zu jeder positiv semidefiniten Matrix $\boldsymbol{A}$ eine Matrix $\boldsymbol{B}$, so daß sich $\boldsymbol{A}$ als Produkt $\boldsymbol{B}'\boldsymbol{B}$ darstellen läßt.

Dies folgt aus der fundamentalen Faktorzerlegung (*A11.2.*) einer symmetrischen Matrix: $\boldsymbol{A} = \boldsymbol{P}\boldsymbol{D}\boldsymbol{P}'$. $\boldsymbol{A}$ ist genau dann positiv (semi)-definit, wenn sämtliche Eigenwerte von $\boldsymbol{A}$ positiv (nichtnegativ) sind. Im Falle nichtnegativer Eigenwerte kann jeder Eigenwert λ als Quadrat $\lambda = (\sqrt{\lambda})^2$ dargestellt werden und daher $\boldsymbol{D}$ als Quadrat einer Diagonalmatrix $\tilde{\boldsymbol{D}}$, die aus $\boldsymbol{D}$ dadurch hervorgeht, daß jeder Eigenwert λ durch $\sqrt{\lambda}$ ersetzt wird. Daher läßt sich $\boldsymbol{A}$ wie folgt zerlegen: $\boldsymbol{A} = \boldsymbol{P}\tilde{\boldsymbol{D}}\tilde{\boldsymbol{D}}\boldsymbol{P}' = \boldsymbol{B}'\boldsymbol{B}$ mit $\boldsymbol{B} := \tilde{\boldsymbol{D}}\boldsymbol{P}'$ w.z.b.w.

A12.3. Jede zur Diagonale spiegelsymmetrisch angeordnete Teilmatrix einer positiv (semi-)definiten Matrix $\boldsymbol{A}$ ist ebenfalls positiv (semi-)definit.

Die aus der unterteilten symmetrischen Matrix

$$\boldsymbol{A} = \begin{pmatrix} \boldsymbol{A}_{11} & \boldsymbol{A}_{12} \\ \boldsymbol{A}_{21} & \boldsymbol{A}_{22} \end{pmatrix}$$

nach (*A7.*) gebildete Matrix $\boldsymbol{H}_{11} = \boldsymbol{A}_{11} - \boldsymbol{A}_{12}\boldsymbol{A}_{22}^{-1}\boldsymbol{A}_{21}$ (mit regulärer Matrix $\boldsymbol{A}_{22}$) ist positiv (semi-) definit, sofern $\boldsymbol{A}$ es ist. Ferner ist $\operatorname{rg} \boldsymbol{H}_{11} = \operatorname{rg} \boldsymbol{A} - \operatorname{rg} \boldsymbol{A}_{22}$. Dies folgt unmittelbar aus der Produktdarstellung von $\boldsymbol{H}_{11}$ in *A7.2.*

A13. Spur

Die *Spur* einer quadratischen Matrix $\boldsymbol{A}$ ist gleich der Summe ihrer Diagonalglieder:

$$\operatorname{sp} \boldsymbol{A} = \Sigma\, a_{ii}.$$

Es gilt: $\operatorname{sp}(\boldsymbol{A} + \boldsymbol{B}) = \operatorname{sp} \boldsymbol{A} + \operatorname{sp} \boldsymbol{B}$, $\operatorname{sp} a\boldsymbol{A} = a \operatorname{sp} \boldsymbol{A}$, $\operatorname{sp} \boldsymbol{A}' = \operatorname{sp} \boldsymbol{A}$.

Ist $\boldsymbol{B}$ eine $(m \times n)$-Matrix und $\boldsymbol{C}$ eine $(n \times m)$-Matrix, dann sind die Produkte $\boldsymbol{B}\boldsymbol{C}$ und $\boldsymbol{C}\boldsymbol{B}$ quadratisch, und es ist

$$\operatorname{sp}(\boldsymbol{B}\boldsymbol{C}) = \operatorname{sp}(\boldsymbol{C}\boldsymbol{B}).$$

Denn beide Spurausdrücke berechnen sich als $\sum_{i=1}^{m} \sum_{j=1}^{n} b_{ij} c_{ji}$.

Sind z.B. $\boldsymbol{a}$ und $\boldsymbol{b}$ zwei n-dimensionale Vektoren, dann ist

$$\boldsymbol{a}'\boldsymbol{b} = \operatorname{sp}(\boldsymbol{a}'\boldsymbol{b}) = \operatorname{sp}(\boldsymbol{b}\boldsymbol{a}').$$

Für die $(n \times n)$-Einheitsmatrix ist $\operatorname{sp} \boldsymbol{I} = n$.

A14. Idempotente Matrix

Eine symmetrische Matrix $\boldsymbol{A}$ heißt *idempotent*, wenn $\boldsymbol{A}^2=\boldsymbol{A}$.

Mit $\boldsymbol{A}$ ist auch $\boldsymbol{I}-\boldsymbol{A}$ idempotent. Ist $\boldsymbol{B}$ eine $(m\times n)$-Matrix vom Rang n, dann ist $\boldsymbol{B}(\boldsymbol{B}'\boldsymbol{B})^{-1}\boldsymbol{B}'$ idempotent.

Für idempotente Matrizen $\boldsymbol{A}$ gilt:

$$\operatorname{rg}\boldsymbol{A}=\operatorname{sp}\boldsymbol{A}.$$

Ferner sind idempotente Matrizen positiv semidefinit, denn $\boldsymbol{x}'\boldsymbol{A}\boldsymbol{x}=\boldsymbol{x}'\boldsymbol{A}'\boldsymbol{A}\boldsymbol{x}=(\boldsymbol{A}\boldsymbol{x})'\boldsymbol{A}\boldsymbol{x}\geq 0$.

A15. Matrixdifferentiation

Es sei y eine partiell differenzierbare Funktion von $m\,n$ Variablen x_{ij}, die in einem $(m\times n)$-Matrixschema $\boldsymbol{X}=(x_{ij})$ angeordnet sind, also

$$y=f(\boldsymbol{X}).$$

Man kann dann die partiellen Differentialquotienten $\partial y/\partial x_{ij}$ bilden und in derselben Weise wie die x_{ij} zu einer Matrix anordnen. Diese bezeichnen wir mit

$$\frac{\mathrm{d}y}{\mathrm{d}\boldsymbol{X}}:=\left(\frac{\partial y}{\partial x_{ij}}\right)_{\substack{i=1,\dots,m\\ j=1,\dots,n}}.$$

Hervorzuheben ist der Spezialfall, daß $\boldsymbol{X}$ ein Vektor ist, dann ist $\mathrm{d}y/\mathrm{d}\boldsymbol{X}$ ebenfalls ein Vektor

Bezüglich einiger spezieller Matrixfunktionen gelten die folgenden Differentiationsregeln:

$$\frac{\mathrm{d}\,\boldsymbol{a}'\boldsymbol{x}}{\mathrm{d}\boldsymbol{x}}=\boldsymbol{a}\qquad \frac{\mathrm{d}\,\boldsymbol{x}'\boldsymbol{A}\boldsymbol{x}}{\mathrm{d}\boldsymbol{x}}=2\boldsymbol{A}\boldsymbol{x},\quad \text{falls } \boldsymbol{A}'=\boldsymbol{A}$$

$$\frac{\mathrm{d}\log\det\boldsymbol{X}}{\mathrm{d}\boldsymbol{X}}=(\boldsymbol{X}')^{-1}$$

$$\frac{\mathrm{d}\operatorname{sp}(\boldsymbol{X}^{-1}\boldsymbol{A})}{\mathrm{d}\boldsymbol{X}}=-(\boldsymbol{X}^{-1}\boldsymbol{A}\boldsymbol{X}^{-1})'.$$

Zum *Beweis* der beiden letzten Formeln benötigt man die folgenden, leicht einzusehenden Beziehungen:

$$\frac{\mathrm{d}\det\boldsymbol{X}}{\mathrm{d}x_{ij}}=X_{ij},\quad \text{der zu } x_{ij} \text{ gehörigen Adjunkten (vgl. } A6.\text{)},$$

$$\frac{\mathrm{d}\operatorname{sp}\boldsymbol{B}}{\mathrm{d}x}=\operatorname{sp}\frac{\mathrm{d}\boldsymbol{B}}{\mathrm{d}x}\quad \text{mit } \boldsymbol{B}=\boldsymbol{B}(x),$$

$$\frac{\mathrm{d}\boldsymbol{B}\boldsymbol{A}}{\mathrm{d}x}=\frac{\mathrm{d}\boldsymbol{B}}{\mathrm{d}x}\boldsymbol{A}\quad \text{mit } \boldsymbol{B}=\boldsymbol{B}(x),\ \boldsymbol{A} \text{ konstant},$$

$$\frac{\mathrm{d}\boldsymbol{X}^{-1}}{\mathrm{d}x_{ij}}=-\boldsymbol{X}^{-1}\boldsymbol{E}_{ij}\boldsymbol{X}^{-1}\quad \text{mit } \boldsymbol{E}_{ij} \text{ wie unten angegeben},$$

$$\operatorname{sp}(\boldsymbol{E}_{ij}\boldsymbol{B})=b_{ji}\quad \text{mit}\quad \boldsymbol{B}=(b_{ij})_{\substack{i=1,\dots,n\\ j=1,\dots,n}}.$$

Dabei ist $\boldsymbol{E}_{ij}$ eine $(n\times n)$-Matrix, die nur aus Nullen besteht bis auf das Element der i-ten Zeile und j-ten Spalte, welches eine Eins ist. – Die Differentiation einer Matrix nach *einer* Variablen, beispielsweise die Bildung von $\mathrm{d}\boldsymbol{B}/\mathrm{d}x$, bedeutet elementweises Differenzieren der Matrix.

Anhang B: **Wahrscheinlichkeitsrechnung und Statistik**

Die Grundbegriffe werden als bekannt vorausgesetzt. Die für die Ökonometrie wichtigsten sollen hier aber nochmals in Erinnerung gerufen werden. (Im übrigen wird auf die einführenden Lehrbücher etwa von KREYSZIG [1965], MENGES [1968], REICHARDT [1969] verwiesen.) Außerdem wird in diesem Anhang auf einige Besonderheiten hingewiesen, die für die Ökonometrie von Bedeutung sind. Auf mathematische Strenge wird in dem folgenden Überblick gelegentlich verzichtet.

B1. Zufallsvariablen

B1.1. Eine Zufallsvariable ist, vereinfacht ausgedrückt, eine Größe, die zufällig einen Wert aus einem gegebenen Bereich möglicher Werte annimmt, und zwar so, daß es zu jedem Teilbereich des gegebenen Wertebereichs eine Wahrscheinlichkeit dafür gibt, daß die Zufallsvariable gerade einen Wert aus diesem Teilbereich annimmt. Die Gesamtheit dieser Wahrscheinlichkeiten macht die *Wahrscheinlichkeitsverteilung* der Zufallsvariablen aus. Bei kontinuierlichen reellen Zufallsvariablen – und nur solche interessieren uns hier – wird diese durch die *Wahrscheinlichkeitsdichtefunktion* $f(x)$, $-\infty < x < \infty$, bestimmt, und zwar so, daß sich die Wahrscheinlichkeit dafür, daß die Zufallsvariable einen Wert in dem beliebigen Intervall (a, b) annimmt, als Integral $\int_a^b f(x)\,\mathrm{d}x$ berechnet. Dabei ist $f(x) \geq 0$ und $\int_{-\infty}^{\infty} f(x)\,\mathrm{d}x = 1$.

Einen Wert, den eine Zufallsvariable annimmt, nennt man auch eine (zufällige) *Realisierung* der Zufallsvariablen. Zwischen der Zufallsvariablen und ihrer Realisierung ist streng zu unterscheiden. Wir werden dennoch, um der Gefahr zu entgehen, in einer Symbolflut zu ersticken, beide mit dem gleichen Symbol bezeichnen, wobei aus dem Zusammenhang hervorgehen sollte, was jeweils gemeint ist.

Mit dem Begriff der Zufallsvariablen verbindet man gewöhnlich die Vorstellung einer beliebig oftmaligen Realisierbarkeit, wobei die einzelnen Realisierungen sich unabhängig voneinander einstellen und alle der gleichen Wahrscheinlichkeitsverteilung folgen. In der Tat approximiert die *Häufigkeitsverteilung* einer hinreichend langen Serie solcher Realisierungen die Wahrscheinlichkeitsverteilung der Zufallsvariablen.

Zeitreihen ökonomischer Variablen sind freilich gewöhnlich nicht von dieser Art. Weder können ihre Periodenwerte als unabhängige Realisierungen angesehen werden, noch folgen sie dem gleichen Wahrscheinlichkeitsgesetz. Sie weisen vielmehr trendartige Veränderungen und mehr oder weniger starke stochastische Abhängigkeiten auf. Eine solche Zeitreihe kann daher weit eher als die Realisation eines Abschnittes eines *stochastischen Prozesses* (s.u.) angesehen werden. Entsprechend ist es zweckmäßig, eine Folge unabhängiger Realisierungen einer Zufallsvariablen als die Realisierung einer Folge unabhängiger und identisch verteilter Zufallsvariablen anzusehen. Unabhängige Realisierungen erscheinen hiernach als Spezialfall einer Realisierung stochastischer Prozesse.

Ist x eine Zufallsvariable und g eine (stetige) Funktion, dann ist auch $y = g(x)$ eine Zufallsvariable, deren Wahrscheinlichkeitsverteilung sich aus der Verteilung von x berechnen läßt.

B1.2. Ein *stochastischer Prozeß* ist eine Folge von Zufallsvariablen $x_1, x_2, \ldots$. Sein stochastisches Gesetz wird durch die sämtlichen gemeinsamen Wahrscheinlichkeitsverteilungen von je endlich vielen x_i charakterisiert. Ein stochastischer Prozeß heißt *stationär*, wenn (für beliebige $i_1, i_2, \ldots, i_n$ und j) die Variablen $x_{i_1}, x_{i_2}, \ldots, x_{i_n}$ die gleiche Wahrscheinlichkeitsverteilung besitzen wie die Variablen $x_{i_1+j}, x_{i_2+j}, \ldots, x_{i_n+j}$. Speziell haben alle Variablen eines stationären Prozesses die gleiche Verteilung.

Sie stimmen daher auch in ihren *Momenten* (vgl. *B.2.*) überein: $E x_i^k = E x_j^k$, $V x_i = V x_j$ usw. Ebenso sind Autokovarianzen und Autokorrelationen (vgl. *B4.*) gegenüber „Verschiebungen" invariant, d.h.:

$$\operatorname{Cov}(x_{i_1}, x_{i_2}) = \operatorname{Cov}(x_{i_1+j}, x_{i_2+j}).$$

Daher ist der *Autokorrelationskoeffizient* $\rho\ (x_i, x_{i+j})$ unabhängig von i und kann deshalb einfach mit ρ_j bezeichnet werden. j heißt die *Ordnung* des Autokorrelationskoeffizienten.

B2. Momente

B2.1. Charakteristische Größen einer Zufallsvariablen X sind u.a. deren *Erwartungswert* (oder *Mittelwert*) und deren *Varianz*:

$$E x = \int_{-\infty}^{\infty} x f(x)\,\mathrm{d}x, \qquad V x = \int_{-\infty}^{\infty} (x - E x)^2 f(x)\,\mathrm{d}x.$$

Erstere gibt in einem gewissen Sinne das Zentrum der Wahrscheinlichkeitsverteilung von x an, die Wurzel aus letzterer, die sogenannte *Standardabweichung*, mißt den durchschnittlichen Streubereich um dieses Zentrum. Den Mittelwert bezeichnet man oft auch mit μ oder μ_x, die Standardabweichung mit σ oder σ_x, wobei $\sigma_x^2 = V x$. Ist $y = g(x)$, dann ist

$$E y = E g(x) = \int_{-\infty}^{\infty} g(x) f(x)\,\mathrm{d}x.$$

Insbesondere läßt sich die Varianz als $V x = E(x - E x)^2$ ausdrücken.

$E x^n$ heißt das n-te *gewöhnliche* und $E(x - E x)^n$ das n-te *zentrale Moment* von x. $E x$ und $V x$ sind Spezialfälle.

Es ist

$$E(a x) = a E x, \qquad V(a x) = a^2 V x, \qquad V x = E(x^2) - (E x)^2.$$

Sind die Zufallsvariablen x_{ij} zu einer (Zufalls-)Matrix $\boldsymbol{X}$ zusammengefaßt, dann wird der Erwartungswert von $\boldsymbol{X}$ elementweise gebildet:

$$E\boldsymbol{X} = E\begin{pmatrix} x_{11} \dots x_{1n} \\ \vdots \quad\; \vdots \\ x_{m1} \dots x_{mn} \end{pmatrix} = \begin{pmatrix} E x_{11} \dots E x_{1n} \\ \vdots \quad\; \vdots \\ E x_{m1} \dots E x_{mn} \end{pmatrix}.$$

Erwartungswert eines Zufallsvektors $\boldsymbol{x}$ ist der Vektor der Mittelwerte der einzelnen Komponenten von $\boldsymbol{x}$ und wird gewöhnlich mit $\boldsymbol{\mu} := E\boldsymbol{x}$ bezeichnet.

B2.2. Existenz: Zu beachten ist, daß die Momente nicht in jedem Fall existieren müssen. Denn das n-te Moment ist als ein von $-\infty$ bis $+\infty$ sich erstreckendes Integral definiert und dieses ist als Grenzwert eines entsprechenden Integrals mit endlichen Grenzen a bis b für $a \to -\infty$ und $b \to +\infty$ definiert:

$$\int_{-\infty}^{\infty} x^n f(x)\,\mathrm{d}x = \lim_{a \to -\infty} \lim_{b \to \infty} \int_a^b x^n f(x)\,\mathrm{d}x.$$

Dabei sollen die Grenzübergänge unabhängig voneinander durchführbar sein. Es versteht sich, daß ein solcher Grenzwert nicht immer existiert, zumindest aber nicht endlich ist. So gibt es z.B. Zufallsvariablen mit unendlicher Varianz oder auch solche, die keinen Mittelwert besitzen, in dem Sinne, daß der oben angegebene Grenzwert schon für $n = 1$ nicht existiert. Ist x die (0, 1)-normalverteilte Variable, dann hat $1/x$ keinen Mittelwert.

Allgemein gilt, daß mit der Existenz des n-ten Moments auch alle anderen Momente niedrigerer Ordnung existieren. Das gilt auch für die zentralen Momente, die sich ja algebraisch auf die gewöhnlichen Momente zurückführen lassen, wie das oben beispielsweise für die Varianz gezeigt worden ist. Diese Existenzaussage läßt sich auf mehrdimensionale Verteilungen und gemischte Momente (*B4.*) verallgemeinern: Existieren $E x^n$ und $E y^n$, dann existieren auch alle gemischten Momente bis zur Ordnung n, also $E(x^r y^s)$ mit $r + s \le n$.

B3. Gemeinsame und bedingte Verteilung

Das gemeinsame Wahrscheinlichkeitsgesetz mehrerer (kontinuierlicher) Zufallsvariablen $x_1, x_2, \ldots, x_n$ wird durch eine gemeinsame Dichtefunktion $f(x_1, x_2, \ldots, x_n)$ gegeben, die wieder durch ihr (n-faches) Integral über einen beliebigen (n-dimensionalen) Bereich B die Wahrscheinlichkeit dafür angibt, daß der (n-dimensionale) Vektor $\boldsymbol{x}$ der Realisierungen von $x_1, \ldots, x_n$ in den Bereich B fällt. Ein Teilvektor der n Zufallsvariablen, z.B. bestehend aus den ersten r Variablen, besitzt eine gemeinsame Dichtefunktion, die sich aus der Gesamtdichtefunktion durch „Ausintegrieren" der restlichen $n-r$ Variablen ergibt:

$$f_{1 \ldots r}(x_1, \ldots, x_r) = \int_{-\infty}^{\infty} \cdots \int_{-\infty}^{\infty} f(x_1, \ldots, x_r, x_{r+1}, \ldots, x_n)\, dx_{r+1} \ldots dx_n.$$

Die so entstehende Verteilung wird auch als (r-dimensionale) *Randverteilung* der ursprünglichen (n-dimensionalen) Verteilung bezeichnet[1].

Sind die Variablen $x_1, \ldots, x_r$ von den Variablen $x_{r+1}, \ldots, x_n$ *stochastisch unabhängig* (was, grob gesagt, bedeutet, daß die Variablen $x_1, \ldots, x_r$ ihre Werte mit Wahrscheinlichkeiten annehmen, die nicht davon abhängen, welche Werte die Variablen $x_{r+1}, \ldots, x_n$ angenommen haben), dann ist

$$f(x_1, \ldots, x_n) = f(x_1, \ldots, x_r)\, f(x_{r+1}, \ldots, x_n).$$

Diese Faktorenzerlegung gilt entsprechend auch für mehrere untereinander (und nicht nur paarweise) unabhängige Teilvektoren der Variablen $x_1, \ldots, x_n$. Sind insbesondere sämtliche Variablen untereinander stochastisch unabhängig dann ist

$$f(x_1, \ldots, x_n) = f(x_1) \ldots f(x_n).$$

Sind x und y stochastisch unabhängig und g und h zwei (stetige) Funktionen, dann sind auch $g(x)$ und $h(y)$ stochastisch unabhängig. Das gleiche gilt, wenn an die Stelle von x und y Zufallsvektoren $\boldsymbol{x}$ und $\boldsymbol{y}$ treten und auch wenn g und h vektorielle Funktionen sind.

Im allgemeinen wird man jedoch stochastische Abhängigkeit unter den Variablen registrieren. In diesem Fall wird man bei gegebenen Realisationen der Variablen $x_{r+1}, \ldots, x_n$ je nach deren Werten mit unterschiedlichen Wahrscheinlichkeitsverteilungen für die Variablen $x_1, \ldots, x_r$ rechnen müssen. Man spricht dann auch von der bedingten Wahrscheinlichkeitsverteilung bzw. Dichtefunktion von $x_1, \ldots, x_r$ bei gegebenen $x_{r+1}, \ldots, x_n$ und bezeichnet letztere (etwas ungenau – vgl. die vorangehende Fußnote) mit $f(x_1, \ldots, x_r | x_{r+1}, \ldots, x_n)$. Im Falle der stochastischen Unabhängigkeit ist

$$f(x_1, \ldots, x_r | x_{r+1}, \ldots, x_n) = f(x_1, \ldots, x_r).$$

Allgemein gilt die Faktorenzerlegung:

$$f(x_1, \ldots, x_n) = f(x_1, \ldots, x_r | x_{r+1}, \ldots, x_n)\, f(x_{r+1}, \ldots, x_n).$$

B4. Gemischte Momente

B4.1. Mit $E(x\,y)$ bezeichnet man das gewöhnliche *gemischte Moment* (zweiter Ordnung) der Variablen x und y. Das entsprechend definierte zentrale Moment heißt die *Kovarianz* von x und y:

$$\sigma_{xy} := \mathrm{Cov}(x, y) := E[(x - E\,x)(y - E\,y)].$$

Die standardisierte Kovarianz ist der *Korrelationskoeffizient*

$$\rho_{xy} := \frac{\sigma_{xy}}{\sigma_x \sigma_y}.$$

[1]) Wir werden gewöhnlich, sofern keine Verwechslungen zu befürchten sind, auf die an sich erforderliche Indizierung der Randdichtefunktion verzichten und diese der Einfachheit halber mit $f(x_1, \ldots, x_r)$ bezeichnen.

Es ist

$$\operatorname{Cov}(x, y) = E(x\,y) - (E\,x)(E\,y).$$

Im Falle stochastischer Unabhängigkeit ist die Kovarianz Null: die Variablen x und y sind *unkorreliert*. Umgekehrt sind unkorrelierte Variablen nicht notwendig stochastisch unabhängig. Für zwei unkorrelierte Variablen ist

$$E(x\,y) = (E\,x)(E\,y).$$

B4.2. Aus n Zufallsvariablen $x_1, \ldots, x_n$, zusammengefaßt zu dem (Spalten-)Zufallsvektor $\boldsymbol{x}$, läßt sich die *Momentenmatrix* bilden:

$$E\,\boldsymbol{x}\,\boldsymbol{x}' = \begin{pmatrix} E\,x_1^2 & E\,x_1\,x_2 & \ldots & E\,x_1\,x_n \\ E\,x_2\,x_1 & E\,x_2^2 & \ldots & E\,x_2\,x_n \\ \vdots & \vdots & & \vdots \\ E\,x_n\,x_1 & E\,x_n\,x_2 & \ldots & E\,x_n^2 \end{pmatrix}.$$

Entsprechend ist die *Kovarianzmatrix* (oft auch als Varianz-Kovarianzmatrix bezeichnet) definiert:

$$V\boldsymbol{x} := E[(\boldsymbol{x} - E\,\boldsymbol{x})(\boldsymbol{x}' - E\,\boldsymbol{x}')] = \begin{pmatrix} \sigma_{11} & \sigma_{12} & \ldots & \sigma_{1n} \\ \sigma_{21} & \sigma_{22} & \ldots & \sigma_{2n} \\ \vdots & \vdots & & \vdots \\ \sigma_{n1} & \sigma_{n2} & \ldots & \sigma_{nn} \end{pmatrix}$$

mit $\sigma_{ii} := \sigma_i^2 := V x_i$ und $\sigma_{ij} := \operatorname{Cov}(x_i, x_j)$ für $i \neq j$.

Die Momentenmatrix und entsprechend die Kovarianzmatrix sind *symmetrisch* und *positiv semidefinit* (*A12*).

Beweis: 1. $\boldsymbol{x}\,\boldsymbol{x}'$ ist wegen $(\boldsymbol{x}\,\boldsymbol{x}')' = \boldsymbol{x}\,\boldsymbol{x}'$ symmetrisch; daher gilt dasselbe für $E\,\boldsymbol{x}\,\boldsymbol{x}'$. 2. Ist $\boldsymbol{a}$ ein beliebiger (n-dimensionaler) Vektor, dann ist $\boldsymbol{a}'(E\,\boldsymbol{x}\,\boldsymbol{x}')\,\boldsymbol{a} = E(\boldsymbol{a}'\,\boldsymbol{x}\,\boldsymbol{x}'\,\boldsymbol{a}) = E(\boldsymbol{a}'\,\boldsymbol{x})^2 \geq 0$, w.z.b.w. Man sieht zugleich, daß $\boldsymbol{a}'\,E\,\boldsymbol{x}\,\boldsymbol{x}'\,\boldsymbol{a} = 0$ genau dann, wenn $E(\boldsymbol{a}'\,\boldsymbol{x})^2 = 0$. Für den Fall, daß $E\,\boldsymbol{x} = 0$, ist der letzte Ausdruck die Varianz von $\boldsymbol{a}'\,\boldsymbol{x}$. $V(\boldsymbol{a}'\,\boldsymbol{x}) = 0$ ist aber gleichbedeutend mit $\boldsymbol{a}'\,\boldsymbol{x} \equiv 0$ (mit Wahrscheinlichkeit 1), d.h. (falls $\boldsymbol{a} \neq 0$) mit dem Bestehen einer linearen Abhängigkeit zwischen den $x_1, \ldots, x_n$ (mit Wahrscheinlichkeit 1). Daraus folgt:

Die *Kovarianzmatrix* ist genau dann *positiv definit* (und damit regulär), wenn die $x_1, \ldots, x_n$ linear unabhängige Zufallsvariablen sind (wenn es also keine Beziehung der Art $\sum a_i\,x_i \equiv 0$ mit nicht sämtlich verschwindenden a_i gibt).

B4.3. Der *Erwartungsoperator* E ist *linear*, d.h. geht der Zufallsvektor $\boldsymbol{y}$ aus dem Zufallsvektor $\boldsymbol{x}$ durch eine lineare Transformation hervor, etwa $\boldsymbol{y} = \boldsymbol{A}\,\boldsymbol{x} + \boldsymbol{b}$, dann ist

$$E\,\boldsymbol{y} = \boldsymbol{A}\,E\,\boldsymbol{x} + \boldsymbol{b}.$$

Allgemeiner ist $E(\boldsymbol{A}\boldsymbol{X}\boldsymbol{B}) = \boldsymbol{A}(E\boldsymbol{X})\,\boldsymbol{B}$, falls $\boldsymbol{X}$ eine Matrix aus Zufallsvariablen und $\boldsymbol{A}$ und $\boldsymbol{B}$ konstante Matrizen sind.

Hieraus läßt sich desweiteren ableiten, daß

$$V\boldsymbol{y} = \boldsymbol{A}\,V\boldsymbol{x}\,\boldsymbol{A}'.$$

Denn $V\boldsymbol{y} = E[(\boldsymbol{y} - E\,\boldsymbol{y})(\boldsymbol{y}' - E\,\boldsymbol{y}')] = E[\boldsymbol{A}(\boldsymbol{x} - E\,\boldsymbol{x})(\boldsymbol{x} - E\,\boldsymbol{x})'\boldsymbol{A}'] = \boldsymbol{A}E[(\boldsymbol{x} - E\,\boldsymbol{x})(\boldsymbol{x} - E\,\boldsymbol{x})']\,\boldsymbol{A}' = \boldsymbol{A}\,V\boldsymbol{x}\,\boldsymbol{A}'$.

Als Spezialfall gilt $V(x_1 + x_2) = V x_1 + 2\operatorname{Cov}(x_1, x_2) + V x_2$. Im Falle der Unabhängigkeit ist $V(x_1 + x_2) = V x_1 + V x_2$.

Eine Folge der Linearität des Erwartungsoperators ist auch:

$$E(\operatorname{sp}\boldsymbol{X}) = \operatorname{sp}(E\boldsymbol{X}).$$

Sind $\boldsymbol{X}$ und $\boldsymbol{Y}$ zwei *stochastisch unabhängige* Zufallsmatrizen, dann ist $E(\boldsymbol{X}\boldsymbol{Y}) = (E\boldsymbol{X})(E\boldsymbol{Y})$.

B5. Empirische Momente

Die in *B2.* und *B4.* definierten Momente von Zufallsvariablen sind scharf zu unterscheiden von den (bisweilen auch als empirisch bezeichneten) Momenten von Zahlenreihen. Aus der Reihe $x_1, x_2, \ldots, x_n$ kann man in Analogie zu den entsprechenden (theoretischen) Momenten einer Zufallsvariablen das arithmetische Mittel $\bar{x}$, die (empirische) Streuung s^2 und höhere (empirische) Momente wie folgt bilden:

$$\bar{x} := \frac{1}{n}\sum_{i=1}^{n} x_i, \qquad s_x^2 := s^2(x) := \frac{1}{n}\sum_{i=1}^{n}(x_i - \bar{x})^2, \qquad \overline{x^r} = \frac{1}{n}\sum_{i=1}^{n} x_i^r.$$

Ähnlich kann man gemischte Momente aus zwei Zahlenreihen $x_1, \ldots, x_n$ und $y_1, \ldots, y_n$ bilden, z.B. die (empirische) Kovarianz und den (empirischen) Korrelationskoeffizienten

$$\operatorname{cov}(x, y) = \frac{1}{n}\sum_{i=1}^{n}(x_i - \bar{x})(y_i - \bar{y}), \qquad r(x, y) = \frac{\operatorname{cov}(x, y)}{s(x)\, s(y)}$$

oder das (empirische) gemischte Moment

$$\overline{xy} = \frac{1}{n}\sum_{i=1}^{n} x_i y_i.$$

Dabei gilt

$$s^2(x) = \overline{x^2} - (\bar{x})^2, \qquad \operatorname{cov}(x, y) = \overline{xy} - \bar{x}\,\bar{y}.$$

Sofern die x_i unabhängige Realisationen der gleichen Zufallsvariablen sind, geht das empirische Moment mit wachsendem n gegen das entsprechende theoretische Moment, also z.B. $\bar{x} \to Ex$, $s_x^2 \to \sigma_x^2$ (vgl. *B10.2.*). Das gilt unter allgemeinen Bedingungen auch noch dann, wenn die $x_1, \ldots, x_n$ Realisierungen eines stationären stochastischen Prozesses sind, sofern die stochastischen Abhängigkeiten zwischen den Folgegliedern mit größer werdendem Abstand hinreichend rasch abklingen (vgl. *B10.3.*). In anderen Fällen ist eine solche Entsprechung jedoch nicht unbedingt gegeben. Sind z.B. die x_i Realisationen von Zufallsvariablen mit verschiedenen Wahrscheinlichkeitsgesetzen, dann können zwar immer noch die Grenzwerte $\lim_{n\to\infty} \bar{x}$ oder $\lim_{n\to\infty} s^2(x)$ existieren, sie haben aber nichts mit den entsprechenden theoretischen Momenten zu tun. Ähnlich braucht kein Zusammenhang zu bestehen zwischen der empirischen Kovarianz oder dem empirischen Korrelationskoeffizienten zweier Datenreihen einerseits und den entsprechenden theoretischen Momenten. Zum Beispiel mögen die in Paaren zusammengefaßten Zufallsvariablen $(x_1, y_1), (x_2, y_2), \ldots, (x_T, y_T)$ je stochastisch unabhängig voneinander sein; sofern aber die Mittelwerte von x_t und y_t beide mit t stark ansteigen (Trend), wird die empirische Korrelation zwischen zwei realisierten Reihen $x_1, \ldots, x_T$ und $y_1, \ldots, y_T$ hoch sein, obwohl theoretisch zwischen je zwei Variablen x_t und y_t die Korrelation gleich Null ist.

B6. Bedingte Erwartungswerte

B6.1. Sind x und y zwei (möglicherweise stochastisch abhängige) Zufallsvariablen, dann ist der bedingte Erwartungswert von y bei gegebenem x definiert als der Erwartungswert von y bezüglich der bedingten Wahrscheinlichkeitsverteilung von y bei gegebenem x:

$$E(y|x) := \int_{-\infty}^{\infty} y f(y|x)\, dy.$$

Im allgemeinen hängt er von x ab. Bei stochastischer Unabhängigkeit ist allerdings $E(y|x) = E(y)$ unabhängig von x. Umgekehrt kann jedoch aus dieser Gleichheit allein nicht auf stochastische Unabhängigkeit geschlossen werden.

Allgemein ist

$$Ey = E[E(y|x)] = \int_{-\infty}^{\infty}\left[\int_{-\infty}^{\infty} y f(y|x)\,dy\right] f(x)\,dx.$$

Man kann also den Mittelwert von y über zwei Stufen gewinnen. Zunächst wird y bei beliebig gegebenem x gemittelt, sodann wird dieser i.allg. noch von x abhängige Mittelwert noch einmal, aber jetzt über x gemittelt.

Diese zweistufige Berechnung des Mittelwertes von y ist dann vorteilhaft, wenn die beiden Einzelschritte einfacher zu vollziehen sind als die direkte Berechnung von Ey. Ist beispielsweise y eine Funktion von x und einer von x stochastisch unabhängigen Zufallsvariablen u, also $y = g(u, x)$, dann ist bei der Berechnung des bedingten Erwartungswertes $E(y|x)$ nur bezüglich u zu mitteln, während x wie eine Konstante behandelt wird:

$$E(y|x) = \int_{\infty}^{\infty} g(u, x) f(u)\,du.$$

Ist etwa speziell $y = ux$, dann ist $E(y|x) = (Eu)x$ und $Ey = (Eu)(Ex)$. Diese Aussagen über bedingte Erwartungswerte gelten entsprechend für vektorielle Zufallsvariablen $\boldsymbol{y}$, $\boldsymbol{x}$ und $\boldsymbol{u}$ oder auch für Zufallsmatrizen.

B6.2. Es kann entsprechend eine bedingte Varianz definiert werden: $V(y|x) = E[(y - E[y|x])^2|x]$. Für sie gilt: $Vy = EV(y|x) + VE(y|x)$.

B7. Normalverteilung

B7.1. Eine in der traditionellen ökonometrischen Theorie sowie in der Statistik zentrale Wahrscheinlichkeitsverteilung ist die Normalverteilung. Die Zufallsvariable x ist *(μ, σ)-normalverteilt*, wenn ihre Dichtefunktion die folgende Gestalt hat:

$$f(x; \mu, \sigma) = \frac{1}{\sigma\sqrt{2\pi}} \exp\left(-\frac{(x-\mu)^2}{2\sigma^2}\right),$$

wobei $\exp(z)$ nur eine andere Ausdrucksform für e^z ist. Die Parameter μ und σ sind Erwartungswert bzw. Standardabweichung von x. x heißt standardisiert normalverteilt, wenn $\mu_x = 0$ und $\sigma_x = 1$. Ist x allgemein (μ, σ)-normalverteilt, dann ist $(x-\mu)/\sigma$ standardisiert normalverteilt.

B7.2. Die Variablen $(x_1, x_2, \ldots, x_n)$ heißen *gemeinsam normalverteilt*, wenn sie der Dichtefunktion

$$f(\boldsymbol{x}; \boldsymbol{\mu}, \boldsymbol{\Sigma}) = (2\pi)^{-\frac{n}{2}} (\det \boldsymbol{\Sigma})^{-\frac{1}{2}} \exp\left(-\tfrac{1}{2}(\boldsymbol{x}-\boldsymbol{\mu})' \boldsymbol{\Sigma}^{-1} (\boldsymbol{x}-\boldsymbol{\mu})\right)$$

folgen. Dabei ist $\boldsymbol{\mu} = E\boldsymbol{x}$ der Vektor der Mittelwerte und $\boldsymbol{\Sigma} = V\boldsymbol{x}$ die (hier als regulär angenommene) Kovarianz-Matrix von $\boldsymbol{x}$.

Jede Randverteilung einer gemeinsamen Normalverteilung ist wieder eine Normalverteilung; insbesondere sind die einzelnen x_i normalverteilt. Ebenso ist jede bedingte Verteilung einer Teilmenge der x_i bei gegebenen restlichen x_j eine Normalverteilung.

Auch ist jede aus $\boldsymbol{x}$ durch lineare Transformation hervorgehende (i.allg. vektorielle) Zufallsvariable $\boldsymbol{y} = \boldsymbol{A}\boldsymbol{x} + \boldsymbol{b}$ normalverteilt mit den früher (in *B4.3.*) angegebenen Parametern:

$$\boldsymbol{\mu}_y = \boldsymbol{A}\boldsymbol{\mu}_x + \boldsymbol{b}, \qquad \boldsymbol{\Sigma}_y = \boldsymbol{A}\boldsymbol{\Sigma}_x\boldsymbol{A}'.$$

Ist $\boldsymbol{A}$ regulär und damit die Transformation umkehrbar und stellt man für $\boldsymbol{y}$ die gemeinsame Dichtefunktion (nach der oben angegebenen Formel, aber mit den neuen Parametern) auf, dann erkennt man, daß diese wie folgt mit der Dichtefunktion von $\boldsymbol{x}$ zusammenhängt:

$$f_y(y_1, \ldots, y_n) = |\det \boldsymbol{A}|^{-1} f_x(x_1, \ldots, x_n),$$

wobei die x_i mit den y_i durch die lineare Transformation $\boldsymbol{y}=\boldsymbol{A}\boldsymbol{x}+\boldsymbol{b}$ bzw. durch deren Umkehrung $\boldsymbol{x}=\boldsymbol{A}^{-1}(\boldsymbol{y}-\boldsymbol{b})$ zusammenhängen. Diese Beziehung gilt allgemein und nicht nur für Normalverteilungen. Sie gilt auch nach entsprechender Modifikation für umkehrbare nichtlineare Transformationen, wobei die JACOBIsche Matrix die Stelle von $\boldsymbol{A}$ einnimmt.

Unkorrelierte gemeinsam normalverteilte Variablen sind stochastisch unabhängig.

B8. χ^2, F, t

B8.1. Im Zusammenhang mit gewissen Tests und Konfidenzaussagen tauchen häufig Wahrscheinlichkeitsverteilungen auf, die sich aus der Normalverteilung herleiten lassen.

Es seien $x_1, \ldots, x_n$ unabhängige standardisiert normalverteilte Variablen, dann folgt die Variable

$$\chi_n^2 := x_1^2 + x_2^2 + \cdots + x_n^2$$

der sogenannten χ^2-Verteilung von K. PEARSON mit n Freiheitsgraden. Das ist eine eingipflige linkssteile Verteilung über der positiven Zahlengeraden. Offensichtlich ist $E\chi_n^2 = n$. Außerdem ist $V\chi_n^2 = 2n$.

Ist $\boldsymbol{x}$ ein normalverteilter (n-dimensionaler) Zufallsvektor mit $E\boldsymbol{x}=\boldsymbol{\mu}$ und $V\boldsymbol{x}=\boldsymbol{\Sigma}$, $\boldsymbol{\Sigma}$ regulär, dann folgt die *quadratische Form*

$$(\boldsymbol{x}-\boldsymbol{\mu})'\boldsymbol{\Sigma}^{-1}(\boldsymbol{x}-\boldsymbol{\mu}) = \chi_n^2$$

einer χ^2-Verteilung mit n-Freiheitsgraden.

Beweis: Als positiv definite Matrix läßt sich $\boldsymbol{\Sigma}^{-1}$ als Produkt $\boldsymbol{P}'\boldsymbol{P}$ mit einer geeigneten regulären Matrix $\boldsymbol{P}$ darstellen (*A12.2.*). Die quadratische Form hat daher die Gestalt

$$[\boldsymbol{P}(\boldsymbol{x}-\boldsymbol{\mu})]'[\boldsymbol{P}(\boldsymbol{x}-\boldsymbol{\mu})] = \boldsymbol{y}'\boldsymbol{y} = \sum y_i^2$$

mit $\boldsymbol{y}=\boldsymbol{P}(\boldsymbol{x}-\boldsymbol{\mu})$. Die y_i sind aber offensichtlich unabhängig standardisiert normal verteilt, denn $E\boldsymbol{y}=\boldsymbol{P}E(\boldsymbol{x}-\boldsymbol{\mu})=\boldsymbol{o}$ und $V\boldsymbol{y}=E\boldsymbol{y}\boldsymbol{y}'=\boldsymbol{P}E(\boldsymbol{x}-\boldsymbol{\mu})(\boldsymbol{x}-\boldsymbol{\mu})'\boldsymbol{P}'=\boldsymbol{P}\boldsymbol{\Sigma}\boldsymbol{P}'=\boldsymbol{P}(\boldsymbol{P}'\boldsymbol{P})^{-1}\boldsymbol{P}'=\boldsymbol{P}\boldsymbol{P}^{-1}(\boldsymbol{P}')^{-1}\boldsymbol{P}'=\boldsymbol{I}$. Daher besitzt $\sum y_i^2$ eine χ^2-Verteilung mit n-Freiheitsgraden, w. z. b. w.

B8.2. Sind χ_1^2 und χ_2^2 zwei stochastisch unabhängige χ^2-Variablen mit n_1 und n_2 Freiheitsgraden, dann folgt der Quotient

$$F_{n_2}^{n_1} := \frac{\chi_1^2/n_1}{\chi_2^2/n_2}$$

der sogenannten F-Verteilung von SNEDECOR mit n_1 und n_2 Freiheitsgraden.

Sie ist i. allg. eingipflig und über der positiven Halbachse definiert.

B8.3. Der Spezialfall $n_1=1$ ist von besonderem Interesse: Ist x standardisiert normalverteilt und χ_n^2 eine von x unabhängige χ^2-Variable mit n Freiheitsgraden, dann folgt

$$t_n := \frac{x}{\sqrt{\chi_n^2/n}}$$

der sogenannten t-Verteilung von STUDENT mit n Freiheitsgraden. Der Zusammenhang mit der F-Verteilung ergibt sich aus der Beziehung

$$t_n^2 = F_n^1.$$

Die t-Verteilung ist symmetrisch um den Nullpunkt verteilt und hat eine ähnliche Gestalt wie die standardisierte Normalverteilung, ist aber breiter als diese. Sie strebt mit wachsendem n gegen die Normalverteilung und ist ab $n>30$ praktisch nicht mehr von dieser zu unterscheiden. Ihre Dichtefunktion ist proportional $(1+x^2/n)^{-(n+1)/2}$.

B9. Theorem von Cochran

Die Summe zweier (oder mehrerer) unabhängiger χ^2-Variablen ist (offensichtlich) wieder χ^2-verteilt, und zwar mit einer Zahl von Freiheitsgraden, die gleich der Summe der Einzelfreiheitsgrade ist.

Dieser Satz läßt sich in gewissem Sinne umkehren:

Es seien $u_1, u_2, \ldots, u_n$ unabhängige standardisiert normalverteilte Größen. $x_1, x_2, \ldots, x_n$ und ähnlich $y_1, y_2, \ldots, y_n$ mögen aus den u_i durch homogen lineare Transformationen hervorgehen:

$$\boldsymbol{x} = \boldsymbol{A}\boldsymbol{u}, \qquad \boldsymbol{y} = \boldsymbol{B}\boldsymbol{u}$$

mit Transformationsmatrizen $\boldsymbol{A}$ und $\boldsymbol{B}$, wobei deren Ränge p und q sich zu n aufsummieren: $p+q=n$. Es gelte ferner die Zerlegung

$$\sum_{i=1}^{n} u_i^2 = \sum_{i=1}^{n} x_i^2 + \sum_{i=1}^{n} y_i^2.$$

Dann sind Σx_i^2 und Σy_i^2 zwei stochastisch unabhängige χ^2-Variablen mit p bzw. q Freiheitsgraden.

Dieses Theorem gilt entsprechend auch für Zerlegungen in mehr als zwei Summanden. Zum Beweis vgl. Lindgren [1963, S. 284f].

Bei der Anwendung dieses Theorems stellt man den Rang etwa von $\boldsymbol{A}$ – entsprechendes gilt für $\boldsymbol{B}$ – gewöhnlich dadurch fest, daß man nach linearen Beziehungen der Art $\sum a_i x_i = 0$ mit geeigneten Koeffizienten a_i sucht. Findet man etwa r solche Beziehungen, die voneinander linear unabhängig sind, dann hat $\boldsymbol{A}$ höchstens den Rang $n-r$. Gelingt es auf diese Weise, obere Schranken für die Ränge von $\boldsymbol{A}$ und $\boldsymbol{B}$ zu finden, und addieren sich diese zu n, dann hat man in diesen Schranken schon die gesuchten Ränge (bzw. Zahl der Freiheitsgrade) vor sich [Lindgren, S. 285f].

Als Folge des Theorems ist der Quotient

$$\frac{\sum x_i^2/p}{\sum y_i^2/q} = F_q^p$$

eine F-Variable mit p und q Freiheitsgraden.

B10. Wahrscheinlichkeitslimes

B10.1. Eine Folge von Zufallsvariablen $x_1, x_2, \ldots$ kann gegen eine konstante Zahl ξ konvergieren, und zwar in dem Sinne, daß sich die Zufallsvariablen x_i für $i \to \infty$ mit ihrer Wahrscheinlichkeitsmasse auf die Stelle ξ zunehmend konzentrieren. Genauer wird definiert:
$x_1, x_2, \ldots$ konvergiert mit Wahrscheinlichkeit gegen ξ (symbolisch $= \operatorname{plim}_{i\to\infty} x_i = \xi$), wenn für jedes $\varepsilon > 0$

$$\lim_{i\to\infty} P(|x_i - \xi| > \varepsilon) = 0.$$

Dieser Wahrscheinlichkeitslimes ist eine Verallgemeinerung des gewöhnlichen Grenzwertbegriffs für Zahlenfolgen. Sind nämlich die x_i keine Zufallsvariablen i.e.S., sondern reelle Zahlen, faßt man sie aber als ausgeartete Zufallsvariablen auf (nämlich als solche, deren Wahrscheinlichkeitsverteilungen Punktverteilungen sind), dann ist „$\operatorname{plim} x_i = \xi$" gleichbedeutend mit „$\lim x_i = \xi$".

B10.2. Beispiel: Nach dem Theorem von Chintschin [Cramér, S. 253f.] konvergiert das (zentrale oder gewöhnliche) empirische Moment k-ter Ordnung von n stochastisch unabhängigen, identisch verteilten Variablen $x_1, \ldots, x_n$ mit $n \to \infty$ gegen das entsprechende theoretische Moment von x_i, sofern dieses existiert.

B10.3. Das folgende *hinreichende Kriterium* für die Konvergenz mit Wahrscheinlichkeit erweist sich oft als sehr nützlich.

Aus $\lim_{i\to\infty} V x_i = 0$ und $\lim_{i\to\infty} E x_i = \xi$ folgt, daß $\operatorname{plim}_{i\to\infty} x_i = \xi$.

Die Umkehrung dieses Satzes ist nicht richtig. Es ist im Gegenteil die Konvergenz mit Wahrscheinlichkeit u. U. selbst dann möglich, wenn $V x_i = \infty$ für alle i.

Beispiele:

a) $x_1, \ldots, x_n$ seien n stochastisch unabhängige Variablen, deren Momente $2k$-ter Ordnung existieren und die in ihren Momenten k-ter und $2k$-ter Ordnung übereinstimmen. Dann konvergiert das gewöhnliche empirische Moment k-ter Ordnung mit Wahrscheinlichkeit gegen das entsprechende theoretische Moment. Eine analoge Aussage gilt für die zentralen Momente.

Beweis für $k=1$: $E\bar{x}=E(\sum x_i)/n=Ex$. $V\bar{x}=E(\bar{x}-Ex)^2=E[\sum(x_i-Ex)]^2/n^2=Vx/n\to 0$ für $n\to\infty$. Es folgt, daß $\operatorname{plim}\bar{x}=Ex$, w.z.b.w. (Hier würde schon die Annahme genügen, daß $V(x_i)$ beschränkt ist für $i=1,2,\ldots$.)

b) Dieser Sachverhalt gilt auch noch weitgehend für den Fall, daß die x_i aus einem stationären stochastischen Prozeß stammen. Vorauszusetzen ist allerdings, daß die stochastischen Abhängigkeiten zwischen entfernter liegenden Folgegliedern hinreichend rasch abklingen. Für die stochastische Konvergenz des ersten Moments $\bar{x}$ gegen den Erwartungswert μ genügt beispielsweise schon die Eigenschaft, daß die Autokorrelationskoeffizienten mit zunehmender Ordnung gegen Null konvergieren.

Beweis: $E\bar{x}=Ex$. $V\bar{x}=E[\sum(x_i-Ex)]^2/n^2=(Vx)(1+2\rho_1(n-1)/n+2\rho_2(n-2)/n+\cdots+2\rho_{n-1}/n)/n$. Dieser Ausdruck ist dem Betrag nach kleiner als $(Vx)(1+2\sum|\rho_i|)/n$. Wegen $\rho_i\to 0$ geht aber $\sum|\rho_i|/n\to 0$ und daher $V\bar{x}\to 0$. Folglich ist $\operatorname{plim}\bar{x}=Ex$ w.z.b.w. (Mehr hierüber bei GOLDBERGER [1964, S. 142ff. und S. 168f.].)

B10.4. Theorem von SLUTSKY: Ist $z=g(x,y)$ eine an der Stelle (ξ,η) stetige Funktion und sind $x_1, x_2, \ldots$ und $y_1, y_2, \ldots$ zwei Folgen von Zufallsvariablen mit $\operatorname{plim} x_i=\xi$ und $\operatorname{plim} y_i=\eta$, dann ist $z_i=g(x_i, y_i)$, $i=1,2,\ldots$ ebenfalls eine Folge von Zufallsvariablen mit $\operatorname{plim} z_i=g(\xi,\eta)=g(\operatorname{plim} x_i, \operatorname{plim} y_i)$.

Dieses Theorem gilt in gleicher Weise für mehr als zwei Folgen von Zufallsvariablen wie natürlich auch für nur eine Folge. Das Theorem gilt insbesondere für rationale Funktionen g, sofern nicht g an der Stelle der Wahrscheinlichkeitslimites eine Polstelle hat. Das Theorem gilt ferner auch dann, wenn an die Stelle von Zufallsvariablen Zufallsvektoren oder Zufallsmatrizen treten, wobei für diese der Wahrscheinlichkeitslimes elementweise definiert ist. Insbesondere gilt:

$$\operatorname{plim}(\mathbf{X}_i \pm \mathbf{Y}_i)=\operatorname{plim}\mathbf{X}_i \pm \operatorname{plim}\mathbf{Y}_i,$$
$$\operatorname{plim}(\mathbf{X}_i \mathbf{Y}_i)=\operatorname{plim}\mathbf{X}_i \operatorname{plim}\mathbf{Y}_i,$$
$$\operatorname{plim}(\mathbf{X}_i^{-1})=(\operatorname{plim}\mathbf{X}_i)^{-1},$$

letzteres, sofern $\mathbf{X}_i$ und $\operatorname{plim}\mathbf{X}_i$ regulär sind.

B11. Zentraler Grenzwertsatz

B11.1. Im vorigen Abschnitt haben wir die Konvergenz einer Folge von Zufallsvariablen gegen eine feste Zahl betrachtet. Allgemeiner können die Wahrscheinlichkeitsverteilungen einer Folge von Zufallszahlen $x_1, x_2, \ldots$ gegen die Wahrscheinlichkeitsverteilung einer beliebigen (aber – wie wir hier immer annehmen wollen – kontinuierlichen) Zufallsvariablen x konvergieren. Das ist genau dann der Fall, wenn für jeden Bereich B reeller Zahlen

$$\lim_{i\to\infty} P(x_i\in B)=P(x\in B)$$

gilt. Das heißt nicht unbedingt, daß die x_i selbst gegen x konvergieren, sondern nur, daß deren Wahrscheinlichkeitsverteilungen konvergieren. Man sagt dann auch, x_i konvergiere der Verteilung nach gegen x. Praktisch bedeutet eine solche Konvergenz, daß man für große i die Wahrscheinlichkeitsverteilung von x_i approximativ durch die von x ersetzen kann. Sofern die Verteilung von x einfach strukturiert ist, die Verteilungen der x_i aber vergleichsweise kompliziert sind, kann eine solche Ersetzung von großem praktischem Nutzen sein.

Von besonderer Bedeutung für die Statistik und speziell für die Ökonometrie hat sich die Konvergenz gegen die *Normalverteilung* erwiesen. Zahlreiche statistische Variablen (Schätz- und Testgrößen) konvergieren mit wachsendem Stichprobenumfang gegen eine Normalverteilung.

B11.2. Dies kommt schon in dem *zentralen Grenzwertsatz* zum Ausdruck, der in der einfachsten Form folgendes besagt:

Es sei $x_1, x_2, \ldots$ eine Folge von unabhängigen, identisch verteilten Zufallsvariablen mit $E x_i = \mu$ und $V x_i = \sigma^2$. Bildet man dann die Partialsummen $y_n = \sum_{i=1}^{n} x_i$, $n = 1, 2, \ldots$, dann ist

$$E y_n = n\mu, \quad V y_n = n\sigma^2.$$

Für die standardisierte Variable

$$y'_n = \frac{y_n - n\mu}{\sqrt{n}\,\sigma}$$

gilt nun, daß ihre Wahrscheinlichkeitsverteilung mit $n \to \infty$ gegen die (0, 1)-Normalverteilung konvergiert.

Man sagt auch, daß y'_n *asymptotisch normalverteilt* ist, mit asymptotischem Mittelwert 0 und asymptotischer Varianz 1. Ebenso wird y_n selbst als asymptotisch normalverteilt bezeichnet, und zwar mit dem asymptotischen Mittelwert $n\mu$ und der asymptotischen Standardabweichung $\sqrt{n}\,\sigma$ (oder Varianz $n\sigma^2$). Diese Ausdrucksweise ist nicht ganz korrekt, schon deshalb nicht, weil $n\mu$ und $\sqrt{n}\,\sigma$ von n abhängen und daher nicht Parameter einer Grenzverteilung sein können. Dennoch wollen wir sie wegen ihrer größeren Anschaulichkeit beibehalten, bezieht sie sich doch unmittelbar auf die Verteilung der Summenvariable, ohne daß die – eigentlich notwendige – Standardisierung erwähnt wird.

B11.3. Ganz ähnlich kann man statt der Summenvariablen das arithmetische Mittel $\bar{x}$ von $x_1, \ldots, x_n$ betrachten. Wegen $E\bar{x} = \mu$ und $V\bar{x} = \sigma^2/n$ ist $(\bar{x} - \mu)/(\sigma/\sqrt{n})$ eine standardisierte Variable, deren Verteilung gegen die (0, 1)-Normalverteilung konvergiert. Man kann daher sagen, daß $\bar{x}$ asymptotisch normalverteilt ist mit asymptotischem Mittelwert μ und asymptotischer Standardabweichung $\sigma/\sqrt{n}$.

B11.4. Allgemein wollen wir eine Variable y_n, $n = 1, 2, \ldots$, *asymptotisch* (μ_n, σ_n)*-normalverteilt* nennen, wenn die „standardisierte" Variable $(y_n - \mu_n)/\sigma_n$ der Verteilung nach gegen eine (0, 1)-normalverteilte Variable konvergiert.

In der Statistik häufig ist der Fall, daß $\mu_n \equiv \mu$, $\sigma_n \equiv \sigma/\sqrt{n}$, daß also y_n asymptotisch $(\mu, \sigma/\sqrt{n})$-normalverteilt ist, gerade so, wie in dem voranstehenden Beispiel.

Bei dieser allgemeinen Definition ist freilich zu beachten, daß speziell σ_n (ähnliches gilt für μ_n) nicht eindeutig bestimmt ist. Man kann σ_n (nach *B11.8.2.*) durch eine andere asymptotische Standardabweichung σ'_n mit $\lim(\sigma_n/\sigma'_n) = 1$ ersetzen, ohne daß die Konvergenz gegen die standardisierte Normalverteilung zerstört wird. Im zuletzt genannten Fall $\sigma_n \equiv \sigma/\sqrt{n}$ kann man σ durch irgendeine gegen σ konvergierende Folge s_n ersetzen, derart also, daß y_n asymptotisch $(\mu, s_n/\sqrt{n})$-normalverteilt genannt werden kann mit $\lim s_n = \sigma$. Solche Ersetzungen sind, was die Approximation der Verteilung von y_n durch ihre asymptotische Verteilung angeht, zumindest für große n, praktisch unerheblich.

B11.5. Der *zentrale Grenzwertsatz* läßt sich noch weitgehend verallgemeinern. Insbesondere kann die Voraussetzung fallengelassen werden, daß alle Summanden x_i der gleichen Verteilung folgen. Allerdings muß dann durch andere Bedingungen sichergestellt werden, daß kein Summand so groß ist, daß er in der Summe die anderen dominiert. Auch gilt asymptotische Normalität in vielen Fällen von nichtlinearen Kombinationen. Schließlich müssen die x_i nicht notwendig stochastisch unabhängig sein; auch bei schwacher stochastischer Abhängigkeit gilt im allgemeinen noch die asymptotische Normalität.

B11.6. Die folgende, nicht ganz so allgemeine Fassung des *zentralen Grenzwertsatzes* ist für unsere Zwecke sehr nützlich [MALINVAUD, S. 211ff.]: Die x_i seien wie früher stochastisch unabhängige, identisch verteilte Variablen mit $V x_i = \sigma^2$ und (zur Vereinfachung) $E x_i = 0$. Ferner seien für jedes n gewisse n Koeffizienten $a_{n1}, a_{n2}, \ldots, a_{nn}$ gegeben. Dann gilt für die Linearkombination

$$y_n = \frac{1}{n} \sum_{i=1}^{n} a_{ni}\, x_i,$$

daß $E\,y_n = 0$ und $V\,y_n = \sigma^2 \sum_{i=1}^{n} a_{ni}^2/n^2$. Es existiere ferner der Grenzwert

$$\lim_{n\to\infty}(n\,V\,y_n) = \sigma_\infty^2 \quad \text{mit} \quad 0 < \sigma_\infty < \infty.$$

Schließlich existiere eine gemeinsame Schranke C derart, daß $|a_{ni}| < C$ für alle n und i.

Unter diesen Voraussetzungen konvergiert die Verteilung von $\sqrt{n}\,y_n$ gegen die $(0, \sigma_\infty)$-Normalverteilung. Man kann daher auch sagen, daß y_n asymptotisch normalverteilt ist mit asymptotischem Mittelwert 0 und asymptotischer Standardabweichung $\sigma_\infty/\sqrt{n}$.

B11.7. Bemerkungen zu dem Theorem:

1. Man beachte, daß mit wachsendem n nicht nur neue x_i in die Linearkombination aufgenommen werden, sondern daß sich auch die Koeffizienten fortwährend ändern, dabei aber immer unterhalb einer festen Schranke bleiben. Damit wird sichergestellt, daß alle Summanden zu der Linearkombination in etwa mit gleichem Gewicht beitragen. Im übrigen sind die Koeffizienten so normiert, daß gerade das $\sqrt{n}$-fache der Linearkombination gegen eine Normalverteilung mit (endlicher) Varianz σ_∞^2 konvergiert. Man hätte natürlich auch anders normieren können, doch scheint gerade die hier gewählte Normierung für die Anwendungen besonders geeignet.

2. Eine einfache Anwendung ist die unter *B11.3.* angeführte asymptotische Normalität von $\bar{x}$. Hier ist $a_{ni} \equiv 1$ und $\sigma_\infty = \sigma$.

3. Das Theorem kann ohne Schwierigkeiten auf den Fall von Zufallsvektoren $\boldsymbol{x}_i$ und $\boldsymbol{y}_n$ übertragen werden. Dabei sind die Koeffizienten a_{ni} durch Transformationsmatrizen $\boldsymbol{A}_{ni}$ zu ersetzen. Die Schrankenbedingung gilt jetzt für sämtliche Elemente der $\boldsymbol{A}_{ni}$. Die Limesbedingung lautet:

$$\boldsymbol{\Sigma}_\infty = \lim_{n\to\infty} n\,\boldsymbol{\Sigma}_{y_n} = \lim_{n\to\infty}\left(\frac{1}{n}\sum_{i=1}^{n} \boldsymbol{A}_{ni}\,\boldsymbol{\Sigma}_x\,\boldsymbol{A}'_{ni}\right)$$

existiert und ist positiv definit; dabei ist $\boldsymbol{\Sigma}_x$ die (für alle i gleiche) Kovarianzmatrix von $\boldsymbol{x}_i$. Unter diesen Voraussetzungen ist $\boldsymbol{y}_n$ asymptotisch normalverteilt mit der asymptotischen Kovarianzmatrix $\boldsymbol{\Sigma}_\infty/n$. (Man beachte, daß die asymptotische Kovarianzmatrix mit $\boldsymbol{\Sigma}_\infty/n$ und nicht mit $\boldsymbol{\Sigma}_\infty/\sqrt{n}$ anzugeben ist; ebenso ist im eindimensionalen Fall die asymptotische Varianz σ_∞^2/n.)

4. Konvergieren die Verteilungen einer Folge von Zufallsvektoren $\boldsymbol{y}_n$ gegen die Verteilung des Zufallsvektors $\boldsymbol{y}_\infty$, dann gilt Gleiches auch immer für die einander entsprechenden Randverteilungen. Ist beispielsweise $\boldsymbol{y}_n$ asymptotisch $(\boldsymbol{\mu}, \boldsymbol{\Sigma}_\infty/n)$-normalverteilt, dann ist die i-te Komponente $y_n^{(i)}$ asymptotisch $(\mu_i, \sqrt{\sigma_{ii,\infty}}/\sqrt{n})$-normalverteilt.

B11.8. Ergänzungen zum zentralen Grenzwertsatz:

1. Ist y_n, $n = 1, 2, \ldots$, asymptotisch $(\mu, \sigma/\sqrt{n})$-normalverteilt, dann ist

$$\operatorname{plim} y_n = \mu.$$

Beweis: Es ist $y_n = (1/\sqrt{n})(\sqrt{n}\,y_n)$. Mit $n \to \infty$ geht der zweite Faktor der Verteilung nach gegen eine normalverteilte Variable, der erste Faktor aber gegen Null. Daraus folgt nach dem folgenden Satz, daß auch das Produkt der Wahrscheinlichkeit nach gegen Null konvergiert.

Die im zentralen Grenzwertsatz definierte Variable $y_n = \sum a_{ni}\,x_i/n$ hat gerade die in diesem Satz formulierte Eigenschaft. Sie geht daher mit Wahrscheinlichkeit gegen Null.

Der Satz kann auch analog für mehrdimensionale Zufallsvariablen formuliert werden.

2. [Cramér, S. 254]: $y_1, y_2, \ldots$ sei eine Folge von Zufallsvariablen, die der Verteilung nach gegen die (μ, σ)-normalverteilte Variable y_∞ konvergiert. $z_1, z_2, \ldots$ konvergiere mit Wahrscheinlichkeit gegen die feste positive Zahl ζ, d.h. $\operatorname{plim} z_i = \zeta > 0$. Ebenso konvergiere die Folge $x_1, x_2, \ldots$ mit Wahrscheinlichkeit gegen ξ ($\operatorname{plim} x_i = \xi$). Dann konvergiert $z_i\,y_i + x_i$ der Verteilung nach gegen $\zeta\,y_\infty + \xi$, also gegen eine $(\zeta\,\mu + \xi, \zeta\,\sigma)$-Normalverteilung. Ist $\zeta = 0$, dann ist $\operatorname{plim} z_i\,y_i = 0$.

Dieser Satz kann auf mehrdimensionale Zufallsvariablen verallgemeinert werden[2]: $y_1, y_2, \ldots$ sei eine Folge von r-dimensionalen Zufallsvektoren, die der Verteilung nach gegen eine r-dimensionale normalverteilte Variable y_∞ mit Mittelwertvektor μ und Kovarianzmatrix Σ konvergiert. $Z_1, Z_2, \ldots$ sei eine Folge von $s \times r$-Zufallsmatrizen mit plim $Z_i = Z$. $x_1, x_2, \ldots$ sei eine Folge von s-dimensionalen Zufallsvektoren mit plim $x_i = \xi$. Dann konvergiert $Z_i y_i + x_i$ der Verteilung nach gegen $Z y_\infty + \xi$, also gegen eine s-dimensionale Normalverteilung mit Mittelwertvektor $Z\mu + \xi$ und Kovarianzmatrix $Z\Sigma Z'$.

3. In *B 7.* hatten wir festgestellt, daß jede Lineartransformation gemeinsam normalverteilter Variablen wieder zu normalverteilten Variablen führt. Das gilt nicht für nichtlineare Transformationen. Im Falle asymptotischer Normalität kann jedoch eine entsprechende Aussage auch für nichtlineare Transformationen gemacht werden:

y_n, $n = 1, 2, \ldots$ sei r-dimensional asymptotisch normalverteilt mit asymptotischem Mittelwertvektor μ und asymptotischer Kovarianzmatrix Σ/n. $z = g(y)$ sei eine s-dimensionale differenzierbare Funktion (d.h. ein System von s differenzierbaren Funktionen $z_j = g_j(y_1, \ldots, y_r)$, $j = 1, \ldots, s$, wobei z_j und y_k die Komponenten der s- bzw. r-dimensionalen Vektoren z und y bedeuten). Die JAKOBIsche Matrix des Systems im Punkte μ werde mit D bezeichnet. Es ist also D die Matrix der ersten Ableitungen der Komponenten von z nach den Komponenten von y an der Stelle μ, also $D := (d_{jk}) := (\partial z_j / \partial y_k | y = \mu)$, $j = 1, \ldots, s$; $k = 1, \ldots, r$. Unter diesen Voraussetzungen ist auch $z_n := g(y_n)$ asymptotisch normalverteilt, und zwar mit asymptotischem Mittelwertvektor $g(\mu)$ und asymptotischer Kovarianzmatrix $D \Sigma D'/n$.

In dem speziellen Fall skalarer Variablen y_n und z_n mit $z_n = g(y_n)$, $n = 1, 2, \ldots$, ist z asymptotisch $(g(\mu), g'(\mu)\,\sigma/\sqrt{n})$-normalverteilt, falls μ und $\sigma/\sqrt{n}$ asymptotischer Mittelwert und asymptotische Standardabweichung von y_n sind.

Diesen Satz kann man sich leicht plausibel machen, wenn man bedenkt, daß sich g in einer Umgebung von μ nach dem TAYLORschen Satz linear approximieren läßt:

$$z_i \doteq g(\mu) + D(y_i - \mu).$$

Die lineare Approximation genügt aber zur Beschreibung des asymptotischen Verhaltens, da nach der oben angegebenen 1. Ergänzung plim $y_i = \mu$ ist, die Wahrscheinlichkeitsmasse des Zufallsvektors y_i sich also auf den Punkt μ zusammenzieht, so daß für hinreichend große i die Funktion g nur in einer kleinen Umgebung um μ betrachtet zu werden braucht; dort aber läßt sie sich linear approximieren.

B 12. Parameterschätzung

B 12.1. Eines der wichtigsten statistischen (und natürlich auch ökonometrischen) Probleme besteht in der Schätzung unbekannter Parameter $\theta_1, \theta_2, \ldots, \theta_m$ aus beobachteten Daten $x_1, x_2, \ldots, x_n$, deren Werte von den Parametern in gewisser Weise abhängen. Die Abhängigkeit kommt i. allg. dadurch zum Ausdruck, daß die x_i Realisationen von Zufallsvariablen sind, deren gemeinsame Wahrscheinlichkeitsverteilung von den Parametern θ_j abhängt, d.h., es besteht für die x_i eine Wahrscheinlichkeitsdichtefunktion der Form $f(x_1, \ldots, x_n; \theta_1, \ldots, \theta_m)$. Dabei wird angenommen, daß die Funktion f bekannt ist, die Parameter θ_j jedoch unbekannt sind. Im Falle stochastisch unabhängiger, identisch verteilter x_i kann die gemeinsame Dichtefunktion in Faktoren zerlegt werden:

$$f(x_1, \ldots, x_n; \theta_1, \ldots, \theta_m) \equiv \prod_{i=1}^{n} f(x_i; \theta_1, \ldots, \theta_m).$$

Dies ist aber ein Spezialfall, der für ökonometrische Schätzprobleme nicht typisch ist.

Die *Schätzung* der Parameter erfolgt allgemein so, daß aus den x_i gemäß geeignet gewählter Schätzfunktionen Schätzwerte $\hat{\theta}_j = \hat{\theta}_j(x_1, \ldots, x_n)$ gebildet werden. Die Schätzfunktionen sind so zu wählen, daß $\hat{\theta}_j$ dem unbekannten Parameter θ_j möglichst nahe kommt. Was das heißt, ist freilich erst noch genauer

[2] Vgl. SCHMETTERER [S. 142, bes. Fn. 40.3]. Die angeführten Sätze lassen sich für beliebige asymptotische Verteilungen formulieren; sie sind nicht auf die Normalverteilung beschränkt.

zu definieren. Hierbei muß man davon ausgehen, daß die Schätzung $\hat{\theta}$ die Realisation einer Zufallsvariablen ist, die wir ebenfalls mit $\hat{\theta}$ bezeichnen wollen. Denn $\hat{\theta}$ ist konstruktionsgemäß eine Funktion der Zufallsvariablen x_i und daher selbst Zufallsvariable, die sogenannte *Schätzvariable*.

B12.2. Folgende (stochastische) Eigenschaften der Schätzvariablen $\hat{\theta}$ werden gewöhnlich als wünschenswert angesehen:

1. $\hat{\theta}$ heißt *erwartungstreu* oder *unverzerrt*, wenn $E\hat{\theta}=\theta$.
2. $\hat{\theta}$ heißt *effizient*, wenn $\hat{\theta}$ erwartungstreu ist und wenn die Standardabweichung $\sigma_{\hat{\theta}}$ von $\hat{\theta}$ (der sogenannte Standardfehler) minimal ist im Vergleich zu dem Standardfehler jeder anderen erwartungstreuen Schätzvariablen.
   Der Begriff der Effizienz kann auch auf eingeschränkte Klassen von Schätzvariablen angewendet werden. Zum Beispiel kann man nur sogenannte *lineare Schätzvariablen* zulassen, also solche, die sich als lineare Funktion der $x_1, \ldots, x_n$ ausdrücken lassen. Eine innerhalb dieser Klasse effiziente Schätzvariable heißt auch *beste lineare Schätzvariable*.
3. $\hat{\theta}$ heißt *konsistent*, wenn $\operatorname{plim}_{n\to\infty}\hat{\theta}=\theta$.
4. $\hat{\theta}$ heißt *asymptotisch normalverteilt*, wenn nach geeigneter Normierung $\hat{\theta}$ der Verteilung nach gegen eine standardisiert normalverteilte Variable strebt. Meistens ist die Normierung $\sqrt{n}(\hat{\theta}-\mu)/\sigma$ vorzunehmen. In diesem Fall ist $\hat{\theta}$ asymptotisch $(\mu, \sigma/\sqrt{n})$-normalverteilt. Asymptotischer Mittelwert μ und asymptotische Standardabweichung $\sigma/\sqrt{n}$ können, aber müssen nicht notwendig als Grenzwerte aus Mittelwert bzw. Standardabweichung von $\hat{\theta}$ hervorgehen. Es kann sogar durchaus sein, daß $\hat{\theta}$ weder eine (endliche) Standardabweichung noch einen Mittelwert hat und dennoch im asymptotischen Sinne Mittelwert und Standardabweichung existieren.
   Wichtig ist der Sonderfall, daß der asymptotische Mittelwert mit dem unbekannten Parameter übereinstimmt $(\mu=\theta)$. Das ist genau dann der Fall, wenn $\hat{\theta}$ konsistent ist (vgl. *B11.8.1.*). Man sagt dann auch, daß $\hat{\theta}$ *asymptotisch unverzerrt* sei[3].
5. Eine asymptotisch normalverteilte Schätzvariable $\hat{\theta}$ heißt *asymptotisch effizient*, wenn sie asymptotisch unverzerrt (also konsistent) ist und wenn ihre asymptotische Varianz minimal ist in Bezug auf die asymptotische Varianz jeder anderen asymptotisch normalverteilten und konsistenten Schätzvariablen für θ.

B12.3. Beispiele:

Sind $x_1, \ldots, x_n$ stochastisch unabhängige, identisch verteilte Zufallsvariablen, dann ist das empirische Moment $\overline{x^k}$ eine erwartungstreue Schätzung von Ex^k, speziell ist $\bar{x}$ erwartungstreue Schätzung von $\mu=Ex$. Das gilt nicht mehr für zentrale Momente: So ist $s^2=\overline{(x-\bar{x})^2}$ keine erwartungstreue Schätzung für σ^2, wohl aber $s^2\, n/(n-1)$.

Sind die x_i normalverteilt, dann ist $\bar{x}$ eine effiziente Schätzung von μ. Außerdem ist $\bar{x}$ normalverteilt.

$\bar{x}$ und allgemeiner jedes empirische Moment k-ter Ordnung ist nach dem zentralen Grenzwertsatz asymptotisch normalverteilt (auch dann, wenn die x_i nicht normalverteilt sind), sofern das theoretische Moment $2k$-ter Ordnung $E(x^{2k})$ existiert.

Jedes empirische Moment k-ter Ordnung ist eine konsistente Schätzung des entsprechenden theoretischen Moments.

Diese Aussagen bleiben weitgehend erhalten, wenn die x_i aus einem stationären stochastischen Prozeß stammen, sofern nur die stochastischen Abhängigkeiten mit zunehmender Entfernung der Folgeglieder hinreichend rasch abnehmen. Das gilt auch für die Konsistenz des empirischen Autokorrelationskoeffizienten.

[3] Man beachte jedoch, daß in der Literatur dieser Begriff häufig in dem Sinne gebraucht wird, daß er mit der asymptotischen Erwartungstreue $(\lim E\hat{\theta}=\theta)$ zusammenfällt. Aus der asymptotischen Unverzerrtheit in unserem Sinne folgt aber keineswegs, daß $\lim E\hat{\theta}=\theta$, selbst dann nicht, wenn $E\hat{\theta}$ existiert.

B12.4. Ergänzende Bemerkung:

Die Eigenschaften 3 bis 5 sind asymptotische Eigenschaften. Sie sind besonders dann sehr wichtig, wenn n groß ist. Zum Beispiel kann man für eine asymptotisch normalverteilte und konsistente Schätzvariable $\hat{\theta}$ die Wahrscheinlichkeitsverteilung von $\hat{\theta}$ für große n durch eine Normalverteilung mit dem Mittelwert θ approximieren. Ist deren Standardabweichung $\sigma/\sqrt{n}$ bekannt, dann läßt sich die eingangs gestellte Frage nach der Genauigkeit einer Schätzung $\hat{\theta}$ beantworten. Denn aufgrund der Kenntnis des Verteilungsgesetzes normalverteilter Variablen lassen sich zu jeder gewünschten *Sicherheitswahrscheinlichkeit* ω Schranken dafür angeben, wie weit eine asymptotisch normalverteilte Schätzvariable $\hat{\theta}$ von ihrem asymptotischen Mittelwert θ mit der gegebenen Wahrscheinlichkeit ω höchstens abweichen kann. Mit anderen Worten: Man kann ein *Konfidenzintervall* für den unbekannten Parameter konstruieren. Das ist auch dann noch approximativ möglich, wenn σ nicht bekannt ist, wenn aber eine konsistente Schätzung $\hat{\sigma}$ vorliegt und n hinreichend groß ist.

Leider genügt die bloße Kenntnis der Tatsache, daß eine Schätzvariable $\hat{\theta}$ asymptotisch normalverteilt sei, nicht, um sagen zu können, wie groß n sein muß, damit die Approximation durch die Normalverteilung befriedigend ist. Gewöhnlich hilft hier nur die Erfahrung in einem bestimmten statistischen (oder ökonometrischen) Anwendungsbereich weiter. Wenn man Glück hat, ist die Approximation schon für mäßig große n (etwa ab $n=10$) zufriedenstellend.

In speziellen Fällen kennt man auch für kleine n die genaue Wahrscheinlichkeitsverteilung von $\hat{\theta}$ oder einer mit $\hat{\theta}$ verwandten Variablen. Diese Kenntnis kann meistens zur Konstruktion von Konfidenzintervallen ausgenutzt werden.

B12.5. Die angeführten Schätzeigenschaften lassen sich auf *Parametervektoren* $\boldsymbol{\theta}$ an Stelle einzelner Parameter θ verallgemeinern. Das macht i. allg. keine Schwierigkeiten. Nur der Begriff der *Effizienz* (und analog der asymptotischen Effizienz) verlangt eine neue Interpretation:

$\hat{\boldsymbol{\theta}}$ heißt *effizient*, wenn $\hat{\boldsymbol{\theta}}$ erwartungstreu ist und wenn die Differenz $\boldsymbol{\Sigma}_{\hat{\theta}} - \boldsymbol{\Sigma}_{\tilde{\theta}}$ zwischen der Kovarianzmatrix von $\hat{\boldsymbol{\theta}}$ und der Kovarianzmatrix irgendeiner anderen erwartungstreuen Schätzung $\tilde{\boldsymbol{\theta}}$ positiv semidefinit ist. Das ist genau dann der Fall, wenn jede Linearkombination $\Sigma a_i \hat{\theta}_i$ im alten Sinne effizient ist. Auch ist in diesem Fall die sogenannte *verallgemeinerte Varianz* det $\boldsymbol{\Sigma}_{\hat{\theta}}$ minimal.

B12.6. Aus *B10.* und *B11.* lassen sich noch die folgenden *Sätze* über Schätzeigenschaften ableiten:

1. Es sei $\hat{\boldsymbol{\theta}}$ eine konsistente Schätzung für $\boldsymbol{\theta}$ und $\boldsymbol{g}(\boldsymbol{\theta})$ eine im Punkt $\boldsymbol{\theta}$ stetige mehr-dimensionale Funktion; dann ist $\boldsymbol{g}(\hat{\boldsymbol{\theta}})$ eine konsistente Schätzung für $\boldsymbol{g}(\boldsymbol{\theta})$. (Eine entsprechende Eigenschaft über erwartungstreue Schätzvariablen gibt es nicht!)
2. Es sei darüberhinaus $\hat{\boldsymbol{\theta}}$ asymptotisch normalverteilt mit asymptotischer Kovarianzmatrix $\boldsymbol{\Sigma}/n$, und $\boldsymbol{g}$ sei differenzierbar im Punkt $\boldsymbol{\theta}$ mit der Jakobischen Matrix $\boldsymbol{D}$, dann ist $\boldsymbol{g}(\hat{\boldsymbol{\theta}})$ ebenfalls asymptotisch normalverteilt mit der asymptotischen Kovarianzmatrix $\boldsymbol{D}\boldsymbol{\Sigma}\boldsymbol{D}'/n$.
3. Ist darüberhinaus $\boldsymbol{D}$ im Punkt $\boldsymbol{\theta}$ stetig, dann wird $\boldsymbol{D}$ durch die an der Stelle $\hat{\boldsymbol{\theta}}$ entwickelte Jakobische Matrix $\hat{\boldsymbol{D}}$ konsistent geschätzt. Hat man ferner in $\hat{\boldsymbol{\Sigma}}$ eine konsistente Schätzung für $\boldsymbol{\Sigma}$, dann ist $\hat{\boldsymbol{D}}\hat{\boldsymbol{\Sigma}}\hat{\boldsymbol{D}}'$ eine konsistente Schätzung von $\boldsymbol{D}\boldsymbol{\Sigma}\boldsymbol{D}'$, und man kann auch sagen, daß die asymptotische Kovarianz-Matrix von $\boldsymbol{g}(\hat{\boldsymbol{\theta}})$ $\hat{\boldsymbol{D}}\hat{\boldsymbol{\Sigma}}\hat{\boldsymbol{D}}'/n$ lautet.

B13. Maximum Likelihood

B13.1. Es gibt zahlreiche Methoden, geeignete Schätzvariablen zu finden, Methoden, die jedoch oft an spezielle Schätzprobleme gebunden sind. Ein sehr allgemeines und praktisch bedeutsames Verfahren zur Auffindung von Schätzvariablen resultiert aus dem Maximum-Likelihood-Prinzip.

Danach werden diejenigen Werte $\hat{\theta}_1, \ldots, \hat{\theta}_m$ als Schätzungen (sogenannte *Maximum-Likelihood-* oder abgekürzt: *ML-Schätzungen*) für die Parameter $\theta_1, \ldots, \theta_m$ verwendet, die die Dichtefunktion $f(x_1, \ldots, x_n; \theta_1, \ldots, \theta_m)$ bei festen $x_1, \ldots, x_n$ maximieren.

Die Dichtefunktion ist eigentlich eine Funktion der beobachtbaren Variablen x_i bei festgehaltenen Parametern θ_j. Faßt man umgekehrt diesen Ausdruck als Funktion der Parameter θ_j auf bei festgehaltenen (nämlich den tatsächlich beobachteten) Werten für die x_i, dann entsteht die sogenannte *Likelihood-*

funktion

$$L(\theta_1, \ldots, \theta_m; x_1, \ldots, x_n) \equiv f(x_1, \ldots, x_n; \theta_1, \ldots, \theta_m).$$

Das Maximum-Likelihood-Prinzip verlangt also, die Likelihoodfunktion zu maximieren; die maximierenden θ_j-Werte sind dann die gesuchten ML-Schätzungen $\hat{\theta}_j$.

Es erweist sich oft als zweckmäßig, die *logarithmierte Likelihoodfunktion* $\log L$ zu maximieren, was natürlich zu denselben ML-Schätzungen führt. Die Zweckmäßigkeit, so vorzugehen, wird besonders deutlich in dem Fall, daß die Beobachtungen x_i stochastisch unabhängig sind. Dann läßt sich nämlich die Likelihoodfunktion als Produkt schreiben (vgl. *B12.1.*), während die logarithmierte Likelihoodfunktion in eine (einfacher zu handhabende) Summe zerfällt.

Die Maximierung wird vielfach dadurch vorgenommen, daß man das Gleichungssystem

$$\frac{\partial \log L}{\partial \theta_j} = 0, \quad j = 1, \ldots, m,$$

löst. Hat es mehrere Lösungen, dann ist diejenige herauszusuchen, die $\log L$ maximiert. Es gibt aber auch direkte numerische Verfahren zum Aufsuchen des Maximums.

B13.2. Das ML-Prinzip erhält seine Bedeutung vor allem aus dem Umstand, daß es Schätzvariablen mit denkbar günstigen asymptotischen Eigenschaften liefert:

Unter sehr allgemeinen Regularitätsbedingungen sind die ML-Schätzungen *konsistent, asymptotisch normalverteilt* und *asymptotisch effizient.*

Ihre *asymptotische Kovarianzmatrix* erhält man durch Inversion der FISHERschen *Informationsmatrix*

$$\boldsymbol{J} := -E\left(\frac{\partial^2 \log L}{\partial \theta_i \partial \theta_j}\right)_{\substack{i=1,\cdots,m\\ j=1,\cdots,m}}$$

$$\bar{\boldsymbol{\Sigma}}_{\hat{\boldsymbol{\theta}}} = \boldsymbol{J}^{-1}.$$

Eine konsistente Schätzung der Informationsmatrix hat man in

$$\hat{\boldsymbol{J}} := -\left(\left.\frac{\partial^2 \log L}{\partial \theta_i \partial \theta_j}\right|_{\boldsymbol{\theta}=\hat{\boldsymbol{\theta}}}\right)_{\substack{i=1,\cdots,m\\ j=1,\cdots,m}}.$$

Daher wird man für praktische Belange die asymptotische Kovarianzmatrix nach folgender Formel berechnen:

$$\bar{\boldsymbol{\Sigma}}_{\hat{\boldsymbol{\theta}}} = -\left[\left(\left.\frac{\partial^2 \log L}{\partial \theta_i \partial \theta_j}\right|_{\boldsymbol{\theta}=\hat{\boldsymbol{\theta}}}\right)_{i,j}\right]^{-1}.$$

Man beachte, daß diese Formeln nur asymptotisch für $n \to \infty$ gültig sind. $\hat{\boldsymbol{\theta}}$ braucht (für endliches n) noch nicht einmal eine Kovarianzmatrix zu besitzen, geschweige denn, daß diese mit $\boldsymbol{J}^{-1}$ übereinstimmen müßte. Hat aber $\hat{\boldsymbol{\theta}}$ für jedes n eine Kovarianzmatrix und ist diese gleich $\boldsymbol{J}^{-1}$, dann ist $\hat{\boldsymbol{\theta}}$ *effizient* (und nicht nur asymptotisch effizient).

B13.3. Bemerkung:

In dem speziellen Fall stochastisch unabhängiger, identisch verteilter x_i kann $\log L$ als Summe geschrieben werden:

$$\log L = \sum_{i=1}^{n} \log f(x_i; \theta_1, \ldots, \theta_m).$$

Daher ist

$$\frac{1}{n} \log L = \overline{\log f(x; \theta_1, \ldots, \theta_m)}$$

das arithmetische Mittel der logarithmierten Dichten und geht für $n \to \infty$ mit Wahrscheinlichkeit gegen deren Erwartungswert:

$$\operatorname{plim} \frac{1}{n} \log L = E \log f(x; \theta_1, \ldots, \theta_m).$$

Ähnliches gilt für die zweiten Ableitungen der logarithmierten Likelihoodfunktion. Wenn wir daher die Kovarianzmatrix von $\hat{\boldsymbol{\theta}}$ in der Form

$$\bar{\boldsymbol{\Sigma}}_{\hat{\boldsymbol{\theta}}} = -\frac{1}{n}\left[\left(\frac{1}{n}\frac{\partial^2 \log L}{\partial\theta_i\,\partial\theta_j}\right)\right]^{-1}$$

schreiben, dann geht der in den eckigen Klammern stehende Teil mit Wahrscheinlichkeit gegen eine feste endliche (und reguläre) Matrix, während der erste Faktor $1/n$ dem bei der asymptotischen Normalität üblicherweise anzutreffenden Normierungsfaktor entspricht (vgl. *B11.7.3.* und *B12.6.2.*). Dieser Sachverhalt besteht in der Regel auch bei allgemeinen Likelihoodfunktionen, die sich also nicht in ein Produkt bzw. in logarithmierter Form: in eine Summe zerlegen lassen.

B13.4. Parametertransformation:

Werden die Parameter $\theta_1, \ldots, \theta_m$ durch eine (unter Umständen nichtlineare) umkehrbare Transformation in neue Parameter $\vartheta_1, \ldots, \vartheta_m$ transformiert: $\boldsymbol{\vartheta} = \boldsymbol{g}(\boldsymbol{\theta})$, dann ist $\hat{\boldsymbol{\vartheta}} = \boldsymbol{g}(\hat{\boldsymbol{\theta}})$ eine ML-Schätzung für $\boldsymbol{\vartheta}$, sofern $\hat{\boldsymbol{\theta}}$ eine ML-Schätzung für $\boldsymbol{\theta}$ war. Denn schreibt man die Likelihoodfunktion vermöge der Transformation $\boldsymbol{g}$ als Funktion der neuen Parameter $\vartheta_1, \ldots, \vartheta_m$ um, dann wird sie offenbar an der Stelle $\hat{\boldsymbol{\vartheta}}$ maximiert, sofern die Likelihoodfunktion in der alten Gestalt an der Stelle $\hat{\boldsymbol{\theta}}$ maximiert wurde. $\hat{\boldsymbol{\vartheta}}$ hat also – bei stetig differenzierbarer Transformation $\boldsymbol{g}$ – bezüglich $\boldsymbol{\vartheta}$ die gleichen asymptotischen Eigenschaften wie $\hat{\boldsymbol{\theta}}$ bezüglich $\boldsymbol{\theta}$. Die neue asymptotische Kovarianzmatrix ist mit Hilfe der Jakobischen Matrix der Transformation $\boldsymbol{g}$, wie in *B12.6.2.* beschrieben, zu berechnen. Die asymptotischen Eigenschaften bleiben aber auch dann erhalten, wenn $\boldsymbol{g}$ nicht umkehrbar ist.

B13.5. Partiell maximierte Likelihoodfunktion:

Häufig interessiert man sich vornehmlich für einen Teil der insgesamt die Verteilung festlegenden Parameter, etwa für die Parameter $\theta_1, \ldots, \theta_r$; man will nur diese schätzen und die zugehörige asymptotische Kovarianzmatrix berechnen, während die Schätzung der restlichen Parameter $\theta_{r+1}, \ldots, \theta_m$ weniger interessiert.

In diesem Fall kann man von der ursprünglichen Likelihoodfunktion $L(\theta_1, \ldots, \theta_m)$ zu der sogenannten *konzentrierten Likelihoodfunktion* $L^*(\theta_1, \ldots, \theta_r)$ übergehen, die nur noch die interessierenden Parameter im Argument stehen hat. Dabei ist

$$L^*(\theta_1, \ldots, \theta_r) = \max_{\theta_{r+1}, \ldots, \theta_m} L(\theta_1, \ldots, \theta_r, \theta_{r+1}, \ldots, \theta_m).$$

Es wird also nur bezüglich der restlichen Parameter, also „partiell" maximiert. Dabei sind die Werte von $\theta_1, \ldots, \theta_r$ beliebig vorgegeben. Die maximierenden Werte von $\theta_{r+1}, \ldots, \theta_m$, die wir mit einem Stern kennzeichnen wollen, sind daher Funktionen von den vorgegebenen $\theta_1, \ldots, \theta_r$:

$$\theta_j^* = \theta_j^*(\theta_1, \ldots, \theta_r), \quad j = r+1, \ldots, m,$$

und

$$L^*(\theta_1, \ldots, \theta_r) \equiv L(\theta_1, \ldots, \theta_r, \theta_{r+1}^*(\theta_1, \ldots, \theta_r), \ldots, \theta_m^*(\theta_1, \ldots, \theta_r)).$$

Wird nun L^* bezüglich $\theta_1, \ldots, \theta_r$ maximiert, so erhält man offenbar gerade das totale Maximum von L bezüglich aller Parameter $\theta_1, \ldots, \theta_m$, d. h. das *maximum maximorum*. Maximierung von L^* (oder auch von $\log L^*$) liefert die gesuchten ML-Schätzungen $\hat{\theta}_1, \ldots, \hat{\theta}_r$. Man erhält nachträglich auch die ML-Schätzungen für die restlichen Parameter, wenn man in die Funktionen θ_j^* die ML-Schätzungen $\hat{\theta}_1, \ldots, \hat{\theta}_r$ einsetzt:

$$\hat{\theta}_j = \theta_j^*(\hat{\theta}_1, \ldots, \hat{\theta}_r), \quad j = r+1, \ldots, m.$$

Die asymptotische Kovarianzmatrix von $\hat{\boldsymbol{\theta}}_1 := (\hat{\theta}_1, \ldots, \hat{\theta}_r)$ erhält man nach derselben Formel wie früher, jedoch mit dem Unterschied, daß an die Stelle von $\log L$ der Logarithmus der konzentrierten Likelihoodfunktion $\log L^*$ tritt:

$$\bar{\boldsymbol{\Sigma}}_{\hat{\boldsymbol{\theta}}_1} = -\left[\left(\frac{\partial^2 \log L^*}{\partial\theta_i\,\partial\theta_j}\right)_{\substack{i=1,\ldots,r\\ j=1,\ldots,r}}\right]^{-1}.$$

Zum *Beweis:* Man kann diese Formel unter Benutzung der Inversionsformel für unterteilte Matrizen herleiten. Sie sei für den speziellen Fall zweier Parameter hier kurz bewiesen:

Es sei also $L=L(\theta_1,\theta_2)$ die Likelihoodfunktion und $L^*=L^*(\theta_1)$ die auf θ_1 konzentrierte (partiell maximierte) Likelihoodfunktion. Zu beweisen ist, daß für die asymptotische Varianz von $\hat{\theta}_1$ gilt:

$$\bar{\sigma}^2(\hat{\theta}_1)=-\left(\frac{\partial^2 \log L^*}{\partial \theta_1^2}\right)^{-1}.$$

Nun ist aber $L^*(\theta_1)=L(\theta_1,\theta_2^*(\theta_1))$ und daher

$$\frac{\partial \log L^*}{\partial \theta_1}=\frac{\partial \log L}{\partial \theta_1}+\frac{\partial \log L}{\partial \theta_2^*}\,\frac{\partial \theta_2^*}{\partial \theta_1}=\frac{\partial \log L}{\partial \theta_1},$$

weil wegen der maximierenden Eigenschaften von θ_2^*

$$\frac{\partial \log L}{\partial \theta_2^*}\equiv 0$$

ist. (Man beachte, daß sämtliche partielle Ableitungen von L an der Stelle $\theta_2=\theta_2^*(\theta_1)$ zu bilden sind und daher Funktionen von θ_1 allein sind.)

Aus der letzten Beziehung folgt noch:

$$\frac{\partial^2 \log L}{\partial \theta_2^*\,\partial \theta_1}+\frac{\partial^2 \log L}{\partial \theta_2^{*\,2}}\,\frac{\partial \theta_2^*}{\partial \theta_1}\equiv 0.$$

Zweimalige Differentiation von $\log L^*$ liefert schließlich

$$\frac{\partial^2 \log L^*}{\partial \theta_1^2}=\frac{\partial^2 \log L}{\partial \theta_1^2}+\frac{\partial^2 \log L}{\partial \theta_1\,\partial \theta_2^*}\,\frac{\partial \theta_2^*}{\partial \theta_1},$$

woraus mit Hilfe der vorangehenden Beziehungen folgt:

$$\frac{\partial^2 \log L^*}{\partial \theta_1^2}=\left[\frac{\partial^2 \log L}{\partial \theta_1^2}\,\frac{\partial^2 \log L}{\partial \theta_2^2}-\left(\frac{\partial^2 \log L}{\partial \theta_1\,\partial \theta_2}\right)^2\right]\left(\frac{\partial^2 \log L}{\partial \theta_2^2}\right)^{-1}.$$

Dabei ist der Stern an θ_2 fortgelassen worden; die Ableitungen verstehen wir jetzt als an der Stelle $(\hat{\theta}_1,\hat{\theta}_2)$ gebildet (wobei nach wie vor $\hat{\theta}_2=\theta_2^*(\hat{\theta}_1)$).

Auf der anderen Seite ist die asymptotische Kovarianzmatrix von $(\hat{\theta}_1,\hat{\theta}_2)$

$$\bar{\Sigma}_{\theta}=-\begin{pmatrix}\dfrac{\partial^2 \log L}{\partial \theta_1^2} & \dfrac{\partial^2 \log L}{\partial \theta_1\,\partial \theta_2}\\[2ex] \dfrac{\partial^2 \log L}{\partial \theta_2\,\partial \theta_1} & \dfrac{\partial^2 \log L}{\partial \theta_2^2}\end{pmatrix}^{-1}=-\frac{1}{D}\begin{pmatrix}\dfrac{\partial^2 \log L}{\partial \theta_2^2} & -\dfrac{\partial^2 \log L}{\partial \theta_1\,\partial \theta_2}\\[2ex] -\dfrac{\partial^2 \log L}{\partial \theta_2\,\partial \theta_1} & \dfrac{\partial^2 \log L}{\partial \theta_1^2}\end{pmatrix}$$

mit

$$D=\frac{\partial^2 \log L}{\partial \theta_1^2}\,\frac{\partial^2 \log L}{\partial \theta_2^2}-\left(\frac{\partial^2 \log L}{\partial \theta_1\,\partial \theta_2}\right)^2,$$

wobei die Ableitungen an der Stelle θ_1^*, θ_2^* zu bilden sind.

In der linken oberen Ecke steht die asymptotische Varianz von $\hat{\theta}_1$. Wie man sieht, stimmt sie mit $-(\partial^2 \log L^*/\partial \theta_1^2)^{-1}$ überein, w.z.b.w.

Anhang C: **Empirische Schätzbeispiele**

C1. KQ-Schätzung der Konsumfunktion[1]

Folgende Zeitreihen wurden zur Schätzung verwandt:

t	C [2]	$\tilde{Y}^v_{pr}$ [3]	$\tilde{G}$ [4]	$\tilde{Y}^v_H$ [5]	Deflator [6] 1954 = 100	Y^v_H [7]
	(1)	(2)	(3)	(4) = (2) − (3)	(5)	$(6)=\frac{(4)}{(5)}\cdot 100$
1961	162,98	215,30	10,66	204,64	114,6	178,57
1962	172,77	232,33	8,79	223,54	118,1	189,28
1963	177,90	246,45	6,72	239,73	121,4	197,47
1964	187,53	270,51	8,18	262,33	124,2	211,22
1965	199,49	299,62	8,12	291,50	128,2	227,38
1966	206,50	314,98	4,40	310,58	133,1	233,34
1967 [8]	207,69	320,69	3,63	317,06	135,5	233,99
1968 [8]	215,08	349,84	11,53	338,31	138,2	244,80

Ergebnisse der Schätzung:

$$C_{61-68} = \underset{(3{,}91)}{23{,}88} + \underset{(0{,}02)}{0{,}78}\, Y^v_H$$

$$\hat{\sigma}^2(\hat{u}) = \frac{1}{T-2}\sum_1^8 \hat{u}_t^2 = 1{,}33$$

$$s^2(C) = \frac{1}{T}\sum_1^8 (C_t - \bar{C})^2 = 308{,}92.$$

[1] Für die Bundesrepublik Deutschland einschließlich des Saarlandes und West-Berlins für den Zeitraum 1961 – 1968. (Siehe Abb. 0.1.)

[2] Privater Verbrauch in Preisen von 1954. Quelle: Jahresgutachten 1969 des Sachverständigenrates zur Begutachtung der gesamtwirtschaftlichen Entwicklung (Bundestagsdrucksache; künftig abgekürzt mit JG 69) Tabelle 33, S. 143.

[3] Verfügbares privates Einkommen in jeweiligen Preisen. Quelle: JG 69 Tabelle 37, S. 148.

[4] Nichtentnommene Gewinne der Einzelunternehmen u.ä. in jeweiligen Preisen. Quelle: JG 69 Tabelle 37, S. 149.

[5] Verfügbares persönliches Einkommen in jeweiligen Preisen definiert als das um die nichtentnommenen Gewinne der Einzelunternehmer verminderte verfügbare private Einkommen. (Siehe die Erläuterung von Begriffen der Volkswirtschaftlichen Gesamtrechnungen JG 69, S. 132.)

[6] Preisindex mit wechselnder Wägung (1954 = 100) für den privaten Verbrauch. Quelle: JG 69 Tabelle 62, S. 183.

[7] Verfügbares persönliches Einkommen in Preisen von 1954 (Deflationiert mit dem Deflator aus Spalte (5)).

[8] Vorläufige Ergebnisse.

Korrelationskoeffizient:

$$r=0{,}998.$$

Durbin-Watson-Koeffizient:

$$d=1{,}55.$$

Kovarianzmatrix:

$$S=\begin{pmatrix} 15{,}28 & -0{,}07 \\ -0{,}07 & 0{,}00033 \end{pmatrix}.$$

Zwischenergebnisse:

$$X'X=\begin{pmatrix} 8 & 1716{,}05 \\ 1716{,}05 & 372150{,}03 \end{pmatrix} \quad \text{mit} \quad X=\begin{pmatrix} 1 & Y^v_{H1} \\ \vdots & \vdots \\ 1 & Y^v_{H8} \end{pmatrix},$$

$$X'y=\begin{pmatrix} 1529{,}92 \\ 331338{,}96 \end{pmatrix} \quad \text{mit} \quad y=\begin{pmatrix} C_1 \\ \vdots \\ C_8 \end{pmatrix}.$$

C 2. Strukturbruch in der Konsumfunktion

Für die Zeit von 1950–1968 gibt es vor allem zwei Gründe dafür, einen Strukturbruch in der Konsumfunktion zu vermuten: Die Gebietserweiterung der Bundesrepublik Deutschland durch die Eingliederung des Saarlandes und die Einbeziehung der Daten West-Berlins (siehe auch S. 86). So werden die Daten der BRD von 1950–1960 ohne Saarland und West-Berlin angegeben und von 1960 an einschließlich Saarland und West-Berlin. (Für 1960 stehen zwei Werte zur Verfügung.) Zum Test auf Strukturbruch wurde der Gesamtzeitraum von 1950–1968 in die Teilzeiträume 1950–1960 und 1961–1968 zerlegt. Die Daten von 1961–1968 sind unter *C 1.* zu finden (siehe dazu auch Abb. 0.1.). Für 1950–1960 lauten die Zeitreihen wie folgt[9]:

t	C [2]	$\tilde{Y}^v_{pr}$ [3]	$\tilde{G}$ [4]	$\tilde{Y}^v_H$ [5]	*Deflator* [6] 1954 = 100	Y^v_H [7]
	(1)	(2)	(3)	(4) = (2) − (3)	(5)	
1950	68,96	68,56	3,13	65,43	91,9	71,20
1951	74,44	81,92	5,84	76,08	99,0	76,85
1952	81,18	90,94	4,72	86,22	100,8	85,54
1953	90,06	97,73	2,60	95,13	99,4	95,70
1954	95,11	106,20	4,21	101,99	100,0	101,99
1955	104,54	122,00	8,69	113,31	101,6	111,53
1956	113,47	135,30	10,27	125,03	103,8	120,45
1957	120,45	149,02	9,72	139,30	106,4	130,92
1958	126,21	160,91	10,40	150,51	109,1	137,96
1959	132,97	170,88	10,15	160,73	110,2	145,85
1960	142,32	186,06	12,05	174,01	111,6	155,92

Die Schätzung der Konsumfunktion für den Gesamtzeitraum 1950–1968 und für die Teilzeiträume 1950–1960 und 1961–1968 führte zu folgenden Ergebnissen:

$$C_{50-68}=\underset{(0{,}93)}{9{,}85}+\underset{(0{,}006)}{0{,}84}\,Y^v_H;$$

$$\hat{\sigma}^2=1{,}92; \qquad d=0{,}90.$$

[9] Ohne Saarland und West-Berlin.

[2]–[7] Siehe entsprechende Fußnoten zur Tabelle unter *C 1.*

$$C_{50-60} = \underset{(0,96)}{7{,}84} + \underset{(0,008)}{0{,}86}\, Y_H^v;$$

$$\hat{\sigma}_1^2 = 0{,}57; \qquad d_1 = 1{,}72.$$

$$C_{61-68} = \underset{(3,91)}{23{,}88} + \underset{(0,02)}{0{,}78}\, Y_H^v;$$

$$\hat{\sigma}_2^2 = 1{,}33; \qquad d_2 = 1{,}55.$$

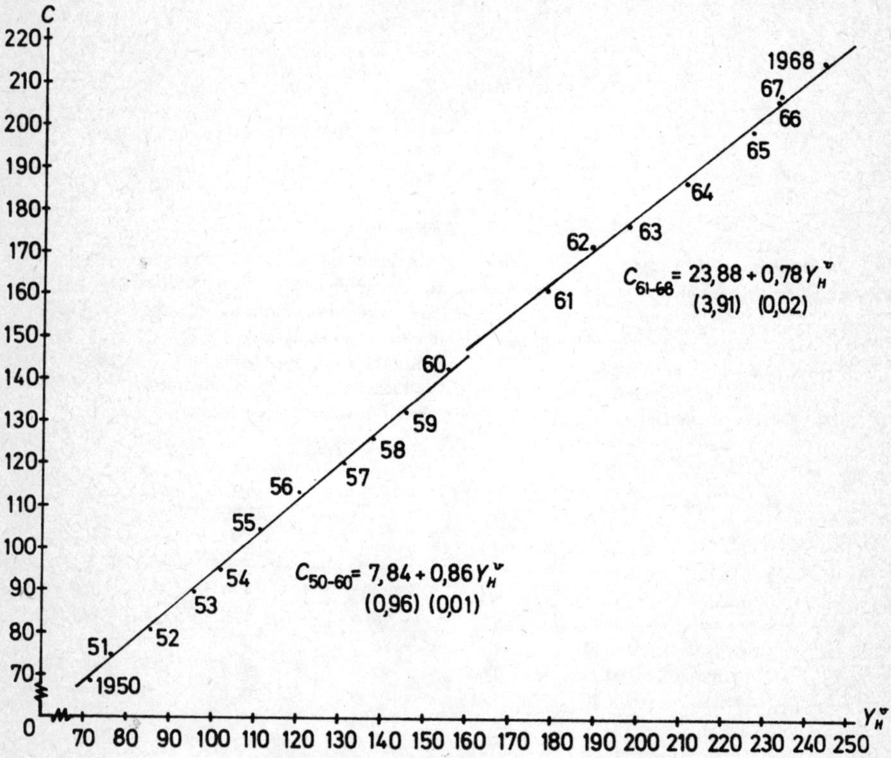

Abb. C2. Strukturbruch in der Konsumfunktion

Bei Betrachtung der Abb. C2 könnte man zunächst annehmen, daß kein Strukturbruch vorliegt; denn der Sprung zwischen C_{50-60} und C_{61-68} fällt sehr klein aus. Der Durbin-Watson-Koeffizient von 0,90 bei C_{50-68} weist jedoch schon auf einen Strukturbruch hin, der im folgenden überprüft werden soll. Dazu ist zunächst die Konstanz der Störvariablen zu testen (siehe S. 86).

Die Nullhypothese lautet:

$$\sigma_1^2 = \sigma_2^2.$$

Die Testvariable ergibt

$$F_{T_2-n-1}^{T_1-n-1} = \frac{\hat{\sigma}_1^2}{\hat{\sigma}_2^2} = \frac{0{,}57}{1{,}33} = 0{,}43 \quad \text{mit} \quad T_1 = 11, \quad T_2 = 8, \quad n = 1.$$

Die obere Grenze ist $F_6^9(97{,}5)=5{,}52$, während sich die untere Grenze errechnet als $F_6^9(2{,}5)=\frac{1}{F_9^6(97{,}5)}=\frac{1}{4{,}32}=0{,}23$; d.h. $0.23<0{,}43<5{,}52$. Bei 95 % Sicherheit ist daher die Nullhypothese anzunehmen.

Der Test auf Strukturbruch erfolgt nun nach der unter 2.5.5. angegebenen Methode, wobei getestet werden soll, ob beide Parameter der Konsumfunktion unverändert geblieben sind. Die zu prüfende Nullhypothese lautet demnach:

$$H_0\colon\ \beta_0^1=\beta_0^2$$
$$\beta_1^1=\beta_1^2;$$

in der Testvariablen

$$F_{T-2n-2}^{m}=\frac{\frac{1}{m}(\hat{\hat{u}}'\hat{\hat{u}}-\hat{u}'\hat{u})}{\frac{1}{T-2n-2}\hat{u}'\hat{u}'} \qquad (2.67)$$

ist $m=2$ zu setzen.

Ferner ergibt sich:

$$\hat{u}'\hat{u}=\sum_1^T\hat{u}_t^2=\Sigma_1\,\hat{u}_t^2+\Sigma_2\,\hat{u}_t^2=(T_1-2)\,\hat{\sigma}_1^2+(T_2-2)\,\hat{\sigma}_2^2$$
$$=9\cdot 0{,}57+6\cdot 1{,}33=5{,}13+7{,}98=13{,}11$$
$$\hat{\hat{u}}'\hat{\hat{u}}=(T-2)\,\hat{\hat{\sigma}}^2=17\cdot 1{,}92=32{,}64.$$

Daraus folgt

$$F_{15}^2=\frac{(32{,}64-13{,}11)}{\frac{2}{15}\,13{,}11}=\frac{19{,}53}{1{,}74}=11{,}22.$$

Aus der Tafel läßt sich

$$F_{15}^2(95)=3{,}68$$

ablesen.

Es ist also

$$F_{15}^2=11{,}22>3{,}68=F_{15}^2(95),$$

d.h. der Strukturbruch ist signifikant (bei 95 % Sicherheit).

Selbst wenn wir die Sicherheit auf 99% erhöhen, bleibt der Strukturbruch signifikant, denn es ist

$$F_{15}^2(99)=6{,}36<11{,}22=F_{15}^2.$$

Es hat sich damit gezeigt, daß ein augenscheinlich kleiner Bruch tatsächlich einen hochsignifikanten Strukturbruch beinhaltet.

C 3. Strukturbruch in der Investitionsfunktion I

Während die Investitionsfunktion I für den Zeitraum 1950 – 1960[10] eine positive Steigung aufweist (siehe Abb. 0.2.), errechnet sich für den Zeitraum 1960 – 1968[11] eine negative Steigung:

$$\tilde{I}_{60-68}^{\text{Anl}}=\underset{(17{,}48)}{128{,}62}-\underset{(2{,}00)}{3{,}21}\,\tilde{G};$$

$$\hat{\sigma}^2=291{,}82;\qquad r=0{,}519;\qquad d=1{,}01.$$

Das Umkippen der Investitionsfunktion läßt eine *Fehlspezifikation* vermuten[12], die bei Anwendung der für 1950 – 1960 geschätzten Funktion zu völlig falschen Prognosewerte führen würde.

10) Ohne Saarland und West-Berlin. Vgl. S. 20.

11) Mit Saarland und West-Berlin.

12) Die Gebietserweiterung allein dürfte das Umkippen nicht bewirkt haben.

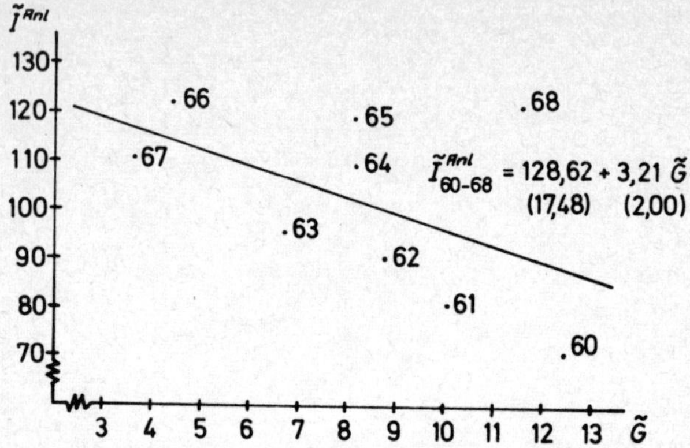

Abb. C3. Investitionsfunktion I für 1960 – 1968

C4. Zweistufige KQ-Schätzung eines kleinen Modells

Folgendes Modell wurde geschätzt:

(1)	$C_t = \beta_{10} + \beta_{11} Y_t + u_{1t}$	Konsumfunktion
(2)	$I_t = \beta_{20} + \beta_{21} P_t + \beta_{22} K_{t-1} + \beta_{23} I_{t-1} + u_{2t}$	Investitionsfunktion
(3)	$L_t = \beta_{30} + \beta_{31}(Y+T)_t + \beta_{32} L_{t-1} + u_{3t}$	Lohnsummenfunktion
(4)	$Y = C + I + Z - T$	Definitionsgleichungen
(5)	$Y = L + P$	
(6)	$\Delta K = I$	

Endogen: C, I, L, Y, P, K.
Exogen bzw. vorherbestimmt: $K_{-1}, I_{-1}, L_{-1}, Z, T$.

Die Daten[13]:

t	C [14] (1)	Y [15] (2)	T [16] (3)	P [17] (4)	L [18] (5)	Z [19] (6)	I [20] (7)	K [21] (8)	Deflator [22] (9)
1960	150,74	203,72	36,13	79,81	123,91	42,16	46,95	834,40	112,80
1961	160,45	216,15	38,62	81,11	135,03	45,39	48,93	883,33	116,40
1962	169,60	226,02	40,54	81,50	144,52	47,19	49,77	933,10	120,30
1963	175,85	235,37	41,34	83,48	151,90	52,30	48,56	981,66	122,80
1964	185,43	251,99	44,06	89,28	162,71	53,38	57,24	1 038,90	125,60
1965	197,92	267,36	46,59	92,59	174,78	53,46	62,57	1 101,47	129,20
1966	205,60	272,81	47,76	91,08	181,73	61,34	53,63	1 155,10	133,70
1967	209,53	270,80	49,44	89,58	181,21	72,08	38,63	1 193,73	134,30
1968	220,88	300,82	49,47	106,85	193,97	75,79	53,62	1 247,35	134,60

[13] Die Zeitreihen wurden einheitlich mit dem Preisindex der letzten inländischen Verwendung von Gütern (siehe Fußnote 22) deflationiert.

Ergebnisse der Schätzung:

(1) $\underset{(12,81)}{C=1{,}13}+\underset{(0,05)}{0{,}74}\,Y;\quad \hat{\sigma}^2=13{,}86.$

(2) $I=-\underset{(21,74)}{57{,}00}+\underset{(0,35)}{1{,}99}\,P-\underset{(0,02)}{0{,}11}\,K_{-1}+\underset{(0,21)}{0{,}92}\,I_{-1},\quad \hat{\sigma}^2=9{,}12.$

(3) $L=-\underset{(4,89)}{12{,}70}+\underset{(0,05)}{0{,}43}(Y+T)+\underset{(0,07)}{0{,}32}\,L_{-1};\quad \hat{\sigma}^2=1{,}49.$

Man beachte, daß die zur Bestimmung von $\hat{\sigma}^2$ notwendigen Residuen $\hat{u}_t$ gemäß der Definition in Aufgabe (11–10) zu berechnen sind.

Zum Vergleich sei die mit den Daten aus der Tabelle nach der einfachen Methode der kleinsten Quadrate für die Zeit 1961–1968 geschätzte Konsumfunktion angegeben:

$$C=\underset{(12,79)}{1{,}24}+\underset{(0,05)}{0{,}74}\,Y;\quad \hat{\sigma}^2=13{,}83.$$

Wie man sieht, erweist sich die einfache Methode der kleinsten Quadrate hier als ebenso gut wie die zweistufige.

14) Privater Verbrauch zu konstanten Preisen. Quelle der nicht deflationierten Daten: JG 69 Tabelle 33, S. 142.

15) Volkseinkommen = Nettosozialprodukt zu Faktorkosten zu konstanten Preisen. Quelle der nicht deflationierten Daten: JG 69 Tabelle 30, S. 138.

16) Indirekte Steuern abzüglich Subventionen zu konstanten Preisen. Quelle der nicht deflationierten Daten: JG 69 Tabelle 30, S. 138.

17) (Brutto)-Einkommen aus Unternehmertätigkeit und Vermögen zu konstanten Preisen. Quelle der nicht deflationierten Daten: JG 69 Tabelle 31, S. 140.

18) (Brutto-)Einkommen aus unselbständiger Arbeit zu konstanten Preisen. Quelle der nicht deflationierten Daten: JG 69 Tabelle 31, S. 140.

19) Staatsverbrauch + Außenbeitrag = Staatsverbrauch + Export – Import zu konstanten Preisen. Quelle der nicht deflationierten Daten: JG 69 Tabelle 33, S. 142.

20) Nettoinvestitionen: $=Y+T-C-Z$.

21) Kapitalstock = Bruttoanlagevermögen zu konstanten Preisen. Als Grundlage zur Berechnung der Zeitreihe des Kapitalstocks diente die Zeitreihe des Brutto-Anlagevermögens zusammengefaßter Wirtschaftsbereiche zu Preisen von 1954 (rechteckige Überlebensfunktion) bei KIRNER [1968] Übersicht 41, S. 132. Mit Hilfe dieses Bruttoanlagevermögens wurde das Bruttoanlagevormögen für 1959 zu konstanten Preisen berechnet und dann wurden jährlich die Nettoinvestitionen aus Spalte (8) hinzuaddiert, um die Zeitreihe des Kapitalstocks zu erhalten.

22) Preisindex der letzten inländischen Verwendung von Gütern. Quelle: JG 69 Tabelle 62, S. 183.

Anhang D: **Verteilte Verzögerungen**

Im Kapitel 6 wurden Regressionsgleichungen untersucht, die unter den erklärenden Variablen neben exogenen Variablen auch die um eine oder mehrere Perioden verzögerte endogene Variable enthielten. (6.1) war die typische Form einer solchen Gleichung. Für die Störvariable u_t trafen wir die klassischen Modell-Annahmen: keine Autorkorrelation, Homoskedastizität, Normalität. Sie erwiesen sich als geeignet zur Entwicklung eines Schätzverfahrens: Es zeigte sich, daß der Maximum-Likelihood-Ansatz gerade die gewöhnlichen KQ-Schätzungen lieferte.

Auf der anderen Seite haben wir aber Modelle kennengelernt, bei denen diese Annahmen nicht sämtlich erfüllt waren. Hierzu gehören die Modelle der Erwartungsbildung (*6.1.1.b*) und Modelle mit verteilten Verzögerungen (*6.1.1.c*). Letztere haben z.B. die Form

$$(1)\quad y_t = \beta_0 + \beta_1 x_{1t} + \beta_2 x_{2t} + \beta \sum_{i=0}^{\infty} \gamma_i x_{t-i} + u_t,$$

wenn wir annehmen, daß neben der mit verteilten Verzögerungen auftretenden Variablen x noch die weiteren exogenen Variablen x_1 und x_2 (sowie die Scheinvariable x_0) vorkommen.

Da unendlich viele Parameter γ_i nicht geschätzt werden können, müssen wir vereinfachende Annahmen treffen. Wir fassen die γ_i als die Gewichte einer Verteilung auf. Eine besonders einfache Verteilung ist die geometrische (oder exponentielle) mit den Gewichten $\gamma_i = (1-\gamma)\gamma^i$. Wir erhalten mit $\beta_* := (1-\gamma)\beta$:

$$(2)\quad y_t = \beta_0 + \beta_1 x_{1t} + \beta_2 x_{2t} + \beta_* \sum_{i=0}^{\infty} \gamma^i x_{t-i} + u_t.$$

Mit Hilfe der in *6.1.1.* geschilderten (KOYCK-)Transformation können wir (2) in die Form

$$(3)\quad y_t = (1-\gamma)\beta_0 + \beta_1 x_{1t} - \gamma\beta_1 x_{1,t-1} + \beta_2 x_{2t} - \gamma\beta_2 x_{2,t-1} + \beta_* x_t + \gamma y_{t-1} + u_t - \gamma u_{t-1}$$

bringen. Man könnte nun versucht sein, die Parameter dieser Gleichung nach der gewöhnlichen KQ-Methode zu schätzen, so wie wir das für (6.1) getan haben. Dem stehen jedoch einige Hindernisse entgegen:

1. Die Parameter von x_{1t}, $x_{1,t-1}$, x_{2t}, $x_{2,t-1}$ und y_{t-1} sind nicht frei, sondern hängen miteinander zusammen über die Proportion $(\gamma\beta_1):\beta_1 = (\gamma\beta_2):\beta_2 = \gamma$. [Eine ähnliche Schwierigkeit fanden wir in Gleichung (5.23).]
2. Die neuen Störvariablen $\varepsilon_t := u_t - \gamma u_{t-1}$ weisen Autokorrelation auf, jedenfalls sofern – wie wir hier annehmen wollen – die u_t nicht autokorreliert sind.
3. Die erklärende Variable y_{t-1} ist mit der Störvariablen ε_t korreliert. Das aber hat zur Folge, daß die Parameter mit der KQ-Methode nicht konsistent geschätzt werden.

(2) wird also zweckmäßigerweise nicht auf dem Umweg über (3) mittels der KQ-Methode geschätzt. Konsistente Schätzungen erhält man vielmehr, indem man den Maximum-Likelihood-Ansatz direkt auf (2) anwendet[1]. Hierzu muß zunächst (2) so umgeformt werden, daß die nicht beobachteten Variablen $x_0, x_{-1}, x_{-2}, \ldots$ nicht mehr explizit vorkommen. (Wir nehmen an, sie seien tatsächlich nicht verfügbar – falls doch, kann das im folgenden beschriebene Verfahren entsprechend modifiziert werden). Wir setzen $\beta_* \sum_{0}^{\infty} \gamma^i x_{-i} =: \beta_+$ und fassen β_+ als einen weiteren unbekannten Parameter auf. Dann wird aus (2):

[1] Zum Folgenden vgl. DHRYMES [1971, Kap. 5].

(4) $y_t = \beta_0 + \beta_1 x_{1t} + \beta_2 x_{2t} + \beta_+ \gamma^t + \beta_* \sum_{i=0}^{t-1} \gamma^i x_{t-i} + u_t.$

In dem Term $\beta_+ \gamma^t$ ist die ganze Restsumme $\beta_* \sum_{i=t}^{\infty} \gamma^i x_{t-i}$ zusammengefaßt. Die unbekannten Parameter sind nun $\beta_0, \beta_1, \beta_2, \beta_+, \beta_*, \gamma$ und σ^2, die Varianz von u_t (Homoskedastizität vorausgesetzt).

Für das Weitere ist es zweckmäßig abkürzend die folgenden Variablen einzuführen:

$$x_t^+ := \gamma^t \quad \text{und} \quad x_t^* := \sum_{0}^{t-1} \gamma^i x_{t-i}.$$

Sie lassen sich bei gegebenem γ leicht nach den folgenden Rekursionsformeln berechnen:

(5a) $x_t^+ = \gamma x_{t-1}^+, \qquad x_0^+ = 1$

(5b) $x_t^* = x_t + \gamma x_{t-1}^*, \qquad x_0^* = 0.$

Mit diesen Variablen wird (4) bei gegebenem γ zu einer gewöhnlichen Regressionsgleichung, die wir wie üblich in Matrixform darstellen können:

(6) $\boldsymbol{y} = \boldsymbol{X}^+ \boldsymbol{\beta}^+ + \boldsymbol{u}$

mit $\boldsymbol{X}^+ = (\boldsymbol{x}_0, \boldsymbol{x}_1, \boldsymbol{x}_2, \boldsymbol{x}^+, \boldsymbol{x}^*)$ und $\boldsymbol{\beta}^{+\prime} = (\beta_0, \beta_1, \beta_2, \beta_+, \beta_*)$.

Unter der Normalverteilungsannahme erhalten wir die Likelihoodfunktion

(7) $L(\beta_0, \beta_1, \beta_2, \beta_+, \beta_*, \gamma, \sigma^2) \propto \frac{1}{\sigma^T} \exp\left(-\frac{\check{\boldsymbol{u}}'\check{\boldsymbol{u}}}{2\sigma^2}\right)$

mit $\check{\boldsymbol{u}} := \boldsymbol{y} - \boldsymbol{X}^+ \boldsymbol{\beta}^+$, aufgefaßt als Funktion von $\boldsymbol{\beta}^+$ und γ.

Man erkennt wieder wie früher (vgl. *1.3.2.* oder *6.2.3.*), daß die ML-Schätzung für σ^2

(8) $\hat{\sigma}^2 = \frac{1}{T} \hat{\boldsymbol{u}}'\hat{\boldsymbol{u}}$

lautet (mit ML-Residuen $\hat{\boldsymbol{u}}$) und daß die ML-Schätzungen der anderen Parameter über die Minimierungsaufgabe

(9) $Q := \check{\boldsymbol{u}}'\check{\boldsymbol{u}} \to \min_{\beta_0, \beta_1, \beta_2, \beta_+, \beta_*, \gamma}$

gefunden werden. Das ist wieder das Prinzip der kleinsten Quadrate, wobei aber diesmal der Parameter γ in sehr verwickelter, nichtquadratischer Form in Q auftritt. Wird Q *bei gegebenem* γ nur bezüglich der β-Parameter minimiert, dann erhalten wir wieder die üblichen KQ-Normalgleichungen:

(10) $\boldsymbol{X}^{+\prime}\boldsymbol{X}^+ \hat{\boldsymbol{\beta}}^+ = \boldsymbol{X}^{+\prime} \boldsymbol{y}.$

Das Gesamtminimum von (9) *bezüglich aller Parameter* erhält man näherungsweise durch systematisches Ausprobieren der verschiedensten γ-Werte. Genauer: $\gamma_1, \gamma_2, \ldots, \gamma_n$ seien n verschiedene Werte aus dem zulässigen Bereich für γ. Meistens wird man $0 < \gamma < 1$ annehmen können und wird dann die Punkte γ_i als äquidistante Teilpunkte des Einheitsintervalls wählen: $\gamma_i = i/(n+1)$. Zu jedem γ_i wird nun $\hat{\boldsymbol{\beta}}^+(\gamma_i)$ nach (10) bestimmt und in (9) eingesetzt. Man erhält $Q(\gamma_i)$. Man wählt nun dasjenige $\gamma_i =: \hat{\gamma}$, daß $Q(\gamma)$ minimiert und gewinnt so näherungsweise die ML-Schätzung $\hat{\gamma}$ für γ mit der zugehörigen ML-Schätzung $\hat{\boldsymbol{\beta}}^+(\hat{\gamma})$ für $\boldsymbol{\beta}^+$. Durch Verfeinerung der Intervalleinteilung läßt sich die ML-Näherungslösung beliebig verbessern. Es ist übrigens zweckmäßig sich ein Bild der Funktion $Q(\gamma)$ zu machen, um mit größerer Sicherheit das genaue Minimum von Q finden zu können (Abb.).

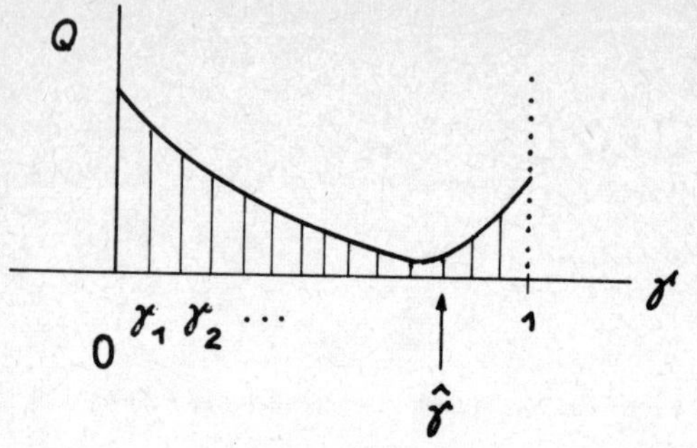

Abb. D1. Graph der Funktion $Q(\gamma)$

Es zeigt sich [DHRYMES, 1971, S. 100], daß die ML-Schätzung für β_+ nicht konsistent ist. Das liegt an der besonderen Form der Variablen x^+, die mit $t \to \infty$ gegen 0 strebt, was zur Folge hat, daß zusätzliche Zeitpunkte immer weniger und schließlich so gut wie gar keine Information für die Schätzung von β_+ beisteuern (vgl. auch (1–29)). Tatsächlich ist der Parameter β_+ jedenfalls für große Zeitreihen auch ohne Belang. Bei Prognosen etwa für den Zeitpunkt $T+1$ trägt er nur mit dem Term $\beta_+ \lambda^{T+1}$ bei, und dieser ist für große T (wegen $\lambda < 1$) verschwindend klein. Auch werden für große T die anderen Parameterschätzungen nur geringfügig von dem Parameter β_+ affiziert. Läßt man ihn ganz fort (d.h. setzt man ihn a priori gleich 0), dann erhält man für große T näherungsweise dieselben Schätzungen für die anderen Parameter und mit den gleichen asymptotischen Eigenschaften. Formal sieht dieses *vereinfachte Modell* so aus, daß an die Stelle von (6) die Gleichung

(11) $\boldsymbol{y} = \boldsymbol{X}\boldsymbol{\beta} + \boldsymbol{u}$

tritt mit $\boldsymbol{X} = (\boldsymbol{x}_0, \boldsymbol{x}_1, \boldsymbol{x}_2, \boldsymbol{x}^*)$ und $\boldsymbol{\beta}' = (\beta_0, \beta_1, \beta_2, \beta_*)$.

Statt (10) haben wir dann:

(12) $\boldsymbol{X}'\boldsymbol{X}\hat{\boldsymbol{\beta}} = \boldsymbol{X}'\boldsymbol{y}$,

und L und Q werden mit $\check{\boldsymbol{u}} := \boldsymbol{y} - \boldsymbol{X}\boldsymbol{\beta}$ gebildet. Ansonsten bleibt alles wie früher.

Die verbleibenden ML-Schätzungen sind unter allgemeinen Bedingungen *konsistent* und *asymptotisch normal* [DHRYMES, 1971, S. 103, 109]. Ihre *asymptotische Kovarianzmatrix* gewinnt man über die logarithmierte Likelihoodfunktion gemäß den in *B 13.2* entwickelten Prinzipien. Wir wollen jedoch hier eine eher heuristische Herleitung vornehmen. Die besonderen Schwierigkeiten des Modells (4) oder (11) liegen ja darin, daß der Parameter γ in sehr komplizierter, nichtlinearer Weise vorkommt und auch nichtlinear mit dem Parameter β_* verbunden ist. γ ist z. B. in der Matrix $\boldsymbol{X}$ von (11) enthalten, und zwar vermittelt durch die Variable $\boldsymbol{x}^*$. Wenn man nun in (11) eine Linearisierung bezüglich der Parameter vornimmt, indem man $\boldsymbol{X}\boldsymbol{\beta}$ um eine beliebige feste Stelle $(\boldsymbol{\beta}_0, \gamma_0)$ in eine Taylor-Reihe entwickelt und diese nach den linearen Gliedern abbricht, dann wird aus (11):

(13) $\boldsymbol{y} = \boldsymbol{X}\boldsymbol{\beta} + (\gamma - \gamma_0)\boldsymbol{x}^{**}\beta_{*0} + \boldsymbol{u}$

mit

$$x_t^{**} := \left.\frac{dx_t^*}{d\gamma}\right|_{\gamma = \gamma_0}$$

Man kann wegen (5b) x_t^{**} leicht berechnen:

(14) $x_t^{**} = x_{t-1}^* + \gamma_0 x_{t-1}^{**}, \quad x_0^{**} = 0.$

Schließlich erhält man aus (13):

(15) $\boldsymbol{y}^* := \boldsymbol{y} - \gamma_0 \beta_{*0} \boldsymbol{x}^{**} = \boldsymbol{X}\boldsymbol{\beta} + \beta_{*0} \boldsymbol{x}^{**} \gamma + \boldsymbol{u}.$

Das ist eine gewöhnliche lineare Regression von y^* auf x_0, x_1, x_2, x^* und $\beta_{*0} x^{**}$, wobei allerdings die Variablen y^*, x^* und x^{**} mit Hilfe der willkürlichen Werte β_{*0} und γ_0 künstlich konstruiert sind. Sie würde freilich nur dann gute Schätzungen liefern, wenn β_{*0} und γ_0 schon von Anfang an nahe bei der ML-Schätzung $(\hat{\beta}_*, \hat{\gamma})_{ML}$ gewählt worden wären, was i.a. nicht der Fall sein wird. Man kann aber (15) zum Ansatz eines iterativen Näherungsverfahrens für die Schätzungen $\hat{\boldsymbol{\beta}}$, $\hat{\gamma}$ machen: Ausgehend von einer ersten (beliebigen) Näherung für $(\hat{\beta}_*, \hat{\gamma})_{ML}$, berechnet man die Variablen der Regression (15), schätzt sodann mit der KQ-Methode die Parameter $\boldsymbol{\beta}$, γ und entnimmt $(\hat{\beta}_*, \hat{\gamma})$ als zweite Näherung für $(\hat{\beta}_*, \hat{\gamma})_{ML}$. Diesen Vorgang wiederholt man so lange, bis sich keine Änderungen mehr zeigen. Ein ähnliches Iterationsverfahren beschreibt Dhrymes [1971, S. 101f.]. Es ist freilich nicht sicher, ob es tatsächlich gegen die ML-Schätzung konvergiert, weshalb es mit Vorsicht zu gebrauchen ist. Sicherer ist jedenfalls das zuvor beschriebene globale Minimierungsverfahren.

Für uns ist (15) deswegen von Bedeutung, weil es unmittelbar die asymptotische Konvarianzmatrix $\boldsymbol{S}$ für $\hat{\boldsymbol{\beta}}$ und $\hat{\gamma}$ liefert. Wenn wir nämlich $\boldsymbol{S}$ wie bei der KQ-Schätzung einer gewöhnlichen Regression (vgl. (2.34)) bestimmen, erhalten wir:

(16) $$\boldsymbol{S} = \sigma^2 \begin{pmatrix} \boldsymbol{X}'\boldsymbol{X} & \beta_* \boldsymbol{X}'\boldsymbol{x}^{**} \\ \beta_* \boldsymbol{x}^{**\prime}\boldsymbol{X} & \beta_*^2 \boldsymbol{x}^{**\prime}\boldsymbol{x}^{**} \end{pmatrix}^{-1}.$$

Dabei sind in der Praxis β_*, γ und σ^2 durch ihre ML-Schätzungen zu ersetzen. (γ tritt in $\boldsymbol{X}$ und $\boldsymbol{x}^{**}$ auf!) In dem einfachsten Fall einer Regression mit geometrisch verteilten Verzögerungen bezüglich x, aber ohne andere exogene Variable haben wir das Modell

$$y_t = \beta_* \sum \gamma^i x_{t-i} + u_t.$$

Die asymptotische Kovarianzmatrix der ML-Schätzungen lautet:

$$\boldsymbol{S} = \sigma^2 \begin{pmatrix} \boldsymbol{x}^{*\prime}\boldsymbol{x}^* & \beta_* \boldsymbol{x}^{*\prime}\boldsymbol{x}^{**} \\ \beta_* \boldsymbol{x}^{**\prime}\boldsymbol{x}^* & \beta_*^2 \boldsymbol{x}^{**\prime}\boldsymbol{x}^{**} \end{pmatrix}^{-1}.$$

Bei Dhrymes [1971] findet man Verallgemeinerungen dieses Ansatzes auf andere Verzögerungsverteilungen sowie auf den Fall, daß die Störvariable u Autokorrelation aufweist.

Hier soll noch kurz der Fall der *Polynom-Verteilung* besprochen werden, weil er eine besonders einfache Behandlung gestattet [Dhrymes, 1971, Kap. 8]. Die Idee geht auf Almon [1965] zurück. Es wird diesmal angenommen, daß nur endlich viele (n) Verzögerungen von x einen Einfluß auf y haben, wobei aber n groß sein kann. Nehmen wir noch eine weitere exogene Variable x_1 in die Regressionsgleichung auf, dann kann diese also wie folgt geschrieben werden:

(17) $$y_t = \beta_1 x_{1t} + \sum_{i=0}^{n} \gamma_i x_{t-i} + u_t.$$

Wir nehmen diesmal an, die Anfangswerte $x_0, x_{-1}, \dots, x_{-n+1}$ seien vorhanden. Es wird nun des weiteren angenommen, daß sich die Gewichte γ_i durch ein Polynom in i nicht allzu hohen Grades gut approximieren lassen. Der Polynomgrad sollte jedenfalls kleiner (möglichst viel kleiner) als n sein, sonst wird die Zahl der Parameter nicht reduziert. Nehmen wir beispielsweise an, die γ_i folgen einem Polynom vom Grad 2:

(18) $\gamma_i = \alpha_0 + \alpha_1 i + \alpha_2 i^2.$

Nach Einsetzen in (17) erhält man

$$y_t = \beta_1 x_{1t} + \alpha_0 \sum_0^n x_{t-i} + \alpha_1 \sum_0^n i\, x_{t-i} + \alpha_2 \sum_0^n i^2 x_{t-i} + u_t.$$

Führen wir die neuen Variablen

$$z_{0t} := \sum_0^n x_{t-i}, \quad z_{1t} := \sum_0^n i\, x_{t-i}, \quad z_{2t} := \sum_0^n i^2 x_{t-i}$$

ein, dann können wir einfacher schreiben

(19) $y_t = \beta_1 x_{1t} + \alpha_0 z_{0t} + \alpha_1 z_{1t} + \alpha_2 z_{2t} + u_t.$

Das aber ist eine gewöhnliche lineare Regression von y auf x_1, z_0, z_1, z_2. Ihre Parameter $\beta_1, \alpha_0, \alpha_1, \alpha_2$ können nach der KQ-Methode geschätzt werden. Durch Einsetzen in (18) gewinnen wir sodann Schätzungen für die Gewichte γ_i. Da (18) eine lineare Transformation der α_j in die γ_i darstellt, sind die Schätzungen $\hat{\gamma}_i$ (gerade so wie die $\hat{\alpha}_j$) erwartungstreu (*2.4.5.*). Sie sind sogar beste lineare Schätzungen (*2.4.7.*).

Es lassen sich auch leicht zusätzliche Restriktionen in die γ_i-Verteilung einbauen, z. B. die, daß das Polynom an den Stellen $i = n+1$ und/oder $i = -1$ Null sein soll. Die erste Restriktion beispielsweise drückt sich in der Beziehung

(20) $\alpha_0 + \alpha_1 (n+1) + \alpha_2 (n+1)^2 = 0$

aus. Das ist eine lineare Restriktion für die α_j. Sie kann etwa dadurch berücksichtigt werden, daß man α_0 vermöge (20) durch α_1 und α_2 ausdrückt und in (19) eliminiert. Dann brauchen nur noch die Parameter β_1, α_1 und α_2 geschätzt zu werden.

Praktische Schwierigkeiten treten bei diesem Ansatz insofern auf, als sowohl n als auch der Polynomgrad gewöhnlich nicht vorgegeben sind, sondern erst anhand der empirischen Daten bestimmt werden müssen. Hierfür sind einige Probier- und Testverfahren entwickelt worden [DHRYMES].

Anhang E: **Tabellen**

Tabelle 1. **Prozentpunkte der χ^2-Verteilung. Für die Sicherheitswahrscheinlichkeit ω (=0,025; 0,975; 0,95) werden die Quantile $\chi^2_\nu(\omega)$ (ν=Zahl der Freiheitsgrade) angegeben, die bestimmt sind durch**

$$P(\chi^2 \leqq \chi^2_\nu(\omega)) = \omega.$$

ν \ ω	0,025	0,975	0,95	ν \ ω	0,025	0,975	0,95
1	–	5.02	3.84	21	10.28	35.48	
2	0.051	7.38	5.99	22	10.98	36.78	
3	0.216	9.35	7.81	23	11.69	38.08	
4	0.484	11.14	9.49	24	12.40	39.36	
5	0.831	12.83	11.07	25	13.12	40.65	
6	1.24	14.45	12.59	26	13.84	41.92	
7	1.69	16.01	14.06	27	14.58	43.19	
8	2.18	17.53	15.51	28	15.31	44.46	
9	2.70	19.02	16.92	29	16.05	45.72	
10	3.25	20.48	18.31	30	16.79	46.98	
11	3.82	21.92		31	17.54	48.23	
12	4.40	23.34		32	18.29	49.48	
13	5.01	24.74		33	19.05	50.73	
14	5.63	26.12		34	19.81	51.97	
15	6.26	27.49		35	20.57	53.20	
16	6.91	28.85		36	21.34	54.44	
17	7.56	30.19		37	22.11	55.67	
18	8.23	31.53		38	22.88	56.90	
19	8.91	32.85		39	23.65	58.12	
20	9.59	34.17		40	24.43	59.34	

Diese Tabelle wurde mit freundlicher Genehmigung der Autoren und des Verlages entnommen aus: WETZEL, W., M.-D. JÖHNK, P. NAEVE: Statistische Tabellen. Verlag Walter de Gruyter & Co., Berlin 1967, S. 104f.

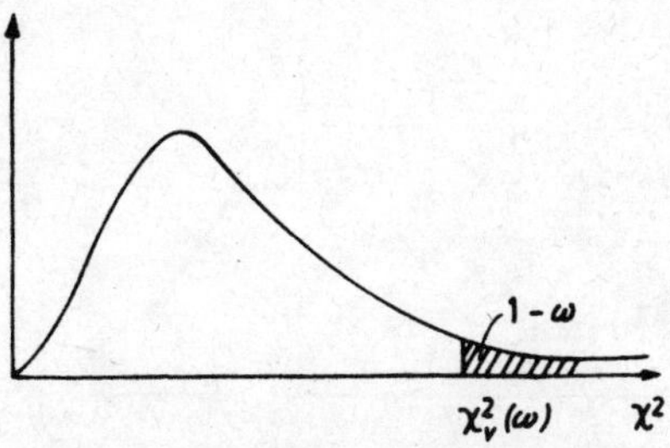

Abbildung zu Tabelle 1

Tabelle 2. Zentrale Schwankungsintervalle der t-Verteilung. Für die Sicherheitswahrscheinlichkeit ω ($=0{,}95$; $0{,}99$) werden die Quantile $t_\nu(\omega)$ ($\nu=$ Zahl der Freiheitsgrade) angegeben, die bestimmt sind durch $P(|t| \leqq t_\nu(\omega)) = P(-t_\nu(\omega) \leqq t \leqq t_\nu(\omega)) = \omega$.

ν \ ω	0,95	0,99	ν \ ω	0,95	0.99
1	12.71	63.66	26	2.056	2.779
2	4.303	9.925	27	2.052	2.771
3	3.182	5.841	28	2.048	2.763
4	2.776	4.604	29	2.045	2.756
5	2.571	4.032	30	2.042	2.750
6	2.447	3.707	31	2.040	2.744
7	2.365	3.499	32	2.037	2.738
8	2.306	3.355	33	2.035	2.733
9	2.262	3.250	34	2.032	2.728
10	2.228	3.169	35	2.030	2.724
11	2.201	3.106	36	2.028	2.719
12	2.179	3.055	37	2.026	2.715
13	2.160	3.012	38	2.024	2.712
14	2.145	2.977	39	2.023	2.708
15	2.131	2.947	40	2.021	2.704
16	2.120	2.921	50	2.009	2.678
17	2.110	2.898	75	1.992	2.643
18	2.101	2.878			
19	2.093	2.861	100	1.984	2.626
20	2.086	2.845	∞	1.960	2.576
21	2.080	2.831			
22	2.074	2.819			
23	2.069	2.807			
24	2.064	2.797			
25	2.060	2.787			

Diese Tabelle wurde mit freundlicher Genehmigung der Autoren und des Verlages entnommen aus: WETZEL, W., M.-D. JÖHNK, P. NAEVE: Statistische Tabellen. Verlag Walter de Gruyter & Co., Berlin 1967, S. 108f.

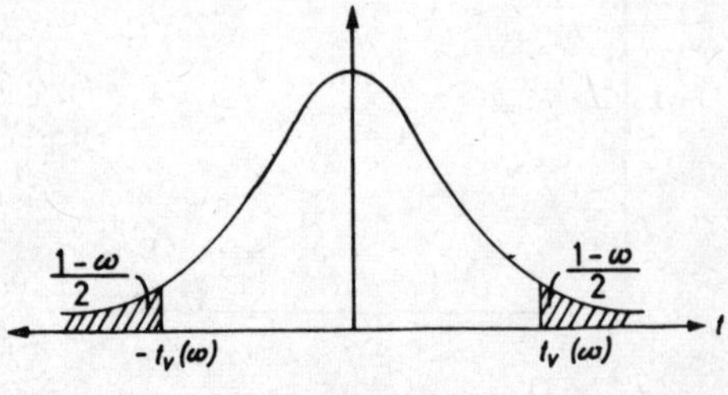

Abbildung zu Tabelle 2

Tabelle 3. Prozentpunkte der F-Verteilung. Für die Sicherheitswahrscheinlichkeit ω (a) $=0{,}95$; b) $=0{,}975$; c) $=0{,}99$) werden die Quantile $F_{\nu_2}^{\nu_1}(\omega)$ ($\nu_1, \nu_2 =$ Zahl der Freiheitsgrade) angegeben, die bestimmt sind durch $P(F \leqq F_{\nu_2}^{\nu_1}(\omega)) = \omega$.

Die untere Grenze $F_{\nu_2}^{\nu_1}(1-\omega)$ läßt sich aus den in der Tabelle zu findenden Werten wie folgt ermitteln: $F_{\nu_2}^{\nu_1}(1-\omega) = 1/F_{\nu_1}^{\nu_2}(\omega)$, wobei zu beachten ist, daß in $F_{\nu_1}^{\nu_2}(\omega)$ ν_2 als Zählerfreiheitsgrad an der Kopfseite abgelesen wird und ν_1 als Nennerfreiheitsgrad an der linken Randspalte. Ein 95%-Konfidenzintervall für $F = F_{\nu_2}^{\nu_1}$ wird daher aufgrund der folgenden Gleichung konstruiert:

$$P(1/F_{\nu_1}^{\nu_2}(0{,}975) \leqq F \leqq F_{\nu_2}^{\nu_1}(0{,}975)) = 0{,}95.$$

(Abbildung zu Tabelle 3 siehe S. 368.)

a) $\omega = 0{,}95$

ν_2 \ ν_1	1	2	3	4	5	6	7	8
1	162	200	216	225	230	234	237	239
2	18.5	19.0	19.2	19.2	19.3	19.3	19.4	19.4
3	10.1	9.55	9.28	9.12	9.01	8.94	8.89	8.85
4	7.71	6.94	6.59	6.39	6.26	6.16	6.09	6.04
5	6.61	5.79	5.41	5.19	5.05	4.95	4.88	4.82
6	5.99	5.14	4.76	4.53	4.39	4.28	4.21	4.15
7	5.59	4.74	4.35	4.12	3.97	3.87	3.79	3.73
8	5.32	4.46	4.07	3.84	3.69	3.58	3.50	3.44
9	5.12	4.26	3.86	3.63	3.48	3.37	3.29	3.23
10	4.96	4.10	3.71	3.48	3.33	3.22	3.14	3.07
11	4.84	3.98	3.59	3.36	3.20	3.09	3.01	2.95
12	4,75	3.89	3.49	3.26	3.11	3.00	2.91	2.85
13	4.67	3.81	3.41	3.18	3.03	2.92	2.83	2.77
14	4.60	3.74	3.34	3.11	2.96	2.85	2.76	2.70
15	4.54	3.68	3.29	3.06	2.90	2.79	2.71	2.64
16	4.49	3.63	3.24	3.01	2.85	2.74	2.66	2.59
17	4.45	3.59	3.20	2.96	2.81	2.70	2.61	2.55
18	4.41	3.55	3.16	2.93	2.77	2.66	2.58	2.51
19	4.38	3.52	3.13	2.90	2.74	2.63	2.54	2.48
20	4.35	3.49	3.10	2.87	2.71	2.60	2.51	2.45
21	4.32	3.47	3.07	2.84	2.68	2.57	2.49	2.42
22	4.30	3.44	3.05	2.82	2.66	2.55	2.46	2.40
23	4.28	3.42	3.03	2.80	2.64	2.53	2.44	2.37
24	4.26	3.40	3.01	2.78	2.62	2.51	2.42	2.36
25	4.24	3.39	2.99	2.76	2.60	2.49	2.40	2.34
26	4.23	3.37	2.98	2.74	2.59	2.47	2.39	2.32
27	4.21	3.35	2.96	2.73	2.57	2.46	2.37	2.31
28	4.20	3.34	2.95	2.71	2.56	2.45	2.36	2.29
29	4.18	3.33	2.93	2.70	2.55	2.43	2.35	2.28
30	4.17	3.32	2.92	2.69	2.53	2.42	2.33	2.27
100	3.94	3.09	2.70	2.46	2.31	2.19	2.10	2.03

b) $\omega = 0{,}975$

ν_2 \ ν_1	1	2	3	4	5	6	7	8	9	10	11
1	648	800	864	900	922	937	948	957	963	969	973
2	38.5	39.0	39.2	39.2	39.3	39.3	39.4	39.4	39.4	39.4	39.4
3	17.4	16.0	15.4	15.1	14.9	14.7	14.6	14.5	14.5	14.4	14.4
4	12.2	10.6	9.98	9.60	9.36	9.20	9.07	8.98	8.90	8.84	8.79
5	10.0	8.43	7.76	7.39	7.15	6.98	6.85	6.76	6.68	6.62	6.57
6	8.81	7.26	6.60	6.23	5.99	5.82	5.70	5.60	5.52	5.46	5.41
7	8.07	6.54	5.89	5.52	5.29	5.12	4.99	4.90	4.82	4.76	4.71
8	7.57	6.06	5.42	5.05	4.82	4.65	4.53	4.43	4.36	4.30	4.24
9	7.21	5.71	5.08	4.72	4.48	4.32	4.20	4.10	4.03	3.96	3.91
10	6.94	5.46	4.83	4.47	4.24	4.07	3.95	3.85	3.78	3.72	3.66
11	6.72	5.25	4.63	4.27	4.04	3.88	3.76	3.66	3.59	3.52	3.47
12	6.55	5.10	4.47	4.12	3.89	3.73	3.61	3.51	3.44	3.37	3.32
13	6.41	4.97	4.35	4.00	3.77	3.60	3.48	3.39	3.31	3.25	3.20
14	6.30	4.86	4.24	3.89	3.66	3.50	3.38	3.29	3.21	3.15	3.09
15	6.20	4.77	4.15	3.80	3.58	3.41	3.29	3.20	3.12	3.06	3.01
16	6.12	4.69	4.08	3.73	3.50	3.34	3.22	3.12	3.05	2.99	2.93
17	6.04	4.62	4.01	3.66	3.44	3.28	3.16	3.06	2.98	2.92	2.87
18	5.98	4.56	3.95	3.61	3.38	3.22	3.10	3.01	2.93	2.87	2.81
19	5.92	4.51	3.90	3.56	3.33	3.17	3.05	2.96	2.88	2.82	2.76
20	5.87	4.46	3.86	3.51	3.29	3.13	3.01	2.91	2.84	2.77	2.72
25	5.69	4.29	3.69	3.35	3.13	2.97	2.85	2.75	2.68	2.61	2.56
30	5.57	4.18	3.59	3.25	3.03	2.87	2.75	2.65	2.57	2.51	2.46

ν_2 \ ν_1	12	13	14	15	16	17	18	19	20	25	30
1	977	980	983	985	987	989	990	992	993	998	1001
2	39.4	39.4	39.4	39.4	39.4	39.4	39.4	39.4	39.4	39.5	39.5
3	14.3	14.3	14.3	14.3	14.2	14.2	14.2	14.2	14.2	14.1	14.1
4	8.75	8.71	8.68	8.66	8.63	8.61	8.59	8.58	8.56	8.50	8.46
5	6.52	6.49	6.46	6.43	6.40	6.38	6.36	6.34	6.33	6.27	6.23
6	5.37	5.33	5.30	5.27	5.24	5.22	5.20	5.18	5.17	5.11	5.07
7	4.67	4.63	4.60	4.57	4.54	4.52	4.50	4.48	4.47	4.40	4.36
8	4.20	4.16	4.13	4.10	4.08	4.05	4.03	4.02	4.00	3.94	3.89
9	3.87	3.83	3.80	3.77	3.74	3.72	3.70	3.68	3.67	3.60	3.56
10	3.62	3.58	3.55	3.52	3.50	3.47	3.45	3.44	3.42	3.35	3.31
11	3.43	3.39	3.36	3.33	3.30	3.28	3.26	3.24	3.22	3.16	3.12
12	3.28	3.24	3.21	3.18	3.15	3.13	3.11	3.09	3.07	3.01	2.96
13	3.15	3.11	3.08	3.05	3.03	3.00	2.98	2.96	2.95	2.88	2.84
14	3.05	3.01	2.98	2.95	2.92	2.90	2.88	2.86	2.84	2.78	2.73
15	2.96	2.92	2.89	2.86	2.84	2.81	2.79	2.77	2.76	2.69	2.64
16	2.89	2.85	2.82	2.79	2.76	2.74	2.72	2.70	2.68	2.61	2.57
17	2.82	2.79	2.75	2.72	2.70	2.67	2.65	2.63	2.62	2.55	2.50
18	2.77	2.73	2.70	2.67	2.64	2.62	2.60	2.58	2.56	2.49	2.44
19	2.72	2.68	2.65	2.62	2.59	2.57	2.55	2.53	2.51	2.44	2.39
20	2.68	2.64	2.60	2.57	2.55	2.52	2.50	2.48	2.46	2.40	2.35
25	2.51	2.48	2.44	2.41	2.38	2.36	2.34	2.32	2.30	2.23	2.18
30	2.41	2.37	2.34	2.31	2.28	2.26	2.23	2.21	2.20	2.12	2.07

c) $\omega = 0{,}99$

ν_2 \ ν_1	1	2	3	4	5	6	7	8
1	4052	4999	5403	5625	5764	5859	5928	5981
2	98.5	99.0	99.2	99.3	99.3	99.3	99.4	99.4
3	34.1	30.8	29.4	28.7	28.2	27.9	27.7	27.5
4	21.2	18.0	16.7	16.0	15.5	15.2	15.0	14.8
5	16.3	13.3	12.1	11.4	11.0	10.7	10.5	10.3
6	13.7	10.9	9.78	9.15	8.75	8.47	8.26	8.10
7	12.2	9.55	8.45	7.85	7.46	7.19	6.99	6.84
8	11.3	8.65	7.59	7.01	6.63	6.37	6.18	6.03
9	10.6	8.02	6.99	6.42	6.06	5.80	5.61	5.47
10	10.0	7.56	6.55	5.99	5.64	5.39	5.20	5.06
11	9.64	7.20	6.21	5.67	5.31	5.07	4.88	4.74
12	9.33	6.93	5.95	5.41	5.06	4.82	4.64	4.50
13	9.07	6.70	5.74	5.21	4.86	4.62	4.44	4.30
14	8.86	6.51	5.56	5.04	4.69	4.46	4.28	4.14
15	8.68	6.36	5.42	4.89	4.56	4.32	4.14	4.00
16	8.53	6.23	5.29	4.77	4.44	4.20	4.03	3.89
17	8.40	6.11	5.18	4.67	4.34	4.10	3.93	3.79
18	8.29	6.01	5.09	4.58	4.25	4.01	3.84	3.71
19	8.18	5.93	5.01	4.50	4.17	3.94	3.77	3.63
20	8.10	5.85	4.94	4.43	4.10	3.87	3.70	3.56
21	8.02	5.78	4.87	4.37	4.04	3.81	3.64	3.51
22	7.95	5.72	4.82	4.31	3.99	3.76	3.59	3.45
23	7.88	5.66	4.76	4.26	3.94	3.71	3.54	3.41
24	7.82	5.61	4.72	4.22	3.90	3.67	3.50	3.36
25	7.77	5.57	4.68	4.18	3.85	3.63	3.46	3.32
26	7.72	5.53	4.64	4.14	3.82	3.59	3.42	3.29
27	7.68	5.49	4.60	4.11	3.78	3.56	3.39	3.26
28	7.64	5.45	4.57	4.07	3.75	3.53	3.36	3.23
29	7.60	5.42	4.54	4.04	3.73	3.50	3.33	3.20
30	7.56	5.39	4.51	4.02	3.70	3.47	3.30	3.17
100	6.89	4.82	3.98	3.51	3.21	2.99	2.82	2.69

Die Tabellen 3a), b) und c) wurden mit freundlicher Genehmigung der Autoren und des Verlages entnommen aus: WETZEL, W., M.-D. JÖHNK, P. NAEVE: Statistische Tabellen. Verlag Walter de Gruyter & Co., Berlin 1967, S. 112, 116f., 120.

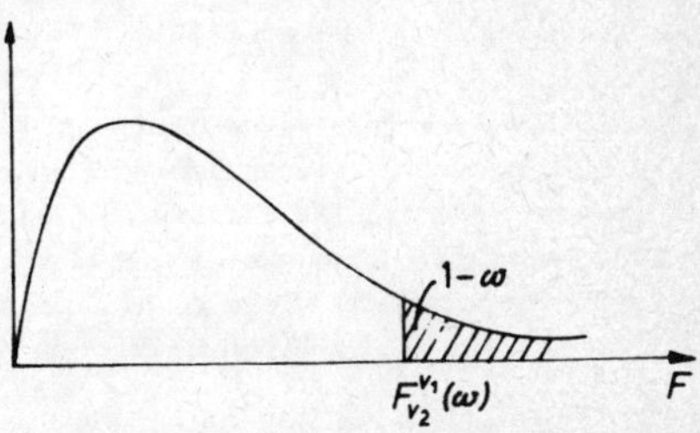

Abbildung zu Tabelle 3

Tabelle 4. THEIL und NAGAR[1].

T (Zahl der Beobachtungen)	n+1 (Zahl der zu schätzenden Parameter einschließlich absolutem Glied)				
	2	3	4	5	6
	5%	5%	5%	5%	5%
15	1.36	1.53	1.73	1.94	2.16
16	1.37	1.53	1.71	1.90	2.11
17	1.38	1.53	1.69	1.87	2.06
18	1.39	1.53	1.68	1.85	2.02
19	1.40	1.53	1.67	1.83	1.99
20	1.41	1.53	1.67	1.81	1.96
25	1.45	1.55	1.65	1.76	1.87
30	1.49	1.57	1.65	1.73	1.82
40	1.54	1.61	1.66	1.72	1.78
60	1.62	1.65	1.69	1.73	1.77

Diese Tabelle wurde mit freundlicher Genehmigung der Autoren und des Herausgebers der Zeitschrift entnommen aus: THEIL, H., A. L. NAGAR [1961, S. 802].

Tabelle 5. DURBIN und WATSON

T (Zahl der Beobachtungen)	n+1 (Zahl der zu schätzenden Parameter einschließlich absolutem Glied)									
	2		3		4		5		6	
	5%		5%		5%		5%		5%	
	d_u	d_o	d_u	d_o	d_u	d_o	d_u	d_o	d_u	d_o
15	1.08	1.36	0.95	1.54	0.82	1.75	0.69	1.97	0.56	2.21
16	1.10	1.37	0.98	1.54	0.86	1.73	0.74	1.93	0.62	2.15
17	1.13	1.38	1.02	1.54	0.90	1.71	0.78	1.90	0.67	2.10
18	1.16	1.39	1.05	1.53	0.93	1.69	0.82	1.87	0.71	2.06
19	1.18	1.40	1.08	1.53	0.97	1.68	0.86	1.85	0.75	2.02
20	1.20	1.41	1.10	1.54	1.00	1,68	0.90	1.83	0.79	1.99
25	1.29	1.45	1.21	1.55	1.12	1.66	1.04	1.77	0.95	1.89
30	1.35	1.49	1.28	1.57	1.21	1.65	1.14	1.74	1.07	1.83
40	1.44	1.54	1.39	1.60	1.34	1.66	1.29	1.72	1.23	1.79
60	1.55	1.62	1.51	1.65	1.48	1.69	1.44	1.73	1.41	1.77

Diese Tabelle wurde mit freundlicher Genehmigung der Autoren und des Herausgebers der Zeitschrift entnommen aus: DURBIN u. WATSON [1951, S. 173]. (Vgl. auch DURBIN u. WATSON [1971].) Zur Benutzung der Tabelle s. S. 187f.

[1] Die Tabelle 4 von THEIL und NAGAR gibt die untere 5%-Grenze für $d=\sum(\hat{u}_t-\hat{u}_{t-1})^2/\sum\hat{u}_t^2$ für den Fall an, daß die ersten und zweiten Differenzen in den Reihen x_{it} klein sind im Vergleich zu der Variationsbreite der Reihen x_{it}. Die Wahrscheinlichkeit am Kopf der Tabelle (5%) ist die Wahrscheinlichkeit dafür, daß d die Grenze unterschreitet, obwohl die Nullhypothese (keine Autokorrelation) besteht. Ein Unterschreiten der Grenze deutet auf *positive* Autokorrelation. Es handelt sich also um einen einseitigen Test der Nullhypothese gegen die Alternative positiver Autokorrelation.

Literatur

ACTON, F. S.: Analysis of Straight-Line Data, New York 1959.

AIGNER, D. J.: Basic Econometrics, Englewood Cliffs, N.J. 1971.

AITKEN, A. C.: Determinanten und Matrizen, Mannheim 1969, (BI-Hochschultaschenbücher Bd. 293*).

ALMON, S.: The Distributed Lag Between Capital Approximations and Expenditures, Econometrica, 33 (1965), 178—196.

ANDERSON, T. W.: On Asymptotic Distributions of Estimates of Parameters of Stochastic Difference Equations, Annals of Mathematical Statistics, 30 (1959), 676—687.

ANDERSON, T. W., H. RUBIN: Estimation of Parameters of a Single Equation in a Complete System of Stochastic Equations, Annals of Mathematical Statistics, 20 (1949), 46—63.

ARROW, K., H. B. CHENERY, B. MINHAS, R. M. SOLOW: Capital-Labor Substitution and Economic Efficiency, Review of Economics and Statistics, 43 (1961), 225—250.

BARTEN, A. P.: Consumer Demand Functions Under Conditions of Almost Additive Preferences, Econometrica, 32 (1964), 1—38.

—: Evidence on the Slutsky Conditions for Demand Equations, Review of Economics and Statistics, 49 (1967), 77—84.

—: Estimating Demand Equations, Econometrica, 36 (1968), 213—251.

BARTLETT, M. S.: Fitting a Straight Line when Both Variables are Subject to Error, Biometrics, 5 (1949), 207—212.

BASMANN, R. L.: A Generalized Classical Method of Linear Estimation of Coefficients in a Structural Equation Econometrica, 25 (1957), 77—83.

—: A Note on the Exact Finite Sample Frequency Functions of Generalized Classical Linear Estimators in Two Leading Over Identified Cases, Journal of the American Statistical Association, 56 (1961), 619—636.

—: A Note on the Exact Finite Sample Frequency Functions of Generalized Classical Linear Estimators in a Leading Three-Equations Case, Journal of the American Statistical Association, 58 (1963), 161—171.

BASSETT, L., J. MAYBEE, J. QUIRK: Qualitative Economics and the Scope of the Correspondence Principle, Econometrica, 36 (1968), 544—563.

BOX, G. E. P., D. R. COX: An Analysis of Transformations, Journal of the Royal Statistical Society, Reihe B, 26 (1964), 211—243.

BOX, G. E. P., G. M. JENKINS: Time Series Analysis, Forecasting and Control, San Francisco, Cal., 1968.

BRIDGE, J. L.: Applied Econometrics, Amsterdam—London 1971.

BRONFENBRENNER, J.: Sources and Size of Least-squares Bias in a Two Equation Model, in: HOOD and KOOPMANS [1953], 221—235.

BROWN, T. M.: Habit Persistence and Lags in Consumer Behaviour, Econometrica, 20 (1952), 355—371.

—: Simultaneous Least-squares: A Distribution Free Method of Equation System Structur Estimation, International Economic Review, 1 (1960), 173—191.

—: Specification and Uses of Econometric Models, London 1970.

CHERNOFF, H., N. DIVINSKY: The Computation of Maximum-Likelihood Estimation, in: HOOD and KOOPMANS [1953], 236—269.

CHEW, V.: Covariance Matrix Estimation in Linear Models, Journal of the American Statistical Association, 65 (1970), 173—181.

CHOW, G.C.: Tests of Equality between Sets of Coefficients in Two Linear Regressions, Econometrica, 28 (1960), 591—605.

—: A Comparison of Alternative Estimators for Simultaneous Equations, Econometrica, 32 (1964), 532—553.

CHRISHOLM, R.K., G.R. WHITAKER JR.: Forecasting Methods, Homewood, Ill., 1971.

CHRIST, C.F.: Econometric Models and Methods, New York-London 1966.

COCHRAN, W.G.: Errors of Measurement in Statistics, Technometrics 10 (1968), 637—666.

CRAGG, J.G.: On the Relative Small-Sample Properties of Several Structural-Equation Estimators, Econometrica, 35 (1967), 89—110.

CRAMÉR, H.: Mathematical Methods of Statistics, Princeton 1963.

CRAMER, J.S.: Empirical Econometrics, Amsterdam-London 1969.

DENTON, F.T., J. KUIPER: The Effect of Measurement Errors on Parameter Estimates and Forecasts: A Case Study Based on the Canadian Preliminary National Accounts, Review of Economics and Statistics, 47 (1965), 198—206.

DHRYMES, P.J.: Distributed Lags. Problems of Estimation and Formulation, San Francisco, Cal., 1971.

—: Econometrics: Statistical Foundations and Applications, New York-Evanston-London 1970.

DRAPER, N.R., H. SMITH: Applied Regression Analysis, New York-London 1966.

DUESENBERRY, J.S., G. FROMM, L.R. KLEIN, E. KUH (Hrsg.): The Brookings Quarterly Econometric Model of the United States, Chicago-Amsterdam 1965.

—: The Brookings Model: Some Further Results, Amsterdam-London-Chicago 1969.

DURBIN, J.: Estimation of Parameters in Time-Series Regression Models, Journal of the Royal Statistical Society, Reihe B, 22 (1960), 139—153.

DURBIN, J., G.S. WATSON: Testing for Serial Correlation in Least-squares Regression I, II, III, Biometrika 37 (1950), 409—428, 38 (1951), 159—178, 58 (1971), 1—19.

DWYER, P.: Linear Computations, New York 1951.

EFROYMSON, M.A.: Multiple Regression Analysis, in: Mathematical Methods for Digital Computers, Hrsg.: Ralston, A., H.S. Wilf, New York-London 1960, 191—203.

EVANS, M.K.: Macroeconomic Activity-Theory, Forecasting and Control: An Econometric Approach, New York-Evanston-London-Tokyo 1969.

EZEKIEL, M., K.A. FOX: Methods of Correlation and Regression Analysis, 3rd Ed., New York-London 1959.

FISHER, F.M.: The Identification Problem in Econometrics, New York 1966.

FISK, P.R.: Stochastically Dependent Equations: An Introductory Text for Econometricians, London 1967 (Griffin's Statistical Monographs and Courses No. 21).

FOX, K.A.: Intermediate Economic Statistics, New York-London 1968.

FOX, K.A., J.K. SENGUPTA, E. THORBECKE: The Theory of Quantitative Economic Policy with Applications to Economic Growth and Stabilization, Amsterdam-Chicago 1966.

FRASER, D.A.S., I. GUTTMAN: Tolerance Regions, Annals of Mathematical Statistics, 27 (1956), 162—179.

FRIEDMAN, M.: A Theory of the Consumption Function, Princeton 1957.

FRISCH, R., F.V. WAUGH: Partial Time Regressions as Compared with Individual Trends, Econometrica, 1 (1933), 387—401.

FROMM, G., P. TAUBMAN: Policy Simulations with an Econometric Model, Washington-Amsterdam 1968.

GEARY, R.G.: Relative Efficiency of Count of Sign Changes for Assessing Residual Autoregression in Least-squares Regression, Biometrika, 57 (1970), 123—127.

GOLDBERGER, A.S.: Econometric Theory, New York-London 1964.

—: Topics in Regression Analysis, New York-London 1968.

GOLDFELD, S.M., R.E. QUANDT: Nonlinear Methods in Econometrics, Amsterdam-London 1972.

GOLLNICK, H.: Einführung in die Ökonometrie, Stuttgart 1968.

GREEN, H.A.J.: Aggregation in Economic Analysis: An Introduction Survey, Princeton 1964.

GRENZDÖRFFER, K.: Vergleich einiger in der Ökonometrie verwendeter Schätzverfahren mittels Simulation von Drei-Gleichungssystemen, Würzburg 1969.

GRÖBNER, H.: Matrizenrechnung, Mannheim 1966, (BI-Hochschultaschenbücher Bd. 103/103a).

GROHMANN, H.: Zur Problematik der statistischen Inferenz in der empirischen Wirtschaftsforschung, Habilitationsschrift, Frankfurt 1970.

GRUBER, J.: Ökonometrische Modelle des Cowles-Commission Typs: Bau und Interpretation, Eine Einführung für Volkswirte, Betriebswirte und Agrarökonomen, Hamburg-Berlin 1968.

GUPTA, Y.P.: Statistical Estimation of Linear Economic Relationships. Distributed Lags and Simultaneous Equations, Rotterdam 1971.

HAAVELMO, T.: The Statistical Implications of a System of Simultaneous Equations, Econometrica, 11 (1943), 1—12.

—: The Probability Approach in Econometrics, Econometrica, Beiheft zu Bd. 12 (1944).

—: Methods of Measuring the Marginal Propensity to Consume, in: HOOD and KOOPMANS [1953], 75—91.

HAITOVSKY, Y.: Regression Estimation from Grouped Observations, London 1973, (Griffin's Statistical Monographs and Courses 33).

HANSEN, G.: Ein ökonometrisches Modell für die Bundesrepublik 1951—1964: Versuch der Erklärung von Wachstum und Konjunktur, Göttingen 1967, (Wirtschaftspolitische Studien No. 9).

—: Eine ökonometrische Untersuchung ausgewählter Konsumfunktionen für die Bundesrepublik. Spezifikation, Schätzung und Prognose, Göttingen 1972.

HANSEN, M.H., W.N. HURWITZ, M.A. BERSHAD: Measurement Errors in Censuses and Surveys, Bulletin de l'Institut International de Statistique, 38, 2 (1961), 359—374.

HARKEMA, R.: Simultaneous Equations. A Bayesian Approach, Rotterdam 1971.

HEESTERMAN, A.R.G.: Forecasting Models for National Economic Planning, Dordrecht 1970.

HILDRETH, C., J.P. HOUCK: Some Estimators for a Linear Model with Random Coefficients, Journal of the American Statistical Association, 63 (1968), 584—595.

HOCHSTÄDTER, D., G. UEBE: Ökonometrische Methoden, Berlin-Heidelberg-New York 1970, (Lecture Notes in Operations Research and Mathematical Systems No. 26).

HOOD, W.C., T.C. KOOPMANS (Hrsg.): Studies in Econometric Method, New York-London 1953 (Cowles Commission Monograph No. 14).

HOOPER, J.W., H. THEIL: The Extension of Wald's Method of Fitting Straight Lines to Multiple Regression, Review of the International Statistical Insitute, 26 (1958), 37—47.

HOOPER, J.W., A. ZELLNER: The Error of Forecast for Multivariate Regression Models, Econometrica, 29 (1961), 544—555.

HOUTHAKKER, H.S.: Additive Preferences, Econometrica, 28 (1960), 244—257.

HOUTHAKKER, H.S., L.D. TAYLOR: Consumer Demand in the United States, 1929—1970, Analyses and Projections, Cambridge (Mass.) 1966.

HU, T.: Econometrics. An Introductory Analysis, Baltimore, Maryland, 1973.

HURWICZ, L.: Least-squares Bias in Time Series, in: KOOPMANS [1950], 365—383.

JAHNKE, W.: Ökonometrische Untersuchungen über ein dynamisches Sektorenmodell für die Bundesrepublik Deutschland 1951—1960, Berlin 1966.

JOHNSTON, J.: Econometric Methods, New York-Toronto-London 1963, (Paperback), 2. Aufl. 1972.

JORGENSON, D.W.: Minimum Variance, Linear, Unbiased Seasonal Adjustment of Economic Time Series, Journal of the American Statistical Association, 59 (1964), 681—724.

—: Anticipations and Investment Behavior, in: DUESENBERRY u.a. [1965], 35—92.

JUDGE, G.G., T. TAKAYAMA: Inequality Restrictions in Regression Analysis, Journal of the American Statistical Association, 61 (1966), 166—181.

KANE, E.J.: Economic Statistics and Econometrics: An Introduction to Quantitative Economics, New York-Evanston-London 1968.

KIRNER, W.: Zeitreihen für das Anlagevermögen der Wirtschaftsbereiche in der Bundesrepublik Deutschland, Berlin 1968, (DIW-Beiträge zur Strukturforschung Heft 5).

KLEIN, L. R.: Economic Fluctuations in the United States, 1921—1941, New York-London 1950, (Cowles Commission Monograph No. 11).

—: A Textbook of Econometrics, Evanston 1956.

—: An Introduction to Econometrics, Englewood Cliffs 1962 (Deutsche Übersetzung: Einführung in die Ökonometrie, Düsseldorf 1969).

—: Estimation of Interdependent Systems in Macroeconometrics, Econometrica, 37 (1969), 171—192.

KLEIN, L. R., A. S. GOLDBERGER: An Econometric Model of the United States, 1929—1952, Amsterdam 1955.

KLEIN, L. R., R. J. BALL, A. HAZLEWOOD, P. VANDOME: An Econometric Model of the United Kingdom, Oxford 1961.

KLEIN, L. R., Y. SHINKAI: An Econometric Model of Japan, 1930—59, International Economic Review, 4 (1963), 1—28.

KLINGST, A.: Einführung in die Matrizenrechnung, in: Anwendungen der Matrizenrechnung auf wirtschaftliche und statistische Probleme, Hrsg.: A. Adam u.a. Würzburg 1963, 9—73.

KLOEK, T., L. B. M. MENNES: Simultaneous Equations Estimation Based on Prinicpal Components of Predetermined Variables, Econometrica, 28 (1960), 45—61.

KMENTA, J.: Elements of Econometrics, New York-London 1971.

KÖNIG, H., V. TIMMERMANN: Ein ökonometrisches Modell für die Bundesrepublik Deutschland 1950—1960, Zeitschrift für die gesamte Staatswissenschaft, (1962), 598—652.

KÖNIG, H., J. WOLTERS: Über den Zusammenhang zwischen kurz- und langfristigem Zinssatz: Eine Spektralanalyse der westdeutschen Zinsstruktur, Zürich 1969.

KOERTS, J., A. P. J. ABRAHAMSE: On the Theory and Application of the General Linear Model, Rotterdam 1969.

KOOPMANS, T. C., W. C. HOOD: The Estimation of Simultaneous Linear Economic Relationships, in: HOOD and KOOPMANS [1953], 112—199.

KOOPMANS, T. C. (Hrsg.) Statistical Inference in Dynamic Economic Models, New York-London 1950, (Cowles Commission Monograph Nr. 10).

KOUTSOYIANNIS, A.: Theory of Econometrics. An Introductory Exposition of Econometric Methods, London 1973.

KOYCK, L. M.: Distributed Lags and Investment Analysis, Amsterdam 1954.

KRELLE, W.: Erfahrungen mit einem ökonometrischen Prognosemodell für die Bundesrepublik Deutschland, Meisenheim am Glan 1974, (Mathematical Systems in Economics 12).

KRELLE, W., H. P. KÜNZI: Nichtlineare Programmierung, Berlin-Göttingen-Heidelberg 1962.

KRELLE, W., D. BECKERHOFF, H. G. LANGER, H. FUSS: Ein Prognosesystem für die wirtschaftliche Entwicklung der Bundesrepublik Deutschland, Meisenheim 1969.

KREYSZIG, E.: Statistische Methoden und ihre Anwendungen, Göttingen 1965.

KUH, E., J. R. MEYER: Correlation and Regression Estimates when the Data are Ratios, Econometrica, 23 (1955), 400—416.

KUH, E., R. L. SCHMALENSEE: An Introduction to Applied Macroeconomics, Amsterdam-London-New York, 1973.

LANCASTER, T.: A Note on "Errors in Variables" Model, Journal of the American Statistical Association, 61 (1966), 128—135.

LEBERGOTT, S.: The Labor Force and Marriages as Ednogenous Factors, in: DUESENBERRY u.a. [1965], 335—371.

LESER, C. E. V.: Econometric Techniques and Problems, London 1966, (Griffin's Statistical Monographs and Courses No. 20).

LINDGREN, B. W.: Statistical Theory, New York-London 1963.

LINDLEY, D. V.: Introduction to Probability and Statistics From a Bayesian Viewpoint, (2 Bände), Cambridge 1965.

LIU, T. C.: Underidentification, Structural Estimation, and Forecasting, Econometrica, 28 (1960), 855—865.

LÜDEKE, D.: Ein ökonometrisches Vierteljahresmodell für die Bundesrepublik Deutschland, Tübingen 1969.

MALINVAUD, E.: Statistical Methods of Econometrics, Amsterdam 1966.

MANDELBROT, B.: New Methods in Statistical Economics, Journal of Political Economy, 71 (1963a), 421—440.

—: The Variation of Certain Speculative Prices, Journal of Business, 36 (1963b), 394—419.

MARQUARDT, W., W. STRIGEL: Der Konjunkturtest: Eine neue Methode der Wirtschaftsbeobachtung, Berlin-München 1959, Schriftenreihe des Ifo-Instituts für Wirtschaftsforschung Nr. 38.

MENGES, G.: Zur stochastischen Grundlegung der Ökonometrie, Zeitschrift für die gesamte Staatswissenschaft, 115 (1959), 611—625.

—: Ökonometrie, Wiesbaden 1961.

—: Die ökonometrische Struktur und die Frage ihrer Konstanz, in: Strukturwandlungen einer wachsenden Wirtschaft, Hrsg. F. Neumark, Berlin 1964, (Schriften des Vereins für Sozialpolitik, NF 30/II), 989—1004.

—: Statistik, Bd. 1: Theorie, Köln-Opladen 1968.

MERKIES, A. H. Q. M.: Selection of Models by Forecasting Intervals, Dordrecht 1973.

MINCER, J. (Hrsg.): Economic Forecasts and Expectations. Analyses of Forecasting Behavior and Performance, New York-London 1969.

MOORE, H. L.: Economic Cycles: Their Law and Cause, New York 1914.

MORGENSTERN, O.: Über die Genauigkeit wirtschaftlicher Beobachtungen, (2. Auflage), Wien-Würzburg 1965.

MORISHIMA, M., Y. MURATA, T. NOSSE, M. SAITO: The Working of Econometric Models, Cambridge 1972.

MOSBAEK, E. J., H. WOLD: Interdependent Systems, Structure and Estimation, Amsterdam 1970 (mit Beiträgen von E. LYTTKENS, A. ÅGREN und L. BODIN).

MUENNICH, F. E.: Verallgemeinerung eines Tests von CHOW, Statistische Hefte, 11 (1970), 153—159.

NAGAR, A. G.: The Bias and Moment Matrix of the General k-Class Estimators of the Parameters in Simultaneous Equations, Econometrica, 27 (1959), 575—595.

—: Double k-Class Estimators of Parameters in Simultaneous Equations and Their Small Sample Properties, International Economic Review, 3 (1962), 168—188.

NAKAMURA, M.: A Note on the Consistency of Simultaneous Least-squares Estimation, International Economic Review 1 (1960), 192—197.

NERLOVE, M.: Distributed Lags and Demand Analysis for Agricultural and Other Commodities, Agriculture Handbook 141, U.S. Department of Agriculture, 1958.

—: A Tabular Survey of Macro-Econometric Models, International Economic Review, 7 (1966), 127—175.

OTT, A. E.: Einführung in die dynamische Wirtschaftstheorie, Göttingen 1963.

PLACKETT, R. L.: Regression Analysis, Oxford 1960.

QUANDT, R. E.: On Certain Small Sample Properties of k-Class Estimators, International Economic Review, 6 (1965), 92—104.

RAMSEY, J. B.: Tests for Specification Errors in Classical Linear Least-squares Regression Analysis, Journal of the Royal Statistical Society, Reihe B, 31 (1969), 350—371.

RAO, C. R.: Linear Statistical Inference and Its Applications, New York 1965.

—: Estimation of Heteroscedastic Variances in Linear Models, Journal of the American Statistical Association, 65 (1970), 161—172.

RAO, P., R. L. MILLER: Applied Econometrics, Belmont, Cal., 1971.

REICHARDT, H.: Statistische Methodenlehre für Wirtschaftswissenschaftler, Bielefeld 1969.

RICHARD, J.-F.: Posterior and Predictive Densities for Simultaneous Equation Models, Berlin-Heidelberg-New York 1973, (Lecture Notes in Economics and Mathematical Systems 90).

RICHTER, R., U. SCHLIEPER, W. FRIEDMANN: Makroökonomik. Eine Einführung, Berlin-Heidelberg-New York 1973.

ROTHENBERG, T.J., C.T. LEENDERS: Efficient Estimation of Simultaneous Equation Systems, Econometrica, 32 (1964), 57—76.

ROTHSCHILD, K.W.: Wirtschaftsprognose. Methoden und Probleme, Berlin-Heidelberg-New York 1969.

RUTEMILLER, H.C., D.A. BOWERS: Estimation in a Heteroskedastic Regression Model, Journal of the American Statistical Association, 63 (1968), 552—557.

SAMUELSON, P.A.: Foundations of Economic Analysis, Cambridge (Mass.) 1963.

SAVAGE, L.J.: The Foundations of Statistics, New York-London 1954.

SCHLOENBACH, K.: Ökonometrische Analyse der Lohn- und Arbeitsmarktentwicklung in der Bundesrepublik Deutschland 1957—1968. Eine Erweiterung des „Bonner Prognosemodells", Meisenheim am Glan 1972.

SCHMETTERER, L.: Einführung in die mathematische Statistik, 2. Aufl., Wien-New York 1966.

SCHMIDT, E.: Dynamische Analyse und kurzfristige Prognose der Nachfrage nach einzelnen Verbrauchsgütern — Dargestellt am Beispiel der Nachfrage nach Fleisch, Meisenheim am Glan 1972.

SCHMIDT, U.: Zum Prognoseproblem in der Wirtschaftswissenschaft, Erlangen 1971.

SCHÖNFELD, P.: Methoden der Ökonometrie, Bd. I: Lineare Regressionsmodelle, Berlin-Frankfurt 1969. Bd. II: Stochastische Regressoren und simultane Gleichungen, München 1971.

SCHRADER, H.: Produktionsfunktionen des Agrarsektors. Konzept, Schätzung und Anwendung, Meisenheim am Glan 1973.

SCHULTZ, H.: The Theory and Measurement of Demand, Chicago 1938.

SEARLE, S.R., W.H. HAUSMAN: Matrix Algebra for Business and Economics, New York-London 1970.

SEIBT, H.: Schätzung und Prognose bei simultanen Gleichungsmodellen: Eine Monte Carlo-Untersuchung, Göttingen 1968, (Wirtschaftspolitische Studien 15).

SILVEY, S.D.: Multicollinearity and Imprecise Estimation, Journal of the Royal Statistical Society, Reihe B, 31 (1969), 539—552.

SIMON, H.: Causal Ordering and Identifiability, in: HOOD and KOOPMANS [1953], 49—74.

SOLOW, R.M.: On a Family of Lag Distributions, Econometrica, 28 (1960), 393—406.

STAUDTE, A.: Die Permanent-Income-Hypothese. Eine empirische Untersuchung für die Bundesrepublik, Meisenheim am Glan 1973.

STEELE, J.L.: The Use of Econometric Models by Federal Regulatory Agencies, Lexington, Mass.-Toronto-London 1971.

STOBBE, A.: Volkswirtschaftliches Rechnungswesen, Berlin-Heidelberg-New York 1966.

STONE, J.R.N.: The Measurement of Consumers' Expenditure and Behaviour in the United Kingdom, 1920—1938, Bd. 1, Cambridge 1954a.

—: Linear Expenditure Systems and Demand Analysis: An Application to the Pattern of British Demand, The Economics Journal, 64 (1954b), 511—527.

STRIGEL, W.: Methoden und Nutzen der Ifo-Testverfahren für Unternehmensführung und Wirtschaftspolitik, Ifo-Schnelldienst 20 (1967), Heft 29/30, 27—36.

SUITS, D.B.: Forecasting and Analysis with an Econometric Model, American Economic Review, 52 (1962), 104—132.

SUMMERS, R.: A Capital Intensive Approach to the Small Sample Properties of Various Simultaneous Equation Estimatiors, Econometrica, 33 (1965), 1—41.

SWAMY, P.A.V.B.: Statistical Inference in Random Coefficient Regression Models, Berlin-Heidelberg-New York 1971, (Lecture Notes in Operations Research and Mathematical Systems 55).

THEIL, H.: A Rank-Invariant Method of Linear and Polynomial Regression Analysis I, II, and III, Indagationes Mathematicae, 12 (1950), 85—91, 173—177 and 467—482.

—: Estimation and Simultaneous Correlation in Complete Equation Systems, Den Haag 1953.

—: Linear Aggregation of Economic Relations, Amsterdam 1954.

—: Economic Forecasts and Policy, 2. Aufl., Amsterdam 1961.

—: On the Use of Incomplete Prior Information in Regression Analysis, Journal of the American Statistical Association, 58 (1963), 401—414.

—: The Analysis of Disturbances in Regression Analysis, Journal of the American Statistical Association, 60 (1965), 1067—1079.

—: Applied Economic Forecasting, Amsterdam 1966.

—: A Simplification of the BLUS Procedure for Analysing Regression Disturbances, Journal of the American Statistical Association, 63 (1968), 242—251.

—: Principles of Econometrics, Amsterdam-London 1971.

THEIL, H., A. L. NAGAR: Testing the Independence of Regression Disturbances, Journal of the American Statistical Association, 56 (1961), 793—806.

TINBERGEN, J.: Statistical Testing of Business-Cycle Theories, Bd. I: A Method and its Application to Investment Activity, Bd. I: Business Cycles in the United States of America, 1919—1932, Genf 1939.

—: Einführung in die Ökonometrie, Wien-Stuttgart 1952.

TINTNER, G.: Handbuch der Ökonometrie, Berlin-Göttingen-Heidelberg 1960.

UEBE, G.: Ein lineares makroökonomisches Modell für die Bundesrepublik Deutschland, Unveröffentlichtes Diskussionspapier 1970.

VALAVANIS, S.: Econometrics, An Introduction to Maximum Likelihood Methods, New York-Toronto-London 1959.

VAN DE GEER, J.P.: Introduction to Multivariate Analysis for Social Sciences, San Francisco 1971.

VAN DER WERF, D.: A Linear Model to Forecast Short Term Movements in the Western German Economy, Vortrag, gehalten auf der europäischen Tagung der Econometric Society in Amsterdam 1968.

WAGNER, H.M.: A Monte Carlo Study of Estimates of Simultaneous Linear Structural Equations, Econometrica, 26 (1958), 117—133.

WALD, A.: The Fitting of Straight Lines if Both Variables are Subject to Error, Annals of Mathematical Statistics, 11 (1940), 284—300.

WALLIS, W.A.: Tolerance Intervals for Linear Regression, in: Proceedings of the Second Berkeley Symposium on Mathematical Statistics and Probability, Hrsg.: J. Neyman, Berkeley 1951, 43—51.

WALTERS, A.A.: Production and Cost Functions: An Econometric Survey, Econometrica 31 (1963), 1—66.

—: An Introduction to Econometrics, London 1968.

WETZEL, W., M. JÖHNK, P. NAEVE: Statistische Tabellen, Berlin 1967.

WETZEL, W., H. SKARABIS, P. NAEVE: Mathematische Propädeutik für Wirtschaftswissenschaftler, Bd. I: Lineare Algebra, Berlin 1968.

WOLD, H.O.A.: Statistical Estimation of Economic Relationships, Econometrica, Beiheft zu Bd. 17, 1949.

—: Causality and Econometrics, Econometrica, 22 (1954), 162—177.

WOLD, H.O.A., L. JURÉEN: Demand Analysis: A Study in Econometrics, New York-Stockholm 1962.

WONNACOTT, R.J., T.H. WONNACOTT: Econometrics, New York-London-Sidney-Toronto 1970.

WORRING, E.J.: What do "Statistical Demand" Curves Show?, Quarterley Journal of Economics, 41 (1927), 212—235.

YOSHIHARA, K.: Demand Functions: An Application to the Japanese Expenditure Pattern, Econometrica, 37 (1969), 257—274.

ZAREMBKA, P.: Functional Form in the Demand for Money, Journal of the American Statistical Associations, 63 (1968), 502—511.

ZARKOVICH, S. S.: Quality of Statistical Data, Rom 1966, (Hrsg.: Food and Agriculture Organisation of the United Nations (FAO)).

ZELLNER, A.: An Efficient Method of Estimating Seemingly Unrelated Regressions and Tests for Aggregation Bias, Journal of the American Statistical Association, 57 (1962), 348—368.

—: An Introduction to Bayesian Inference in Econometrics, New York-London-Sydney-Toronto 1971.

ZELLNER, A., H. THEIL: Three-Stage Least-squares: Simultaneous Estimation of Simultaneous Equations, Econometrica, 30 (1962), 54—78.

ZURMÜHL, R.: Matrizen und ihre technischen Anwendungen, Berlin-Göttingen-Heidelberg 1964.

Verzeichnis der Abbildungen

Autorenverzeichnis

Sachverzeichnis